Knaur.

Über die Autorin:
Tanja Kinkel, geboren 1969 in Bamberg, gewann bereits mit 18 Jahren ihre
ersten Literaturpreise. Sie studierte und promovierte in München. 1992
gründete sie die Kinderhilfsorganisation *Brot und Bücher e.V.* Tanja
Kinkels Romane wurden in mehr als ein Dutzend Sprachen übersetzt;
sie spannen den Bogen von der Gründung Roms bis zum Amerika des
21. Jahrhunderts. Zu ihren bekanntesten Werken gehören *Die Puppen-
spieler, Mondlaub, Die Schatten von La Rochelle, Die Söhne der Wölfin,
Götterdämmerung, Venuswurf, Säulen der Ewigkeit* und *Im Schatten der
Königin.*
Mehr Informationen über Tanja Kinkel und ihre Romane finden sich auf
ihrer Homepage: www.tanja-kinkel.de

Tanja Kinkel

DAS SPIEL DER NACHTIGALL

Roman

Knaur Taschenbuch Verlag

Illustrative Elemente in der Karte:
CORBIS / Bettmann (Windrose);
Shutterstock (Borte)
Karte: Computerkartographie Carrle

Besuchen Sie uns im Internet:
www.knaur.de

Vollständige Taschenbuchausgabe November 2012
© 2011 Droemer Verlag
Ein Unternehmen der Droemerschen Verlagsanstalt
Th. Knaur Nachf. GmbH & Co. KG, München
Alle Rechte vorbehalten. Das Werk darf – auch teilweise –
nur mit Genehmigung des Verlags wiedergegeben werden.
Umschlaggestaltung: ZERO Werbeagentur, München
Umschlagabbildung: Gettyimages / superstock /
Page from Gutenberg Bible, illuminated manuscript;
FinePic®, München
Satz: Daniela Schulz, Puchheim
Druck und Bindung: CPI – Clausen & Bosse, Leck
Printed in Germany
ISBN 978-3-426-63632-9

2 4 5 3

Dramatis Personae

Wien

Walther von der Vogelweide: Held des Romans, Minnesänger

Markwart: sein Jugendfreund

Herzog Leopold von Österreich: in seiner Ehre gekränkter Fürst

Friedrich und Leopold von Österreich: seine Söhne, nach ihm Herzöge

Helena von Ungarn: Herzogin von Österreich, mit einem Geheimnis

Mathilde: Wirtin mit unerwarteten Gästen

Reinmar: Minnesänger aus dem Elsass, Kampfgefährte des alten Herzogs

Wolfger von Passau: ehrgeiziger Bischof mit Sinn für Dichtung

Salomon: Münzmeister in Wien, Judiths Vetter

Otto von Poitou: Geisel für seinen Onkel Richard Löwenherz, Welfenerbe

Köln

Judith: Heldin des Romans, Ärztin

Stefan: ihr zum Christentum konvertierter Onkel, Weinhändler

Paul: sein Sohn

Adolf von Altena: Erzbischof von Köln mit dem Recht, Könige zu krönen

Gilles: ein Aquitanier, arbeitet für Stefan

Hagenau

Philipp von Schwaben: jüngster Sohn des Kaisers Friedrich I., genannt Barbarossa, und Bruder Kaiser Heinrichs VI.

Heinz von Kalden: Reichshofmarschall

Irene von Byzanz: Tochter des Kaisers Isaak Angelos, später Philipps Gemahlin

Beatrix: Irenes und Philipps älteste Tochter

Salerno
Salvaggia: Judiths erste Patientin
Meir ben Eleasar: Augenarzt, ist als Judiths Ehemann vorgesehen
Lucia: Judiths Magd
Francesca von Bologna: Judiths Lehrerin

Thüringen
Hermann von Thüringen: wetterwendischer und dabei sehr erfolgreicher Landgraf
Dietrich von Meißen: Markgraf, sein Schwiegersohn
Jutta: Hermanns Tochter, Dietrichs Gemahlin

Freiburg im Breisgau
Herzog Berthold von Zähringen: der Krone würdig, aber nicht um jeden Preis

Braunschweig
Maria: Besitzerin eines Badehauses, Dirne, Judiths Patientin und spätere Freundin
Heinrich von Braunschweig: Pfalzgraf, Welfe, älterer Bruder Ottos und von diesem übervorteilt
Agnes von Hohenstaufen: Pfalzgräfin, Heinrichs Gemahlin, Philipps Base

Würzburg
Konrad von Querfurt: Bischof von Würzburg, Jugendfreund des Papstes, Philipps Kanzler
Botho von Ravensburg: Konrads Dienstmann, Heinz von Kaldens Neffe

Bamberg
Eckbert von Andechs: Fürstbischof aus der mächtigen Familie der Andechs-Meranier
Berthold von Andechs: sein jüngerer Bruder, Dompropst
Gertrud von Ungarn: ihre Schwester, Königin von Ungarn
Georg: Kreuzritter mit verhängnisvollem Wien-Aufenthalt

Sizilien
Diepold von Schweinspeunt: mächtiger deutscher Adliger
Friedrich von Sizilien: Sohn Kaiser Heinrichs VI. und Konstanzes von Sizilien, Staufererbe

Brüssel
Mathilde von Brabant: stolze und ehrgeizige Gemahlin des Herzogs
Marie: ihre älteste Tochter und Erbin

PROLOG
AUFGESANG

21. Dezember 1192
Erdberg bei Wien

Am gleichen Tag, als Walther zum ersten Mal in seinem Leben einem Herzog und einem König begegnete, seine Fertigkeit entdeckte, wildfremde Menschen zu beeinflussen, und Gold in seinen Händen hielt, schlief er auch zum ersten Mal mit einer Frau.

Soweit er wusste, war er noch lange keine zwanzig Jahre alt, obwohl er sich für älter ausgab, um Eindruck auf die Leute zu machen. Zum Glück hatte er kein rundes Kindergesicht, sondern eines, das mit seiner Raubvogelnase, den schmalen Lippen und der hohen Stirn ohnehin ein paar Jahre reifer wirkte. In ein paar Tagen würde das Weihnachtsfest gefeiert werden, und er hatte erneut alle Hände voll zu tun, seinen besten Freund Markwart zu überreden, nicht kurz vor ihrem ersten großen Ziel einen Rückzieher zu machen, nur, weil sie die letzte Nacht in einem Stall hatten verbringen müssen. Schließlich war das nicht ihre Schuld gewesen: Ihr mühsam Erspartes hätte noch gereicht für eine warme Bank im Gasthof zum Bunten Ochsen, oder sogar für einen Strohsack in einem der Gemeinschaftszimmer. Aber dann war der angebliche Kaufmann erschienen, dem man den feinen Herrn schon von weitem an der hocherhobenen Nase ablas, und hatte kurzerhand für sich und sein Gefolge alle Zimmer verlangt, was bedeutete, dass die Wirtin die anderen Gäste in den Schankraum umquartieren musste. Für Walther und Markwart war nur noch der Stall geblieben.

»Daran kannst du erkennen, dass dir niemand den *Herrn Walther* abnimmt«, sagte Markwart klagend, während sie sich gegenseitig die Überröcke abklopften. Im Stall war es warm gewesen, zugestanden, aber wenn Walther damit zufrieden gewesen wäre, mit Kühen, Pferden und Ziegen zu übernachten, hätte er auch daheimbleiben können. Immerhin war er so schlau gewesen, sein Festtagsgewand im sorgfältig zugeschnürten Ranzen zu lassen; auf dem grauen Leinen, das er wie die meisten Leute an den Wochentagen trug, sah man den Dreck nicht so schnell. »Ob du nun einen angeblichen Knappen dabeihast oder nicht«, fuhr Markwart fort, »dir steht der Hungerleider auf der Stirn geschrieben.«

»Unsinn«, entgegnete Walther kurz angebunden. Markwart war schnell wehleidig; seine ständigen Beschwerden glichen Mühlrädern, klapp, klapp, klapp, immer dasselbe. Andererseits gab es fast nichts, zu dem Walther ihn nicht überreden konnte. Wenn es hart auf hart ging, hatte Markwart ihn noch nie im Stich gelassen. *Lass uns unser Glück am Hof zu Wien versuchen* war bei Markwart zunächst auf Einwände gestoßen, die alle mit »aber« begannen, doch etwas Geld für die Reise hatte er trotzdem zusammengebracht. Das Pferd, das sie sich teilten, kam zwar von Walthers Vater, doch das Sattelzeug von Markwart. Er hatte sogar geschluckt, dass er den Knappen spielen musste, obwohl es nicht einfach war, ihm das zu vermitteln: »Spielmänner haben keine Knappen. Wenigstens keine, die ich je gesehen habe.«

»Eben. Ich will kein Spielmann werden, sondern ein Minnesänger. Das sind Herren, die an den Höfen der Mächtigen weilen, verstehst du? Und die brauchen Knappen, damit man sie als Herren erkennt.«

»*Herr* Walther«, murrte Markwart jetzt, während sie den Schankraum betraten, um sich für ihre ehrlichen Pfennige wenigstens ordentlich zu sättigen. »Herr Walther vom Eselsmist, mehr glaubt man dir nicht. Und dafür haben wir Bayern verlassen! Warum kann eigentlich nicht ich Herr Markwart sein und du mein Spielmann? Schließlich habe ich, im Gegensatz zu dir, schon bei Frauen gelegen«, spielte er seinen liebsten Trumpf aus, »während du noch keine Ahnung von diesen Spielchen hast.«

Ich warte eben noch auf eine Meisterin, dachte Walther, kein Küken, das genauso neugierig ist wie ich und mir nicht zeigen kann, was ich zu tun habe, um uns beide glücklich zu machen. Ich will mich nicht blamieren wie du und hören, ich solle keine Butter mit ihren Brüsten schlagen, oder nicht in ihren Bauch beißen, wie in einen harten Apfel. Für mich muss es etwas Besonderes sein. Ich will Lippen spüren, die so zart sind, dass man sie außer mit den eignen nur mit der Zunge berühren kann, und ich will wissen, warum die eine Frau Angst vor den Männern hat, die nächste aber glänzende Augen bekommt, wenn sie an die vergangene Nacht denkt. Aber hier und jetzt war nicht die Zeit für Schwärmereien. »Weil du nicht weißt, was du tun willst, wenn sie uns erst bei Hofe aufnehmen, außer die großen Herren und ihre Damen anzustaunen. Doch was ich will, das weiß ich ganz genau«, gab Walther zurück und versuchte, den Blick der Wirtin auf sich zu ziehen. Sie war eine Witwe, die den Bunten Ochsen mit ihren Söhnen betrieb, von denen der ältere gewiss so alt wie Walther und Markwart war. Das sah man ihr allerdings kaum an: Die Grübchen in ihren runden Wangen zeigten nur, dass sie gerne lachte, und der Busen war, soweit sich das unter ihrem Hemd und dem Oberrock erkennen ließ, noch üppig und fest. An der Art, wie sie die Hände auf die Hüften stemmte, um einen Gast anzufahren, der sich immer noch auf der Bank lang gestreckt hatte, statt Platz für die anderen Gäste zu machen, die nun in den Schankraum drängten, konnte man sehen, dass auch der Rest ihrer Gestalt und ihres Wesens nicht von Traurigkeit bestimmt war.

Markwart war Walthers Blicken gefolgt und gab ihm einen Rippenstoß. »Die könnte deine Mutter sein.«

Walther grinste. »Nicht, wenn ich zweiundzwanzig bin.«

»Zweiund… Walther, gestern waren es noch neunzehn Jahre und die schon übertrieben!«

»Nun und? Zweiundzwanzig ist besser.«

»Du bist verrückt«, stellte Markwart fest. »Ich bleibe jedenfalls achtzehn Jahre.«

»Deswegen bist du ja auch mein Knappe«, sagte Walther gönnerhaft. »Die sind immer jünger als ihre Herren.«

Markwart versetzte ihm einen heftigeren Rippenstoß, gerade, als die Wirtin endlich in ihre Richtung schaute, was dazu führte, dass er sich krümmte und aufächzte, statt ihren Blick inniglich erwidern zu können. Sie wies mit dem Kinn zu dem Tisch, an dem bereits zwei Mönche saßen, und wandte sich wieder ab.

»Danke«, sagte Walther mit saurer Miene zu Markwart. Sie begaben sich zu den Mönchen, die ihrer Aussprache nach nicht aus der Gegend stammten. Stattdessen schwadronierten sie in einem Deutsch, das aus jedem zweiten *s* ein *sch* machte, darüber, ob es wohl eine größere Sünde sei, mit einer schönen oder einer hässlicheren Frau zu schlafen. Einer von beiden brachte vor, dass der größere Genuss bei einer schönen Frau auch einen höheren Grad von Sünde bedeute, während der andere ihm entgegenhielt, da eine schöne Frau einem Mann eher die Sinne raube als eine hässliche, sei er für seine Taten nicht mehr voll verantwortlich und daher auch kein so großer Sünder. Walther, der sich wünschte, die Wirtin hätte etwas länger zu ihm herübergeblickt, fragte ein wenig spöttisch: »Sprecht Ihr nicht in einem wie im anderen Fall wie ein Weinkenner, der nie einen Tropfen gekostet hat, Brüder? Denn wenn nicht, dann spielt es keine Rolle, was die größere Sünde ist, denn gesündigt hättet Ihr allemal.«

Markwart barg sein Gesicht in den Händen.

»Junger Mann«, entgegnete der eine Mönch grimmig, »ich kann dir sagen, welche Sünde *du* als erste zu beichten hast, wenn du das nächste Mal eine Kirche von innen siehst – mangelnde Achtung und respektlose Reden wider die Diener des Herrn!«

»Ich bin nicht derjenige an diesem Tisch, der Demut gelobt hat«, sagte Walther. Der Mönch versetzte ihm eine Kopfnuss. Das hatten die Lehrer in der Klosterschule, die ihm Lesen, Schreiben, Rechnen und ein wenig Latein beigebracht hatten, ständig getan, und es wäre den Spaß mit den zwei Mönchen wert gewesen, doch aus den Augenwinkeln erkannte Walther, dass die Wirtin wieder zu ihrem Tisch herüberblickte. Sofort setzte er sich etwas gerader und sagte so würdig wie möglich: »Sünder oder nicht? Das ist nach Eurem Gerede doch keine Frage mehr. Ihr hättet in der Beichte die Sünden vergeben, nicht aber den Sünderinnen als Buße aufgeben sollen, das Gebeichtete mit Euch gleich wieder neu zu begehen. Ich jedenfalls bin ein Mann von Stand, Mönch, und Ihr werdet mich als solchen behandeln.«

Wenn Markwart noch tiefer in sich zusammen hätte sinken können, dann wäre er von der Bank gerutscht. Walther trat ihm auf den Fuß. Schließlich war es die Aufgabe von Knappen, die Ehre ihrer Herren zu verteidigen.

Die beiden Mönche starrten ihn einen Herzschlag sprachlos an, dann bliesen sie in seltener Einmütigkeit die Backen auf und lachten. Das erzürnte Walther mehr, als er es für möglich gehalten hatte. Immerhin hatte er es in seiner neuen Rolle bis hierher geschafft, weniger als eine halbe Tagesreise vor Wien. Er war nicht mehr der Junge, der keine bessere Zukunft vor sich hatte als die, in seines Vaters Fußstapfen zu treten. Außerdem war es keine wirkliche Lüge: Sein Vater war kein einfacher Bauer, er war ein Zöllner. Das machte ihn zu einem der Ministerialen, welche mit etwas Glück – oder genügend Phantasie, neue einträgliche Zölle oder Steuern für ihren Herzog zu erfinden – häufig mit dem Ritterstand belohnt und zu einem Mann von Stand wurden. Wenn der augenblickliche Stand nicht ganz so hoch war, wie seine Worte es klingen ließen, was tat das?

Wenn du noch nicht einmal zwei Mönche und eine Wirtin überzeugen kannst, sagte eine Stimme in Walther, die verdächtig wie die Markwarts klang, *dann wird dir auch der Herr Reinmar keinen Herzschlag lang Gehör schenken und dich nicht zu seinem Schüler machen, wie du dir das erhoffst. Er wird dich umgehend hinauswerfen.*

»Ihr wollt Männer Gottes sein«, sagte Walther und zwang sich, so laut wie möglich zu sprechen, wie bedeutende Männer nach seiner Meinung eben sprachen, die nie Rücksicht auf andere Menschen im Raum nehmen mussten, »und geht doch nur nach dem Augenschein. Mein Knappe und ich mögen keinen eitlen Firlefanz tragen und bescheiden reisen …« In diesem Moment betrat der hochnäsige Herr, der alle Räume in Beschlag gelegt hatte, samt seines Anhangs den Schankraum. Walther holte tief Luft. »… ganz anders als dieser Kerl da!« Er deutete auf den Mann, der mit seinem feingewebten blauen Mantel eher zu reich als zu arm für einen Kaufmann wirkte. »Aber wer sagt euch allen denn, dass ihm auch nur die Kleider gehören, die er am Leibe trägt? Kennt ihr ihn besser als mich? Ihr habt keinen von uns beiden vorher je gesehen. Ich habe schon gestern bezahlt, wie es üblich ist, gleich nach meiner Ankunft, für mich und meinen Knappen. Hat er das auch getan? Ich möchte wetten, das hat er nicht. Und doch seid ihr alle ganz sicher, er wird es noch tun, nur, weil er und seine Leute in Gewändern stecken, die kein vernünftiger Kaufmann, der zu rechnen versteht, auf Reisen bei diesem Wetter tragen würde. Ein Kaufmann will er sein? Niemals.«

Eigentlich hatte er nichts gegen den Mann, es ärgerte ihn nur, dass die Wirtin und die anderen eine offensichtliche Lüge als wahr hinnahmen, wenn sie von so einem eingebildeten Kerl kam, aber nicht, wenn jemand wie er die Wahrheit nur ein ganz klein wenig zurechtbog. Deswegen überwältigte ihn das Ergebnis, das seine Worte erzielten. Im Schankraum war es ruhiger und ruhiger geworden. Dem Fremden war durch Walthers ausgestreckten Arm wohl klargeworden, dass von ihm die Rede war, aber sein Gesicht mit dem rotblonden Bart wirkte nicht erzürnt, sondern eher erstaunt. Er beugte sich zu einem seiner Begleiter, der eine Priesterkutte trug. Dieser flüsterte ihm etwas ins Ohr.

Inzwischen standen tiefe Falten auf der Stirn der Wirtin. Als der Mann im blauen Mantel sich umdrehte, um der Aufmerksamkeit der Leute in der Gaststube zu entgehen, stellte sie sich ihm rasch in den Weg. »Nichts für ungut, Herr«, sagte sie. »Aber ich habe wirklich noch kein Geld von Euch gesehen.«

Der Mann machte eine Handbewegung, die wohl bedeuten sollte, sie möge zur Seite treten, doch die Witwe blieb, wo sie war. Einer ihrer Söhne, der gerade noch frische Brotlaibe verteilt hatte, eilte an die Seite seiner Mutter.

»Gute Frau, Ihr werdet bekommen Euer Geld«, sagte der Begleiter in der Kutte mit starkem Akzent; die Wortstellung machte klar, dass die deutsche Zunge nicht die seine war. Nun begriff Walther auch, warum der Mann im blauen Mantel nicht erzürnt schien: Er sprach kein Deutsch und brauchte den Priester zum Übersetzen.

»Jetzt«, beharrte die Wirtin. »Ich will es *jetzt* sehen.«

Einige Männer in der Schenke erhoben sich. Es kam Walther in den Sinn, dass nun die Gelegenheit war, sich vor der Witwe als

Held zu beweisen, denn der Blaubemäntelte hatte zehn Begleiter, und wenigstens fünf davon schienen Schwerter zu tragen, wenn Walther die Ausbuchtungen unter ihren Mänteln richtig deutete. Niemand sonst in der Schenke war bewaffnet. Schwerter waren etwas für Waffenknechte im Krieg, Bauern durften sie überhaupt nicht besitzen; sie waren etwas für Ritter, oder Räuber.

»Gebt unserer holden Wirtin ihr Geld, dann ist alles gut, Fremder«, sagte er begütigend, aber wie sich herausstellte, war es einfacher, mit Anklagen die Aufmerksamkeit von Menschen zu erringen, als diese mit Worten in eine ruhige Richtung zu lenken. Niemand im Schankraum achtete mehr auf ihn, alle starrten auf die Wirtin und die Fremden um den rotblonden Gast.

»Zahlen!«, rief irgendjemand, und sofort nahm der Rest im Raum das Wort auf und schrie laut: »Zahlen, zahlen!«

»Setz dich, um Himmels willen«, zischte Markwart, was in dem Rumoren zum Glück niemand außer Walther hörte. Selbst die Mönche schauten wie gebannt auf den Fremden, der schließlich die Achseln zuckte und einem seiner Begleiter zunickte. Dieser holte einen gut gefüllten Beutel unter seinem Mantel hervor. Von seinem Platz aus konnte Walther nicht erkennen, was er daraus zog, aber er sah sehr wohl, dass die Falten nicht von der Stirn der Wirtin wichen.

»Das ist nicht unser Geld«, sagte sie zu Walthers Überraschung.

»Es ist eine byzantinische Goldmünze«, gab der Priester empört zurück.

»Davon kann ich mir hier nichts kaufen«, beharrte die Wirtin. »Ich will mit ordentlichem Geld bezahlt werden.«

Einer der Mönche räusperte sich. »Mit Verlaub, uns ist das Problem nicht unvertraut. Gar mancher, der in den letzten Monaten vom Kreuzzug wiederkehrte, hat sein Geld irgendwo umtauschen müssen. In Wien gibt es …«

Leider war das der Moment, in dem der als Zechpreller verdächtigte Blaumantel die Geduld verlor und einen wütenden Strom von Worten von sich gab, die niemand im Raum außer seinen Begleitern verstand. Walthers Phantasie reichte immerhin so weit, dass er ahnte, was gesagt wurde. Auch das nun zornige

Gesicht des Mannes brauchte keine Übersetzung. Und da waren immer noch die bewaffneten Begleiter.

Der Sohn der Witwe stand neben seiner Mutter und war es gewiss schon gewohnt, betrunkene Gäste hinauszuwerfen, aber was der Mönch über Kreuzfahrer gesagt hatte, klang gar nicht gut. Wenn es sich bei dem Blaumantel und seinen Leuten um Kreuzfahrer handelte, die sich aus irgendwelchen Gründen als Kaufleute ausgaben, obwohl sich jeder geehrt fühlen würde, wenn sie das Kreuz offen auf ihren Mänteln getragen hätten, dann waren sie Kämpfe mit den grausamen Heiden gewohnt und hatten mit Schankwirten und ein paar Gästen leichtes Spiel.

»Edler Herr«, rief Walter. Er kletterte eilig auf die Bank, damit ihn auch jeder sah, raffte sein Schullatein zusammen, samt all der Messlieder und Evangelientexte, an die er sich erinnerte, und radebrechte, so gut er es eben vermochte, in der Sprache der Römer: »Der Weihnachtstag naht! Friede auf Erden! Lasst uns singen und jubilieren! Schickt Boten zum Geldwechsel in die Stadt des Kaisers Augustus, die da heißt Wien, und derweilen wir warten auf die Ankunft des Boten, der kommt in Herrlichkeit, ich werde singen zur Vertreibung der Zeit und zum Lob des Herrn – und der Dame ... der Herrin, bei der es war kein Platz in der Herberge!«

Für einen bedrohlich langen Moment starrten alle ihn entgeistert an. Doch dann warf der Blaumantel den Kopf zurück und brach in schallendes Gelächter aus. Walther zwang sich, ruhig zu bleiben: Gelächter war besser als Schwerter. Die Fremden fielen in das Lachen ein, als seien sie es gewohnt, ihm alles nachzumachen. Sogar die Mönche an Walthers Tisch glucksten.

Schließlich wischte sich der Mann die Lachtränen aus den Augen und sagte in einem Latein, das geschmeidig und beschwingt klang, wie es selbst der Dorfpfarrer zu Hause nie gesprochen hatte: »Wohlan, dann unterhaltet uns.«

Er winkte der Wirtin zu, offensichtlich gewohnt, dass man seinen Wünschen sofort nachkam. Nun war nicht die Zeit, ihn zu belehren, dass auch er ein Herr war. Walther kletterte vom Tisch hinunter und flüsterte Markwart ins Ohr: »Hole Hilfe, es könnte hier zum Kampf kommen.«

»Aber wen soll ich denn …?«, protestierte Markwart, während Walther sich den Weg durch den Schankraum zu dem Fremden bahnte, der inzwischen dem Mann mit dem Beutel und dem Priester, der ihre Sprache verstand, bedeutete, mit dem Geld loszuziehen, vermutlich um Münzen zu wechseln. War das alles nur ein Missverständnis gewesen? Hatte es nie eine gefährliche Situation gegeben? Nein, diese Möglichkeit wiesen Walthers Phantasie und Eitelkeit zurück. Außerdem ruhte der Blick der Wirtin auf ihm, und das gefiel ihm sehr. Als er vor ihr und dem Fremden stand, machte er eine schwungvolle Verbeugung: »Holde Herrin dieser gastlichen Stätte, wie hieß Euch Eure Mutter?«

»Auf alle Fälle nannte sie mich nicht dumm«, gab sie unbeeindruckt zurück. »Wenn es hier zu einer Schlägerei kommt, weil du dein loses Maul gewetzt hast, mein Junge, dann musst du für mehr zahlen als für eine Schlafstätte, schreib dir das ruhig hinter die Ohren, bevor du weitersprichst.«

Das fand Walther ein wenig ungerecht, zumal er gerade angefangen hatte, in der schönen Wirtin eine mögliche Lehrmeisterin für das zu sehen, was er vor seinem neuen Leben in Wien unbedingt noch kennenlernen musste. Doch er ließ sich nicht so leicht entmutigen.

»Und Ihr, werter Herr?«, fragte er auf Latein. Der rotblonde Fremde, der sich inzwischen an einem Tisch niedergelassen hatte, der von den anderen Gästen hastig frei gemacht worden war, hob eine Augenbraue. Es wurde Walther bewusst, dass seine Worte an die Wirtin, da auf Deutsch, für den anderen unverständlich geblieben waren, was die Frage zusammenhangslos machte. »*Nomen?*«, setzte Walther also mit einem Lächeln hinterher, das der Fremde hoffentlich als freundlich erkannte.

»Peregrinus«, gab der Mann zurück. Das war sowohl das lateinische Wort für *Kreuzfahrer* als auch für *Fremder;* wenn man ein *falco* dazu setzte, dann hieß es Wanderfalke. Ein Wortspiel also, keine Lüge, aber eine Wahrheit in Verkleidung; das gefiel ihm. Er machte sich daran, seine eigene zu weben.

Sich in Liedern zu verlieren, war etwas, das Walther schon als Kind begeistert hatte, doch in den letzten Jahren war der Wunsch dazu gekommen, sie zu gestalten. Nicht nur derjenige zu sein, der vortrug, sondern derjenige, der die Worte schmiedete. Er hatte sich auch schon Verse zurechtgereimt, nur wusste er, dass ihnen jenes wunderbare Ebenmaß fehlte, das so manche Weise der großen Sänger zierte, die von den Höfen bis zu den Marktplätzen der Dörfer gedrungen waren. Deswegen brauchte er einen Meister, nicht irgendeinen, sondern den berühmtesten Sänger, von dem er gehört hatte: Reinmar, der am herzoglichen Hof zu Wien weilte. Deswegen war er hier. Nur würde bescheiden sein und zu erklären, alles, was er vortragen könne, seien ein paar unfertige Reime, ihm jetzt nichts nutzen. Ganz abgesehen davon, dass Peregrinus ein deutsches Lied ohnehin nicht verstehen würde, die Wirtin jedoch von einem lateinischen unbeeindruckt bleiben würde.

Nun, zwischen Regen und Traufe stehend hatte er schon immer seine besten Ideen gehabt.

»Edler Herr«, sagte er, »damit Ihr nicht für immer ein Peregrinus bleiben müsst, sondern als Conviva heimelig werdet, gebt doch ein Carmen aus Eurer Heimat zu Ehren unserer Domina Pulchra hier zum Besten; ich will es in die Lingua Germanica übersetzen?« Walther hatte nicht viel Hoffnung, dass der andere tatsächlich ein Minnelied kannte, nicht, wenn er wirklich ein Kreuzfahrer war, und erst recht nicht, wenn es sich bei der Gruppe doch nur um Räuber handeln sollte. Doch Peregrinus überraschte ihn und lächelte geradezu erfreut.

»Poeta sum«, erklärte er. Auf diese Behauptung, er sei ein Dichter, folgte eine schweißgetränkte Stunde für Walther. Peregrinus hatte nicht nur eines, sondern mehrere Lieder auf Lager, allerdings nicht auf Latein, sondern in der Sprache der welschen Troubadoure, die Walther nicht beherrschte, so verwandt sie dem Lateinischen auch war. Also musste Peregrinus ihm erst die Verse ins Lateinische übersetzen, und dann galt es, deutsche Worte zu finden, bei denen die Musik des ursprünglichen Lieds nicht verlorenging. Sein Gehör war alles, was Walther dabei half. Die anderen Gäste und selbst ein Teil von Peregrinus' Begleitern hatten längst das Interesse verloren, während sich Walther und

Peregrinus halbfertige Sätze in drei Sprachen vorsummten, bis Walther endlich seine deutsche Fassung zum Besten geben konnte: »*Dass eine Frau nicht wissen kann / Wer es ehrlich mit ihr meint, / darin liegt, so wie mir scheint, / die Schwierigkeit für jeden Mann* …« Er war sich sehr bewusst, dass diese Fassung noch stark verbesserungsfähig war, doch zu froh und aufgeregt darüber, überhaupt einen Wortklang gefunden zu haben, dessen er sich nicht gänzlich schämen musste, um die Lösung zu verschweigen. Weiter kam er allerdings nicht. Das lag nicht etwa daran, dass er sein Publikum mit diesen Zeilen langweilte. Nein, es war einzig und allein die Schuld der Bewaffneten, die in einem kein Ende nehmenden Strom in den Bunten Ochsen eindrangen, mit grimmiger Miene und gezogenen Schwertern. Ihr Anführer war ein Mann, der über seinem Kettenhemd das herzogliche Wappen von Österreich trug, fünf goldene Adler auf grünem Grund. Er schaute sich um, machte Peregrinus aus und donnerte mit einer Stimme, um deren Wucht Walther ihn unwillkürlich beneidete: »Das ist er! Bei Gott, das ist er, der Hund!«

Überrascht, dass seine aus dem Stegreif erfundene Geschichte über Räuber in unangebrachten Gewändern sich am Ende doch noch als richtig herausstellen konnte, drehte sich Walther zu Peregrinus um – und fand sich von dessen Begleiter am Hals gepackt und gewürgt, während der Kerl unfreundliche Worte in der welschen Sprache ausstieß, die erneut keiner Übersetzung bedurften. Offenbar dachten Peregrinus und seine Männer, Walther sei Teil einer Falle, die man ihnen gestellt hatte. Mit einer abgeschnürten Kehle war er aber kaum in der Lage, das richtigzustellen. Bald tanzten ihm Sterne vor den Augen, ihm wurde seltsam leicht, und gleichzeitig ergriff ihn Zorn, denn es war einfach nicht gerecht, hier und jetzt zu sterben, wo noch kein einziges Lied von ihm überleben würde, da schleuderte ihn der Fremde einfach zur Seite, um sein Schwert ziehen und sich vor Peregrinus zu stellen. Walther machte unliebsame Bekanntschaft mit einer Tischkante, doch immerhin war er noch am Leben. Mit weit aufgerissenen Augen sah er, wie Peregrinus' Mannen und die Neuankömmlinge aufeinander losgingen, ohne im Geringsten auf die anderen Menschen in der Schenke zu achten. Diese schrien entsetzt auf; wer nicht zu Boden gestoßen wurde, stürzte in Richtung Tür, doch die wurde von noch mehr Bewaffneten blockiert. Das Geschrei nahm zu. Walther blickte sich nach der Wirtin um und fand sie mit einer Daubenschale in der Hand, die sie gerade eben noch davor gerettet hatte, zwischen zwei Streitern zerschlagen zu werden. In ihr Gesicht schien das pure Entsetzen geschrieben.

»Fürchtet Euch nicht, ich werde Euch beschützen«, schrie er durch das allgemeine Gebrüll, obwohl er nicht die geringste Ahnung hatte, wie er das anstellen sollte, waffenlos und ohnehin nicht in der Lage, mit einem Schwert umzugehen.

»Du Narr«, gab sie zurück, »meine Schenke ist es, um die ich fürchte! Wer soll mir den Schaden je ersetzen?«

Wie um ihre Worte zu unterstreichen, ging eine der Bänke zu Bruch, als zwei Bewaffnete auf sie stürzten. Walther schluckte. Sie hatte recht. Ganz gleich, wer sich hier durchsetzte, für den Hausrat der Wirtin würde keiner aufkommen.

»Es tut mir …«, begann er, als Peregrinus seine Stimme erhob und offenbar seinen Anhängern in der welschen Zunge befahl, ihre Waffen niederzulegen. Dann schritt er auf den Mann mit dem herzoglichen Wappen zu und sagte formell auf Latein: »Wir stehen unter Gottes Schutz. Das wisst Ihr am besten. Was Ihr hier tut, ist Sünde.«

»Ihr habt es nötig, von Sünde zu reden«, gab der andere in einem Latein zurück, das nicht weniger geschmeidig klang, und schnaubte verächtlich. »Ehrabschneider! Ergebt Euch jetzt, dann werde ich dem Rest der Welt nicht erzählen, dass ich Euch als Küchenjunge in einer Schenke gefunden habe. Oder lasst es und schlagt Euch noch eine Weile, aber bezahlen werdet Ihr für Akkon, o ja. So ein Lösegeld hat die Welt noch nicht gesehen wie das, was ich für Euch fordern werde!«

Als die Bedeutung dessen, was der Mann da sagte, Walther klarwurde, fiel ihm das Kinn hinunter. Wenn an Ort und Stelle ein Löwe in die Schenke spaziert wäre, dann hätte ihm das nicht wundersamer erscheinen können.

Ein heftiger, kurzer Schmerz machte Walther darauf aufmerksam, dass die Wirtin ihn gerade in die Wangen gezwickt hatte. »Was sagen sie?«, flüsterte sie. »Und mach den Mund wieder zu, er hängt dir so weit offen, dass Tauben hineinfliegen könnten.«

»Frau Wirtin«, entgegnete Walter leise, »wenn ich mich nicht sehr täusche, dann habt Ihr den Herzog selbst in Eurer Schenke ...«

»Aber warum sollte denn der Herzog ...«

»... und den König der Engländer.«

Jetzt war es an ihr, den Mund nicht mehr schließen zu können.

Walther hatte die Geschichte gehört, natürlich hatte er sie gehört, doch nicht viel darauf gegeben. Am Anfang des Monats, gerade, als Markwart und er die Berge hinter sich gelassen hatten, da verbreiteten sich die ersten Gerüchte, dass man den König von England in Kärnten gesehen haben wollte, oder in Bruck an der Mur, wie andere erzählten, und dass der Herzog Leopold befohlen hatte, ihn gefangen zu nehmen. Der Herzog selbst war schon vor einem Jahr aus dem Heiligen Land heimgekehrt, obwohl der Kreuzzug damals noch längst nicht beendet war. Den Grund dafür erzählte man sich bald auf jedem Marktplatz: Bei der Erstürmung von Akkon hatte der Herzog seine Fahne neben die der Könige von England und Frankreich aufgestellt; Richard, den man Löwenherz nannte, hatte sie abnehmen und vom Burgturm werfen lassen. Weil es einem Herzog nicht gebühre, sich auf die gleiche Stufe mit Königen zu stellen, so hatte er gesagt – weil er den Österreichern keinen gleichen Anteil an der Beute gönnte, grollte der Herzog, der ihm deswegen ewige Rache schwor. Warum allerdings der König von England ausgerechnet über Österreich in sein Königreich zurückkehren sollte, konnte sich Walther nicht vorstellen. Er war kein Kartenzeichner, doch er war sich sicher, dass es einfachere Wege vom Heiligen Land nach England geben musste, oder auch nach Aquitanien und in die Normandie, die gleichermaßen zu Richards Reich gehörten. Deswegen hatte ihm das Gerücht vom gejagten König zwar gefallen, weil es eine spannende Geschichte war, aber geglaubt hatte er sie nicht. Bis jetzt. Bis zu dem Zeitpunkt, als Peregrinus kühl sagte: »Alles Geld der Welt wird Euch nicht helfen, wenn der Papst den Bann über Euch spricht, und das wird er, wenn Ihr Hand an einen Kreuzfahrer legt, ehe der seine Pilgerfahrt beendet hat.«

Der Herzog lachte. »Prahlt Eure Familie nicht damit, vom Teufel selbst abzustammen? Euer Vater hat einen Erzbischof vor dem Altar umbringen lassen, und Ihr, Ihr habt die Waffen gegen Euer eigenes Fleisch und Blut erhoben. Der Papst weiß, wer Ihr seid, und er weiß, was für ein guter Christ ich bin.« Nach einer kurzen Pause setzte er hinzu: »Und der Kaiser weiß, dass ich sein treuer Untertan bin. Nein, ich bin im Recht. Es gibt nichts und niemanden, den ich fürchten muss. Ergebt Ihr Euch, oder wollt Ihr noch mehr winseln?«

Die Wirtin zupfte ihn am Arm. Walther hatte es besser gefallen, in die Wange gekniffen zu werden; dabei hatte sie sich über ihn gebeugt und ihm so einen tiefen Blick auf jenen Busen gewährt, der sich wahrlich nicht unter zwei Lagen Leinen zu verstecken brauchte.

»Der Herzog will Geld«, flüsterte er, denn letztendlich lief alles, was gesagt wurde, darauf hinaus, und er glaubte nicht, dass die Wirtin über die Drohung mit dem Bann Bescheid wissen wollte. Es würde schlimm genug sein, wenn es wirklich dazu kam. Wenn der Papst den Bann über einen Fürsten aussprach, dann waren auch alle Untertanen betroffen; das bedeutete, dass das Seelenheil vieler auf dem Spiel stand. Auch sein eigenes, denn Walther hoffte, längere Zeit in Wien zu bleiben am Hof jenes Herzogs, der nur wenige Schritte von ihm entfernt stand; Walther stammte aus der Nähe von Bozen, doch deren Herr, der Herzog von Bayern, war nicht als Musenfreund berühmt, also war Wien das lohnendere Ziel für ihn. So musste er darauf setzen, dass Leopold recht behielt.

Walther beäugte den entlarvten Peregrinus. In der letzten Stunde war der Mann sehr umgänglich gewesen. Er schien eine aufrichtige Vorliebe für Dichtung und Gesang zu haben, doch eigentlich gab es wirklich keinen guten Grund, warum sich ein König in einer gewöhnlichen Schenke herumtreiben und den übrigen Gästen den Raum wegnehmen sollte, statt in Glanz und Gloria von

Burg zu Burg, von Pfalz zu Pfalz zu ziehen. Könige sollten Hoffeste feiern und dabei Sänger beschenken, nicht Länder um ihre Seligkeit und Wirtsleute um ihren Hausrat bringen.

»Geld war alles, was ich wollte, und nun werde ich es bestimmt nicht mehr bekommen«, seufzte die Wirtin.

Auf einmal hatte Walther einen weiteren Einfall. »Wenn Ihr Euer Geld doch noch bekommt, gewährt Ihr mir dann einen Kuss?«

Sie musterte ihn überrascht, fuhr sich mit der Zunge über die Lippen und sagte dann mit einem amüsierten Lächeln: »Nun, warum nicht.«

Inzwischen hatte sich König Richard offenbar entschlossen, das Unvermeidliche nicht länger hinauszuzögern, und übergab dem Herzog sein Schwert. Seine Begleiter ließen ihre Mienen wie die Schultern hängen, da es nicht in ihrem ritterlichen Sinne schien, die Waffen nach so kurzem Kampf bereits zu strecken. Trotzdem, binnen kurzem würden sie und die Leute des Herzogs die Schenke verlassen. *Jetzt oder nie*, dachte Walther, quetschte sich an zwei gerüsteten Männern vorbei und schaffte es gerade noch, sich zwischen dem Herzog und dem König auf die Knie fallen zu lassen. Seine Kehle schmerzte noch etwas von der Misshandlung, die ihr vorhin zuteilgeworden war, doch er sprach klar und deutlich auf Deutsch: »Edler Herzog, Eure treue Untertanin, die Wirtin dieser Herberge, hat ihren Lohn noch nicht erhalten, und daher bitte …«

»Welchen Lohn?«, knurrte Leopold. Aus der Nähe wirkte er sehr einschüchternd: Sein dunkler Bart war mit grauen Strähnen durchzogen, und seine Haut war dunkler, als Walther es je zuvor gesehen hatte; später erfuhr er, dass die Mutter des Herzogs aus Byzanz stammte. Die braunen Augen, deren Äderchen rot angeschwollen waren, blickten keineswegs freundlich. »Dafür, dass sie meinen gottverfluchten Feind beherbergt hat, den ich überall habe suchen lassen?«

Es war Walther, als ob heute ein Fluch auf ihm lastete: Alles, was er begann, machte die Lage nur noch schlimmer. Nein, so dachte nur Markwart. Es galt, das richtige Wort zu finden und die Gelegenheit zu nutzen, die sich ihm bot. So entstanden Lieder! Wenn ein Wort nicht passte, den falschen Klang hatte, niemandem zu Herzen ging, dann fand man eben ein anderes. Wenn die Zuhörer schlecht gestimmt waren, dann … dann lenkte man die schlechte Stimmung einfach von sich weg.

»Dafür, dass sie Euren Feind so lange hingehalten hat, bis Ihr Gerechtigkeit walten lassen konntet«, gab Walther zurück. »Herr, er wollte heute Morgen gleich aus dem Haus, da hielten diese tapfere Frau und ich ihn zurück. Jeder hier im Raum kann das bestätigen.«

Der Mann aus Richards Gefolge, der Walther vorhin an der Kehle gepackt hatte, verstand offenbar genug Deutsch, um sich sofort wutschnaubend auf Walther zu stürzen. Ein besseres Zeugnis hätte er sich gar nicht wünschen können, zumal es ihm diesmal gelang, sich rechtzeitig wegzuducken, ehe sein Angreifer von den Leuten des Herzogs gepackt und zurückgestoßen wurde.

»Es stimmt«, warf einer der anderen Gäste ein. »Die Wirtin hat nämlich das Geld für die Nacht haben wollen, und der junge Mann hier …«

»… hat sofort gespürt, dass etwas mit dem angeblichen Kaufmann nicht stimmen konnte«, setzte Walther hastig hinzu.

»Herr, wir sind benachrichtigt worden, weil ein einfacher Priester gleich fünf Münzen byzantinischen Goldes umtauschen wollte«, sagte einer der Leute des Herzogs.

»Dann seid Ihr meinem Knappen nicht begegnet?«, fragte Walther mit nur halb gespielter Enttäuschung. »Ich hatte ihn losgeschickt, um Hilfe zu holen!«

»Da war dieser Junge, der uns vom Wechsler aus den Weg gewiesen hat und etwas von Räubern plapperte«, sagte der Gefolgsmann zögernd.

»Mein treuer Diener«, strahlte Walther.

»Hmm«, machte der Herzog, kniff die Augen zusammen und musterte Walther. »Wie lautet Euer Name?«

Walther versuchte mit allen Kräften, keinen Triumph über das *Ihr* in der Anrede zu zeigen. »Walther von der Vogelweide, Euer Gnaden.« Vogelweiden gab es überall, wo es Herrschaften gab, die reich genug waren, um mit Falken zu jagen, und Walthers

Vater hatte in der Tat auch ein kleines Zusatzeinkommen von einem Vogelweidenhof bezogen. Wenn der Herzog glauben sollte, dass die Vogelweide in diesem Namen viel größer war als in der realen Welt, nun, dann war es nicht Walthers Schuld.

»Wollt Ihr noch viel Zeit mit Eurem Spitzel verplaudern?«, fragte König Richard auf Latein. »Dann erinnert ihn doch daran, dass er mir immer noch ein Lied schuldet.« Er schenkte Walther ein sehr dünnes, spöttisches Lächeln. »Es wäre schade, wenn Ihr es nicht beendet. Ihr seid nicht ohne Talent … für einen Ränkeschmied.«

Es war eine seltsame Mischung aus Ohrfeige und Lob. Obwohl es nichts gab, das Walther diesem fremden Herrscher schuldete, der weder die Wirtin noch ihn bezahlt hatte, fühlte er sich für einen Moment doch beschämt und errötete.

»Ihr seid ein Sänger?«, fragte der Herzog auf Deutsch.

»Auf der Suche nach einem Meister«, entgegnete Walther so bescheiden wie möglich, »und daher auf dem Weg an Euren Hof, edler Herr, wo der große Reinmar so gastliche Aufnahme fand.«

»Hmm«, machte der Herzog zum zweiten Mal. »Reinmar ist ein alter Waffengefährte, der mit mir gegen die Heiden gekämpft hat. Aber Weihnachten steht vor der Tür, da können wir weitere Unterhaltung gebrauchen.« Seine Mundwinkel hoben sich. »Besonders in diesem Jahr, wo es wirklich etwas zu feiern gibt«, setzte er hinzu, absichtlich ins Lateinische fallend und mit einem höhnischen Blick auf den englischen König. »Es sei Euch also gestattet, an den Hof zu kommen. Wie Ihr Euch dort macht, nun, das werden wir ja sehen.«

Da sich mit diesen Worten einer von Walthers größten Wunschträumen erfüllte, brauchte es ein leichtes Räuspern der Wirtin, bis ihm wieder einfiel, dass er eigentlich um etwas anderes bitten sollte. »Ihr seid die Gnade selbst, edler Herr«, sagte er hastig, »und ich danke Euch aus ganzem Herzen, jedoch …«

Der Donner kehrte sehr schnell in die Stimme des Herzogs zurück. »Was denn, wollt Ihr noch mehr?«

Vielleicht wäre es das Gescheiteste gewesen, einfach den Kopf zu schütteln und sich in die nächste Ecke zu drücken, um das

Gewonnene nicht sofort wieder aufs Spiel zu setzen. Doch die nächste Ecke war voller Holzsplitter von zerbrochenen Tischen, Bänken und Stühlen, und wenn Walther den Hof zu Wien betrat, dann wollte er nicht an die Wirtin denken, wie sie Schulden machen musste, um überleben zu können. Ganz zu schweigen davon, dass ihr Mund vorhin aus nächster Nähe wirklich ausgesprochen verlockend ausgesehen hatte ...

»Der König von England schuldet der Wirtin hier noch seine Zeche«, sagte er also leise, aber bestimmt auf Latein, damit es auch Richard verstand, und zwang sich, dem Herzog weiter ins Auge zu schauen, statt seinen Blick auf den Boden zu richten.

Schweigen legte sich über den Schankraum, genug, um das Fußscharren der Gäste und Kämpfer zu hören, die den Atem anzuhalten schienen. Dann stieß der Herzog ein bellendes Gelächter aus. »Das sieht ihm ähnlich! Bei Gott, das sieht ihm ähnlich!«

König Richard runzelte die Stirn, aber er erteilte demjenigen seiner Begleiter, der gerne arme Sänger würgte, einen Befehl, worauf dieser seine Geldbörse zückte, eine Münze herausnahm und sie der Wirtin gab. »Es wird bei byzantinischem Gold bleiben müssen, gute Frau«, sagte der König trocken, »da ich mein Wechselgeld noch nicht erhalten habe.«

Walther übersetzte das schnell, doch weder Herzog noch König blieben, um die Antwort der Wirtin abzuwarten. Stattdessen schritten sie aus der Schenke hinaus, gefolgt von ihren Anhängern und einem Gutteil der Gäste, die nie vorher einen leibhaftigen König zu Gesicht bekommen hatten, geschweige denn einen, der als Geisel genommen wurde.

Jetzt, wo sich nur noch wenige Menschen in der Schenke befanden, konnte man den Schaden sehen, der angerichtet worden war; er war noch schlimmer als erwartet. »Ihr werdet in Wien sicher jemanden finden, der Euch die Münze wechselt«, sagte Walther.

Die Wirtin nahm die Münze und biss darauf. »Ich habe noch nie eine solche Münze in Händen gehabt«, sagte sie erstaunt, »aber es ist wohl Gold.« Ihr Gesicht veränderte sich: Die Grübchen kehrten auf ihre Wangen zurück. Sie gab die Münze Walther in der Hoffnung, von ihm eine Bestätigung zu bekommen.

»Vielleicht reicht es ja für neue Bänke?«, fragte Walther hoffnungsvoll.

Sie lachte. »Du weißt wirklich nicht viel von Geld, wie? Wenn es Gold ist, dann ist es mehr als genug, um alles in der Schenke zweimal zu kaufen. Das ist mein Glückstag!« Ohne weiteres Federlesens beugte sie sich zu ihm, um ihn auf die Wange zu küssen. Diesmal nahm Walther die Bewegung rechtzeitig genug wahr, um den Kopf so zu drehen, dass ihre Lippen stattdessen die seinen trafen. Viel Übung hatte er nicht, doch er legte all die Aufregung des Tages in diesen Kuss, die Freude, die Furcht und die Sehnsucht nach mehr. Ihr Mund war warm und schmeckte ein wenig nach Milch. Ihre Zunge indes war, nach einem Moment des Erstaunens, gelenkig wie ein Schlänglein und tat unerhörte Dinge mit der seinen; außerdem führte die Wirtin seine Hand so, dass er ihr Herz klopfen spürte.

Als sie sich von ihm löste, neigte sie den Kopf ein wenig zur Seite. »Mathilde«, sagte sie. »Mein Name ist Mathilde. Ich denke, wir beide sollten gleich mit dem Aufräumen beginnen.«

Das war nicht ganz das, was er erwartet hatte, doch er nickte benommen.

»Im Zimmer dieses Königs von England«, sagte sie bedeutsam.

»Bei Gott, so werde ich es von nun an vermieten. Das Zimmer, in dem ein König geschlafen hat! Ja, lass uns dort sofort mit dem Aufräumen beginnen.«

I.
WERBELIED

1194 – 1195
Wien / Klosterneuburg

KAPITEL 1

Der Schnee war frisch, eine weiße Decke, deren Glanz in den Augen brannte. Die Luft war so kalt, dass man die eigene Nasenspitze nicht mehr spürte. Doch die Sonne schien, und der Herzog hatte darauf bestanden, auszureiten. Reinmar hatte nicht oft Heimweh nach dem Elsass, doch an diesem Morgen wünschte er sich unwillkürlich in das mildere Klima seiner Heimat zurück. Andererseits konnte er Leopold verstehen: Durch das schlechte Wetter waren sie alle wochenlang in der Residenz in Klosterneuburg eingesperrt gewesen. Zeit, sehr viel Zeit, um über die eigene Verdammnis zu brüten.

Zwei Jahre war es jetzt her, dass der Herzog Richard von England gefangen genommen hatte, um seine Schmach bei Akkon zu rächen und, wie bösere Zungen meinten, das Staatssäckel gehörig aufzupolstern. Vor etwas weniger als einem Jahr war der König ausgelöst worden, für die ungeheure Summe von 100 000 Mark Silber, gut 23 Tonnen, von Richards Mutter Alienor überbracht. Damit hätte alles ein gutes Ende haben sollen; zwar musste der Herzog das Geld mit Kaiser Heinrich teilen, weil der Kaiser nun einmal sein Lehnsherr war, doch selbst die Hälfte war mehr als genug gewesen, um in Friedberg und Hainburg Stadtmauern zu errichten und vor Wien eine neue Stadt zu gründen. Außerdem waren prunkvollere Feste gefeiert worden, als sie der Wiener Hof je zuvor gesehen hatte. Auch Reinmar zog wiederholt aus der großzügigen Stimmung des Herzogs seinen Nutzen und hatte allen Grund, dankbar zu sein. Woran all das Geld nichts änderte, war jedoch der Bann des Papstes, der umgehend und sofort nach Richards Gefangennahme erfolgte und immer noch nicht aufgehoben war. Und das, obwohl Leopold sich von Richard hatte versprechen lassen, dass dieser sich beim Papst für ihn einsetzen werde. Bisher hatte es dafür aber kein Anzeichen gegeben.

»Wundert Euch das wirklich?«, hatte der junge Walther gefragt, als Reinmar über die Treulosigkeit der Welt klagte. »Der Herzog kann doch nicht ernsthaft geglaubt haben, dass ihm eine Geisel für die Gefangennahme auch noch dankbar ist.«

»Eines Mannes Wort ist eines Mannes Wort«, hatte Reinmar streng entgegnet, schon, weil Walther eine lose Zunge hatte und zur Respektlosigkeit neigte, etwas, dem man begegnen musste, wenn sein Schüler es in der Welt je zu etwas bringen sollte. Doch im Geheimen musste er dem jüngeren Mann recht geben. Reinmar hatte selbst am Kreuzzug teilgenommen. Er hatte König Richard erlebt, nicht erst bei der Eroberung von Akkon. Der Mann war zu Recht wegen seines Mutes berühmt, der nicht einmal den Tod zu fürchten schien; er versteckte sich nie hinter seinen Leuten. Aber niemand hatte ihm je Milde oder Nachsicht zugeschrieben; Gnadenlosigkeit traf es schon eher. Richard gefiel der Gedanke zweifellos, dass der fromme Leopold seit Jahr und Tag weder an der Messe teilnehmen noch die Beichte ablegen durfte, dass er und alle, die ihm dienten, in den Augen der Kirche nicht besser dastanden als gottlose Ketzer. Der Herzog hatte Gesandtschaft auf Gesandtschaft nach Rom geschickt, um daran etwas zu ändern, aber ohne Erfolg. Reinmar fröstelte. Auch um seine eigene Seele stand es nicht zum Besten, wenn er mit einem Gebannten das Brot teilte, doch er hätte seinem Gönner und Waffenbruder nie deswegen den Rücken gekehrt.

»Warum schickt der Herzog nicht einen Teil des Silbers nach Rom?«, fragte Walther, als wieder ein abschlägiger Bescheid eintraf und der schlechtgelaunte Leopold deswegen umgehend unterhalten und auf neue Gedanken gebracht werden wollte. »Als Buße, versteht sich. Wer weiß, dann würde der Heilige Vater vielleicht …«

»Du wirst noch Glück haben, wenn deiner eigenen Seele die Flammen der Hölle erspart bleiben. Wenn du unbedingt Witze über den Papst reißen musst, mein Sohn, dann tue es, um dem armen Herzog die Zeit zu vertreiben, nicht, um mir meinen Seelenfrieden zu rauben.«

»Aber Herr Reinmar«, sagte der vorwitzige Kerl, »Ihr predigt mir doch tagein, tagaus, dass ein glücklicher Dichter ein schlechter Dichter sei und nur das Unglück unsere Muse zum Singen bringe. Wenn ich Euch wirklich den Seelenfrieden raube, dann solltet Ihr mir eigentlich dafür danken.« So war er, der junge Springinsfeld von der Vogelweide, statt glücklich darüber zu sein, dass ihn Reinmar als Schüler akzeptiert hatte.

Nun war es nicht so, dass es Walther an Fleiß oder Auffassungsgabe mangelte, im Gegenteil. Man brauchte ihm nicht zweimal zu erklären, was ein Werbelied war, ein Frauenlied, ein Tagelied und ein Preislied, warum Aufgesang und Abgesang nötig waren und was ein Wechsellied von einem Gesprächslied unterschied. Er übte Tag und Nacht und steckte seine lange Nase in alle Abschriften der alten Lieder, die Reinmar besaß. Das Einzige, was er so eifrig wie die Kunst des Minnesangs studierte, war zunächst jene Wirtin gewesen, von der er Reinmar in den Ohren gelegen hatte, nur um dann seine sogenannten Studien auf die Frauen bei Hofe auszudehnen. Leider war in Walther – der immer und überall schnell eine eigene Meinung anzubieten hatte – damals die Idee erwacht, dass man doch die Freuden der Liebe ebenso besingen könne wie deren Entbehrung.

»Unsinn. Das mag etwas für die Bauern sein, aber nicht für den Hof«, sagte Reinmar verächtlich. »Wenn zwei sich im Stroh wälzen, wo liegt darin die Poesie? Wo das christliche Ideal? Wir leben in harten Zeiten, Walther. Da ist es die Aufgabe des Dichters und seiner Kunst, die Gedanken auf Schöneres, Hehreres zu richten. Nicht das Leben, wie es ist, sondern das Leben, wie es sein soll. Was gibt es Edleres, als einer Dame zu dienen, ohne die Hoffnung, je wiedergeliebt zu werden? Liebe, die eigene Vorteile erwartet, ist selbstsüchtig. Die aber, die nur gibt, nie nimmt, ist das Beste, was ein christlicher Ritter empfinden kann. Daher ist sie auch der Dichtkunst einzig würdiges Thema.«

»Herr Reinmar, mit Verlaub, wann hat Euch das letzte Mal eine Frau mehr als ein Lächeln geschenkt? Ihr habt Euch schon viel zu lange in einer Burg versteckt, anstatt am wirklichen Leben teilzunehmen. Es ist hart, und es gibt nicht immer genug zu essen auf den Bauernhöfen, weil sie das meiste abliefern müssen. Aber diese Menschen leben, Reinmar, sie lieben, sie lachen und singen miteinander, sie sind da füreinander. Sie werden mit Tieren groß, die balzen und schnäbeln, Tag für Tag, Nacht für Nacht. Deswegen mag es auf den Bauernhöfen alltäglich sein, im Stroh zu liegen, aber was ist falsch daran? Dort wollen es beide, er sie und sie ihn, und daraus erwächst Liebe, welche die Paare verbindet – nicht aus Verzicht!«

»Deswegen bist du jetzt auch dort und nicht hier«, hatte Reinmar spöttisch erwidert, »weil es auf dem Land so herrlich ist? Der Walther, den ich vor mir sehe und der so eifrig darum bat, bei Hof aufgenommen zu werden, das muss ein Geist sein.«

»Nein, nur ein Mann, der beides kennt und von Frauen mehr als nur angelächelt wird, im Gegensatz zu Euch.«

So ist die Jugend, dachte Reinmar, als er den Herzog auf seinem Ausritt nicht nur begleitete, um frische Luft zu schnappen, sondern auch, um seinem Schüler zu entkommen, Walther und der Allwissenheit eines jungen Mannes, der sein Leben noch vor sich hatte. Es war manchmal nicht auszuhalten, mit ihm zusammen zu sein. War Reinmar vor ein paar Jahren auch so überzeugt gewesen, alles über das Leben und die Liebe zu wissen? Vermutlich. Wenn man Menschen sterben sah, sei es auf dem Kreuzzug durch Pfeil, Lanze oder Schwert, oder an einer Krankheit, wenn die Mädchen, deren Lächeln einem einst das Herz höher hatten schlagen lassen, nach sieben Kindern und noch mehr Fehlgeburten zu alten Frauen wurden, wenn das eigene Herz ein paarmal gebrochen worden war und man nicht länger glaubte, unsterblich zu sein, erst dann verlor man diese jugendliche Selbstgerechtigkeit. Erst dann wusste man, wie kostbar ein Augenblick war. Wie viel die Berührung von Fingerspitzen bedeuten konnte. Warum ein Lied nicht einer wirklichen Frau gelten durfte, denn alles Fleisch war des Todes und zerfiel zu Staub, sondern einem Ideal, das wahrlich alterslos und unsterblich blieb. Walther würde das noch früh genug herausfinden, wenn sein braunes Haar schütter oder grau werden würde, wenn aus den Sommersprossen auf seinem Gesicht Altersflecken geworden waren. Falls er überhaupt so lange lebte, statt sich vorher um Leib und Leben zu reden. Er würde die Wahrheit von Reinmars Worten verstehen, wenn ihn die Gicht plagte und ein warmer Körper nicht mehr tat, als die Winterkälte fernzuhalten, ohne das Herz zu erwärmen. *Und doch ist es gut, dass er jetzt noch nicht begreift, wie töricht er oft ist,* dachte Reinmar und unterdrückte den Wunsch, selbst noch einmal so sein zu können.

Heute Abend würde er für den Herzog singen, ein gutes Lied, ein zeitloses, darüber, was es hieß, allein durch den Anblick seiner Dame glücklich zu werden. Es würde sie beide der rauhen Wirklichkeit entheben. Vielleicht würde Leopold dabei auch erkennen lassen, warum er die Herzogin seit seiner Rückkehr vom Hoftag in Gelnhausen, wo er mit dem Kaiser zusammengetroffen war, nicht mehr um sich haben wollte. Vielleicht führt das Lied dazu, die beiden wieder miteinander zu versöhnen und das Rätselraten am Hofe verstummen zu lassen. Und wenn das Kaminfeuer stark genug geschürt wurde, dann könnten sie alle zumindest die Winterkälte vergessen, für eine Weile.

Als Reinmar seinem Pferd das Knie in den Leib drückte, um seinem Herrn zu folgen, blendete ihn die Sonne für einen Moment, so dass er blinzelte. Auf diese Weise sah er nicht, was das Pferd des Herzogs zum Scheuen brachte; ein Hase mit weißem Pelz, sagten die anderen Ritter später. Für das Pferd musste es so ausgesehen haben, als würde der Schnee für einen Moment lebendig. Es wieherte erschrocken, stieg auf, und der Herzog, der im Heiligen Land mit den besten Streitern Saladins gefochten hatte, ohne sich eine ernsthafte Verwundung zuzuziehen, konnte sich nicht halten und stürzte.

Zuerst herrschte betretenes Schweigen: Dergleichen passierte dem Herzog einfach nicht. Seine Gefolgschaft wusste nicht, ob sie so tun sollte, als hätten sie nichts gesehen und nichts gehört, vor allem den Aufschrei nicht, als er auf den vereisten Boden prallte. Doch der Herzog schwang sich nicht wieder in den Sattel. Stattdessen lag er auf dem Boden. Sein rechtes Bein stand in einem unnatürlichen Winkel ab, und der Schnee unter ihm färbte sich langsam rot. Das Bein war so gebrochen, dass Knochen spitz aus der Haut hervorstachen.

***

37

Die Feiern, die am Weihnachtstag geplant gewesen waren, wurden abgesagt. Walther war damit beschäftigt gewesen, sich ein Lied auszudenken, um Reinmar zu necken, nichts Ernstes, nur etwas, das dessen ewigem Klageton etwas Abwechslung entgegensetzen würde, als er hörte, dass man den Herzog mit gebrochenem Bein in die Residenz zurückgebracht hatte.

Kein Festtagsschmaus bedeutete jedoch nicht, dass es in dieser Nacht in der Residenz still war. Um Mitternacht, als die meisten zu schlafen begonnen hatten, bestellte der Herzog Spielleute in sein Gemach, und sowohl Walther als auch Reinmar. Zuerst dachte Walther, sie seien hier, um den Herzog von seinen Schmerzen abzulenken. Dann befahl ihnen Friedrich, der mit neunzehn Jahren ältere der Herzogssöhne, so laut wie möglich zu spielen und zu singen, ohne den Wunsch nach einem bestimmten Lied zu äußern oder zu bedenken, dass zwei nicht miteinander abgestimmte Sänger nicht wohlklingender als streunende Katzen sein konnten. Man brauchte kein Ausbund an Klugheit zu sein, um zu begreifen, dass es nur darauf ankam, das Unvermeidliche zu übertönen. Da der Herzog keinen Laut von sich gab, als Walther den Raum betrat, sondern nur mit zusammengebissenen Zähnen dalag, und den Ruf hatte, im Heiligen Land bei glühender Sonne in voller Rüstung mit einem Liedchen auf den Lippen durch die Wüste gelaufen zu sein, schien das zunächst eine überflüssige Vorsichtsmaßnahme.

Dann aber sah er das Bein, das nicht verbunden war, auf die Wunde, deren Ränder voller Blasen waren, auf das Fleisch, das aussah wie das einer Ente, die man zu lange hatte hängen lassen. Und er bemerkte die gewaltige Axt, die am Bett des Herzogs lehnte.

»Die Wunde wird brandig«, flüsterte Reinmar. »Ich habe das oft genug im Heiligen Land gesehen. Das Bein wird abgenommen werden müssen, sonst ist unser Herr des Todes.«

»Seid Ihr sicher, Vater?«, fragte Friedrich. »Ich habe nach Wien geschickt. Der Medicus wird morgen hier sein.«

»Der wird mir auch nicht anders helfen können«, knurrte der Herzog zwischen zusammengebissenen Zähnen hindurch. »Ich weiß, was ich tue.«

»Aber vielleicht lässt sich das Bein doch noch retten«, protestierte Friedrichs jüngerer Bruder, der wie sein Vater den Namen Leopold trug.

Der Herzog ignorierte ihn. »Fangt schon an, zu spielen!«, brüllte er. Der Fiedler und der Trommler hoben gehorsam ihre Instrumente. Walther blickte zu Reinmar. »Ein Erntelied ist lauter«, sagte er mit gesenkter Stimme und brauchte nicht hinzuzusetzen, *als eine Klage.*

Reinmar gab nicht vor, keine bäuerlichen Erntelieder zu kennen. Stattdessen stimmte er den Sommergruß an, und Walther stimmte ein. Er warf alles über den Haufen, was er in den letzten zwei Jahren am Hof über Zurückhaltung gelernt hatte, und sang so laut, als gelte es, Felsen zu erweichen.

Gegen den markerschütternden Schrei, der die Wände erzittern ließ, konnten sie alle trotzdem nicht ankommen. Ein Aufbrüllen, ein einziges nur; dann fiel der Herzog in endlose Flüche, während der Heiler, der eigentlich für die Pferde zuständig war, sein Bestes tat, um die Blutung zu stillen. Walther unterdrückte die Übelkeit, während er sich zwang, weiterzusingen. Der Herzog, den er nur bei Festlichkeiten erlebte, war für ihn immer ein Wesen aus einer anderen Welt gewesen. Obwohl er ihm dankbar war, bei Hof sein zu dürfen, und durchaus der Meinung, ein Teil des englischen Silbers hätte nicht auf Stadtmauern und die Gewänder der Herzogin verteilt, sondern auch an einen jungen Sänger gegeben werden können, hatte er keine starken Gefühle für den Herzog, weder im Guten noch im Bösen. Bis jetzt. Er konnte sich nicht vorstellen, wie es sich anfühlen musste, ein Teil seines Beins zu verlieren; das allein genügte, um in ihm Mitleid und Grauen zu erregen, auch ohne den beißenden Geruch nach Blut und dem Inhalt des Darms, den der Herzog unwillkürlich von sich gegeben hatte. Kein Mensch verdiente das.

Was Ihr hier tut, ist Sünde, sagte der englische König in seiner Erinnerung, und es wurde Walther bewusst, dass es bis auf ein paar Tage genau zwei Jahre her war, dass der Herzog Hand an einen Kreuzfahrer gelegt und ihn gefangen genommen hatte. Etwas, an dem Walther sogar einen Anteil beansprucht hatte.

Markwart, wäre er jetzt hier, würde ihm sicher raten, umgehend eine Kerze zu stiften und vorsichtshalber ein besseres Leben zu geloben. Doch sein Freund war nicht hier, weil er sich viel zu schnell einschüchtern ließ. Statt glücklich darüber zu sein, dass ihnen der Zufall den erhofften Eintritt zum herzoglichen Hof gewährt hatte, war Markwart bereits mit dem Schmelzen des ersten Schnees wieder in Richtung ihrer Heimat verschwunden.

»Du hast mir versprochen, die Frauen hier wären alle rollig, wie unsere Katzen zu Hause, aber ganz verschwiegen, dass vorher Kupfer und Silber in ihren Händen dafür klingeln muss«, war seine erste Beschwerde gewesen. Außerdem fühlte er sich nicht wohl unter den anderen Bediensteten, die ihn als »Handlanger eines Habenichts« hänselten und mit den angeblichen Gepflogenheiten der hohen Herren: »Die könnten einen krumm schlagen, nur weil ihnen der Magen verstimmt ist. Der Stallmeister schwört, das sei auch schon passiert.« Den größten Trumpf aber sparte er sich bis zum Schluss auf: »Zu Hause kann ich wieder als guter Christenmensch zur Messe gehen und beichten, statt bei einem Fürsten zu leben, den der Papst gebannt hat, und das solltest du auch tun.« Walther hatte schweren Herzens nicht versucht, ihn aufzuhalten, auch wenn Markwart seiner Meinung nach unrecht hatte. Der König von England war nach allem, was man hörte, beileibe keine verfolgte Unschuld gewesen; der Allmächtige hatte gewiss Besseres zu tun, als kleine Sänger zu bestrafen, nur weil sie die Gunst der Stunde zu nutzen verstanden. Der Herzog unterbrach seine schmerzgequälte Flucherei, um den Pferdepfleger von sich zu stoßen, so heftig, dass der Mann zu Boden fiel. »Nutzlos«, keuchte er, »nutzlos. Ich will jemanden, der mir helfen kann!«

»Vater, wir haben sofort nach dem Medicus geschickt, ich schwöre es!«

»Noch ein Schlächter hilft mir auch nicht. Bringt mir den Bischof von Passau!«

Das war eine Überraschung. Der Bischof von Passau hätte die Weihnachtsfeiertage eigentlich gar nicht mit einem Exkommunizierten verbringen dürfen und tat es laut Hoftratsch nur deswegen, weil der Herzog versuchte, aus Klosterneuburg ein neues, eigenständiges Bistum zu machen, was ihm selbst in besseren, nicht vom Papst gebannten Tagen nicht zugestanden wäre. Natürlich war jedem klar, warum er das versuchte. Bisher gehörte Wien noch in den Bereich der Erzdiözese Passau, und deren Bischof, Wolfger von Erlau, galt nicht als ein Mann, der Macht abgab. Pfarreien durfte ein Herzog durchaus vergeben, einen Bischof zu ernennen war aber seit geraumer Zeit schon allein dem Papst vorbehalten. Der Herzog hätte aber in Klosterneuburg zu gerne einen Bischof gehabt, der ihm zu Dank verpflichtet war. Seit seiner Ankunft war Wolfger ein paarmal mit dem Herzog hinter geschlossenen Türen zusammengetroffen, und jedes Mal hatte der Bischof danach den Raum mit grimmiger Miene verlassen.

»Den Bischof? Bist du …«

»Ich will ihn sehen«, brüllte der Herzog und setzte zu einer neuen Litanei von Flüchen an.

Walther ertappte sich dabei, wie er auf das knapp oberhalb des Knies abgetrennte Bein starrte, das immer noch auf dem Boden lag, auf die schwärende Wunde, auf den Fuß. Einen Moment lang glaubte er, die Zehen noch zucken zu sehen, und stockte in seinem Gesang. Reinmar war von seinem plötzlichen Verstummen überrascht genug, um ebenfalls innezuhalten, so dass nur noch die Musikanten spielten. Mit einem Mal hörten sie alle den Herzog sehr, sehr deutlich – und der hörte sich auch.

»Habe ich irgendjemandem gestattet, still zu sein? Singt, zum Teufel!«

»Mit Verlaub, Herr«, sagte Reinmar, »Lieder können beruhigend auf die Seele und den Körper wirken, wenn es Gott gefällt. Lasst mich *wirklich* für Euch singen.«

Das Gesicht des Herzogs wurde ein wenig weicher, doch dann schüttelte er den Kopf. »Du und ich haben zu viel Tote gesehen, als dass deine Lieder für mich lügen könnten, Reinmar. Wenn ich dich anschaue, steht dir Frau Sorge ins Gesicht geschrieben. Lass den Jungen singen, er giert noch zu sehr nach dem Leben, um nicht gut im Lügen zu sein.«

Es war nicht der Zeitpunkt und der Grund, unter dem sich Walther eine Bevorzugung vor Reinmar gewünscht hätte. Er bezweifelte auch, dass der Herzog wirklich auf seine Worte achten würde, doch er ließ sich so etwas nicht zweimal sagen. Schnell nahm er dem Spielmann die Fiedel ab und stimmte ein Lied an. Nicht das, was er für sein bestes hielt, das war nun wirklich nichts für ein Krankenlager, aber das, was ihm selbst darüber weggeholfen hatte, dass die Wirtin Mathilde eine ehrsame Ehe mit einem braven Bürger zum Anlass genommen hatte, ihm nur noch Bier und ein Lächeln vorzusetzen, wenn er sie besuchte. Er wollte nicht riskieren, dass der Fiedler es mit Tönen verschandelte, die nicht die seinen waren. Wenn es ihm gelang, dachte Walther, den Herzog dazu zu bringen, ihm trotz seiner Schmerzen zuzuhören, dann hatte er sein höchsteigenes Weihnachtswunder erhalten, zum zweiten Mal.

Doch der Herzog behielt die Lippen aufeinandergepresst, und der Schmerz in seinen Augen wurde nicht geringer. Worte und Fiedelklang, was war beides gegen das tote Stück Fleisch auf dem Boden, das vorhin noch am Leben gewesen war? Nichts. Was war der Herzog? Einer der mächtigsten Herren des Reiches. In seinem Herzogtum hielt er ihrer aller Leben in seinen Händen, auch in diesem Moment, und doch war er auch ein Mann, dessen Blut in den Verband sickerte, den man ihm eilig angelegt hatte, der nach Schweiß und Kot stank, der mit all seiner Macht keine Linderung für seine Schmerzen erlangen konnte.

Gegen die Natur der Menschen anzuspielen, war eine neue Erfahrung, und Walther nicht gesonnen, sich so leicht geschlagen zu geben. Die Übelkeit in seinem Magen verschwand, obwohl er die Augen nicht mehr abwandte, sondern direkt auf den Herzog starrte. Den Mann, der immer noch leise ächzte, aber nicht mehr fluchte, und dieses Stöhnen legte sich irgendwie zwischen Walthers Töne. Sein eigener Gesang ließ Walthers Blut schneller fließen. Gerade, als er sicher war, noch nie im Leben so gut vorgetragen zu haben, und meinte, so etwas wie Frieden in den Augen des Herzogs aufglimmen zu sehen, da kam der Bischof von Passau mit einem Diener und einem weiteren jungen Mann in das Gemach, wie ein Wind mit hastig angelegten Roben und betonter Wichtigkeit. Walther wurde wieder zu einem Teil des Gesindes, das sich in den Ecken herumdrückte, so kam es ihm jedenfalls vor, und seine Töne stolperten und verklangen. Dann befahl er sich, nicht töricht zu sein. Es war nur ein Lied gewesen, um einen Kranken abzulenken. Mehr hatte es auch nicht sein sollen. Und wer wollte schon immer das Zentrum der Aufmerksamkeit sein? Der Herzog war der Mittelpunkt, und gerade jetzt wollte Walther gewiss nicht mit ihm tauschen.

Bischof Wolfger war ein großer Mann mit schlohweißem Haar, doch der Gestalt eines Reiters, der noch jedes Pferd bezwingen konnte. Anders als die meisten Kirchenmänner, die Walther gesehen hatte, trug er keine Haube, sein Gesicht war nicht fahl wie Hostien, sondern braun von Sonne und Wind. Seine Augen blitzten grau, aber ohne Zorn oder Mitleid. Er warf einen Blick auf das abgehackte Bein des Herzogs und trat näher.

»Wie ich sehe, steht es schlecht um Euch, Euer Gnaden«, sagte er sachlich.

»Ich will die Absolution«, entgegnete der Herzog unvermittelt.

»Dazu müsstet Ihr erst beichten, und Ihr wisst, dass ich Euch die Beichte derzeit nicht abnehmen kann.«

»Ihr wisst, was ich meine. Ich … Ihr müsst den Bann von mir nehmen. Wien bleibt weiter Teil Eurer Diözese, das schwöre ich Euch.«

»Und ich freue mich, das zu hören«, entgegnete der Bischof unbeeindruckt. »Trotzdem kann ich den Bann nicht von Euch nehmen, ehe Ihr nicht die Bedingungen des Heiligen Vaters erfüllt.«

Das war das Erste, was Walther über Verhandlungen mit dem Papst hörte. Der Hofklatsch hatte nichts darüber gewusst. Er schaute zu Reinmar, dessen Augen sich geweitet hatten. Also waren auch die Freunde des Herzogs davon ausgegangen, dass der Bischof nur wegen seiner Diözese-Angelegenheiten hier weilte.

»Sehe ich aus, als ob ich bald wieder auf Kreuzzug gehen kann?«, ächzte der Herzog. »Um Christi willen, habt doch ein Einsehen.«

Der Bischof zögerte. »Einer Eurer Söhne kann an Eurer statt

gehen. Ich bin sicher, dass der Heilige Vater damit einverstanden wäre.«

Walther blickte zu den beiden Söhnen des Herzogs. Leopold schaute geradezu begeistert drein und öffnete den Mund, wie um sich freiwillig zu melden.

»Du bist noch viel zu jung, Bruder«, sagte Friedrich. »Ich werde gehen«, fügte er, an den Bischof gewandt, hinzu. »Sobald es meinem Vater bessergeht, versteht sich. Es wird mir eine Ehre sein, das Heilige Land an seiner statt zu besuchen.«

»Dessen bin ich sicher«, erwiderte der Bischof nicht unfreundlich, »doch wenn Ihr ein Gelübde für einen Kreuzzug ablegen wollt, dann muss es gültig sein, ganz gleich, ob es Eurem Herrn Vater bessergeht oder nicht.«

»Ihr seid die Nächstenliebe selbst, wie?«, stöhnte der Herzog.

»Ich bin nicht derjenige, der Hand an einen Kreuzfahrer gelegt hat«, gab der Bischof ungerührt zurück. »Gut denn, Herr Friedrich wird an Eurer Stelle gehen. Ihr wisst, dass es noch andere Bedingungen gibt.«

»Ich werde die Geisel gehen lassen. Hat mir ohnehin nichts genutzt, dass ich Richards Neffen an meinem Hof durchfüttere.«

»Auch das freut mich zu hören, und König Richard wird es wohl noch mehr freuen. Aber Ihr wisst genau, auf welche Bedingung des Heiligen Vaters ich mich bezog.«

»Das Geld, das Geld, immer das verfluchte Geld. Ich habe das englische Silber nicht mehr!«

Die Miene des Bischofs wurde steinern. »Das ist eine Lüge, und Ihr wisst es. Ihr habt bei weitem nicht alles ausgegeben. Hängt Euer Herz mehr am Mammon als an Eurem Seelenheil, nun, da Gott Euch gezeigt hat, dass mit seinen Gesetzen nicht zu spaßen ist?«

Walther warf Reinmar einen bedeutsamen Blick zu, den der ältere Sänger jedoch nicht auffing, da er betroffen auf seinen Freund und Gönner starrte.

»Ich … ich habe nie … Ihr …«

»Vielleicht sollten wir unter vier Augen darüber sprechen«, meinte der Bischof bedeutsam.

Der Herzog stemmte sich auf seinen Armen etwas höher, um Wolfger besser in die Augen sehen zu können.

»Vertraut Ihr Eurem Bastard nicht?«, fragte er höhnisch und schaute zu dem jungen Mann, der schräg hinter dem Bischof stand.

»Der Sohn meiner verstorbenen Gemahlin«, sagte der Bischof eisig, »die ich in Ehren bestattet habe, ehe ich in den geistlichen Stand trat, genießt mein Vertrauen. Ich hatte an Eure Dienerschaft gedacht.«

Kurz darauf fand sich Walther gemeinsam mit den restlichen Dienern und Höflingen und zu seiner Überraschung auch mit den beiden Söhnen des Herzogs sowie dem Sohn des Bischofs vor der Tür des Gemaches wieder, in dem Vorzimmer, wo sonst die Knappen schliefen. Während sich alle um die Herzogssöhne scharten, fragte sich Walther, ob Reinmar und er sich nicht entfernen sollten. Seine Müdigkeit war völlig verflogen. Ob es nun das Echo des Gefühls war, mit einem Lied wenigstens für einen Augenblick die Natur bezwungen zu haben, oder die reine Neugier darauf, ob der Herzog vom Bann erlöst werden würde oder nicht, war ihm nicht klar. Ganz zu schweigen von der Neugier, wo der Rest des englischen Silbers geblieben war, wenn sich der Bischof so sicher gab, dass es am Hof zu Wien noch vorhanden sein musste.

Friedrich, des Herzogs ältester Sohn, wandte sich an Reinmar: »Euer Schüler macht Euch Ehre.«

»Danke, Euer Gnaden«, murmelte Reinmar, der nicht sehr begeistert über dieses Lob wirkte.

»Mein Vater«, fuhr Friedrich fort, »wird wohl keinen Schlaf mehr in dieser Nacht finden in seinem Zustand, nicht, bis der Medicus eintrifft. Wenn Seine Gnaden der Bischof seine Unterredung beendet hat, sollte daher weiterhin für Ablenkung gesorgt sein. Ihr selbst seid, mit Verlaub, nicht mehr der Jüngste, doch Euer Schüler mag bleiben. Wie war noch Euer Name?«, schloss er, nun an Walther gewandt.

Gekränkt zu sein, weil er dem Herzogssohn noch nicht früher

aufgefallen war, lohnte sich nicht. Außerdem hatte Walther die letzten zwei Jahre damit verbracht, so viel wie möglich von Reinmar zu lernen; zu viel vielleicht? Wenn er nur wie dessen Echo klang, dann war es kein Wunder, wenn keiner der hohen Herren sich die Mühe machte, sich seinen Namen einzuprägen.

»Bis man mich die Nachtigall von Wien nennt, wird es Walther von der Vogelweide tun, Euer Gnaden.«

Er konnte den missbilligenden Blick Reinmars fühlen, obwohl er jetzt in Friedrichs Richtung schaute. Es war leicht, zu erraten, was sein Lehrmeister dachte: dass man einen solchen scherzenden Tonfall nicht gegenüber einem hohen Herrn anschlug, auch nicht gegenüber einem Sohn, dessen Vater gerade um den Preis für sein Seelenheil rang. Aber Reinmar hatte bereits alles erreicht, was er in seinem Leben erreichen wollte. Wenn Walther immer nur getan hätte, was sich ziemte und was auf aller Leute Gefühl Rücksicht nahm, dann wäre er jetzt noch in jenem Nest in Tirol, wo sich die Füchse und Hasen gute Nacht sagten und eine Familie von dem, was bei einem einzigen Festmahl des Herzogs auf die Tische in der großen Halle kam, ein gutes Jahr leben könnte. Nein, er wollte mehr.

Der junge Leopold und der Sohn des Bischofs, die gerade noch höfliche Konversation betrieben und Walther nicht beachtet hatten, hoben beide die Augenbrauen. Doch auf Friedrich kam es an – und der verschränkte zwar die Arme ineinander, doch klang keineswegs verärgert, als er entgegnete: »Bescheiden seid Ihr also auch? Ein geltungsbedürftiges Gemüt würde sich mit einem Adler vergleichen, doch Ihr, Ihr seht Euch als einen Vogel, der von den Welschen im Süden verspeist wird.« Das war eine Herausforderung, die gleichzeitig bewies, dass Friedrich Humor hatte und nicht so in Sorge um seinen Vater war, dass er sich nicht auch auf andere Dinge konzentrieren konnte.

»Ein Adler hat Herrscherpflichten über das Vogelreich«, sagte Walther und nahm aus den Augenwinkeln wahr, dass der Spielmann, auf den keiner der Herren achtete, ihm eine spöttische Grimasse schnitt, »und das wäre eine zu hohe Bürde für einen kleinen Vogel wie mich. Aber den Gesang einer Nachtigall vergisst man nie, selbst wenn die Welschen sich daran den Magen verderben. Was ihnen nur recht geschieht; schließlich haben sie uns mit ihren Troubadouren oft genug die Suppe versalzen.«

Das veranlasste den Bischofssohn, sich einzumischen. »Nur ein neidischer Dreckspatz«, sagte er vernichtend, »könnte etwas gegen den herrlichen, erhabenen Gesang der Troubadoure haben.«

Um der Wahrheit die Ehre zu geben, kannte Walther von den Liedern, die in Frankreich verfasst wurden, nur die, welche König Richard zitiert hatte. Da er die Langue d'oc vom anderen Rheinufer nicht beherrschte, musste er sich bei den Liedern der Troubadoure auf Reinmars Beschreibungen verlassen, und die waren natürlich durch das eingeschränkt, was Reinmar mochte oder nicht schätzte. Er hatte einfach nur ein Wortspiel gemacht, um Friedrichs Bemerkung eine neue Wendung zu geben, und nahm sich vor, mehr von der welschen Sprachen zu lernen. Aber hier und jetzt galt es, so zu tun, als wüsste er bereits, von was er redete, und vor allem nicht eingeschüchtert zu wirken. Einfach nur »wie Euer Gnaden meinen« zu murmeln und zurück in die Ecke zu kriechen, dazu war jeder Dummkopf fähig. Es lag ihm eine Antwort über Dompfaffen auf der Zunge, doch sein gesunder Menschenverstand war stärker. Ganz gleich, welche Schwierigkeiten der Herzog derzeit mit dem Bischof hatte, Wolfger und sein Sohn waren herzogliche Gäste. Einen solchen zu beleidigen, konnte Walther das Dach über dem Kopf kosten.

Der Herzog nannte ein paar Tiere sein Eigen, von denen Walther vor seiner Ankunft in Wien noch nie gehört hatte und die Leopold seinen Gästen stolz zu präsentieren pflegte. Einige stammten aus dem Heiligen Land, andere aus dem fernen Byzanz, denn die Mutter des Herzogs war eine oströmische Prinzessin gewesen. Unter diesen Tieren war auch ein Vogel, Papagei genannt, der einzelne Worte nachsprechen konnte, und die Erinnerung an das Tier mit dem krummen Schnabel und der schnarrenden Stimme kam Walther nun zu Hilfe.

»Selbst ein Spatz«, sagte er höflich, »hat einen eigenen Gesang, und daher danke ich Euch, Herr. Nicht auszudenken, hättet Ihr mich einen Papageien geheißen, der den Troubadouren einfach nur nachplappert, was sie von sich geben!« Er sah, wie Reinmar zusammenzuckte. Nicht auf eine verlegene Art wie vorhin, sondern als fühle er sich durch Walthers Bemerkung selbst getroffen und gekränkt, was überhaupt nicht in Walthers Absicht gelegen hatte; der Satz war für den Bischofssprössling gedacht gewesen.

Einen Herzschlag lang herrschte Schweigen im Raum, bis Friedrich in Gelächter ausbrach, das gleiche tiefe, rauhe Gelächter aus vollem Hals, das man von seinem Vater kannte. Der Bischofssohn zuckte die Achseln, doch er lächelte zumindest.

»Herr«, mahnte Reinmar mit dünner Stimme, »haltet Ihr es wirklich für angebracht, zu lachen, während Euer edler Vater in seinen Qualen daniederliegt?«

Walther hatte noch nie erlebt, dass Reinmar einem Mitglied der herzoglichen Familie gegenüber tadelnd geworden war. Für Reinmar war Respekt gegenüber Höhergestellten eines der wichtigsten Dinge im Leben.

»Herr Reinmar hat recht«, sagte Leopold scharf. »Wir sollten alle in die Kapelle gehen und um die baldige Genesung unseres Herrn Vater beten, nicht losen Scherzen lauschen.« Unglücklicherweise wurde die Wirkung seines Tadels dadurch beeinträchtigt, dass die Stimme des Fünfzehnjährigen bei den »losen Scherzen« empört nach oben kletterte; es kostete Walther einiges an Beherrschung, um keine Miene zu verziehen. Der Fiedler aber grinste, was sich als verhängnisvoller Fehler erwies. Peinlich berührt von seinem unmännlichen Piepsen, drehte sich Leopold in Richtung des Gangs, erblickte dabei den Spielmann und wurde feuerrot.

»Hundsfott!«, schrie er und schlug nach dem Spötter. »Wagst du es, über das Leiden meines Vaters zu lachen!«

Der Spielmann war größer und stärker als Leopold und bestimmt zehn Jahre älter, doch er rührte sich nicht, um sich wegzuducken. Er nahm den Schlag hin, wie es seinem Stand entsprach: Er war ein Nichts, und Leopold, der Sohn eines Herzogs, war alles. *Es sei denn, ein König oder Kaiser taucht am Wiener Hof auf,* dachte Walther, *und das wird so schnell nicht mehr geschehen.* Er konnte den Blick nicht von dem Geschlagenen abwenden. Das hätte er selbst sein können, wenn er nicht darauf bestehen würde, Herr Walther von der Vogelweide zu sein. Doch dann wandte sich Leopold erneut um, immer noch mit erhobener Faust, und Walther wurde bewusst, dass auch ein Herr Walther tief, tief unter einem Fürstensohn stand.

»Und Ihr, Ihr …«

»Bruder«, unterbrach ihn Friedrich, »du hast recht. Lass uns in die Kapelle gehen und für unseren Herrn Vater beten. Das ziemt sich mehr als alles andere.«

Leopold hielt inne und blinzelte. Dann entschied er, dass jetzt darauf zu bestehen, erst noch seinen Zorn auszutoben, ihn wie einen Heuchler dastehen lassen würde, und nickte. Der Bischofssohn versicherte hastig, auch er würde selbstverständlich gerne für den Herzog, seine Genesung und eine baldige Wiederaufnahme in den Schoß der Kirche beten. Alle Herren machten sich auf den Weg, einschließlich Reinmars. Doch als Walther ihnen folgen wollte, legte Friedrich einen Arm um seine Schulter und hielt ihn zurück.

»Herr Walther, ich wünsche nach wie vor, dass Ihr meinen Vater von seinen Schmerzen ablenkt, wenn der Bischof wieder gegangen ist.«

»Selbstverständlich, Euer Gnaden.«

Zu Walthers Überraschung zog ihn der Herzogssohn noch ein wenig näher und raunte leise: »Und ich wünsche auch zu erfahren, wo das restliche englische Silber aufbewahrt wird. Findet das für mich heraus, dann werdet Ihr Euer Lied weiter in Wien singen können. Wenn nicht, dann werfe ich Euch Leopold zum Fraß vor.«

KAPITEL 2

Die Weihnachtsfeiertage und die Zeit zwischen den Jahren war eigentlich ein Gottesgeschenk für Dichter und Sänger: Schließlich sorgte der Schnee dafür, dass die Menschen zusammengedrängt in einem gut geheizten Raum blieben und unterhalten werden wollten. Die langen dunklen Nächte waren außerdem nicht schlecht dafür, an neuen Versen zu feilen. Aber in diesem Moment war er mehr damit beschäftigt, das Rätsel zu lösen, das der Herzog und seine Söhne für ihn darstellten.

Wenn jemand wissen sollte, wo der Herzog den Rest des englischen Silbers aufbewahrte, dann musste es doch eigentlich sein ältester Sohn sein. Daher war es sehr wohl denkbar, dass Friedrichs Aufforderung eine Prüfung darstellte, bei der Walther nur verlieren konnte. Wenn er den wahren Aufenthaltsort nicht herausfand, dann stand er als zu dumm für solche Aufträge da; wenn er es tat, dann als nicht vertrauenswürdig, weil er bereit wäre, den Herzog an dessen Sohn zu verraten. Nur eins stand fest: Wenn der Herzog starb, und das schien mit jeder Stunde wahrscheinlicher zu werden, dann würde ihm einer seiner beiden Söhne nachfolgen, und ganz egal, was Friedrich im Schilde führen mochte, Leopold war gewiss nicht gesonnen, einen Sänger zu fördern, der ihn vor anderen verärgert hatte.

Der Herzog selbst war keine Hilfe. Nach dem Gespräch mit Bischof Wolfger war er in einen Fiebertraum gefallen, der den ganzen Tag anhielt. Als Walther einen der Diener am Abend wieder an Friedrichs Befehl erinnerte, er möge die Leiden des Herzogs durch seine Poesie und seinen Gesang lindern, drückte ihm der unverschämte Kerl das bereits stinkende Unterbein in den Arm: »Du willst helfen? Dann schaff um alles in der Welt das Ding hier fort.«

Es war nicht der Augenblick, den Herrn herauszukehren, auch deswegen nicht, weil Walther das Gefühl hatte, dass die Diener ihm den Ritterstand weniger abnahmen, als der Adel es bisher tat. Das wunde Stück Menschenfleisch auf den Abfallhaufen zu werfen, der in der Nähe der Küche lag, schien allerdings kaum angebracht. So fand Walther sich schließlich im Schlossgarten wieder, wo er den Schnee zur Seite schaufelte und mit einem Schürhaken den Boden genügend aufbrach, um das herzogliche Bein darin zu beerdigen.

Der Rückweg gestaltete sich für Walther erfreulicher: In den langen Gängen der Residenz traf er die bevorzugte Hofdame der Herzogin, Martha von Kronsheim. Walther hatte gelernt, dass sein geschickter Umgang mit Worten ihm bei Hofe nicht nur Türen öffnen, sondern hinter ebendiesen auch manche Röcke heben konnte, wovon er eifrig Gebrauch machte, wann immer sich ihm die Gelegenheit bot. Doch an dem verlockendsten Preis für seine Kunst hatte er sich bisher die Zähne ausgebissen, denn all seine Komplimente prallten an der reizvollen jungen Witwe ab wie Regentropfen an einer Rüstung. Auf sein »Seid gegrüßt, schöne Martha. Ich hoffe, Ihr langweilt Euch nicht an Tagen wie diesem« rechnete er daher wie immer mit einer frostigen Aufforderung, seiner Wege zu gehen. Doch es kam anders. Die Hofdame ließ etwas in ihrer Hand verschwinden, was sie gerade noch traurig angestarrt hatte, und sagte matt: »Schönheit ist vergänglich; die Zeit fliegt.«

Er nahm diese Vorlage nur zu gern an. »Wollt Ihr damit sagen, dass ein strahlender Tag weniger schön ist als ein Morgen? Es ist anders, aber bestimmt genauso prächtig. Wie kann denn wahre Schönheit vergänglich sein? Ihr selbst beweist doch ständig das Gegenteil, mit Eurem Aussehen, das die Begriffe für Eifersucht und Neid bei den anderen Damen am Hof täglich neu formt.«

»Ihr bringt Eure Huldigungen einem Grabmal dar.«

Walther fand, dass Martha übertrieb, und konnte nicht umhin, sie mit Mathilde zu vergleichen, die das Ableben ihres Schankwirts gewiss nicht als Anlass gesehen hatte, sich ebenfalls für tot zu halten. »Es sind andere, die Euch beerdigen wollen, und Ihr solltet nicht auf sie hören. Ihr atmet, Ihr lebt, Ihr verzaubert die Welt durch Euer Dasein, und Ihr würdet sie noch schöner machen, wäret Ihr noch mehr ein Teil von ihr.«

Unter anderen Umständen wären diese Worte das Ende ihrer Unterhaltung gewesen: Martha hatte sich nie mehr als schöne Redensarten von ihm angehört, ehe sie in ihre glasklare Starre zurückfiel. Doch heute überraschte sie ihn. »Ein Teil der Welt zu sein ist nicht immer erstrebenswert«, entgegnete sie. Ein kurzer Schauder ging durch ihren Körper. »Ganz gleich, wie hoch man steht. Früher oder später wird alles Glück zunichte, ganz gleich, wie sicher man sich wähnt. Die Vergangenheit holt einen doch wieder ein. Selbst unsere Herrin hat das erfahren.«

Damit musste sie die Herzogin meinen, doch Walther hatte trotzdem keine Ahnung, wovon sie redete. Gewiss, derzeit herrschte eine Verstimmung zwischen dem herzoglichen Paar, aber im Allgemeinen konnte niemand leugnen, dass Helena von Österreich vom Glück gesegnet war. Sie hatte zwei überlebende Söhne, war mit einem der mächtigsten Herzöge des Reiches vermählt, gesund und reich. Nach dem verstörten Blick Marthas zählte das alles im Moment aber wohl nicht. Walther entschied, sie zu beruhigen, indem er schnell ablenkte und ein wirklich ernstgemeintes Kompliment hinzufügte: »Dann schafft man sich eben ein neues Glück. Auf mich wirkt Ihr immer noch so schön, so zart und zerbrechlich wie ein junges Mädchen, das seinen ersten Mann bekommen soll, aber für wen? Euer Enrico ist vor zwei Jahren gefallen. Warum heiratet Ihr nicht wieder?«

Sie zögerte mit einer Erwiderung, sie zögerte sogar sehr lange. »Ich will heute kein Grabmal sein«, flüsterte sie dann mehr, als sie es sprach. Und griff nach seinem Arm.

Wie in einem Traum folgte Walther ihr in eine kleine, enge Kammer, in der eine kleine Truhe stand. Sie kniete sich mit dem Gesicht zur Wand auf diese – und schlug ihr Kleid den Rücken hoch.

Als sie ein Hinterteil vor ihm entblößte, wie er es schöner noch nie erblickt hatte, wirbelte das all die Sorgen, Aufregungen und den Ärger der letzten Tage davon. Und obwohl Walther in seinen echten Träumen oft genug an dieser Stelle gestanden hatte, versagten seine Füße und Hände ihm nun den Dienst. Dann aber wiederholte Martha ihren Satz noch einmal mit fester Stimme. »Kein Grabmal, nicht heute.«

Das brach den Bann – und sein Körper reagierte. Anders als bei anderen Frauen bei Hofe oder in den Badehäusern, deren Vorzüge er genossen hatte, waren ihre Backen prall und wölbten sich ihm einladend entgegen, statt flach zu den Seiten zu fliehen. Walther streichelte, küsste und liebkoste, was ihm Köstliches geboten wurde, und das war nicht wenig. Ganz langsam, jeden Augenblick genießend, auch als sie zu zittern anfing, egal ob wegen der Kälte oder der Situation.

Bevor er die Pforte zum Paradies für sich öffnete, wollte er ihr zu gerne zeigen, wie zärtlich er sein konnte, und versuchte, ihren Kopf sanft zur Seite zu drehen, um ihre Lippen zu erreichen, sie zu küssen, wie er es vorher schon mit allem, was er haben durfte, ausgiebig getan hatte. Aber sie wollte knien und ihn nicht anblicken, und so tat er schließlich das, was von ihm erwartet wurde, und er tat es gerne.

Als er spürte, wie sie sich ihm immer heftiger entgegenwarf und sich auch sein Höhepunkt drangvoll näherte, hörte er nach all dem Keuchen und Stöhnen zwischen ihren heiseren Atemzügen einen Namen – aber es war nicht der seine. »Enrico.« Und noch einmal: »Enrico.« Der Name ihres verlorenen Mannes.

Kein Grabmal, hatte sie gesagt, und doch hatte sie sich einem Toten geschenkt. Walther selbst war nur das Instrument dazu gewesen; das war ernüchternd. Er bezweifelte, dass sie auch nur die Farbe seiner Augen hätte nennen können. Und doch konnte er ihr nicht böse sein, sondern dankbar für eine Lektion über die Frauen, die er bisher nicht gelernt hatte. Und er fragte sich, ob er je selbst so für eine lebende Frau empfinden würde wie Martha für den längst verstorbenen Enrico.

Walther schob diese Frage entschieden beiseite, während Martha ohne ein weiteres Wort aus der Kammer schlüpfte. Was hatte sie damit gemeint: *Früher oder später wird alles Glück zunichte, ganz gleich, wie sicher man sich wähnt. Die Vergangenheit holt einen doch wieder ein. Selbst unsere Herrin hat das erfahren.* Ging es darum, dass der Herzog wahrscheinlich sterben würde? Aber das hatte nichts mit der Vergangenheit zu tun. Es musste da etwas anderes geben.

»Wie geht es meinem armen Herrn?«, fragte Reinmar des Morgens, als sie sich in der großen Halle mit den restlichen Höflingen ein Mahl teilten. Walther, dessen Schlaflosigkeit längst mehr durch ungelöste Aufträge als durch mangelnde Schaffenskraft bedingt war, entgegnete mit einer Grimasse: »Der größte Teil von ihm leidet noch Qualen, doch ein kleines Stück hat den ewigen Frieden unter Rosen gefunden.«

Erst, als auf seine spitze Bemerkung eisiges Schweigen folgte, dämmerte es ihm, dass er das Falsche gesagt hatte. Reinmars Mund war zu einer dünnen Linie der gekränkten Empörung geworden; auf seiner Stirn standen so viele Falten, dass sie wie ein sommerliches Ackerfeld wirkte.

»Weißt du, warum du nie ein großer Dichter werden wirst? Du hast kein Herz, Walther. Keinen Sinn für das Höhere und kein Mitleid für die Menschen. Nichts als dein eigenes Wohl kümmert dich. Wie willst du da etwas schreiben, das anderen Menschen die Herzen rührt?«

Walther hatte einen Tadel über sein Verhalten erwartet, aber nicht diese Anschuldigung. Ihm wäre es lieber gewesen, wenn sein Lehrherr ihn geohrfeigt hätte. Doch Reinmar war eben ein Künstler der Worte und wusste, wie man sie setzen musste, um zu treffen. Walther sagte sich, dass nichts davon stimmte, dass Reinmar sehr wohl an sein Talent glaubte, denn sonst hätte er sich in den letzten zwei Jahren kaum mit ihm abgegeben.

Vielleicht hatte Reinmar es aber auch nur getan, weil er langsam alt wurde und es ihm die Zeit vertrieb? Vielleicht hatte er recht, und Walthers Fähigkeit, in der Krankenstube eines siechen Mannes an sein eigenes Wohl zu denken, bewies, dass er im Inneren hohl war. Vielleicht war es das, was dafür sorgte, dass seine Lieder zwar gut waren, aber eben nicht außergewöhnlich? Nichts, was nicht schon da gewesen war, in der einen oder anderen Form.

Die Zweifel plagten ihn, mehr, als es die Mischung aus Drohung und Versprechen von Friedrich getan hatte, und Walther stellte fest, dass er dieses Gefühl hasste. Nun, er konnte Reinmar zumindest zeigen, dass auch er seine Worte zu setzen verstand.

»Vielleicht blutet mein Herz nicht jedes Mal, wenn man es kratzt«, entgegnete er langsam, »aber ob ich eins habe oder nicht, das könnt Ihr gar nicht wissen. Ihr seid selbst zu sehr damit beschäftigt, auf das Eure zu hören, und wenn es nach Euren Liedern geht, dann schlägt es immer den gleichen Ton an. Ist ihm dann noch zu glauben?«

Es war für die nächsten Tage das Letzte, was er zu Reinmar sagte. Es war nicht weiter schwer, dem älteren Sänger auszuweichen, vor allem, da Walther beschloss, dass es ihn nun wirklich kümmerte, was aus dem verfluchten englischen Silber geworden war und worauf genau Friedrich hinauswollte. Da weder vom Herzog noch seinem Sohn noch irgendeiner der Damen, in deren Gunst er stand, irgendetwas zu erwarten war, musste er sich einen neuen Brunnen suchen, in der Hoffnung, dass sich an seinem Grund wirklich eine Quelle verbarg.

Walther war nicht entgangen, dass Bischof Wolfgers Sohn durchaus dankbar für unterhaltsame Gesellschaft und für Branntwein gegen die Winterkälte war. Außerdem hatte er nicht zuletzt bei der schönen Wirtin in Erdberg gelernt, dass man im Alkohol eigentlich alles bewahren konnte, bloß keine Geheimnisse der Menschen. Tatsächlich begann der junge Hugo schon bei dem zweiten gemeinsamen Zechgelage, über die widrigen Umstände seines Lebens zu klagen.

»Es ist jedes Mal dasselbe, wenn mein Vater mich an einen Hof mitnimmt, wo man mich noch nicht kennt«, sagte er düster. »Alle denken sie, ich sei ein Bastard, eine Sünde, der man sich schämen muss, und meine arme verstorbene Mutter eine Metze. Dabei ist doch mein Vater nicht der einzige Mann, der nicht schon von Kind auf zum Priester bestimmt war und seine Berufung erst spät fand! Er hat die Welt erlebt und dann das geistliche Leben gewählt, aus freien Stücken. Wenn Ihr mich fragt, Herr Walther, dann ist dergleichen besser als das, was der Kaiser gerade mit seinem jüngsten Bruder gemacht hat. Der Philipp hat im Leben nichts anderes gelernt, als Mönch zu sein, doch dann zerrt man ihn aus dem Kloster, weil die anderen Brüder alle tot sind und der Kaiser immer noch keinen Sohn hat, und will ihn verheiraten mit einem Weib aus Byzanz. Ihr könnt darauf wetten, wenn die beiden Kinder haben, dann wird keiner sie schief anschauen und Priesterbastard denken, nein, da wird gedienert und gebuckelt. Aber bei meinem Vater, der kein Gelübde gebrochen hat und nicht erst von seinen Schwüren entbunden werden musste, den hält man für einen geilen Bock, der noch dazu so schamlos ist, der Welt seinen Bastard vorzuführen. Ach, die Welt ist ungerecht!«

»Das ist sie«, stimmte Walther zu, der über den jüngsten Bruder des Kaisers eigentlich nur wusste, dass es ihn gab, und dessen Mitleid für Hugo schon dadurch begrenzt war, dass es dem Sohn eines der mächtigsten Bischöfe des Reiches nie an Wohlstand oder Erziehung gemangelt hatte. »Aber an Eurer Stelle würde ich den Hohn des Herzogs nicht so schwer nehmen, in seinem Zustand. Er weiß ja kaum mehr, was er sagt.«

»Ha, schön wäre es! Mein Vater hat mir erzählt, dass der Mann so zäh sei, dass er noch mit einem Fuß über dem Höllenfeuer versuche, das Beste für sich auszuhandeln. Der hat sich jedes Wort genau überlegt, Euer Herzog. Er dachte, wenn er meinen Vater beschämt und ihm klarmacht, auch nur ein Sünder zu sein, dann muss er nicht mit dem Silber herausrücken. Vielleicht ist schon ein Bote nach Rom unterwegs, der den Papst über mich angeblichen Bastard mit wahrheitswidrigen Behauptungen in Kenntnis setzt. Zuzutrauen wäre es ihm. Aber wenn er das getan hat, dann hat er sich ins eigene Fleisch geschnitten, weil der Heilige Vater genau weiß, dass ich … ha! *Ins eigene Fleisch!* Nichts für ungut, Herr Walther, aber das ist gelungen!«

Mit einem Mal konnte sich Walther in Reinmar versetzen, ein wenig jedenfalls. »Ein Wortspiel, auf das nur Ihr kommen könntet. Vielleicht, und ich spreche hier natürlich nur aus reiner Vermutung, war der Herzog auch neidisch auf das große Vertrauen, das Euer Vater Euch entgegenbringen kann? Seine eigenen Söhne …« Walther zuckte die Schultern und seufzte vielsagend, während Hugo sich nachschenkte.

»Dachte ich mir doch, dass hier am Hof jeder darüber Bescheid weiß«, stimmte der Bischofssohn zu. »Natürlich war es für uns auch offensichtlich, so schnell, wie der Herzog einverstanden war, Friedrich für ihn auf den Kreuzzug gehen zu lassen. Ich wette, er hat nichts dagegen, dass Friedrich lange im Heiligen Land bleibt, wenn nicht bis in alle Ewigkeit, nachdem er erfahren hat, dass in seinem Sattel ein Eroberer gesessen hat, der dort nichts zu suchen hatte. Vermutlich hofft er, dass bis dahin Leopold bereit ist. Schließlich ist da auch noch die Sache mit der Steiermark …«

Walther hatte keine Ahnung, worauf sich Hugo bezog. Es kam nur darauf an, sich das nicht anmerken zu lassen, sondern vorzugeben, er wisse bereits alles. »Ja, die Steiermark«, stimmte er daher in einem bedeutungsschweren Tonfall ein, »die liegt Herrn Friedrich wirklich im Magen!«

Hugo schnaubte belustigt. »Wem ginge das nicht so, wenn der eigene Vater einen Teil des Herzogtums unverhohlen abschneidet und dem jüngeren Bruder zuschanzt? Wahrscheinlich versucht der alte Mann, ihm die Suppe zu versüßen, indem er vorgibt, das sei eine neue päpstliche Bedingung, um die Herzöge von Österreich kleiner zu halten, aber das kann ich Euch versichern, Herr Walther, daran ist kein Stück Wahrheit! Was kümmert es die Kirche, wer oder wie viele hier in Österreich regieren, solange es gute Christen sind, die sich nicht anmaßen, Bischofssitze mit eigener Hand zu besetzen?«

»Fürwahr, fürwahr«, nickte Walther, der sich bemühte, nicht zu fasziniert dreinzublicken. Wenn er Hugo recht verstand, dann hatte der Herzog also vor, Österreich zu halbieren, die Steiermark als separates Herzogtum einzurichten und sie Leopold zu geben. Nun waren Walthers Kenntnisse von adligen Erbangelegenheiten beschränkt, doch er war sich vergleichsweise sicher, dass der Herzog dies nicht ohne Unterstützung seines obersten Lehnsherrn tun konnte, des Kaisers.

»Nun, aber der Kaiser …«, gab er also vage zurück. Hugos Mundwinkel krümmten sich nach unten.

»Der Kaiser schuldet dem Herzog eine Menge. Seine Hälfte des englischen Lösegelds, um genau zu sein, das er nie bekommen hätte, wenn Euer Herzog nicht so unverfroren gewesen wäre, einen Kreuzfahrer gefangen zu nehmen. Also wird er dem Herzog den Gefallen tun, da zweifelt mein Vater überhaupt nicht, und er kennt den Staufer. Bestimmt haben die zwei sich vor zwei Monaten in Gelnhausen bereits darauf verständigt.«

»Eines habe ich nie verstanden«, gab Walther aufrichtig zu. »Warum besteht der Heilige Vater nicht darauf, dass der Kaiser sein unrechtes Gut genauso zurückgibt wie der Herzog? Nur, weil die versammelten Ritter des Kaisers so nahe bei Rom stehen?«

»Ich will nicht hoffen, dass Ihr dem Papst Feigheit vorwerft!«, brauste Hugo auf. »Auch dem Kaiser ist mit dem Bann gedroht worden, aber der hat gelobt, einen Kreuzzug zu führen, jetzt, wo die Eroberung des Königreichs Sizilien auch auf dem Festland vollständig abgeschlossen ist. Für einen solchen gottgefälligen Zweck unrechtes Gut auszugeben, ist angemessene Buße.«

Wenn du das sagst, dachte Walther, hütete sich jedoch, den Gedanken laut auszusprechen. Jetzt hatte er zwei Geheimnisse, mit denen er wuchern konnte. Die merkwürdige Bemerkung der Dame Martha über die Herzogin schien etwas zu bestätigen, was Hugo jetzt mit *einem Fremden im eigenen Sattel* andeutete. Das konnte der Bischof nur durch einen Bruch des Beichtgeheimnisses durch den Beichtvater der Herzogin erfahren haben. Obwohl Hugo noch etwas damit prahlte, dass ihm sein Vater versprochen habe, ihn nach Rom mitzunehmen und dort vorzustellen, gab es trotz reichlich vorhandener Getränke keine weiteren Auskünfte mehr, die für Walther von Bedeutung waren. Schließlich schleppte er den weinseligen Bischofssprössling in das Gemach, das dieser mit seinem Vater und dessen Sekretär teilte, und dachte nach.

Wenn Friedrich nach seines Vaters Tod auf einmal nur mit der Hälfte seines Herzogtums dastehen würde und noch dazu in die Ferne ziehen sollte – was hieß, dass sein Bruder dann Regent für das gesamte Österreich wurde –, wäre es für ihn wahrlich von großem Nutzen zu wissen, wo der nicht verbaute Teil des englischen Lösegelds geblieben war. Ehrenmänner wie Reinmar glaubten zwar an ihre Eide, doch Walther vermutete, dass viele der immer hungrigen Höflinge bei dem Herzogssprössling bleiben würden, der großzügiger sein konnte als der andere. Er schloss sich selbst dabei nicht aus. Schließlich hatte er kein Gut, von dem er leben konnte; er war auf Gönner angewiesen, die nicht sparen mussten.

Allerdings durfte er sich nicht auf Hugo und Martha als einzige Auskunftsquellen verlassen, zumal der Bischof und sein Sohn offensichtlich auch nicht wussten, wo das Silber sein konnte. Was den Herzog selbst betraf, so erwiesen sich all die so oft erzählten Geschichten von Menschen, die sich im Schlaf die Seele erleichterten oder aber an der Schwelle des Todes das Bedürfnis verspürten, die Wahrheit zu sprechen, als schlecht zusammengereimt. Walther wurde oft genug vorgelassen, doch wenn der Herzog nicht bei Bewusstsein war, was nie länger als eine Stunde dauerte, dann stöhnte er höchstens im Schlaf, und wenn er wach war, dann wollte er entweder fünfzig Jahre alte Lieder hören, die ihn in seiner Jugend begeistert hatten, oder er diktierte Briefe an seine byzantinische Verwandtschaft auf Griechisch, so dass Walther kein Wort verstand. Er versuchte, auch den schreibenden Priester zu einem Zechgelage einzuladen, doch der schaute ihn nur verächtlich an und sagte: »Wenn Ihr glaubt, dass ich in diesen Tagen dem Teufel des Trunkes verfalle, jetzt, wo unser Herr mich mehr als je zuvor braucht, dann wisst Ihr wahrlich nicht, was es heißt, einem Edelmann zu dienen … *Herr* Walther.«

Mein Gott, ein Aufrechter, dachte dieser, aber ließ sich seine Enttäuschung nicht anmerken.

Was die Ärzte betraf, von denen mittlerweile drei immer wieder am Bett des Herzogs auftauchten, so schienen sie sich keinen anderen Rat zu wissen, als den vereiterten Beinstumpf des Herzogs zu betrachten und mit neuen Tinkturen einzupinseln, oder ihm ein Amulett mit den Hoden eines Wiesels um den Hals zu hängen, was angeblich die Schmerzen davonscheuchen sollte, von der ständigen Sterndeuterei über ungünstig stehende Gestirne ganz zu schweigen. Wenn Walther sie beobachtete, dann ertappte er sich dabei, inbrünstig zu hoffen, dass er niemals eine seiner Gliedmaßen verlor. Kein Wunder, dass der Herzog sie »Schlächter« genannt hatte. Über das englische Silber sprachen sie auch nie mit ihm, doch diese Scharlatane von Ärzten brachten

Walther auf den nächsten Einfall, weil wiederholt Mägde von der Herzogin geschickt wurden, mit der Bitte, ihr doch Bericht zu erstatten, wie es um ihren lieben Herrn stünde.

Wenn es um die Verteilung von Erbe ging, hatte für gewöhnlich die Mutter ein Wörtchen mitzureden. Das war zwar nicht Gesetz, doch Walther erinnerte sich an seine eigene Familie; er vermutete, dass die Herzogin entweder wusste, was mit der beabsichtigten Teilung des Herzogtums vor sich ging, oder diese selbst angeregt hatte, als die beiden sich noch verstanden ... vorausgesetzt, Hugo und die schöne Martha wussten wirklich etwas, das niemand erfahren sollte.

Als das nächste Mal eine der Mägde kam, machte er seine Verbeugung und erklärte, der Herzogin gerne Bericht vom Zustand des Herzogs erstatten zu wollen, und vielleicht auch mit ein paar Liedern ihre Sorge ein wenig zu lindern. Wie sich herausstellte, hätte er gar keine Entschuldigung vorzubringen brauchen: Die Aufmerksamkeit aller im Raum war auf einen Neuankömmling gerichtet, den neuen Medicus, der sein Glück am fiebernden Körper des Herzogs erproben wollte. *Wie Schweine, wenn ein neues am Futtertrog erscheint,* dachte Walther, dessen Meinung über Ärzte während der letzten Tage rapide gesunken war, und nutzte die Gelegenheit, so schnell wie möglich aus dem Gemach des Herzogs zu verschwinden.

KAPITEL 3

*E*s gibt tausend Arten, seinem Vater zu sagen, wenn man etwas für einen guten Einfall hält, dachte Judith, als sie Klosterneuburg zum ersten Mal betraten, *doch keine, die sicherstellt, dass dieser Vater auch auf einen hört.* Seit sie in Wien von Vetter Salomon, dem herzoglichen Münzmeister, erfahren hatten, dass der Herzog an den Folgen einer Beinamputation dahinsiechte, hatte sie ihrem Vater damit in den Ohren gelegen, sich umgehend auf den Weg nach Klosterneuburg zu machen: »Die Söhne des Herzogs sollen alle Heilkundigen des Landes aufgefordert haben, ihrem Vater zu helfen.«

»Bin ich ein Österreicher? Nein.«

»Du bist ein Arzt, Vater. Ein viel besserer Arzt, als diese christlichen Toren es je sein könnten.«

»Ich bin ein Jude«, hatte ihr Vater unnachgiebig erklärt, »und noch dazu einer aus Köln, was bedeutet, dass keiner der hohen Herren hier Grund hat, mich zu schützen. Wenn der Herzog stirbt, dann werden sie einen Schuldigen suchen, und das wird gewiss nicht ihr eigener Medicus sein.«

»Vetter Salomon hat sein ganzes Leben hier verbracht und ist bis zum Münzmeister des Herzogs aufgestiegen. Er sagt, dass die herzogliche Familie gerecht sei. Und freigiebig«, schloss Judith bedeutsam, denn sie war sich sehr wohl bewusst, welche Opfer ihr Vater gebracht hatte, um Köln verlassen und mit ihr nach Salerno aufbrechen zu können. Er blieb unbeeindruckt.

»Es ist noch keine fünfzig Jahre her, da hätten meine Eltern das Gleiche von den Bürgern Kölns geschworen. Ich war nur ein kleines Kind damals, doch ich habe nie vergessen, wie sie von ihrem Kreuzzug wiederkehrten, diese gerechten, großzügigen Bürger, und Simon den Frommen in Stücke rissen, weil er sich nicht zum Christentum bekehren wollte.«

»Aber dich und deine Eltern haben sie nicht in Stücke gerissen. Du hast mir doch erzählt, dass eure Nachbarn euch sogar beschützt haben vor den Kreuzfahrern.«

»Dieser Herzog ist ebenfalls ein Kreuzfahrer«, sagte ihr Vater, »und seine Söhne haben gelobt, es ihm gleichzutun. Weißt du, wie dieser Herzog zu seinem neuen Wappen gekommen ist? Sein Waffenrock soll bei den Kämpfen um Akkon rot von Blut geworden sein; als er seinen Gürtel abnahm, war ein weißer Streifen dazwischen. Das war nicht nur Moslemblut, mein Kind. Keiner von den Christen unterscheidet zwischen uns und den Muslimen, wenn sie in das Land gehen, das unseres war, um es zu befreien, wie sie es nennen. Sie töten alle, die sich nicht befreien lassen wollen. Warum sollte ich also einem Mann helfen, der so viel Blut auf sich geladen hat und damit auch noch prahlt?«

Judith wechselte die Taktik. »Weil du Arzt bist«, sagte sie leise. »Du hast mich gelehrt, dass ein Arzt allen hilft, denn wenn man anfängt, zu entscheiden, wessen Leiden verdient sind, dann maßt man sich die Gewalt Gottes an.«

Ihr Vater, der all seine Söhne und Töchter hatte sterben sehen, bis nur noch sie übrig war, sah sie an und seufzte. »Du bist eine zu gute Schülerin, Judith.«

Sie spürte, dass er kurz davorstand, nachzugeben, und brachte ihr letztes Argument vor. »Rabbi Mosche ben Maimon wäre schon am Lager des Herzogs.«

»Rabbi Mosche ben Maimon ist vom Herrn gesegnet und der berühmteste Arzt des Erdkreises«, entgegnete ihr Vater trocken. »Ich bin nur Josef ben Zayn. Deswegen lebt er am Hof Saladins in Kairo, und ich habe Glück, wenn die Kaufleute Kölns, die sich von mir behandeln lassen, auch tatsächlich zahlen, statt ihren Erzbischof zu bitten, sie von ihren Schulden bei dem Juden zu befreien.« Aber er sagte nicht, dass sie unrecht hatte. Ihr Vater hatte alle medizinischen Schriften des Mannes gelesen, den die Christen Maimonides nannten. Sie waren in der arabischen Sprache verfasst, mit der Rabbi Mosche in Cordoba aufgewachsen war. Judith hatte vor fünf Jahren, als ihr letzter Bruder gestorben war, begonnen, Arabisch zu lernen, um es ihrem Vater eines Tages gleichtun zu können, doch es gab für sie keine Möglichkeit, die Sprache mit einem anderen als ihm zu üben, und er selbst hatte sie so viele Jahre nicht mehr gesprochen, dass er vieles vergessen hatte. Das würde sich ändern, wenn sie beide Salerno erreichten, doch bis dahin musste sie sich damit abfinden, nur Bruchstücke von Rabbi Mosches Weisheiten lesen zu können. Immerhin gab es die Möglichkeit, von Besuchern, im Haus ihres Vaters, Geschichten über Mosche ben Maimon zu erfahren. Sie verehrte ihn und war gewiss, dass ein Mann wie er, der bei Juden, Christen und Muslimen angesehen war, sich von den alten Schrecken, wie sie sich in Köln lange vor ihrer Geburt ereignet hatten, nicht würde zurückhalten lassen. Und was vergossenes Blut betraf, so behandelte Rabbi Mosche auch Saladin selbst und seine Generäle, die gewiss nicht weniger Tote zu verantworten hatten als der Herzog von Österreich.

»Es ist nicht gesagt, dass die Familie des Herzogs mich überhaupt empfangen wird«, murrte ihr Vater, und Judith wusste, dass sie gesiegt hatte.

Vetter Salomon kam mit ihnen, weil er nicht sicher war, ob ein Empfehlungsschreiben bei den derzeitigen Verhältnissen überhaupt gelesen werden würde; als Münzmeister hatte er zwar genügend Verbündete bei Hofe, die er als Freunde bezeichnete, aber die hatten jetzt alle andere Sorgen. »Nur nimm es mir nicht übel, Vetter, wenn ich dir einen Rat gebe. Dass du auf dem Weg nach Salerno bist und den Winter bei mir verbringst, bis die Pässe wieder frei sind, das ist eine Sache, aber dein Vorhaben, Judith dort ausbilden zu lassen, eine ganz andere. Sie werden dich nicht für einen guten Arzt halten, wenn du das erzählst, sondern für einen törichten Alten, bei dem der Greisenwahn schon eingesetzt hat. Sag einfach, dass du selbst dort lehren willst. Das macht Eindruck, und niemand braucht weitere Erklärungen.«

Judiths Sympathie für Vetter Salomon sank, doch überrascht war sie nicht. Es gab jüdische Ärztinnen, nur eben nicht sehr viele; man konnte diejenigen, die namentlich bekannt geworden waren, an einer Hand zusammenzählen. Und ob Jüdin oder Christin, nur in Salerno war es Frauen überhaupt möglich, die Heilkunst auf wissenschaftliche Weise zu erlernen, nicht wie die Stümperei der Ärzte an den drei christlichen Universitäten in Bologna, Paris und Oxford, deren Hauptfach die Astrologie war, oder gar der Bader, die sich ohnehin meist mehr auf Haare schneiden, rasieren, zur Ader lassen und das Badevergnügen konzentrierten. Ihr Vater hatte seine Jugend in Salerno verbracht und hatte dort Ärztinnen erlebt, sonst wäre er nie bereit gewesen, sie für seine Nachfolge in Betracht zu ziehen. Der Rest der Familie in Köln war alles andere als glücklich darüber und murmelte davon, wie der Tod seiner Söhne Rabbi Josef den Verstand getrübt haben musste; dass Vetter Salomon ähnlich dachte, war zu erwarten gewesen. Tatsächlich wusste Judith, dass sie immer noch in Köln säße und statt einer Ausbildung in Salerno eine Ehe für sie geplant würde, wenn ihre Brüder noch am Leben wären. Sie konnte nie die Gebete für die Toten sprechen, ohne deswegen Schuldgefühle zu empfinden, nicht zuletzt, weil sie sich nichts sehnlicher wünschte, als Ärztin zu werden, seit sie als Kind ihrem Vater dabei zusehen durfte, wie er die Mutter von der Schwelle des Todes zurückgeholt hatte. Wenn Gott sie prüfen würde und fragte, ob sie ihre Brüder wiederhaben oder ihre eigenen Träume für immer aufgeben wollte, dann war Judith nicht sicher, ob sie diese Probe bestünde. Sie würde Menschen helfen, sagte sie sich, Menschen heilen, ihnen vielleicht sogar das Leben retten. Das Gefühl, selbstsüchtig zu sein, blieb dennoch.

All das hatte sie aber nicht davon abgehalten, ihren Vater wieder und wieder zu bitten, von seiner glücklichen Jugend in Salerno zu erzählen, als er bei den besten Ärzten Europas studiert hatte, und so dessen Sehnsucht nach der Vergangenheit auszunutzen. Natürlich war es undenkbar, dass eine alleinstehende junge Frau ihr Heim verließ und so Schande über ihr Elternhaus brachte, aber wenn er mit ihr kam, wenn er nach Salerno ging und anbot, dort zu lehren, als Entgelt dafür, dass man sie unterrichtete, dann gab es nichts, dessen sie sich schämen mussten, im Gegenteil. Er würde an einen Ort zurückkehren, wo er nicht in jedem Schatten seine tote Familie fand, und sie würde beweisen, dass sie seiner Lehren wert war.

Salomon und ihr Vater trugen beide die Kittel aus blaugefärbter Wolle, die gut für eine Reise waren, weil man ihnen den Dreck und Schnee, den der Weg von Wien nach Klosterneuburg hinterließ, nicht sofort ansah, und sie hatte darauf geachtet, ihrem Vater die wärmsten Beinlinge zu geben, die sie aus Köln mitgebracht hatten. Sein Filzhut hatte sehr unter der langen Reise im Herbst gelitten, deswegen hatte sie Vetter Salomon gebeten, ihrem Vater einen der seinen zur Verfügung zu stellen, und auch einen seiner guten Wollmäntel; niemand sollte ihren Vater mit einem der Scharlatane verwechseln, die auf den Dörfern ihre Dienste anpriesen, nur, weil er zu vorsichtig war, um seinen schönen Mantel mit den Stickereien auszupacken, den ihm ein dankbarer Kaufmann geschenkt hatte. Judith selbst trug ihr schwarzes Reisekleid mit den enganliegenden Ärmeln, was im Winter wärmer und sinnvoller war als die weitärmligen Leinenkittel, die Salomons Gattin und Töchter in ihrem Haus zur Schau trugen, und sie hatte sich ihr Haar geflochten, damit es ihr nicht ins Gesicht fiel. Um Salomon zu beschwichtigen, trug sie es außerdem vollständig umhüllt, obwohl das bei den Christen für Mädchen vor ihrer Ehe nicht Sitte war, doch da er ihrem Vater und ihr einen Gefallen tat, war das keinen Streit wert gewesen. Keine einzige rote Locke schaute unter dem Leinen hervor, das wie ein Verband um ihren Kopf und um den Hals geschlungen war. Unauffälliger und bescheidener konnte man sich nicht geben, davon war sie überzeugt – so lange, bis Vetter Salomon dem Haushofmeister von Klosterneuburg erklärte, wer sie waren und was sie wollten. Dieser kniff die Augen zusammen und erklärte, der Herzog habe schon seinen eigenen Medicus und zwei weitere um sich, die nach den Weihnachtstagen gekommen seien. Fast eine Woche ginge das nun so, ohne dass sich Besserung zeige. Warum ausgerechnet ein Jude daran etwas ändern solle, sei ihm schleierhaft.

»Noch dazu«, schloss er, »einer, der mit einem Weib reist. Wofür haltet Ihr unseren guten Herzog, für König David, der ein junges Mädchen braucht, um sich die Glieder zu wärmen?«

Im ersten Moment dachte Judith, sie hätte ihn nicht richtig verstanden. Sie hielt die Tasche mit ihres Vaters Instrumenten in den Händen, und ihre Finger, die sich in der Kälte gerötet hatten, wurden weiß an den Knöcheln, als sie ihre Hände zusammenkrampfte und auf den Boden starrte, um nicht die Beherrschung zu verlieren. Das Schlimmste war, dass weder ihr Vater noch Salomon überrascht wirkten. Im Gegenteil, sie schienen beide diese Art von Anzüglichkeiten und Demütigungen erwartet zu haben.

»Ich bin alt«, entgegnete ihr Vater, »und meine Tochter Judith geht mir zur Hand.«

»Wenn deine Finger so zittrig sind, dass dir ein Weib helfen muss, dann solltest du niemanden mehr behandeln, Jude, und schon gar keinen Herrscher«, sagte der Haushofmeister überheblich. So ging es noch eine Weile hin und her, bis einer der hohen Herren, dem ihre Gruppe im Burghof aufgefallen sein musste, zu ihnen trat. Sein aufwendig bestickter Rock reichte nur bis zu den Knien, eine Mode, die Judith noch nicht gesehen hatte, bevor sie nach Wien gekommen war. Sie dachte zuerst, es handle sich um einen der Herzogssöhne, aber der Haushofmeister zeigte nur Höflichkeit, als er den Kopf neigte und sagte: »Euer Gnaden.« Auch Salomon machte eine Verbeugung; offenbar wusste er, um wen es sich handelte.

»Ich bin nur ein Gast hier, und leider kein freiwilliger«, sagte der Edelmann, den Judith auf achtzehn Jahre schätzte, spöttisch, »doch mir scheint, dass dem Herzog jeder Arzt willkommen ist. Ein weiterer Medicus kann nicht schaden, aber vielleicht nützen.« Er sprach mit einem deutlichen Akzent, den Judith nicht einordnen konnte. Die Mantelspangen, die seinen Umhang festhielten, waren aus graviertem Silber; um ein einfaches Mitglied des Hofstaates handelte es sich definitiv nicht.

»Nun, Euer Gnaden …«

»Wenn dieser Mann Euren Herzog retten kann und Ihr ihn nicht zu ihm lasst, dann habt Ihr am Ende sein Leben auf dem Gewissen. Von seiner ewigen Seligkeit ganz zu schweigen. Oder irre ich mich?«

Der Haushofmeister murmelte etwas in seinen Bart, dann rief er einen Diener und beauftragte ihn, Judiths Vater zum Herzog zu führen. »Aber nicht das Weib«, setzte er mürrisch hinzu. »Selbst die Herzogin, Gott schütze sie, darf Seine Gnaden nicht in seinem Zustand sehen. Frauen haben inmitten von Blut und Eiter nichts verloren.«

»Wann habt Ihr das letzte Mal einer Geburt beigewohnt?«, fragte Judith, ehe sie sich zurückhalten konnte. Diesmal schaute nicht nur der Haushofmeister, sondern auch Vetter Salomon sie tadelnd an. Ihr Vater seufzte und blickte enttäuscht, was schlimmer war. Der fremde Edelmann jedoch lächelte.

»Ein Treffer, würde ich sagen. Gestattet mir, einen weiteren Vorschlag zu machen: Die Herzogin scheint mir selbst in einem beklagenswerten Zustand zu sein, und wen wundert das? Etwas Ablenkung würde der edlen Dame guttun. Schickt das Mädchen zu ihr, während ihr Vater den Herzog besucht.« Er ließ es so klingen, als sei Judith eine Jahrmarktsgauklerin, die Fackeln in die Luft werfen würde, aber sie war nicht dumm und hatte sehr wohl verstanden, dass er ihr gerade eine Audienz mit der Herzogin verschafft hatte, denn der Haushofmeister nickte zögernd. Natürlich wäre sie lieber an der Seite ihres Vaters geblieben. Sie hatte aber auch nicht vergessen, dass man vielleicht ihm die Schuld geben könnte, wenn der Herzog starb, weil es niemanden bei Hofe gab, der Grund hatte, ihn in Schutz zu nehmen. In Wien hatte sie geglaubt, dass er zu vorsichtig war, doch so, wie der Haushofmeister sich jetzt schon benahm, erschienen ihr seine Bedenken nicht mehr unwahrscheinlich. Die Gunst der höchsten Dame bei Hofe zu gewinnen, soweit es unter den momentanen Umständen machbar war, konnte da nicht schaden.

»Es wäre mir eine Ehre«, sagte Judith so bescheiden wie möglich. Kurze Zeit später geleitete der fremde Edelmann sie und Vetter Salomon, der darauf bestanden hatte, sie zu begleiten, weil eine unverheiratete Frau seiner Familie auf gar keinen Fall allein mit einem Mann sein durfte, zum Gemach der Herzogin. Sie wusste nicht, warum der junge Mann so hilfsbereit und zuvorkommend war. Aus den Augenwinkeln warf sie ihm einen verstohlenen Blick zu. Er war kräftig, hochgewachsen und blond, und obwohl er vorhin erwähnt hatte, nicht freiwillig bei Hofe zu sein, bewegte er sich mit der Gewissheit eines Mannes, der erwartete, dass man ihm den Weg frei mache.

»Wann werden Euer Gnaden uns denn verlassen?«, fragte Vetter Salomon gepresst.

»Nicht, solange es dem Herzog so schlechtgeht«, sagte der Edelmann aufgeräumt und ohne jedes Bedauern über den Zustand des Herzogs. »Selbstverständlich bin ich froh, dass Bischof Wolfger ihn überzeugen konnte, mich gehen zu lassen, aber ich würde meinem Onkel gerne genauere Kunde über den Herzog bringen, wenn ich nach Aquitanien zurückkehre.«

»Rabbi Josef wird sein Möglichstes tun«, sagte Salomon vorsichtig, »aber der Herr allein entscheidet …«

»Natürlich. Und ich bin eigentlich auch sicher, dass er bereits entschieden hat.« Der Edelmann lächelte noch immer. »Warum, glaubt Ihr, habe ich mich sonst dafür eingesetzt, dass Eurem Vetter Zugang zu dem Herzog gewährt wird?«

In den Gängen der Residenz war die Kälte des Wintertags der dumpfen Wärme von zahlreichen Fackeln an den Wänden und von vielen Menschen gewichen, doch bei diesen Worten war es Judith, als träufele Eiswasser ihren Rücken herab. *Ein Missverständnis*, sagte sie sich. *Er spricht nicht seine Muttersprache, das ist bei diesem Akzent offensichtlich, und er will eigentlich nur sagen, dass er Vertrauen in meinen Vater hat.* Doch warum sollte er das? In einen völlig fremden Mann?

»Euer Gnaden?«, fragte Salomon unsicher.

»Ich hoffe, dass er so qualvoll wie möglich zur Hölle fährt und dass das Letzte, was er auf Erden sieht, kein Priester ist, sondern ein gottverfluchter Jude«, sagte der Edelmann und schmunzelte vergnügt.

Judith kam es vor, als hätte er sie ins Gesicht geschlagen. Ihr war nicht mehr kalt, im Gegenteil, sie brannte vor Zorn. Vor Zorn und Furcht. Hatte sie ihren Vater in sein Verderben geführt? Jede Vorsicht hinter sich lassend, sagte sie laut: »Werdet Ihr diesen frommen Wunsch vor der Herzogin wiederholen, Herr, oder soll ich das tun? Vielleicht bleibt Ihr dann doch noch etwas länger Gast an diesem Hof, während mein Vater den Herzog rettet.«

Das Lächeln verschwand aus dem Gesicht des Mannes. Er blieb stehen und trat näher, so nahe, dass sie die Flecken in seinen wasserblauen Augen erkennen konnte.

»Die Herzogin wird sehr bald Witwe sein, nur noch dazu gut, sich in ein Kloster zurückzuziehen. Aber vorher kann sie noch einen Zweck erfüllen. Deswegen bringe ich dich zu ihr: Männer reden im Bett, und vielleicht hat ihr der teure Gemahl verraten, wo er den Rest unseres Geldes versteckt hat.«

Mit einem Mal machte Salomon, der bis dahin gleichzeitig verängstigt und empört dreingeschaut hatte, eine Miene, als seien ihm sehr viele Dinge klar; der Edelmann, der nur auf Judith blickte, bemerkte dies nicht.

»Euer Geld?«, wiederholte sie mit fester Stimme, um zu zeigen, dass sie nicht im Geringsten eingeschüchtert war.

»Ah, ich vergaß, mich vorzustellen«, erwiderte er mit höhnischem Lächeln. »Otto von Poitou. Ehe der Herzog meinen Onkel freiließ, forderte er Geiseln, um sicherzustellen, dass Richard ihn nicht umbrachte oder das Land verwüstete und dass auch die letzte Silbermark bezahlt würde. 100 000 Mark in Silber, mehr als zwanzig Wagen voll. Die Hälfte hat der staufische Kaiser eingeheimst, dieser Dreckskerl, aber der Rest ist hier in Österreich eingetroffen. Unrecht Gut gedeihet nicht, wie man sieht, also werde ich dem zukünftigen Herzog nur einen Gefallen tun und es nach England zurückbringen, zumindest das, was davon noch übrig geblieben ist.« Er griff ihr unter das Kinn, was Salomon entrüstet aufstöhnen ließ. Otto achtete nicht auf ihn. »Ihr Juden seid doch gut darin, Geld aufzuspüren, oder etwa nicht? Misch der Herzogin ein Tränklein, welches sie zum Reden bringt, oder veranstalte sonst einen Hokuspokus, das kümmert mich nicht. Aber denke daran, wenn der Herzog deinem Vater unter den Händen wegstirbt, dann wird er einen Beschützer brauchen, und ihr solltet dafür etwas zu vergeben haben.«

Das Kind in Judith wollte mit dem Fuß aufstampfen und fragen, wie er als Geisel an einem fremden Hof, gerade selbst freigelassen oder nicht, jemanden beschützen wollte. Aber sie war kein Kind mehr. Sie wusste, dass der Mann mit ihr machen konnte, was er wollte. Ihr Vater hatte recht gehabt, er hatte wieder recht gehabt, und sie sich geirrt. Es gab hier niemanden, dem das Leben eines Juden etwas bedeutete. Noch dazu war Otto der Neffe eines Königs, und ganz gleich, ob dieser ein Feind der herzoglichen Familie war oder nicht, das stellte ihn so hoch über sie, dass sie selbst als Christin ein Nichts im Vergleich dazu gewesen wäre.

Also muss ein Nichts ein Etwas werden, schoss es ihr durch den Kopf. Und in diesem Moment begriff sie Salomons Miene, als Otto von dem Geld angefangen hatte. Es kitzelte sie, ihrem Gegenüber ins Gesicht zu lachen, denn durch Salomon wussten sowohl ihr Vater als auch Judith, was aus dem englischen Silber geworden war. Doch es war keine Antwort, die Otto gefallen würde. Daher musste sie eine andere Art und Weise finden, um sicherzustellen, dass ihrem Vater und ihr nichts geschah. Wie, das wusste sie noch nicht. Sie wusste nur, dass ihr Vater und sie diesen Hof wieder lebend verlassen würden, und nicht, indem sie diesem Königsneffen gab, was er wollte. Nein. *Ein Floh kann selbst einen König beißen,* dachte Judith und zwang sich, demütig zu schauen, *und ganz gewiss einen Königsneffen.*

»Ich werde tun, was Ihr wünscht, Herr«, flüsterte sie. Da es genau das war, was er von den meisten Menschen in seinem Leben hörte, zweifelte er nicht einen Herzschlag lang daran, dass sie es auch so meinte.

»Tu das«, sagte er und ließ sie wieder los. Erst da fiel ihm das entgeisterte Gesicht Salomons auf. »Aber warum denn so bekümmert?« Er klopfte ihm auf die Schulter und grinste. »Eure hübsche kleine Base hier wird gleich der Herzogin vorgestellt werden!«

Die Herzogin Helena war sechsunddreißig Jahre alt; viele der Frauen in diesem Alter, die Judith kannte, hatten bereits einige Zähne verloren, und ihr Haar war voller grauer Strähnen. Wie es um das Haar der Herzogin bestellt war, konnte man nicht erkennen, da sie, wie jede verheiratete Frau ihres Standes, nicht nur eine Leinenbinde um Wange und Kinn, sondern auch einen Schleier auf ihrem Kopf trug, der von einem reichverzierten Kopfreif gehalten wurde. Doch ihre Augenbrauen waren noch dicht und schwarz und gehörten zu einem angenehm wirkenden Gesicht, das vergleichsweise wenige Falten zeigte, was natürlich auch an dem sorgfältig aufgetragenem Bleiweiß liegen konnte. Dass sie einmal sehr schön gewesen sein musste, war nicht zu übersehen. Lediglich an den Lippen erkannte man, dass sie kein junges Mädchen mehr sein konnte, vor allem jetzt, da sie sich sehr skeptisch wölbten, was zeigte, wie rissig sie waren.

»Vielleicht sollte ich mich geschmeichelt fühlen«, sagte sie, und ihrer Stimme hörte man noch schwach ihre ungarische Herkunft an, »da Graf Otto es für die Mühe wert hält, mir eine Spionin zu schicken.« Sie hob ungeduldig eine Hand, an der zahlreiche Ringe steckten. »Gib dir nicht die Mühe, zu bestreiten, dass du hier spitzeln sollst, Mädchen. Otto hat sich in den zwölf Monaten, die er nun schon an diesem Hof als Geisel weilt, noch nie die Mühe gegeben, mehr als einen höfischen Gruß an mich zu richten. Wenn ihn etwas anderes in dieser Zeit gekümmert hat als das nächste Turnier, dann ist mir das nicht aufgefallen. Du siehst also, es gibt nichts, was du mir sagen könntest, das ich glauben würde.«

Da die Herzogin mit dieser kleinen Rede gewartet hatte, bis Otto nach seiner Vorstellung wieder mit Salomon verschwunden war, wusste Judith, dass es trotzdem etwas geben musste, was Helena von ihr wollte, sonst wäre sie sofort fortgeschickt worden. Zumindest war die Herzogin neugierig genug, um sich die Mühe dieses Wortwechsels zu machen. Angesichts dessen, was ihrem Vater drohte, galt es, jede noch so kleine Gelegenheit zu nutzen.

»Auch nicht, wenn es nur ein Mittel ist, mit dem Ihr Eure Lippen pflegen könnt, um ihnen Glanz und Röte zu verleihen?«, fragte Judith, weil es das Erste war, das ihr einfiel, und sie nicht zögern durfte. Zeit, um nach klugen Argumenten zu grübeln, hatte sie nicht. Die Herzogin zog eine Braue in die Höhe, sagte jedoch nichts. »Nehmt entrahmten Honig, fügt etwas weiße Zaunrübe, gewöhnliche Zaunrübe und Spritzgurke hinzu, und ein klein wenig Rosenwasser. Dann lasst diese Mischung kochen, bis sie auf die Hälfte ihres Gehalts geschrumpft ist. Diese Tinktur tragt täglich auf. Sie wird die Haut Eurer Lippen kräftigen und gleichzeitig weich und geschmeidig machen. Solltet Ihr dort je unter Ausschlägen leiden, so wird die Tinktur auch dagegen helfen.«

Nicht nur die Herzogin, sondern auch ihre Mägde und die beiden Damen, die, gemessen an ihrer Kleidung, dem Adel angehören mussten, schauten gleichzeitig verblüfft und aufrichtig interessiert drein. Eine der beiden Damen fuhr sich unwillkürlich mit den Fingern an den Mund.

»Hmm«, machte die Herzogin. »Ist das ein jüdisches Mittel?«

»Nein, Euer Gnaden«, entgegnete Judith und befahl sich, ruhig zu bleiben. »Es stammt aus dem Buch der Trota von Salerno über die Behandlungen für Frauen.« Ihr Vater hatte ihr erst im letzten Jahr gestattet, dieses Buch zu lesen, das er als junger Mann aus Salerno mitgebracht hatte. Einige seiner Lehrer hatten noch selbst bei Trota gelernt, und er hielt viel von ihr. Natürlich glaubte er auch, dass es Dinge gab, die zu wissen sich für Jungfrauen nicht schickten, und hätte lieber mit den *Passionibus Mulierum Curandorum* gewartet, bis sie verheiratet war. Da sich jedoch abzeichnete, dass er vor ihrem Studium in Salerno keinen geeigneten Ehemann für sie finden konnte, hatte er nachgegeben. Sie gut vorbereitet zu wissen, war ihm schließlich wichtiger gewesen.

»Ich habe von den weisen Frauen aus Salerno gehört«, sagte die Herzogin langsam. »Ihr wollt also tatsächlich eine Magistra der Medizin werden? Und ich hielt das für die einzig einfallsreiche Kleinigkeit in Graf Ottos Lügen.«

»Es ist mein größter Wunsch«, entgegnete Judith. Eigentlich wollte sie so überleiten zu der Bitte, das etwaige Dahinscheiden des Herzogs auf keinen Fall ihrem Vater zur Last zu legen, doch dazu konnte sie die Herzogin noch nicht genügend einschätzen. Am Ende würde eine solche Bitte ihr als Fluch ausgelegt werden, der den Herzog erst zu Tode brachte. Also ergänzte sie stattdessen: »Mein Vater hatte das Glück, in Salerno ausgebildet zu werden, und hat in unserer Heimatstadt Köln vielen Menschen helfen können. Ich hoffe, eines Tages in seine Fußstapfen zu treten und mich dessen würdig zu erweisen, was er mich bereits gelehrt hat.«

»Hmm«, machte die Herzogin noch einmal, verschränkte ihre Finger ineinander und schien zu einem Schluss zu kommen. »Mehrere meiner Frauen hier«, fuhr sie fort und wies mit dem Kinn auf die Mägde, nicht auf die Damen, »husten und schniefen mir schon den ganzen Winter die Ohren voll. Was würdest du ihnen empfehlen, Mädchen?«

»Andorn, Euer Gnaden«, gab Judith, ohne zu zögern, zurück. Das war eine der leichtesten Fragen, schon deswegen, weil in

Köln ständig Nachfrage danach bestanden hatte, auch in Josefs eigenem Haus, als es noch voller heranwachsender Kinder gewesen war. »Er hilft gegen Husten und Halsschmerzen, oft auch gegen Ohrenkrankheiten. Bringt Wasser zum Kochen, übergießt einen Löffel voller Andornkraut mit einem Becher des heißen Wassers, lasst das Ganze fünf Minuten lang ziehen und abseihen. Dann gebt zwei kleine Becher Wein dazu und lasst die Mixtur aufkochen. Ich selbst gebe vor dem Trinken etwas Honig hinein, weil es die Bitterkeit lindert.«

Die Herzogin runzelte die Stirn. »Mag sein, dass wir Andorn in der Küche haben. Schlimmer kann das Gehuste nicht werden, also wird ein Versuch nicht schaden. Viel Schlaf ist mir in dieser Woche ohnehin nicht beschieden gewesen, und den wenigen ständig gestört zu finden, war eine zusätzliche Last.« Sie schnipste mit den Fingern. »In die Küche mit euch, um genügend Andorntrank für uns alle zu bereiten«, sagte sie zu ihren Mägden, und fügte, an die Damen gewandt, hinzu: »Auch Ihr solltet mitgehen, um ein Auge auf die jungen Dinger zu haben, sonst halten sie sich am Ende am Wein gütlich und vergessen den Andorn vollkommen.«

Judith beobachtete, wie die Frauen hinausflatterten. Es war klar, dass der Befehl der Herzogin darauf hinauslief, mit ihr allein gelassen zu werden. Ihr Herz schlug ein wenig schneller. Das musste, das *durfte* nur etwas Gutes bedeuten.

Als auch die letzte Magd verschwunden war, sprach Helena erneut. »Und nun verrate mir, was sollst du für Graf Otto herausfinden? Warum hat er nicht einfach eine meiner Mägde mit etwas Silber oder seinem Welfenlächeln bestochen?«

»Ich glaube, es war ein plötzlicher Einfall«, entgegnete Judith. Sie war froh, äußerlich ruhig zu bleiben, doch sie konnte nicht verhindern, dass sich unter dem Leinenband, das von ihrem Haaransatz bis in ihre Stirn ging, Schweißtropfen bildeten. »Er fand meinen Vater und mich im Hof, sah, dass wir hier keine Freunde besitzen, und glaubte, leichtes Spiel zu haben.« Der Zorn, den Otto in ihr geweckt hatte, ließ sie hinzufügen: »Vielleicht wollte er auch einfach Bestechungsgeld sparen. Eure Mägde haben bei Euch ein sicheres Auskommen und wären töricht, wenn sie es für weniger als eine gute Mitgift riskieren würden. Mir dagegen brauchte er nur mit dem Leben meines Vaters zu drohen.«

Die Herzogin, die bisher in einem Armstuhl gesessen hatte, erhob sich abrupt. »Mädchen, weißt du, wer Otto von Poitou ist?«

Ein Fehler, dachte Judith verzweifelt, *ich habe wieder einen Fehler gemacht. Geisel oder nicht, Feind oder nicht, sie hat mehr mit ihm gemein als mit mir. Ich hätte es wissen müssen! Warum lasse ich nur immer wieder meiner Zunge freie Bahn!*

»Der Neffe des Königs von England«, gab sie hölzern zurück.

»Und der dritte Sohn Heinrichs des Löwen, der einst Barbarossa selbst den Thron streitig machte«, sagte die Herzogin. »Es gibt kaum jemanden von edlerer Herkunft im Reich, bis auf seine Brüder.« Ihre Augen verengten sich. »Vor allem aber ist er ein unerträglich eingebildeter Gernegroß, der meint, in Aquitanien und am englischen Hof aufgewachsen zu sein, mache ihn uns deutschen Fürsten gegenüber überlegen.« Sie lachte kurz auf. »Es war eine finstere Woche, Mädchen. Am Ende bin ich dir und Otto für die Ablenkung noch dankbar.« Ihre Augen glitzerten boshaft. »Also, was möchte er wissen?«

Sei vorsichtig, mahnte sich Judith. Wenn sie der Herzogin diese Auskunft erteilt hatte, dann gab es nichts mehr, was Helena noch von ihr wollte. Eine Ablenkung, die ihren Zweck erfüllt hatte, schickte man fort und dachte nicht mehr an sie, vor allem, wenn der eigene Gatte starb. Sollte es ihrem Vater nicht gelingen, den Herzog zu retten, würde seine trauernde Witwe keinen Gedanken an sie und die guten Ratschläge für Lippenpflege und Erkältungstrank verschwenden.

»Etwas, das er durch eine ehrliche Frage an richtiger Stelle wohl eher erfahren würde«, murmelte sie, obwohl sie das mitnichten glaubte. »Euer Gnaden, ich …«

Weiter kam sie nicht, denn eine von Helenas Mägden kehrte zurück, nicht aus der Schlossküche, sondern aus dem Zimmer des Herzogs, und sie kam nicht allein. Bei ihr war ein junger Mann, den Judith auf den ersten Blick nicht einschätzen konnte.

»Lasst hören, Herr Walther, was gibt es zu berichten?«

Wie die meisten Männer, die sie bisher in der Residenz gesehen hatte, trug er keinen bis über die Knie reichenden Kittel wie die Leute zu Hause, sondern einen nur bis zum Knie gehenden Rock, der am Saum geschlitzt war. Stickereien wie bei Otto fehlten, und der rote Stoff war sogar abgewetzter als der des Haushofmeisters, genau wie die Wolle seiner Beinlinge, doch wie ein Diener benahm er sich auch nicht. Seine Verbeugung vor der Herzogin war zwar höflich, doch nicht tiefer, als die Ottos es gewesen war. Er hielt auch nicht die Augen gesenkt. Judith sah, dass sie nicht nur grün waren, sondern auch bemerkenswert schön – ein Gedanke, den sie sofort energisch zur Seite schob –, und so unbekümmert blickten, als begegne er seinesgleichen. Er hatte braune, schulterlange Haare, und sein Kinn war glatt rasiert, was sie zunächst verwunderte, bis sie sich wieder besann, dass bei den Christen nicht jeder erwachsene Mann einen Bart trug. Ein Knabe war er jedenfalls schon lange nicht mehr; die Stimme, mit der er sprach, füllte den Raum und fuhr ihr durch die Glieder. Was er mit dieser Stimme sagte – und wie unverhohlen er schmeichelte –, brachte Judith aber gleich dazu, ihn abzulehnen.

»Ich habe heute Morgen im Garten Zweige gesehen, auf denen der Tau gefroren war, so dass Eiskristalle eine Zauberwelt erkennen ließen. In ihnen war Euer Gesicht geformt, aber es war nicht schöner als das Original.« »Wie geht es meinem lieben Herrn?«, fragte die Herzogin. »Keine Ausflüchte und Schönfärbereien; ich will die Wahrheit wissen.«

Er wirkte enttäuscht, als die Herzogin mit keiner Miene auf seine Worte einging, stellte sein Verhalten aber sofort um. »Nicht gut, Euer Gnaden, und jetzt, wo ein weiterer Medicus an ihm herumstümpert, gewiss noch viel schlechter«, gab der aufgeblasene langnasige Kerl zurück. »Sie meinen es gewiss gut, doch nach dem, was ich in den letzten Tagen beobachtet habe, könnte man mit dem gleichen Erfolg einen Haufen blinder Küchenjungen einen Braten schneiden lassen. Manchmal denke ich, dass Ärzte eine weitere der zehn Plagen sind, mit der Gott die Menschheit straft.«

Wenn Judith dergleichen in Köln gehört hätte, eingehüllt in die ruhige Gewissheit, dass ihr Vater genügend Patienten hatte, um eine derartige Bemerkung im Nichts verhallen zu lassen, hätte sie den Sprecher nur ausgelacht. Hier und jetzt, wo die Herzogin jederzeit entscheiden konnte, dass gehängt zu werden noch zu gut für Josef ben Zayn war, zögerte Judith nicht einen Moment. Obwohl sie genau wusste, dass es sich nicht ziemte, in Gegenwart einer adligen Dame als Erste das Wort zu ergreifen, sagte sie verächtlich: »Die elfte Strafe Gottes sind dumm schwätzende Nichtstuer wie Ihr. Es mag Ärzte geben, die weniger begabt sind als andere, aber jeder, der die Heilkunst studiert hat, wünscht sich nichts mehr im Leben, als anderen Menschen zu helfen. Er arbeitet Tag und Nacht dafür und –«

Der Mann, der eine Laute in der Hand hielt, fuhr ihr ins Wort und sagte, zur Herzogin gewandt: »Ärzte sind und bleiben Menschen, deren Irrtümer die Erde zudeckt, eine Gnade, die kaum ein anderer für seine Fehler erhält.«

Ohne ihn auch nur eines Blickes zu würdigen, sprach Judith weiter: »Selbst wenn Ihr uns nur die niedrigsten Beweggründe unterstellt, müsst Ihr zugeben, dass tote Patienten weder dankbar und freigiebig sein können noch ihre Familie dem gleichen Arzt anvertrauen. Also weiß jeder gebildete Mensch, dass ein Arzt sein ganzes Geschick aufwendet, um den Patienten zu helfen. Jeder, außer einem Narr, der mit dem Verstand eines Huhns gackert, weil er offenbar nicht in der Lage ist, ein einziges vernünftiges Wort zu sprechen!«

Erst als ihr Ausbruch in Stille verklang, wurde sich Judith bewusst, dass die Herzogin sie beide nicht unterbrochen oder ihnen zu schweigen befohlen hatte. Sie schaute zu Helena und stellte fest, dass die Herrin von Österreich sich wieder gesetzt hatte und sich mit einem mokanten Lächeln in ihren Stuhl zurücklehnte. Die Magd, deren Aufgabe es eigentlich gewesen wäre, Bericht vom Krankenbett des Herzogs zu erstatten, hatte die Hände vor den Mund geschlagen.

»Herr Walther«, sagte die Herzogin trocken, »darf ich Euch Judith von Köln vorstellen, die danach strebt, zu den *mulieres*

Salernitanae zu gehören und eine Magistra zu werden? Frau Judith, dies ist Herr Walther von der Vogelwiese, ein Schüler der Dichtkunst unseres teuren Herrn Reinmar.«

Der junge Mann, der bisher immer noch blasiert dreingeschaut hatte, obwohl er sie nun sehr genau ins Auge fasste, zuckte fast unmerklich zusammen, als die Herzogin seinen Namen nannte. Entweder legte er keinen Wert darauf, ihn zu hören, oder die Herzogin hatte einen falschen Namen genannt. Gleichzeitig wurde Judith noch etwas anderes klar: Wenn die Herzogin in der Lage war, sich durch Streitereien belustigen zu lassen, statt wütend nach dem Zustand ihres mit dem Tode ringenden Gatten zu fragen, dann lag ihr dieser womöglich nicht so am Herzen, dass sie später aus Schmerz nach Sündenböcken suchen würde.

Vielleicht täuschte Judith sich aber auch? Nach dem Tod ihrer Mutter hatte ihr Vater mit ihren damals noch lebenden Brüdern über das Traktat Mosche ben Maimons über das Asthma debattiert, um nicht zusammenzubrechen. Außerdem kannte sie die Herzogin nicht, noch war ihr jemals zuvor eine Dame von so hohem Rang begegnet; am Ende verhielten sich die Angehörigen des hohen Adels völlig anders?

Die Körper der Menschen aber blieben sich gleich, das hatte Judiths Vater sie schon vor Jahren gelehrt, und ihre Zeichen waren dieselben für Bettler und Reiche, was jeder Arzt wusste. Nicht nur bei Krankheiten. Während jener Debatten nach dem Tod von Judiths Mutter war alles an ihrem Vater verkrampft gewesen. Seine Stimme hatte zwar meistens ruhig geklungen, doch sein Körper schien dabei aus nichts als angespannten Sehnen zu bestehen. Die Herzogin dagegen saß entspannt da. Wenn sie nicht die Kunst beherrschte, auch mit ihrer Haltung zu lügen, dann bereitete es ihr nicht wirklich Schmerz und Furcht, ihren Gatten dem Tode nahe zu wissen.

»Das Huhn ist ein zutiefst missverstandener Vogel«, sagte Walther. In seiner Stimme lag Spott, aber er zwinkerte ihr auch zu, was sie ganz und gar nicht erwartet hatte. »Doch selbst seine größten Gegner müssen zugeben, dass es hin und wieder ein

Korn findet. Wenn Ihr tatsächlich in der Heilkunst bewandert seid, dann werdet Ihr mir sicher zustimmen, dass derjenige am lautesten brüllt, dem man die Finger in eine offene Wunde legt. Unbetroffene Menschen dagegen pflegen das Gezwitscher von harmlosen Vögeln wie mir zu ignorieren.«

Das war nicht nur eine gekonnte Art, nicht auf ihr Argument einzugehen, sondern sie auch durch einen rhetorischen Kunstgriff ins Unrecht zu setzen. Es machte obendrein ihren Zorn schlimmstenfalls verdächtig, bestenfalls lächerlich. Ja, sie begann, diesen Walther aus ganzem Herzen zu verabscheuen. Aber Dummheit konnte sie ihm ehrlicherweise nicht vorwerfen. Judith entschloss sich, die Taktik zu wechseln. Auf die Herzogin kam es an; sie durfte sich nicht mehr von ihr ablenken lassen.

»Euer Gnaden«, sagte sie, so demütig und reuig wie möglich klingend, und sank vor der Herzogin auf die Knie, wie sich das für eine Bittstellerin gehörte, »da Graf Otto mir gegenüber damit prahlte, dass er die Ärzte schuldig am Tod Eures Gatten aussehen lassen könne, trage ich tatsächlich eine Wunde im Herzen, die mich unüberlegt sprechen lässt. Ich bete, den Ärzten möge es gelingen, Euren Gemahl zu retten, Euer Gnaden, doch nur Gott allein ist unfehlbar. Sollte es sein Wille sein, den Herzog zu sich zu nehmen, dann wäre es ein großes Unrecht, wenn jemand wie der Graf auch noch Gewinn aus diesem Unglück zöge.«

Das war nicht genau so, wie Otto es gesagt hatte, doch Judith hatte diese neue Formulierung absichtlich gewählt. *Ärzte* in der Mehrzahl lenkte die Aufmerksamkeit nicht so auf ihren Vater, und der Hinweis auf Otto erinnerte die Herzogin daran, warum sie Judith eigentlich hierbehalten hatte. Vielleicht verdächtigte sie sogar diesen Walther, im Bunde mit Otto zu sein, und schickte ihn fort.

»Der Graf von Poitou«, sagte die Herzogin kühl, »ist ein geladener Gast in diesem Herzogtum, was man von dir nicht behaupten kann. Mir scheint, du kannst deine Zunge immer noch nicht wahren.«

Diese völlige Umkehrung dessen, was Helena vorhin gesagt hatte, kam wie ein Schwall kalten Wassers. Doch vorhin waren sie auch allein gewesen; das hätte Judith nicht vergessen dürfen. Offenbar war die Herzogin nicht gewillt, vor Zeugen etwas Ungünstiges über den Adligen zu sagen.

»Gäste von Graf Ottos Art mögen geladen worden sein, doch kann man nicht behaupten, dass sie der Einladung aus freien Stücken Folge leisteten«, warf Walther zu Judiths Überraschung ein. »Da könnte man verstehen, wenn er nur einen Nutzen für einen Arzt sieht, nämlich den, Heimweh zu heilen, doch das, so hört man, heilt bei ihm bald von selbst.«

Leider verfing sein ablenkender Plauderton diesmal bei der Herzogin ganz und gar nicht.

»Gab es noch etwas, das Ihr mir auszurichten habt, Herr Walther?«, fragte sie und klang mittlerweile eisig. »Sonst wüsste ich nicht, was Euch noch hier hält.«

»Nun ja, ich wollte Euch von Eurem Kummer durch ein, zwei Lieder ablenken, und –«

»Sehe ich aus, als ob ich Ablenkung von Euresgleichen benötige? Geht! Das gilt für Euch beide«, verkündete Helena, und ehe sie es sich versah, fand sich Judith auf dem Gang mit dem vorlauten Walther wieder, dessen Ankunft das bisschen guten Willen der Herzogin in Luft hatte aufgehen lassen.

»Graf Otto, wie?«, fragte Walther scharf. »Wenn der Euer Gönner ist, dann weiß ich nicht, warum Ihr der Herzogin das Märchen von der Magistra aufgetischt habt.«

Ihr Vater war noch genauso gefährdet wie vorher, und sie hatte einen Laffen am Hals, der ein gehöriges Maß Schuld an dem Rausschmiss trug und sich dazu noch in anzüglichen Bemerkungen gefiel. Judith gab ihrem dringenden Wunsch nach, holte aus und schlug ihm ins Gesicht.

KAPITEL 4

Es war alles ihre Schuld. Walther hatte geplant, die Herzogin erst ein wenig aufzuheitern und dann das Gespräch auf ihre Söhne zu lenken: was für ein Trost Leopold sein musste, wie stolz sie auf Friedrich sein konnte, etwas in der Art. Durch ihre Reaktionen wäre ihm bestimmt klargeworden, ob sie derzeit auf einen von beiden schlecht und auf den anderen besonders gut zu sprechen war. Der Klatsch, der ihm bekannt war, wusste nichts von einer Bevorzugung, doch Walther hatte auch nie sehr darauf geachtet. Reinmar, der sie nur als seine Muse auserkoren hatte, weil es üblich war, seine Lieder der höchsten Dame bei Hofe zu widmen, verbrachte viel lieber Zeit mit ihrem Gemahl und hatte über die Herzogin kaum mehr gesagt, als dass sie schön und edel sei, was so aufregend wie ein gefrorener See klang und daher nie Walthers Neugier geweckt hatte.

Aber eine Bestätigung für seine Vermutung aus berufenem Munde hatte ihm die kleine Furie verdorben, die ihm grundlos mit der Kraft einer Waschfrau ins Gesicht schlug, was seinen Kopf zur Seite riss und seine Haut brennen ließ. Zum Glück trug sie keine Ringe, sonst hätte sie ihm die Lippe aufgerissen.

»Das nenne ich die Hand einer Heilerin«, sagte er spöttisch, weil es ihm unmöglich war, zurückzuschlagen, und Worte ohnehin seine liebsten Waffen darstellten.

»Das könnt Ihr auch«, gab sie zurück, nicht im mindesten beschämt, sondern genauso beißend wie er. »Manchmal ist es nötig, zuzuschlagen, um das Blut in Wallung zu bringen. Selbst bei Säuglingen.«

»Bei Säuglingen sollten Frauen das den Hebammen überlassen und es bei Männern mit geschickter Hand tun, so dass alles wächst, was sie anfassen. Ist das nicht ihre wahre Bestimmung?«

»Da habt Ihr recht, doch gibt es auch die hoffnungslosen Fälle, mit denen die Natur sich jenen kleinen Scherz erlaubt hat, bei dem selbst geschickte Hände nichts mehr nützen. Sicher wollt Ihr mir darüber auch noch mehr erzählen?«

Was die hohe Kunst des Beleidigens betraf, so war sie nicht schlecht. In Gegenwart der Herzogin war sie ihm erst aufgefallen, als sie den Mund aufgemacht hatte. Anders als die üppigen Schönheiten, die er schätzte und die ihre weiblichen Reize gerne zur Geltung brachten, trug sie ein formloses Gewand, und er war unwillkürlich davon ausgegangen, dass sie das Verstecken nötig hatte. Jetzt, da er sie aus der Nähe sah, bemerkte er, dass sie zwar kein sanftmütiges Gesicht besaß, aber doch ein erstaunlich fesselndes: eine hohe Stirn, große braune Augen, die im Moment sehr zornig blitzten, und eine Nase, die ein klein wenig zur Stupsnase neigte, was zu den starken Wangenknochen einen interessanten Kontrast ergab. Ihre Augenbrauen waren gerade und dicht, nicht gewölbt und gezupft, aber das störte ihn nicht. Soweit sich bei dem unkleidsamen Kittel etwas erkennen ließ, war sie von Gott wohlwollend ausgestattet worden. Leider gingen all diese Annehmlichkeiten wie auch der großzügig geschwungene Mund mit einer bösartigen Zunge einher, und er war nicht so um weibliche Gesellschaft verlegen, dass er sich um einen wandelnden Igel bemühen musste. Außerdem hatte er Wichtigeres zu tun.

»Erst ein Huhn und nun ein Säugling?«, fragte Walther. »Wenn Ihr so weitermacht, vergleicht Ihr mich demnächst noch mit etwas, das *wirklich* unangenehme Töne von sich gibt, wie einem zänkischen Weib beispielsweise.«

»Ich würde Euch niemals die Ehre antun, Euch ein Weib zu heißen. Dazu müsstet Ihr erst ein Mensch sein«, sagte sie und wandte sich ab. Mit einem Mal wirkte sie erschöpft und traurig. Ihm fiel ein, wie sie vor der Herzogin gekniet hatte. Am Ende war die Verzweiflung in ihrer Stimme nicht gespielt gewesen, sondern echt?

Sie standen direkt neben einer brennenden Fackel in einer Wandhalterung, und das Licht ließ die dunklen Wimpern Schatten unter ihre Augen malen. Frauen, stellte Walther fest, hatten die höchst hinterlistige Gabe, einem Mann durch das bloße Neigen des Kopfes und mit einer betrübten Miene das Gefühl zu geben, zum Nothelfer berufen zu sein. Auch ihn beschlich das Gefühl, irgendetwas wiedergutmachen zu müssen, so unsinnig es auch war.

»Ihr braucht Euch keine Sorgen wegen des Grafen Otto zu machen«, hörte er sich sagen. »Er wird bald zurück an den Hof seines Onkels verschwinden, und keiner von uns wird ihn je wiedersehen. Wenn er mal wieder mehr Dienerschaft und ein größeres Gemach haben wollte, hat er stets damit geprahlt, dass ihn König Richard zu seinem Nachfolger machen wird. Geisel im Fürstenstand zu sein, das ist doch ein Leben! Wie eine Made im Speck. Nun, es wäre eines für meine Wenigkeit, doch Graf Otto wird einen Thron in England vorziehen. Sobald die Wege wieder frei sind, wird er so schnell aus Österreich verschwinden, dass wir nicht einmal eine Staubwolke hinter ihm sehen werden, und er wird jeden vergessen haben, dem er in seiner gastlichen Wohnstätte begegnete, ob Ärzte, Diener oder Reisende aus Köln.«

Die Schatten wichen nicht aus ihrem Gesicht, im Gegenteil. »Das ist zu spät«, murmelte sie. »Wenn es Eurem Herzog wirklich so schlechtgeht, wie jeder behauptet, dann hat er eine Blutvergiftung. Wenn die in den Torso dringt, bleiben ihm nur noch Tage, vielleicht sogar Stunden, und dann wird man nach Schuldigen suchen.« Sie schüttelte den Kopf. »Mein Vater hat es mir prophezeit, aber ich wollte nicht hören. Ich dachte nur daran, dass er den Ruhm ernten könnte, dem Herzog von Österreich das Leben gerettet zu haben.«

»Der neue Medicus ist Euer Vater?«, fragte Walther, dem mit einem Mal vieles klarwurde. »Dann macht Euch trotzdem keine Sorgen. Belohnen wird man ihn zwar sicher nicht, aber wegen mangelnder Erfolge ist noch kein Arzt umgebracht worden. Im Übrigen wird der Hof hier mit ganz anderen Dingen beschäftigt sein.« *Wie der Nachfolge*, dachte er.

»Wie dem englischen Silber?«, fragte sie. Walther fiel für einen Moment das Kinn herunter. Sie drehte sich gerade noch rechtzeitig zu ihm, um es zu bemerken, und mit einem Mal wirkte sie nicht traurig, sondern sehr, sehr wachsam. Sie beobachteten sich beide stumm.

Gerade, als er nachgeben und als Erster Fragen stellen wollte, was sie von dem englischen Silber wusste, eilte eine Schar von Mägden und Hofdamen den Gang entlang auf das Gemach der Herzogin zu. Zwei von ihnen trugen einen Bronzetopf. Als sie Judith erblickten, zwitscherten sie: »Es hat etwas gedauert, um Andorn zu finden, aber es ist uns gelungen. Wir haben den Trank so bereitet, wie Ihr es gesagt habt.«

»Und der Honig?«, fragte Judith so sachlich, wie Mathilde die Wirtin nach dem Verbleib der Zeche zu fragen pflegte.

»Gewöhnlich ist nach dem Weihnachtsfest kaum noch welcher da«, entgegnete eine der Mägde, »aber in diesem Jahr gab es weniger Gastmähler.«

»Gut«, sagte Judith. »Dann bringt den Trank der Herzogin. Wenn sie ihn denn noch haben will.«

Die Magd, mit der sie gesprochen hatte, nieste, was sofort Husten und noch mehr Niesen bei den anderen nach sich zog. »Da braucht Ihr Euch keine Sorgen zu machen.« Die Schar verschwand in Richtung des herzoglichen Gemachs.

»Das war ein Heiltrank«, schlussfolgerte Walther.

Sie warf ihm einen gereizten Blick zu. »Glaubt Ihr etwa, in Salerno werden Studenten angenommen, die unwissend sind? Ich mag noch keine Magistra sein, aber mein Vater war mein Lehrer, und solche Kräutertränke sind wirklich das Einfachste, was er mich gelehrt hat.«

Traurig hatte sie ihm besser gefallen als jetzt in ihrem neu entflammten Zorn. »Um ehrlich zu sein, habe ich nie an die Geschichte von den weisen Frauen von Salerno geglaubt«, gab er zurück. »Ich hielt es immer für ein Gerücht, das Ärzte in die Welt gesetzt hatten, um offen mit ihren Konkubinen leben zu können.« Als sich ihr Gesicht weiter verdunkelte, dachte er an das englische Silber und fügte schnell hinzu: »Das war ein Scherz, um Gottes willen. Aber mir ist in meinem Leben noch keine Magistra begegnet, und ich bin nun einmal ein Mensch, der nicht alles glaubt, was man ihm erzählt, auch wenn es schöne Geschichten sind, wie die von Einhörnern. Denen bin ich auch noch nicht begegnet.«

»Die Schule von Salerno ist kein Einhorn«, sagte sie mit einer Miene, die hätte töten können. »Sie besteht seit über zweihundert Jahren.«

Diesem herablassenden Tonfall konnte er nicht widerstehen. »Ja, und sie wurde angeblich von zwei Christen, einem Juden und einem Araber gegründet. Das hört sich so unendlich wahrscheinlicher als die Geschichte von dem Einhorn an …«

»Was soll bitte daran unwahrscheinlich sein?«, fragte sie erbost.

»Geht ins Heilige Land und fragt. Warum um alles in der Welt sollten Christen von Juden und Moslems lernen wollen?«

»Weil Euer eigenes medizinisches Wissen so unendlich beschränkt ist!« Sie funkelte ihn verächtlich an. »Warum sollte sich also eine Jüdin die Mühe machen, mit Euch zu reden? Gehabt Euch wohl, Herr Walther von der Vogelwiese.«

Er sah ihr erstaunt hinterher. Walther war noch nie einer Jüdin begegnet, jedenfalls nicht wissentlich. Müsste sie nicht anders aussehen? Ihre Haut war nicht dunkler als die seine. Den Augenbrauen nach zu schließen, war ihr Haar dunkelrot; nun, das war das von Judas bei den Passionsspielen auch, aber trotzdem hatte er sich Juden immer dunkelhaarig vorgestellt. Das Kind in ihm, das Predigten über die Gottesmörder gehört hatte, schauderte unwillkürlich. Aber er war kein Kind mehr, und was sie auch sonst sein mochte, sie war eine Frau, die um ihren Vater fürchtete und die man nicht alleine lassen konnte.

Außerdem musste sie irgendetwas von dem englischen Silber wissen, nach ihrer Bemerkung vorhin …

Er lief ihr nach, stellte sich ihr in den Weg und schenkte ihr ein zaghaftes Lächeln. »Wenn Ihr mich beschimpft, dann tut es wenigstens mit meinem richtigen Namen: Meine Vögel nisten auf einer Weide, nicht in einer Wiese. Und wenn Ihr Euren Vater sucht, dann seid Ihr in die falsche Richtung unterwegs.«

***

Das einzig Vernünftige wäre, ihn zum Teufel zu schicken, dachte Judith. Doch sie wusste wirklich nicht, wo sich die Räume des Herzogs befanden, und sie bezweifelte, diese im Wirrwarr der Gänge zu finden. Bei dem Pech, das sie heute verfolgte, würde sie am Ende erneut diesem Otto in die Hände laufen, was sie unter allen Umständen vermeiden wollte. So war ein christlicher Dichter – selbst einer mit dem Talent, in jeden zweiten Satz erzürnende Dinge zu packen – die bessere Wahl; zumindest konnte er ihr den Weg zeigen. Sie wusste auch noch nicht, was sie tun sollte, wenn sie ihren Vater erst gefunden hatte. So schnell wie möglich zu verschwinden, würde ihren Vater erst recht verdächtig machen, und es wäre für die Leute des Herzogs ein Leichtes, sie zu finden. Immerhin hatte Salomon sie laut und deutlich als seine Verwandten vorgestellt. Und selbst wenn sie sofort Packesel auftrieben und aufbrachen, würden sie bei all den verschneiten Wegen und Pässen kaum weit kommen, ehe man sie einholte.

»Ich dachte, wir sind uns einig, dass Ihr ein blindes Huhn seid«, sagte sie, weil er sich nicht einbilden sollte, dass sie nach all den Beleidigungen erfreut über seine Begleitung war. Er grinste. Sie musste zugeben, dass sein Lächeln die höchst unangebrachte Wirkung hatte, ihn weniger als einen ohrfeigenwürdigen Laffen und mehr wie einen unreifen Jungen aussehen zu lassen. Nein, eher wie jemanden, dessen Lächeln man erwidern musste, was vielleicht auch daran lag, dass er über sich selbst lachen konnte, und das hatte sie nur sehr selten erlebt.

»Nicht doch«, gab er zurück. »Ich bin ein Wanderfalke. Auf meine Augen und meinen Richtungssinn ist immer Verlass.«

»Und ich dachte, Falken näht man die Augen zu, damit sie nicht fortfliegen«, murmelte sie, doch sie nahm seinen Arm, als er ihn ihr bot.

Man merkte, dass der Hofstaat des Herzogs schon länger in diesem Gebäude lebte; sie konnte den Urin in vielen Ecken riechen, wo sich Menschen erleichtert hatten, statt es draußen im Schnee zu tun. Aber die Mauern waren aus Stein, nicht aus Holz, und die Wandbehänge so dick und gut gewebt, dass es trotzdem wärmer war als in Vetter Salomons reinlicherem Haus.

»Wie steht die Herzogin zu Graf Otto?«, fragte sie, um seine Gutwilligkeit zu erproben.

»Nun, sie hat keine Töchter, die sie mit ihm verheiraten könnte. Außerdem glaube ich nicht, dass unser Herzog je mit den Welfen verbündet war. Er war immer auf der Seite der Staufer. Schließlich hat er sogar seinen ältesten Sohn nach dem alten Kaiser Friedrich genannt.« Walther hielt inne und verschluckte sich. Sie klopfte ihm auf den Rücken, als er hustete, ohne darüber nachzudenken. »Seht Ihr, ich habe Euch gesagt, dass meine Hände von Nutzen sind.«

»O mein Gott. Natürlich! Jetzt wird mir alles klar. Wie konnte ich nur die Zusammenhänge übersehen!«

»Und was ist das?«

Er betrachtete sie nachdenklich. »Ihr wisst nicht zufällig, wo das englische Silber steckt, hmm?«

»Ich kann es mir denken«, gab sie zurück, was keine Lüge war.

»Und ich weiß, wer bestätigen kann, was ich vermute.«

»Ich bin mir nur nicht sicher, ob diese Auskunft meine Auskunft wert ist«, sinnierte er laut, und sie wusste nicht, ob sein Tonfall ein neckender oder herausfordernder war, ob er einen Handel anbot oder ablehnte. Vielleicht war, was auch immer ihm gerade klargeworden war, auch nur eine läppische Hofintrige, die ihr und ihrem Vater nicht helfen würde? Doch wenn man in unsicherem Wasser schwamm, konnte man kein noch so dünnes Tau ignorieren, das einem gezeigt wurde.

Wenn man einen Patienten dazu bringen wollte, über den Hergang seiner Krankheit zu sprechen und auch Dinge zu erzählen, die er lieber für sich behalten wollte, half es dem Arzt, so zu tun, als wisse er bereits das Wesentliche, das hatte ihr Vater Judith gelehrt. *Gebrauche deinen Verstand*, hatte er ihr eingeschärft, *deine Beobachtungsgabe und alles, was du über die Menschen weißt.*

Ihre Frage nach der Herzogin hatte Walther auf den richtigen Gedankengang gebracht. Von der Herzogin war er auf den Herzog gekommen, und dann … Judith dachte an das, was ihr vorhin aufgefallen war. »Wenn der Herzog stirbt, wird die Herzogin vielleicht trauern, aber sie wird nicht bedauern, dass er tot ist«, sagte sie langsam.

Walthers Augen weiteten sich. »Nein«, gab er zurück. »Nein, ich glaube, das wird sie nicht.« Er fuhr sich mit der Zunge über die Lippen und schien eine Entscheidung für sich zu treffen. »Irgendwann im vorletzten Monat, auf dem Hoftag in Gelnhausen, muss der Herzog erfahren haben, dass sein Sohn Friedrich …«

Weiter kam er nicht, denn aus der Richtung, in der sie gingen, drang lautes Wehgeschrei aus vielen Kehlen. Judith brauchte keine Übersetzung: Es konnte nur einen Grund dafür geben. »Der Herzog ist tot«, sagte sie tonlos, und an Walthers grimmigem Schweigen erkannte sie, dass sie recht hatte.

Der Anblick, der sich ihnen bot, war genau so, wie Judith befürchtet hatte. Zwischen den klagenden und betenden Höflingen und Dienern, den beiden hohen Herren, die auf einen Mann im Bischofsgewand einsprachen und wohl die Söhne des Toten waren, hatte einer der anderen Ärzte bereits begonnen, laut zu lamentieren, dass nichts anderes zu erwarten war, wenn man einen Juden hinzuziehe, der nichts von einer ungünstigen Konstellation von Saturn und Jupiter zum Mars verstünde. Judiths Vater stand mit dem Rücken zu ihr, doch sie hörte ihn klar und deutlich sagen: »Nein, es war nichts anderes zu erwarten bei einem Wundbrand, der so schlecht behandelt wurde. Ihr hättet den Knochen in den Stumpf hinein abtrennen und die Haut darüber schließen müssen, aber nach dem, was ich hier sehe, wurde abgestorbenes Gewebe am Stumpf gelassen.«

»Das ist eine Verleumdung! Wir haben alles getan, was uns möglich war, und Gott hätte es gewiss gefallen, den Herzog wieder genesen zu lassen, bis Ihr gekommen seid mit Eurem jüdischen Hokuspokus! Wann hätte je ein Jude einem Christenmenschen etwas Gutes getan?« Der Jüngere der beiden Edelmänner schaute auf: »Ich war von Anfang an dagegen, den Juden hier hereinzulassen«, sagte er, und seine Stimme überschlug sich.

Erst als Walther leise bat, sie möge ihn gehen lassen, wurde Judith bewusst, dass sich ihre Finger um sein Handgelenk verkrampft hatten. »Mein Vetter Salomon weiß, was aus dem Silber geworden ist«, flüsterte sie, »aber wenn meinem Vater etwas geschieht …« Sie beendete den Satz nicht. Es war ohnehin ein dummes Druckmittel. Natürlich würde Salomon den Söhnen des Herzogs erklären, was geschehen war, ganz gleich, ob ihr Vater dabei im Kerker oder in seinem Lehnstuhl daheimsaß; sie waren seine Herren. Und welchen Grund sollte Walther haben, ihr zu helfen? Resignierend löste sie ihre Finger von seinem Arm.

»Wünscht mir einen guten Flug«, flüsterte er und drückte ihr seine Laute in die Hand, dann bahnte er sich durch die Trauernden, die mehr und mehr zu angriffslustigen Streitenden wurden, den Weg zum Älteren der Herzogssöhne.

* * *

Sich zu räuspern genügte nicht; Walther musste sich grob an Bischof Wolfger vorbeiquetschen, um sicherzustellen, dass ihn Friedrich bemerkte.

»Herr«, begann er, »ich beklage Euren Verlust, doch Seine Gnaden der Herzog ist nun von seinen Leiden erlöst.«

Friedrich runzelte die Stirn ob der Aufdringlichkeit. »Ihr hättet Euer Beileid auch später aussprechen können, Herr Walther.«

»Nein«, entgegnete er und meinte, das Blut in seinen Ohren rauschen zu hören; jetzt kam es darauf an. »Ihr wisst ja, wie die Muse der Dichtkunst ist; sie beflügelt uns und lässt uns keine Ruhe, bis wir verkünden, was sie uns aufgetragen hat.«

»Später«, sagte Friedrich ungehalten. »Jetzt kann ich Eure Verse kaum willkommen heißen.«

Aus den Augenwinkeln sah Walther, dass Leopold auf den jüdischen Arzt einredete. Für Schmeicheleien und subtile Versuche, Friedrich zur Seite zu ziehen, blieb keine Zeit.

»Das solltet Ihr aber, Euer Gnaden. Ihr solltet mich willkommen heißen, denn der, der Euch Neues, Wichtiges zur Kenntnis bringt, der bin ich.« Dieses Eindringen in die Trauer, diese Unverschämtheit der Familie gegenüber ließ nun auch den Bischof empört starren. In Friedrichs Augen flackerte etwas. Er hob eine Hand – doch er schlug nicht zu, und er winkte auch keinem Diener, um Walther aus dem Raum zu werfen.

»Dann lasst uns vor die Tür gehen. Das Totenbett meines Vaters ist kein Ort für eitles Geschwätz.«

Walther spürte, wie sich der Blick des Bischofs in seinen Rücken bohrte. Doch selbst wenn Wolfger neugierig war oder gar von seinem Sohn erfahren hatte, wer ihn in den letzten Tagen zum redseligen Zechen verleitet hatte, konnte der Würdenträger jetzt nichts unternehmen.

Im Vorzimmer, das völlig leer war, weil alle Knappen und Höflinge in das Schlafgemach geeilt waren, packte Friedrich Walther bei den Schultern und stieß ihn gegen die Wand. »Ich hoffe, Ihr habt einen besseren Grund, mich in diesem Moment zu belästigen, als Eure Stellung hier bei Hofe!«

»Den habe ich.« Walthers Stimme klang belegt. Von einem Mann an eine Mauer gepresst zu werden, der seit früher Kindheit Kettenhemden und geschmiedetes Eisen trug und gelernt hatte, das Schwert zu führen, während Walther nichts Schwereres als Lauten und Fiedeln stemmte, war mehr als einschüchternd. »Ich will Euch eine Sage erzählen, Herr Friedrich, eine Geschichte aus alter Zeit …«

»Bube!«

»… die immer wieder neu ist. Glaubt mir, Ihr wollt sie hören. Dann mag sie zurück in den Schoß der Zeiten versinken.«

Friedrich ließ ihn los. »Nun denn«, knurrte er.

»Vor langer Zeit, da lebte im Reich eines Kaisers, der sein Auge auf den gesamten Erdkreis geworfen hatte, ein tapferer Herzog namens … Joringel. Er war ein treuer Weggefährte des Kaisers, und er hatte eine schöne Gemahlin namens Jorinde. Weil der Kaiser berühmt dafür war, sich selbst dem Papst zu widersetzen, wenn er etwas haben wollte, und es für ihn nichts gab, was sich nicht erobern ließ, da muss es wohl eine Stunde gegeben haben, in der die Dame Jorinde seinen Huldigungen nachgab. Was hätte sie auch tun sollen, war doch der Kaiser der oberste Lehnsherr ihres Gemahls und damit auch ihrer? Der Herzog entdeckte nichts, und auch die Dame bewahrte das Geheimnis.« Walther holte kurz Atem. »Der Kaiser hatte acht Söhne, doch starben mehr und mehr. Niemand wusste, warum Gott ihn so strafte. Vielleicht lag es daran, dass er noch einen weiteren Sohn hatte, einen, den er nicht anerkennen konnte, ohne sich als falscher Freund seines Waffengefährten zu erweisen. Das ging so lange, bis der Kaiser schließlich starb und sein ältester Sohn ihm auf den Thron folgte.«

Friedrichs Gesicht war versteinert. »Weiter.«

»Es kam jedoch eine Zeit des Unglücks für den Herzog Joringel, und als seien der Schicksalsschläge nicht genug, erfuhr er auch jenes alte Geheimnis. Was sollte er tun? Niemals hatte sein ältester Sohn ihm Grund zur Klage gegeben; ihn offen einen Bastard zu nennen, hätte Joringel überdies dem allgemeinen Spott preisgegeben. Außerdem hätte ihm das der neue, junge Kaiser übelgenommen, und Joringel brauchte den einzigen Verbündeten, der auch Einfluss auf den Papst nehmen konnte. Also beschloss er, mit der kaiserlichen Erlaubnis, das Herzogtum zu teilen, in Österreich und in die Steiermark, um sicherzustellen, dass etwas davon von seinem eigenen Fleisch und Blut regiert wurde. Außerdem hatte der edle Ritter, der sich für seinen älteren Sohn hielt, einen Kreuzzug gelobt. Was konnte dabei nicht alles geschehen! Da Joringel nicht mehr allein auf den Willen Gottes vertraute, schrieb er außerdem seinen Verwandten im fernen Byzanz, wohin jeder Kreuzfahrer zuerst seine Schritte wendet, wichtige Briefe über Vergangenheit und Zukunft. Er bestand darauf, sie trotz großer Schmerzen zu diktieren, in einer Sprache, die außer seinem Priester keinem Menschen an seinem Hof bekannt war. Doch Gott kennt alle Sprachen, und er hielt die Zeit für gekommen, um Joringels Qualen zu beenden und ihn zu sich zu nehmen.« Aus dem Gemach des Herzogs konnte Walther unheilvoll klingendes Gezänk hören. Er verbot sich, ihm zu lauschen; jetzt kam es darauf an, jede Regung Friedrichs zu beobachten.

»Und Jorinde?«, fragte dieser. Eine Ader pochte an seiner Schläfe und schwoll an, doch darüber hinaus hätte er eine Statue in der Kirche sein können.

»Jorinde war vor allem eine Mutter. Sie blieb dem Krankenbett ihres Gemahls fern, da sie nicht Gefahr laufen wollte, dass er in seinem Schmerz das Geheimnis ihres älteren Sohnes der ganzen Welt enthüllte, wenn er in ihr Antlitz schaute. Was dann geschah, davon weiß die Sage nichts.«

»Tut sie das nicht?«, sagte Friedrich tonlos. »Wie seltsam. Mir ist es, als ob da noch etwas über Jorindes Sohn vorkommen könnte, wie er in seinem Schmerz ob solcher Entdeckungen einem Vogel den Hals umdreht, um seine Stimme nicht mehr zu hören.« Seine Augen waren sehr, sehr kalt.

»Das würde Jorindinar nie tun«, sagte Walther. »Er ist ein edler Herr, der, gewarnt von dem aufmerksamen Vogel und gewappnet gegen alle Tücke, aus den Sünden der Vergangenheit das Heil der Zukunft gewinnen kann. Zumal die Vogelstimme nicht das Einzige ist, was ihm Glück verheißt. Der liebliche Klang von Silber tut desgleichen. Denn wisst, dass der Heilige Vater, als er den jungen Kaiser um Silber bat, von diesem hörte, es sei für die Rüstung eines neuen Kreuzzugs verwendet worden, und damit zufrieden war, was ein ehrwürdiger Bischof bezeugen kann. Da ist es schlechterdings unmöglich, die gleiche Entschuldigung nicht auch vom jungen Herzog anzunehmen, den der Kreuzzug ebenfalls nicht billig kommen wird.«

In Friedrichs Gesicht zuckte es. »Dieser Teil der Geschichte gefällt mir besser«, sagte er, doch seine Stimme klang immer noch rauh. »Warum aber sollte Jorindinar dem Vogel nicht trotzdem den Hals umdrehen?«

Walther spürte den Schweiß seinen Rücken hinunterrinnen und das harte Mauerwerk durch den Wandbehang hinter sich. »Weil ein Mann in seinem Schmerz niemals alle Vögel erwischt. Wenn einer entwischt, von dem er nichts weiß, und die Geschichte von Jorinde, Joringel und Jorindinar überall im Reich herumzwitschert, dann wäre das wahrlich ein schlechtes Ende für diese Erzählung. Nein, da gefällt mir ein anderes doch viel besser: In dem hat jeder Vogel sein Nest, in dem er zufrieden das Lob seines Herrn singt und ihn vor weiterem Unbill des Schicksals warnt, sollten sich solche Gelegenheiten bieten. Schließlich hat er bewiesen, was für scharfe Augen er hat. Außerdem ist das Geheimnis um das Silber noch nicht gelöst, obwohl sich auch dafür die Lösung abzeichnet.«

Wieder war in dem Schweigen zwischen ihnen der Lärm von nebenan zu hören und Walthers eigener Atem. Dann hob Friedrich eine Augenbraue. »Meint Ihr denn, dass so ein Vogel wirklich nicht mehr als das Nest will, das ihm ohnehin versprochen wurde?«

»Das, und ein glückliches Ende für alles andere Gefieder«, entgegnete Walther mit trockenem Mund. »Sogar die armen Krähen, die Joringel in seinen letzten Stunden umkreisten. *Alle* von ihnen, denn sie wollten nur helfen, so hässlich sie auch aussehen in ihrem schwarzen Gefieder. Jorindinar ist ein so edler Ritter, dass er jeden Einzelnen von ihnen in Frieden fortschickt, ohne Ausnahme. Das ist das richtige Ende.«

KAPITEL 5

Und warum sollte ein Jude aus Köln nach Wien kommen?«, fragte der junge Leopold zornig. »Die Kölner waren noch nie unsere Verbündeten, im Gegenteil! Die ganze Stadt kriecht doch dem König von England in den Hintern, weil sie all ihr Geld vom Handel mit ihm beziehen, und Richard ist unser Feind. Hat er dich geschickt, Jude? Ist das seine Rache?«

Judith wusste, dass sie alles nur noch schlimmer machen würde, wenn sie den Mund aufmachte. Niemand würde ihr glauben, wenn sie sich dem Herzogssohn zu Füßen warf und erklärte, dass ihr Vater ihretwegen auf dem Weg nach Salerno war. Aber sie konnte nicht einfach weiter stumm in eine Ecke gedrückt stehen, während ihr Vater von menschlichen Geiern wie ein Lamm zerrissen wurde! Irgendwie musste sie ihm helfen.

Und wenn die unwahrscheinliche Wahrheit nicht geglaubt wurde, dann vielleicht eine wahrscheinliche Lüge …

»Herr Leopold«, rief sie laut, »Eure edle Mutter hat von dem großen Unglück erfahren und bittet Euch, ihr in ihrem Schmerz beizustehen!« Das entkräftete zwar keinen Vorwurf gegen ihren Vater, aber es schaffte den einzigen Mann, der die Macht hatte, aus den Vorwürfen einen Galgen werden zu lassen, aus dem Zimmer. Tatsächlich drehte sich Leopold zu ihr um, genau wie ihr Vater, der entsetzt dreinschaute.

»Und warum hat sie dir eine Laute mitgegeben, Mädchen?«, fragte Leopold misstrauisch. Zu spät fiel Judith auf, dass sie noch immer Walthers Instrument in Händen hielt.

»Ich …«

»Bruder«, sagte eine Stimme hinter ihr; der andere Fürstensohn kehrte in das Gemach zurück. »Was ist das für ein ungebührlicher Streit am Totenbett unseres Vaters! Man hört dich noch in den Kellergewölben. Ziemt sich das für den Herzog der Steiermark?«

Leopold wirkte mit einem Mal sehr jung, als er errötete. »Es ist nur, weil der Jude … Herzog der Steiermark?«

»Es war der Wille unseres Vaters, dass unser Herzogtum geteilt wird und die Steiermark an dich fällt«, erklärte Friedrich mit undurchdringlicher Miene. »In dieser traurigen Stunde sollte nun aber die Familie über alles gehen. Lass uns an die Seite unserer Mutter eilen. Dann mag der hochwürdige Bischof von Passau eine Messe für die Seele unseres Herrn Vater lesen, ist er doch, gelobt sei Gott, wieder versöhnt im Schoß der Mutter Kirche gestorben, da alle Bedingungen des Heiligen Vaters für seine Buße erfüllt werden.«

»Gelobt sei Gott«, fiel der Bischof ein. Er klang durchaus aufrichtig, doch Judith entging nicht, dass er nicht auf Friedrich, sondern auf Walther schaute. Sein Blick war sehr neugierig.

»Gelobt sei Gott«, sagte Leopold. »Aber findest du es nicht verdächtig, dass unser Herr Vater gestorben ist, nachdem ein Jude aus Köln die Hand an ihn legte?«

»Unser Vater lag seit Tagen im Sterben«, erwiderte Friedrich gemessen. »Das lag, wie uns die Ärzte glaubhaft versicherten, an der ungünstigen Konstellation der Sterne. Außerdem war der würdige Herr Bischof im Raum und hat für ihn gebetet. Meinst du etwa, ein einzelner Jude, ob er nun Gutes oder Böses will, sei mächtiger als ein Fürst unserer Kirche?«

Es war weniger das Schweigen Leopolds und mehr die Enttäuschung auf den Gesichtern der Ärzte, die in Judith Hoffnung keimen ließ; sie schienen nicht mehr zu glauben, einen Sündenbock für ihr Versagen zu haben. Etwas in ihrem Mund schmeckte bitter. Sie hatte sich so darauf gefreut, von anderen Ärzten zu lernen, mit ihnen zu debattieren und zusammenzuarbeiten, und die ersten Ärzte, denen sie in der Fremde begegnete, waren Feiglinge, die ihr Bestes getan hatten, um ihre Unfähigkeit zu verbergen und ihren Vater den Wölfen zum Fraß vorzuwerfen.

»Gott hat gesprochen«, stimmte der Bischof zu. »Herr Friedrich hat recht. Eilt, um Eurer Mutter Trost zu spenden, und dann betet für die Seele Eures Vaters. Wie das auch jeder andere hier im Raum tun wird«, fügte er streng hinzu. Ein allgemeines Bekreuzigen setzte ein. Ihr Vater bewegte die Lippen, ohne einen Laut von sich zu geben, und Judith wusste, dass auch er betete. Sie wollte zu ihm eilen, ihn umarmen und um Verzeihung bitten, doch sie traute dem Frieden noch nicht.

»Darf ich meine Laute wiederhaben?«, murmelte jemand neben ihr; irgendwie hatte sich Walther an ihre Seite geschmuggelt. Stumm reichte Judith sie ihm. Eigentlich wollte sie ihm danken, da es danach aussah, dass die Haltung des neuen Herzogs sein Werk war, aber sie fand ihre Kehle wie zugeschnürt. Jetzt, wo die Bedrohung in Form all der Herren und Ärzte nach und nach das Gemach des alten Herzogs verließ, jetzt, wo es so aussah, als habe sich dieser Tag doch noch zum Guten gewendet, schien sich all die Angst, die sie vorher unterdrückt hatte, um ihren Hals zu winden, um sie zu ersticken.

Abrupt wandte sie sich ab und lief zu dem in Augenhöhe liegenden Fenster, dessen Holzflügel wegen der Winterkälte natürlich geschlossen waren, und stieß sie auf. Erst, als sie in tiefen, keuchenden Atemzügen Luft in sich sog, merkte sie, dass Tränen über ihr Gesicht rannen und auf ihren Wangen gefroren. Hastig schloss sie die Holzläden wieder.

»Judith, geht es dir gut?«, fragte die Stimme ihres Vaters besorgt, und sie fuhr sich mit dem Handrücken über das Gesicht. Wenn jemand das Recht hatte, aufgeregt zu sein, dann er, nicht sie.

Judith zwang ein Lächeln auf ihre Lippen, drehte sich um und fiel ihm um den Hals. »Es tut mir leid«, flüsterte sie ihm ins Ohr.

»Hat Euch die Herzogin keine Magd mitgegeben?«, hörte sie Vetter Salomon missbilligend fragen. »Ich will nicht hoffen, dass Ihr alleine durch die Hofhaltung gewandert seid!«

Erst jetzt bemerkte sie, dass er sich auch im Raum befand. Er musste schon die ganze Zeit hier gewesen sein, doch darauf geachtet haben, nicht aufzufallen, als die Stimmung im Raum gegen ihren Vater umschlug. Wahrscheinlich hatte er sich hinter dem breitesten Höfling versteckt! Nein, das war ungerecht. Er hatte hier nicht nur eine Stellung zu verlieren; es hätte ihrem Vater auch nichts genutzt, wenn Salomon gerade dann für ihn gesprochen hätte, als Leopold alle Juden verdächtigte.

»Das ist sie nicht«, sagte Walther. »Ich hatte die Ehre, Eure Verwandte zu begleiten.«

Salomon warf einen Blick auf die Laute, dann auf Walther; es war deutlich, dass er keine hohe Meinung von musizierenden Höflingen hatte.

»Ich danke Euch«, erklärte ihr Vater höflich. »Ich bin Josef von Köln.«

»Vater, Vetter Salomon, dies ist Herr Walther von der Vogelweide«, stellte Judith ihn hastig vor, und ihr war wieder sehr bewusst, dass sie ihm noch etwas schuldete. »Ich glaube, seine Kunst war es, die das Herz des neuen Herzogs besänftigte.«

»Dann stehen meine Tochter und ich tief in Eurer Schuld«, fügte Josef hinzu, während sein Vetter die Augen rollte und sicher lieber etwas anderes gehört hätte.

»Das Herz des neuen Herzogs wird noch viel sanfter werden, wenn er Gewissheit über das Schicksal des englischen Silbers hat«, sagte Walther bedeutungsvoll.

Judith wusste nicht, ob es das missbilligende Schnalzen von Vetter Salomon war oder das rührend ahnungslose Gesicht ihres Vaters, aber sie musste lachen. Es war genauso unerwartet und unpassend wie ihr Tränenausbruch, aber es löste den letzten Rest der Schlinge um ihre Kehle.

Walther stellte seine Laute ab und verschränkte die Arme ineinander. »Ich lache gerne mit.«

»Nicht im Zimmer eines Toten«, entgegnete Judith. »Es tut mir leid. Es ist nur … Vetter Salomon ist sehr stolz auf sein Amt, und er hat uns lang und breit über das Silber erzählt, aber hier scheint jeder zu glauben, es sei ein großes Geheimnis.«

»Weil die meisten hohen Herren die falschen Vorstellungen von Silber haben«, sagte Salomon gallig. »Sie meinen, es ruhe noch in den Truhen, in denen es aus England eintraf, bis auf das, was für die neuen Bauten ausgegeben wurde, versteht sich. Nur der Herzog, Gott habe ihn selig, hat verstanden, was ich ihm vorgeschlagen habe. Dass man endlich neue, gute Münzen braucht, die das wert sind, was darauf steht. Versteht Ihr? Münzen und Barren mit einem Silbergehalt, der mit den Münzen anderer Fürstentümer vergleichbar ist. 234 Gramm Silber für eine Silbermark und etwas weniger als ein Gramm für einen Silberpfennig!«

»Ihr meint …«, begann Walther mit gerunzelter Stirn.

»Das englische Silber gibt es nicht mehr«, bestätigte Judith, »und der Herzog hätte es nicht mehr zurückgeben können, selbst wenn er es gewollt hätte. Es ist eingeschmolzen worden und verarbeitet in den neuen Münzen, die von meinem Vetter geprägt wurden.«

»Und die sind jetzt überall im Umlauf«, sagte Salomon mit dem Berufsstolz des Münzmeisters. »Bedenkt außerdem, eine österreichische Münze hatte vorher immer einen anderen Silbergehalt als eine aus Köln, England oder Aquitanien, und bei dem Lösegeld war alles dabei, ganz zu schweigen von all den silbernen Bechern, Messern und Leuchtern. Wenn es also Graf Otto oder König Richard einfallen sollte, Rückgabeforderungen zu stellen und vom Kaiser oder Papst dafür sogar Unterstützung zu bekommen, dann müsste man zunächst einmal den Wert der jeweiligen Münzen gegeneinander aufrechnen. Und wer soll das tun? Ein Mann aus Österreich oder einer aus England? Oder gar ein Mann des Papstes? Es würde Jahre dauern, sich allein darauf zu einigen.«

Während der Erklärung schaute Walther zunächst drein, als habe er einen Frosch verschluckt, doch dann schlich sich wieder ein Grinsen in sein Gesicht. »Bei allen Heiligen!«

»Meint Ihr, dass der Herzog damit zufrieden sein wird?«, fragte Judith. »Herzog *Friedrich*«, fügte sie hinzu, um klarzumachen, von wem sie sprach.

»Ich denke schon, wenn noch genügend in der Familienkasse ist. Er hat einen Kreuzzug zu bezahlen, früher oder später«, entgegnete Walther. Das Wort *Kreuzzug* streifte sie wie ein kalter Wind. An dem Schweigen ihres Vaters und Salomons erkannte sie, dass es ihnen ähnlich ging. Es machte ihr die Kluft zwischen ihnen dreien und Walther klar. Nicht, dass sie diese vergessen hatte; natürlich hatte sie das nicht. Walther war ein besserer Mann, als sie zunächst angenommen hatte, der sich hilfreich zeigte, wo Hilfe dringend benötigt wurde, doch er war ein Christ, und es gab nichts, was sie gemeinsam hatten.

Sie räusperte sich. »Wir sollten wieder nach Wien zurückkehren, Vater«, sagte sie. »Wer weiß, in welcher Stimmung die Herzöge sein werden, wenn die Messe für ihren Vater erst einmal gesprochen ist.«

»Ich war schon länger nicht mehr in der Stadt«, sagte Walther. »Was haltet Ihr davon, wenn ich Euch noch einmal begleite?«

Auf Vetter Salomons Stirn erschienen Sturmwolken. Gleich würde er seine Furcht und Umsicht vergessen und aussprechen, dass ein christlicher Mann nichts in der Nähe einer jungen unverheirateten jüdischen Frau zu suchen hatte. Auch ihr Vater schaute alles andere als begeistert drein.

»Ich glaube, Ihr solltet an der Seite Eures Herrn bleiben«, sagte Judith leise.

Sein Mund formte ein stummes *Oh,* das zu einem verunglückten Lächeln wurde. Mit einem Mal wirkte er verwundbar, was er selbst dann nicht getan hatte, als sie ihm ins Gesicht schlug. Es ließ in Judith das Gefühl keimen, undankbar zu sein, und sie fasste einen Entschluss. »Vater, kommt dir Herrn Walthers Hals nicht auch leicht angeschwollen vor? Er gebraucht seine Stimme so oft, dass es mich nicht wundern würde, wenn er sie bald verlöre, wenn man ihm nicht hilft. Gestatte, dass ich meine ärztliche Pflicht erfülle und das überprüfe. Würdest du mir aus der Küche Kamille dafür holen? Und Vetter Salomon, könnt Ihr meinem Vater den Weg weisen?«

Josef ben Zayn blickte, ein wenig skeptisch, doch zu ihrer Überraschung nickte er und verließ mit dem zögerlich wirkenden Salomon den Raum.

»Meine Stimme ist«, begann Walther empört, weil er natürlich zuerst sprach und erst dann dachte, doch sie konnte das Begreifen in seinen Augen erkennen, als sie näher trat, »bisweilen völlig heiser, ja. Ihr habt recht, ich brauche dringend Hilfe.«

Mittlerweile stand sie direkt vor ihm. Sie hob ihre Hände, ihre Fingerspitzen ertasteten seinen Halsmuskel. Sie spürte, wie er schluckte.

»Ihr seid größer als ich. Es wäre leichter, wenn Ihr vor mir niederkniet«, sagte sie und bemühte sich, sachlich zu bleiben, was nicht einfach war, da ihm natürlich nichts fehlte. Der Ausdruck, mit dem er sie betrachtete, war auch nicht hilfreich.

»Nichts einfacher als das«, erwiderte er und sank vor ihr auf die Knie. Da sie ihn nicht festhielt, streiften ihre Finger dabei über seine Wange und durch sein Haar. *Er hat den Vater gerettet*, sagte sie sich, weil die Berührung sanfter ausfiel, als es der Zufall möglich gemacht hätte. Vor allem, als sie ihre Fingerspitzen erneut unter sein Kinn gleiten ließ.

»Jetzt öffnet Euren Mund.« Judith musste leise sprechen, denn ihre Stimme war ein klein wenig belegt. Immerhin ließ sie ihre Ausbildung nicht im Stich. »Und sagt laut *A*.«

»A für Anbetung?«, fragte er unschuldig.

»A für Angeberei«, gab sie zurück, denn er sollte sich nicht einbilden, dass sie etwas anderes wollte, als sich auf freundliche Weise zu verabschieden. Wunschgemäß sprach er den Vokal so lange und gedehnt, dass sie ihm den Sänger ohne weiteres glaubte. Sie konnte keinerlei Entzündungen erkennen, was sie nicht überraschte, aber einige seiner Zähne waren fleckig und schon etwas dunkel. Den meisten Menschen, die nichts von Medizin verstanden, musste man Zahnpflege erst erklären.

»Euer Hals scheint in einem guten Zustand zu sein. Aber wenn Ihr Eure Zähne noch haben wollt, wenn Ihr jenseits der dreißig seid, dann sammelt im nächsten Jahr Walnüsse«, sagte sie. »Walnussschalen, natürlich ohne die grüne Außenrinde, sind sehr gut, um damit die Zähne dreimal am Tag zu reiben und zu reinigen.«

Er starrte sie an, als habe er einen echten ärztlichen Rat als Allerletztes erwartet. Doch ehe sie Zeit hatte, darüber ungehalten zu sein, schloss er seinen Mund wieder. Das Funkeln kehrte in seine Augen zurück: »Darf ich Euch auch einen ärztlichen Rat erteilen?«

»Ich dachte, Ihr dichtet.«

»Ein Sänger behandelt die Ohren, Herzen und Seelen«, erklärte Walther unbeirrt. »Aber im Moment sorge ich mich um Eure Haare, liebe Magistra. Ich weiß nicht, wie die Dinge in Köln stehen, aber hier ist man der Ansicht, dass einmal am Tag Luft an das Haar einer Frau gelangen sollte und dass man es kämmen muss. Da Ihr ja vorhabt, aufzubrechen, und dann Euer Haar auf jeden Fall unter Binde und Schleier gefangen sein wird, wäre jetzt der einzig richtige Zeitpunkt.«

»Ein misstrauischer Mensch könnte meinen, dass es Euch nur darum zu tun ist, mehr von mir zu sehen, als Euch zusteht«, sagte Judith. Der Umstand, dass sie dabei lächelte, hing nur damit zusammen, dass er ihr einen Titel verliehen hatte, der noch nicht der ihre war.

»Ein spitzfindiger Mensch würde erwidern, dass dies nur gerecht sei, denn schließlich habt Ihr meinen Rachen gesehen. Aber wenn ich ganz ehrlich bin, Ihr habt recht!«

Für einen kurzen Augenblick schien ein Schmetterling in ihrem Bauch zu erwachen. *Sei nicht töricht*, dachte Judith. *Was ist schon dabei? Wenn ich nicht auf Reisen wäre, würde ich mein Haar ohnehin offen tragen.* Außerdem war ihr unter all dem Leinen mittlerweile wirklich warm; die Vorstellung, kurz, nur ganz kurz, es abzulegen, war verführerisch. Also begann sie, Kinnbinde und Schleier aufzulockern.

»Gestattet mir, Euch zu helfen.« Walther stand eilig auf.

»Das ist nicht nötig«, sagte ihr Vater, der gerade mit Salomon wieder den Raum betrat. Judith wusste, dass seine Dankbarkeit nicht unbegrenzt war. Nur noch eine schnelle Handbewegung, und sie hielt die Kopfbedeckung in den Händen. Es *war* ein gutes Gefühl. Sie wünschte sich, sie könnte auch ihre Flechten öffnen, doch das wäre zu weit gegangen.

»Es ist Zeit zu gehen«, sagte sie. »Brüht Euch mit der Kamille ein heißes Getränk und trinkt davon, so oft wie möglich.«

»Was, und Ihr verflucht noch nicht einmal den Morgen?«, fragte Walther. »Ich wusste, dass an Reinmars Tageliedern etwas nicht stimmen kann.«

Sie hatte keine Ahnung, worauf er anspielte, zumal es inzwischen Nachmittag war und die Sonne bald untergehen würde, so dass sie sich wirklich beeilen mussten. Ihr Unverständnis musste sich an ihrer Miene abzeichnen, denn Walther seufzte.

»Es ist nicht recht, dass eine schöne Frau über Zahnbehandlungen Bescheid weiß, aber nicht über die verschiedenen Arten von Poesie.«

Ein wenig von der Abneigung, die er zunächst in ihr ausgelöst hatte, kehrte zurück. Judith hieß den Ärger sogar willkommen. Er brachte sie gelegentlich dazu, unüberlegte Dinge zu sagen, aber nicht, sich wie eine Törin zu benehmen! »Was auch immer ein Tagelied ist«, erwiderte sie schnippisch, »es wird weder mich noch Euch noch sonst einen Menschen davor bewahren, fürchterliche Schmerzen zu empfinden, wenn ihm die Zähne im Mund verfaulen und gezogen werden müssen. Deswegen glaube ich auch nicht, dass es mir je etwas nützen wird. Gehabt Euch wohl, Herr Walther.«

✳ ✳ ✳

Als Reinmar nach der Messe in das Zimmer zurückkehrte, das er mit den beiden Knappen und mit Walther teilte, fand er seinen Schüler vor, wie er zwischen Talglichtern emsig in seine Wachstafel kritzelte, während die Knappen bereits schliefen. Unter anderen Umständen hätte Reinmar etwas darüber gesagt, dass Walther es vorzog, in eigenen Belangen tätig zu sein, statt für den Herzog zu beten, der einen jungen Niemand wie ihn so großzügig aufgenommen hatte. Selbst Otto von Poitou war so anständig gewesen, an der Messe teilzunehmen, aber nicht Walther. Trotzdem war Reinmar zu erschöpft und zu traurig für einen Zornesausbruch. Es war nicht zu fassen, dass sein Gönner noch vor einer Woche gesund ausgeritten war, nicht in eine Schlacht, sondern in seinem Reich. Dass ein solcher Mann, der nie einen Feind gefürchtet hatte, von einem Sturz gefällt und durch eine Hölle von Schmerzen gejagt wurde, war bitter.

Zumindest würde sein alter Freund nicht der ewigen Verdammnis anheimfallen; das war ein Trost. Er hatte bereut und gebüßt, wie Bischof Wolfger bei seiner Predigt gesagt hatte, und das Verzeihen Gottes war grenzenlos. Wenn fürderhin des verstorbenen Herzogs von Österreich gedacht wurde, dann würde man von seinen Ruhmestaten sprechen. Ja, der Herzog mochte besonders empfindlich in allen Angelegenheiten seiner Ehre gewesen sein, aber war diese Eigenschaft nicht ritterlich, nicht fürstlich? Seine Fehler waren nur Schatten seiner Tugenden gewesen, nichts anderes.

Um sich selbst machte Reinmar sich keine Sorgen. Der junge Friedrich hatte die Wünsche seines Vaters stets respektiert und würde nie dessen alten Freund fortschicken. Doch der Hof würde nicht mehr der gleiche sein, das wusste er. Es war immer so, wenn eine neue Generation ans Ruder kam.

Reinmar seufzte und ließ sich neben Walther auf der großen Truhe nieder, die ihnen gleichzeitig als Bank diente. Er warf einen Blick auf die Wachstafel. Manche Sänger machten sich nie die Mühe, ihre Lieder aufzuschreiben, auch, weil sie nicht schreiben konnten und sich daher lieber auf ihr Gedächtnis verließen. Doch Reinmar empfand es als große Hilfe, seine Verse aufzuschreiben, wenn er an ihnen feilte. Natürlich nicht auf Pergament, das war viel zu kostbar. Obwohl der Herzog immer großzügig zu Reinmar gewesen war, hätte er es sich nie leisten können, das edle Material auf verschiedene Fassungen seiner Lieder zu verschwenden. Immerhin, ab und an, wenn ein Lied besonders gelungen war und von der Gesellschaft mit rauschendem Beifall begrüßt wurde, dann hatte der Herzog es seinem Schreiber gestattet, eine Abschrift zu erstellen. Aber für die Arbeit an einem Lied waren die Wachstafeln der alten Römer gerade recht. Man konnte das falsche Wort durch einen Griffelstrich verschwinden lassen, und neues Wachs war an einem Hof wie diesem leicht zu bekommen. »Wenn du deine Verse vor dir siehst, dann wirst du Fehler viel eher ausmachen, als wenn sie dir nur in deinem Kopf herumspuken«, hatte er erklärt. Das war eine der wenigen Lektionen gewesen, die Walther ohne Widerspruch angenommen hatte.

Reinmar kniff die Augen zusammen, um ausmachen zu können, woran Walther eigentlich schrieb, und was er las, mischte seiner Trauer sofort Enttäuschung bei.

»Nun meid mich nicht zu lange, so schaffst du Freude mir«, sagte er ungehalten. »Es wäre wohl zu viel verlangt zu erwarten, dass du eine Klage um unseren Herzog schreibst, ehe jemand dich dazu auffordert, doch ein Tagelied?«

Er hatte nichts gegen Tagelieder als solche. Sie zählten nicht zu seiner liebsten Gattung, denn unerwiderte Liebe war nun einmal ein edleres Thema, aber dem Grundschema der Liebenden, die vom Anbruch der Morgendämmerung auseinandergerissen wurden, waren durchaus ein paar bewegende Klagen abzugewinnen. An anderen Tagen. Aber nicht heute!

Walther schien ihn überhaupt nicht wahrzunehmen. Stattdessen schrieb er weiter. Nun kannte Reinmar das Gefühl selbst nur zu gut, im Schaffensrausch zu stecken und Wort nach Wort setzen zu müssen, ganz gleich, was um einen geschah. An jedem anderen Tag hätte es ihn sogar zufrieden gemacht, den jungen Mann so hingegeben zu erleben. Aber gerade jetzt war er müde, der Verlust des Herzogs und die Ungerechtigkeit seines Todes fraßen an ihm, und außerdem war dies sein Gemach. Er, genau wie der verstorbene Herzog, hatte Walther großmütig hier aufgenommen. Der Junge war undankbar, und er verdiente es, dass Reinmar etwas von seinem Schmerz an ihm ausließ.

»Der Bischof von Passau hat bei seiner Predigt von Herrn Friedrichs Gelöbnis gesprochen, für seinen Vater in den Kreuzzug zu ziehen«, sagte Reinmar. »Wie steht es denn um deine Waffenkünste?«

Das brachte Walther dazu, den Griffel zu senken und ihn aufrichtig verwirrt anzuschauen. »Um meine ... warum fragt Ihr das?«

»Nun, mit Tageliedern wirst du dich kaum der Sarazenen erwehren können, wenn du Herrn Friedrich begleitest. Und ich will nicht hoffen, dass du um dein Leben fürchtest, wenn es um den Dienst an deinem irdischen und himmlischen Herrn geht. Natürlich habe ich dich nie an den Fechtübungen teilnehmen sehen, doch ich bin sicher, dass du dich deiner Haut erwehren wirst, schließlich hängst du ja so sehr an ihr. Tapferkeit buchstabiert man trotzdem anders. Und es mag sein, dass du trotzdem eine Hand verlierst, oder ein Bein, aber dann bin ich sicher, dass du es mit Fassung tragen wirst, wenn die Menschen um dich herum mit anderen Dingen beschäftigt sind, als auch nur einen Gedanken an dich zu verschwenden.«

Seine Stimme war lauter und lauter geworden, und als er endete, saßen die Knappen aufrecht auf ihren Lagern und schauten betreten. Walther hingegen war nicht länger verwirrt, er zeigte auch kein Schuldgefühl; stattdessen lag eine Mischung aus Mitleid und Ärger in seiner Stimme, als er entgegnete: »Aufrichtigkeit ist die verwegenste Form der Tapferkeit, und im Gegensatz zu den meisten hier am Hof stehe ich dafür!«

»Du bist respektlos, völlig respektlos!«

»Herr Reinmar, es ist spät. Ihr solltet Euch zur Ruhe legen.«

»Das sollte ich, aber wie kann ich das, mit dir in diesem Gemach?«, konterte er bitter. »Es ist, als säße der Winter in Person hier, ohne menschliche Wärme. Doch all das Eis wird eines Tages schmelzen, Walther, und zeigen, was dann noch von dir übrig ist. Eine Wasserlache. Eine Pfütze. Ein *Nichts*.«

»Ihr wisst nicht, was Ihr ...«

»Ich weiß genau, was ich sage, und ich weiß genau, was ich will. Geh, Walther, niste dich bei einem anderen Unglücklichen ein, dem du seine Ruhe stehlen kannst. Hier in diesem Zimmer bist du nicht länger willkommen.«

Einmal ausgesprochen, hing das Wort *geh* zwischen ihnen. Reinmar wartete darauf, dass ihn Reue packte, dass er Walther versicherte, er habe es nicht so gemeint. Schließlich war er ein gutmütiger Mann, das sagte jeder von ihm. Doch gerade jetzt entdeckte er, dass seine Gutmütigkeit Grenzen hatte. Er mochte es bis jetzt selbst nicht gewusst haben, doch er wollte wirklich, dass Walther aus seinem Leben verschwand. Er war nicht eifersüchtig, nicht wirklich; er wurde nur alt und wollte sich nicht Tag für Tag darüber streiten müssen, was echte Kunst war. Man musste sich keine Sorgen um Walther machen, denn Friedrich hatte ihn in der letzten Woche vor allen Ohren gelobt, als sie versucht hatten, den Herzog von seinem Leid abzulenken. Aber es bestand kein Grund, warum Reinmar Tag und Nacht mit ihm zusammenleben sollte. Der Hof war groß genug.

Als kein Widerruf folgte, verhärtete sich Walthers Gesichtsausdruck. »Wie Ihr wünscht.« Er stürmte an den Knappen vorbei aus dem Raum. Gerade eben, dass er die Tür nicht hinter sich zuschlug.

»Herr«, fragte einer der Knappen vorsichtig, »meint Ihr nicht …«

Natürlich waren sie auf Walthers Seite, weil sein loses Mundwerk, seine immerwährende gute Laune, einnehmender war als die Jahre in Reinmars Diensten.

»Nein«, sagte Reinmar hart. »Was vorbei ist, ist vorbei.«

* * *

Vieles schwirrte Walther im Kopf herum, als er in die Richtung des Palas schritt, des großen Saals, in dem vor einer Woche das Weihnachtsfest begangen worden war und wo wegen der großen Feuerstelle viele Diener schliefen: der Streit mit Reinmar, die Frage, ob der neue Herzog Friedrich ihm einen festen Platz hier bei Hofe geben oder ihn beseitigen lassen würde, und das rothaarige Mädchen, das er nie wiedersehen würde. Er versuchte, sich davon zu überzeugen, dass dies ein Glück war: Sie hatte eine Zunge, die so scharf war wie die seine, und war davon überzeugt, dass jeder, der die Dinge anders sah als sie, im Unrecht sein musste. Sie wusste von Dichtkunst so wenig, dass ihr Tagelieder unbekannt waren. Und vor allem: Sie war Jüdin.

Aber er hatte sich in ihrer Gegenwart so lebendig gefühlt wie selten, obwohl er nicht mehr als ihre Hand berührt hatte. Bei Mathilde, Martha und all den anderen Frauen wäre so wenig nicht der Rede wert gewesen. Doch er spürte immer noch das Echo ihrer langen, schmalen Finger auf seiner Wange, an seinem Hals, in seinem Haar. Das ihre hatte die Farbe von Purpur *und* Ebenholz, ein Rot, wie er es vorher nicht gekannt hatte. Ihre Zähne glichen hellem Elfenbein, und ihre Haut schien so weich wie das Fell eines Hermelins.

Unwirsch schüttelte Walther den Kopf. Was würde er noch in diese Frau interpretieren, wenn er seinen Gedanken weiterhin freien Lauf ließ? Er hatte ihre Haut gar nicht berührt! Und doch hatte sie ihn dazu gebracht, an seiner eigenen Gabe zu zweifeln, denn das Taglied, an dem er gerade arbeitete, stellte ihn ganz und gar nicht zufrieden. Noch schlimmer, er hatte die dunkle Ahnung, dass er morgen in die Küche gehen und nach Walnüssen fragen würde.

»Ah, ich habe Euch gesucht«, riss ihn eine Stimme aus seinen Gedanken. Vor ihm stand Hugo. »Mein Vater will Euch sprechen.« Walther lag es auf der Zunge zu fragen, ob das nicht bis morgen warten könne, doch natürlich nickte er und folgte Hugo in die Räume des Bischofs. Dieser trug trotz der späten Stunde noch seinen Überrock aus Seide. *Wie schnell die Zeit vergeht,* dachte Walther. *Als ich kam, kannte ich keine Seide, heute bin ich sicher, es ist solche aus Lucca, die selbst ein Graf kaum bezahlen kann.*

»Der neue Herzog von Österreich hat mir gerade anvertraut, dass er den Rest des englischen Lösegelds auf die gleiche Art und Weise wie der Kaiser abzubüßen gedenkt«, begann Wolfger unvermittelt: »Durch die Kosten für seinen Kreuzzug.« Er musterte Walther neugierig. »Ihr scheint mir ein junger Mann zu sein, der weiß, was man mit den Dingen anfangen kann, die man von Menschen loserer Zunge hört.« Hugo zuckte zusammen.

Walther fragte sich, ob sich Leugnen oder falsche Bescheidenheit lohnten, und entschied sich gegen beides. »Ich bin ein junger Mann, der gerade für die Nacht obdachlos geworden ist. Euer Gemach ist heimeliger als der Palas, und Ihr seid, wie unser neuer Herzog richtig sagte, ein großer Fürst der Christenheit. Darf ich um Eure christliche Barmherzigkeit und um ein Lager bis morgen früh bitten?«

»Das ist doch …«

»Hugo, du hast bereits genug geredet«, sagte der Bischof leise, doch mit unmissverständlicher Schärfe. »Was Euch betrifft, Herr Walther, so könnt Ihr gerne bleiben. Es mag sogar sein, dass Ihr in der Zukunft öfter bei mir in Passau zu Gast sein werdet, es sei denn, Euer Herz hängt allein an den Residenzen der Herzöge von Österreich.«

»Nur Gott weiß, was die Zukunft bringt, Euer Gnaden«, erwiderte er mit einem Lächeln.

»In der Tat. Und er offenbart sich uns Sterblichen leider höchst selten. Deswegen sind wir hin und wieder auf Auskünfte unserer Mitmenschen angewiesen.«

Das war eine deutliche Aufforderung, sich für den Bischof umzuhören, und verriet, was Wolfger von ihm hielt. Walther horchte in sich hinein und stellte fest, dass er sich nicht beleidigt fühlte, ganz anders als bei Reinmars Wutausbruch vorhin. Es gab nichts, das ihn antrieb, mit großer Geste »Niemals!« zu verkünden. Allerdings gab es auch nichts, was ihn veranlasste, sich zu verbeugen und »*Wie Ihr wünscht, Euer Gnaden, nur allzu gerne!*« zu dienern. Walther dachte daran, was Reinmar über Friedrich und den Kreuzzug gesagt hatte, und an die Überlebensaussichten im Heiligen Land. Sich auf einen einzigen Gönner zu verlassen, wenn man selbst kein Land und Einkünfte hatte, konnte jederzeit bedeuten, in große Gefahr zu geraten oder wieder in Armut zu fallen, und beides wollte Walther nicht. Außerdem, wenn er darüber nachdachte, wollte er wirklich mehr von der Welt sehen. Wenn gewisse junge Mädchen aus dem fernen Köln sich nichts dabei dachten, bis nach Salerno zu ziehen, wäre es doch gelacht, wenn ein freier Mann wie er nicht über bayerische und österreichische Lande hinauskam.

»Nun, Euer Gnaden«, sagte er, »da ist es ein Glück, dass einige Menschen besser mit dem Wort umzugehen verstehen als andere. Es ist sozusagen ihre Berufung.«

II.
WECHSELLIED

1195 – 1197

KAPITEL 6

Für Judith war der Blick auf die Bucht von Salerno immer Freude und Schmerz zugleich.

Als sie mit ihrem Vater am Ziel ihrer Träume eingetroffen war, hatten sie eine Stadt vorgefunden, die vollständig geplündert und gebrandschatzt worden war, nur zwei Wochen vor ihrer Ankunft. Die meisten der Häuser waren kaum bewohnbar, nur notdürftig zusammengeschustert wie ein Flickenteppich, mit Strohbündeln, Zweigen und dem, was an unverbrannten Balken noch vorhanden war. Den Mitgliedern der Schule von Salerno war es gelungen, die wichtigsten Bücher und Instrumente zu retten, doch sie mussten sich nun neben all den Kranken, die immer noch von überall her nach Salerno kamen, um geheilt zu werden, auch um die Schwerverwundeten und Krüppel der Stadt kümmern. Ein Teil der Gemeinschaft war über vier weitere Hände dankbar; der Rest verabscheute Judith und ihren Vater von dem Moment an, als sie den Mund öffneten, denn der Mann, der Salerno aus Rache zerstören hatte lassen, war kein anderer als Kaiser Heinrich gewesen, der Herrscher Siziliens und damit auch Salernos – doch jeder Kriegsknecht, der in der Stadt gehaust, getötet, verkrüppelt und vergewaltigt hatte, sprach Deutsch.

Josef ben Zayn wurde mit etwas Übung bald wieder fließend in den Landessprachen: der italienischen Volgare, dem Arabischen und dem Französisch der Normannen. Judiths Akzent dagegen war noch viel zu stark, als dass sie ihre Herkunft hätte leugnen können. Es gab in Salerno einige Menschen, die sich an ihren Vater erinnerten, und so wurde er wieder aufgenommen, doch obwohl Judith an Vorlesungen teilnehmen und den Behandlungen, die von Ärzten durchgeführt wurden, beiwohnen durfte, weigerten sich die meisten Menschen, sich von ihr helfen zu lassen. »Tedesci Maledetti«, sagten sie und spien auf den Boden. Es half auch nichts, wenn ihr Vater beteuerte, dass nicht alle Deutschen gleich waren und auch die Menschen in anderen Orten, durch die sie gekommen waren, unter der Willkür der Herrschenden leiden mussten: Das soeben mit dem Kaiser verbündete Genua kämpfte gegen Venedig, Mailand gegen Bologna. »Die Toten in diesen zerstörten Orten sind wenigstens nicht von Leuten des Kaisers erschlagen worden«, schimpfte ein alter Mann, »die Frauen wurden nicht von Deutschen vergewaltigt, und deshalb ist das etwas ganz anderes.« Das war natürlich unsinnig, aber darauf einzugehen hätte nicht geholfen.

Dann aber suchte eine Frau Judith auf, die zu große Angst hatte, um sich an einen Arzt oder eine Magistra zu wenden, die ihre Familie kannte. Wie viele der Frauen und Mädchen in Salerno war sie von mehreren Männern vergewaltigt worden, doch bei ihr hatte es keine Zeugen gegeben, und so hatte sie gegenüber ihrer Familie behauptet, dass ihr nichts geschehen sei.

»Ich muss doch heiraten«, sagte sie zu Judith, während sie in einem Kräutergarten auf und ab gingen, um nicht belauscht zu werden. »Die Familie meines Bräutigams hätte mich nicht mehr haben wollen, und mein Vater auch nicht, wegen der Schande.« Sie war nicht schwanger geworden, so dass sie bisher mit der Lüge durchgekommen war, doch nun stand die Hochzeit bevor. Sie hatte so viel Angst, dass sie daran dachte, sich umzubringen. Ihre Jungfräulichkeit war dahin, und selbst, wenn sie die Wahrheit offenbarte und ihr Bräutigam wider alle Erwartung Verständnis zeigte, statt sie zurückzuweisen, würde sie mit ihm das tun müssen, was die Kriegsknechte mit ihr getan hatten. »Bei der Vorstellung«, gestand sie Judith, während ihr Tränen das Gesicht hinunterliefen, »dreht sich mir der Magen um.«

»Es ist anders, wenn es in Zuneigung geschieht«, sagte Judith.

Die junge Frau, die Salvaggia hieß, lachte ohne jeden Humor. »Sprecht Ihr da aus Erfahrung?«

Damit rührte Salvaggia an einem Geheimnis, das Judith tief in sich beerdigt hatte und nur hin und wieder unerwünscht wieder den Weg an die Oberfläche fand. Ja, sie *wollte* sich selbst ernähren können, unabhängig von einem Mann, das hatte sie sich geschworen. Aber vielleicht *musste* sie es auch. Sie wollte, wenn es je einen geben würde, dem zukünftigen Ehemann auch nicht etwas beichten, was sie nicht bereut hatte. Es ihm erzählen, gewiss, denn Judith glaubte an Ehrlichkeit; wenn sie heiratete, dann würde sie einen Schwur leisten, der heilig war. Damit hatte ihr Mann ein Recht auf die Wahrheit.

Es war in dem Jahr geschehen, als sie vierzehn geworden und ihre älteste Schwester gestorben war. Ihr Schwager, den sie bereits als Kind bewundert hatte, schien untröstlich. Doch dann hatte er sich von ihr trösten lassen, sogar mehr als das. Es war keineswegs so, dass sie sich verführt, gar ausgenutzt vorgekommen war; viele Mädchen in ihrem damaligen Alter waren schon verheiratet, und die Thora schrieb es geradezu vor: *Wenn Brüder beieinander wohnen und einer stirbt ohne Söhne,* hieß es im Devarim, das die Christen das fünfte Buch Moses nannten, *so sollte seine Witwe nicht die Frau eines Mannes aus einer andern Sippe werden, sondern ihr Schwager soll zu ihr gehen und mit ihr die Schwagerehe schließen. Und der erste Sohn, den sie gebiert, soll gelten als der Sohn seines verstorbenen Bruders, damit dessen Name nicht ausgetilgt werde aus Israel.* Ihr Schwager hatte ihr versprochen, sie zu heiraten – und ihr Vater wohl seinen Segen gegeben, solange er nicht erfuhr, dass sie ein Bett vor der Ehe geteilt hatte –, aber dazu war es nicht mehr gekommen: Die Krankheit, die ihn plötzlich dahinraffte, musste bereits in ihm gesteckt haben. Am Ende war es ein Wunder, dass sie selbst überlebte.

Ja, sie hatte es selbst gewollt. Doch das miteinander schlafen hätte anders sein sollen, da war sie sich sicher. Ihr Schwager hatte nur genommen, nie gegeben. Sie war jedes Mal froh gewesen, wenn das ganze Rein und Raus vorbei war, weil das erhoffte große Erlebnis nie kam. Vielleicht war es aber auch ihre Schuld gewesen, weil sie damals das miteinander schlafen angegangen war wie ein Buch, und ein Buch waren ihre beiden Körper nun einmal nicht. Jedenfalls hatte sie sich etwas ganz anderes vorgestellt unter dem Wort *Zusammensein* und war schnell zu der Überzeugung gelangt, dass dieser Akt, über den ständig etwas angedeutet und hinter vorgehaltener Hand gesprochen wurde, maßlos überschätzt war.

Doch das alles würde kein Trost für Salvaggia sein, der ersten

Bewohnerin Salernos, die freiwillig ihre Hilfe gesucht hatte, und Judith war fest entschlossen, diese Chance zu nutzen. In Trotas *De mulierum passionibus* fand sie schließlich, was sie brauchte. An Nardenöl und Moschus zu kommen, war nicht weiter schwer. Die Harz-Leinöl-Mischung musste sie selbst mischen, das Gleiche galt für eine Salbe aus den Wurzeln des Beinwells.

»Es gibt eine Möglichkeit, Jungfräulichkeit vorzutäuschen«, sagte Judith, »doch noch wichtiger ist, was Ihr vorher tun werdet, jeden Tag von nun an, bis zu Eurem Hochzeitstag.«

Sie begann mit einer Salbe. Es kostete einige Überredung, bis sich Salvaggia in dem Raum auszog, den Judith mit der Tochter des Studienkollegen ihres Vaters bewohnte; das Mädchen war am ganzen Körper angespannt und zitterte. Judith massierte sie, so gut sie konnte, zunächst Schultern und Arme, dann die Beine. Dabei summte sie, weil Rabbi Mosche Musik für hilfreich hielt, um Patienten zu entspannen. Es gab nicht viele Lieder, die Judith kannte, also griff sie auf die Wiegenlieder ihrer Mutter zurück. Am Ende war Salvaggia zwar nicht völlig gelöst, doch nachgiebig genug, um nicht mehr zu zucken, wenn sich Judiths Finger um ihre Oberschenkel schlossen.

Judith wusch die Hände mit abgekochtem Wasser und hielt das kleine Stück feuchter Wolle hoch, damit Salvaggia es sehen konnte. »Man hat Euch verletzt. Eure Vagina ist wie eine offene Wunde. Das ist die Behandlung: Träufelt etwas von dem Moschus oder etwas von dem Nardenöl hierauf und führt es Euch ein, jeden Morgen und jeden Abend ein neues Stückchen, aber reinigt vorher Eure Hände, wie ich es Euch gezeigt habe. Diese Mischung lindert den Schmerz.« Sie hatte es an sich selbst ausprobiert. Nicht, dass sie der großen Trota nicht traute, doch es erschien ihr unrecht, an Salvaggia etwas zum ersten Mal anzuwenden. Judith war so behutsam wie möglich, doch das Mädchen verkrampfte erneut. Immerhin nickte sie und versprach, der Anweisung zu folgen. »Außerdem werde ich Euch zeigen, wie man einen Melissetrank braut, um das Gemüt zu beruhigen. Es ist ein Trank, den Ihr mit Eurer Familie teilen könnt, so dass niemand sich wundern wird, warum Ihr ihn nehmt.«

»Und … und die Hochzeitsnacht? Ich habe gehört … die alten Frauen sagen, dass man Blutegel einführen sollte – dort.«

Judith zuckte zusammen. »Nein! Auf gar keinen Fall. Ich habe eine Harz-Leinöl-Mischung für Euch. Tragt vier Tropfen auf in der Stunde, ehe Euer Gatte zu Euch kommt. Es wird die Vagina enger machen und ihn glauben lassen, Ihr wäret noch Jungfrau. Was das Blut betrifft, es gibt hier im Hospital so viel von den Kranken und Verwundeten, dass ich Euch am Tag Eurer Hochzeit etwas davon in ein unauffälliges Fläschchen füllen werde. Ihr müsst es dann unter der Decke ausleeren.« So stand es zumindest in den Büchern. Für sie würde es solche Heimlichkeiten nicht geben; Judith wollte nur einen Mann heiraten, dem sie sich anvertrauen konnte, der verstehen würde, warum sie nicht gewartet hatte, wie sie sich das in schlaflosen Nächten immer wieder neu vorbetete.

»Wenn das Badehaus geöffnet wäre, würde ich Euch außerdem warme Bäder zur Entspannung empfehlen, doch ich kann verstehen, dass es wichtigere Gebäude gibt, die aufgebaut werden müssen. Immerhin ist Euer Aquädukt noch unzerstört. Das ist erstaunlich. Ich habe nie eines gesehen, das noch Wasser liefert, bis ich hierherkam und erfuhr, dass alle Menschen davon trinken, weil es reines Quellwasser ist. Überall sonst wird nur Wein und Most getrunken, selbst bei den armen Leuten, da die meisten Flüsse und Brunnen voller Unrat sind und ein Hort von Krankheiten. Ihr habt Glück.« Es war einfach nur Gerede, um Salvaggia abzulenken. Für Judith war klar, dass der Zustand des Mädchens schlimmer werden würde, je tiefer sie sich in ihre Ängste vergrub. Manchmal musste man etwa vom Wetter plaudern oder den Patienten über seinen Wirt schimpfen lassen, ehe man ein ausgekugeltes Gelenk zurechtrenkte. Aber sie musste offenbar noch üben, wie man Patienten ablenkte, denn Salvaggia barg das Gesicht in ihren Händen.

»*Glück* sagt Ihr? Warum ist mir das dann geschehen, Magistra? Warum?«

All die Lehren ihres Vaters, ihre Studien und das, was sie seit ihrer Ankunft in Salerno gelernt hatte, gaben Judith keine Antwort. Natürlich hatte sie schon früher Verwundete in ihrem Schmerz »Warum?« brüllen hören, und Ärzte wie Pfleger sagten dann, es sei Gottes Wille. Auch ihr Vater tat das, als sie das erste Mal gemeinsam Schiwa saßen für ihre Mutter und das letzte Mal für ihre jüngste Schwester. Vielleicht war es Gottes Wille gewesen, doch in Salvaggias Fall glaubte Judith, dass man andere dafür verantwortlich machen konnte. *Ertaste die Wurzel des Übels*, hatte ihr Vater sie gelehrt, auch wenn er etwas anderes gemeint hatte, *und dann benenne sie.*

»Weil der Kaiser Heinrich seinen Männern befohlen hat, Eure Stadt zu zerstören«, sagte sie. »Ich weiß nicht, warum er das tat; jenseits der Alpen wussten wir nur, dass der Kaiser nach Sizilien zog, um sich das Erbe seiner Frau zu holen.«

»Unsere Kaiserin war hier, nicht auf der Insel«, erklärte Salvaggia tonlos. »Er glaubte, die Stadt sei ihm treu. Aber Salerno stand auf der Seite der Kaiserin Konstanze, denn *sie* ist die Erbin des Königreichs Sizilien. Ihre Väter haben die Insel vor über hundert Jahren von den Moslems befreit, nicht er, der Mann aus Schwaben. Heinrich behauptete, wir hätten sie an ihren Vetter auf Sizilien ausgeliefert und damit ihn und die Gastfreundschaft verraten, aber das ist nicht wahr. Konstanze wollte zu ihrem Vetter! Sie hasst ihren Gemahl. Genau wie jeder andere bei uns, nach dem, was er befohlen hat. Eine Spur von Feuer und Blut hat er durch alle Städte gezogen, die ihm widerstanden, von Neapel bis Syrakus und Catania. Er muss der Antichrist selbst sein.« Sie bekreuzigte sich. »Und nun hat er auch noch einen Sohn von ihr. Oh, ich verwünsche ihn! Den Kaiser und seinen Sohn und seine Männer! Mögen sie alle qualvoll und in Schmerzen sterben und für alle Ewigkeit in der Hölle schmoren!«

Von dem Sohn hatten Judith und ihr Vater gehört, als sie mit der Schneeschmelze die Alpen überquert hatten. Die Kaiserin Konstanze war fünfzehn Jahre älter als ihr Gemahl, und so hatte niemand sie mehr für fähig gehalten, mit fast vierzig noch ein Kind auf die Welt zu bringen. Und doch hatte sie am Weihnachtstag – gerade als der Herzog von Österreich mit seinem einwöchigen Sterben begann – einen Sohn zur Welt gebracht, vor aller Öffentlichkeit auf dem Marktplatz von Jesi, damit niemand behaupten sollte, es sei ein Kind untergeschoben worden und die Schwangerschaft der Kaiserin wäre nur vorgetäuscht gewesen.

»Der Kaiser und seine Männer haben Euren Fluch verdient«, sagte Judith leise, »aber ist das Kind nicht unschuldig?«

»Das war ich auch.« Salvaggias Stimme blieb hart. »Ich sage Euch, wenn ich das Kind vor mir hätte, ich würde es in die Bucht werfen und zuschauen, wie es ertrinkt. Dann würde der Kaiser leiden, wie ich es tat. Vielleicht. Bedauert Ihr jetzt, dass Ihr eingewilligt habt, mir zu helfen?«

Sie war etwas jünger als Judith, puppenhafter mit ihrem herzförmigen Gesicht, dem vollen Mund und den großen dunklen Augen. Doch in diesem Moment hätte sie eine alte Frau sein können, bitter wie ein Grab.

»Nein«, sagte Judith, »nein. Ich werde Euch immer helfen, Euch und jedem, der verletzt worden ist, auch wenn Ihr ein Kind ins Meer schleudern könntet. Aber ich würde es herausholen.«

»Das sagt Ihr jetzt. Wartet ab, bis es Euch selbst geschieht«, gab Salvaggia zurück. Dann brach sie in Tränen aus. Judith wusste sich keinen weiteren Rat, als sie in die Arme zu nehmen und hin und her zu wiegen, so wie es ihre tote Mutter bei ihr getan hatte, als es um nichts Schlimmeres als neue Zähne oder wunde Zehen ging.

Vier Wochen lang besuchte Salvaggia sie jeden Tag. Judith massierte sie, braute Kräutertränke und hörte ihr zu, während das Mädchen in Zornattacken oder Tränen ausbrach. Am Tag nach der Hochzeit war es Judith, die Salvaggia besuchte, in ihrem neuen Heim, einem der wenigen Häuser, das nicht völlig zerstört worden war. Ihr Gatte war überglücklich. Salvaggia strahlte nicht, doch als sie Judith umarmte, flüsterte sie ihr ins Ohr: »Ihr habt mein Leben gerettet.«

Was genau Salvaggia den Frauen ihres Bekanntenkreises erzählte, wusste Judith nicht, aber nach der Hochzeit fragten mehr der Bewohnerinnen Salernos nach ihr; selbst einige der Männer protestierten nicht mehr, wenn ein Magister Judith aufforderte, ihm zu assistieren. Bald erhielten sie und ihr Vater genügend Eier,

Obst und Brot von Patienten, um ihren Anteil zum Haushalt von Josefs alten Studienkollegen beitragen zu können; während Salerno sich langsam von der Brandschatzung erholte, waren solche Gaben kostbarer als Geld. Auch die kleine jüdische Gemeinde innerhalb Salernos, die größtenteils aus Ärzten und deren Familien bestand, öffnete sich ihnen, was Judith die Gelegenheit gab, ihr Arabisch zu verbessern, denn die meisten Gemeindemitglieder kamen aus Andalusien.

Während ihres zweiten Jahres in Salerno ging es ihnen schon gut genug, um ein eigenes Haus zu beziehen und eine Magd und einen Knecht einzustellen, denn obwohl Josefs Finger noch so geschickt wie eh und je beim Ausüben seines Berufes waren, war er nicht mehr kräftig genug, um schwere Dinge zu tragen. Für Judith dagegen war es sowohl Zeitersparnis als auch Erleichterung, einer anderen die Hausarbeit überlassen zu können; es bedeutete, dass sie nach einem langen Tag mit den Kranken in Ruhe Bücher studieren konnte, die sie mit den anderen jungen Ärzten teilte. Die Magd hatte ihr Salvaggia empfohlen, die ihre Freundin geworden war.

»Und es macht ihr nichts aus, in einem jüdischen Haushalt zu arbeiten?«, hatte Judith vorsichtshalber gefragt, weil trotz der Moslems und Juden in Salerno die christlichen Knechte, die sie zuerst hatten einstellen wollen, gingen, als sie herausfanden, welcher Religion Josef und seine Tochter angehörten: »Nichts für ungut, aber ihr Juden solltet etwas tragen, an dem man euresgleichen sofort erkennt, dann hätten wir erst gar nicht um Arbeit gebeten.«

»Sie hat ein Kind durchzufüttern, dessen Vater sie nicht nennen will«, hatte Salvaggia erwidert. »Ich vermute, es war ein Mann des Kaisers, doch weil sie nicht darüber spricht, hat sie es wohl freiwillig mit ihm getan. Deswegen wird niemand sonst in der Stadt sie einstellen, du verstehst?«

Lucia war fünf Jahre älter als Judith und erwies sich als gute Magd, bis auf den Umstand, dass sie zunächst dazu neigte, Judiths Tinkturen, mit denen sie experimentierte, als Abfall zu betrachten und fortzuschütten.

Es wurde ein glückliches Leben, bis kurz nach dem Tag, als sich Josefs und Judiths Ankunft in Salerno zum zweiten Mal jährte. Judith stand kurz davor, ihre Prüfung abzulegen, als ihr Vater sie bat, mit ihm einen Spaziergang zu machen.

Sie liefen am Dom St. Matteo vorbei durch Weinberge in Richtung des Castellos. Von der erreichten Höhe waren schon allein die Aussicht über die Bucht, wo am Abend die Sonne das Meer küsste, und der freie Blick in Richtung der Halbinsel von Sorrent die Anstrengung wert. Seit sie, aus Wien kommend, kurz hinter Rom das Königreich Sizilien erreicht hatten und dort, an Neapel vorbei, bis zur Insel Capri gekommen waren, hatte Judith immer wieder gedacht, die Küste, welche sie täglich neu mit immer wieder staunenden Augen begrüßt hatte, könne nirgendwo schöner sein. Und doch war der Blick von Salerno zu den Häusern und kleinen Dörfern an den zerklüfteten Hängen der Halbinsel, wo die Gehöfte sich über dem Meer wie Schwalbennester an die Berge schmiegen mussten, unvergleichlich und ließ die Seele träumen. Bis ihr Vater, dem der Aufstieg schwerer als erwartet zu schaffen gemacht hatte und der immer noch keuchte, die Stille unterbrach.

»Heute«, sagte er, »hat Rabbi Eleasar mit mir gesprochen – für seinen Sohn.«

Eleasars Sohn Meir hatte seine Prüfung bereits hinter sich; er gehörte zu den besten jungen Ärzten von Salerno und wurde wegen seines Geschicks in der Augenheilkunde gerühmt. Daher fragte Judith verwundert: »Aber er braucht doch gewiss keinen Lehrer mehr?«

Ihr Vater seufzte. »Man hört im Leben nie auf, von anderen zu lernen, mein Kind, doch es ist nicht meine Gesellschaft, um die es Meir ben Eleasar zu tun ist.«

Erst jetzt verstand sie. »Oh.«

»Ich darf sagen, dass ich etwas in der Art erhofft habe, als ich mich entschloss, mit dir nach Salerno zu ziehen«, sagte Josef. »Unsere Gemeinde in Köln mag die größte in deutschen Landen sein, doch leider mangelte es ihr entschieden an Männern, die eine Ärztin als Frau zu schätzen wüssten.«

Sie sagte sich, dass sie dankbar und gerührt sein sollte, doch die erste Gefühlsaufwallung, die seine Worte in ihr auslösten, waren Angst und Enttäuschung. »Und ich dachte, wir seien hier, weil du an mein Talent in der Heilkunst geglaubt hast«, sagte sie in einem scherzhaften Tonfall, damit er nicht spürte, wie ernst ihr diese Worte waren.

»Mein liebes Kind, ich werde nicht jünger«, entgegnete ihr Vater ohne jedes Lächeln. »Und ich werde dich nicht allein in der Welt ohne Schutz zurücklassen.«

Jede der zehn Ärztinnen, die sich derzeit in Salerno befanden, war verheiratet. Viele hatten mit dem Studium erst nach ihrer Eheschließung begonnen; die anderen waren wie Judith Töchter oder Nichten der Lehrenden und verheiratet, ehe sie ihre Ausbildung beendeten. Eigentlich hätte sie einen Antrag erwarten sollen. Doch wenn sie an Meir dachte, dann kam ihr nicht der Wunsch in den Sinn, ihm in die Arme zu sinken, sondern der Stich in das Auge eines Kollegen, den er ausgeführt hatte, und ein anregendes Streitgespräch darüber, ob nun Rufus von Ephesus oder Galen recht hatte, was die Ursache des grauen Stars betraf. Sie versuchte, sich sein Gesicht vor Augen zu rufen, doch es war leichter, sich an seine Finger zu erinnern, die bei dem gefährlichen Starenstich bewundernswert ruhig gewesen waren.

Es ist, sagte sich Judith, *eine gute Grundlage für eine Ehe, die Fertigkeiten eines Mannes zu bewundern.* Das würde ihr erlauben, ihm den Respekt und die Achtung entgegenzubringen, die – so hatte man es sie von klein auf gelehrt – eine Ehefrau ihrem Gatten zeigen musste. Was ihre eigenen Fertigkeiten betraf, so würde sich Meir ihrer nicht schämen und ihr erlauben, sie weiterhin auszuüben; hätte der Vater sie in Köln verheiratet, wäre ihr verboten worden, irgendjemanden außerhalb ihrer eigenen Familie zu pflegen. Überdies war Meir noch nicht alt, und sie musste nicht befürchten, dass er sie bald als Witwe zurückließ. Ja, er war in jeder Hinsicht eine gute Partie; sie sollte froh und glücklich über diesen Antrag sein, ihrem Vater um den Hals fallen und ihm versichern, dass sie nichts mehr ersehne, als Meirs Frau zu werden.

»Wie könnte ich allein sein in einer Welt, in der es täglich neue Patienten gibt«, flüchtete sie sich ein weiteres Mal in einen Scherz.

»Judith«, sagte ihr Vater stirnrunzelnd, »du bist der Trost meines Alters, doch vielleicht habe ich dir mehr Freiheit gelassen, als gut für dich war. Hast du dein Herz bereits an einen anderen verschenkt?«

»Nein«, antwortete sie, ohne zu zögern. »Vater, der einzige Mann, der mich zum Schwärmen bringt, weilt im fernen Ägypten und ist in deinem Alter. Wegen Rabbi Mosche ben Maimon brauchst du dir keine Sorgen zu machen.« Sie verschwieg, dass vielmehr *sie* sich sorgte – Meir schien ihr nicht der Mann zu sein, dem sie ihr Geheimnis anvertrauen konnte, und lügen wollte sie nicht, keinesfalls.

»Ich denke, unser Lehrer Mosche dürfte noch etwas älter sein als ich«, entgegnete Josef, und seine Stirn klärte sich. »Mit diesem Rivalen wird Meir leben können.« Er lächelte sie an. »Wenn ich daran denke, wie mir unser Vetter Salomon in den Ohren lag wegen dieses christlichen Sängers!«

Ich habe noch nicht gesagt, dass ich einverstanden bin, Meir zu heiraten, dachte Judith, obwohl sie wusste, dass es auf ihr Einverständnis nicht ankam. Daran wollte sie nicht denken, solange es sich vermeiden ließ, also fragte sie laut und verwundert: »Wegen wem?« Es war eine kleine Schwindelei, denn sie wusste sehr wohl, auf wen er sich bezog; jedes Ereignis an jenem Tag war ihr ins Gedächtnis gebrannt. Doch nichts davon hatte mit ihrem Mangel an Begeisterung für eine Ehe mit Meir zu tun, dessen war sie gewiss, und daher war es eine Unwahrheit im Dienste einer Wahrheit.

Ihr Vater schnalzte mit der Zunge und schüttelte den Kopf, wie um zu sagen, dass er sie durchschaue, doch er wechselte das Thema. »Nun, dann ist ja alles geklärt, und wir können uns wieder auf den Rückweg machen; ich fühle mich ein wenig schwach und will zeitig zu Bett gehen.« Sie bot ihm ihren Arm an, um ihn zu stützen, doch er lehnte ab. Eine Zeitlang schritten sie schweigend nebeneinanderher. Es bestürzte sie, dass er noch nicht einmal in Erwägung zog, dass sie nein sagen könnte, auch wenn es keinen anderen Mann gab. Während sie noch überlegte, wie um alles in der Welt sie ihm klarmachen konnte, dass sie nicht heiraten wollte, ohne über die Geschichte mit ihrem Schwager zu sprechen und ohne undankbar zu klingen, ging plötzlich ein jäher Ruck durch ihn. Sein Kopf rollte nach hinten, und er stürzte zu Boden, noch ehe sie ihm zur Seite springen und ihn auffangen konnte.

Judith tat alles, was sie gelernt hatte. Sie massierte sein Herz. Sie gab ihm ihren Atem, so wie er ihr Leben geschenkt hatte. Sie betete zu Gott dem Allmächtigen in der Sprache seines Volkes, dem Hebräisch, das sie schlechter beherrschte als das Latein, das Griechisch und Arabisch ihrer Medizinbücher. Aber sie konnte keinen Puls mehr fühlen. Die Hand ihres Vaters erkaltete in der ihren, während sie stumm auf der Erde saß, sein Haupt in ihren Schoß gebettet, blicklos auf die Bucht von Salerno starrend.

Weder Lucia noch Giovanni waren Juden, doch sie halfen Judith, ihren Vater zu Hause aufzubahren, wie es sich gehörte, mit den Füßen zur Tür gerichtet, zu der er hinausgetragen werden sollte, den Kopf mit einem Tuch um Kinn und Schläfen gebunden, den Körper mit einem schwarzen Tuch bedeckt, eine Kerze hinter seinem Kopf aufgestellt. Sie fragten sie nicht nach dem Riss in ihrem Kleid, den sie der Tradition folgend gemacht hatte, doch Lucia wollte wissen, warum Judith alles Wasser im Haus ausgoss.

»Es ist das Wasser, in dem der Todesengel sein Schwert gespült hat«, erklärte sie tonlos und tat, was sie ihren Vater so oft hatte tun sehen, bei ihrer Mutter und jedem ihrer Geschwister. Dann schickte sie Giovanni zu den Freunden ihres Vaters, auf dass sie ihr mit der Tahara halfen, der Reinigung des Leichnams. Mit Eleasar kam sein Sohn Meir. Es wurde ihr bewusst, dass er wohl einen weiteren Grund dafür hatte, doch er sprach sie dankenswerterweise nicht darauf an, sondern nahm nur den Kittel entgegen, den ihr Vater zum ersten Mal als Bräutigam getragen hatte, zum Neujahrs- und Versöhnungsfest und an jedem Sabbatabend. Er hatte Josef von Köln nach Salerno begleitet und würde nun das letzte Gewand sein, in das ihn seine Freunde nach der Waschung kleideten.

Es war nicht üblich, in der Zeit bis zur Beerdigung zu beten, jemanden zu grüßen oder irgendeine Art von gesellschaftlichem Umgang zu pflegen. Soweit es die dumpfe Betäubung zuließ, in der sie seit dem Moment schwamm, als ihr Vater zu atmen aufgehört hatte, war Judith froh darüber. Man ließ sie in Ruhe, während die Sonne sich senkte und die Nacht verging und sie versuchte, einen Sinn in dem zu finden, was geschehen war. *Ein leichter Tod,* hätte sie den Angehörigen eines Patienten gesagt. *Manchmal kommt das so. Eine Blutung im Herz oder im Gehirn; kein Leiden. Er war ein alter Mann, er hat ein volles Leben gehabt.* Doch andere waren nicht zum Heilen berufen, hatten nicht zu rechtfertigen, ihren Vater seines Heims beraubt und nach Salerno getrieben zu haben, weil sie davon träumten, Menschen zu retten. Wenn sie nur noch mehr gelernt hätte, besser wäre, dann hätte sie ihn vielleicht retten können. Er hätte noch nicht sterben müssen. Noch lange nicht. Was tat es, dass viele andere in seinem Alter schon tot waren? Er war ihr Vater. Er hätte die Langlebigkeit Abrahams verdient.

Die Beerdigung musste stattfinden, noch ehe die Sonne ein zweites Mal gesunken war, so war es Sitte. Es waren Eleasar und die anderen Männer, die Kaddisch für ihren Vater sprachen, denn ihr als Frau war es nicht erlaubt. Doch er hatte keine Blutsverwandten in diesem Land, und so war sie die Einzige, die in der Woche nach seinem Tod Schiwa für ihn saß. Lucia wollte ihr ein Tuch bringen, als Judith sich auf den Boden setzte, doch sie schüttelte den Kopf. »Man sitzt Schiwa auf der Erde«, sagte sie so sachlich, als erkläre sie, warum Tinkturen nicht weggeschüttet werden sollten. Die Betäubung war noch nicht gewichen, und sie war froh darum. Es war besser, alles aus weiter Ferne zu erleben, wie in Wolle gepackt. Dann war es noch nicht wirklich geschehen.

Meir ben Eleasar besuchte sie jeden Tag, denn es war Pflicht,

Trauernde zu trösten, doch sie behielt Lucia stets bei sich, wenn er kam, und er sprach nie von anderen Dingen als den Tugenden ihres Vaters.

Als die Woche vorbei war, wusch sich Judith wieder mit warmem Wasser, welches Lucia auf der Feuerstelle erhitzt hatte, und zog ihre ledernen Schuhe an, um das Haus zu verlassen. Sie ging zu Francesca von Bologna, der Ärztin, die mit zwei weiteren ihre Prüfung abnehmen würde. Nachdem die ältere Frau ihr Mitgefühl zum Ausdruck gebracht hatte, meinte sie, man könnte die Prüfung natürlich verschieben, bis nach der Hochzeit.

»Hochzeit?«, fragte Judith ungläubig.

»Nun, unter den gegebenen Umständen wollte ich nicht gratulieren, doch es macht mich wirklich glücklich zu wissen, dass du nicht alleine dastehen wirst, mein Kind.«

Auf diese Weise erfuhr Judith, dass Meir ben Eleasar bereits öffentlich als ihr Bräutigam galt. Ob nun sein Vater oder er selbst diese Neuigkeit verkündet hatten, spielte keine Rolle; es zu erfahren, zerschlug die Rüstung aus Empfindungslosigkeit, die sie bisher geschützt hatte. Judith merkte, dass ihre Hände zitterten, während etwas Heißes, Brennendes in ihr aufwallte, und versteckte sie hastig hinter ihrem Rücken. »Die Scheloschim verbieten es, an Hochzeiten teilzunehmen«, sagte sie mit gepresster Stimme.

»Scheloschim?«

»Die dreißig Tage. Es ist der zweite Teil der Trauerzeit.«

Francesca schien das so zu verstehen, dass nach dem Ende der dreißig Tage sofort geheiratet werden würde, und meinte, dass die Prüfung dann im darauf folgenden Monat stattfinden könne.

»Nein«, sagte Judith. »Ich möchte noch in dieser Woche geprüft werden.«

»Aber ...«

»Ihr kennt mich. Bin ich etwa nicht so weit?«, fragte Judith herausfordernd. Der Miene Francescas nach zu urteilen, hielt sie dieses Ansinnen für einen Fehler, doch sie gab nach. Judith dankte ihr, entschuldigte sich, kehrte in ihr Haus zurück und schrie sich die Kehle aus dem Leib, keine Worte, sondern nur Laute, während ihr die Tränen über das Gesicht liefen und sie mit den Fäusten gegen die Wände schlug.

Lucia und Giovanni hielten es für ein weiteres jüdisches Trauerritual.

KAPITEL 7

Judith bestand ihre Prüfungen. Sogar diejenigen Ärzte, die sie sonst missbilligten oder ihr aus dem einen oder anderen Grund eher feindlich gesinnt waren, fanden in den Tagen danach wohlwollende Worte über ihren Vater und ihre baldige Hochzeit. Inzwischen kam sie sich vor wie ein Tier, das in einer Falle gefangen saß und bereit war, sein eigenes Bein abzunagen, um wieder zu entkommen. Meir ben Eleasar besuchte sie, nannte sie Magistra und sagte, dass er sich schon sehr darauf freue, wenn sie ihm erst bei seinen Patienten zur Hand ginge.

Sie spürte ein weiteres Mal den Wunsch zu schreien, aber er kannte als Jude jedes Trauerritual und hätte eher an einen Fall von dämonischer Besessenheit geglaubt. Wieder zählte sie in Gedanken alle Vorteile, die in dieser Ehe liegen würden, und sagte sich, dass es kleinlich war zu grollen, weil er es noch nicht einmal für nötig hielt, sie selbst zu fragen; schließlich wusste sie nicht, was genau ihr Vater seinem Vater bereits versprochen hatte. Aber Josef war tot, sie würde ihn nie wieder sehen, nie wieder seine warme Stimme hören oder ihn wegen seiner Vorliebe für Honigkuchen necken, die ihm nicht bekamen. Dass sie stattdessen den Rest ihres Lebens mit einem Mann verbringen sollte, der sie so wenig kannte, dass er ihr Einverständnis für gegeben hinnahm, war der Tropfen Wasser, der das Fass für sie zum Überlaufen brachte.

»Ich wäre Euch dankbar, wenn Ihr mich den Rest der Scheloschim in Ruhe verbringen lasst«, sagte sie so höflich, wie es ihr in diesem Moment möglich war, doch an seinem gekränkten

Gesichtsausdruck erkannte sie, dass es nicht höflich genug war. Aber er erfüllte ihren Wunsch und ging.

Eine weitere Woche verging. Giovanni fragte, ob er sich eine neue Stelle suchen sollte, denn im Haushalt von Rabbi Eleasar gebe es bereits genügend Gesinde. Lucia, die ihr Kind auf dem Rücken in einem Tragesack trug, obwohl es fast zwei Jahre alt sein musste und bald zu schwer für dergleichen werden würde, machte ein entsetztes Gesicht. Offenbar war ihr die Möglichkeit, entlassen zu werden, noch nicht in den Sinn gekommen. »Wie steht es um Mägde?«, fragte sie hastig.

Judith versicherte, dass sie weiter in ihren Diensten bleiben könnten, doch als die beiden für die Nacht gegangen waren, fragte sie sich, ob sie die Wahrheit gesagt hatte. Als verheiratete Frau würde sie nicht das Recht haben, Mägde und Knechte ohne Einwilligung ihres Gemahls einzustellen oder zu entlassen. Sie konnte das, was nun kommen würde, auch nicht einfach hinausschieben. Sie hatte nur Zeit gewonnen, mehr nicht.

Sie schaute auf ihren Arm, als stecke er tatsächlich in einer Falle. Die Erinnerung an den alten Herzog von Österreich flackerte in ihr auf, an die Leiche mit dem fehlenden Bein. Nicht nur Tiere waren in der Lage, sich Glieder abzuhacken, um vor etwas zu fliehen.

Sie versuchte, die Habseligkeiten ihres Vaters zu ordnen nach Dingen, die sie fortgeben würde, und Dingen, die sie behalten wollte. Es war nicht einfach, weil dumme Kleinigkeiten wie der Umstand, dass seine Hemden noch nach ihm rochen, sie zum Weinen brachten. *Ein Mittel gegen Tränen*, dachte Judith, *ist das Nächste, das unbedingt von Ärzten entdeckt werden musste. Bisher gibt es nur Mittel, die Tränen auslösen. Warum hat niemand nach dem Gegenteil geforscht?*

Jemand klopfte an ihre Tür. Sie kannte nur einen der beiden Männer, den Boten des Spitalvorstehers. Der andere war ein Fremder, der Schwert und Kettenhemd trug. Sie erkannte das Wappen: Es war ein Kriegsknecht der Staufer. Gemessen daran, was geschehen war, als Heinrich von Hohenstaufen die Stadt das letzte Mal betreten hatte, wunderte es sie nicht, dass bei den Leuten, die in der Straße standen und zu ihnen blickten, eisiges Schweigen herrschte.

»Ihr seid«, sagte der Mann auf Deutsch und mit eindeutig schwäbischem Akzent, »die Magistra Jutta von Köln?«

Sie nickte. Jutta war für jedermann in Salerno leichter auszusprechen, und, wie sie sich selbst nur selten eingestand, es war kein jüdischer Name, was ihr bei neuen Patienten oft Fragen ersparte und somit eine schnellere Behandlung ermöglichte.

»Dann kommt bitte mit mir.«

»Worum geht es?«, fragte sie und versuchte, nicht an Salvaggia zu denken.

»Sie wollen eine Magistra. Eine Frau«, sagte der Spitalbote. »Und es muss eine Deutsche sein. Ihr seid die Einzige.«

»Wer verlangt nach mir?«, fragte Judith auf Deutsch. Erst da wurde ihr bewusst, dass sie ihre Sprache seit fast zwei Jahren nicht mehr gesprochen hatte, weil ihr Vater, um ihr dabei zu helfen, in der Volgare und dem Arabischen flüssiger zu werden, nur diese Sprachen verwendet hatte.

»Mein Herr Diepold von Schweinspeunt.« Er musterte sie misstrauisch. »Ihr seid wirklich eine Ärztin?«

Sie hätte ihm die Urkunde zeigen können, die man ihr gegeben hatte, auf kostbarem Pergament, aber das war ihr die Sache nicht wert. »Ja«, sagte sie knapp. »Was fehlt Eurem Herrn?«

Der Mann im Kettenhemd schnaubte verächtlich, als sei die Unterstellung, dem edlen Herrn von Schweinspeunt könne es je an etwas mangeln, wofür er die Hilfe einer Magistra benötigte, völlig lächerlich. »Es fehlt ihm gar nichts. Aber er hat die Aufgabe, die Prinzessin von Byzanz über die Alpen zum Herzog Philipp zu bringen, und die schreit vor Schmerzen. Ihre Weiber meinen, ihr müsste der Bauch aufgeschnitten werden. Wenn sie stirbt, während Ihr zögert, dann habt Ihr den Tod der Schwägerin des Kaisers zu verantworten, also würde ich mich an Eurer Stelle beeilen.«

Auf dem Weg zum Kastell, wo früher die Normannenherrscher residiert hatten, erfuhr Judith mehr. Irene von Byzanz war die Tochter des oströmischen Kaisers, die vor ein paar Jahren mit dem älteren Sohn Tankreds von Sizilien verheiratet worden war. Die Ehe dauerte nur knapp ein Jahr, weil zuerst ihr Gatte und dann auch Tankred starben; danach eroberte – und erheiratete – Kaiser Heinrich das Königreich. Er hatte Tankreds jüngeren Sohn kastrieren und blenden und den gesamten männlichen normannischen Adel am Tag der Geburt seines Sohnes ermorden lassen, doch die Prinzessin Irene war als Tochter eines Kaisers ein zu gutes Pfand, um entweder ebenfalls getötet oder zurück zu ihrem Vater geschickt zu werden. Kaiser Heinrich verlobte sie mit seinem jüngsten Bruder Philipp und hätte sie wohl sofort nach Schwaben bringen lassen, wenn nicht ihr Vater, Kaiser Isaak Angelos, gerade von seinem eigenen Bruder gestürzt worden wäre.

»Da wusste der Kaiser nicht, ob diese Ehe sich noch für das Haus Hohenstaufen lohnt«, sagte Schweinspeunts Dienstmann sachlich. »Aber jetzt hat er Nachricht erhalten, dass der alte Isaak Angelos noch am Leben ist. Geblendet und im Kerker, aber noch am Leben. Und der Kreuzzug steht an. Mein Herr sagt, dass es sehr wohl sein mag, dass wir nicht direkt ins Heilige Land ziehen, sondern zuerst nach Byzanz.«

Es war nicht schwer zu verstehen, worauf das hinauslaufen konnte: Das gesamte oströmische Reich als Mitgift seiner Schwägerin zu beanspruchen, war zwar etwas abwegig, entsprach jedoch durchaus dem gleichen Prinzip, mit dem sich Heinrich Sizilien angeeignet hatte. Nur musste dazu die Tochter des eingekerkerten Isaak Angelos auch tatsächlich mehr sein als nur die Verlobte seines Bruders.

»Herr Diepold von Schweinspeunt ist einer der getreuesten Vasallen Kaiser Heinrichs«, prahlte dessen Mann. »Deswegen hat ihn der Kaiser zum Grafen von Acerra gemacht, und darum hat er die Ehre, die Prinzessin ihrem Bräutigam zuzuführen. Der Kaiser weiß, dass er sich auf Herrn Diepold verlassen kann.«

»Und dann wurde die Prinzessin Irene krank?«, fragte Judith ungeduldig, um die Rede endlich auf ihre Aufgabe zu bringen. Der Kriegsknecht missverstand sie.

»Es war nicht Herrn Diepolds Schuld! Ich möchte wetten, das

hiesige Natterngezücht ist dafür verantwortlich. Wir wollten nur kurz in Salerno Rast machen, für eine Nacht, aber das war eine Nacht zu viel, wenn Ihr mich fragt. Gift, ganz bestimmt ist Gift im Spiel. Die Welschen sind doch alle gleich. Und die hier in der Stadt haben schon die Kaiserin Konstanze entführt, da würde es mich nicht wundern, wenn sie auch noch die Prinzessin Irene vergiftet haben. Deswegen hat Herr Diepold auch auf einen deutschen Arzt bestanden.«

»Ich dachte, auf eine Ärztin.«

»Das war die Prinzessin«, sagte der Kriegsknecht. »Ein wenig zimperlich sind sie schon, die Weiber hier im Süden. Wollen wohl nicht von Männern angefasst werden. Von *echten* Männern, nicht den hiesigen Weichlingen. Bei denen ist alles etwas zu kurz geraten, der Kopf und der Schwanz.« Er bog sich über seinen eigenen dummen Witz vor Lachen.

Die Erinnerung an Salvaggias Angst vor zwei Jahren ließ Judith entgegnen, ehe sie es sich versah: »Nein, es ist nur Rücksichtnahme auf Euch. Wisst Ihr denn nicht, was mit einem Mann geschieht, der eine Frau aus dem Süden gegen ihren Willen berührt?«

Schweinspeunts Mann kniff misstrauisch die Augen zusammen. »Nichts passiert.«

»Nicht sofort«, sagte Judith honigsüß. »Aber sie können ihr Glied weniger und weniger gebrauchen. Der Urin brennt jedes Mal schlimmer, der Samen wird immer schwächer, so dass sie keine Kinder mehr zeugen können. Und dann fängt das Glied an, sich mit Schorf und Blasen zu überziehen, bis es schließlich gänzlich zerfressen ist wie die Haut eines Aussätzigen und vom Körper abfällt.«

Er wirkte ein wenig bleicher um die Nasenspitze. »Das habe ich noch nie gehört! Überhaupt gibt es hier Männer, die seit den Zeiten des alten Kaisers Friedrich im Land sind. Denen ist das auch nicht geschehen.«

»Wollt Ihr damit sagen«, sagte Judith mit hochgezogenen Brauen, »dass Ihr die Glieder alter Männer selbst gesehen habt? Bei welcher Gelegenheit war das denn?«

»Nein, natürlich nicht, aber so etwas hätten sie doch erzählt!«

»Würdet Ihr jüngeren Kameraden erzählen, wenn Euch Eure Männlichkeit abgefallen wäre?«, fragte Judith freundlich.

Mittlerweile sah er leicht grünlich aus. »Ich habe auch noch nie gehört, dass eine anständige Frau vom Glied eines Mannes gesprochen hat«, stieß er wütend hervor.

»Nun, dann habt Ihr gewiss noch keine Magistra kennengelernt. Wir sind, Gott sei's geklagt, gezwungen, auch diesen Teil des männlichen Körpers zu behandeln, wenn er von Schorf zerfressen wird und abfällt. Aber ich bin sicher, Ihr selbst habt nichts zu befürchten. Als ehrenvoller Mann habt Ihr gewiss nie Hand an eine Frau gegen ihren Willen gelegt, nicht wahr?«

Das war das Ende jeglicher Unterredung, bis sie das Kastell betraten. Judith war nicht sicher, ob sie mit ihrem boshaften Märchen ihren hippokratischen Eid verletzt hatte oder nicht, doch es fehlte ihr jedes Schuldgefühl deswegen.

Die Prinzessin Irene war im Bergfried untergebracht worden. Vor ihrer Kemenate standen so viele Wachen, dass sie mehr wie eine Gefangene als eine Braut erschien, aber da sie beides war, wunderte Judith das nicht. Die Damen der Prinzessin waren keine Byzantinerinnen, sondern stammten alle aus dem Königreich, so dass sich Judith mit ihnen in der Volgare verständigen konnte. Sie berichteten, dass die Prinzessin vor ein paar Stunden unter heftigen Magenschmerzen zusammengebrochen sei, und deuteten auf die gekrümmt liegende Gestalt auf einem Bett, das in dieser Umgebung merkwürdig armselig wirkte. Doch auch das Kastell war seinerzeit gebrandschatzt worden, und die wenigen Möbel, die jetzt darin standen, waren durch Diepold von Schweinspeunts Leuten hastig aus der Stadt geholt worden.

Die Prinzessin konnte höchstens sechzehn oder siebzehn Jahre alt sein; sie war kleiner als Judith, mit schwarzen, lockigen Haaren und einem sehr weißen, schmerzverzerrten Gesicht. Sie trug keinen Überrock mehr; ihr Unterhemd war aus weißer Seide. Niemand schien daran gedacht zu haben, ihr die Beinlinge auszuziehen, und so waren die Beine noch immer in Scharlachrot gehüllt, der kaiserlichen Farbe, die sich selbst die hohen deutschen Adligen kaum leisten konnten. Sie sagte etwas in einer Sprache, die dem Griechischen ähnlich war, doch nur so, wie die Volgare dem Latein ähnelte. Trotzdem, die Betonung ließ Judith sicher sein, dass sie das Gesagte richtig interpretierte: Irene wollte, dass man sie sterben ließ.

»Nein«, sagte Judith in der Volgare und hoffte, dass die Prinzessin in den drei Jahren in Sizilien genügend davon gelernt hatte. Sie kniete sich neben das Bett des Mädchens und rollte sie behutsam auf den Rücken. Dann bat sie eine der Hofdamen, Irene an den Schultern festzuhalten, damit sich die Prinzessin während der Untersuchung nicht wieder umdrehen konnte.

»Meinem Bruder erging es einmal ähnlich«, sagte die Frau. »Abu Abbas, der Arzt König Tankreds, hat ihm damals das Leben gerettet. Er hat gesagt, der Darm meines Bruders sei gebrochen, oder so etwas Ähnliches, und er hat ihn aufgeschnitten. Könnt Ihr das auch, Magistra?«

»Wenn es nötig ist«, entgegnete Judith, obwohl sie in so einem Fall lieber einen weiteren Arzt zur Seite gehabt hätte, um ihr zu assistieren, nicht einen Haufen Hofdamen. »Aber nicht jeder Anfall von Magenschmerzen muss die gleiche Ursache haben.«

Sie stellte die Tasche mit ihren Instrumenten und den Mitteln, die sie hastig eingepackt hatte, auf den Boden, dann beugte sie sich über Irene und sah ihr in die Augen. Den Patienten nicht wie ein unwissendes Tier zu behandeln, sondern zu versuchen, sein Vertrauen zu gewinnen, das hatte man hier in Salerno immer sehr betont. *Sei nicht zu hastig,* hatte Francesca öfter zu ihr gesagt. *Du neigst dazu.*

»Manchmal ist das Leben nur schwer zu ertragen«, sagte sie leise zu der Prinzessin, »das weiß ich. Mein Vater ist mir gestorben, vor wenigen Wochen nur, und nun soll ich einen Mann heiraten, den ich mir nicht wünsche. Aber es wird besser. Ich weiß, dass es besser wird.«

Die dunklen Augen der Prinzessin richteten sich auf sie. »Ich habe nicht das Wort an dich gerichtet, Frau«, sagte sie in der Volgare. »Es hat eine Zeit gegeben, da warfen sich die Menschen auf den Boden vor mir und küssten meinen Fuß, ehe sie zum ersten Mal das Wort an mich richten durften, und selbst dann nur, wenn ich es gestattete. Und nun werde ich den Bruder eines Schlächters heiraten, und fremde Weiber tun so, als sei ich ihresgleichen. Sprich also nicht davon, dass mein Leben besser wird! Gott hat mir diese Krankheit gesandt, damit ich zu ihm komme und endlich Frieden finde.«

Etwas anderes, das man in Salerno lernte, war, Beleidigungen von Patienten an sich abperlen zu lassen; auch darin war Judith noch alles andere als vollkommen, das wusste sie. Sie biss die Zähne zusammen. *Eine kranke Frau ist eine kranke Frau*, sagte sie sich, *gleich, welchen Standes sie ist.*

»Gott hat mich zu Euch geschickt«, sagte sie so ruhig wie möglich, »damit ich Euch gesund mache. Wenn Ihr hier sterbt, dann wird der Kaiser Salerno ein weiteres Mal mit seinem Zorn heimsuchen. Wollt Ihr wirklich, dass unschuldige Frauen und Kinder für Euren Frieden bezahlen? Ihr, deren Name Frieden bedeutet, wollt der Anlass für mehr Tote sein?«

Irenes Hofdamen zischten und tuschelten empört, doch in Irenes Gesicht zuckte es. »Ich habe gesehen, wie der Kaiser Palermo in seinem Zorn heimsuchte«, flüsterte sie. »Ich habe es gesehen. Mit eigenen Augen.«

Judith dachte daran, was Schweinspeunts Dienstmann erzählt hatte: dass der kleine Sohn König Tankreds vor seiner Mutter und seiner Schwägerin entmannt und geblendet worden war, und von all den anderen Toten, die darauf folgten. Mitleid und Zorn nahmen ihr für einen Moment fast den Atem.

»Du hast recht, Frau«, sagte Irene mit einem Mal rauh. »Niemand hat verdient, dass er aus Rache sterben muss. Wenn ich es verhindern kann, so will ich es tun.«

Was auch immer zu diesem Sinneswandel geführt hatte, das war ihr jetzt völlig gleich. Judith dankte ihr und bat die Prinzessin, das linke Knie zum Magen zu ziehen, falls sie es vermochte. Irene tat es, zwar langsam, doch sie tat es, und als Judith sie fragte, ob ihre Schmerzen dadurch schlimmer würden, schüttelte sie den Kopf. Stirnrunzelnd schob Judith vorsichtig das weiße Hemd zur Seite und begann, den Bauch der Prinzessin behutsam abzutasten. Es gab keine Schwellung. Sie übte leichten Druck aus.

»Und jetzt? Werden die Schmerzen stärker?«

»Nein.«

Judith überlegte. »Habt Ihr heute Obst gegessen? Oder Hülsenfrüchte?«

»Man hat der Prinzessin Feigen und ein Linsengericht bereitet«, sagte die Hofdame, die Irenes Schultern hielt. Eine andere rief aufgeregt: »Aber nichts davon war vergiftet! Herr Diepold hat uns alle davon kosten lassen, und uns geht es gut!«

»Es muss kein Gift gewesen sein«, sagte Judith zögernd. Allmählich dämmerte ihr, worum es gehen konnte. »Setzt einen Kessel für heißes Wasser auf.«

»Für Eure Instrumente?«

»Nein«, gab Judith zurück. »Für ein Bad. Außerdem müsst Ihr Malven pflücken, die um das Schloss wachsen, und das schnell.«

»Wir sind keine Mägde«, sagte eine der Damen spitz, doch dann klatschte Irene in die Hände, und die Frau senkte den Kopf. »Gewiss, Allerdurchlauchtigste«, murmelte sie unterwürfig und verließ mit zwei weiteren den Raum, während die anderen sich um das heiße Wasser kümmerten. Die Prinzessin war gewohnt, täglich zu baden, und hatte eine Reisebadewanne aus Palermo mit sich gebracht, was bedeutete, dass nicht erst nach Kesseln gesucht werden musste.

»Ihr wollt mich nicht aufschneiden?«, fragte Irene, die sich wieder zusammengekrümmt hatte, nachdem die Hofdame sie losgelassen hatte.

»Ich glaube nicht, dass es nötig ist«, entgegnete Judith und durchsuchte ihre Tasche nach den Mitteln, die sie mitgebracht hatte. »Wenn ich recht habe, dann leidet Ihr unter Blähungen.«

»Aber … das ist unmöglich. Es tut *unglaublich* weh!«

Es gab Ärzte, die gerne bedenklich dreinschauten und unverständliche Worte murmelten, um ihre Vergütung in die Höhe zu treiben, aber Judith gehörte nicht dazu.

»Gewiss tut es das, und man muss sie auch behandeln, aber dazu ist es nicht nötig, an Euch herumzuschneiden.« Sie stellte die

Gerstenkörner neben den Radieschensaft und wünschte sich, sie hätte mehr Rapsblüten mitgebracht. Nach dem Bad würde sie Irene daraus eine Packung bereiten, sie anwärmen lassen und ihr auf den Bauch legen, doch zunächst galt es, die schlimmsten Verkrampfungen zu lockern und es ihr zu ermöglichen, einen Wind von sich zu geben.

»Habt Ihr Euren Vater häufig gesehen?«, fragte die Prinzessin abrupt. Judith, die sich gerade ihres eigenen Obergewandes entledigte, um Irene besser massieren zu können, wenn die Prinzessin erst im Bad saß, stockte in der Bewegung.

»Ja«, antwortete sie mit gesenkter Stimme. »Jeden Tag, bis zu dem Moment seines Todes.« Das enge Gefühl in ihrer Kehle war eine Illusion, derer sie sich entledigen musste. Sie war als Ärztin hier. Es war nicht die Zeit, sich Krankheiten einzubilden.

»Es gab Jahre«, sagte Irene, »in denen ich Seine Heilige und Ruhmvolle Majestät, meinen erlauchten Vater, nur an den hohen Feiertagen sah. Als man mir berichtete, dass mein Onkel ihn gestürzt und eingekerkert hat, da habe ich für ihn gebetet. Doch als man mir sagte, mein Vater sei geblendet worden, da musste ich nachdenken, ob seine Augen braun oder schwarz waren. Für meinen Mann, als er starb, und auch für meinen kleinen Schwager habe ich geweint, als sie ihm das Augenlicht nahmen, aber nicht für meinen Vater. Ich glaube, ich bin eine schlechte Tochter. Deswegen bestraft mich Gott auch mit einer lächerlichen Krankheit, die mich trotzdem quält, als trüge ich glühende Kohlen in meinem Magen.«

»Das glaube ich nicht«, sagte Judith, »denn wie ich Euch schon sagte, hat Gott mich geschickt, damit ich Euch helfe.«

»Ihr seid anmaßend, Magistra«, gab die Prinzessin zurück, doch ihre Mundwinkel hoben sich um ein Winziges nach oben. Es entging Judith nicht, dass Irene aufgehört hatte, sie wie eine Dienerin zu duzen. Um ihre Patientin abzulenken, begann sie, Irene Geschichten von früheren Kaiserinnen zu erzählen. Die von Adelheid von Burgund war ihr besonders gut im Gedächtnis geblieben: Als Sechzehnjährige war Adelheid mit Lothar, dem König von Italien, verheiratet worden, bevor er drei Jahre später vergiftet wurde. »Um die Krone zu erlangen«, sagte Judith, »wollten die Mordbuben Adelheid zwingen, den Sohn des Anstifters, Markgraf Berengar, zu heiraten. Als sie sich weigerte, setzte man sie fest. Es gelang ihr zu fliehen. Doch sie wusste, dass sie, allein auf sich gestellt, nicht lange frei bleiben würde. So wandte sie sich an Otto, den König in deutschen Landen, und bot ihm ein Bündnis an. Er heiratete sie und besiegte Berengar. Durch diese Verbindung ging fast das ganze obere Italien an die Deutschen. Deswegen wurde Otto zum Kaiser des Heiligen Römischen Reiches, und Adelheid zur Kaiserin. Ihr Sohn heiratete eine Prinzessin aus Byzanz, so wie Euch, und als er früh starb, da regierten Adelheid und Theophanu, viele lange Jahre. Adelheid überlebte all ihre Feinde und hatte mehr Macht und Einfluss als alle Herzöge beider Reiche zusammen. Heute verehrt man sie als Heilige, und wo die Männer vermodern, die es gewagt hatten, sie gefangen halten zu wollen, weiß keiner mehr.«

Während ihrer Erzählung war Irene immer aufmerksamer geworden und schien vergessen zu haben, an ihre Schmerzen zu denken. »Aber woher wisst Ihr, dass es nicht Otto war, der Adelheid gefangen nahm, und sie einfach das Beste aus ihrer Lage machte? Als mein Vater seinen Vorgänger stürzte und den Thron bestieg, da war er es, der den Geschichtsschreibern diktierte, was sie zu erzählen hatten. Und jetzt, da mein Onkel regiert, werden die Chroniken gewiss wieder neu geschrieben.«

»Nun, beschwören kann ich natürlich nicht, dass es sich genauso ereignet hat, wie man uns heute berichtet. Immerhin ist es zweihundert Jahre her. Keiner von uns war dabei. Aber *Adelheid* war am Schluss diejenige, die alle Männer überlebte und die Macht hatte, die Geschichte so festhalten zu lassen, wie sie es sich wünschte. Mir scheint, das ist der beste Beweis dafür, dass ihr Lebensweg ein erfolgreicher war.«

Inzwischen stand das heiße Bad mit den Malvenblüten bereit. Judith bat Irene, hineinzusteigen. Sie kam nicht umhin, die Figur der Prinzessin interessiert anzuschauen. Sie hatte noch nie eine Frau gesehen, der man jegliche Arbeit, jede Bewegung abnahm, wo immer es ging; sie wollte allzu gerne wissen, was das für Folgen auf einen solchen Körper haben mochte. Die Bäder in Eselsmilch oder mit Tausenden von Rosenblättern, das ständige Getragenwerden in Sänften, selbst zwischen einzelnen Räumen, das man den Prinzessinnen aus Byzanz zuschrieb, musste doch Auswirkungen haben. Was sie aber sah, war die Figur einer jungen Frau, die noch nicht geboren hatte, mit festen, hoch angesetzten Brüsten, einem sanft gewölbten Bauch und Beinen, denen man die mangelnde Bewegung nicht ansah. Auch wenn Judith sicher mehr Muskeln hatte: Alles war so, dass es sich kaum von ihrer eigenen Figur unterschied. Nur der Bereich oberhalb ihres Geschlechts, der war anders: Irene war dort nackt, was wohl hieß, dass sich die Byzantinerinnen rasierten, wie es die Frauen der Muslime taten. Was nichts mit ihrer Herkunft und alles mit ihrem Gemütszustand zu tun hatte, war die Verkrampfung, die sich überall abzeichnete. Dass jedermann Irene in der Ansicht bestärkt hatte, sie litte unter einem tödlichen Geschwür, war die andere Hälfte des Problems.

Judith kniete neben der Wanne, während sie Irenes Bauch massierte, mit den langsamen, kreisenden Bewegungen, die man sie gelehrt hatte.

»Seid Ihr wirklich eine Deutsche?«

»Aus Köln, Euer Gnaden«, bestätigte Judith und wiederholte den Namen in Latein. »*Colonia Agrippinensis*. Es ist eine der bedeutendsten Städte des Weströmischen Reiches, doch ich muss zugeben, dass sie sich mit allem, was man von Byzanz hört, gewiss nicht vergleichen lässt.«

»Ich habe noch keinen Deutschen ohne ein Schwert in der Hand gesehen«, sagte die Prinzessin. Das musste übertrieben sein, denn ihre Wachen trugen ihre Schwerter wie die meisten Bewaffneten in der Scheide, und außerdem bezweifelte Judith, dass Diepold von Schweinspeunt oder Kaiser Heinrich selbst, dem die Prinzessin einmal begegnet sein musste, dabei die Waffe in der Hand hielten. Aber sie verstand, was Irene meinte.

»Es gibt bei«, sie stolperte einen Moment über das Wort, dann fuhr sie fort, »bei *uns* Bauern, Handwerker und Gelehrte, ganz wie bei Euch, die niemals ein Schwert in der Hand haben.« Eine

Erinnerung blitzte in ihr auf, und sie fügte mit einem Lächeln hinzu: »Und sogar Sänger.«

»Ihr meint Spielleute«, verbesserte eine der Hofdamen.

»Nun, die gibt es auch, aber ich meinte Sänger bei Hofe. Dichter. Gewiss wird es welche an Eurem Hof geben, Euer Gnaden.« Kaiser Heinrich selbst hatte einige Minnelieder verfasst, die an vielen Orten im Reich gesungen wurden, aber Judith bezweifelte, dass Irene für diese Auskunft dankbar sein würde. Sie wollte die Prinzessin auf angenehme Gedanken bringen, nicht sie an Ängste erinnern, was bei einer erneuten Erwähnung des Kaisers unweigerlich der Fall gewesen wäre.

»Wie die Troubadoure, meint Ihr?«

Judith wusste, dass der Hof in Palermo ein französisch-normannischer gewesen war. König Tankred und seine Söhne waren aus der Familie der Hautevilles, genau wie die Kaiserin Konstanze. Sicher hatte Irene das Französische eher erlernt als die Volgare. »Ja«, sagte sie daher, obwohl sie in ihrem Leben nie einen Troubadour gehört hatte.

Schweigen fiel zwischen sie, doch es lastete nicht auf Judith. In der feuchten, heißen Luft, die aus der Wanne aufstieg, entspannten sich ihre eigenen Muskeln; ihr Untergewand klebte an ihrem Körper. Sie dachte nicht an Meir ben Eleasar, nicht an das Gefühl, gefangen zu sein, und wenn auch die Abwesenheit ihres Vaters sie schmerzte, so war sie doch gerade jetzt frei von der Idee, ihn irgendwie hätte retten zu können. Ihre Aufmerksamkeit war allein auf ihre Finger gerichtet und den harten Bauch der Prinzessin, der allmählich weicher und entspannter wurde. Und dann, endlich, spürte sie, wie ein Ruck durch Irene ging. Blasen stiegen im Wasser auf.

»Heiliger Cosmas«, rief die Prinzessin, »es wirkt! Darf ich ...«

»Ihr bleibt weiter im Bad«, sagte Judith streng. »Es wird noch mehr kommen.«

Als sie Irene aus dem Wasser steigen ließ, war es nur noch mäßig warm, aber dafür war eine Bettpfanne mit glühenden Kohlen erwärmt worden, und auf ihr die radieschensaftgetränkte Gerstenkornpackung. Diese legte Judith ihr auf den Bauch. »Um die Winde in sich aufzusaugen«, sagte sie. »In fünf Stunden würde ich noch ein weiteres Bad empfehlen. Morgen wird es Euch gut genug gehen, dass Ihr weiterreisen könnt.«

Ein Schatten legte sich über Irenes Gesicht. Ihr Dank klang hohl, doch als Judith sich von ihr verabschieden wollte, rief die Prinzessin sie noch einmal zurück und bedeutete einer der Damen, ihr eine Schatulle zu reichen.

»Was Herr Diepold von Schweinspeunt Euch geben wird, weiß ich nicht«, sagte Irene, »aber nehmt diesen Ring von mir.« Es handelte sich um einen in Gold gefassten Rubin, und Judith sah an den unverhohlen neidischen Gesichtern der Hofdamen, dass es sich um eine unerwartete, großzügige Gabe handeln musste.

»Hat nicht der Kaiser den gesamten Kronschatz von Sizilien über die Alpen schaffen lassen?«, fragte eine von ihnen. »Mit Verlaub, Allerdurchlauchtigste, die Deutschen haben schon genügend von unseren Juwelen. Ihr wart ja offenbar noch nicht einmal in Gefahr, wie die Magistra selbst erklärt hat.«

»Der Ring stammt aus Byzanz«, sagte Irene eisig, »und Ihr vergesst Euch. Welche Dienste ich belohne und wie, das entscheide nur ich allein.«

»Ich danke Euer Gnaden von ganzem Herzen«, sagte Judith schnell. Sie wollte nicht Anlass zum Streit geben, doch sie hatte auch nicht die geringste Absicht, die Bescheidene zu spielen und auf den Ring zu verzichten, zumal man wirklich nicht sagen konnte, ob Herr Diepold sie bezahlen würde. Am Ende würde er erklären, die zukünftige Schwägerin des Kaisers behandelt zu haben, sei eine solche Ehre, dass dies Bezahlung genug sei.

Die Wachen vor dem Gemach der Prinzessin teilten ihr mit, dass Herr Diepold sie zu sehen wünsche, ehe sie in die Stadt zurückkehrte. Der frischgebackene Graf von Acerra stellte sich als ein kräftiger Mann mit einem pfiffigen Gesichtsausdruck heraus. Er wollte wissen, was genau der Prinzessin gefehlt habe, und nachdem sie es ihm erklärt hatte, schlug er sich vor Lachen auf die Schenkel. Dann wurde er abrupt wieder ernst und stellte ihr ein paar Fragen hinsichtlich ihrer Herkunft und Ausbildung.

»Nun, Magistra Jutta«, sagte er schließlich, »ich hatte Gift vermutet, aber das war es wohl nicht. Eins steht fest: Wenn es nach diesen Weibern gegangen wäre, dann hätte eine Schlange aus dem Verräternest da unten an der Prinzessin herumgeschlitzt und sie am Ende damit ins Grab befördert.«

»Jeder Arzt von Salerno kann eine Operation gut durchführen«, protestierte Judith, obwohl sie nicht bestreiten wollte, dass auch bei den größten Vorsichtsmaßnahmen nie garantiert war, dass der Patient eine Bauchoperation überlebte.

Graf Diepold war nicht an der Ehre ihres Berufsstands interessiert. »Das bestätigt, was der Kaiser immer sagt«, fuhr er fort: »Man kann keinem Welschen trauen. Schon gar nicht diesen schwatzhaften Weibern, die samt und sonders mit einem von den Kerlen verwandt sind, die wir einen Kopf kürzer gemacht haben. Ich hatte eigentlich vor, die Frauen bis nach Genua mitzunehmen, um mir drei Wochen Geheule von der Prinzessin zu ersparen, aber nun besteht kein Grund mehr, sie nicht gleich fortzuschicken, nach diesem Benehmen.«

»Sie wollten gewiss nur das Beste für die Prinzessin«, sagte Judith, doch er hörte ihr nicht zu.

»Also, wenn Ihr Eure Ausbildung hier hinter Euch habt und Euer Vater tot ist, wie man mir zutrug, dann besteht doch kein Grund, länger bei diesem doppelzüngigen Gesindel von Salerno zu verweilen, nicht wahr?«

»Die Schule von Salerno …«

Ungeduldig unterbrach er sie. »Hört, Magistra, mir selbst liegt das Land durchaus am Herzen, denn es hat mir ein paar nette, fette Pfründe verschafft. Ich werde hierher zurückkehren, wenn ich meinen Auftrag erledigt habe, weil ich dem Kaiser hier am besten dienen kann. Das ist es, wonach jeder Untertan streben sollte: dem Kaiser zu dienen. Und wisst Ihr, womit Ihr dies tun könnt? Indem Ihr mir helft, die Prinzessin heil über die Alpen zu schaffen. Es soll Euer Schaden nicht sein, wenn ich sie gesund und munter dem Herzog Philipp in die Arme führen kann. Wenn

Ihr Glück habt, dann gestattet der Herzog Euch, an seinem Hof zu bleiben, doch selbst wenn nicht, dann werdet Ihr in ein paar Monaten mehr an Ehre und Gut gewonnen haben als hier beim Verbändewickeln für die Jammergestalten aus aller Welt in zwei Jahren!«

Seit dem Treffen mit Otto von Poitou war ihr keine solche kaltschnäuzige Arroganz mehr begegnet. Judiths erster Gedanke war, Herrn Diepold von Schweinspeunt zu erklären, warum es ihr mehr lag, an der gelehrtesten Stätte zu wirken, welche die Christenheit für Mediziner zu bieten hatte, als in seiner Gesellschaft eine Reise über die Alpen und in eine unsichere Zukunft zu unternehmen. Doch dann meldeten sich umgehend ein zweiter und ein dritter Gedanke und fesselten ihre Zunge.

Wenn der Prinzessin all ihre Vertrauten genommen würden, egal ob Diepold vorhatte, sie durch ein paar seiner Dienerinnen zu ersetzen, würde Irene alleine sein, völlig alleine auf dem Weg in ein Land und eine Zukunft, vor der sie sich fürchtete.

Wenn Judith Diepolds Angebot annahm, würde sie Meir nicht heiraten müssen, ohne deswegen mit den Freunden ihres Vaters zu brechen; angesichts dessen, was die Männer des Kaisers Salerno angetan hatten, würde jeder verstehen, dass man Schweinspeunt besser nicht durch eine Weigerung reizen sollte. Doch sie würde einige Jahre auf das Leben in Salerno verzichten müssen, bis sie sicher sein konnte, dass Rabbi Eleasar für Meir eine andere Braut gefunden hatte, und auch auf die Gesellschaft so vieler kluger Köpfe voll medizinischem Wissen. Auf den Zugang zu allen Büchern der Heilkunst, die man sich nur vorstellen konnte. Auf den Ruf, den sie sich hier erarbeitet hatte, und die Patienten, die ihr vertrauten.

Doch sie würde wieder frei sein. Aus einer Schicksalsfalle entkam man nun einmal nicht, ohne etwas zu opfern.

Außerdem hatte Diepold bei allem Hochmut nicht ganz unrecht: Selbst, wenn Herzog Philipp sie sofort aus der Umgebung seiner neuen Gemahlin fortschicken sollte, würde sie von sich behaupten können, der Tochter des Kaisers von Ostrom und der Schwägerin des Kaisers von Westrom als Leibärztin gedient zu haben.

Damit ließen sich überall im Reich neue Patienten gewinnen. Sie hatte ihren Vater für weniger an das Sterbebett des Herzogs von Österreich getrieben.

Giovanni und Lucia kamen ihr in den Sinn. Nun, wenn Diepold sie wirklich gut entlohnte und wenn es ihr gelang, sehr schnell einen Käufer für das Haus zu finden, dann konnte sie die beiden in ihren Diensten behalten, vorausgesetzt, sie waren willens, ihre Heimat zu verlassen.

»Um wie viel genau«, fragte Judith langsam, »wird es mein Schaden nicht sein?«

KAPITEL 8

Fast vier Jahre nach seiner Ankunft in Wien gab es nicht mehr viel, mit dem Walther die Menschen am Hof des Herzogs überraschen konnte, so glaubten diese jedenfalls; Lieder, die Reinmars Ideal der entsagungsvollen Liebe aufs Korn nahmen, waren längst nichts Neues mehr. Herzog Friedrich verwies es ihm nicht, ihm schienen die neuen Lieder zu gefallen. Was dem Hof danach lange Gesprächsstoff gegeben hatte, waren die Blumen gewesen, *das Lächeln der Erde,* wie Walter sie nannte. Er sammelte sie auf den Wiesen, um damit seine Angebeteten zu erfreuen, bis sich keine mehr traute, diese anzunehmen, um nicht in Verdacht zu geraten, seinem Werben erlegen zu sein, wie sein Lehrer das lautstark und mehrfach im Palas gemutmaßt hatte. Walther hätte ihn deswegen umbringen mögen. Als er daher nun bei Reinmar hereinschneite, als hätten sie dem Wiener Hof während der letzten zwei Jahre nicht glänzende Unterhaltung durch ihre Fehde geboten, blieb Reinmar der Mund offen stehen.

»Alter Freund«, sagte er, und Reinmars Knappe, der bei Walthers Eindringen aufgesprungen war, fragte sich, ob der Herr von der

Vogelweide nun endgültig wahnsinnig geworden war: Auf seinem Gesicht lag ein breites Strahlen, die Augen leuchteten wie bei einem beschenkten Kind. Er schwenkte etwas, das wie ein ungebundenes Buch aussah. »Das musst du lesen.«

Das Duzen sagt einiges darüber, dachte der Knappe mitleidig, *wie Walther Herrn Reinmar als seinesgleichen ansieht.* Er bewunderte seinen Herrn, der seine Würde wahrte und entgegnete: »Warum ich? Hast du keines deiner vielen Liebchen gefragt, ob es dir zuhören möchte, wenn du wieder einmal glaubst, über erfüllte Liebe dichten zu müssen? An deiner Stelle würde ich Herrn Friedrichs Geld nicht an Pergament für deine Gedichte verschwenden, Walther; es mag sein, dass du es noch einmal brauchen wirst.«

»Meine Gedichte sind in aller Munde, die brauche ich nicht auf Pergament«, gab Walther in ungebrochener Hochstimmung zurück. »Nein, was ich hier habe, stammt nicht von mir. Aber es ist trotzdem unglaublich gut, und du musst es lesen.«

Trotzdem, als sei etwas, das nicht von ihm stammte, gewöhnlich nicht gut. *Und das zu seinem Lehrmeister, das war ein starkes Stück,* dachte der Knappe, vor allem, wenn man sich erinnerte, dass Walther vor ein paar Jahren noch dankbar für jede Lektion gewesen war, wie es sich gehörte. Leider schlich sich mittlerweile etwas verräterische Neugier in Herrn Reinmars ablehnende Gesichtszüge. »Worum handelt es sich denn?«

»Ein neues Heldenlied«, sagte Walther. »Es ist noch lange nicht fertig, aber man kann jetzt schon erkennen, dass …«

»Wenn es noch nicht fertig ist, und es stammt nicht von dir«, unterbrach Reinmar, »wieso verfügst du dann über eine Abschrift? Noch dazu auf Pergament?«

Ungeduldig wedelte Walther mit der freien Hand. »Das spielt doch keine Rolle. Wichtig ist nur, dass du es liest.« Er breitete die Pergamente sorgfältig auf dem Tisch vor Reinmar aus und glättete sie behutsam. Man konnte dem Älteren ansehen, dass er mehr als versucht war, sie sofort zu lesen; er hob seine Hände und presste die Fingerspitzen aufeinander, wie um der Versuchung zu widerstehen.

»Warum?«, fragte er mit gepresster Stimme. »Werde ich darin auch verspottet?«

Ein wenig von dem freudigen Überschwang verließ Walther, doch bei weitem nicht alles. »Nein«, sagte er. »Aber du bist, im Gegensatz zu meinen Liebchen, der Einzige hier bei Hof, der verstehen kann, was eine gute Dichtung bedeutet.«

Reinmar blinzelte ob des unerwarteten Kompliments, fuhr sich mit dem linken Handrücken über die Stirn und seufzte. Der Knappe fragte: »Herr, wünscht Ihr, dass ich Herrn Walther hinausgeleite?«

»Nein«, sagte Reinmar, »nein. Aber geh du nur.«

Das, schlussfolgerte der Knappe, *ist der Grund, warum Walther so unerträglich sein kann: Nicht nur, dass er Unruhe verursacht, nein, er bringt die Menschen auch dazu, wider ihr eigenes Wohl zu handeln.* Herr Reinmar sollte doch am besten wissen, dass er sich bei Gesprächen mit Walther nur aufregen würde, doch nein, der Undankbare wurde gebeten, zu bleiben, und ein treuer Gefolgsmann sollte gehen. *Wohl bekomm's.*

Walther vertrieb sich die Zeit, während Reinmar las, damit, ihm abwechselnd über die Schultern zu blicken, um die Verse noch einmal zu erleben, und damit, sich eine Erklärung zu überlegen, die besser war als: *Der Bischof von Passau hat mir seine eigene Abschrift des Epos, das an seinem Hof entsteht und mit dem noch kein Spielmann durch die Lande zieht, weil es unvollendet ist, geliehen, weil ich so ein netter Mensch bin.* Er hatte auch eine Vermutung, warum er die Pergamentrollen erhalten hatte, und sie machte ihn stolz und unsicher zugleich: Bischof Wolfger wollte so bestimmt sicherstellen, dass das Epos zu Ende geschrieben wurde, auch wenn der Autor vorher starb. Sterben war so einfach heutzutage.

Er hatte die unerwartete Gabe aus Passau nicht für sich behalten können. Reinmar mochte ein überempfindlicher alter Nörgler sein, aber er verstand den Zauber der Worte, das Abenteuer von Gedanken und Gefühlen, denen Form gegeben wurde, besser als irgendjemand sonst bei Hofe. Für die herzogliche Familie und ihre Höflinge war die Dichtkunst angenehmes Beiwerk, mit dem man sich schmückte, weil andere Höfe nichts Vergleichbares aufzuweisen hatten. Keiner am Hof hatte jedoch eine Ahnung, was es hieß, Poesie und Lieder wie den Atem zum Leben zu brauchen; die eigenen, die man verfasste, und die der anderen, die einen erst richtig anspornten, um noch besser zu werden.

Endlich stützte Reinmar den Kopf in seine Hände und murmelte: »Warum? Warum diese Geschichte? Und wenn er sie schon wählte, warum dann nicht mit dem Drachen beginnen, mit Siegfrieds Heldentaten? Stattdessen fängt er mit Kriemhild an. Er muss die Vorgeschichte erzählen. Und wie viele Aventüren sind geplant?«

»Ich wusste, dass du nicht genug davon bekommen kannst. Das ging mir ganz genauso«, sagte Walther und grinste. »Hast du selbst jemals daran gedacht, ein solches Epos zu schreiben?«

»Nein, und ich kann dir jetzt schon prophezeien, dass du selbst nie eines verfassen wirst«, sagte Reinmar scharf. »Dir fehlt die Geduld, um viele Jahre an einem einzigen Stoff zu arbeiten.«

»Unwidersprochen. Aber du hast sie, die Geduld. Warum also nicht?«

»Es ist nicht meine Form«, gestand Reinmar. »Ich habe sie nie gemeistert.« Seine Finger trommelten auf den Tisch. »Von wem stammt dieses Heldenlied? Der Stil ähnelt dem des Kürenbergers, vor allem die Stelle mit Kriemhilds Traum von ihrem Falken, doch der ist tot, schon zwanzig Jahre und mehr. Bligger von Steinach vielleicht?«

»Ich musste tiefste Verschwiegenheit geloben«, sagte Walther so aufrichtig und ehrenhaft, wie er konnte. Sofort schaute Reinmar wieder misstrauisch.

»Woher stammt dieses Pergament?«

»Reinmar, wenn ich dir das erzähle und mein Wort breche, dann werde ich weitere Teile nicht erhalten, und du und ich werden den Rest erst im hohen Alter von einem Spielmann hören, wenn wir bereits halb taub sind. Nun, wenn ich halb taub bin, denn du liegst dann wahrscheinlich schon in deinem Grab und wartest auf das Jüngste Gericht. Nun bin ich sicher, dass dir, im Gegensatz zu mir, ein Platz an der Seite des Herrn gewiss ist, als Kreuzfahrer und immer ehrenhafter Ritter, aber die Geschichte der Nibelungen wirst du im Himmel bestimmt nicht zu Ende hören.«

Reinmar presste die Lippen zusammen, seine Schultern zuckten – dann gab er seinen mannhaften Versuch der Selbstbeherrschung auf und brach in Gelächter aus, tief und schallend, wie er es in Walthers Gegenwart seit weit mehr als zwei Jahren nicht mehr getan hatte. Doch als er wieder sprach, klang seine Stimme sehr traurig. »Walther«, fragte er, »warum tust du das?«

»Komplimente und Danke hört jeder Mann gerne, aber wenn du wirklich eine schmeichelhafte Wahrheit zweimal hören möchtest …«

»Nein. Du hättest die Abschrift hierlassen und wieder gehen können. Stattdessen bleibst du und bringst mich zum Lachen, nachdem ich es war, mit dem du die letzten Jahre andere zum Lachen gebracht hast. Warum erinnerst du mich daran, wie leicht es ist, dich gernzuhaben, wenn doch der morgige Tag, die nächste Stunde bereits wieder zeigen wird, dass du und ich nicht am selben Ort sein können, ohne dass Grimm und Bitterkeit zwischen uns fällt.«

Walther hätte darauf eine leichtfertige Antwort geben können, doch dieses Mal war ihm nicht danach. »Mag sein, dass wir nicht mehr lange am selben Ort sein werden«, sagte er leise.

Reinmar neigte den Kopf zur Seite, als glaube er nicht, was er da hörte. »Ich weiß, dass ich dich damit verhöhnt habe, doch gestatte mir, auch in einer sanfteren Stunde zu bezweifeln, dass du mit Herrn Friedrich in das Heilige Land ziehen willst.«

Dafür hatte Reinmar, so gestand sich Walther ein, guten Grund. Tatsächlich musste er sich bald entscheiden, was er tun wollte. Herzog Friedrich und der Kaiser hatten den Kreuzzug eine Weile hinausgeschoben, doch nun waren die Vorbereitungen fast abgeschlossen, und es ließen sich nicht länger gute Gründe aufführen, um weiter in der Heimat zu verweilen. Die Hochzeit in Frankfurt war das Zeichen zum Aufbruch, für den Kaiser wie für den Herzog. Nach zwei Jahren Herrschaft in der Steiermark war Leopold durchaus zuzutrauen, als Regent von ganz Österreich nicht zu versagen.

Auch Bischof Wolfger hatte erklärt, das Kreuz zu nehmen und an Friedrichs Seite ins Heilige Land zu ziehen. »*Saladin ist tot*«, hatte er erklärt. »*Er hat ehrgeizige Söhne, von denen jeder auf den Thron will. Nie war die Gelegenheit günstiger, die Heiligen Stätten für die Christenheit zurückzuerobern. Da darf es keine weiteren Verzögerungen geben. Dafür werde ich mit eigenen Händen sorgen, wenn es sein muss! Der Heilige Vater hat Langmut mit Friedrich bewiesen, doch Gelübde ist Gelübde, und jede Langmut hat ein Ende. Ist das Eurem Herzog klar?*«

»*Ich bin nur ein bescheidener Sänger. Wenn jemand in die Seelen der Menschen blicken kann, dann doch ein Mann Gottes wie Ihr.*« Leider merkte man hin und wieder sehr deutlich, dass der Bischof nicht immer ein Mann Gottes gewesen war und sofort erkannte, wann man ihn hinhalten wollte. »*Ja, es ist ihm klar, Euer Gnaden.*«

»*Dann hat er vor, bald aufzubrechen?*«

»*Nach dem Hoftag, den Herzog Philipp aus Anlass seiner Hochzeit einberufen hat. Da ist es Friedrichs Pflicht als Fürst des Reiches zu erscheinen.*«

»Nun, zunächst reist Herr Friedrich nicht ins Heilige Land«, sagte Walther zu Reinmar, »sondern nach Frankfurt am Main, um dem Herzog Philipp seine Aufwartung zu machen. Da es dabei um eine Hochzeit geht, werde ich ihn ganz gewiss begleiten. Nur von dieser Abwesenheit habe ich gesprochen.«

»Nun, vielleicht komme ich ebenfalls mit«, sagte Reinmar mürrisch. »Herr Friedrich wird es mir kaum verbieten, und ich darf sagen, dass meine Lieder dem Herzog von Schwaben immer noch bekannter sein dürften als die deinen.«

Der junge Herzog hatte den größten Teil seines Lebens in einem Kloster verbracht, bis er wegen des Todes seiner Brüder von seinem ältesten Bruder, dem Kaiser, vor wenigen Jahren dort herausgeholt und wieder in den Laienstand versetzt worden war. Daher bezweifelte Walther, dass Philipps Kenntnis weltlicher Lieder wirklich die von Reinmar mit einschloss, doch so gerne er sonst seine scharfe Zunge an seinem alten Lehrmeister wetzte, heute war ihm nicht danach.

»Es werden Fürsten aus dem ganzen Reich erscheinen«, erwiderte er stattdessen sachlich. »Da kann nicht jeder mit seinem vollen Hofstaat erscheinen, und verzeih, doch du bist nicht mehr der Jüngste.« Eigentlich wusste er nicht, wie alt Reinmar war, doch Walther argwöhnte, dass er schon als Mann mittleren Alters zur Welt gekommen war. In jedem Fall wusste Reinmar nichts von dem wahren Grund des Hoftags; das musste so bleiben.

»Hat Bischof Wolfger etwas über die geheime Königswahl gesagt?«, hatte Friedrich gefragt, als Walther vom Bischof direkt zum Herzog von Österreich ging. Jeder der beiden war überzeugt, dass Walther für ihn die Pläne des anderen erforschte. Im Grunde hatten sie beide recht, und doch unrecht. Es war nicht so, dass Walther einen von beiden anlog: Er erzählte nur keinem von beiden alles. Warum auch nicht: Jeder war zufrieden und zeigte sich einigermaßen großzügig.

»Nein, Euer Gnaden. Er scheint davon auszugehen, dass Ihr mir nichts darüber anvertraut habt. Doch er hat ebenfalls die Absicht geäußert, nach Frankfurt zu ziehen. Ich glaube kaum, dass er dort nur vorhat, Herzog Philipp zur Vermählung zu beglückwünschen.«

»Nun, ich möchte nicht in seiner Haut stecken. Was der Kaiser verlangt, kann dem Papst nicht schmecken, und doch kann er nichts dagegen sagen, nicht, wenn er den Kaiser endlich im Heiligen Land sehen will. Ein Mann bestellt nur sein Haus, so hat der Kaiser mir geschrieben. Er selbst ist mit kaum drei Jahren in Bamberg zum König gekrönt worden, weil Barbarossa das so wollte. Wenn der Kaiser sein Reich verlässt, dann hat er das Recht, seine Nachfolge zu regeln, und sogar die Pflicht, seinen einzigen Sohn vorher zum deutschen König wählen zu lassen.«

Walther hatte sich dumm gestellt, denn unterschätzt zu werden half immer dabei, andere Menschen zum Reden zu bringen.

»Nun, der Papst ist reich an Jahren und Erfahrung, da kann er bestimmt noch einiges mehr verdauen, ob es ihm nun auf dem Magen liegt oder nicht.«

»Kein Papst«, hatte Friedrich mit Nachdruck erklärt, *»wird je glücklich darüber sein, den winzigen Kirchenstaat mitten im*

Reich eingeklammert zu sehen wie eine Perle in einer Auster. Der
Kaiser ist jetzt auch König über Sizilien, dessen Grenzen fast bis
zu den Toren Roms reichen. Mittlerweile geschieht weder dort
noch in den deutschen Landen etwas, das er nicht will. Sein Sohn
wird Sizilien erben, durch die Herrin Konstanze und durch Hein-
rich gleichermaßen. Wenn ihn die Fürsten jetzt in Frankfurt zum
deutschen König wählen, dann kann der Heilige Vater davon
ausgehen, dass aus dem Wahlrecht für Könige ein Erbrecht der
Staufer wird. Das kann er im Interesse seiner Macht nicht wollen.
Ich bin auch nicht sicher, ob wir Fürsten uns das wünschen soll-
ten!«

»Meint Ihr, der Papst wird den Erzbischöfen befehlen, gegen das
einzige Kind des Kaisers zu stimmen?«

»Nicht, solange sich der Kaiser noch im Umkreis Roms befindet«,
hatte Friedrich zynisch erwidert. *»Vielleicht hofft der Papst dar-*
auf, dass ein paar Welfenanhänger dagegen vorgehen. Doch der
alte Welfenlöwe ist tot. Zwei von seinen drei Söhnen scharwen-
zeln um ihren Onkel herum, den englischen König, weil sie bei
ihm aufgewachsen sind, und werden erst gar nicht in Frankfurt
erscheinen. Und was den ältesten betrifft, den Pfalzgrafen von
Braunschweig, der hat sich gerade vom Kaiser dessen Base als
Braut andrehen lassen und stimmt ganz gewiss so, wie der Kaiser
es wünscht.«

»Und Ihr, Euer Gnaden?«

»Die Herzöge von Österreich waren immer schon treue Anhän-
ger der Staufer«, hatte Friedrich mit einer unüberhörbaren Bitterkeit zurückgegeben, in der das Geheimnis lag, welches er und
Walther teilten, immer noch teilten, denn das gehörte nicht zu
den Dingen, die Walther dem Bischof von Passau weitergegeben
hatte. *»Wie sollte ich da gegen einen Staufer sein?«*

*»*Nicht mehr der Jüngste? Ich könnte dein Vater nicht sein, Walther, und ich kann immer noch an den Turnieren teilnehmen. Das
habe ich dich nicht einmal tun sehen.«

Sein Vater. Die Erinnerung an ihn und an den Bruder, die Mutter,
Markwart, das Leben, das er hinter sich gelassen hatte, flackerte
in Walther auf. Es war nicht so, dass er sich an den Ort seiner

Kindheit zurückwünschte, aber mit einem Mal war er die Verstellung leid, vor allem, weil Reinmars Worte ihm eine Wahrheit aufzeigten, die ihm bisher nicht bewusst gewesen war. Reinmar mochte nicht ganz so alt wie Walthers Vater sein, und er hatte sich in den letzten zwei Jahren oft genug über Reinmars Stil lustig gemacht, aber wenn er nicht im Grunde immer noch Reinmars Billigung wollte, dann wäre Walther nicht hier. War nicht Reinmar in mehr als einigen Dingen wie ein Vater für ihn? Es ging darum, die Entdeckung eines neuen Heldenlieds mit jemandem zu teilen, gewiss, doch hatte ihn im Grunde nicht immer auch der Wunsch zu ihm getrieben, von seinem ehemaligen Lehrer ein wohlwollendes Schulterklopfen und das Zugeständnis zu erhalten, Walther sei doch kein herzloser Oberflächling? Das seltene Lob einer Respektsperson war es, was sich jedes Kind, jeder Mensch am sehnlichsten wünscht.

»Das liegt daran, dass ich keine Rüstung habe, kein Schwert und noch nie in meinem Leben gelernt habe, mit etwas anderem zu kämpfen als meinem Mund, den ich weiß Gott für andere Dinge benötige«, gab Walther heftig zurück. »War es das, was du von mir hören wolltest?«

Der Ausbruch und das Eingeständnis, das darin lag, von niederer Geburt zu sein, als er bei seiner Ankunft in Wien vorgegeben hatte, schien Reinmar zu überraschen. Er zwinkerte, als sei ihm Sand in die Augen geraten, dann räusperte er sich. »Nun«, sagte er, »was ich von dir hören will, Walther, sind Lieder hoher Minne. Minne, die wahre Liebe ist, selbstlos und ohne Forderungen. Denn wahre Liebe, Liebe, die es wert ist, besungen zu werden, ist immer unerwidert, egal was du dazu meinst. Warum sollte man ein Gefühl, das nur nach ein paar Stunden im Heu giert, in Ewigkeit kleiden?«

Es war der alte Streit, doch was ihm Reinmar damit auch zeigte, war, dass er Walther nicht geringer ansah; dass er ihn weiter als ebenbürtigen Sänger betrachtete. Nach all den Anspielungen und Sticheleien war es ohnehin nur eine Bestätigung dessen, was Reinmar längst vermutet hatte. Walther lächelte schwach.

»Reinmar, wenn ich wirklich auf einer Fürstenhochzeit singen werde, dann wirst selbst du eingestehen müssen, dass erwiderte Liebe ein angemessenes Thema abgibt. Aber ich verspreche dir, auch ein paar Verse auf die Freuden der Entsagung zu dichten, was hältst du davon? Schließlich ist der Bräutigam mit dem Klosterleben vertraut, und ich will doch hoffen, dass er dort gelernt hat, allein Gott zu lieben.«

Ein weiteres Mal sah er Reinmar gegen die Versuchung ankämpfen, zu lachen; diesmal brachte sein Lehrmeister es immerhin fertig, seinen Ausbruch auf wenige Gluckser zu beschränken. Plötzlich hatte Walther einen Einfall.

»Wann hast du das letzte Mal in einer Schenke gezecht, Reinmar? Nicht bei Hofe, sondern in einer ganz gewöhnlichen Schenke, wo niemand dich als den großen Sänger des Herzogtums kennt.«

»Nachdem Seine Gnaden, der verstorbene Herzog, so gütig war, mir einen Platz an seinem Hof anzubieten«, sagte Reinmar gemessen, »bestand kein Grund mehr für dergleichen. Auch vorher zog ich es vor, in Klöstern unterzukommen oder die Gastfreundschaft edler Herren in Anspruch zu nehmen.«

»Edle Herren haben höchstens für sich selbst Frauen am Hof, die wirklich schön sind. Hübschere schickt die Herrin fort, wenn sie darf, damit ihr Mann zu Hause bleibt und nicht bei fremden Früchten nascht; das gilt selbst für die Mägde. Wann hast du zuletzt erlebt, was Hände und Finger noch entdecken können bei einem Körper, gestaltet wie eine vollkommene Landschaft, mit Hügeln und Tälern, wo sie hingehören, mit Lippen, die geküsst werden wollen, wo immer du sie gefunden hast? Wann hast du zuletzt das Lachen einer Frau gehört, das alle Arten von Gefühlen bei einem Mann erzeugen kann, Reinmar? Bei Hofe ist dieser Ton verklungen, nachdem die Herzogin mit ihrer Hofdame Martha gleich nach dem Tod des Herzogs ins Kloster gegangen ist. Komm, gehe mit mir in eine Schenke, besser noch ein Badehaus, und du wirst deine Verse zukünftig auch anders setzen, das versprech ich dir.«

Reinmar blickte drein, als habe er bei der Beichte soeben gehört, er müsse als Buße eine Wallfahrt ins Heilige Land machen. »Auf keinen Fall«, keuchte er, »gehe ich mit dir in ein Badehaus. Was sollen die Leute von mir denken?«

Dass du eine Frau wirklich dringend nötig hast, wenn du beim Badehaus an Dirnen denkst, weil in dem größten, das wir in Wien haben, nämlich getrennt gebadet wird, dachte Walther, aber antwortete stattdessen: »Dann wenigstens in eine Gastwirtschaft. Glaub mir, die Leute dort sind auch nicht lauter als eine Hofgesellschaft zu später Stunde. Aber dafür muss man nicht ständig auf jedes Wort achten. Komm schon, Reinmar, gönne dir das Vergnügen, dich einmal gehenzulassen. Ich lade dich ein. Nimm es als Entschuldigung dafür, dass ich dein *So wohl, dir, Weib! Wie ist der Name rein!* so durch den Staub gezogen habe, und wenn ich morgen mit einem schweren Kopf aufwache, dann kannst du sogar behaupten, dass Gott mich gebührend dafür bestraft hat.«

Noch zwei-, dreimal ließ Reinmar sich bitten, doch man konnte erkennen, dass die soeben geteilte Lektüre des Nibelungen-Fragments, über die Reinmar weiter reden wollte, und Walthers unerwartetes Geständnis ihn genügend gerührt hatten, um mit einem gemeinsamen Ausflug in die Stadt einverstanden zu sein. Vielleicht war er es auch leid, ständig gekränkt sein zu müssen, und hatte nichts dagegen, die Klagen mit einem vergnügten Abend zu unterbrechen. In jedem Fall sagte er zu.

Der Hof hielt sich gerade in Wien auf, so dass sie noch nicht einmal Pferde bemühen mussten. Es dauerte nicht lange, bis sie eine Schenke fanden, die Walther gerade recht vorkam, gut besucht, mit einem Stimmengewirr, das kein rein männliches war. Nicht nur war ihm selbst nach weiblicher Gesellschaft, er wollte auch seine alte Theorie erproben, dass Reinmar einfach viel zu lange keine Frau mehr im Arm gehalten hatte. Kein Gespinst, schön, blutleer, überheblich – eine wirkliche Frau.

Der Abend ließ sich vielversprechend an, denn neben zwei Schankmägden, beide nicht übel ausgestattet, gab es ein paar Frauen, die auch ein wenig zu enge Obergewänder trugen, um überaus ehrbar zu erscheinen. Das Beste jedoch war, dass der

Spielmann, der sich hier Speise, Trank und etwas Geld bei den Gästen verdiente, nur kurze Zeit nach ihrem Eintritt eines von Walthers Liedern zu spielen begann.

»Das hast du mit ihm verabredet«, sagte Reinmar anklagend.

»Aber nicht doch. Kann ich dafür, wenn Musikanten Gefallen an guten Liedern finden?«, fragte Walther und musste sich sehr zurückhalten, um dem Spielmann nicht sofort einen Krug Bier zukommen zu lassen. Das Lied hatte er im letzten Jahr gedichtet, ein Frühlingslied, das eigentlich dem Mai galt, und es war erst März, doch wen kümmerte das? Der Winter hatte lang genug gedauert.

Wollt ihr schauen, was dem Maien
Wunder ist verliehen?
Seht die Pfaffen, seht die Laien,
Wie sie all' hin ziehn!
Groß ist seine Gewalt.
Wirkt er denn durch Zauberlist?
Wo in seiner Wonn' er ist,
Niemand ist da alt!

Der Spielmann hatte, das musste Walther neidlos eingestehen, eine bessere Stimme als er selbst und brachte ein paar der Gäste dazu, mit einzustimmen.

»Oh, du wirst ganz bestimmt einen ganz schweren Kopf morgen haben«, brummte Reinmar. »Eitelkeit macht noch stärker trunken als jeder Wein.«

»Das wäre herauszufinden«, sagte Walther und bestellte vom besten Wein bei der Schankmagd. Währenddessen wurden seine Verse jetzt sogar von ein paar ebenfalls anwesenden edlen Herren aufgegriffen. Es wunderte Walther nicht, dass sich Ritter in der Schenke befanden: Wegen der Kreuzfahrtvorbereitungen kamen täglich mehr nach Wien. Nicht alle waren damit zufrieden, in den zugigen Ecken der Burg ihr Glück zu versuchen. Gerade wollte Walther Reinmar damit necken, selbst in das Lied mit einzustimmen, als eine Frau die Schenke betrat, die ihrer Miene nach nicht vorhatte, einen vergnügten Abend zu verbringen. Sie sah die Ritter, die sich bereits ein Kreuz an die Mäntel hatten sticken lassen, und hielt geradewegs auf sie zu.

»Ihr Herren«, sagte sie mit einer durchdringenden Stimme, die das schmeichelhafte Singen von Walthers Maienlied schnöde unterbrach, »Ihr wollt das Heilige Land von den verfluchten Sarazenen und Juden befreien, aber Ihr lasst es zu, dass gute Christenmenschen hier in der Heimat verleumdet und vor Gericht gezerrt werden wie unser Herr Jesus von Judas?«

Die Magd, die Walther und Reinmar den Wein brachte, meinte ungeduldig: »Gib schon Ruhe, Brunhild. Dein Mann hätte halt nicht bei dem Juden stehlen sollen. Wer so eine gute Stelle hat, sollte seine Finger bei sich behalten.«

Doch die Ritter waren bereits aufmerksam geworden. »Wer ist verleumdet und vor Gericht gezerrt, gute Frau?«, fragte einer von ihnen.

Sie warf sich in die Brust. »Mein armer Gemahl!«, rief sie und raufte sich die Haare. »Hat sein Lebtag niemandem etwas getan. Wenn es uns nicht so schlecht gegangen wäre, dann hätte er nie eine Stelle bei einem der Gottesmörder angenommen, aber unsere Kinder waren krank, und Arzneien sind so teuer. Ein Christ, der hätte dafür Verständnis gehabt, aber der Jude, der hat meinen Wilhelm erst schuften lassen und dann behauptet, er hätte ihn bestohlen! Was ist das für eine Gerechtigkeit, frage ich Euch, wenn es genügt, dass eine Judenlüge einen Christenmenschen vor Gericht bringt?«

»Stimmt das?«, fragte Walther die Magd und schaute wohlgefällig auf ihren Busen. Wie er von der Wirtin Mathilde wusste, zeigten alle Wirtinnen und Schankmägde gerne mehr davon, wobei ihnen die warme Schenkenluft half, ihre Formen appetitmachender darzustellen, als das bei den Kleidern der Frauen bei Hofe möglich war. Männer bestellten und zahlten mehr bei diesem Anblick.

Sie zuckte die Achseln. »Dabei war ich nicht, aber ihr Mann hat schon ein paarmal versucht, hier die Zeche zu prellen.«

»Was für ein Jude ist das denn, der Christen als Knechte hat?«, fragte ein weiterer der Ritter. »Das ist auf keinen Fall so, wie es sein sollte. Wo kommen wir denn da hin!«

»Er heißt Salomon und ist der Münzmeister des Herzogs«, sagte Brunhild. »Er ist der Dieb, sage ich Euch! Er und kein anderer. Hat bestimmt auch unseren guten Herzog bestohlen. Die neue Synagoge in der Stadt, die hat er bezahlt – mit wessen Geld, das möchte ich wissen! Aber wer wird als Dieb beschuldigt? Mein armer Wilhelm!«

Etwas kam Walther an dem Namen vertraut vor. Salomon, der Münzmeister. Der Münzmeister Salomon …

Mittlerweile waren auch andere Schankgäste an den Klagen der Frau interessiert. »Mein Vetter hat beim Bau der Synagoge geholfen«, sagte einer. »Er ist jedenfalls mit gutem Geld bezahlt worden.«

Vetter Salomon, sagte eine weibliche Stimme in Walthers Erinnerung, und er erstarrte. Das war es. Der Tag, an dem sich so viel geändert hatte, der Tag, an dem der alte Herzog gestorben war. Das rothaarige Mädchen. Judith.

»Eigentlich ist es doch ein Wahnsinn«, sagte einer der Ritter, »dass wir im Heiligen Land unser Blut vergießen sollen, und hier sitzt so ein Jude im Fett und baut Tempel, in denen unser Herr Jesus verhöhnt wird!«

»Ganz recht!«, stimmte Brunhild zu. »Das Silber, was er hat, das sollte ohnehin Christen gehören. Wie kann mein Wilhelm da ein Dieb sein!«

»Ich wette, der hat *Truhen* voller Geld daheim, der Münzmeister Salomon«, sagte einer der ärmlicher wirkenden Gäste.

»Sie haben unsern Herrn Jesus umgebracht«, rief der Ritter. »Es ist Gottes Werk, ihn zu rächen. Nicht nur im Heiligen Land, sondern auch hier.«

Walther hatte öfter schon Schlägereien erlebt, in Schenken und an anderen Orten. Er hatte Hass erlebt. Doch was sich hier in dieser Schenke zusammenbraute, das war ihm noch nie begegnet. Wut und Gier stand auf mehr und mehr Gesichtern geschrieben, und nun standen die Ritter auf, nachdem sie ihre Krüge schnell ausgeleert hatten.

»Wo lebt dieser Jude?«, fragte der Älteste von ihnen.

»Reinmar«, sagte Walther erschrocken zu seinem Gefährten, »du bist selbst ein Kreuzfahrer. Und du kennst den Münzmeister Salomon. Hin und wieder sieht man ihn ja bei Hofe.« *Kannst du nicht für Ruhe sorgen*, wollte er fortfahren, *kannst du nicht mit den Leuten sprechen*, doch was auch immer Reinmar hörte, es war etwas anderes. Reinmar stand auf.

»Als mein guter Herzog starb«, sagte er mit seiner weittragenden Stimme, »da stand der Jude Salomon im Zimmer und triumphierte. Ich habe es gesehen. Er hat kein bisschen getrauert, er hat nur daran gedacht, was ihm der Tod des edelsten Mannes, den ich je kannte, für Gewinn bringen könnte. Und er *hat* ihm Gewinn gebracht!«

Einen Herzschlag lang herrschte Schweigen in der Schenke. Dann rief Brunhild: »Schlagt ihn tot! Schlagt den Juden tot!« Es war der letzte Zündstein, der die Menschen in der Gaststätte zu glühenden Fackeln werden ließ.

KAPITEL 9

In seiner kurzen Herrschaft hatte es für Friedrich von Österreich bisher nicht viele Tage gegeben, die unangenehmer waren als dieser. Zuerst erhielt er Nachricht von einem gewissen Diepold von Schweinspeunt, dem es offenbar gelungen war, sich vom Ministerialen eines bayerischen Grafen zum Vertrauensmann Kaiser Heinrichs aufzuschwingen und dabei selbst einen Grafentitel einzuheimsen. Er würde morgen mit der Prinzessin von Byzanz eintreffen und rechne mit angemessener Gastfreundschaft sowie Pferden und Vorräten für die Weiterreise nach Frankfurt. Das bedeutete außerdem ein Hoffest, denn die Prinzessin war nicht nur die zukünftige Schwägerin des Kaisers, nein, man musste sie als Verwandte betrachten: Friedrichs Großmutter war eine byzantinische Kaisertochter gewesen, und er hatte vor, eine Base der Prinzessin zu heiraten, möglichst schon auf dem Weg ins Heilige Land, wo ihre Mitgift an Gold und Männern sehr hilfreich sein würde. Das bedeutete, dass er diese Irene empfangen musste, als sei ihre Ankunft seit Monaten geplant gewesen, mit allem Prunk, die sein Hof bieten konnte, obwohl dort derzeit alles für den Kreuzzug vorbereitet wurde.

Dergleichen Schwierigkeiten mochten Kopfzerbrechen verursachen, doch was als Nächstes anstand, verdarb ihm vollends den Magen. In der Stadt waren Unruhen ausgebrochen, bei denen der Münzmeister Salomon und fünfzehn weitere Juden erschlagen worden waren. Um den Juden, der sein Amt immer höchst gewissenhaft verrichtet hatte, war es schade, doch fast genauso ärgerlich war es, dass dadurch der Eindruck entstand, Friedrich habe Recht und Ordnung in seiner eigenen Stadt und unter seinen Leuten nicht mehr unter Kontrolle, denn mehrere der Beteiligten waren Kreuzfahrer. Außerdem gab ihm die anstehende Ankunft der Prinzessin nicht die Zeit für lange Gerichtsverhandlungen. Die Stadt musste wieder ruhig sein, wenn sie eintraf.

»Ihr könntet die ganze Sache auch übergehen«, schlug einer seiner Ministerialen vor. »Münzmeister oder nicht, ist das Leben von ein paar Juden wirklich das eines Christen wert? Wofür kämpfen wir denn im Heiligen Land?«

»Für die Sache Gottes«, sagte Friedrich streng. »Und Gott will, dass die Juden ihren Irrtum erkennen und bekehrt werden. Was in der Stadt geschehen ist, war Raub und Mord, das steht keinem Christenmenschen an. Wenn ich dergleichen durchgehen lasse, dann wird bald jeder Jude ausgeraubt und erschlagen, der sich in Wien niederlässt, und sind solche Sitten erst einmal eingerissen, dann greifen solche Räubereien um sich. Nein, die Rädelsführer werden gehängt. Auf Mord steht nun einmal der Strang.«

»Auch die Ritter?«, fragte der Ministeriale bestürzt, nicht zuletzt, weil ein solcher das Recht auf den Tod durch die Axt oder das Schwert hatte.

Friedrich zögerte. »Nein«, sagte er. »Es sind Kreuzfahrer. Wir wissen – die ganze Christenheit weiß –, was das letzte Mal geschehen ist, als ein Herzog von Österreich einen Kreuzfahrer gefangen nehmen ließ. Seine Heiligkeit der Papst hat uns überaus klargemacht, welche Strafe dann droht. Aber schafft sie weg von hier. Ich will nicht, dass sie weiter in der Stadt herumlaufen, und ich will sie auch nicht länger als meine Männer betrachten. Auf solche undisziplinierten Ritter in meiner Gefolgschaft kann ich verzichten.« Ihm kam ein hervorragender Einfall, wie man ein Ärgernis benutzen konnte, um ein anderes zu vermindern. »Diepold von Schweinspeunts Bote sagte, sein Herr will so bald wie möglich nach Italien zurückkehren. Nun, wenn er die Prinzessin von Byzanz Kreuzfahrern anvertraute, die ohnehin zur Armee des Kaisers stoßen wollen und damit de facto des Kaisers Leute sind, dann kann er das tun. Ja, diese Ritter sollen die Prinzessin den Rest ihres Weges zu Herzog Philipp geleiten. Damit sind wir sie los, aber auf eine Weise, die mir keinen Kummer mit dem Heiligen Vater einbringt.« Seine Stimmung verbesserte sich etwas. »Und sagt dem Haushofmeister, er möge es bei dem Fest für die Prinzessin an nichts fehlen lassen. Ich will hoffen, dass die Sänger ein paar angemessene Lieder fertigbringen, möglichst etwas Neues, das man als Tribut für sie betrachten kann. Schickt mir Herrn Reinmar und Herrn Walther!«

Bis die beiden ihm ihre Aufwartung machten, hatte Friedrich Zeit genug, ein weiteres Urteil zu sprechen, über eine Streitfrage zwischen einem Kloster und einem Ritter über einen Weinberg. Es überraschte ihn, dass seine beiden Sänger sich bei ihrem Eintreffen nicht sofort bei ihm darum bewarben, das erste Lied singen zu dürfen; sie mussten inzwischen von der Ankunft der Prinzessin gehört haben. Mit etwas Glück hatten sie sich bereits an das Verfassen neuer Verse gemacht. Unter seinem Vater hatte der Hof zu Wien einen gewissen Ruf für die Pflege der Musen erlangt, und Friedrich war gesonnen, diesen zu erhalten.

Es entging ihm nicht, dass Walther und Reinmar es peinlichst vermieden, einander anzuschauen, als sie den Palas betraten. Ihre Rivalität fand er sowohl belustigend als auch nützlich, spornte es sie doch beide zu höchsten Leistungen an und verhinderte, dass einer von beiden auf die Idee kam, an anderen Höfen das Glück zu suchen.

Walther, der sonst immer geradezu lächerlich selbstsicher und keck wirkte, war heute sehr bleich. *Wahrscheinlich eine durchzechte Nacht,* dachte Friedrich mitfühlend: Manchmal bezahlte man die Freuden des Weins mit einer schweren Münze. Was ihn jedoch verblüffte und dann zu einem Lächeln veranlasste – dem ersten an diesem ganz und gar nicht erfreulichen Tag –, war, dass der biedere alte Freund seines Vaters ebenfalls weiß wie ein Laken aussah.

»Herr Reinmar«, konnte Friedrich nicht widerstehen zu fragen, »geht es Euch heute nicht gut?«

»Euer Gnaden …«, murmelte Reinmar mit gequälter Stimme. Ganz offensichtlich litt er sehr darunter, etwas so Unvollkommenes wie einen brummenden Kopf gestehen zu müssen. »Euer Gnaden, man hat Euch bestimmt bereits gemeldet, was in der gestrigen Nacht in Wien geschehen ist.«

Friedrich kniff die Augen zusammen. »Nun, selbstverständlich hat man das. Ich habe die Rädelsführer bereits zum Hängen verurteilt. Ein wirklich bedauerliches Ereignis, vor allem jetzt. Die Prinzessin steht uns nun einmal ins Haus, und ich will nicht, dass man behauptet, der Hof zu Wien habe sie in irgendeiner Hinsicht ärmlich empfangen. Nicht, dass ich Eure alten Lieder nicht schätze, doch ein oder zwei neue wären unter den gegebenen Umständen wahrlich angenehm. Beachtet nur, dass sich darin nichts Verfängliches findet. Immerhin ist sie keine Jungfrau mehr, sondern bereits Witwe. Und obwohl der Kaiser von Ostrom ihr Onkel ist, hat er doch ihren Vater gestürzt, also sollte weder der eine noch der andere direkt gepriesen werden. Etwas Allgemeines über ihre erhabene Familie, Ihr versteht?«

Walther machte ein Geräusch, als ersticke er. Wenn er sich an Ort und Stelle übergab, dann würde Friedrich ihn nicht am Gastmahl teilnehmen lassen. Ganz gleich, wie wacker ein Ritter zechte, am nächsten Tag hatte er seinen Mann zu stehen. »Herr Walther«, sagte Friedrich scharf, »für Euch gilt das Gleiche. Es sei denn, Ihr haltet Euch für unfähig, in den nächsten Tagen etwas zu tun, das diesem Hof zur Zierde gereicht!«

Walther sagte nichts. Stattdessen schüttelte er den Kopf.

»Was soll das heißen? Ihr seid nicht fähig, oder nein, Ihr haltet Euch nicht für unfähig? *Eure Rede sei ja oder nein,* Herr Walther, so heißt es in der Bibel, also haltet Euch daran.«

»Ich halte mich nicht für unfähig«, sagte Walther tonlos. Zum ersten Mal, seit er den Raum betreten hatte, schaute er direkt zu Reinmar, der wiederum zu Boden starrte. Irgendetwas war an dem Blick, das über die gewöhnliche Eifersucht und Stichelei hinauszugehen schien.

»Gibt es sonst noch etwas, das Ihr mir sagen wollt, Herr Walther?«

»Nein, Euer Gnaden.«

»Nun, dann erwarte ich Euren Einfallsreichtum beim Fest. Gehabt Euch wohl, meine Herren.«

* * *

»Walther«, begann Reinmar, nachdem sie ihre Verbeugungen gemacht hatten und den Palas hinter sich ließen, doch der schüttelte nur den Kopf und ging etwas schneller, um seinem Lehrmeister zu entkommen. Er wusste nicht, ob Reinmar ihm dafür danken wollte, dass er Herzog Friedrich nichts über ihre Anwesenheit in der Schenke erzählt hatte, oder Reue für seine Worte bekunden wollte. Oder vielleicht im Gegenteil sagen würde, dass Walther sich nicht so zimperlich anstellen solle und dass man eben spüre, wer von ihnen beiden ein Ritter war, der für die Sache Gottes im Heiligen Land gefochten hatte, und wer ein Weichling, der nur mit Worten zuschlagen konnte.

Es war nicht so, dass er noch nie Tote gesehen hatte. Den alten Herzog natürlich, auch einige aus seiner Familie und deren Freunde in dem alten Leben seiner Kindheit, das er so gründlich neu geschaffen hatte. Er hatte weiß Gott den Gebrauch von Waffen miterlebt, wie bei den Turnieren, die am herzoglichen Hof alljährlich stattfanden, und auch in der Absicht, zu verletzen, wie es bei der Gefangennahme Richards von England geschehen war. Aber was sich gestern Abend ereignet hatte, war trotzdem etwas völlig anderes gewesen.

Walther sagte sich, dass es Juden gewesen waren, Gottesmörder, aber das half nicht. Es wurde ihm immer noch speiübel, wenn er an die unverhohlene Mordlust dachte, die sich gestern ausgetobt hatte, unter Menschen, die nur kurze Zeit vorher fröhlich miteinander gezecht und Lieder gesungen hatten. Seine Lieder; auch das verursachte ihm nun Übelkeit, denn inzwischen war ihm wieder eingefallen, wie es sich angefühlt hatte, das Misstrauen der Gäste einer anderen Schenke in Erdberg auf ein kleines Häuflein fremder Gäste zu lenken. Damals hatte er nichts anderes im Sinn gehabt, als die Wirtin zu beeindrucken, und die Rufe waren »Zahlen! Zahlen!« gewesen, nicht »Schlagt den Juden tot!«. Aber es war ein gutes Gefühl gewesen, ein berauschendes Gefühl, mit nur ein paar Worten die Gefühle und das Handeln der Menschen beeinflussen zu können. Tat er das nicht jedes Mal, wenn er vortrug? Er war sogar stolz darauf, zum Meister darin geworden zu sein.

Gestern dagegen, da hatte er geschwiegen. Vielleicht hätte es keinen Unterschied gemacht, aber als die Menge anfing, aus der Schenke in Richtung der Synagoge zu drängen, in deren Nähe Salomon wohnte, da hätte er versuchen können, sie aufzuhalten. Hätte so laut wie möglich brüllen können: »Gute Leute, halt! Denkt nach! Wenn der Jude seinen Diener zu Unrecht des Diebstahls beschuldigt hat, wenn er dem alten Herzog Böses wollte, dann klagt ihn vor Herzog Friedrich an! Werdet nicht selbst zu Mördern! Hört auf mich, auch ich war am Sterbebett des alten Herzogs!« Aber er hatte nichts dergleichen getan. Die Angst, die ihn beim Anblick der mordlustigen Meute gepackt hatte, war tief und namenlos gewesen und war ihm so sehr in die Knochen gefahren, dass er jetzt noch zitterte. Er hatte auf die Menschen geschaut, die gleichen, die gerade noch gefeiert hatten, die gleichen, in denen er eben noch einen dankbaren Haufen Zuhörer für seine Lieder gesehen hatte, und war überzeugt gewesen, dass sie ihn ebenfalls umbringen würden, wenn er sich ihnen in den Weg stellte. Und er war bereit gewesen, den Münzmeister Salomon der Menge und ihrem Hass zu überlassen, nur um vor der grauenhaften Gewissheit davonrennen zu können, dass in den Händen dieser Menschen auch sein Tod lauerte.

Er war ein Feigling.

Deswegen war es ihm unmöglich gewesen, etwas zu Herzog Friedrich zu sagen. Nicht, weil er Reinmar beschützen wollte. Reinmar … Walther fragte sich, ob er ihn je wirklich gekannt hatte. *Der gute alte Reinmar,* so hatte er ihn in Gedanken immer genannt, doch der gute alte Reinmar wusste, was es hieß, einen anderen Menschen zu töten. Bis zum gestrigen Abend hatte Walther nicht verstanden, wie tief der Groll in ihm saß, wie sehr er Reinmar verletzt haben musste mit zwei Jahren voller Spott, um die Gunst des neuen Herrschers zu gewinnen. Die zornigen Worte über jemanden, der im Angesicht des toten Herzogs nur an den Gewinn dachte, den ihm das brachte, die hatten nicht Salomon gegolten, sondern ihm. Und doch war der Jude dafür gestorben, er und fünfzehn andere Menschen, die zu seinem Haushalt und seiner Familie gehörten. Heute Morgen hatte Walther erfahren, dass fünf der Toten Frauen gewesen waren, und das fühlte sich an wie ein weiterer Schlag in den Magen. Eine bittere Scham, die ihn von innen her langsam auffraß.

»Hatte eine von ihnen rote Haare?«, hatte er den Knecht gefragt, der ihm von den Toten erzählte, doch der hatte nur den Kopf geschüttelt und zurückgegeben: »Woher soll ich das wissen?« Gewiss war sie weit fort von hier, gesund und munter. Manchmal dachte Walther immer noch, dass sie ihm mit Salerno einen Bären aufgebunden hatte, auch wenn er inzwischen mehr über die *mulieres Salernitanae* wusste; nicht, dass er sich gezielt erkundigt hätte, wie es denn um Frauen als Ärzte stünde. Natürlich nicht. Doch selbst, wenn sie nicht in Salerno sein sollte, um die Heilkunst zu erlernen, dann war sie gewiss mit ihrem Vater nach Köln zurückgekehrt. Es gab keinen Grund, anzunehmen, dass sie an diesem Abend im Haus ihres Vetters gewesen war; es gab ja nicht einmal einen Grund dafür, dass er sie immer noch in Erinnerung hatte.

Fünf Frauen waren tot, und zehn Männer, die wohl nicht übler gewesen waren als der nächstbeste Mann auf der Straße. Der nächstbeste Mann, der seinen Abend in einer Schenke verbrachte und in die Nacht feierte, bis er ein paar andere Menschen ohne erkennbaren Grund einfach totschlug.

Walthers Gedanken liefen wie Hunde, die nach ihrem eigenen Schwanz schnappten, wieder und wieder im Kreis. Schließlich ertappte er sich dabei, wie ihn seine Beine erneut in die Stadt trugen, auf den Weg, den er am Abend zuvor tunlichst vermieden hatte. Nun stand er vor dem Haus mit einem zerborstenen Riegel. Es war sofort als das eines wohlhabenden Mannes erkenntlich, voller waagrechter und schräger Balken, die das Dach stützten, das aus Tonziegeln war, nicht nur aus mit Lehm versetztem Flechtwerk wie die Häuser der ärmeren Leute. Walther biss sich auf die Lippen, bis er Blut schmeckte, dann klopfte er und trat durch das Tor, das in einen kleinen Innenhof führte. Dort fand er ein paar Männer dabei, den Boden zu fegen und Wasser über die dunklen Flecken zu gießen, die er sofort als Blutspuren erkannte.

»Was wollt Ihr?«, fragte einer von ihnen feindselig. »Hier gibt es nichts mehr zu stehlen!«

»Das ist nicht meine Absicht. Ich ... ich wollte den Toten meine Aufwartung machen«, sagte Walther stockend.

»Sie werden gerade unter die Erde gebracht. Ihr könnt keiner von uns sein, sonst wüsstet Ihr, dass es geschehen muss, bevor die Sonne zum zweiten Mal wieder sinkt, und Ihr wüsstet auch, dass man die Familie bis zum dritten Tag der Schiwa in Ruhe lässt. Hat Euresgleichen nicht genug Schaden angerichtet? Verschwindet. Wenn sie zurückkehren, sollen sie niemanden hier finden, der ihnen noch mehr Kummer bereitet.«

»Dann – dann ist von der Familie noch jemand am Leben?«

»Meine Herrin ist die Tochter von Reb Salomon und lebt mit ihrem Mann am anderen Ende der Stadt. Sie und ihr kleiner Bruder, der sich unter einem Bett versteckt hat, sind die Einzigen, die noch am Leben sind«, sagte der Knecht feindselig. »Deswegen hat sie uns geschickt, um hier aufzuräumen. Das Gesinde von Reb Salomon ist davongelaufen oder tot, bis auf den Wilhelm,

und der wird nun mit seinem Diebstahl ungeschoren davonkommen, wo niemand mehr da ist, um eine Strafe für ihn zu fordern.«
»War vielleicht eine Base Eurer Herrin hier zu Gast, aus Köln?«
Der Knecht machte einen drohenden Schritt auf ihn zu. »Seid Ihr immer noch da?«
»Ihr Vater ist Arzt und hat mich geheilt, als sie vor zwei, drei Jahren in Wien waren«, log Walther. »Deswegen wollte ich ihnen Respekt erweisen und für sie beten, wenn …«
»Ich weiß von keinen Verwandten aus Köln«, sagte der Knecht, packte Walther am Arm und schob ihn zur Tür hinaus.

Die Peterskirche war immer noch die größte Kirche, die Walther je gesehen hatte, und er betrat ihr dreischiffiges Inneres, das angeblich einmal ein römisches Kasernengebäude gewesen war, nie ohne ein Gefühl des Staunens. Gewöhnlich war er zwar nicht der Frömmste, doch er verrichtete seine Gebete mit dem Rest des Hofes und hatte im Allgemeinen den Eindruck, dass Gott ihm gewogen sein musste, wofür er ihm hin und wieder ein Preislied schrieb. Heute jedoch fehlte ihm jene an Selbstzufriedenheit grenzende Gewissheit. Stattdessen kniete er vor dem Marienaltar und sprach Gebete für die Toten, alle fünfzehn, und die Kälte und Härte des Bodens unter seinen Knien waren auf seltsame Weise beruhigend. Er konnte sich das Gesicht Salomons nicht mehr vor Augen rufen, obwohl er ihm vier oder fünf Mal im Jahr in Klosterneuburg oder Wien über den Weg gelaufen sein musste. Wie die Übrigen ausgesehen hatten, wusste er auch nicht. Da sie Juden gewesen waren, die sich nicht bekehrt hatten, konnte er nicht für ihre Seelen beten, doch er hoffte, dass der Tod für sie wenigstens schnell gekommen war, ohne lange Qualen. Er bat Gott um Frieden für ihre Familien, einschließlich des kleinen Jungen, der alles mit angesehen hatte. Und schließlich bat er Gott, die Heilerin Judith in Salerno zu behalten, weit, weit von allen Kreuzfahrern entfernt.

KAPITEL 10

*I*n einem von Pferden gezogenen Wagen zu reisen, dessen Breite kaum zwei Schritt beträgt, dachte Judith, *ist nicht besser, als auf einem Maulesel zu sitzen.* So waren sie und ihr Vater damals nach Salerno gelangt, auf Mauleseln, die auch ihre Habseligkeiten getragen hatten. Das hatte sie zwar nicht vor der Willkür des Wetters geschützt, doch wenn man sich einmal an das Reiten gewöhnt hatte, dann war es angenehmer und weit schneller, als in einem Wagen zu sitzen, wie Fürstinnen es taten.

Judith hatte nun ein paar Wochen lang das zweifelhafte Privileg gehabt, mit der Prinzessin Irene zu reisen. Der Reiz, auf Bärenfellen zu sitzen, hielt sich in Grenzen, wenn man dafür bei jedem Stoß des Rades durchgeschüttelt wurde wie Getreide in einem Mörser und nicht rascher vorwärtskam, als wenn sie gelaufen wären. Zumindest grob vor Wind und Wetter geschützt zu sein, hieß auch, kaum etwas von den bunten herbstlichen Landschaften zu sehen, durch die ihr Tross zog. Da Diepold von Schweinspeunt seine Drohung wahr gemacht und Irenes Damen zurückgelassen hatte, waren der Prinzessin nur Schweinspeunts Mägde geblieben, denen sie nicht traute, und Judith. Unter anderen Umständen hätte Judith bereits nach ein paar Tagen darum gebeten, ein Pferd oder ein Maultier reiten zu dürfen, doch nicht unter diesen. Irene, von Dankbarkeit getrieben, gestattete es sogar Lucia, mit ihrem Kind in dem Pferdewagen zu reisen, doch das führte zu Geschrei und dem permanenten Geruch von Kinderpisse, was wiederum die Prinzessin dazu brachte, sich zu übergeben, bis Judith vorschlug, Lucia in dem Wagen mit dem Gepäck fahren zu lassen, was eine Erleichterung für alle Beteiligten darstellte.

Um die langen Wegstunden im Halbdunkel des Wagens zu verkürzen, schlug Judith Irene vor, ihr Deutsch beizubringen.

»*Er* wollte, dass ich es lerne«, sagte die Prinzessin düster. »Euer Kaiser. Deswegen habe ich es bisher nicht getan.«

»Nun, Ihr werdet glücklicher sein, wenn Ihr die Menschen versteht, einschließlich Eures Gemahls.«

»Ich habe die Menschen in meiner Umgebung bisher ausgezeichnet verstanden – es hat mich trotzdem nicht glücklich gemacht. Was den Herzog Philipp betrifft, so soll er in einem Kloster erzogen worden sein, und das bedeutet, dass wir uns das, was gesagt werden muss, auf Lateinisch sagen können. Im Übrigen dachte ich«, schloss Irene spöttisch, »dass Ihr die Letzte sein würdet, die mir Empfehlungen gibt, wie man sich mit seinem Gemahl verständigt.«

Meir und sein Vater Eleasar waren sehr bestürzt gewesen, als Judith ihnen von Schweinspeunts »Befehl« berichtete, doch es war ihr nicht entgangen, dass keiner von beiden vorschlug, sie solle sich widersetzen; im Gegensatz zu Judith hatten sie die Brandschatzung Salernos miterlebt. Sie erklärten sich auch bereit, Giovanni als Knecht zu übernehmen, denn der wollte seine Heimat genauso wie Meir nicht verlassen. Lucia dagegen war einverstanden gewesen: *Ich habe hier keine Zukunft ohne Euch.*

»Erinnert Euch an die Geschichte über Adelheid von Burgund: Es ist leichter, in einem fremden Land zu leben, wenn man weiß, was die Menschen von einem wollen, ob man es ihnen nun abschlägt oder gibt«, sagte sie zu Irene, die Bemerkung über Ehemänner überhörend, »und die Menschen können ihre Wünsche in ihrer eigenen Sprache am besten ausdrücken. Glaubt mir, ich spreche aus Erfahrung.«

»Ihr seid darauf angewiesen, die Menschen zu verstehen, damit Ihr herausfindet, was ihnen fehlt. Ich dagegen könnte mir morgen die Zunge abschneiden und die Ohren durchstechen, es würde doch keinen Unterschied machen. Die Staufer brauchen mich, um Kinder in die Welt zu setzen, falls Konstanzes kleiner Junge stirbt, und vielleicht, weil der Kaiser sich einbildet, er könnte sich auch im Osten auf den Thron setzen. Deutsch zu verstehen ist für keinen der beiden Zwecke nötig.«

Die Räder holperten ein weiteres Mal über dicke Steine, und Judith verlor die Geduld.

»Es würde *mir* die Zeit vertreiben«, sagte sie und schluckte im letzten Moment hinunter: *und Euch die Möglichkeit, Euch in einer weiteren Sprache zu beklagen.* Irene mochte nur ein Werkzeug für die Staufer sein und von Herrn Diepold wie eine Geisel behandelt werden, doch sie war die Tochter eines Kaisers, die Witwe eines Königssohns und die zukünftige Schwägerin eines weiteren Kaisers. Wenn sie von einem Moment auf den nächsten entschied, dass Judith wegen ungebührlichen Verhaltens eine Hand verlieren sollte oder sogar den Kopf, dann würde jeder Mann in diesem Tross ohne Widerspruch dem Befehl Folge leisten.

»Wenn dem so ist«, entgegnete Irene. Da sich Judiths Augen inzwischen an das Halbdunkel gewöhnt hatten, konnte sie erkennen, dass die Byzantinerin lächelte.

Sie war keine so talentierte Lehrerin, wie es ihr Vater gewesen war, doch bis sie in Wien eintrafen, war Irene immerhin so weit, Herzog Friedrich mit ein paar wohlgesetzten Dankesworten in seiner Sprache zu überraschen, als er ihr aus dem Wagen half. Er pries sie dennoch auf Latein und fügte bedauernd hinzu, seine Frau Mutter habe sich leider nach dem Tod seines Vaters in ein Kloster zurückgezogen, und er sei nicht so glücklich wie Herzog Philipp und Kaiser Heinrich, bereits die Hand einer schönen Frau gewonnen zu haben, so dass es seiner Hofhaltung an Lebensart fehle und vor allem an einer Herzogin mangele. Da er wissen musste, wie die eheliche Verbindung zwischen Philipp und Irene zustande kam und es kein Geheimnis war, wie die Kaiserin Konstanze ihren Gatten verabscheute, waren solche höfischen Reden überflüssig, aber was blieb ihm übrig?

»Nicht doch«, erklärte Irene ebenfalls auf Lateinisch. »Ihr seid ganz so, wie ich mir meinen Gemahl wünschen würde.«

Es kostete Judith einige Mühe, doch ihre Miene blieb unbewegt. Vielleicht hatte sie Irene nur Bruchstücke der deutschen Sprache beibringen können, doch die Prinzessin wusste seit Jahren, wie man aus Worten Geschenke oder Waffen machte. Um sich abzulenken, musterte sie schnell die Edelleute, die hinter Friedrich standen, doch sie erkannte niemanden, außer dem Haushofmeister. Nun, es war nicht so, dass sie sich vorgestellt hatte, bei diesem kurzen Aufenthalt am Wiener Hof irgendjemanden wiederzusehen. Oder doch?

Irene wurde in den Räumen der Herzoginwitwe untergebracht. Es war eigenartig für Judith, wieder hier zu stehen, wo sie um ihren Vater gebangt und versucht hatte, Helena zu beeindrucken. Sie fragte sich, ob die Witwe des Herzogs freiwillig ins Kloster gegangen war oder ob ihre Söhne sie dorthin abgeschoben hatten. Soweit sie wusste, war es für adlige christliche Witwen ein sehr geschätzter Lebensabend, doch sie konnte sich nicht vorstellen, dass die Frau, die sie vor wenig mehr als zwei Jahren in diesen Gemächern erlebt hatte, sich wirklich das Leben einer Nonne wünschte.

Friedrich hatte angekündigt, dass es am heutigen Abend ein Gastmahl zu Ehren von Irene geben würde. Judith fragte sich, ob ihr das noch Zeit ließ, ihre Verwandten zu besuchen. Das versprach, nicht leicht zu werden: Vetter Salomon würde sie als Erstes nach ihrem Vater fragen und dann darauf bestehen, dass sie hier in Wien bliebe. Aber morgen war Freitag, und wenn sie zwei Tage blieben statt einen, dann würde Judith vielleicht nicht nur den Sabbat einhalten, sondern auch an der Seder teilnehmen können. Es wäre das erste Mal, seitdem sie Salerno verlassen hatte.

Ihre Religion zu verheimlichen, war nicht ihre Absicht gewesen. Doch weder Diepold von Schweinspeunt noch Irene hatten sie danach gefragt; jeder war davon ausgegangen, dass sie selbstverständlich eine Christin war. Nachdem sie sich einmal entschieden hatte, Salerno zu verlassen, um nicht heiraten zu müssen, wollte sie nicht mehr zurückgeschickt werden, und sie wusste nicht, ob Diepold eine Jüdin in Irenes Nähe geduldet hätte. Sie wusste auch nicht, ob Irene dies wollte, und schob es Woche um Woche hinaus, es auf die Probe zu stellen.

Ihr Vater wäre entsetzt gewesen. Aber auch Rabbi Mosche ben Maimon hatte, wie sie wusste, eine Zeitlang vorgegeben, er und seine Familie seien Moslems, als er auf der Flucht nach Ägypten war. Nur eine kurze Zeit, doch das änderte nichts. Er hatte sogar eine Schrift verfasst, in der er um Verständnis für diejenigen bat, die ihrem Glauben abgeschworen hatten; man sollte ihnen die

Möglichkeit der Rückkehr zum Judentum offenhalten, sagte er, statt sie endgültig zu verdammen.

»Er mag der klügste Kopf sein, den wir in diesem Jahrhundert hervorgebracht haben«, hatte ihr Vater erzürnt erklärt, *»doch hier irrt er. Verkleidung für eine kurze Zeit mag angehen, doch ein Abtrünniger ist ein Abtrünniger! Wir haben kein Land mehr, wir haben nichts als das Buch, um uns zusammenzuhalten. Wer uns im Stich lässt, um ein leichteres Leben führen zu können, der ist es nicht länger wert, ein Sohn Abrahams zu sein.«*

Der Bruder ihrer Mutter war Christ geworden und nicht nur zum Kaufmann, sondern auch zum besten Freund des Münzmeisters von Köln aufgestiegen, doch es war Judith und ihren Geschwistern stets verboten gewesen, ihn zu besuchen oder auch nur ein Wort mit ihm zu wechseln, wenn er versuchte, seine Schwester zu sehen, was ihr Vater ihrer Mutter strikt untersagt hatte. Selbst der Tod von Judiths Mutter hatte diesbezüglich keinen Unterschied gemacht. Judiths ältester Bruder hatte deswegen mit ihrem Vater gestritten, so laut, dass man es durch das ganze Haus hörte. *»Auch du behandelst Christen. Du brichst das Brot mit Christen. Du korrespondierst mit Christen und erzählst uns immer mit Tränen in den Augen, wie wundervoll es doch in Salerno war mit all den christlichen und muslimischen Ärzten.«*

»Keiner von ihnen«, hatte ihr Vater eisern erklärt, *»war ein Abtrünniger. Sie sind in ihrem Glauben geboren worden, wie ich in dem meinen.«*

Sie war keine Abtrünnige, sagte Judith sich. Sie betete im Stillen, und sie nahm nicht die Hostie der Christen, was anging, weil Irene erst nach ihrer Ehe mit Philipp von der oströmischen zur weströmischen Kirche übertreten würde und glaubte, Judith täte deswegen ihre griechischen Gebete nicht mitsprechen, weil sie nicht die ihren waren.

Aber es würde guttun, wieder gesäuertes Brot zu essen, in Wein getunkt, es würde guttun, einen anderen Mund als den ihren Hebräisch sprechen zu hören. Sie dachte an Salomons Familie und daran, wie stolz er erzählt hatte, dass die neue Synagoge auch mit seinem Geld erbaut worden war.

»Magistra, was ist Euch?«, fragte Irene ein wenig ungeduldig. »Ich hatte Euch gebeten, mir noch etwas von Eurer Melisse für mein Bad zu verschaffen. Wenn ich ein Gastmahl mit diesem Herzog durchstehen muss, der behauptet, mit mir verwandt zu sein, dann will ich nicht mehr jeden einzelnen Knochen in meinem Leib spüren. Man soll mir Wasser mit Kräutern heiß machen.«

»Euer Gnaden«, sagte Judith mit einem rasch gefassten Entschluss, »die Melisse habe ich noch, doch dann muss ich meinen Vorrat an Heilkräutern erneuern. Wer weiß, wann wir das nächste Mal die Gelegenheit dazu finden. Im Übrigen habe ich Verwandte hier, so dass ich Euch bitten möchte, mich für ein paar Stunden zu entschuldigen.« Jetzt schon um die nächsten zwei Tage zu bitten, war vielleicht voreilig; am Ende war Vetter Salomon gar nicht mehr willens, sie ohne ihren Vater zu empfangen, vor allem, wenn er herausfand, dass die Magistra Jutta von Köln für eine Christin gehalten wurde. Aber nein, so war er nicht; er diente selbst einem christlichen Herrn, und bei aller Missbilligung vor zwei Jahren war er doch stets nur aus verwandtschaftlicher Zuneigung besorgt gewesen. Zweifellos würde er ihr alle möglichen Ratschläge erteilen, Vorschriften sogar, doch er würde es von Herzen gut meinen. Sie nahm sich vor, geduldig zu sein.

Da sie ihre Kräutervorräte tatsächlich erneuern musste, erkundigte sie sich beim Haushofmeister, der sie nicht erkannte, und erfuhr, dass der Medicus des Herzogs seine Kräuter aus dem Kloster der Zisterzienserinnen bezog. Sie wollte gerade fragen, wie sie auf dem schnellsten Weg dorthin gelange, als der Haushofmeister hinter ihr jemanden sah, auf den er offenbar gewartet hatte: »Da seid Ihr ja endlich, Herr Walther! Ich muss jetzt wirklich wissen, wie viele Lieder Ihr vortragen werdet, wenn das Fest heute Abend gelingen soll! Haben wir noch Zeit für das Singspiel der sieben Kardinaltugenden, oder nicht?«

»Mehr als eines und weniger als alle«, entgegnete eine Stimme, die ein wenig rauher klang als in ihrer Erinnerung, »und wenn Ihr mich fragt, sollte das Singspiel von den sieben Todsünden handeln. Schließlich will eine Braut wissen, was ihr alles entgeht.«

Es war eigenartig: Sie war ihm nur einmal begegnet, und das lag Jahre zurück, aber der Klang seiner Stimme löste trotzdem ein Echo in ihr aus, ein wenig, als stünde sie neben einer Glocke, die geschlagen wurde, als glitten die Wellen des Schalls über ihren Körper. Zweifellos musste das ein medizinisches Phänomen sein.

»Was ihr entgeht? Ein Leben ohne Schnarchen, das einen nachts wach hält, kein Zahnverlust durch Schwangerschaften und keine vorzeitig ergrauten Haare, die ihr der Gatte verschafft«, sagte Judith und drehte sich um, lächelnd, um ihm zu zeigen, dass sie sich über das Wiedersehen freue. Sie erwartete eine schlagfertige Bemerkung, vielleicht sogar eine unverschämte. Was sie nicht erwartete, war, dass er aussah, als hätte er nächtelang nicht geschlafen: Die Haut war fahl, seine grünen Augen blutunterlaufen, und sein Haar sollte auch dringend gewaschen werden. Außerdem starrte er sie an, als sei er einem Geist begegnet.

»Jutta von Köln«, sagte sie, als er sie nicht begrüßte. Sie wäre weniger enttäuscht gewesen, wenn er sie wie der Haushofmeister nicht erkannt und den Tag längst vergessen hätte, was immerhin möglich war, doch dann würde er sie jetzt nicht so entgeistert anschauen. »Ich habe meine Ausbildung in Salerno beendet und bin derzeit die Ärztin der Prinzessin Irene, wenigstens bis zu ihrer Hochzeit.«

Ein Echo seines alten Lächelns kehrte auf sein Gesicht zurück, doch es war wie eine Maske, die er sich aufsetzte, ganz so, wie es die Menschen in Salerno im Februar während der Fastnachtstage taten. Auch sein neckender Tonfall war ein wenig zu aufgesetzt, um ehrlich zu sein.

»Aber einem Einhorn seid Ihr immer noch nicht begegnet, Frau … *Jutta?*« Offenbar erinnerte er sich an ihren richtigen Namen und an ihr Streitgespräch. Eigentlich wäre es besser gewesen, so zu tun, als wisse sie nicht, wovon er redete. Schließlich gab es keinen Grund, warum sie sich an den genauen Wortlaut einer Unterredung, die so lange zurücklag, erinnern sollte. Andererseits hatte er dabei die Schule von Salerno heruntergesetzt, und so etwas merkte man sich eben als Ärztin.

»Wenn Ihr Menschen nicht glaubt, wenn sie Euch die Wahrheit erzählen, wie wollt Ihr dann je imstande sein, Lügen zu erkennen, Herr Walther?«, fragte sie zurück.

»Nun, ich weiß, was er ganz gewiss nicht erkennen kann, und das ist eine einfache Frage«, mischte sich der Haushofmeister säuerlich ein. »Wie viele Lieder genau werdet Ihr singen, Herr Walther? Es wird sechs Gänge geben! Ich muss wissen, wer wann was darbieten wird.«

»Drei Lieder«, sagte Walther abrupt. »Eines für die Vergangenheit, eines für die Gegenwart und eines für die Zukunft. Für den Rest habt Ihr die Musikanten und Herrn Reinmar.«

»Wenn er denn kommt. Er hat sich erkältet, und seine Stimme ist zu heiser und unschön, um der Fürstin aus Byzanz zu gefallen, so ließ er durch seinen Knappen ausrichten.«

»Nun, vielleicht kann ich helfen, ich bin Ärztin«, sagte Judith. Walther überraschte sie damit, dass er ihr Handgelenk ergriff. Seine Finger waren sehr warm, als hätte er selbst Fieber. »Nein«, sagte er. »Auf gar keinen Fall.«

Er klang so drängend, dass sie entschied, sein merkwürdiges Verhalten müsse andere Ursachen als das unerwartete Wiedersehen haben.

»Ihr solltet dem armen Herrn Reinmar wirklich nicht so zusetzen, Herr Walther«, erklärte der Haushofmeister missbilligend, »und ihm seinen Platz an der Sonne noch ein Weilchen gönnen. Müsst Ihr denn unbedingt der Einzige sein, dem die edlen Herren und Damen gewogen sind?«

»Nein, aber wenn die Magistra sich bei ihm ansteckt, dann wird sie wohl auch die zukünftige Schwägerin des Kaisers krank machen, und ihre Herrin wird Wien in der allerschlechtesten Erinnerung behalten. Glaubt mir, das wird dem Herzog nicht gefallen.«

»Nun ja …«, begann der Haushofmeister und verstummte.

»Herr Walther«, sagte Judith, die mittlerweile der Überzeugung war, dass sie nicht erfahren würde, warum sich der Sänger so merkwürdig verhielt, bis sie den Haushofmeister los war, »ich bin auf dem Weg ins Zisterzienserinnen-Kloster. Für meine Magd und mich ist diese Stadt hier fremd, und männlicher Geleitschutz wäre willkommen.« Sie hatte Lucia bei der Prinzessin gelassen, doch sie wollte nicht, dass der Haushofmeister merkte, dass sie mit Walther allein sein wollte.

»Es wird mir eine Freude sein.« Wenn sein Gesicht nicht dem eines Patienten geähnelt hätte, der vorgab, es ginge ihm blendend, während sich gleichzeitig riesige gefräßige Würmer in seinem Magen befanden, hätte sie ihm geglaubt.

Sie waren noch nicht weit von der Residenz entfernt, als er sich nach ihrem Vater erkundigte und wissen wollte, ob dieser in Salerno geblieben sei. Mit einem Mal war sie gewiss, dass er ihr das, was bei ihm nicht stimmte, nicht erzählen würde, wenn sie ihm die Wahrheit sagte. Stattdessen würde er versuchen, sie zu trösten, und sich in Höflichkeiten über einen Mann flüchten, den er überhaupt nicht gekannt hatte. Also nickte sie nur. In gewisser Hinsicht stimmte es sogar: Das, was von der irdischen Hülle ihres Vaters noch vorhanden war, lag in Salerno.

»Meine Magd ist die Einzige, die mit mir gekommen ist«, fügte sie hinzu, »denn unser Aufbruch geschah sehr überraschend. Ich konnte der Prinzessin behilflich sein, und Herr Diepold hatte es eilig. Das hat er noch immer. Ich glaube nicht, dass wir länger als zwei, drei Tage hier bleiben werden.«

»Dann habt Ihr wohl nicht vor, Euren Vetter hier in Wien zu besuchen?«, fragte Walther mit undeutbarer Miene.

»Selbstverständlich«, sagte sie, während etwas in ihrem Kopf begann, einen namenlosen Verdacht zu murmeln. »Schließlich habe ich ihn jahrelang nicht gesehen, ihn und seine Familie.«

Walther blieb im Schatten eines der neuen Häuser stehen, die nur aus Holzbalken anstatt aus Mauern zu bestehen schienen. »Es gibt keine gute Art und Weise, Euch dies zu erzählen, also will ich es erst gar nicht versuchen. Euer Vetter ist tot, und von seiner Familie sind nur die erwachsene Tochter und der jüngste Sohn noch am Leben.«

Im ersten Augenblick dachte sie, er erlaube sich einen grausamen Scherz mit ihr; das, was er da sagte, klang unmöglich. Vetter Salomon, der vorsichtige, nörgelnde Vetter Salomon, seine Gemahlin, sein ältester Sohn, die Tochter, die Judith Strümpfe und Beinlinge geliehen hatte …

»Welche Krankheit war es?«, stammelte sie und versuchte, nicht an das Sterben ihrer eigenen Familie in Köln zu denken, was wenigstens nicht in so kurzer Zeit geschehen war. Walther blieb stumm, und sie biss sich auf die Lippen.

»Verzeiht – natürlich könnt Ihr das nicht wissen. Ich bin überrascht, dass Ihr überhaupt vom Tode meines Vetters wisst, denn ich hatte nicht den Eindruck, dass Ihr miteinander bei Hofe zu tun hattet« sagte sie, um überhaupt etwas zu sagen, denn wenn sie schwieg, dann wurde das alles wirklich: Salomons Familie und Salomon selbst so tot wie ihre eigene, wie ihr Vater in Salerno, wie die Mutter und die Geschwister in Köln.

Seine Gesichtsmuskeln zuckten. Was auch immer an ihm fraß, war noch längst nicht heraus.

»Von Seuchen weiß ich wirklich nichts«, sagte er langsam.

»Lügt mich nicht an«, gab sie scharf zurück. »Ich bin eine Ärztin. Wir wissen, wann man uns anlügt.«

»Ich bin ein Verfasser von Unwahrheiten, und ich weiß, wann jemand die Wahrheit hören will. Glaubt mir, die Menschen bilden sich das vielleicht ein, doch sie wollen es nicht wirklich. Euer Vetter und die meisten der Seinen sind tot. Lasst es dabei bewandt sein. Und kehrt nicht wieder nach Wien zurück.«

Die Anmaßung in diesen Worten war so unerträglich wie das, was er vor ihr verbarg. Sie schlug ihm nicht wieder ins Gesicht, das nicht, doch sie packte seine Hand und presste seine Finger auf eine Art und Weise zusammen, die ihm Schmerzen bereiten musste.

»Maßt Euch nie wieder an, mir zu sagen, was ich hören will und was nicht. Mir ist es gleich, für wen Ihr sonst schöne Worte finden müsst, aber nicht für mich. Es gibt nichts, das ich von Euch wissen möchte, als die Wahrheit.«

Mit einem Ruck machte er sich los und packte sie bei den Schultern: »Man hat sie erschlagen, weil sie Juden waren!«, stieß er hervor. »War es das, was Ihr hören wolltet? War es das? Sind sie nun weniger tot, *Magistra*?«

Ich war noch ein Kind, flüsterte ihr Vater in ihrer Erinnerung, *aber ich werde nie vergessen, was mit Simon dem Frommen in Köln geschehen ist, als sie wiederkehrten von ihrem Kreuzzug.*

Erst, als sie ihre eigene Stimme hörte, wurde ihr bewusst, dass sie die Lippen bewegte. »Höre, Israel, der Herr ist unser Gott, der Herr ist einzig.«

Der Mann, der ihr ins Gesicht starrte, war ein Fremder, dem sie erst einmal begegnet war. Er war ein Christ. Er kannte die Sprache nicht, in der sie sprach, in der nur die Gebete gesprochen wurden, weil sie zu heilig für den Alltag war. Es gab nichts, das sie teilten. Aber solange er hier war, konnte sie nicht weitersprechen, sie konnte nicht »*Gelobt der Name der Ehre, seine Herrschaft für immer und ewig*« flüstern.

»Lasst mich los!«

»Ich wusste, dass Ihr –«

»Nein«, sagte sie bitter, »nein! Ihr habt Eure bequeme Lüge nicht für mich aufrechterhalten wollen. Ihr habt es für Euch selbst getan. Ihr wolltet, dass ich Euch weiter anschaue und nicht das Blut an Euren Händen sehe.« *Weil er ein Christ war,* meinte sie, und weil sie in diesem Moment ein wenig von dem verstand, was Salvaggia gefühlt haben musste, als sie sagte, sie würde das Kind des Kaisers ins Meer schleudern, obwohl es ihr nichts getan hatte; ein Gefühl, das nichts mit Gerechtigkeit zu tun hatte, mit Schuld oder Unschuld.

Doch an der Art, wie sich seine Augen weiteten, wie er sie sofort losließ und einen Schritt zurücktrat, an seinem unwillkürlichen Atemholen erkannte sie, dass er sie anders verstand. Dafür konnte es nur einen Grund geben.

»Ihr wart dabei.«

* * *

Mit fünf Jahren hatte Irene zum ersten Mal an einem Bankett teilgenommen, das im Blachernen-Palast stattfand, der Residenz ihres Vaters in Byzanz. Rosenblätter lagen überall auf dem Boden verstreut, der überdies mit warmen Teppichen bedeckt war;

die Mosaike an den Wänden stammten noch aus der Zeit Justinians. Kaiser und Kaiserin waren auf einer mit Rädern und Hebeln betriebenen mechanischen Empore zu den übrigen Gästen aufgefahren wie heidnische Götter, und dem byzantinischen Hofzeremoniell gemäß hatte sich bei ihrem Anblick jeder Gast langgestreckt auf den Boden geworfen.

Was der Herzog von Wien unter einem Gastmahl verstand, war, um eine Tafel inmitten eines nicht allzu großen Raumes zu sitzen, die aus einer auf zwei Böcken abgesetzten großen Platte bestand. In den kaiserlichen Bankettsaal hätte dieser Raum mehrfach gepasst. Die Gäste saßen weder auf Stühlen, noch waren Liegen vorgesehen, sondern man hockte auf Holzbänken, wobei Irene, dem Herzog, dem Bischof von Passau und einigen der edlen Herren immerhin mit Federn gefüllte Kissen zur Verfügung gestellt wurden. Decken, um die zugige Kühle abzuwehren, gab es nicht.

Zunächst erleichterte es Irene, dass zumindest ein Becken zum Waschen der Hände gereicht wurde, bis sie verstand, dass es nicht allein für sie gedacht war, sondern für alle anderen Gäste auch. Die Musikanten spielten nicht übel, aber die Ritter sprachen so laut, dass sie von der Musik kaum etwas hörte; das wenigstens, musste Irene eingestehen, war auch in Byzanz nicht anders gewesen. Das Lateinische klang im Munde von Friedrich und seinen Leuten hart, ganz anders als in Byzanz oder Sizilien, und bis auf Friedrich selbst und Bischof Wolfger machte jeder grauenhafte Fehler, so dass sie oft Mühe hatte, dem Sinn des Gesagten zu folgen. Dem Most, der zuerst gereicht wurde, war einiges abzugewinnen, doch danach gab es keinen Wein, sondern eine braune, schäumende Flüssigkeit, die ihr als »Bier« vorgestellt wurde. Rülpsen schien allgemein üblich zu sein. Was das Essen betraf, so gab es zunächst Trockenfleisch vom Schaf, das nicht gewürzt war, dann einen Bohneneintopf, bei dem wenigstens Salz verwendet worden sein musste, doch als die Innereien aufgetischt wurden, hatte sich das bisschen Appetit, das Irene geglaubt hatte zu besitzen, verloren; unwillkürlich musste sie wieder an Palermo denken, daran, wie Menschen schrien, denen Innereien aus dem Leib gerissen worden waren, daran, wie der kleine Guglielmo gebrüllt hatte, als man ihn entmannte, weil es keine Erben der Hautevilles mehr geben durfte, die nicht auch staufisches Blut in sich hatten.

Für einen Moment wünschte Irene sich, die Magistra hätte ihr nicht geholfen, sondern sie aufgeschnitten und verbluten lassen, aber dann erinnerte sie sich wieder, wie lange es dauerte, bis ein Mensch starb, und an das Schicksal, das allen Bewohnern Salernos gedroht hatte.

Außer den Musikanten gab es noch Troubadoure, ganz wie die Magistra es ihr auf dem Weg versprochen hatte, doch keiner von ihnen sang in Französisch. Anscheinend glaubten sie, dass ihre eigene Sprache ähnlich wohlklingend wäre. Zunächst wollte Irene das als Arroganz abtun, doch sie musste zugeben, dass bei dem, was der grauhaarige Ritter namens Reinmar von sich gab, zumindest der Sprachrhythmus den Ohren schmeichelte, obwohl sie nur wenig davon verstand. Die Magistra hatte recht gehabt; sie musste die hiesige Sprache besser lernen.

Nach dem Lied des Herrn Reinmar wurden Pasteten aufgetischt, und sie würgte ein kleines Stück hinunter, um höflich zu sein. Immerhin war nicht an Pfeffer gespart worden. Die Mischung aus Hühnerfleisch, Speckwurst und Schafsmagen hätte ihr unter anderen Umständen vielleicht sogar gemundet, doch ihr Appetit war immer noch nicht wieder erwacht.

Bischof Wolfger sprach mit ihr über Schiffsreisen und über die Hagia Sophia. »Vielleicht werde ich sie in diesem Jahr noch selbst sehen!«, erklärte er fröhlich. »Das habe ich mir schon immer gewünscht, und es wird ein gutes Omen für die Weiterreise ins Heilige Land sein.«

»Dann werdet Ihr selbst am Kreuzzug des Kaisers teilnehmen?«

»In der Tat, wie auch unser guter Herzog Friedrich hier. Wenn Ihr es wünscht, kann ich Briefe für Euch an Eure Familie mitnehmen«, schloss er freundlich.

»Mein Vater ist, wie man mir sagte, nunmehr blind«, entgegnete Irene mit zusammengeschnürtem Hals. »Mein Bruder wird wie er gefangen gehalten, und ich glaube nicht, dass mein Onkel großen Wert auf ein Schreiben von mir legt.«

An seiner betretenen Miene war abzulesen, dass die Frage wohl ein Versehen gewesen war, keine absichtliche Erinnerung daran, dass sie Glück hatte, von den Staufern überhaupt noch als ehewürdig betrachtet zu werden. Gleich darauf zeigte sich jedoch, dass der Bischof nicht umsonst als einer der führenden Kirchenmänner im Reich und Anwärter auf den Patriarchenstuhl von Aquileja galt. »Nun, das kann man nicht wissen«, sagte er. »Mag sein, dass Euer Onkel seine Verwandtschaft mit Euch nun mit anderen Augen sieht, vor allem, wenn Euer Schwager mit seinem Heer in seinem Hafen einläuft. Natürlich liegt es mir fern, mich in die Belange Ostroms einzumischen, doch mich dünkt, wenn Ihr das Schicksal Eures Vaters und Bruders etwas erleichtern wollt, dann wäre ein Bittschreiben, von mir an des Kaisers Seite überbracht, nicht etwas, das Euer Onkel so leicht ablehnen könnte.«

Nein, dachte Irene, *kein Versehen.* Sie musste seine Klugheit bewundern: Ihr so etwas vorzuschlagen, war eine edle und christliche Tat, die ihr Vertrauen und Dankbarkeit für ihn einflößen sollte, zumal die Taktik, die er vorschlug, Erfolg haben konnte, zumindest, was ihren Vater betraf; in seinem jetzigen Zustand musste ihn der Onkel nicht mehr fürchten und hatte nichts zu verlieren, wenn er ihn wie einen Verwandten statt einen Gefangenen behandelte. Doch was Wolfger wohlweislich nicht aussprach, war, dass Kaiser Heinrich, mit einem solchen Brief bewaffnet, sehr wohl in der Lage war zu sagen, die Behandlung seines geschätzten Verwandten, des gestürzten Kaisers Isaak Angelos, empöre ihn, und hier sei die Bitte von der Tochter des armen alten Mannes, ihrem Vater zu seinem Recht zu verhelfen. Wenn das nur mit Waffengewalt geschehen konnte – und wenn am Ende der alte Kaiser des Ostens eben nicht mehr fähig war, wieder die Regierung zu übernehmen –, dann musste es vielleicht zu seinem großen Bedauern der opferbereite Kaiser des Westens tun …

Irene war an einem Hof aufgewachsen, an dem seit Jahrhunderten jedes Wort einen doppelten und dreifachen Sinn hatte, ihr eigener Vater sich vom General zum Kaiser gemacht hatte, wo nur die Palastdiener und Verwaltungsbeamten ewig waren und Angehörige der Herrschaftsfamilien an einem Tag geschätzt und am nächsten verbannt oder tot sein konnten. Sie war dreizehn Jahre alt gewesen, als man sie nach Sizilien verheiratet hatte, ein Jahr, nachdem sie ihre Blutungen bekommen hatte, doch sie war schon lange kein Kind mehr gewesen. Was ihr noch an gutgläubiger Mädchenhaftigkeit geblieben war, das war spätestens in dem Gemetzel von Palermo gestorben.

»Ich danke Euch sehr für Eure Güte und werde über Euren Vorschlag nachdenken«, sagte sie auf Deutsch statt auf Latein und hoffte, dass sie die richtigen Worte gewählt hatte.

»Das freut mich«, meinte Bischof Wolfger in Koine, dem Griechisch, wie es in Byzanz gesprochen wurde, und schenkte ihr ein noch wärmeres Lächeln. »Ich werde mit Euch nach Frankfurt reisen, um Eure Hochzeit zu feiern, und sollten Euch auf dem Weg dorthin noch andere Wünsche einfallen, dürft Ihr sie mir immer gerne anvertrauen.«

»Euer Gnaden sind zu gütig«, entgegnete Irene, nun wieder auf Latein, das ihr am unverpflichtendsten erschien. »Doch wenn Ihr und ich nun Reisegefährten werden, dann darf ich hoffen, dass dem Herrn von Schweinspeunt sein Wunsch erfüllt wird, so bald wie möglich wieder an die Seite seines Herrn zurückzueilen? Es täte mir leid, wenn ich den Kaiser länger als unbedingt nötig des Dienstes eines so wackeren Ritters beraube.«

Diepold war ihr anfangs nicht mehr zuwider gewesen als jeder andere Ritter im Dienst des Kaisers, doch sie würde ihm nie verzeihen, dass er ihr ihre Damen fortgenommen hatte. Ob die Magistra nun seine Spionin war oder wirklich das, was sie zu sein schien, dessen war sich Irene immer noch nicht sicher. Sie hoffte auf Letzteres, doch selbst, wenn die Magistra ihr Vertrauen verdiente, dann änderte es nichts daran, dass sie Diepold von Schweinspeunt zur Hölle wünschte.

»Da habt Ihr völlig recht«, mischte sich Herzog Friedrich in das Gespräch. »Herr Diepold ist seiner Pflichten bei Euch nun ledig. Aber unser hochwürdigster Bischof hier ist ein Mann Gottes, und auf den Straßen, auf denen Ihr bis Frankfurt gut zwei Monate unterwegs sein werdet, lauern manchmal Gefahren. Daher wird es Euch freuen, zu hören, dass auch ich beabsichtige, an Eurem Hochzeitsfest teilzunehmen. Zwar kann ich noch nicht gleich mit Euch aufbrechen, doch ich beabsichtige, Euch und unserem edlen Bischof meine Gepäckwagen und ein paar wackere Streiter mitzugeben, zusätzlich zu seinen eigenen Leuten. Kämpfer, die wie der Bischof und ich bald ins Heilige Land ziehen werden.«

Wieder sprach Irene ihren Dank aus; der Austausch an Liebenswürdigkeiten zwischen dem Bischof, ihr und Friedrich erinnerte sie an das Byzanz ihrer Kindheit, so sehr, dass sie sich fragte, ob sie bei den Speisen vielleicht doch einen Vorkoster hätte beschäftigen sollen.

Die Magistra hätte ihr sagen können, ob das Fleisch, der Most oder das »Bier« merkwürdig schmeckten, doch Jutta saß selbstverständlich nicht neben ihr; die Ehefrauen dreier Ritter, die mit dem Geschlecht des Herzogs blutsverwandt waren, saßen am gleichen Tisch, weil Herzog Friedrich unverheiratet und seine Mutter nicht mehr bei Hofe war, um als ranghöchste Dame die Gastgeberin für Irene zu spielen. Nein, die Magistra saß zusammen mit dem Schreiber des Bischofs, dem Medicus des Herzogs und einigen Leuten, die Irene nicht vorgestellt worden waren, an dem dritten, kleineren Tisch, mit kerzengeradem Rücken und einer Miene, als sei sie Medusa.

Sie war später als erwartet von ihrem Ausflug in die Stadt zurückgekehrt; Irene hatte bereits angefangen, sich Sorgen zu machen, was lächerlich war. Schließlich hatte sie sich vorgenommen, nie wieder ihr Herz an einen Menschen zu hängen, schon gar nicht an eine Frau mit anmaßendem Verhalten und noch nicht erwiesener Treue, ganz gleich, wie kundig und sanft ihre Hände sein mochten. Dennoch, es ließ sich nicht leugnen: Irene hatte sich Sorgen gemacht und darauf bestanden, dass die Magistra sie zu dem Festmahl begleitete.

»Euer Gnaden, ich habe die Tochter meines Vetters besucht. Es gibt traurige Neuigkeiten. Unter diesen Umständen …«

»Nun, es tut mir natürlich leid, dass Ihr weitere Todesfälle in der

Familie habt, Magistra, doch mir scheint, wenn Euch der Tod Eures Vaters nicht daran gehindert hat, mich zu behandeln, dann sollte Euch der Tod eines Vetters nicht davon abbringen, für mich bei diesem Gastmahl Augen und Ohren offen zu halten. Ich will wissen, was an diesem Hof geredet wird über mich, über den Kaiser, über den Kreuzzug und über meinen zukünftigen Gemahl. Ihr hattet recht: Man muss wissen, was die Menschen von einem wollen und warum. Das ist für einen selbst gut und für die Familie. Es gibt Dinge, von denen spricht man in Eurer Gegenwart gewiss anders als in der meinen.« Es war eine bessere, adeligere Rechtfertigung für die Gegenwart der Magistra als: *Bitte lasst mich nicht allein unter all diesen Fremden.*

Ob die Magistra, die bisweilen beunruhigend scharfe Ohren hatte, nun hörte, was Irene nicht aussprach, oder ob sie einfach einem Befehl folgte, sie war hier. Es half, ab und zu in ihre Richtung zu schauen und zu wissen, dass es jemanden gab, der so wenig hier sein wollte wie sie selbst. Gerade jetzt veränderte sich ihre Miene; statt steinern und gleichgültig wirkte sie so, als sei gerade ihr ärgster Feind erschienen. Irene folgte ihrem Blick und bemerkte, dass ein weiterer Troubadour aufgetaucht war.

»Herr Walther von der Vogelweide«, sagte Herzog Friedrich zu Irene, »wird ebenfalls Euch zu Ehren singen.«

Sie erwartete nicht, mehr von den Worten zu verstehen, als sie es bei dem Troubadour Reinmar getan hatte, doch das Verhalten der Magistra erregte ihre Neugier. An Herrn Walther war nichts, das auf Anhieb abstoßend wirkte. Im Gegenteil: Er hatte ein angenehmes Gesicht mit einer langen Nase, seine Lippen waren schmal, was sie zusammen mit seiner großen, hageren Gestalt ein wenig an einen schönen Raubvogel erinnerte; seine Hände, mit denen er Laute spielte, waren langfingrig wie die der Magistra, und die Stimme war klangvoll und warm, als er zu sprechen begann. Was Irenes Neugier jedoch noch steigerte, war, dass er sich nicht nur vor ihr verbeugte, sondern auch etwas in der Art sagte, dass dort, wo die Vergangenheit Wunden geschlagen hatte, eines Tages auch Heilung erfolgen würde; dass nur, wo Vergebung erfolgte, auch eine Zukunft sein konnte. Es schien ihr eine eindeutige Anspielung auf ihr eigenes Schicksal zu sein, darauf, dass sie bald in die gleiche Familie einheiraten würde, die ihr früheres Zuhause und ihre Familie zerstört hatte. Zum ersten Mal wurde so etwas vor ihr und in der Öffentlichkeit ausgesprochen, und sie fühlte sich Herrn Walther ob seiner Kühnheit und Ehrlichkeit auf Anhieb gewogen. Ob allerdings seine Hoffnung, Heilung könne auch durch die Verursacher der Wunden geschehen, sich erfüllen würde, das wagte sie zu bezweifeln. Trotzdem war sie froh, wenigstens für die Dauer eines Liedes, von dem sie leider wegen der Melodie viel weniger verstand als von den einführenden Worten, nicht mehr so tun zu müssen, als sei sie freiwillig hier und nichts als eine frohe junge Braut auf dem Weg in die Arme ihres Herzallerliebsten.

»Wie ich sehe, findet das Lied Euren Gefallen«, sagte Bischof Wolfger, als sie dem Troubadour applaudierte. »Ich muss zugeben, dass ich selbst große Freude an Gesang und Dichtkunst unserer Ritter habe. War nicht König David selbst auch ein Sänger, und singen wir die Psalmen nicht immer noch? Es ist ein höchst gottgefälliger Zeitvertreib.«

»Das ist es. Kennt Ihr den Sänger?«

»Der hochwürdige Bischof versucht ihn mir schon seit geraumer Zeit zu stehlen«, warf Herzog Friedrich ein; obwohl er lächelte, um zu zeigen, dass er nur scherzte, lag ein gewisser Biss in seiner Stimme. »Das nenne ich höchst unchristlich.«

»Im Gegenteil«, parierte der Bischof. »Ich möchte Herrn Walther mitnichten nur bei mir hören, sondern finde, dass er und alle anderen seines Schlags ihre Kunst weiter an Eurem Hof ausüben sollten, aber eben auch an so manchen anderen. Nur durch ständige Vergleiche lernt man dazu.«

Für einen Moment vergaß Irene, dass sie wenig mehr als eine Geisel war, entschlossen, ihre neue Umgebung zu verabscheuen, und tat stattdessen, was sie am Hof in Palermo getan hätte, wenn zwei normannische Edelleute um einen Troubadour stritten.

»Mir scheint, Ihr verdient beide, dass ich den Bischof beim Wort nehme und Herrn Walther bitte, seine Kunst an meinem eigenen Hof auszuüben, um ihm mehr Vergleichsmöglichkeiten zu geben und Euch so wieder in christlicher Eintracht miteinander zu verbinden.«

Erst, als sie beide lachten, stürzte die Wirklichkeit wieder auf Irene ein: die Wirklichkeit, dass sie keinen eigenen Hof hatte, nicht wusste, ob Philipp von Schwaben die Dichtkunst liebte oder verabscheute, ob er vorhatte, ihr eine Wahl bei der Zusammenstellung ihrer Höflinge zu lassen, oder im Gegenteil genau wie sein Bruder völlig unzugänglich im Umgang mit seiner Frau sein würde.

»Nun, welcher Sänger würde nicht überglücklich sein, auf der Hochzeit einer so anmutigen Dame zu singen?«, sagte Friedrich aufgeräumt, doch Irene war nicht länger nach Scherzen zumute. Sie schaute wieder zu der Magistra hinüber, während die Dienerschaft auf einer großen Zinnplatte einen Fasan hereinschaffte, der nach der Zubereitung wieder mit seinen Federn bestückt worden war. Doch die Magistra saß nicht mehr auf ihrem Platz. Sie musste während des Vortrags von Herrn Walther gegangen sein.

Kapitel 11

Als Dietrich von Meißen zum ersten Mal jemanden über sich tuscheln hörte, auf dem Markgrafen von Meißen müsse ein Fluch liegen, weil er die Gabe habe, jeden Glücksfall in einen Unglücksfall zu verwandeln, da stieß er den Betreffenden zu Boden und versetzte ihm einen Tritt in den Magen. Anschließend ließ er sich Branntwein bringen und grübelte darüber nach, ob das Gerede vielleicht der Wahrheit entsprach.

Er hatte allen Grund dazu: Obwohl er der jüngere Sohn war, hatte seine Mutter den Vater überreden können, Dietrich und nicht dessen älteren Bruder Albrecht zum Erben der Markgrafschaft zu machen. Doch statt sich damit abzufinden, wie ein pflichtbewusster Sohn das eben tun sollte, hatte Albrecht die Waffen gegen seinen eigenen Vater erhoben und diesen mit dem Schwert an der Kehle dazu gezwungen, ihn wieder als Ersten in die Erbfolge einzusetzen. Alles, was Dietrich der Einsatz seiner Mutter letztendlich eingebracht hatte, waren die Demütigung, sich gegen Albrecht nicht durchsetzen zu können, und nach seines Vaters Tod ein paar Jahre bitteres Warten auf bessere Zeiten, weil Albrecht ihn nicht in seiner Nähe haben wollte.

Dietrich unternahm eine Wallfahrt ins Heilige Land, um wenigstens Gott auf seiner Seite zu wissen und ihn gnädig zu stimmen; außerdem war das umkämpfte Palästina, verglichen mit einem rachsüchtigen Bruder, für ihn sicherer. Gott schien ihn zu erhören, denn im Heiligen Land erreichte ihn die Nachricht, dass Albrecht eines frühen Todes gestorben war. Dietrich betrauerte seinen Bruder angemessen und kehrte in die Heimat zurück, um endlich die Markgrafschaft Meißen in Besitz zu nehmen, doch er hatte noch nicht die Alpen überquert, als er hören musste, dass Kaiser Heinrich die Markgrafschaft nicht wieder Dietrichs Familie als Lehen verleihen wollte und sie mit ihren reichen Bergwerken für sich selbst beanspruchte.

Das Schicksal schien sich abermals zu wenden, als es Dietrich gelang, den Landgrafen von Thüringen zu überreden, ihm seine älteste Tochter zur Frau zu geben. Eine gute Partie war das, denn der Landgraf Hermann war einer der begütertsten Fürsten im Reich, am Hof des französischen Königs Louis aufgewachsen, mit Verbindungen zu den großen Höfen Europas – und bisher hatte er noch keine Söhne. Dazu war das Mädchen genau im richtigen Alter, fünfzehn Jahre und gut gewachsen. Doch kaum hatte Dietrich die Verlobung besiegelt, indem er Landgraf Hermann bei dessen eigenen Fehden zur Seite stand und für ihn stritt, da musste er erleben, dass der verwitwete Hermann ein zweites Mal heiratete, und die neue Landgräfin wurde sofort schwanger. Solche Glücksfälle genügten wahrlich, um einen Heiligen zur Raserei zu bringen.

Als sein zukünftiger Schwiegervater ihn daher zu sich bestellte, ihm auf die Schulter klopfte und verkündete, er habe eine gute

Nachricht für Dietrich, da schlug sein Herz nicht höher. Stattdessen fragte er misstrauisch, worum es ginge.

»Du bist nicht der Einzige, der in diesem Jahr heiraten wird, mein Junge. Der Herzog von Schwaben hat uns zu seiner Vermählung auf einen Hoftag nach Frankfurt eingeladen.«

»Und das haltet Ihr für eine gute Nachricht? Herumstehen und miterleben zu müssen, wie ein gottverfluchter Staufer in den Ehestand tritt? Am Ende gibt ihm der Kaiser mein Meißen als Hochzeitsgeschenk! Das sähe ihm ähnlich.«

Landgraf Hermann warf ihm einen ungeduldigen Blick zu. »Ich will nicht hoffen, dass du so töricht bist, dergleichen in Frankfurt zu äußern. Hör zu, Dietrich, es ist doch offensichtlich, dass Philipps Hochzeit nur ein Vorwand ist. Er wird von seinem Bruder den Auftrag erhalten haben, uns alle auf das kleine Balg einzuschwören, das die Kaiserin zur Welt gebracht hat, und weißt du, was das bedeutet?«

»Wir haben weiterhin Staufer auf dem Thron«, sagte Dietrich verbittert.

»Verhandlungsmöglichkeiten, du Dummkopf! Wenn Kaiser Heinrich selbst hier wäre, nun, dann stünden die Dinge anders. Aber er ist im Königreich Sizilien, und da ist auch sein Heer. Der junge Philipp war bis vor ein paar Jahren noch im Kloster und hat kaum Erfahrung in der Welt. Wenn der Bruder des Kaisers will, dass wir helfen, seinen Neffen zum deutschen König wählen zu lassen, noch bevor das Kind mit dem Krabbeln aufgehört hat, dann wird er sich das etwas kosten lassen müssen. Ich sage dir, die Milde, die Herzog Philipp zum Anlass seiner Hochzeit zeigen wird, die werden wir uns nicht entgehen lassen!«

Dietrichs Gemüt heiterte sich etwas auf. *Milde* war ein Wort, das er gut kannte, aber selbst noch nie hatte erleben dürfen. Es bezeichnete nicht die Gnadenbereitschaft, sondern die Freigiebigkeit eines Fürsten, der etwas von seinen Vasallen wollte. Bisher war Dietrich nie mildreich beschenkt, sondern immer nur vom Schicksal genarrt worden. Es war wirklich an der Zeit, dass sich dies änderte.

Dann erinnerte er sich wieder daran, dass ihm das Leben nie zulächelte, ohne ihn anschließend zu ohrfeigen. »Und was, wenn der Kaiser nach seinem Kreuzzug zurückkehrt und alles, was uns Philipp gegeben hat, wieder einfordert?«

Hermann verzog den Mund. »So ein Kreuzzug ist eine gefährliche Angelegenheit«, sagte er langsam. »Und das Heilige Land war nie gut zu den Staufern. Denk an den alten Barbarossa. Den haben noch nicht einmal die Heiden erledigt, ein einfacher kalter Fluss hat die Drecksarbeit getan.«

»Ihr wollt doch nicht sagen …«

»Ich habe bereits alles gesagt, was ich sagen will. Wenn dir deine Markgrafschaft lieb ist, dann hältst auch du den Mund, bis ich dir sage, dass du ihn wieder öffnen kannst. Führe dich gut in Frankfurt, Dietrich, und wir brauchen die Hochzeit mit meiner Tochter nicht länger aufzuschieben. Sie wird dein sein. In Meißen.« Der Mund seines Schwiegervaters weitete sich zu einem Grinsen. »Das wird eine Feier! Weißt du, meine eigene Hochzeit hat mich wieder auf den Geschmack gebracht. Niemand soll behaupten, dass die Tochter des Landgrafen von Thüringen wie ein Bürgerweib unter die Haube kommt, o nein. Wir werden uns ansehen, was die Staufer in Frankfurt tun, und wenn die Dinge so laufen, wie ich es mir wünsche, dann, mein Sohn, werde ich dir sogar ihre Musikanten bieten können.«

* * *

Im Tross einer byzantinischen Fürstin nach Frankfurt zu reisen, wäre unter anderen Umständen ein Vergnügen für Walther gewesen: Er war immer neugierig auf die Welt und alles, was er noch nicht kannte. Außerdem hatte Bischof Wolfger erwähnt, dass Wolfram von Eschenbach nach Frankfurt käme, und gleich nach dem Dichter des neuen Nibelungenliedes war dies der Sänger, den Walther am meisten kennenlernen und mit dem er sich liebend gerne messen wollte. Ja, sogar die Aussicht darauf, sowohl den Bischof als auch den Herzog mit Auskünften übereinander abzuspeisen und sich nach Möglichkeiten umzuschauen, die sich ergaben, falls keiner von beiden aus dem Heiligen Land wiederkäme, würde eher herausfordernd und spannend als unangenehm sein. Wenn man ihm aber vor wenigen Wochen gesagt hätte, dass die Gesellschaft einer schönen rothaarigen Frau für ihn eine Qual wäre, dann hätte er lauthals gelacht und erwidert, dieser Art von Qual ließe sich leicht abhelfen, entweder durch eine andere Frau oder den Einsatz der eigenen Hand.

Manchmal dachte er, dass er trotz seiner stetig falschen Altersangaben zu lange ein Kind geblieben war.

Seitdem Judith ihn beschuldigt hatte, Blut klebe an seinen Händen, hörte er ständig ihre Stimme in seinem Kopf. Natürlich hätte er den Irrtum aufklären können, doch wenn man es recht bedachte, war es keiner. Gewiss, er hatte keine Hand an einen ihrer Verwandten gelegt. Aber er hatte auch nichts getan, um ihnen zu helfen, und er würde nie den Augenblick vergessen, in dem ihn die Angst so sehr gepackt hatte, dass er nur an sein eigenes Leben hatte denken können. Also versuchte er nicht, sich herauszureden. Er hatte gehofft, das Gastmahl für die Prinzessin dazu zu nutzen, um Judith auf die beste Art, die ihm gegeben war, zu sagen, wie leid ihm alles tat. Doch sie blieb nicht lange genug, um sein Lied in voller Länge zu hören; der Blick, den sie ihm zuwarf, ehe sie ging, hätte nicht verächtlicher sein können. Danach wäre es das Vernünftigste gewesen, sich von Judith fernzuhalten, und sogar höchst einfach, denn Herzog Friedrichs Abreise nach Frankfurt verzögerte sich noch etwas; er musste seinem Bruder Leopold die Zügel übergeben und dafür sorgen, dass ihn sein Teil des Kreuzfahrerheers in Tirol erwartete, wenn er wieder aus Frankfurt zurückkehrte, damit er die Alpen überqueren konnte, ohne noch einmal über Wien zu reisen. Walther hatte also vor, Friedrich zu bitten, an seiner Seite bleiben zu dürfen, bis er die Ritter sah, die zum neuen Geleitschutz der Prinzessin und ihres kleinen Gefolges gehörten. Sofort schnappte er sich den Haushofmeister.

»Hat der Herzog nicht den Befehl gegeben, die Rädelsführer aufhängen zu lassen, die für den Tod des Münzmeisters verantwortlich waren?«

»Gewiss, aber doch nicht die Kreuzfahrer«, sagte der Haushofmeister gereizt. »Herr Walther, wenn Ihr Wert darauf legt, je wieder ein gutes Quartier zugeteilt zu bekommen, dann lasst Ihr mich jetzt augenblicklich los.«

Es war ihm gar nicht bewusst geworden, dass er den Mann am Kragen gepackt hatte, so unsinnig das auch war: Weder konnte der Haushofmeister etwas dafür, noch hätte die Auskunft Walther verwundern sollen. *Die Kleinen hängt man*, dachte er, *die Großen lässt man laufen.* So war es in der Welt nun einmal. Auch deswegen wollte er lieber zu den Großen gehören.

Die Ritter hatten, anders als die Menge, Erfahrung im Töten, und er war bereit, zu wetten, dass sie für die meisten Toten im Haushalt des Münzmeisters direkt verantwortlich waren. Bei der Vorstellung, sie mit Judith über Wochen zusammen reisen zu wissen, wurde ihm speiübel.

Er fand seinen Weg in die Kemenate der Byzantinerin, doch Judith war nicht dort, und er wusste nicht, wen er fragen konnte, ob sie in Wien blieb oder nicht, ohne unerwünschte Aufmerksamkeit auf sie zu lenken. Er dachte daran, wie er für kurze Zeit befürchtet hatte, sie könne selbst unter den Toten sein, und entschied, auf jeden Fall im Tross der Prinzessin nach Frankfurt zu reisen. Wenn Judith ihrer Base in Wien beistand, dann brauchte sie keinen Schutz, doch wenn sie Irene nach Frankfurt begleitete, dann würde er sie diesmal nicht im Stich lassen. Das würde seine Buße für die Feigheit sein; danach würden sie getrennte Wege gehen.

Walther war froh, von Friedrich ein eigenes Pferd zu erhalten, nicht ohne den Hinweis, es möge ihn auch in der Zeit von Friedrichs Abwesenheit nach Wien zurücktragen. Er wusste nicht, ob er erleichtert darüber war, dass Friedrich gar nicht auf die Idee kam, ihn auf den Kreuzzug mitzunehmen, oder gekränkt. In jedem Fall gefiel ihm das Pferd, eine braune Stute. Als Teil eines längeren Trosses, so stellte sich heraus, hatte sie allerdings ihre Tücken: Störrisch schritt sie entweder schneller oder langsamer, als sie sollte, ganz zu schweigen davon, dass sie gelegentlich nach anderen Pferden und Maultieren schnappte.

»Gib ihr einen Namen, dann hört sie eher auf dich«, schlug Wolfgers Sohn Hugo vor, der seinen Vater in der Hoffnung nach Frankfurt begleitete, der Teilnahme am Kreuzzug für würdig befunden zu werden. Sein Traum war es, neben seinem Vater in der Grabeskirche in Jerusalem zu knien und dann dem Kaiser vorgestellt zu werden. Hugo war eine einfache Haut geblieben, doch mit dem Vorschlag, seinem Pferd einen Namen zu geben, konnte er recht haben.

»Ich bin ein Walther, also sollte sie eine Hildegunde sein«, sagte Walther, weil die Abschrift des Nibelungenliedes ihn wieder an all die Geschichten um die alten Burgunderkönige erinnert hatte, einschließlich des Lieds von Walther und Hildegunde. Damit brachte er Hugo zum Lachen. Walther wartete, bis der Bischofssohn sich wieder beruhigt hatte, dann fügte er hinzu: »Ich würde ja deinem Vater zu Ehren den Namen Kriemhild wählen, doch dann müsste ich wirklich befürchten, dass sie sich mit den anderen Pferden beißt.«

»Wie der Maulesel, den sie der Frau aus Salerno gegeben haben?«, fragte Hugo und deutete hinter sich in die Richtung des Pferdewagens, in dem die Prinzessin saß. »Das ist ein Biest, was aus der Hölle stammen muss. Wenn du mich fragst, war das die Absicht des Stallmeisters. Er kann nicht glücklich darüber gewesen sein, dass sich ein Weib in den Kopf gesetzt hat, lieber zu reiten, wo doch genügend Platz im Wagen war, noch dazu, wo dein Herzog bald jedes Lasttier benötigt, das ihm noch bleibt.«

»Nun, es ist ein schöner Tag«, sagte Walther so gleichgültig wie möglich. »Vielleicht zieht sie die Sonne und frische Luft dem Wageninneren vor.«

»Dabei wird sie sich aber das Gesicht braun brennen lassen wie eine Bäuerin«, sagte Hugo bedauernd, »und von denen gibt es schon genügend. Aber Herrn Georg scheint das nicht zu stören.«

»Wen?«

Hugo deutete abermals hinter sich. »Herr Georg von Bamberg, einer von den Rittern, die uns der Herzog überstellt hat.«

Es brachte Walther einige verwunderte Blicke ein, als er Hildegunde endlich dazu bewogen hatte, nicht nur stehen zu bleiben, sondern dann auch genau in die entgegengesetzte Richtung zu traben, doch das kümmerte ihn nicht. Endlich erreichte er das Grüppchen, das neben dem Wagen der Prinzessin ritt: die Ritter aus der Schenke – und zwischen ihnen, immer auf ihren Maulesel einredend, Judith.

»Magistra«, sagte er, »auf ein Wort.«

»Es gibt nichts, was ich Euch zu sagen hätte.«

»Es geht nicht um mich«, gab Walther zurück und versuchte, Hildegunde zu bewegen, im Gleichschritt mit Judiths Maulesel zu gehen, obwohl die beiden Tiere sofort anfingen, einander mit äußerstem Misstrauen zu beäugen. Georg von Bamberg nahm dies zum Anlass, sich in die Brust zu werfen und zu erklären, wenn die Magistra die Gesellschaft des Herrn Walther nicht wünsche, dann solle dieser sie in Ruhe lassen. Nichts an seinem Gehabe gab Anlass zu der Vermutung, dass er sich an Walther erinnerte. *Warum sollte er auch*, dachte er; die Gedanken waren spitz und stachelig in seinem Kopf. *Schließlich habe ich in der Schenke nicht ein einziges Mal den Mund für Salomon aufgemacht.*

»Ich hoffe, Ihr werdet im Heiligen Land für die Seelen Eurer gehängten Freunde beten«, sagte Walther freundlich zu Georg. »Sie können es gebrauchen.«

Am bezeichnendsten war, dass der Ritter aufrichtig verständnislos dreinblickte, während auf Judiths Stirn eine Falte erschien. Sie begriff schnell, schneller als die meisten Menschen, denen Walther bisher begegnet war, und ein törichter Teil seiner selbst hatte gehofft, sie wäre auch deshalb bei dem Gastmahl geblieben, um seine Lieder zu hören, damit sie ihm hinterher ihre Meinung dazu sagen konnte. Es war nichts süßer, nichts befriedigender, als einen klugen Menschen zu beeindrucken.

»Was hätte ich mit gehängten Spitzbuben zu tun?«

»Das fragt den Juden Salomon«, gab Walther zurück. »Diejenigen seiner Mörder, die nicht das Kreuz genommen haben und keine Ritter waren, hat der Herzog alle hängen lassen.«

Georg blickte verlegen zur Seite; verlegen, als habe Walther ihn darauf hingewiesen, dass er keine frischen Beinlinge unter seinem Rock trug, nicht schuldbewusst. Einer der anderen Ritter lachte.

»Tatsächlich? Dann ist es wohl wahr, dass der Jude ihm sein englisches Silber so gut versteckt hat, dass er dankbar sein musste, Euer Herzog. Wir haben es jedenfalls nicht gefunden.«

»War es das, was Ihr mir sagen wolltet?«, fragte Judith Walther geradewegs, und ihre Augen waren wie braunes Eis. Er nickte. Sie teilte den Rittern mit, sie ziehe es nun doch vor, im Wagen mit der Prinzessin zu reisen, und trotz einiger teils spöttischer, teils bedauernder Bemerkungen gaben die Ritter Anweisung, den Pferdewagen lange genug anzuhalten, dass sie hineinklettern konnte, während Walther rief, er werde sich um den Maulesel kümmern.

»Hört zu«, knurrte Georg, als Judith verschwunden war, »Ihr wildert hier in Wäldern, die Euch nichts angehen. Ich habe von den *mulieres Salernitanae* gehört. Man tut einer solchen Frau einen Gefallen, wenn man ihr die Gelegenheit gibt, ihre Mittelchen an den Mann zu bringen, versteht Ihr?«

Sein Gefährte schnaubte. »Angeblich wissen diese Weiber sogar Wege, um das Glied eines Mannes so lange zum Stehen zu bringen, wie er bei einem Weib liegt.«

Diese Kerle erinnerten Walther an die Frage Reinmars, die ihm beim Anblick so vieler Mächtiger und Ohnmächtiger in den letzten Jahren nie aus dem Kopf gegangen war: *Bei welchem einzigen Geschenk Gottes glauben alle Menschen, gerecht behandelt zu sein?* Er war sich sicher, dass auch diese drei Schlagetots nicht begreifen würden, was die Antwort *Bei dem Verstand* ihnen hätte sagen sollen. Ihn selbst machte dieser Spruch manchmal überheblich, unvorsichtig und leichtsinnig und führte auch dazu, sich den meisten Menschen gegenüber als gleichwertig, häufig gar als überlegen zu sehen. Weniger Eitelkeit wäre da schon hilfreich. Aber so war er nun einmal.

Sosehr er es auch liebte, gut gelungenen Heldenliedern zuzuhören, so wenig hatte Walther sich je bemüßigt gefühlt, sich selbst an die Stelle eines Recken zu wünschen, der für die Ehre einer Dame das Schwert führt. Nicht nur, weil er keines hatte, sondern auch, weil er bezweifelte, dass bei solchen Auseinandersetzungen immer die Richtigen gewannen. In seiner Kindheit hatte er sich auch deswegen mit Markwart angefreundet, weil dieser jene seltene Verbindung verkörperte, körperliche Stärke und ein gutherziges Gemüt. Walther dagegen hatte zwar ein Talent dafür, Menschen zum Rasen zu bringen, doch wenn er nicht schnell genug davonlief, endete es oft genug damit, dass er verprügelt wurde, bis er Markwart als Freund gewann. Nein, er war kein Held wie Siegfried, dessen Haut durch Drachenblut unverwundbar geworden war und der noch dazu eine Tarnkappe sein Eigen nannte. Was er jedoch hatte, war seine Zunge, sein Einfallsreichtum und seine immer größer werdende Abscheu vor diesen Kerlen.

»Mir geht es nur darum, Euch zu beschützen, Ihr Herren«, sagte er geschmeidig. »Glaubt Ihr denn wirklich, jene Frau sei als *Ärztin* bei der Prinzessin?« Nun stand auf allen drei Gesichtern Verwirrung geschrieben. »Gibt Euch die Haarfarbe nicht zu denken, oder der Umstand, dass von allen Frauen aus dem alten Gefolge der Prinzessin nur die Dame Jutta sie über die Alpen begleiten durfte? Welches Geschlecht in unserem Reich ist denn so berühmt ob seiner roten Haare, dass sein größter Spross selbst heute noch nur Kaiser Rotbart genannt wird?«

Man konnte erkennen, wie in Georg langsam etwas wie ein dumpfes Verstehen dämmerte. Auf die Idee, den Münzmeister Salomon zur höheren Ehre Gottes totzuschlagen, war er schneller gekommen.

»Ihr meint, sie sei ein Bastard des alten Kaisers?«

»Das habt Ihr gesagt, nicht ich«, entgegnete Walther geheimnisvoll. »Ich sage nur, dass der jetzige Kaiser wegen seines friedliebenden Gemüts so berühmt ist wie ob seiner Gabe, zu verzeihen. Gewiss wird er losen Reden über seine Schwester mit Verständnis begegnen und die Schuldigen, wenn sie erst unter seinem Befehl im Heiligen Land stehen, nicht zu den Aussätzigen schicken oder gar zwingen, ihre eigenen Innereien zu essen. Ich bin sicher, alle Gerüchte, die das Gegenteil besagen, sind bösartige Erfindungen der Welfen, die es einfach nicht verwinden können, dass sie nicht auf dem Kaiserthron sitzen.«

Seine Zuhörer in Furcht und Schrecken statt in Begeisterung zu versetzen, war selten so befriedigend gewesen. Allerdings galt es nun zu verhindern, dass die Ritter sich zu einem späteren Zeitpunkt genügend von ihrem Schreck erholten, um Erkundigungen über Judith einzuziehen und zu schlussfolgern, dass sie mit ihr doch bedenkenlos tun konnten, was sie wollten.

Walther versuchte mit einiger Mühe, den Maulesel zu veranlassen, ihm zu folgen, was seinen triumphalen Abgang ruinierte; schließlich fand sich aber ein längerer Strick, um das Tier an den Wagen zu binden, dem es nun zu folgen hatte. Danach machte er sich die Mühe, mit jedem schwatzhaft wirkenden Mitglied des Trosses ein Gespräch zu führen. Den ganzen Tag unterwegs zu sein, machte die meisten Menschen für Ablenkungen dankbar, doch die Kunst bestand darin, ihnen auch anzumerken, ob sie bereit waren, das, was man ihnen anvertraute, so schnell wie möglich weiterzuerzählen. Dabei achtete er darauf, erst über Neuigkeiten und Gerüchte zu sprechen, die nichts mit seinem Anliegen zu tun hatten. Ein Opfer war das nicht: Es war durchaus aufschlussreich zu hören, was die Trossmitglieder wussten. Unter den Leuten Friedrichs gab es einige, die murrten, man könne schon längst auf dem Kreuzzug sein, wenn Philipp von Schwaben seine Braut selbst jenseits der Alpen abgeholt oder dort geheiratet hätte. Andere waren froh über den Aufschub, nicht, wie sie beteuerten, weil sie die Heiligen Stätten nicht befreien wollten, doch es gäbe einem schon zu denken, dass Kreuzzüge in den letzten Jahren immer schlecht geendet hatten, und nicht für die Moslems.

»Erst ertrinkt der Kaiser Rotbart in einem gottverfluchten Heidenfluss, wo es da unten doch nur Wüsten geben soll, dann verliert der alte Herzog seine Ehre bei Akkon und beinahe auch seine unsterbliche Seele. Ich habe Kameraden, die sind bei Akkon gefallen, und wofür? Kein Mensch redet mehr davon, wie tapfer die Österreicher gefochten haben, nein, immer ist nur die Rede davon, wie der alte Herzog den König von England gefangen genommen hat und wie tapfer der doch war. Eine Schande ist das. Jedenfalls bin ich lieber Teil einer Brautfahrt, als meine Haut bei den Heiden zu Markte zu tragen.«

»Ich wette, der Kaiser beneidet seinen Bruder«, sagte ein anderer. »Ich jedenfalls läge lieber mit einer jungen hübschen Griechin im Bett und in einer von unseren schönen Pfalzen, als mit der alten Normannin verheiratet zu sein und ständig auf dem Weg in einen neuen Krieg.« Gelächter und Gemurmel bewiesen, dass er damit nicht allein stand. Walther meinte beiläufig, er wäre nur neugierig, für wen eigentlich die sogenannte Ärztin bestimmt sei, wenn das Gerücht stimmte, das er gehört hatte, was er ihnen aber nur unter dem Siegel strengster Verschwiegenheit erzählen könne …

Als er das Grüppchen hinter sich ließ, waren sie bereits dabei, zu streiten, ob der alte Kaiser Barbarossa nun fünf oder sechs Bastarde gehabt hatte und welcher Fürst des Reiches am ehesten als Kaiser Heinrichs Schwager in Frage käme, obwohl Walther nie direkt behauptet hatte, Judith sei eine Stauferin.

Bei den Männern des Bischofs verlief es ähnlich. Der größte Unterschied war, dass sie sich Sorgen machten, Herzog Friedrich sei selbst auf eine Ehe mit der mutmaßlichen Stauferin aus, um so endlich die Unterstützung des Kaisers dafür zu erlangen, Wien als selbständiges Bistum beim Papst durchzusetzen, was den Einfluss ihres eigenen Herrn erheblich beschneiden würde.

»Vielleicht ist sie aber auch keine Stauferin«, sinnierte ein Passauer, »sondern die wirkliche Byzantinerin!«

»Wie kommst du denn darauf?«, fragte Walther überrascht.

»Ich habe gehört, dass die edlen Herrschaften manchmal mit ihren Dienern und Mägden die Rollen tauschen«, sagte der Soldat weise, »um Gefahren zu entgehen. Schließlich ist diese Irene die Tochter eines Kaisers, und wenn jemand den Tross überfallen und sie zu sich ins Bett zerren würde, dann müsste sie ja und amen sagen, wenn er einen Priester dabeihat, um die Ehe zu schließen. Sonst stünde sie ja als eine Hure da. Nur, wenn in Wirklichkeit die Rothaarige die Kaisertochter ist, dann stünde so der Brauträuber am Ende dumm da!« Es war im Grunde nicht weiter hergeholt als Walthers eigene Erfindung, denn so manch eine adlige Braut mit reicher Mitgift war wirklich auf diese Weise von einem anderen als ihrem vorgesehenen Gemahl geheiratet worden.

Walther machte ein gebührend beeindrucktes Gesicht und zog zum Bischof weiter, dem er nicht mit Unterstellungen hinsichtlich Judiths Herkunft kommen konnte, doch von dem er immerhin hörte, dass es, nach ihm vorliegenden Berichten, dem Heiligen Vater in Rom nicht gutgehe.

»Deswegen müssen die Angelegenheiten in Frankfurt möglichst schnell ins Reine gebracht werden«, warf Hugo ein, um sein Verständnis für Politik zu demonstrieren. Sein Vater seufzte. Mit einigem Nachdenken begriff Walther, weswegen: Wenn der Papst sterben sollte, während der Kaiser und sein Heer noch in der Nähe Roms waren, dann würde die Wahl des Nachfolgers zweifellos durch den Kaiser beeinflusst werden.

»Habt Ihr denn selbst keine Sehnsucht nach dem Heiligen Stuhl, Euer Gnaden?«, fragte er, einen neckenden Tonfall riskierend. »Oder glaubt Ihr nicht, dass der Kaiser sich für Euch einsetzen würde?«

»Ich glaube nicht, dass Gott mich zum Kardinal berufen hat«, sagte der Bischof, was keine direkte Antwort war. »Aber er hat mir Augen gegeben, um zu sehen, und die teilen mir mit, dass der Kaiser sich im südlichen Reich sehr verhasst gemacht hat, auch bei den Kardinälen, denn die stammen mehrheitlich aus Italien. Wenn die Menschen dort auch noch glauben, dass er bestimmen kann, wer auf dem Heiligen Stuhl sitzt, dann fürchte ich Aufruhr und Blutvergießen wie seit den Zeiten nicht mehr, da Barbarossa mit Heinrich dem Löwen stritt.«

Das war eine offenere Erwiderung, als Walther sie erwartet hatte, und er schob sie in seinem Kopf hin und her. Er hatte gelegentlich Geschichten über die Härte des Kaisers im Süden gehört, doch sie waren nie mehr als ebendies für ihn gewesen: Geschichten. Jetzt fragte er sich mit einem Mal, was geschehen wäre, wenn er seine Schritte südwärts gelenkt hätte, statt nach Wien zu gehen.

»Euer Gnaden«, sagte er zu Wolfger, weil der Bischof gerade so zugänglich war und weil er sich später sonst immer fragen würde, ob nicht doch Gerechtigkeit für alle möglich gewesen wäre, »wisst Ihr, dass drei von den Rittern, die in diesem Tross mit uns reiten, den Münzmeister Salomon und fünfzehn weitere Menschen zu Tode gebracht haben?«

Der Bischof betrachtete ihn nachdenklich. »Und woher wisst Ihr das, Herr Walther? Habt Ihr gesehen, wie sie es taten?«

Für einen Moment wollte Walther alle Vorsicht in den Wind schlagen und das bejahen. Es wäre nur eine weitere kleine Verbiegung der Wahrheit gewesen; schließlich hatte er die Tat *so gut wie* beobachtet, und wenn eine Unwahrheit dabei half, einer wichtigeren Wahrheit zum Sieg zu verhelfen, dann war das gewiss gerechtfertigt. Er öffnete den Mund – und schloss ihn wieder. Sein verwünschter Verstand teilte ihm gerade noch mit, dass er mit einer solchen Behauptung amtskundig machen würde, einem Mord beigewohnt zu haben, vor Hugo, dessen Redseligkeit er selbst nur allzu gut kannte, und dem Bischof, der ihm zwar gewogen sein mochte, doch mutmaßlich nur so weit, wie Walther ihm nützlich war. Einmal ausgesprochen, würde er diese Behauptung nicht mehr zurückziehen können. Schlimmer, jedes spätere Beharren darauf, nicht am Ort des Geschehens gewesen zu sein, würde ihn dastehen lassen, als wolle er nur seine eigene Schuld auf die Kreuzritter abwälzen.

Letztendlich kam es darauf an, ob er dem Bischof genügend vertraute, und ob er bereit war, notfalls selbst als Helfer der Mörder dazustehen, um eine Strafe für Georg und dessen Gefährten erreichen zu können. Das Gefühl wie an dem Abend in der Schenke, jene blinde Furcht, war nicht mehr da, aber dafür die kalte Stimme der Berechnung und Vernunft.

»Nein«, sagte Walther, »das habe ich nicht. Aber ich habe sie mit eigenen Ohren davon prahlen hören.«

»Nun, das beweist, dass sie der Buße durch das Streiten für die Ehre Gottes im Heiligen Land wirklich dringend bedürfen. Man sollte ihren Aufbruch dorthin nicht länger hinauszögern, zumal meine Leute mehr als ausreichen, um Philipps zukünftige Gemahlin zu beschützen. Ich werde ihnen mitteilen, dass ihre Anwesenheit in unserem Tross nicht länger nötig ist, und sie beauftragen, dem Kaiser ein Schreiben von mir zu überbringen«, gab der Bischof zurück. Walther spürte, wie ihm der Schweiß den

Rücken hinunterlief. Er wusste nicht, ob es aus Erleichterung oder Unzufriedenheit mit sich selbst geschah, weil er ein weiteres Mal sein eigenes Wohl an die erste Stelle gesetzt hatte. Dass es auch Judith gefallen musste, die Ritter nicht mehr sehen zu müssen, war nur ein angenehmer Beigeschmack.

Die Nacht verbrachten sie in einem Kloster. Der Bischof, Irene und ihre Frauen wurden in den Klosterzellen selbst, die Kriegsknechte, ob Ritter oder nicht, zusammen mit dem Gesinde in den Stallungen untergebracht. Für Walther bedeutete das eine Nacht im Stroh, was ihm nichts ausmachte. Zuerst musste er sowieso noch eine Möglichkeit finden, der Prinzessin Irene seine Aufwartung zu machen, um Judith sagen zu können, dass die drei Mörder ihres Vetters nicht mehr um sie herum sein würden. Wie er das anfangen sollte, angesichts der Tatsache, dass sie bisher jeder Gelegenheit ausgewichen war, mit ihm zu reden, wusste er nicht, doch er war immer gut darin gewesen, sich vom Fleck weg etwas einfallen zu lassen.

Zunächst einmal half es, dass eine zum Haushalt der Prinzessin gehörende Magd in den Stallungen um frische Milch für ihr kleines Kind bat. Sie tat dies in der Volgare der Südländer, und der Stallmeister – kein Mönch, sondern ein Laienbruder und daher nur einiger lateinischer Gebete mächtig – verstand sie nicht. Walther kam ihr zu Hilfe und pries sein Glück, so weit im Süden geboren zu sein, um beide Sprachen seit Kindesbeinen zu kennen. Er vermittelte und gab dabei vor, die warme Milch sei für die Prinzessin, weil das jegliche Ablehnung des Stallmeisters ausschloss, und half der Magd anschließend, den Becher zu der Zelle des Abtes zu tragen, die Irene zur Verfügung gestellt worden war. Walther erfuhr, dass die Frau Lucia hieß. Ihr üppiger Busen und die breiten Hüften waren eine angenehme Erinnerung daran, dass Gott mit der Erschaffung Evas die Welt entschieden lebenswerter gemacht hatte. Bis sie bei der Zelle eintrafen, hatte Walther sie bereits einmal zum Lachen gebracht, was er als gutes Omen für den Rest des Abends nahm.

Irene wurde gerade vorsichtig der Staub von Gesicht und Hals gewaschen; das Flechtwerk des Wagens war durchlässiger, als es den Anschein hatte. Judith kniete auf dem Boden und durchsuchte gerade das mit Leder bezogene Holzkästchen, das sie an einem Riemen über die Schulter getragen hatte, als er mit ihr zu den Zisterzienserinnen aufgebrochen war. Sie schaute nicht auf, als er eintrat.

»Euer Gnaden«, sagte Walther auf Latein, stellte sich heiser und verbeugte sich vor der Prinzessin, »ein schreckliches Schicksal hat mich befallen: eine Erkältung. Meine Stimme ist in Gefahr. Darf ich bitte die Dienste Eurer Ärztin in Anspruch nehmen?«

Jetzt blickte Judith nicht nur auf, sondern sie erhob sich so schnell und heftig, dass in ihrem Holzkasten etwas klirrte. Er hätte nicht sagen können, warum es in diesem Moment war, nicht früher und nicht später, dass er etwas in seinem Inneren beim Namen nannte, und es war weder Schuldgefühl noch die Freude an den weiblichen Formen, wie sie ihm gerade erst die Magd Lucia durch ihre Figur verschafft hatte.

»Euer Gnaden, mein ärztlicher Rat für Herrn Walther lautet, den Rest der Reise schweigend zu verbringen. Auf diese Weise kann er seine Stimme schonen. Ich bin sicher, bis wir in Frankfurt eintreffen, wird er wieder die Redseligkeit selbst sein.«

»Selbst ein Bader«, sagte Walther, und die gespielte Kränkung in seiner Stimme kam ihm zupass, um den Aufruhr in seinem Inneren zu überspielen, »würde sich mehr Zeit lassen und mich untersuchen. Soll das die Kunst der Schule von Salerno sein? Wenn ja, dann bin ich tief enttäuscht.«

Irenes Blick wanderte von ihm zu Judith und wieder zurück. Sie erinnerte ihn mit den goldenen Ohrringen und den schwarzen, lockigen Haaren an ein römisches Mosaik, das er einmal in Osttirol gesehen hatte.

»Eine solche Enttäuschung dürfen wir nicht zulassen, Magistra«, entschied sie mit dem Mutwillen eines Kindes, das sie nicht mehr sein konnte. »Am Ende ruiniert Euch Herr Walther sonst mit seiner kratzigen Stimme den Ruf und mir die Unterhaltung bei meiner Hochzeit. Untersucht ihn also. Doch wenn er für seine Gesundung mehr von Euch fordert, dann denkt daran, dass Ihr meine Leibärztin seid und nicht die seine; umsonst, guter Herr Walther, ist nur der Tod. Ich hoffe, Ihr seid bereit, unserer Magistra ihre Heilkunst zu entgelten.«

»Das bin ich, wenn sie mich nur zu heilen vermag«, krächzte Walther und wünschte beinahe, er sei wirklich krank. Ein Fieber würde das Pochen in seinen Ohren erklären, das Ziehen in seinem Herzen, und beides könnte kuriert werden, mit einem jener heißen Kräutertränke, an die er sich vage von ihrem Besuch in Klosterneuburg erinnerte. Sich in eine Frau zu verlieben, die seine Liebe nicht erwiderte, die ihn sogar verabscheute und auch noch Grund dazu hatte, war genau die Art von Selbstquälerei, die ihm in Reinmars Liedern mehr und mehr gegen den Strich gegangen war und die er gewiss nicht in der Wirklichkeit nachspielen wollte. Selbst unter besseren Voraussetzungen, selbst, wenn er nie an jenem Abend die Schenke betreten hätte, wäre es immer noch töricht, sich in eine Jüdin zu verlieben, die er nicht heiraten konnte, es sei denn, sie bekehrte sich. Nicht, dass er überhaupt jemanden heiraten wollte, ob christlich oder nicht. Nein, es wäre entschieden besser, nur krank zu sein.

»Das Kloster hier hat einen Bruder Medicus«, sagte Judith. »Erlaubt mir, Euer Gnaden, Herrn Walther zu ihm zu bringen. Ich bin sicher, mit vereinten Kräften werden wir eine schnelle Heilungsmöglichkeit entdecken.«

»Weise gesprochen, Magistra«, entgegnete Irene und bedeutete ihnen, sie dürften gehen.

Als sie die feste Tür aus Eichenholz hinter sich geschlossen hatten, murmelte Walther: »Dabei habe ich heute schon das Meine für Euren Ruf getan. Wundert Euch nicht, wenn Euch bald der ganze Tross für eine Halbschwester des Kaisers hält.«

Sie verschränkte ihre beiden Arme hinter sich, als wolle sie sich so daran hindern, ihn noch einmal zu schlagen, wie sie es kurz nach ihrer ersten Begegnung getan hatte.

»Ich verstehe Euch nicht«, sagte sie, und was ihn traf, war, dass sie noch nicht einmal feindselig klang. »Wenn Ihr bereut, was Ihr getan habt, wie könnt Ihr dann dumme Scherze machen und mich verfolgen, statt mich in Frieden zu lassen? Und wenn Ihr es nicht bereut, warum feiert Ihr dann nicht mit Euren Kumpanen, sondern warnt mich vor ihnen und bindet ihnen ein Märchen über meine Herkunft auf, dem ich nicht entgegentreten kann, ohne es noch glaubwürdiger zu machen?«

Lebenslange Gewohnheit wollte ihn protestieren lassen, seine Scherze seien nicht dumm, doch dann zwang er sich, ihr ehrlich zu antworten. »Reue lässt sich nicht so leicht in Worte fassen. Nicht so, dass ich selbst sie mir glaube. Ich wünsche Eure Verwandten wieder ins Leben, gewiss, aber wenn ich mir vorstelle, dass ich noch einmal in der gleichen Lage wäre, dann weiß ich nicht, ob ich die Stärke hätte, eine andere Wahl zu treffen. Und wenn ich das nicht ehrlich behaupten kann, was wäre es dann wert, wenn ich mit Tränen und Wehklagen wie Hiob durch mein Dasein ginge? Es wäre Heuchelei. Da fällt es mir leichter, meine Zunge an jedem geeigneten Stein zu wetzen. Manchmal spuckt einem das Leben ins Gesicht, aber es fiel mir immer leichter, zurückzuspeien, statt darüber zu weinen.«

»Ich glaube Euch nicht«, sagte Judith. »Ich glaube, Ihr habt nur Angst, Ihr könntet nicht mit Reue leben, wenn Ihr sie empfändet. Ihr seid wie ein Kind, das etwas zerbrochen hat und denkt, wenn es wegläuft oder andere Kinder mit Schlamm bewirft, als nach Hause zu gehen und für den Schaden geradezustehen, dann sei es nicht geschehen.«

Mit einem Mal war es nicht weiter schwer, sich daran zu erinnern, warum er sie bei ihrer ersten Begegnung für eine Furie gehalten hatte. Leider änderte der Zorn, der in ihm aufstieg, nichts daran, dass er sich fragte, wie sich ihre Lippen wohl anfühlen würden, wenn er sie küsste, oder wie es wäre, noch einmal zu erleben, wie sie ihr Haar seinem strengen Gefängnis entwand.

»Wie merkwürdig, dass Ihr vom Davonlaufen sprecht. Mein Gedächtnis mag mich trügen, doch ich glaube, diejenige von uns beiden, die bisher jedes Mal das Weite suchte, wenn wir uns im gleichen Raum miteinander befanden, das wart Ihr. Lenkt Euren Scharfblick doch bitte auch auf Euch, Magistra, und sagt mir, wovor habt *Ihr* Angst?«

»Nicht vor Euch und Euren mörderischen Freunden«, gab sie wütend zurück.

»Es sind nicht meine Freunde, und vor ihnen braucht Ihr auch keine Angst mehr zu haben. Der Bischof schickt sie fort vom Tross. Das wollte ich Euch sagen, deswegen bin ich gekommen. Aber tut doch nicht immer so, als wandertet Ihr furchtlos durch die Welt. Wenn Ihr das tätet, dann würdet Ihr mir entweder die Augen auskratzen oder zugeben, dass es vielleicht besser im Leben ist, vorwärts statt rückwärts zu schauen.«

Sie ließ ihre Arme sinken. Er konnte sehen, dass ihre Finger sich öffneten und wieder schlossen. »Oh, ich schaue vorwärts«, sagte sie mit einer Stimme, die wie die überspannte Saite einer Fiedel zitterte.

»Und wisst Ihr, was ich sehe? All die Arten, wie ein Mensch einen anderen Menschen umbringen kann. Nein, nicht mit dem Schwert oder durch den Strang, nicht wie Ihr und Euresgleichen. Es gibt viele Heilmittel, die man nur in kleinen Dosen verwenden darf, weil sie krank machen können, wenn man zu viel davon einnimmt. Manchmal, da können sie sogar töten. Es ist so einfach, viel leichter, als zu heilen, und ich denke jedes Mal daran, wenn ich auf den Hängen und Weiden Schneeglöckchen sehe, Krokusse, Rittersporn, Herbstzeitlose oder einfache Küchenschellen. Ich denke daran, wenn ich die Instrumente in Händen halte, die mein Vater benutzt hat, um Leben zu retten. Wir Ärzte wissen, wie man Messer führt, glaubt mir, besser als so mancher Soldat. Habt Ihr eine Ahnung, wie leicht es wäre, einen Aderlass an der falschen Stelle zu machen, oder ihn zu lange dauern zu lassen?« Blut war in ihre Wangen gestiegen, oder vielleicht war es auch nur die Sonne des heutigen Morgens, die sie verbrannt hatte. Walther fiel eine Geschichte ein, die Reinmar erzählte, eine heidnische Geschichte von dem Bildhauer Pygmalion, der sich eine Frau aus Marmor oder Elfenbein gemacht hatte, genau wusste Walther das nicht mehr, nur, dass die Frau wirklich geworden war, von der Flamme des Lebens erfüllt. Bis jetzt hatte er es sich nicht vorstellen können.

»Und ich denke mir, warum nicht? Auge um Auge, Zahn um

Zahn. Außerdem ist es doch das, was ohnehin jeder von uns glaubt, nicht wahr? Von den Ärzten, denn Ihr habt uns Schlächter genannt, und von den Juden. Mein Vater war der beste Mann, den ich je gekannt habe, und ich stand da und musste mit anhören, wie dieser unwissende Neidling von einem Medicus und Euer eigener Herzogssprössling ihm vorwarfen, er sei schuld am Tod eines Mannes, der schon im Sterben lag, ehe überhaupt der Schatten meines Vaters auf die Schwelle fiel. Als er ein kleiner Junge war, da haben sie in Köln genau das Gleiche getan wie nun in Wien. Er hat es mir erzählt, so oft, und ich habe es nicht wahrhaben wollen. Er hat mir erzählt, wie die jüdische Gemeinde viel Geld an den Erzbischof dafür gezahlt hat, dass sie in die Feste Wolkenburg bei Königswinter fliehen durfte, um nicht umgebracht zu werden von den Kreuzfahrern. Wisst Ihr, wen Ihr heute gerettet habt, Herr Walther? Nicht mich. Ich habe mir den ganzen Tag lang überlegt, wie einfach es wäre, zu Euch und Euren Ritterfreunden zu gehen und mit Euch einen Becher Wein zu teilen, der Euch schlafen lässt, so tief und fest, dass Ihr nie mehr aufwachen würdet. Diese Träume sind es, wovor ich Angst habe, das ist es, wovor ich davonlaufe. Dass ich es tue und alles verrate, woran ich glaube, alles, was ich mir selbst für mein Leben geschworen habe.«

Walther hatte einmal ein Sommergewitter erlebt, Blitze, die so nahe bei der Almhütte eingeschlagen waren, in die er sich geflüchtet hatte, dass er Luft und Erde um sich herum beben spürte und der Donner ihm durch den ganzen Leib fuhr, während er in Licht starrte, das noch heller als die Sonne selbst war. Das Erlebnis war gleichzeitig das Gefährlichste und Schönste gewesen, das er sich je hatte vorstellen können. Bis jetzt. Er sah Tränen über ihre Wangen laufen, obwohl sie keinen Laut mehr von sich gab, und ergriff ihre Hände, ohne nachzudenken. »Es tut mir leid«, flüsterte er und wusste nicht, was er meinte: sein eigenes Versagen in der Schenke, dass die Welt nicht anders war, dass sie in sich geschaut und ihre eigene Furcht gefunden hatte, oder einfach nur, dass sie weinte und er keine besseren Worte fand als ebendiese. »Es tut mir leid«, wiederholte er, flüsterte es ihr ins Ohr, weil er sie an sich gezogen hatte, und er spürte, wie sich ihre Finger, jene festen, so sicheren Fingerspitzen, die einst über die Haut seines Halses getanzt waren, in seine Schulter bohrten. Doch sie stieß ihn nicht zurück.

Ihr Haar und ihre Haut rochen nach Minze und Rosenwasser, und er spürte ihre Tränen an seinem Hals. *War*, hatte sie gesagt, ihr Vater *war*. Walther begriff, dass er so tot sein musste wie ihr Vetter. Es gab nichts mehr, auf das sie zurückschauen konnte, ohne zu trauern, und er wünschte sich, er hätte gewusst, wovon er sprach, als er vom Vorwärtsschauen redete. Gleichzeitig konnte er auch das nicht ungeschehen wünschen, nicht hier, nicht jetzt.

Jemand räusperte sich missbilligend. Walther spürte, wie sie sich rasch aus seinen Armen löste. Einer der Mönche aus dem Kloster stand mit frisch gebackenem Brot im Arm vor ihnen. »Der Abt hat mir aufgetragen, dies zwischen dem hochwürdigen Bischof und der edlen Prinzessin zu teilen.«

»Die hoch edle Irene wird sich freuen«, erwiderte Judith, und nur die Spuren auf ihren Wangen verrieten, dass sie gerade eben noch geweint hatte. »Seid bedankt, Bruder.«

Sie kehrten mit dem Mönch in Irenes Zelle zurück. Während eine der Mägde die Hälfte des Brotes für die Prinzessin und ihre Frauen aufschnitt, fragte Irene freundlich, ob Judith Herrn Walthers Stimme nun doch habe helfen können, denn gewiss seien sie zu schnell zurück, um den Bruder Medicus bemüht zu haben.

»O ja, Euer Gnaden«, sagte Walther, ehe Judith antworten konnte. Er musste sprechen, denn wenn er sich Zeit gab, über das nachzudenken, was gerade geschehen war, dann sollte das nicht hier geschehen. »Es war ein wahres Wunder, und wie Ihr mich gemahnt habt, will ich der Magistra ihre Mühe gleich entgelten.«

Das frische Brot duftete stark genug, um ihn hungrig zu machen. Wenn es nach den Liedern ging, dann spürte ein verliebter Ritter solch kleinliche Plagen seines Körpers nicht. Doch er war nur ein angemaßter Ritter, die alten Lieder brauchten dringend neue Kleidung, und er scheute immer noch davor, das närrische Gefühl, das ihn erfasst hatte, beim Namen zu nennen, zumal ihm all sein Wortreichtum keine andere Bezeichnung dafür schenkte.

»So ist es recht. Habt Ihr an Silber oder Kupferpfennige gedacht?«, fragte Irene. Ihre Mundwinkel kräuselten sich zu einem spöttischen Lächeln.

»Ich bin ein armer Sänger, Euer Gnaden, doch was ich im Sinn habe, ist kostbarer als beides. Gestattet mir, auch Euch für Euer Verständnis zu danken, indem ich Euch und der Magistra ein Lied widme.« Es entsprach der Sitte, sie mit einzubeziehen; die ranghöchste Dame im Raum war immer diejenige, der ein Minnelied gewidmet sein musste, und es würde ein Minnelied sein, das wusste er, keines der Frühlingsgesänge oder Preislieder auf den Frieden im Reich, die er für die Hochzeit vorgesehen hatte. Ein Lied, das sich schon seit längerem in ihm formte, doch heute, heute hatte es feste Gestalt angenommen, von dem Moment an, als er Judith auf dem Boden dieses Raumes hatte knien sehen. Auch jetzt kniete sie wieder, an der Seite Irenes, denn es gab nur ein Bett und keine Stühle; für den Rest der Frauen hatte man Strohsäcke hereingeschafft. Diesmal wandte sie den Blick nicht ab.

»Aber Ihr habt kein Instrument dabei, Herr Walther.«

»Bei uns begleiten sich die Sänger nicht immer auf der Laute oder Fiedel, Euer Gnaden. Manchmal reicht die richtige Aussprache, um unsere Dichtungen zu vermitteln.«

»Wenn Ihr meint, dass Ihr stark genug für eine solche Belastung seid«, sagte Judith und fügte, an Irene gewandt, hinzu: »Wir Ärzte können keine Wunder verrichten, Euer Gnaden, und wenn unsere Patienten darauf bestehen, sich immer wieder selbst in Gefahr zu bringen, dann gibt es nicht viel, was wir dagegen zu tun vermögen.«

»Oh, ich habe volles Vertrauen, Magistra, in Eure Fähigkeiten und in die meinen.«

Irene klatschte in die Hände, und die Mägde kauerten sich in eine Ecke gedrängt auf den Boden, so dass Walther mehr Platz hatte. Verglichen mit den sonstigen Mönchszellen, mochte die des

Abtes geräumiger sein, verglichen mit den Räumen seines Elternhauses, stellte sie Reichtum dar, doch wenn man sie gegen die Kemenate der Herzoginwitwe von Österreich setzte, war sie ein Nichts.

Ob ich dir zuwider,
Weiß ich wahrlich nicht; ich liebe dich.
Doch eines drückt mich nieder:
Du schaust an mir vorbei und über mich.
Lieb – das sollst du lassen:
Mich kann nicht erfassen
Solche Lieb' ohn großen Schaden.
Trag mit mir. Zu schwer bin ich allein beladen!

Soll's aus Vorsicht kommen,
Dass du mir nicht schaust ins Angesicht?
Tust du's mir zum Frommen,
Kann dich deswegen tadeln nicht:
Nun, so meid mein Haupt!
Das sei dir erlaubt,
Und schau bloß auf meinen Fuß,
So du mehr nicht kannst: Das sei dein Gruß.

Wenn ich alle überschaue
Die mir sollen wohlbehagen,
Bist nur du es, Fraue:
Ohne Rühmen kann ich dir das sagen.
Edel, schön zu schauen
Sind gar viele Frauen,
Zeige dich und trag hohen Mut;
Geborene gibt es höher, doch nur du bist für mich gut.

Jetzo dich besinne,
Frau, ob ich dir liebwert sei.
Deines Freundes Minne
Taugt nichts, ist die deine nicht dabei.

Minne taugt nicht einsam,
Sie soll sein gemeinsam,
So gemeinsam, dass sie dringt
Durch zwei Herzen, und kein weitres zwingt.

Während er die Worte formte, war er sich bewusst, dass er noch mehr daran arbeiten musste, aber das war ein Gedanke, der wie ein Fisch in einem Teich herumglitt, tief unten, während die Sonne auf der Wasseroberfläche tanzte. Es gab kein Gefühl so wie das, seine Zuhörer zu erreichen, und er tat es, ohne dass ihn die Erinnerung an die Schenke heimsuchte, wie sie es noch in Wien bei dem Vortrag während des Gastmahls getan hatte. Es war deutlich, dass die Prinzessin und die Magd Lucia nur einen Teil der Worte verstanden, aber genügend, der Art nach zu urteilen, wie sie sich vorlehnten, doch der Rest seiner Zuhörerinnen verstand alles; sogar Judith. Vor allem Judith.

Sie erinnerte ihn an eine Wiese im Frühling, wenn der Schnee Stück für Stück fortschmolz. Was darunterlag, war noch nicht blühend, es zeigte manche alten Wunden, die der Schnee nur überdeckt hatte, aber es war voll neuen Grüns, das sich der Sonne entgegenreckte. Ob das Gefühl in ihren Augen nun Zorn war, beginnendes Verzeihen oder die Furcht, von der sie gerade erst gesprochen hatte, sie hörte ihn. Wort und Ton, Ton und Wort; er formte ein Gespinst daraus, das er ihr zuwarf. Nun kam es darauf an, ob sie die Fäden aufgriff.

KAPITEL 12

Manchmal wünschte sich Judith, Irene würde noch einmal krank werden. Nicht aus Bosheit, doch mittlerweile stand sie fast drei Monate im Dienst der Prinzessin, und der jungen Frau fehlte nichts. In Salerno hatte es jeden Tag mehrere Herausforderungen für eine Ärztin gegeben, immer wieder neue Dinge, die Judith so lernen konnte. Das war ihr Lebenstraum gewesen, das hatte sie glücklich gemacht. Nicht mehr zu tun zu haben, als Irene Deutsch beizubringen und sie aufzumuntern, gab Judith noch dazu mehr als genügend Zeit, über alles nachzudenken, was sie lieber vergessen wollte. Es gab ihr Zeit, immer wieder die Stimme ihrer Base zu hören, als sie die Leichen ihrer Verwandten beschrieb. Es gab ihr Zeit, sich selbst zu verwünschen, weil sie so dumm gewesen war, sich über das Wiedersehen mit Walther gefreut zu haben, ehe sich ihr die Wahrheit eröffnet hatte.

Es gab ihr aber auch die Zeit, sich ihrer eigenen Feigheit zu schämen, weil sie immer noch nichts über ihre wahre Religion zu Irene gesagt hatte. Ihre Feigheit, die ihr auch das Verstehen von Walthers Verhalten leichter machte. Dann wieder dachte sie an das Gelächter des Ritters, der einer von Salomons Mördern gewesen war und in ihr den Wunsch nach Vergeltung hervorrief.

Es hatte geholfen, Walther davon zu erzählen, weil es ihr die Sicherheit gab, dass sie nichts dergleichen tun würde; sonst hätte sie ihre Gedanken für sich behalten. Doch ihr Leben wurde dadurch nicht besser, denn nun musste sie sich mit der unwillkommenen Erkenntnis herumschlagen, dass sie Walther eigentlich hassen sollte, doch es nicht tat, zumindest nicht genug, um ihn aufrichtig weit fort zu wünschen.

Es wäre Judith bessergegangen, wenn sie anderen Menschen mit ihren Fähigkeiten hätte helfen können oder sich ihr wenigstens die Gelegenheit geboten hätte, in Ruhe die neuen Schriften von Mosche ben Maimon zu studieren, doch nichts davon war möglich. Stattdessen bestand ihr Geist immer wieder darauf, sie an Rabbi Mosches *Kitab as-sumum* zu erinnern, seine Abhandlung über Gifte und ihre Gegenmittel, ein Rausch, der sie täglich neu erfasste, auch als Walther sein Lied für sie vor aller Ohren gesprochen hatte.

Wenigstens hatte Irene das Ganze nicht weiter ernst genommen, nicht als echte Werbung. Minnelieder waren ein Spiel; es musste immer abweisende Damen geben, denen Lieder gewidmet wurden, und das Einzige, worüber Irene ein Wort verloren hatte, war, dass dieses Lied, völlig unüblich, Gegenliebe forderte und unerwiderte Zuneigung für grundsätzlich schlechter erklärte. »Vielleicht ist es anders in diesem Land und in Eurer Sprache«, sagte sie zu Judith, »aber die Troubadoure, die ich in Palermo gehört habe, waren stets mit Blicken ihrer Angebeteten zufrieden und rühmten das Leiden und die Entsagung, nicht die Erfüllung.«

»Ich habe nicht den Eindruck, dass Herr Walther jemals etwas für Entsagung übrighat«, murmelte Judith, »und andere deutsche Sänger habe ich nicht gehört, weil ich in den letzten Jahren in Salerno lebte.« Auch, weil jüdische Ärzte in ihrem Kölner Haushalt keine Minnesänger empfingen, doch das konnte sie nicht hinzufügen.

Jedenfalls brauchte Judith dringend etwas, das sie beschäftigte. Erneut auf dem Maulesel zu reiten war keine Lösung; es befreite sie lediglich von der fürchterlichen Schaukelei, denn spätestens, als sie Passau hinter sich gelassen hatten, dem letzten Ort, wo manchmal noch die alte Straße der Römer erkennbar war, sprang ihr Wagen von einem Loch in das nächste, und wenn es regnete, kamen sie kaum noch voran, weil sie ständig feststeckten. Nein, das Reiten gab ihr immer noch viel zu viel Zeit zum Grübeln und für Gedanken an Walther, obwohl es doch überhaupt keinen Grund gab, sich mit diesem Kerl zu beschäftigen. Sie versuchte, sich einzelne Trossmitglieder daraufhin anzuschauen, ob diese an Gebrechen oder Krankheiten litten, derer sich die Männer noch nicht bewusst waren oder schämten, darüber zu sprechen, doch ihre Blicke wurden missverstanden, da die Betreffenden sich jedes Mal in die Brust warfen und versuchten, anzüglich zu schwatzen. Nach einer Weile gab sie es auf und kehrte erneut in den Pferdewagen zurück, wo es wenigstens Lucias zahnendes zweijähriges Söhnchen gab, für das sie eine Bernsteinkette aus dem Schmuck der Prinzessin zum Beißen organisieren konnte. Als sie sich bei Irene bedankte, welche über Kopfschmerzen klagte, meldete ihre ärztliche Beobachtungsgabe endlich eine Herausforderung, denn von dem Kind zu Irene zu blicken, erinnerte sie daran, dass Irene seit zwei Wochen ihren Monatsfluss hätte haben sollen, der jedoch nicht eingetreten war; der Geruch wäre im Wagen unverkennbar gewesen. Keine der Mägde sprach Latein, deswegen beschloss sie, Irene gleich darauf anzusprechen.

»Was wollt Ihr damit sagen, Magistra?«, fragte die Prinzessin aufgebracht. Auf ihren Wangen erschienen rote Flecken; in ihrer Stimme lag die Schrillheit von Angst.

»Dass Eure Körpersäfte nicht im Einklang miteinander stehen«, gab Judith beruhigend zurück. »Das kann geschehen. Aber Ihr solltet mich das behandeln lassen, denn je länger Euer Monatsfluss sich staut, desto heftiger wird er hervorbrechen, und Ihr wollt gewiss nicht, dass dergleichen geschieht, wenn wir in Frankfurt feiern. Ich habe Aloe dabei, die den kalten Weißschleim verarbeitet und austreibt, genau wie die warme Gelbgalle. Sie kräftigt außerdem den Magen und hilft bei Kopfweh. Ich weiß, dass Euch die Wochen in diesem Wagen mehr als genügend beschert haben. Lasst mich heute Abend heißen Eppichsaft mit der Aloe für Euch mischen, das sollte helfen. Vielleicht gibt es an unserem Rastplatz auch Schwarzwurzeln, die würden ebenfalls nützlich sein. Auf jeden Fall solltet Ihr mehr trinken, das hilft immer, zumindest gegen die Kopfschmerzen.«

»Es – es ist wirklich ... ich wusste nicht, dass ... um offen zu sein, Magistra, ich habe schon angefangen, mich zu fragen, ob Gott meinen Monatsfluss von mir genommen hat, um mich unfruchtbar zu machen, so dass der Staufer mich nicht heiraten wird«, schloss Irene gedrückt, aber ob sie diese Möglichkeit erhofft oder gefürchtet hatte, ließ sich nicht sagen. »Außerdem hatte ich Angst, dass Ihr glauben würdet, ich sei – nun, ich wusste nicht, dass sich der Monatsfluss stauen kann, ohne ...«

»Einigen Frauen geschieht das gelegentlich. Manchmal sind die Säfte nicht miteinander im Einklang, oder die Adern sind durch große Kälte oder aufzehrende Trockenheit verengt, oder der Körper geht durch ungewohnte Anstrengungen in diesen Zustand über, wie eine sehr lange Reise«, sagte Judith. Irene atmete vor Erleichterung aus. Sie musste wirklich Angst gehabt haben, dass man sie für schwanger hielt, was Schimpf, Schande und das nächste Kloster für sie bedeutet hätte. Für Judith war die Möglichkeit schon deswegen nicht in Frage gekommen, weil sie wusste, dass Irene in den letzten Monaten zu keinem Zeitpunkt alleine gewesen war; außerdem war es sehr unwahrscheinlich, dass einer der Kriegsknechte die grausamste Folter und den sicheren Tod dafür riskieren würde, die Braut eines Herzogs zu schänden. Vielleicht hatten die jüngsten Ereignisse sie bitter gemacht, doch Judith hielt es für wahrscheinlicher, dass Männer, die einer Frau Gewalt antaten, sich dafür solche suchten, die in der Welt weniger galten als sie selbst und niemanden hatten, der sie rächte. Genau, wie feige Mörder zuerst Opfer suchten, die für ihresgleichen nicht als Menschen galten.

Es war befriedigend und beruhigend zugleich, an jenem Abend einen Trank zu brauen, aber sie war sich bewusst, dass sie sich selbst nicht zur Ader lassen konnte, um das üble Gemisch aus Unruhe, Trauer, Zorn und unangebrachten Sehnsüchten loszuwerden. Morgen würde sie wieder einen Tag auszufüllen haben, und dann einen weiteren. Leibärztin einer Fürstin zu sein mochte bedeuten, sich nie um das tägliche Brot sorgen zu müssen, aber es ließ ihren Verstand hungern.

Bisher hatte sie sich vom Bischof von Passau ferngehalten, der mit dem Tross reiste, aus einem grundsätzlichen Schauder vor christlichen Klerikern. Doch er war einer der großen Bischöfe des Reiches, und das bedeutete, dass er sehr wahrscheinlich auch mit einigen Büchern unterwegs war. Also fasste sie den Entschluss, ihn anzusprechen; im Notfall konnte sie immer noch vorgeben, dass sie die Bücher für die Prinzessin haben wollte.

Wie Irene reiste der Bischof mit einem Wagen, doch er saß nicht darin; stattdessen fand sie ihn hoch zu Ross, als sie ihren Maulesel zu seinem Teil des Trosses trieb. Und sie fand ihn im Gespräch mit Walther.

Gott der Allmächtige hatte eine merkwürdige Art und Weise, seine Töchter zu prüfen.

»Euer Gnaden, die Magistra Jutta von Köln und unlängst von Salerno«, sagte Walther, als er sie erblickte.

Der Bischof neigte grüßend sein Haupt. »Ich habe von den Frauen aus Salerno gehört.« Aus seinem Tonfall ließ sich nicht schließen, ob es Gutes oder Schlechtes war. Walther dagegen lächelte sie an. Sie lächelte nicht zurück, aber sie konnte nicht umhin, festzustellen, dass er ein paar Sommersprossen mehr auf der Nase hatte. Es war eine rein medizinische Beobachtung. Wenn er es noch einmal wagen sollte, Verse an sie zu richten, würde sie ihm mitteilen, dass sich nichts geändert hatte, nur, weil er die Worte »es tut mir leid« von sich geben konnte. Sie sollte Flüche über seinen Namen aussprechen für das, woran er mitschuldig war, nicht überlegen, ob er an jenem Abend vielleicht betrunken gewesen war und nicht gewusst hatte, was um ihn geschah.

»Auch Euer Ruhm hat uns erreicht«, entgegnete sie so ehrfürchtig wie möglich, obwohl sie von dem Bischof nur wusste, dass sein Bistum Passau zu den größten Diözesen im Reich gehörte. »Vor allem der Eurer Gelehrsamkeit. Deswegen komme ich zu Euch, edler Herr. Ein gelehrter Mann Gottes wie Ihr reist gewiss nicht ohne Bücher.«

»Nein, das tut er nicht«, sagte der Bischof, ohne eine Miene zu verziehen. »Kann es sein, dass ich Euch schon einmal begegnet bin, Magistra?«

»Wenn Ihr die Schule von Salerno besucht habt«, begann sie und sah, wie Walther plötzlich ein bestürztes Gesicht machte. Seine Lippen formten lautlos *Todesbett*. War Bischof Wolfger an jenem Tag im Sterbezimmer des alten Herzogs gewesen? Wenn ja, dann hatte er nicht zugunsten ihres Vaters eingegriffen, als die Verdächtigungen begannen.

»Nein, das habe ich nie, und ich muss gestehen, dass ich mich wundere, wie Euch das Leben dorthin verschlagen hat. Wenn Ihr aus Köln stammt, dann wäre es doch gewiss naheliegender gewesen, die Heilkunst zum Ruhme Gottes im Kloster zu Bingen zu erlernen, wo die große Hildegard selbst gewirkt hat?«

Sie zwang sich, nicht anders als freundlich und gelassen zu klingen. »Dieses Kloster nimmt nur adelige Frauen an, und überdies fühle ich mich nicht zur Nonne berufen, Euer Gnaden.«

»Dann seid Ihr verheiratet? Ich meine mich zu erinnern … Ja, ich bin mir sicher, Euch schon einmal gesehen zu haben, in Gesellschaft eines anderen Arztes, der älter war als Ihr.« Mit einem Mal war sein Blick sehr kühl. »Eines jüdischen Arztes, Frau Jutta.«

Mein Vater, wollte sie sagen, aber dann ritt sie der Teufel, und sie fragte stattdessen: »Wart Ihr denn so krank, Euer Gnaden, dass Ihr die Hilfe eines jüdischen Arztes nötig hattet?«

»So krank werde ich nie sein«, gab er zurück, nicht feindselig, sondern sehr sachlich, als sei es die größte Selbstverständlichkeit. »Wenn das Schicksal mich krank oder verwundet in die Hände eines jüdischen Arztes gäbe, dann würde ich mich nach Kräften bemühen, seine Seele zu retten, die wichtiger ist als die Rettung meines Körpers. Und erkennt er nicht die Wahrheit Christi, so würde ich mich nicht von ihm behandeln lassen.«

Sie dachte an die Menschen in Salerno, die sich zuerst auch nicht von ihr behandeln lassen wollten, nur weil sie eine Deutsche war, und behaupteten, lieber zu sterben, als ihre Hilfe anzunehmen; da es dort immer andere Ärzte gab, waren sie nie auf die letzte Probe gestellt worden.

Der Bischof ließ sie nicht aus den Augen, und Judith spürte, wie sich Schweißtropfen in ihrem Nacken und auf ihrem Rücken sammelten. Der Ritter, der über den Tod ihres Vetters lachte, hatte ihr keine Angst gemacht; es war die Wahrheit gewesen, als sie Walther erklärte, sie habe sich an jenem Tag nur vor sich selbst gefürchtet, weil der Hass, den sie empfand, sie unversehens erkennen ließ, wie leicht es ihr fiele, die Mörder zu töten. Doch der Bischof machte ihr Angst, hier und jetzt, weil er nicht lachte, weil er nicht prahlte, weil sie nicht den Eindruck hatte, dass er aus Hass sprach. Im Gegenteil, er schien wirklich von dem, was er sagte, überzeugt zu sein. Er würde alles tun, einschließlich der Opferung seines eigenen Lebens, um Menschen zur Annahme seines Glaubens zu zwingen.

Sie hielten Simons Hände über das Feuer, flüsterte die Stimme ihres Vaters in ihr, *und sie schrien, schwöre ab, schwöre ab. Doch Simon zog es vor, zu sterben.*

Mit einem Mal wurde ihr klar, dass sie nicht den Tod wählen würde, wenn man sie vor eine solche Wahl stellen sollte. Sie wollte leben. Simon der Fromme war für seinen Glauben gestorben, dieser Bischof hier mochte sehr wohl imstande sein, das Gleiche zu tun, doch Judith wusste, dass sie, wenn man ihr hier und jetzt ein Schwert an die Kehle setzen und ihr befehlen würde, das Kreuz zu küssen, lieber dem Befehl folgen als ihr Blut vergießen lassen würde. Der Zügel des Maulesels schnitt tief in ihren Handballen, als sie ihn fester und fester um ihre Linke wickelte.

»Euer Gnaden«, sagte Walther plötzlich, »verzeiht mir meine Unwissenheit, doch käme es nicht gefährlich an die Sünde des Selbstmords heran, wenn Ihr so Euren Tod erzwingen würdet?« Der Bischof wandte seinen Blick von ihr ab, und Judith stieß den Atem aus, den sie angehalten hatte.

»Keineswegs. Niemand hat größere Liebe denn die, dass er sein Leben lässt für seine Freunde, sagt die Schrift. Besteht auch nur eine kleine Möglichkeit, eine Seele zu retten, so muss man sie ergreifen, koste es, was es wolle. Was ist ein Leben hier auf dieser Erde gegen das ewige Leben einer Seele?«

Sie musste von hier fort, so bald wie möglich. Aus der Gegenwart des Bischofs, doch noch mehr als das musste sie fort aus der erstickenden Leere, die ihrem Leben das nahm, was es lebenswert machte, und von Gefahren, die sich einstellten, wo man nicht darauf gefasst war. Doch sie war nicht grundlos gekommen, und da sie sich nun einmal in Gefahr gebracht hatte, würde sie auch versuchen, noch etwas zu erreichen.

»Um das Leben einer Seele geht es mir auch«, sagte sie. »Habt Ihr vielleicht ein Exemplar der Psalmen bei Euch? Nun, da der Tag ihrer Hochzeit immer näher rückt, will sich meine Herrin durch die Worte der Heiligen Schrift vorbereiten.« Die Psalmen waren Teil der Thora, ehe sie von den Christen für ihre Bibel genommen wurden, und das Buch, um das sie bitten konnte, ohne einen inneren Verrat zu begehen. Ihn zu fragen, ob er medizinische Schriften mit sich führte, war jedenfalls sinnlos.

»Ihr liebt die Psalmen?«, fragte der Bischof gedehnt, sich nicht darum kümmernd, dass sie Irene vorgeschoben hatte. »Das wundert mich nicht. Schließlich stammen viele von ihnen von König David.«

Langsam durchsetzten sich die Angst und die Scham in ihr wieder mit dem Zorn, den sie kaum unter Kontrolle halten konnte. Die Worte, die er und seinesgleichen predigten, waren von ihrem Volk geschrieben worden. Warum sollte er ihr Leben in der Hand halten, er und jeder andere Christ? Und wenn er sich einbildete, er könnte sie mit Anspielungen einschüchtern, dann würde er herausfinden, dass sie trotz aller Machtlosigkeit keine Maus war, sondern zumindest eine Ratte, die beißen konnte, ehe sie von der Katze gefressen wurde.

»Herr Walther«, sagte sie, »als Sänger werdet Ihr mir sicher zugestehen, dass es keinen größeren Eurer Art gegeben hat als David. Die Hymnen, die man manchmal von anderen Dichtern hört, sind einfallslos und armselig im Vergleich dazu.« An den Bischof gewandt, fügte sie hinzu: »Und wie könnte es anders sein? David wurde erwählt und gesalbt von Gott. Die Philister schmetterte er in den Staub.«

In dem Schweigen des Bischofs hörte sie die Hufschläge, Wagenräder, das Gemurmel der Reiter und zu Fuß Gehenden, sogar Vogelzwitschern, wie sie es auf der ganzen Reise bisher noch nie so deutlich vernommen hatte. Walthers Pferd schnappte nach dem ihren; das brach den Bann.

»Da Christus, unser Herr, aus dem Haus Davids stammt«, entgegnete Walther, »wäre es in der Tat anmaßend von mir, bessere Sänger anzuführen oder die Schönheit der Psalmen zu leugnen. Aber wisst Ihr, ich fand immer, dass auch das schönste Lied an Glanz verliert, wenn man stets darauf besteht, nur dieses Lied zu wiederholen und nichts Neues zuzulassen. Keiner von uns kann wie David singen. Doch wir können immer unsere eigene Stimme finden, hier und heute.«

Es war, als hätte er das überbordende Wasser eines Stroms nach einem Gewitter in einen neuen Kanal gelenkt, und wie kunstfertig er das getan hatte, bemerkte sie erst, als sie auf seiner Stirn kleine Schweißperlen stehen sah, während sein Mund lächelte. Auch Walther musste Angst haben. Aber er hatte trotzdem seine

Worte so gesetzt, dass dem Bischof eine Brücke zu einer Diskussion über Dichtkunst gebaut war.

Wolfger betrachtete sie noch einen Moment länger, dann sagte er: »Nun, solange Eure Stimme Worte spricht, die Gott genehm sind, Herr Walther, ist das ein löbliches Unterfangen.« Er nickte Judith zu. »Ich werde Eurer Herrin die Psalmen zukommen lassen.«

An diesem Abend kamen sie in Nürnberg unter, wo Irene als zukünftiger Schwägerin des Kaisers die Kaiserpfalz zur Verfügung stand. Da Judiths Kräuter inzwischen ihre Wirkung zeigten, wäre Irene, die stark blutete, am liebsten sofort im Bett verschwunden, doch eine kleine Gesandtschaft der wichtigsten Bürger von Nürnberg machte ihre Aufwartung. Also ließ sie sich von Judith mit Rosenwasser einreiben und von ihren Mägden neu einkleiden; dann empfing sie die Herren, von denen die meisten Kaufleute waren. Einer von ihnen schaute während der vorgetragenen guten Wünsche, Versicherungen der innigen Verbundenheit von Nürnberg mit dem Haus Hohenstaufen und anderen erbaulichen Gedanken öfter zu Judith hinüber, die mit den Mägden im Hintergrund stand. Etwas an ihm kam ihr vertraut vor, doch sie hätte es nicht beschwören können. Da sie in Gedanken immer noch beim Bischof und Walther war, erwies sich der Versuch, die Erinnerung aus ihrem Gedächtnis zu locken, als fruchtlos.

Als sich die Gesandtschaft wieder verabschiedete, bat der Mann, dessen Haar sie an eine Mischung aus Pfeffer und Salz erinnerte, um Verzeihung, während er als Letzter seiner Gruppe auf der Schwelle stand, und fragte, ob die Dame in Schwarz vielleicht aus Köln stamme. An seinem Akzent war sofort zu hören, dass er ebenfalls vom Rhein kommen musste.

»Das tut sie in der Tat«, erwiderte Irene und fügte leicht gereizt hinzu, wenn der Nürnberger Judith mit einem Lied beehren wolle, so möge er das nicht in ihrem Gemach tun, wo sie nun Ruhe zu haben wünsche. Leichte Verwirrung stand in den Zügen des Kaufmanns geschrieben, doch Judith nickte und begleitete ihn nach draußen. Sie wusste immer noch nicht, wer er sein konnte, doch jedes Rätsel war besser, als Zeit zum Grübeln zu haben.

»Bist du«, fragte der Mann unvermittelt in der Sprache ihrer Kindheit, jenem mit hebräischen Worten versetzten Deutsch, »die Tochter von Rebecca bar Menasse und Josef ben Zayn?«

Es war das erste Mal, dass sie den Namen ihres Vaters wieder ausgesprochen hörte, seit sie die Alpen überquert hatte. Sie versuchte, den Kloß in ihrer Kehle hinunterzuschlucken. »Das bin ich. Wer …«

»Ich war Avram ben Menasse«, sagte er, »und wurde Stefan von Köln. Du siehst deiner Mutter überaus ähnlich, Nichte.«

Der verlorene Onkel. Sie trat unwillkürlich einen Schritt zurück. Dann wurde ihr bewusst, unter welchen Umständen sie hier war und was er annehmen musste, da Irene sie als »die Magistra Jutta« bezeichnet hatte, und sie beugte ihr Haupt.

»Sie hat stets nur mit Zuneigung von dir gesprochen, Onkel«, sagte sie leise, und das Wort klang fremd und voll Verwunderung. »Nicht oft, denn mein Vater billigte es nicht, wenn dein Name fiel. Doch manchmal sprach sie von dir, wenn sie von ihrer Kindheit erzählte, und nur im Guten.«

»Sie war eine liebevolle Schwester«, sagte er und seufzte. Wie sich herausstellte, war er hier, weil der Kölner Kaufmann Gerhard Unmaze, mit dem er häufig zusammenarbeitete, mit einem der Nürnberger Kaufleute eine Allianz eingehen wollte. Selbst ihr war der reiche Gerhard ein Begriff; es gab in Köln keinen berühmteren Kaufmann.

»Bei einem solchen Gönner hast du Glück, Onkel.«

»Mein Freund Constantin hat die Bekanntschaft vermittelt«, sagte er und stockte sofort wieder. Sie wusste, weswegen: Constantin war der Münzmeister von Köln und entstammte einer Familie Abtrünniger. Sie hatte keine Ahnung, ob es Constantins Eltern oder die Großeltern waren, die sich hatten taufen lassen, doch getauft waren sie, und jedem Juden in Köln war bekannt, dass der Münzmeister tatsächlich zur christlichen Messe ging und bei den Zunftessen Schweinefleisch aß. Nach einer kleinen

Pause fuhr ihr Onkel fort: »Constantin ist auch mein Schwager; meine Gemahlin Martha ist seine Schwester.«

Sie fragte sich, ob das einer der Gründe für seinen Übertritt gewesen war, doch das war nichts, was man bei einer ersten Begegnung fragen konnte. Es war schwer, in ihm ihre Mutter zu sehen, doch je länger sie ihn betrachtete, desto mehr fielen ihr Kleinigkeiten auf, die übereinstimmten: die Form der Ohren, etwas um die Augen, sogar die Art, wie er Worte betonte.

»Hast du auch Kinder, Onkel?«

»Zwei.« Er erzählte von einem Sohn und einer Tochter, bis wieder die unbehagliche Stille von Fremden, die einander kennen sollten, zwischen sie fiel. Sie hätte von sich selbst erzählen können, von Salerno, vom Tod ihres Vaters, und vielleicht wartete er darauf, doch sie scheute davor zurück. Stattdessen fragte sie ihn, warum er der Prinzessin seine Aufwartung gemacht hatte, wenn er nur ein Gast hier in Nürnberg war.

Er zögerte. »Es … hat nicht unbedingt etwas mit der Prinzessin zu tun. Sag, weißt du, wo der Bischof von Passau untergebracht wurde? Ihm wollte ich eigentlich meine Aufwartung machen.«

Sie konnte nicht verhindern, dass sie zusammenzuckte. »An deiner Stelle wäre ich vorsichtig bei einem solchen Unterfangen, Onkel«, sagte sie, doch kaum hatte sie den Mund geöffnet, da bereute sie es schon wieder. Ihr Onkel war ein Christ, und es war anmaßend von ihr, anzunehmen, er sei es nur um äußerer Vorteile wegen. Wenn er ein gläubiger Christ war, dann gab es nichts, was er von Wolfger zu befürchten hatte.

»Oh, ich bin den Umgang mit Bischöfen gewohnt«, sagte er beruhigend. »Seine Gnaden plant gerade einen neuen Dom in Köln, und so hat der Erzbischof wiederholt große Vorhaben mit Gerhard besprochen. Auch Constantin besucht ihn ständig. Deswegen … nun, das tut nichts zur Sache. Sag mir, wie bist du Magistra bei einer Byzantinerin geworden?«

»Ich weiß nicht, ob ich wirklich *ihre* Magistra bin oder sein möchte«, sagte Judith; es tat gut, dies laut auszusprechen. Ehe ihr Onkel sie fragen konnte, was sie damit meinte, hörten sie Schritte, und wenig später tauchte Walther auf, ein Buch in Händen, bei dem es sich mutmaßlich um die Psalmen handelte.

»Der Kaufmann Stefan aus Köln«, sagte sie, ohne etwas von ihrer Verwandtschaft zu erwähnen. Walther schenkte ihrem Onkel nicht mehr als einen knappen Gruß; er war in Gedanken offensichtlich mit etwas ganz anderem beschäftigt.

»Magistra«, sagte er, »auf ein Wort.«

Nun war es Stefan, der die Stirn runzelte, wie einst Vetter Salomon. »Seid Ihr …«

»Herr Walther ist ein Sänger und wird Euch gerne zum Bischof führen«, sagte Judith hastig, doch dieser Versuch, gleichzeitig um eine Erklärung und ein Gespräch mit Walther herumzukommen, fiel auf dürren Boden und fruchtete nicht.

»Erst muss ich mit Euch unter vier Augen sprechen, Magistra.«

»Seid Ihr mit der Magistra verlobt?«, fragte ihr Onkel mit mehr Nachdruck.

»Herr Walther leidet an stetem Durchfall«, sagte Judith, weil das Letzte, was sie sich wünschte, eine Auseinandersetzung zwischen ihrem Onkel und Walther war. Nichts, was dabei offenbart werden konnte, würde jemandem nutzen; im Gegenteil, es würde nur Schaden anrichten und verletzen. »Das ist nicht gut in seinem Gewerbe, also mische ich ihm jeden Abend einen Trank dagegen. Vielleicht empfängt der Bischof dich jetzt, gehe einfach im nächsten Gang bis zur zweiten Tür rechts. Ich werde derweilen mit Herrn Walther die Küche besuchen.«

Die meisten Männer hätten sich wegen der Natur dieser Ausrede in ihrer Würde gekränkt gefühlt, doch Walther scherzte selbst über die merkwürdigsten Dinge. Daher war Judith nicht überrascht, als er leichthin meinte, die Geschichte mit den Halsschmerzen habe ihm besser gefallen. Aber dann verlor er jeden Anflug von Humor, als er sie hinter eine Balustrade zog. »Wart Ihr heute Morgen nicht ganz bei Trost? Der Bischof ist kein Student, mit dem Ihr streiten könnt!«

»Ich habe nicht mit ihm gestritten. Ich bin nur nicht vor ihm gekrochen. Aber ich kann schon verstehen, warum Euch das ein Rätsel ist«, sagte sie, obwohl ihr bewusst war, dass sie log. Sie hatte ein wenig mit Worten gespielt, mehr nicht; es war ein Kriechen gewesen, aber wenn ihr das Gespräch etwas klargemacht hatte, dann, dass sie nicht den Mut besaß, ihr eigenes Leben für ihren Glauben in Gefahr zu bringen. Es war schlimm, sich das einzugestehen.

»Es ist mir ein Rätsel, weil ich Euch bisher für eine kluge Frau gehalten habe«, sagte er wütend. »Der Bischof ist alles andere als dumm. Er mag jetzt noch andere Dinge im Kopf haben, doch ehe er zum Kreuzzug aufbricht, wird er ganz gewiss noch die Zeit finden, Herzog Philipp darauf aufmerksam zu machen, dass seine Gemahlin keine jüdische Ärztin haben sollte. Dann könnt Ihr gleich nach Salerno zurückgehen.«

Das konnte sie nicht, doch davon wusste er nichts. Er meinte es gut, aber das half Judith nicht gegen den Ärger, der in ihrem Herzen festsaß und bei dem Wort *Kreuzzug* aufplatzte wie eine Wunde voller Eiter. Besser war da schon der Zorn auf ihn und seinen Bischof als die Abscheu vor sich selbst, weil sie im Grunde doch genau wie er ein Feigling war. Noch dazu hatte sie sich von ihm umarmen und seine dummen Verse in ihren Kopf eindringen lassen, als sei sie ein kicherndes kleines Mädchen, dem jemand Gänseblümchen überreichte.

»Hört endlich auf, so zu tun, als wäret Ihr meinetwegen besorgt!«, stieß sie hervor. Er stand direkt vor ihr, so nahe, dass sie schon wieder seine Sommersprossen zählen konnte, und sie war ärgerlich auf ihn. Gerade jetzt schien er ihr alles zu verkörpern, was falsch an dieser Welt war. »Wisst Ihr, was Euch wirklich kümmert? Dass dieser Bischof sich fragen könnte, was Ihr mit mir zu schaffen habt, und Eurem Herzog empfiehlt, seine Gunst lieber singenden Rittern zu schenken, die sich ausschließlich ihren Schlächtereien widmen, statt hin und wieder einer Jüdin Kuhaugen zu machen!«

Das war verletzend, vielleicht sogar unrecht, und sie wusste es. Einen Moment lang war der Ausdruck seiner Augen der eines Patienten, dem ein Pfeil mit Widerhaken aus dem Fleisch gezogen wurde; sie streckte unwillkürlich die Hand aus, nur, um sie sofort wieder zurückzunehmen, denn er war nicht ihr Patient.

Seine Miene versteinerte, und zum ersten Mal hörte sie in seiner Stimme etwas Bösartiges, als er ihr antwortete: »Ihr habt recht. Ich mache mir wirklich Sorgen um meinen Ruf, denn wisst Ihr, ich möchte, dass die Menschen glauben, dass ich einen guten Geschmack habe.«

Das war gemein und tat weh, doch statt sich umzudrehen und zu verschwinden, wie es das Vernünftigste gewesen wäre, spielte ihr Gedächtnis Judith einen Streich: Es erinnerte sie daran, wie befriedigend es gewesen war, ihn ins Gesicht zu schlagen, das Gefühl seiner Wange und der Bartstoppeln auf ihrer Haut. Sie hob ihre Hand, doch diesmal war er darauf gefasst und fing sie ab. Etwas fiel mit einem dumpfen Knall zu Boden; es musste der Psalter des Bischofs sein. Erst jetzt wurde ihr bewusst, dass sie zwischen ihm und der Balustrade stand, erst, als er ihr Handgelenk wieder losließ, nur, um beide Hände links und rechts von ihrem Kopf gegen die Säule zu stemmen, nur, um sich vorzubeugen, bis seine Lippen die ihren fanden.

Ihr Mund öffnete sich. *Um zu atmen,* dachte Judith, und dann dachte sie überhaupt nichts mehr. Was in ihr brannte, musste Hass sein, Hass, der sich fortsetzte in Feuer. Wie lange es brannte, wusste sie nicht, doch irgendwann schmeckte sie Blut und begriff, dass sie ihn gebissen haben musste. Sie riss sich los und stieß ihn zurück. Diesmal sagte keiner von ihnen etwas, während ihr Atem sich langsam wieder beruhigte. Sie hatte das Gefühl, dass ihre Haut brannte, überall, wo er sie berührt hatte.

Schließlich straffte sie sich, wandte sich ab und kehrte zu Irenes Gemach zurück. Er folgte ihr nicht.

Judith traf ihren Onkel wieder, als sie mit Lucia zur Küche kam, um dem Kind etwas zu essen zu besorgen. Offenbar hatte er dort auf sie gewartet. Sein Gesicht erhellte sich, als er sie in Gesellschaft einer Frau statt Walthers sah. Sie stellte Lucia und den kleinen Giovanni vor und hörte von Stefan, dass sein Geschäft mit dem Bischof von Passau bereits erledigt sei.

»Allerdings werde ich nun nach Köln zurückkehren müssen«, fügte er hinzu, räusperte sich und fuhr fort: »Es ist mir bewusst, dass ich für dich ein Unbekannter bin, doch du bist die Tochter meiner Schwester, und wenn ich dich vorhin recht verstanden habe, weilt dein Vater nicht mehr unter den Lebenden. Vermählt bist du auch nicht. Kurzum, es wäre mir eine Freude, dich in meinem Haushalt in Köln aufzunehmen.«

Es rührte sie, denn er wusste nichts von ihr, als dass ihr Vater ihn für unwürdig befunden hatte, sein Haus zu betreten. Stefan musste ihre Mutter wirklich sehr geliebt haben. *Vielleicht*, dachte Judith, während er ihr ein hoffnungsvolles Lächeln schenkte, *sind er und seine Familie einsam?* Für die jüdische Gemeinde von Köln waren sie Abtrünnige. Ob die Christen, mit denen er geschäftlich zu tun hatte, ihn wirklich als Freund betrachteten und ihn ohne sein Geld in ihrer Gemeinschaft aufgenommen hätten, war dahingestellt. Vielleicht konnte es keine Freundschaft zwischen Juden und Christen geben? Judith ertappte sich dabei, wie sie mit dem Handrücken über ihre Lippen fuhr. Es musste sie geben zwischen Menschen und Menschen, egal zu welchem Gott sie beteten.

»Verzeih«, erwiderte sie, »es überrascht mich nur so sehr …«

»Du hast auch gesagt, dass du nicht weißt, ob du die Magistra der Byzantinerin sein möchtest«, sagte Stefan leise. Lucia, die inzwischen wohl so viel Deutsch verstand wie Irene, warf ihr einen überraschten Blick zu.

Eigentlich war sein Angebot ein Gottesgeschenk: Hatte sie sich nicht schon seit Wochen gewünscht, wieder Patienten zu haben, wirkliche Patienten, nicht nur ein einsames adliges Mädchen, dem im Grunde nichts fehlte? War der Bischof heute Morgen nicht ein warnendes Beispiel dafür gewesen, wie ihr Leben sein würde, wenn sie weiter in dieser Umgebung blieb, ein ständiges Spiel von Angst und Verstellung? Außerdem wusste sie genau, was sie absolut nicht wollte, und das war, Walther von der Vogelweide noch einmal wiederzusehen.

»Das ist wahr«, gab Judith zurück. »Aber ich *bin* eine Magistra und will nichts anderes sein. Wenn ich in deinem Haus lebe, Onkel, dann nur als Ärztin.« Dies klarzustellen, war wichtig, denn Vetter Salomon hätte ihr gewiss verboten, mehr als die aufgeschlagenen Kinderknie des Haushalts zu versorgen. Außerdem musste sie noch etwas anderes zurechtrücken. »Es ist außerdem so, dass ich nicht dem christlichen Glauben angehöre, und ich will die Taufe auch nicht empfangen.«

Er schaute sie erstaunt an. Lucia gab einen kleinen Laut von sich, ein kurzes Ächzen; als sich Judith zu ihr umdrehte, sah sie, dass ihre Augen geweitet waren und ihre Lippen bebten.

»Ich werde dich auf jeden Fall mitnehmen«, sagte sie beruhigend in der Volgare, »wohin ich auch gehe, ich habe es versprochen.«

»Aber wo kann es uns bessergehen als bei einer Fürstin, wo?«, fragte Lucia bestürzt. »Wenn sie ein Kind bekommt von ihrem Herzog, dann kann mein Giovanni sein Leibdiener werden! Bitte, Magistra, wir müssen hier bleiben!«

Aus Lucias Sichtweise klang es so überaus vernünftig und einfach. Etwas über die Langweile als Leibärztin zu sagen, wäre herzlos gewesen, wenn es um Lucias tägliches Brot ging.

»Es wird uns auch in Köln nicht schlecht ergehen«, sagte Judith beschwichtigend. »Mein Vater war ein sehr geachteter Arzt dort, und gewiss werde ich bald ebenfalls einen guten Ruf haben.« So einfach würde es nicht werden, schon gar nicht, wenn sie im Haushalt eines Abtrünnigen lebte, doch solche Kleinigkeiten brauchte Lucia nicht zu wissen. Wichtig und richtig war, dass sie nicht befürchten musste, zu darben.

»Es gibt nichts Besseres, als einer reichen Fürstin zu dienen«, beharrte Lucia störrisch, und wie um ihre Meinung zu bestätigen, brach Giovanni in Tränen aus.

»Stört es dich denn nicht, dass sie den Bruder des Kaisers heiraten wird?«, fragte Judith, weil sie nicht direkter fragen konnte, ob Lucia wie Salvaggia Hass und Groll auf die ganze Familie des Mannes empfand, dessen Kriegsknechte Salerno gebrandschatzt hatten. Lucia presste die Lippen zusammen.

»Deutsch höre ich sowieso überall«, sagte sie. In ihrem Blick lag eine Herausforderung, die Judith mit einschloss. »Aber in einer schönen Pfalz ist es besser als in einem kleinen Stadthaus.«

An dem Tag, als sie ihre Magd mit sich aus Salerno genommen hatte, war das Wohlergehen Lucias und ihres Kindes Judiths

Verantwortung geworden, und doch hatte sie nicht daran gedacht, als sie sich einmal mehr gefangen in ihrem Schicksal vorkam. *Selbstsüchtig*, dachte Judith, ich bin *selbstsüchtig*, doch sie brachte es nicht über sich, Lucia ihr Bleiben zu schwören.

»Es ist noch nicht gesagt, dass der Herzog seiner Gemahlin gestatten wird, mich in ihren Diensten zu behalten. Im Gegenteil, gerade heute ist mir versichert worden, dass der Bischof Jüdinnen im Dienst einer christlichen Herzogin für unpassend hält.«

»*Ich* bin keine Jüdin«, gab Lucia zurück, und im Gegensatz zu ihren Lippen zitterte ihre Stimme kein bisschen. »Es wird Zeit, dass ich Euch die Geschichte erzähle, weshalb ich in Euer Haus gekommen bin. Es ist nämlich nicht so, dass nur alle Deutschen, alle Kaiserlichen, alle Christen schlecht und alle Juden selbstverständlich gut sind, wie Ihr das offenbar glaubt. Ich habe im Haus eines Juden gearbeitet, und der Sohn des Herrn hat Wohlgefallen an mir gefunden, wie ich an ihm. Das ging so lange gut, bis ich schwanger wurde. Dann wollte dieser ehrenwerte Jüngling nichts mehr von mir wissen, weil ich keine Jungfrau mehr war. Wenn ich überhaupt länger im Hause hätte arbeiten wollen, dann ohne das Kind. Setze es aus, sagte er zu mir. Genauso gut hätte er sagen können, töte es, denn welches Neugeborene überlebt schon, ausgesetzt zu werden in diesen schlechten Zeiten, wo jeder froh war, genügend für seine Familie zum Essen zu haben. Aber es war mein Kind, es konnte nichts dafür, dass sein Vater sich so verhielt. Und so ging ich. Weil damals ständig Kriegsknechte in Salerno waren, glaubte jedermann, es müsse von einem Deutschen sein. Und weil ich nie von Vergewaltigung gesprochen habe, musste es demnach aus einer Liebschaft stammen. Das Gerücht hielt sich. Niemand gab mir mehr Arbeit. Bis auf Salvaggia sprach auch niemand mehr mit mir, auch nicht mein Vater, wegen der Schande. Dabei besprangen er und meine Brüder regelmäßig die eigenen Mägde, wie fast alle Männer in der Stadt, ohne je eine zu fragen, ob es genehm sei. Ich habe alles aufgegeben für meinen Sohn, und ich werde dafür sorgen, dass er das beste Leben erhält, das er bekommen kann. Nicht bei Juden, nicht bei Christen, sondern da, wo die Macht ist.«

Judith war betroffen. Sie spürte, dass Lucia nicht log; Unduldsamkeit und Selbstsucht hatte sie überall erlebt und war selbst nicht frei davon. »Nun, ich kann die Prinzessin bitten, dich in ihren Diensten zu behalten«, sagte sie abrupt und wandte sich ihrem Onkel zu. »Wenn du unter diesen Umständen nicht mehr als einen Besuch wünschst, so danke ich dir trotzdem«, sagte sie, um ihm eine Brücke zu bauen, mit der er seine Einladung umwandeln konnte.

»Als Ärztin bist du mir so willkommen wie als meine Nichte«, sagte er und schaute zu Lucia, während er den zweiten Teil ihrer Stellungnahme nicht beantwortete. Genauso gut hätte er hinzufügen können, dass er nicht vor fremden Ohren über die Frage des Christentums sprechen wollte, und sie verstand. Es wäre gewiss vernünftig, nichts zu überstürzen und über sein Angebot noch eine Weile nachzudenken. Immerhin war nicht gesagt, dass er ihrer Mutter auch vom Wesen her ähnelte. Am Ende könnte er sich als häuslicher Tyrann entpuppen, der sein Versprechen verwarf, sobald sie sich unter seinem eigenen Dach befand, und nur vorhatte, sie als billige Dienstkraft zu nutzen, wie es viele Leute, ob Juden oder Christen, mit ihren unverheirateten Verwandten taten.

Nun, wenn dem so sein sollte, dann würde sie eben ein weiteres Mal fliehen. Doch der Tross würde Nürnberg morgen wieder verlassen, und sie wusste nicht, was von ihrem Selbst noch übrig sein würde, auf das sie früher immer so stolz gewesen war, wenn sie jetzt nicht die Gelegenheit ergriff, wieder zu der zu werden, die sie sein wollte.

»Dann komm morgen hierher«, sagte sie, »und ich werde bereit sein, mit dir zu gehen.«

Mittlerweile war Irene an schlechte Nachrichten gewöhnt, und auch daran, Menschen zu verlieren. Die Magistra kannte sie erst seit einigen Monaten; es sollte sie nicht weiter kümmern, von ihr zu hören, dass sie in ihre Vaterstadt zurückkehren und nicht einmal die Hochzeit abwarten würde. Doch es versetzte ihr einen unerwarteten Schlag, auch, weil es der letzte Beweis dafür war, dass die Magistra kein Spitzel sein konnte. Sie war wirklich nur, wer sie zu sein vorgab. Zunächst war Irene versucht, mit dem Fuß aufzustampfen und zu erklären, sie gebe nicht die Erlaubnis, dass die Magistra sich entfernen dürfe, aber die Frau hatte ihr keinen Eid geschworen, noch war sie eine Sklavin, die ihr gehörte.

»So habt Ihr mich mit einer Blähung gefunden und verlasst mich blutend«, sagte Irene in dem Bemühen, sich leichtherzig über diesen plötzlichen Aufbruch zu geben, nachdem sie eingewilligt hatte, die Magd Lucia in ihren Diensten zu behalten. »Das wird Eurem Ruf schaden, Magistra.«

»Versprecht mir nur, weiter wärmende Wickel mit abgekochtem Hahnensporn zu verwenden, das wird Eure Krämpfe lösen«, gab die Magistra zurück. »Wenn Ihr dann in Frieden und gesund an der Seite Eures Gatten residiert, wird mein Ruf bis in die Sterne strahlen.«

Irene konnte nicht anders, sie musste lächeln, doch sie wurde rasch wieder ernst. »Ihr habt nicht *in Frieden und glücklich* gesagt«, bemerkte sie. »Das wünscht man doch den meisten Bräuten.«

»Glücklich können wir uns nur selbst machen«, gab die Magistra zurück. »Denkt immer daran, was ich Euch über Adelheid erzählt habe, die Gemahlin von Kaiser Otto. Sie hat geschafft, was noch vor Euch liegt. Alles ist machbar.«

Sie war so respektlos, Irenes Hand zu erfassen und zu drücken, als sei eine Prinzessin aus Byzanz ein trostbedürftiges Kind. Deswegen konnte Irene einer kleinen Bosheit nicht widerstehen.

»An seinem Glück selbst zu arbeiten, das meint Herr Walther auch in seinen Liedern. Oder habe ich da etwas falsch verstanden mit meinem schlechten Deutsch? Er hält das Glück für etwas, was ein Herz mit dem anderen teilen soll?«

»Ich habe nicht hingehört«, erwiderte die Magistra, was eine so offenkundige Lüge war, dass Irene kurz auflachte.

»Ihr habt mir erzählt, dass Köln eine alte Römerstadt ist. Hat sie eine kaiserliche Pfalz, und wird mein Gemahl sie mit mir besuchen?«

»Das mag wohl sein, aber Ihr werdet ihn wohl darum bitten müssen. In Köln liebt man die Staufer nicht.«

»Nun, das kann ich verstehen«, sagte Irene nüchtern. »Nur dachte ich nicht, dass man in diesem Land auch so wie jenseits der Alpen über sie denkt.«

»Das tut man nicht. Es ist nur so, dass für die Kölner der Handel mit England sehr wichtig ist, Euer Gnaden. Als der König von England aus der Gefangenschaft freikam, da hat ihm Köln einen triumphalen Empfang bereitet, ehe er wieder nach Aquitanien zurückkehrte. Aquitanien, die Bretagne, die Normandie und England selbst, alle treiben sie Wein- und Wollhandel mit Köln, und das sind nicht die einzigen wichtigen Handelsbereiche.«

»Ich verstehe immer noch nicht, was das mit den Staufern zu tun hat.«

»Die älteste Schwester des Königs von England war mit Heinrich dem Löwen verheiratet, und als der mit dem alten Kaiser Barbarossa kämpfte, da nahm Köln die Partei des Welfen, damit der Handel weiter günstig lief. Solch einseitige Parteinahme hat der neue Kaiser nicht vergessen.«

»Und Euer neu gefundener Onkel ist im Weinhandel tätig, vermute ich? Wollt Ihr deswegen nicht nach Frankfurt mitkommen, damit er keine Stauferhochzeit miterleben muss?«

Die Magistra schüttelte ihren Kopf. »Nein. Er hat eine Nachricht zu überbringen vom Bischof von Passau an den Erzbischof von Köln.« Ihr Tonfall hatte sich verändert, als sie vom Bischof sprach; er war nicht mehr belehrend, sondern so sorgfältig ausdruckslos, dass Irene neugierig wurde.

»In Wien war der Bischof sehr freundlich zu mir«, sagte sie der Wahrheit gemäß. Als die Magistra nichts zu dieser Beobachtung hinzufügte, sondern weiterhin ihr ausdrucksloses Gesicht machte, entschloss sich Irene, sie auf die Probe zu stellen. »Er bot mir an, für mich einen Brief nach Byzanz mitzunehmen«, fügte sie bedeutungsvoll hinzu, »doch mir scheint, dass eine solche Botschaft mehr als einem Zweck dienen könnte. Wisst Ihr denn, worum es in der Botschaft an den Erzbischof von Köln geht, Magistra?«

Ihre Ärztin schüttelte den Kopf und meinte, der ehrwürdige Bischof sei nicht von der Art, solche vertraulichen Einzelheiten an Boten weiterzugeben, und ihr Onkel gewiss nicht der Mann, sie zu verraten, selbst wenn das der Fall sei. Jetzt war sich Irene ihrer Sache gewiss.

»Ihr habt Angst vor ihm«, stellte sie fest. »Angst vor dem Bischof von Passau. Das finde ich erstaunlich. Vor Diepold von Schweinspeunt hattet Ihr keine Furcht, und auch vor mir nicht. Sollte ich gekränkt sein, oder wisst Ihr Dinge über den Bischof, die ihn so gefährlich machen?«

Die Magistra blickte auf ihre Hände, dann zu Irene, als müsse sie einen Entschluss fassen. »Mein Glaube ist nicht der Eure. Ich bin eine Jüdin. Deswegen fürchte ich den Bischof.«

Das kam nicht völlig überraschend. Irene war aufgefallen, dass die Magistra sich nie bekreuzigte und nie die Heiligen oder die Jungfrau Maria in ihren Redewendungen beschwor. Auch betete sie nicht vor ihren Untersuchungen, was sonst jeder Arzt tat, den Irene kannte.

»Wenn das der Grund ist, warum Ihr mich verlasst, dann hättet Ihr mir mehr vertrauen sollen«, sagte sie und machte sich nicht die Mühe, die Kränkung in ihrer Stimme zu verbergen. Natürlich waren die Juden fehlgeleitet und würden sich bekehren müssen, doch sie hätte sich nie von einem Bischof gegen eine ihrer Dienerinnen beeinflussen lassen. Nach ihrer Eheschließung würde sie selbst den orthodoxen Glauben aufgeben und den Bischof von Rom als das Oberhaupt der Kirche akzeptieren müssen; diese Forderung gehörte nicht zu den Dingen, die Irene mit ihrer Zukunft versöhnten, weshalb sie den weströmischen Bischöfen nicht unbedingt warm gegenüber gestimmt war.

»Es ist nicht der Grund«, antwortete die Magistra sachte. »Euer Gnaden, Ihr seid gesund, und das wird, wie ich hoffe, noch lange so bleiben. Ich aber bin eine Ärztin. In einer Stadt wie Köln gibt es immer viele Menschen, die Hilfe benötigen.«

Etwas in Irene schrie: *Bin ich Euch denn so zuwider, dass Ihr lieber rülpsende Weinhändler, Steineklopfer, Zimmerleute und Fischweiber verarzten wollt, als bei mir zu bleiben?* Aber das wäre ein demütigendes Eingeständnis, mehr für eine Frau zu empfinden, die tief unter ihr stand, als sie sollte. Eine Erinnerung flackerte in ihr auf, an ihren Vater, wie er einen Günstling, der ihn verraten hatte, als monophysitischen Irrgläubigen an den Patriarchen von Konstantinopel übergab. Er war nie mehr aufgetaucht. Einen Moment lang fragte sie sich, was die Magistra wohl tun würde, wenn Irene nach den Wachen rief und sie beschuldigte, ihr Gift eingeflößt zu haben. Es wäre so einfach: *Sie hat meinen Monatsfluss herbeigerufen, obwohl es nicht meine Zeit ist. Sie ist eine jüdische Giftmischerin.* Es gab niemanden, der Irene daran hindern könnte. Nichts als die Gewissheit, dass es ein Unrecht wäre.

»Dann geht zu ihnen«, sagte sie heftig. »Zu den Menschen, die Euch brauchen.«

Die Magistra wagte es tatsächlich, zu ihr zu treten und ihr wie einem kleinen Mädchen über die Haare zu streichen, die bald für immer unter einer Haube verborgen sein würden.

»Wenn Ihr mich braucht, Euer Gnaden, dann schickt Nachricht in das Haus des Kaufmanns Stefan in Köln, und ich werde zu Euch kommen. Das verspreche ich Euch.«

Kapitel 13

Das Erste, was Walther von Frankfurt sah, war das große Anwesen am Riederwald, in dem der Herzog von Schwaben residierte und seine Braut erwartete. Es handelte sich um eine alte römische Villa, die zu einem großen Gehöft umgebaut worden war, gerade noch offen und ungeschützt genug, dass man es nicht eine Burg nennen konnte, mit einer Kapelle und großen Ställen. Wenn es den ganzen Tag lang schwierig gewesen war, sein Pferd Hildegunde dazu zu zwingen, auf der Straße zu bleiben, so konnte man sie jetzt kaum zurückhalten, den Stall zu suchen; sie hatte Heu und Wasser gewittert.

Der Tross lag einen guten Tagesritt hinter ihm. Als es darum ging, einen Boten vorauszuschicken, um dem Herzog die baldige Ankunft seiner Braut zu melden, damit er einen würdigen Empfang vorbereiten konnte, hatte Walther sich freiwillig gemeldet. Hugo hatte die Entsendung eines Sängers für eine dem Anlass angemessene Geste gehalten. Sein Vater lächelte nur fein und schlug vor, der Prinzessin vorher noch einen Besuch abzustatten: »Ich will nicht auf die Rückgabe meines Psalters drängen, aber vielleicht könntet Ihr sie daran erinnern?«

Der Psalter hatte einige Tage in Walthers Satteltasche verbracht, ehe ihm der Bischof diese Gelegenheit bot, das verwünschte Buch wieder loszuwerden. Unter anderen Umständen hätte er jeden Abend darin geblättert; Bücher wie dieses, in Kalbsleder gebunden, auf feingegerbtem Pergament geschrieben und mit kundiger Hand illustriert, waren selten und kostbar. Aber er war zu sehr damit beschäftigt, Judith zu verfluchen, um in der Lage zu sein, das Buch auch nur anzuschauen. Was für ein Narr er doch gewesen war! Nur aus Schuldgefühlen konnte er sich eingebildet haben, in eine scharfzüngige Jüdin verliebt zu sein, die sich dem erstbesten Kaufmann aus ihrer Heimatstadt an den Hals warf und mit ihm davonrannte.

Er stattete der Prinzessin einen Besuch ab, doch nur, weil es die Höflichkeit gebot, nicht etwa, um über irgendwelche bösartigen Frauen zu reden, die in ihrem Leben und dem anderer Menschen nur das Schlechte sehen konnten. Irene beschied ihm, dem Herzog ihre Grüße zu entbieten, und wollte außerdem wissen, ob er gedächte, nach ihrer Hochzeit mit Herzog Friedrich ins Heilige Land zu ziehen.

»Das weiß ich noch nicht«, entgegnete Walther, obwohl er genau wusste, dass er nichts dergleichen tun würde.

»Wenn nicht, so wäre es doch möglich, dass Ihr auf eigene Faust durch die Lande reist. Ich muss sagen, dass ich nicht viel von den deutschen Provinzen weiß, doch man hat mir gesagt, dass die Stadt Köln groß und schön sein soll und auf alle Fälle einen Besuch wert.«

Walther verbeugte sich. »Euer Gnaden, Köln mag seine Reize

haben, doch vor allem gilt die Stadt als hoffnungslos hochmütig. Sie lässt immer mehr Leibeigene ein, die nach einem Jahr, so sie nicht entdeckt werden, freie Leute werden, egal von wo sie entflohen sind, was manchen Fürsten bitter aufstößt. Und man kümmert sich dort ausschließlich um den Handel mit den Ländern des Königs von England, kein bisschen um die schönen Künste, was eindeutig ein Fehler ist.«

»Nun, dann wäre es an Euch, die Kölner eines Besseren zu belehren, nicht wahr? Ich wünsche Euch eine gute Reise.«

Einmal vom Tross entfernt, hatte er trotz der Mühe, Hildegunde nicht ihren Willen zu lassen, Zeit, an seine Zukunft zu denken, denn nur um diese wollte er sich von nun an kümmern. Frauen zu besingen war unentbehrlich für einen Minnesänger, aber das konnte nicht alles sein, wozu ihm Gott die Macht der Worte gegeben hatte. Und das hatte nichts damit zu tun, dass die erste Frau, der er ein Lied zum alleinigen Geschenk gemacht hatte, ihm danach ins Gesicht schlagen wollte.

Das Heldenlied über die Nibelungen ging ihm immer noch durch den Kopf. Es würde noch Jahre dauern, bis Wolfgers Schützling es beendet hatte; Walther wünschte ihm ein langes Leben, wenn er jetzt schon eine ganze Aventüre nur für Kriemhilds Kindheit brauchte, und auch dann würden es nicht sehr viele Menschen hören, weil ein so langes Epos nur von wenigen Spielleuten vorgetragen werden konnte, ohne dass diesem dabei seine Stimme versagte und die Damen in seinem Publikum einschliefen. *Ich liebe die Frauen, alle Frauen,* fiel ihm dabei wieder ein, *warum sollte ich mein Herz an eine einzige verlieren.* Und schon war er wieder bei Judith. Alles drehte sich im Kreis.

Um sich abzulenken, versuchte er, weiter an das Nibelungenlied zu denken. Das Lied würde von ein paar Adligen und Mönchen gelesen und von ein paar Kennern geliebt werden, aber nicht mehr. Und wie sollte es auch, denn was kümmerten die Leute in den Schenken Kriemhild und Siegfried, wenn sie erschöpft nach ihrem Tagewerk bei einem Krug Bier saßen? *Was sie kümmern würde,* dachte Walther, *wären Verse über das, was hier und jetzt vor sich geht.* Natürlich gab es dergleichen schon: Reinmar hatte eine Totenklage für den alten Herzog geschrieben, die Walthers Meinung nach anrührender war als die meisten Liebeslieder, die sein Lehrer in die Welt gesetzt hatte. Doch Totenklagen um Herzöge waren den Leuten in den Schenken auch nichts wert, nicht in einer Welt, in der das Leben von einfachen Leuten sehr billig war und die Preise für Korn, Kraut, Brot und Rüben die Gespräche beherrschten.

Wenn er damals in Erdberg einen Spottvers darauf geschrieben hätte, wie der englische Löwe vom österreichischen Adler zerzaust wurde, das wäre ein Lied gewesen, das jeden interessiert hätte, viel mehr, als es König Gunthers Werben um Brünhild tat. Natürlich wurde ein englischer König nicht alle Tage gefangen genommen. Aber nach dem, was Friedrich und der Bischof angedeutet hatten, sollte in Frankfurt jetzt ein neuer deutscher König gewählt werden, ein Kleinkind noch dazu, nur weil ein Kaiser seiner Familie die Macht erhalten wollte. In den anderen Ländern, von denen Walther gehört hatte, erbten die Söhne die Kronen ihrer Väter, bei den Franzosen wie bei den Angevinern, die auf dem englischen Thron saßen. Nur im Reich wählten die Fürsten den König und mussten dazu entweder überzeugt, eingeschüchtert oder, wie Walther in seiner derzeitigen höhnischen Stimmung vermutete, genügend bezahlt werden, um sicherzustellen, dass ein Sohn den Titel seines Vaters bekam. Und das ging doch wiederum alle an.

Das Problem war, dass die Menschen in den Schenken vielleicht bereit waren, begeistert Lieder mitzusingen, und begierig, das Neueste zu erfahren, doch bezahlt wurden Spielleute von ihnen jämmerlich. Fürsten dagegen, wenn die Herzöge von Österreich ein Maßstab waren, interessierte vor allem, was andere nicht hatten, um damit protzen zu können. Sie wollten durchaus auch von Minneliedern abgelenkt oder durch Preislieder auf sich selbst erfreut werden, doch um Neuigkeiten zu erfahren, hatten sie ihre Boten und Spitzel. Sie brauchten diese nicht in gereimter Form. Er kaute noch an dem Gedanken, als er den Riederwald erreichte. Nachdem er abgesattelt hatte, brachte er Hildegunde im Stall unter und stritt sich mit ein paar Knechten um einen Platz, die darauf beharrten, ihr Graf, Herzog oder Kurfürst sei unendlich würdiger und sein Ross verdiene Besseres, als das Futter mit dem Pferd eines einfachen Ritters zu teilen. Er musste für solche Dinge unbedingt einen Knappen finden, entschied Walther erneut und fragte sich zu Philipp von Schwabens Haushofmeister durch, der wenigstens dankbar für den Bescheid in Sachen Brauttross war und Walther gestattete, bei seinem Herrn vorzusprechen.

Philipp von Schwaben war dem Familienerbe des roten Stauferhaars entgangen. Das war das Erste, was Walther auffiel, und er war in unangemessener Weise froh darum. Sein zweiter Gedanke war, wie jung der braunhaarige Bruder des Kaisers doch wirkte: Philipp konnte nicht älter als zwanzig sein, und obwohl er sich einen Bart wachsen ließ, wirkte es, als habe sich ein Kind ein paar Schafslocken unter das Kinn geklebt. Doch seine Gesichtszüge waren angenehm regelmäßig; wenn schon nichts anderes sie verband, so würden er und die Byzantinerin auf jeden Fall ein schönes Paar abgeben.

Walther hatte eigentlich vorgehabt, seine Botschaft abzuliefern, mit einem zarten Hinweis darauf, wie sehr er sich freue, auf der Hochzeit des Herzogs zu singen, doch er entschied, dass nichts besser war als ein drastischer Beweis dafür, warum es sich lohnte, ihm zuzuhören statt den zahlreichen anderen Spielleuten und Sängern, die zweifellos ebenfalls hier sein würden. Es gab ein Lied, an dem er auf dem Weg hierher gefeilt hatte, gehämmert in der Glut seiner Wut auf sich selbst und eine abwesende Frau, geglättet in seinem wiedergefundenen Ehrgeiz, mehr zu sein, besser jedenfalls als jeder andere Sänger. Er würde es ohnehin auf dem Fest nicht vortragen können, weil es nicht bei einer Braut passte, die aus Byzanz kam; warum den Beginn des Liedes nicht jetzt verwenden, um sich bei dem Bruder des Kaisers nicht mit Lautengeklimper, sondern mit dem Klang eines Horns einzuführen?

Rufen sollt Ihr mir »Willkommen!«
Der Euch Neues bringt, bin ich.
Alles, was Ihr sonst vernommen,
War nur Wind; drum fragt jetzt mich.

Doch ich will Entgelt:
Wird der Lohn nur gut,
Und er mir gefällt,
Will ich künden manches, was gar wohl Euch tut.

Nach den ersten Worten schossen Philipps Augenbrauen in die Höhe, und sein Haushofmeister machte ein empörtes Gesicht, doch der schwäbische Herzog verschränkte nur die Arme ineinander und hörte zu, bis Walther geendet hatte und sich schwungvoll verbeugte.

»Und ich dachte, Ihr seid gekommen, um meine Braut anzukündigen«, sagte der junge Mann trocken. »Was für ein Jammer, dass mein Bruder nicht hier ist. Er hat früher selbst gedichtet und hätte Eure Darbietung zu würdigen gewusst. Ob Ihr sie allerdings je wieder an seinem Hof wiederholen hättet können, das weiß ich nicht.« Wenn er sprach, wirkte er ein wenig älter; es lag an der Selbstsicherheit in seinem Ton und an dem Funken Belustigung in seinen Augen, die ein paar Fältchen um die Augen legte.

»Das wäre in der Tat ein Jammer«, sagte Walther, »für mich Unglücksvogel und für den Kaiser, der eines würdigen Sängers beraubt worden wäre.«

»Unglücksvögel sind gemeinhin Raben, die nur missliebige Dinge krächzen und noch nicht einmal eine schöne Stimme haben«, sinnierte Philipp. Walther mahnte sich, den Herzog von Schwaben nicht zu unterschätzen. Jung oder nicht, er war offenkundig wortgewandt und alles andere als dumm.

»Nicht doch«, gab er zurück. »Die Stimme der Nachtigall zeigt gleichzeitig den süßesten und traurigsten aller Gesänge, sie kleidet sich nur allzu gerne in Dunkelheit, und sie ist die Sängerin der Nacht schlechthin.«

»Nachtigallen pflegen allerdings keinen Lohn zu fordern.«

»Weil ihr Gesang leider verklingt, einmal gesungen nie wieder gehört wird«, sagte Walther. »Wohingegen der eines menschlichen Sängers von vielen Kehlen wiederholt wird, wenn es denn der richtige Gesang ist.«

Philipp streckte einen Arm aus und winkte ihm, näher zu kommen. »Und was ist der richtige Gesang?«

Walthers Herz pochte. Nun kam es darauf an, dass er alles, was er gehört hatte, richtig zusammensetzte, und dass man Menschen auch dann wie Instrumente spielen konnte, wenn man ihnen nicht Gewalt, sondern Zustimmung entlocken wollte.

»Das kommt auf die Gelegenheit an. Bei einer Hochzeit zum Beispiel sollten die Gäste guter Stimmung sein und der Familie des Bräutigams wohlwollen. Manchmal sind sie jedoch von widerspenstigen Sorgen geplagt, und da wäre es gar nicht gut, wenn sie ihr Hochzeitsgeschenk in Gestalt eines Eides abliefern sollen. Ein Lied, das sie erinnert, warum es ihnen guttäte, ihr Hochzeitsgeschenk gerne zu geben ...« Er breitete beide Arme aus und drehte die Hände vielsagend nach oben, doch Philipp sah noch nicht überzeugt drein. *Ein besseres Argument,* dachte Walther, *ich brauche noch ein besseres Argument!* »... wäre gut, doch ein Lied, das Spott und Hohn über ihr Zögern ausgießt, noch besser. Wir werden alle gerne gelobt, Euer Gnaden, doch wir können notfalls auch ohne Schmeichelei leben. Aber wenig fürchtet ein Mann mehr als den Spott anderer Männer.«

Nun hatte er den jüngsten Sohn Barbarossas geködert wie die Fische in den Wildwasserbächen seiner Kindheit. Zweifel machte Verblüffung Platz, die Verblüffung dem Begreifen dessen, worauf Walther hinauswollte, auch wenn Philipp rasch über seinen kurzen Bart strich mit einer Geste, die wohl seine Gelassenheit betonen sollte.

»Spottlieder«, murmelte er. »Nun, das ist immerhin ein neuer Gedanke.«

So neu nun auch nicht, denn Sänger hatten einander bereits des Öfteren verspottet; Walther erinnerte sich an ein paar Verse aquitanischer Troubadoure, in denen die deutsche Sprache als Hundebellen verunglimpft und gefragt wurde, warum die deutschen Sänger sich keiner melodischeren Zunge bemühten; Reinmar, der aus dem Elsass stammte, hatte sich öfter darüber aufgeregt. Aber ganz gleich, ob Kaiser Heinrich nun früher selbst ein paar Minnelieder verfasst hatte oder nicht, sein im Kloster aufgewachsener Bruder wusste offenbar nichts von jenen sängerlichen Spitzfindigkeiten. Außerdem, Fürsten mit Spott zu etwas zu bewegen, was sie eigentlich nicht wollten, das war *wirklich* neu.

»Und Ihr meint ...«

»Ich meine, es wäre sehr töricht von den Fürsten, unseren Herrn Kaiser weiterhin von seinem Kreuzzug abzuhalten. Am Ende kehrt er schnell noch nach hier zurück, wenn sie ihm seinen Willen nicht geben, und überdenkt, wem welches Lehen zugeteilt ist, während sie noch wie Krämer versuchen, ein Entgelt dafür zu bekommen, dass sie seinen Sohn zum König und seinem Nachfolger machen. Aber das sind Meinungen, Euer Gnaden, und bloße Prosa; es könnten Verse werden, die sticheln und stechen an den richtigen Stellen. Dann werdet Ihr bald derjenige sein, der zuletzt lacht.«

Nun war es der Haushofmeister hinter Philipps Rücken, der erst begreifend und dann geradezu begeistert dreinschaute. Er hatte bestimmt die Ausgaben im Kopf, die dafür geplant waren, um die Fürsten zu überzeugen, Heinrichs Sohn zum König zu machen und dann den Lehnseid zu leisten. Die Möglichkeit, durch einen Gesang zu sparen, musste ihm gefallen.

»Aber wer sagt uns«, fragte Philipp gedehnt, »dass Eure Verse nicht echolos verklingen? Dass Ihr wirklich eine Nachtigall seid und kein Rohrspatz, auf dessen Lieder niemand hört?«

Walther schluckte einen Scherz über Spatzen hinunter, die man nicht unterschätzen sollte. Jetzt war nicht die Zeit dafür. Der Herzog brauchte nur noch einen Anstoß.

»Ich sage das, und ich habe es gesagt, gerade vorhin. Haben Euer Gnaden je zuvor von einem Sänger solche Verse gehört?«

»Ihr meint doch nicht ernsthaft, dass es nicht bessere, edlere Lieder gibt«, sagte der Herzog ungläubig.

Walther setzte alles auf einen Wurf. »Von edel war nicht die Rede, Euer Gnaden, sondern von neu und hilfreich.« Er lächelte. »Und der, der Euch Neues bringt, bin ich.«

Er hatte diesen Satz vor Jahren schon zu Friedrich gesagt, und zum Teufel mit dem Anlass und der Frau, die dabei im Raum gewesen war; nur, weil er öfter an jenen Tag gedacht hatte, war ihm auch der Satz wieder eingefallen, ein kleines, kühnes Wortgeklingel, das ihm nicht aus dem Sinn ging, weil man mehr daraus machen konnte. Das hatte er gerade getan. Alle Zweifel fielen von ihm ab. Es war *neu*, dass sich ein Sänger so ankündigte: nicht demütig, nicht bittend und mit keinem geringeren Versprechen als dem, mit seinen Worten die Geschicke der Welt in eine bestimmte Richtung zu lenken, indem er die Lenker durch Lob und Spott beeinflusste. Wenn ihm das gelang, wenn er das wahr machen konnte, dann würde es jeden Abend, jede Nacht in den Schenken gesungen werden und ihn bekannt machen.

Philipp trat auf ihn zu und legte ihm eine Hand auf die Schulter. »Einen Versuch ist es wert«, sagte er.

* * *

Für Judith war es einfacher, an ihren Onkel als Stefan denn als Avram zu denken. Sie hatte Avram nie gekannt, nur aus ein paar Geschichten ihrer Mutter, und es erlaubte ihr, den Mann als einen Fremden kennenzulernen, nicht als jemanden, den sie eigentlich fast so gut wie ihren Vater kennen müsste. Umgekehrt berührte es sie eigenartig, dass er sie Jutta nannte, nicht Judith, doch vielleicht ging es ihm ähnlich wie ihr. Oder er wollte sich nicht versprechen, denn sie reisten nicht alleine: Er war mit Knechten und einem Schreiber nach Nürnberg gekommen, und keiner von ihnen schien zu wissen, dass Stefan nicht als Christ geboren worden war. Als sie an einem Freitag in Würzburg eintrafen und Stefan dem befreundeten Kaufmann, bei dem sie unterkamen, sagte, sie würden erst am Montag weiterreisen, bemerkte sein Schreiber zwar, sie hätten es doch eilig. Als aber Stefan meinte, zwei Tage Rast seien gut für die Tiere und am Sonntag unterwegs zu sein zieme sich nun einmal nicht, fragte der Mann nicht weiter. Er ging auch sofort mit den anderen Knechten los, um die Würzburger Schenken und Badehäuser heimzusuchen, als Stefan ihm dies vorschlug.

Es war nur noch eine Stunde bis Sonnenuntergang, als ihr Onkel mit einem Korb in der Hand zu ihr kam. Sie erkannte den Duft, noch ehe er das Leinen lüftete, den Duft frisch gebackenen Weizenbrots, braun glänzend und geformt wie ein geflochtener Zopf. Wer in Würzburg für ihn Schalet gebacken hatte, verriet Stefan nicht, noch fragte ihn Judith danach; der Anblick des Sabbatbrots selbst war gleichzeitig ein Geständnis und eine Bitte. Sie schaute von dem Brot zu ihrem Onkel und begann, die in ihren Überrock genähten Taschen zu leeren, wie es sich als Vorbereitung auf den Sabbat ziemte. Dann holte sie das weiße Tuch aus ihrem Gepäck, das den langen Weg von Köln nach Salerno und zurück mit ihr gemacht hatte, und breitete es auf dem Tisch aus, der in dem Zimmer stand, das man ihr gegeben hatte. Ihr Onkel nahm Kerzen und Wein aus dem Korb, Judith holte aus der Reisetruhe unter ihren Kleidern den Leuchter und den Kiddusch-Becher hervor, die ihrem Vater gehört hatten. Eigentlich hätten sie beide baden und von Kopf bis Fuß neue Kleidung anziehen müssen, doch das war in der kurzen Stunde bis Sonnenuntergang nicht mehr möglich, und so mussten sie es dabei belassen, sich Gesicht und Arme zu waschen und in neue Überkleider zu schlüpfen.

Während die Sonne tiefer sank, fragte Judith sich, ob es in Würzburg eine Synagoge gab, und versuchte, nicht an die neue Synagoge in Wien zu denken, auf die Vetter Salomon so stolz gewesen war. Sie schloss die Augen und erinnerte sich an die Worte ihres Vaters. *Gott sprach mit den Kindern Israels und sagte: »Kinder, wenn ihr die Thora annehmt und ihre Vorschriften befolgt, mache ich euch ein kostbares Geschenk.« – »Und was wäre das für ein Geschenk«, fragten die Kinder Israels. – »Die kommende Welt.« – »Sag uns, wie die kommende Welt sein wird!«, forderten die Kinder Israels. Und Gott erwiderte: »Ich habe euch schon den Sabbat gegeben. Der Sabbat schmeckt wie die kommende Welt.«*

Ihr Vater hatte jeden Freitag das Haus verlassen, um die Synagoge zu besuchen, mit den anderen Gemeindemitgliedern die Psalmen zu rezitieren und die Willkommenslieder für den Sabbat zu singen. Dann wurde von den Trauernden das Kaddisch für die Toten gesprochen. Als nun die Dämmerung anbrach, hörte Judith ihren Onkel die alten Worte sagen, als sei er in dem Gottes-haus, wo er nicht länger willkommen war. Sie fügte ihre Stimme der seinen bei, und da, wo er zögerte, sprach sie weiter.

Als die Sonne fast gänzlich gesunken war, legte Stefan Feuerstei-ne auf den Tisch, Judith entzündete die Kerzen des Leuchters. Jede Flamme schien einen Tropfen Bitterkeit aus ihrem Herzen zu ziehen, bis sie alle brannten. Sie hob ihre Hände gegen die Lichter und sprach den Segen, den sie zuerst als kleines Kind von ihrer Mutter gehört hatte, den Kerzensegen, der immer das Recht der Hausfrau war. »Lob nun, ja lob dir o Gott, unser Gott und König des All Du. Der sich zuschwor uns durch sein Gebot und schrieb uns vor, des Sabbats Licht zu entzünden.« Auch Stefan hob seine Hände und sprach den Segen des Hausherrn über die Töchter: »So mache dich Gott wie Sarah, Rebecca, Rahel und Leah. Er segne und behüte dich. Er lasse sein Angesicht leuchten über dir und sei dir gnädig. Er hebe sein Angesicht über dich und gebe dir Frieden.«

Sie hatte keinen Frieden mehr gespürt, seit sie ihren toten Vater in den Armen gehalten hatte, doch nun, in einer fremden Stadt, mit ihrem kaum bekannten Onkel und in dem Bewusstsein, dass sie beide die Ihren auf unterschiedliche Weise verraten hatten, in dieser Stunde kehrte der Friede zu ihr zurück. »Schalom«, sang Stefan, »schalom alechem«, und sie sang das alte Lied mit ihm, voller Dankbarkeit und Freude.

Während Stefan für sie das Frauenlob sang, füllte Judith den Kid-dusch-Becher bis zum Rand mit dem Wein, den ihr Onkel mitge-bracht hatte. Sie erhoben sich beide, und er hielt den Becher in seinen Händen, während er die Beschreibung des siebten Welt-schöpfungstags zitierte, so wie Gott sie den Menschen in der Thora gegeben hatte: »Da ward aus Abend und Morgen der sechste Tag, also werden vollendet Himmel und Erde und all ihr Heer. So vollendete Gott am siebenten Tag sein Werk, das er ge-macht, und ruhte am siebenten Tag von all seinem Werk, das er gemacht. Und es segnete Gott den siebenten Tag und heiligte ihn, darum dass er an ihm geruhet von all seinem Werk, das erschaf-fen Gott und gemacht.«

Er setzte sich und trank von dem Wein, vorsichtig und sehr, sehr behutsam, als sei er ein Verdurstender, der in der Wüste eine Oase gefunden hatte und langsam trinken musste, um nicht an seiner Rettung zu sterben. Als er ihr den Becher weiterreichte, schmeckte sie die herbe Süße, die so anders als bei den Weinen in Salerno war, und blinzelte ein paar Tränen fort, die ihr in die Augen gestiegen waren. Erst, als er bereits beim Schneiden des Sabbatbrots angelangt war und es in Salz tunkte, da sah sie wieder klar.

»Meine Gemahlin«, sagte ihr Onkel, nachdem sie das Brot gesegnet hatten und davon aßen, »ist eine aufrichtige Christin. Sie hat nie etwas anderes gekannt, und meine Kinder desgleichen. Ich wollte sie nicht in Furcht aufwachsen lassen. Weißt du, was die Christen mit einem Juden tun, der einer der Ihren geworden ist und rückfällig wird? Es ist kein guter Tod; ich wünsche ihm nicht meinem ärgsten Feind.«

»Warum unternimmst du dann Botengänge für den Erzbischof von Köln?«, platzte Judith heraus. »Kannst du Gerhard Unmaze nicht bitten, dich andere Dinge tun zu lassen?«

»Das könnte ich, doch dann würde er sich fragen, warum. Es ist mir gelungen, dass Gerhard und alle aus meiner Gilde mich anschauen und nur den Kaufmann sehen, einen von ihnen. Kein Kaufmann würde sich weigern, eine Aufgabe zu übernehmen, die ihn dem mächtigsten Mann im Rheinland und einem der mächtigsten im Heiligen Römischen Reich näher bringt. Wenn ich Gerhard bitten würde, mich nur an Geschäften zu beteiligen, die mich nicht mit dem Erzbischof in Verbindung bringen, dann würde er mir die Bitte wohl erfüllen, doch er würde mich anschauen und von nun an wieder denken: *Jude.*«

Judith konnte nicht behaupten, dass sie ihn nicht verstand; sie war erst bei ihrem Abschied in der Lage gewesen, Irene die Wahrheit zu sagen. »Es wundert mich nur, dass ein Botengang überhaupt nötig war«, sagte sie, um zu zeigen, dass ihre Frage nicht verurteilend gemeint war. »Kommt denn der Erzbischof nicht auch zur Hochzeit? Da kann er doch nach Herzenslust mit dem Bischof von Passau sprechen, worüber er möchte.«

Ihr Onkel hüstelte. »Ich … glaube nicht.«

Zuerst wollte sie nachfragen, ob er meinte, dass die Bischöfe während der Hochzeit nicht miteinander sprechen konnten oder dass der Erzbischof nicht vorhatte, überhaupt zu der Hochzeit zu erscheinen. Natürlich liebte man in Köln die Staufer nicht, aber eine Hochzeitsfeier des Kaiserbruders mit einer byzantinischen Prinzessin war eigentlich keine Einladung, die ein so hochgestellter Fürst wie der Erzbischof ablehnen würde, nach allem, was sie von ihm gehört hatte; schon deswegen nicht, weil es eine Gelegenheit war, klarzumachen, wie sehr die übrigen geistlichen deutschen Fürsten unter ihm standen. Das jedenfalls war die boshafte Einschätzung des Herrn Diepold von Schweinspeunt gewesen, wenn er sich auf der Reise über die Alpen langweilte und versucht hatte, mit Irene ein Gespräch anzufangen. Judith öffnete den Mund, um ihre Frage zu stellen, und schloss ihn wieder, denn genau in diesem Augenblick setzte sich für sie das Mosaik zusammen.

»Er wird nicht kommen«, sagte sie langsam. »Der Erzbischof wird nicht kommen, weil es eben nicht nur eine Hochzeit ist, nicht wahr?«

Ihr Onkel schluckte den letzten Bissen des Brotes hinunter und musterte sie. »Ich dachte, man habe dich in Salerno die Geheimnisse des menschlichen Körpers gelehrt, nicht die der Seele.« In seiner Stimme lag Frage und Anerkennung zugleich. Es entging ihr nicht, dass er ihre Feststellung nicht geleugnet hatte.

»Man kann den Körper nicht ohne die Seele verstehen. Aber die Seele des Erzbischofs ist es nicht, die ihn fernhalten wird, nicht wahr? Es geht um seine Stimme bei der Wahl des Königs. Ich brauche keine Schule von Salerno, um zu wissen, dass der Erzbischof von Köln den deutschen König in Aachen krönt. Seine Stimme ist so die wichtigste von allen.«

»Ich sage nicht, dass du recht hast, und ich sage nicht, dass du unrecht hast, Nichte. Ich sage nur, dass die Wahl eines Kindes statt eines gestandenen Mannes einem einfachen Kaufmann wie mir bedenklich erscheint und der Treueid auf einen gesalbten König nur sehr schwer zu lösen ist, vor allem, wenn ihn ein geistlicher Fürst leistet. Doch wie sollte er das nicht tun, wenn er offen darum gebeten wird und wenn ein so christliches Unternehmen wie ein Kreuzzug erst beginnen kann, wenn diese Wahl erfolgt ist?«

Es erinnerte sie an die Vorträge der Magistra Francesca, die wünschte, dass ihre Studenten selbst die Krankheiten benannten, deren Symptome sie geschildert hatte, und Judith spürte ein Echo der alten Aufregung, wenn sie auf die Lösung verfiel, von deren Richtigkeit sie überzeugt war. »Wenn er gar nicht erst zur Wahl erscheint, dann wird sie ohne ihn erfolgen, aber er muss keinen Treueid leisten. Der Kaiser und der Herzog von Schwaben werden nicht glücklich sein, doch wenn das Kind je in Aachen gekrönt werden soll, dann brauchen sie den Erzbischof von Köln, also können sie auch nichts gegen ihn unternehmen«, überlegte sie laut. »Das mag gut und schön sein, doch wenn ich der Herzog wäre und wüsste, wie wichtig die Anwesenheit des Erzbischofs von Köln in Frankfurt ist, dann würde ich einen Gesandten schicken, der ihn so unmissverständlich auffordert, zu kommen, dass der Erzbischof gar nicht ablehnen kann, ohne sich offen zu widersetzen.«

»Keinem Mann kann eine lange Reise zugemutet werden«, gab ihr Onkel zurück, »wenn seine Ärzte ihn für krank erklären. Das ist jedenfalls die Meinung des Bischofs von Passau. Er war so freundlich, hinzuzufügen, dass böswillige Leute natürlich auf den Gedanken kommen könnten, des Erzbischofs eigene Ärzte würden nur sagen, was er ihnen befiehlt. Wenn aber die Leibärztin der neuen Herzogin von Schwaben selbst Erzbischof Adolf für reiseunfähig erklärt, nun, dann muss Philipp dies wohl als Wahrheit akzeptieren.«

So viel zu neuen Steinen in einem alten Mosaik. Judith wusste nicht, ob sie sich beleidigt oder geschmeichelt fühlte.

»Ich dachte, du hättest mich aufgefordert, mit dir zu kommen, weil ich deine Nichte bin«, sagte sie leise.

»Das war der Grund.« Er reichte ihr erneut den Kiddusch-Becher. »Aber mir scheint, du weißt so gut wie ich, dass man Gelegenheiten nützen muss. Du hast mir gesagt, dass du dich von der

Byzantinerin wegwünschtest, und so ging ich davon aus, dass dein Herz nicht staufisch schlägt. Wenn das doch der Fall sein sollte, entschuldige ich mich.«

Erneut sah sie Salerno vor sich, wie sie es zum ersten Mal erblickt hatte, die zerstörte Stadt voller Trümmer, die gerade erst wieder neu errichtet wurde, die vielen Menschen, die das kaiserliche Heer an Körper und Seele verkrüppelt hatte. Sie trank von dem Sabbatwein, und er war schwer auf ihrer Zunge.

»Mein Herz schlägt nicht staufisch, es schlägt ausschließlich für mich und meine Familie«, sagte sie. »Nur die Prinzessin ist mir teuer; ich wollte sie nicht verlassen, weil ich ihr übelwill, sondern, um als Ärztin mehr als nur einem Menschen helfen zu können. Ist deine Gastfreundschaft davon abhängig, Onkel, dass ich lüge, damit der Erzbischof von Köln nicht gegen seinen Willen einen Eid auf den nächsten Staufer schwören muss?«

Er schüttelte den Kopf. »Nein. Doch bedenke dies, Nichte: Der Erzbischof wird dir einen Gefallen schulden, genau wie die wichtigsten Kaufleute der Stadt, und für eine Frau, die in Köln Ärztin sein will, ist ein solcher Beginn nicht zu verachten.«

Damit hatte er recht. Außerdem mochte es sehr wohl sein, dass eine Weigerung ihrerseits das Ohr des Erzbischofs erreichte, was ihr ein Leben in Köln erheblich erschweren konnte. Natürlich war es möglich, einen neuen Anfang in einer anderen Stadt zu versuchen, aber die Begrüßung des Sabbats, die sie mit ihrem Onkel teilte, hatte ihr gezeigt, wie sehr sie es vermisste, Teil einer Familie zu sein. Außerdem würde es in keiner anderen Stadt leichter sein, Patienten zu finden.

Sie fragte sich, welches Spiel wohl der Bischof von Passau trieb, dass er dem Erzbischof von Köln so einen Rat erteilte, und ob ihm der Gedanke schon vor oder erst nach ihrer Auseinandersetzung um die Psalmen gekommen war.

»Ist das der Grund, warum Herr Gerhard und du selbst für Botschaftsdienste zur Verfügung stehen?«, sagte sie laut. »Damit der Erzbischof von Köln euch einen Gefallen schuldet?«

»Er schuldet Gerhard bereits eine ganze Menge Geld«, gab Stefan ruhig zurück und trank den nächsten Schluck. »Nein, nicht deswegen. Wir Kaufleute sind nicht von Adel, aber was im Reich geschieht, das geht uns sehr wohl etwas an. Kein Staufer war jemals gut für Köln, und Kaiser Heinrich gleich gar nicht. Es heißt, er wolle den Erdkreis beherrschen, einschließlich Ostrom. Wenn er das tatsächlich versucht, dann werden die Könige von England und Frankreich unser Land mit Krieg überziehen, da sind wir uns sicher. Irgendjemand muss ihm die Flügel stutzen. Wenn er sieht, dass er nicht einfach seinen Sohn als seinen Nachfolger einsetzen kann, dann wird er sich um unsere Belange kümmern, seine Träume etwas bescheidener gestalten und umgehend zu uns zurückkehren, wenn der Kreuzzug vorbei ist, statt neue Kriege im Rest der Welt anzufangen.«

Judith hatte das nagende Gefühl, dass es immer noch einen Teil dieses Gespinstes gab, das sie nicht durchschaute, doch letztendlich kam es tatsächlich nur darauf an, ob ihre Treue dem Kaiser und seiner Familie gehörte, und das tat sie nicht. Andererseits störte es sie, dass sie ausgerechnet zwei christlichen Bischöfen das Leben leichter machen sollte. Plötzlich kam ihr ein Gedanke, der ihre Mundwinkel zucken ließ und sie dazu brachte, Stefan umgehend den Becher wieder abzunehmen und einen weiteren Schluck zu trinken.

»Glaubst du, der Erzbischof von Köln sei bereit, ein Opfer zu bringen, um etwaige Gesandte Herzog Philipps völlig zu überzeugen?«, fragte sie ihren Onkel.

»Wenn du eine Entlohnung meinst …«

»Nein, nein. Aber es gibt Tränke, die den Darm entleeren und Schweiß am ganzen Körper hervorrufen. Wenn er möchte, dass ich ihn für unfähig zu reisen erkläre, dann kann ich ihn auch tatsächlich unfähig zu reisen machen.«

KAPITEL 14

Angefangen, das musste Dietrich von Meißen zugeben, hatten die Hoftage von Frankfurt vielversprechend. Für die Hochzeit waren Turniere organisiert worden, bei denen er glänzen konnte; so etwas tat einem Mann selbst dann gut, wenn am Ende nicht das Lehen winkte, auf das er ein Recht hatte. Außerdem wurde ordentlich getafelt, und da vor der Hochzeit auch noch Philipps Schwertleite stattfand, bei welcher der zwanzigjährige Herzog von Schwaben in die Ritterschaft aufgenommen wurde, gab es so manches Preislied auf die ritterlichen Tugenden zu hören. Dietrich beschloss, darauf zu vertrauen, dass sein zukünftiger Schwiegervater Hermann derweilen mit den Verhandlungen anfing und durchblicken ließ, was er als Landgraf von Thüringen für seinen Eid auf ein Kleinkind erwartet, und entschloss sich einfach, das Leben zu genießen, bis er Näheres hörte. Da Hermann sehr beschäftigt wirkte, bot sich für Dietrich sogar die Gelegenheit, mit der einen oder anderen Magd zu tändeln, was sonst in Anbetracht seiner baldigen Hochzeit nicht machbar gewesen wäre.

Das erste Anzeichen dafür, dass Dietrich möglicherweise schon wieder übel vom Schicksal mitgespielt wurde, kam, als Hermann mit gerunzelter Stirn beim abendlichen Schmaus saß, statt sich gebührend über Dietrichs Sieg im Waffengang gegen einen Elsässer zu freuen. »Der kleine Philipp hat mehr Rückgrat, als ich erwartet hatte«, murmelte er, während dampfender Braten vom Reh aufgetischt wurde.

»Habt Ihr ihm schon gesagt, dass ich meine Markgrafschaft haben will, ehe wir seinem deutschen König den Lehnseid schwören?«, fragte Dietrich sofort beunruhigt.

»Gemach, gemach. Ich habe Andeutungen über freundliches Entgelt und alte Wunden gemacht, aber er war nicht gerade eindeutig in seiner Erwiderung. Aber mach dir keine Sorgen. Ist dir schon aufgefallen, wer noch nicht hier in Frankfurt ist, wessen Banner von keinem einzigen Gehöft weht?«

»Der elende Heinz von Kalden«, sagte Dietrich sofort. »Ja, ich hatte auch gehofft, dass er hier ist. Der Kerl ist ein jämmerlicher Emporkömmling und bildet sich ein, als Ritter durchzugehen, weil er für den Kaiser einigen Leuten Daumenschrauben angelegt hat, dabei ist er nur ein Ministerialer. Ich hatte mir vorgenommen, ihn in den Staub zu schmettern, wenn er es wagt, an dem Turnier teilzunehmen, aber …«

Hermann schaute während Dietrichs Ausbruch immer gereizter drein, bis er ihn schließlich rüde unterbrach. »Der Erzbischof von Köln, Himmelherrgott noch mal! Er ist einer der sechs Kurfürsten, welche die Wahl formell bestätigen, wenn wir uns auf einen König geeinigt haben.«

Das stimmte zwar, doch da Dietrich die Pfaffen gleich waren, wenn sie ihm nicht dabei halfen, an sein Erbe zu kommen, hatte ihn dieser Umstand bisher nicht weiter gekümmert. »Steht denn der Erzbischof von Köln auf unserer Seite?«

Hermann machte eine ungeduldige Handbewegung. »Er steht auf der Seite von Schwierigkeiten für die Staufer. Aber noch wichtiger ist, dass seine Abwesenheit Philipp von vorneherein schwächer dastehen lässt. Das weiß der Junge auch, das *muss* er wissen. Deswegen wundert es mich ja auch, dass er so tat, als habe er die Nachfolge für seinen Neffen bereits in der Tasche, nur weil er uns mit losen Versprechungen ködert, alle bestehenden Reichslehen erblich machen zu wollen. Nun, er hat wohl bei den Pfaffen im Kloster gelernt, wie man ein glattes Gesicht macht, seine Gedanken verbirgt und Versprechungen gibt, die erst im Himmel eingelöst werden, aber spätestens morgen wird er trotzdem zu schwitzen anfangen.«

Das hoffte Dietrich. Um sich wieder aufzumuntern, vergegenwärtigte er sich noch einmal, wie er heute über einige der berühmteren Edlen des Reiches triumphiert hatte. Er wünschte sich, sein Bruder wäre darunter gewesen. Wohlig erinnerte er sich an die vielen Gelegenheiten in ihrer Kindheit, bei denen er Albrecht, der von Natur aus zierlich und kleingewachsen war, in den Staub gezwungen hatte. Wenn Albrecht nicht so eine hinterlistige Schlange gewesen wäre und das Urteil ihrer Eltern darüber, wer der bessere Mann war, einfach angenommen hätte, dann säße Dietrich heute in Meißen und würde von eigenen Tafeln speisen, statt über die Pläne von Bischöfen schwatzen zu müssen.

Als ein neuer Sänger auftrat, war Dietrich erleichtert. Er hatte von Hermann eigentlich nur wissen wollen, ob die Dinge für seine Markgrafschaft gut oder schlecht standen; Spitzfindigkeiten kümmerten ihn nicht, und er sprach ungern darüber, weil er sich dabei des Öfteren unbeholfen vorkam, ein Gefühl, das er hasste. Also tat er so, als ob er sehr begierig darauf war, das nächste Lied zu hören. Mit etwas Glück war es ein Preislied auf die heutigen Turniersieger.

»Die Fürsten, die des Kaisers gerne ledig wären«, begann der Sänger. Dietrich fiel das Kinn herunter. Er schaute zu Hermann, um sich zu vergewissern, dass er richtig gehört und nicht etwas falsch verstanden hatte. Der Landgraf hatte gerade bequem auf seiner Bank gelungert, doch jetzt setzte er sich gerade auf und ließ den Bierhumpen sinken, den er in der Hand hielt. Sie starrten beide auf den Sänger, einen dünnen, langnasigen Kerl, der so frohgemut dahinzirpte, als habe er gerade mit einem Loblied auf die Braut begonnen und das Selbstverständlichste von der Welt gesagt.

Die Fürsten, die des Kaisers gerne ledig wären –
Die mögen jetzt gespannt und voll Aufmerksamkeit auf
mich hören.
Das Schicksal schickt doch weit ihn weg, wie sie es grad
begehren;
Der Held will Christi Reise ziehn; dumm, wer da ihn
will stören.
Doch wählt Ihr nicht, so wird er nicht gehen,
Dann wird er kommen, um nach Euren Lehen zu sehn,
Den Eid jedoch, den hat er Gott und Christenheit getan,
Ihr Fürsten, lasst ihn ziehn auf seiner Bahn.
Leicht ist es von dort dann nicht mehr nach Haus, um Euer
Tun zu hemmen,

*Und bleibt er dort, was Gott nicht geb, werden nur seine
Freunde laut flennen!*

Bis er geendet hatte, war fast jedes andere Gespräch im Saal verstummt. So etwas hatte Dietrich noch nie gehört. Die Unverschämtheit nahm ihm den Atem; gleichzeitig gluckste und zuckte etwas in ihm und wollte sich auf die Schenkel schlagen. Stimmte es etwa nicht? Eigentlich wollte doch jeder den Kaiser endlich
im Heiligen Land wissen, weit, weit weg vom Reich. Hermann
hatte selbst gesagt, dass es mit Philipp als Regenten so viel einfacher war zu erreichen, was man haben wollte. Vielleicht waren
sie die ganze Angelegenheit falsch angegangen. Solange er noch
im Königreich Sizilien weilte, so lange konnte der Kaiser über
die Alpen kommen, wenn man ihm nicht seinen Willen tat, vor
allem jetzt im Frühling, und selbst für die ihm genehme Wahl
sorgen, was eine ganze Menge Leute ihr Lehen kosten konnte.
Dietrich gab gerne zu, dass Hermann ein klügerer Mann war als
er selbst, doch während er dem Sänger bei den weiteren Strophen
lauschte, schien es ihm mehr und mehr, dass der Landgraf einen
Fehler machte, wenn er dem Kaiserbalg die Wahl und den Treueid vorenthielt. Beides leisten, den Kaiser endlich übers Meer
schicken *und* dann die angemessenen Forderungen stellen können, *so* musste man es machen.
Neugierig schaute er in die Runde. Ob einfacher Ritter, Graf
oder Fürst, sie starrten alle auf den Sänger, und man konnte ihre
Schultern zucken sehen. Da wusste Dietrich, dass er nicht der
Einzige war, der auf den Tisch schlagen und laut heraus lachen
wollte. Zum Teufel auch, sie waren alle Männer, oder nicht?
Mussten sie wirklich so tun, als hätte das Sängerlein dort nicht
genau das ausgesprochen, was jeder dachte?
Gerade versuchte er mit letzter Anstrengung, sein Grinsen zu
unterdrücken, da erlebte er einen gewaltigen Schreck. Ein, zwei,
drei knallende Laute donnerten direkt neben seinem Ohr in die
Luft, bis er verstand, dass es Hermann war, der in die Hände
schlug, viermal, fünfmal, und den Kopf zurückwarf und lachte.
Erleichtert stimmte Dietrich mit ein. Danach war im Saal kein

Halten mehr. Kein Stall voller Pferde, Schafe und Kühe wieherte, blökte und brüllte mit solcher Hemmungslosigkeit und Vergnügen. Es war so laut, dass Dietrich beinahe überhört hätte, was sein Schwiegervater murmelte, als er sich wieder beruhigte. »Oh, der ist gut. Den muss ich haben.«

* * *

Als Walther dem inzwischen eingetroffenen Friedrich von Österreich seine Aufwartung unter vier Augen machte, war die Hochzeit Philipps von Schwaben mit Irene von Byzanz mit Glanz und Gloria begangen worden. Friedrich war in aufgeräumter Stimmung; wie es schien, hatte der Kaiser ihn wissen lassen, dass er sein Stellvertreter werden sollte, wenn er im Heiligen Land eintraf, eine Ehre, welche die letzten Schatten des Vorkommnisses von Akkon verscheuchen sollte. Walther fragte sich unwillkürlich, ob dem Kaiser bewusst war, dass es sich bei Friedrich um einen Halbbruder handelte, doch er war zu erfüllt von allem, was in den letzten Tagen passiert war, um sich ernsthaft darüber Gedanken zu machen.

»Der Eid ist nun von allen angereisten Fürsten geleistet worden«, sagte Friedrich. »Meiner Treu, Herr Walther, das waren ein paar starke Worte, die Ihr da in Verse gekleidet habt. Die Hälfte der edlen Herren, denen ich hier in Frankfurt begegnet bin, findet, ich sollte Euch hängen lassen, doch die andere fragt mich, wie lange ich schon Euer Gönner bin und ob ich gedenke, Euch auf den Kreuzzug mitzunehmen, weil Ihr in meiner Abwesenheit auf ihren Höfen besser aufgehoben wärt.«

»Aber auf den Sohn des Kaisers geschworen haben sie«, sagte Walther, und sein Ton machte es zu einer Feststellung, nicht zu einer Frage, obwohl er natürlich nicht bei der vertraulichen Versammlung in Philipps Gemächern dabei gewesen war.

»Bis auf den Erzbischof von Köln. Der kommt, wie man hört, von seinem Stuhl nicht mehr herunter vor lauter Durchfall, aber warum ihn das daran hindert, einen Vertrauten zu schicken, der für ihn seine Stimme abgibt, hat er natürlich nicht erklärt. Wisst

Ihr, Bischof Wolfger kam mir gar nicht überrascht vor«, bemerkte Friedrich; auch er machte damit eine Feststellung, obwohl er in Wirklichkeit eine Frage formulierte.

Bisher war Walther von der Woge seines Erfolges getragen worden, doch nun musste er ein Stück Wissen aus seinem Kopf holen, das den Geschmack von verräterischen Träumen und denen seines eigenen Blutes hatte. »Etwas anderes würde mich wundern«, gab er zurück, »da Seine Gnaden ja von Nürnberg aus einen Boten an den Erzbischof schickte.« *Einen Kaufmann,* wollte er hinzufügen, *einen grauhaarigen Pfeffersack, der offenbar nur mit den goldberingten Fingern zu winken braucht, damit sich ihm junge Ärztinnen an den Hals werfen.* Aber er schluckte es hinunter. Es kümmerte ihn nicht mehr. Er hatte einen Saal voll der mächtigsten Männer des Heiligen Römischen Reiches dazu gebracht, zu tun, was er wollte, und er hatte es nicht durch Schmeichelei getan, sondern dadurch, ihnen ihre eigenen Gedanken vorzuhalten, auf eine Art, die sie zum Lachen brachte. *Lachen kann eine Waffe sein, Judith,* dachte er und ärgerte sich, weil er sich vorgenommen hatte, selbst in Gedanken diesen Namen nicht mehr zu wiederholen.

»Gut, das zu wissen«, sagte Friedrich nachdenklich. »Ich dachte mir schon, dass unser Bischof versucht, zwei Kinder auf einem Knie zu schaukeln. Er will den Kreuzzug und den Kaiser im Heiligen Land, aber er will ihn nicht so sicher im Reich haben, dass er der Kirche jede beliebige Anweisung geben kann. Ich glaube, jedem Bischof sitzt noch im Nacken, wie der alte Kaiser seinen eigenen Papst hat aufstellen lassen. Seitdem versuchen sie, uns Fürsten kleiner zu halten. Nun, mich kümmert es nicht, aber vielleicht gibt er nun endlich wegen des Bistums für Wien nach, wenn ich ihn auf dem Weg ins Heilige Land an den Boten erinnere, und wie nachtragend der Kaiser auch sein kann.«

»Euer Gnaden, ist auch Herr Reinmar mit Euch gekommen? Ich habe ihn bisher auf dem Hoftag nicht singen hören«, wechselte Walther das Thema. Er wusste nicht, ob er ein Ja oder ein Nein lieber hören wollte. Wenn er für sich selbst jenen Abend, als das Haus Salomons gestürmt wurde, aus dem Gedächtnis brannte, dann sollte er eigentlich auch bereit sein, dies für Reinmar gelten zu lassen, aber bisher blieben Verstand und Herz widerspenstig und flüsterten ihm immer noch vor, was Reinmar damals gesagt hatte. Andererseits waren ihm seine eigenen Worte vom gleichen Tag ebenfalls unvergessen, und sie galten noch immer. Reinmar würde verstehen, was Walther auf dem Hoftag geleistet hatte, wie es sonst kaum jemand konnte.

»Tragt Ihr diesen Fehdehandschuh noch immer bei Euch?«, fragte Friedrich belustigt. »Nein, Herr Reinmar blieb in Wien, bei meinem Bruder. Eine Reise ins Heilige Land genügt ihm wohl, das kann ich ihm nicht verdenken. Für die Vorbereitung hatten meine Schreiber mir die Listen der Männer zusammengestellt, die mit meinem Vater bei Akkon waren, damit ich auf ihre Erfahrung zurückgreifen kann, aber es sind nur noch wenige am Leben. Wenn die Sarazenen sie nicht bekommen haben, dann sind sie an irgendwelchen Seuchen gestorben. Ein Jammer.« Ein wenig boshaft fügte er hinzu: »Auch Ihr scheint Euch nicht berufen zu fühlen, an meiner Seite im Heiligen Land zu dienen, Herr Walther?«

»Ein jeder Mann soll tun, worin er am besten ist«, parierte Walther. »Ich wäre ein schlechter Kreuzritter, Euer Gnaden, und würde schon beim ersten Kampf gegen die Sarazenen fallen. Aber ich bin ein guter Sänger.«

Friedrich klopfte ihm wohlwollend auf die Schultern. »Das seid Ihr. Wenn ich mich vermähle, dann werdet Ihr die Zier der Feier sein, nur tut mir dann den Gefallen und besingt die Braut mehr als die zweifelhaften Absichten der Gäste. Ich habe sonst nichts auf dem Hoftag von Euch gehört. Man könnte meinen, Ihr hättet dem Dienst an der holden Weiblichkeit abgeschworen.«

»Keineswegs, Euer Gnaden«, sagte Walther mit einem breiten Lächeln ohne jede Belustigung.

Der Herzog plauderte noch ein wenig, hauptsächlich über seine Hoffnung, am dritten Turniertag einen würdigen Gegner zu finden, selbst wenn es der prahlerische Dietrich von Meißen sein sollte, der sich für Gottes Geschenk an die Ritterschaft zu halten schien. Danach zog er sich für die Nacht zurück.

In einem, dachte Walther, *hat Friedrich recht: Die Braut ist während der Feierlichkeiten völlig in den Hintergrund geraten.* Es war wohl nichts anderes zu erwarten gewesen. Walther bereute keineswegs, die Gelegenheit beim Schopf ergriffen zu haben, statt Minnelieder zu singen. Das hatten bereits genügend andere Sänger getan, über deren Werke aber bei weitem nicht so gesprochen wurde. Aber Irene war freundlich zu ihm gewesen auf der Reise, und sie musste sich jetzt fühlen, als sei sie auch für ihn nicht mehr als ein Siegel, das einem Vertrag aufgedrückt worden war. Ihr seine Aufwartung zu machen und ein paar gute Wünsche auszusprechen, konnte nicht schaden.

Die neue Herzogin von Schwaben, so stellte sich heraus, war in Gesellschaft ihres Gemahls, obwohl ihr eigene Gemächer gegeben worden waren, was entweder bedeutete, dass er es eilig hatte, einen Erben in die Welt zu setzen, oder, dass sich die beiden nicht auf den ersten Blick unsympathisch waren, vielleicht sogar Gefallen aneinander gefunden hatten. Sie saßen an einem Holzbrett, auf dem einige Figuren standen; ein Schachspiel, wie sich Walther dunkel erinnerte. Der alte Herzog von Österreich hatte eines besessen. Reinmar hatte einmal erzählt, dass er versucht habe, das Spiel zu lernen, nur, um es als eine tückische Qual aufzugeben, welche die Muslime der Welt auferlegt hatten. Offenbar waren die Brautleute nicht dieser Ansicht, denn Irene hielt gerade eine der Figuren in ihrer rechten Hand und setzte sie vorwärts, als Walther hereingelassen wurde.

»Herr Walther«, sagte Philipp warnend, »wir sind Euch dankbar, doch dies ist nicht die Zeit, um von Geschäften zu reden.«

»Wer könnte das in Gegenwart von solcher Schönheit?«, gab Walther zurück und verbeugte sich vor Irene. »Euer Gnaden, da Ihr nun am Ziel Eurer Reise angekommen seid, wollte ich Euch danken dafür, dass ich Euch auf dem Weg von Wien hierher begleiten durfte, und Euch Glück für die Zukunft wünschen.«

In Schleier und Haube einer verheirateten Frau wirkte Irenes Gesicht jünger und heller, als es noch in Nürnberg der Fall gewesen war, und sie hatte Schatten unter den Augen, doch sie klang gelassen und nicht gedrückt, als sie erwiderte: »Niemand weiß, was die Zukunft bringt, doch auch ich hoffe auf Glück für uns alle.« Ihre Lippen kräuselten sich zu einem kleinen Lächeln. »Ich muss zugeben, dass ich von Euren neuen Liedern weniger verstanden habe als von denen, die Ihr auf der Reise gesungen habt, doch Eure Zuhörer schienen sehr viel zufriedener, als so mancher vorher gewirkt hat. Aber vergesst die Liebe nicht. Ich mochte Eure früheren Verse darüber durchaus.«

Es war gleichzeitig ein Kompliment und eine Stichelei. Walther dachte, dass man die Fürstin aus Byzanz nicht unterschätzen durfte, nur weil sie manchmal wie ein verlorenes kleines Mädchen wirkte. Was sie sagte, brachte die Stunde zurück, in der er Lieder mit dem Leben verwechselt und geglaubt hatte, eine Frau damit zu erreichen, die ihn wegen Dingen verachtete, die er zugelassen, aber nicht selbst getan hatte. Trotz seines Entschlusses, nur mehr vorwärtszublicken, schmeckte er für einen Herzschlag lang Asche im Mund.

»Nun, ich hoffe, auch meine neuen Lieder werden eines Tages Gefallen bei Euer Gnaden finden«, entgegnete Walther so unbekümmert wie möglich, »denn immer nur auf alten Stoff zurückzugreifen, hat noch nie einem Sänger wohlgetan. Wenn Ihr mir die Gelegenheit gebt, Euch zu überzeugen …«

»Im nächsten Jahr vielleicht«, sagte Philipp freundlich, aber entschieden, und das überraschte Walther. Er musste wissen, dass Herzog Friedrich schon in den nächsten Tagen aufbrechen würde, konnte ahnen, dass Walther den Österreicher nicht auf seiner Kreuzfahrt begleiten wollte, und eigentlich hatte er nach seinem Erfolg damit gerechnet, dass Philipp ihm anbieten würde, eine Weile an seinem Hof zu bleiben. Offenbar gelang es Walther nicht rasch genug, das Gemisch aus Verwunderung und Enttäuschung in seiner Miene zu unterdrücken, denn der Herzog von Schwaben fuhr fort: »Es gibt Vögel, Herr Walther, die immer am gleichen Ort bleiben, doch die Singvögel gehören eigentlich nicht dazu, im Gegenteil: Man sieht sie immer am Himmel ziehen im Frühling und im Herbst, und dann kehren sie wieder mit all den neuen Liedern, die sie gelernt haben, während sie andere Menschen ihre eigenen lehrten. Einen solchen Vogel an einem einzigen Ort einzusperren, wäre geradezu eine Sünde wider Gott, findet Ihr nicht?«

Mit anderen Worten: Der Bruder des Kaisers wollte, dass Walther das Seine für die Sache der Staufer an anderen Höfen tat, dort verköstigt wurde und vielleicht sogar mit Beobachtungen über die edlen Herren und ihre Zuverlässigkeit wiederkehrte, ohne seinerseits bisher mehr für Walther getan zu haben, als dessen Liedern Beifall zu klatschen. *Bei Gott, was man in Österreich über den Geiz der Schwaben erzählt, stimmt voll und ganz,* dachte Walther empört, doch ein Teil seiner selbst war auch belustigt. Schließlich war es nicht so, dass ihm Philipp bisher irgendwelche Versprechungen gemacht hätte, und wenn man mit Fürsten einen Handel einging, dann musste man wohl Geiseln nehmen, um Geld zu sehen, statt nur auf Ehre und Großzügigkeit zu vertrauen.

Im gewissen Sinn waren Philipps Worte eine Herausforderung. Einmal einen Haufen halbtrunkener edler Herren von etwas überzeugt zu haben, das ihnen selbst nützte, das war nichts. Es galt, zu zeigen, dass diese Leistung kein Zufall gewesen war und dass Walther dies auch für Gönner tun konnte, die sich schneller großzügig zeigten als Philipp von Schwaben. Jeder Bauer, der sein Gemüse auf dem Markt verkauft, weiß, dass man bessere Preise herausschlägt, wenn es mehr als einen Käufer gibt, doch er hatte mal wieder versucht, schlauer zu sein als diese mit den Erfahrungen von Generationen.

»Ganz recht, Euer Gnaden«, sagte Walther. »Das Glück eines Vogels ist es, überall sein Nest finden zu können. Wo es ihm denn am heimeligsten wird, das weiß Gott allein, aber«, und er wiederholte den Satz, den Philipp ihm selbst gesagt hatte, als er ihn zum ersten Mal empfing, »einen Versuch ist es wert.«

III.
WAHL

1197 – 1198

KAPITEL 15

Der Mann, den Stefan in sein Haus brachte, war völlig entkräftet. Er keuchte, als stünde er kurz davor, zu ersticken. Zu behaupten, die Säfte seines Körpers seien im mangelnden Gleichgewicht, wäre die Untertreibung des Jahres gewesen. Ihm fehlte offenkundig Wasser, er konnte auch lange nicht mehr geschlafen haben. Sein Bart und Haupthaar war ungeschnitten, sein Überkleid völlig verdreckt und die Beinlinge angerissen, so dass Judith die aufgeschürfte Haut an den Knien sehen konnte. Dazu waren die Adern an Hals und Stirn so herausgetrieben, dass sie im nächsten Moment einen Anfall befürchtete.

»Um Gottes willen«, sagte sie, »leg ihn sofort hin und lass mich seine Füße hochlagern.«

»Er kommt direkt aus Italien«, sagte ihr Onkel, »und er darf auf gar keinen Fall sterben.«

Stefan hatte ihr eine Seitenkammer neben dem großen Wohnraum für die Familie zur Verfügung gestellt, um ihre Instrumente und Salben dort unterzubringen und Patienten zu untersuchen. Es war nicht ihre Schlafstätte – sie teilte sich ein Bett mit seiner Tochter –, aber es war ihr Reich, in dem sie sich aufhielt, wenn sie nicht unterwegs war, um Besuche zu machen oder ihre Kräutervorräte zu ergänzen.

Sie bat ihren Onkel, Wasser zu holen, schob eine Decke unter den Kopf des Mannes und legte seine Füße auf die kleine Truhe, in der ihres Vaters Messer und Spiegel ruhten. Dabei fiel ihr auf, dass seine Stiefel zwar ebenfalls dreckig, doch von gutem, festem Leder waren. Was auch immer für diesen Zustand verantwortlich war, Armut oder gar ein Entkommen aus langer Gefangenschaft konnte es nicht sein.

Seinen Überrock wurde sie schnell los, doch der langärmlige Unterrock war so fest um seinen Körper gewickelt, dass es nicht so einfach war, ihn auszuziehen, um Luft an ihn heranzulassen. Als das Wasser kam, begann sie, ihn mit feuchten Wickeln zu reinigen, während sie Stefan bat, dem Mann vorsichtig und mit kleinen Schlucken Apfelmost einzuflößen.

»Wie lautet sein Name?«

Ihr Onkel schüttelte ungeduldig den Kopf. »Guy oder Gilles, irgendetwas in der Art. Das ist nicht so wichtig wie das, was er zu sagen hat.«

Mit solchen Namen konnte er weder Deutscher sein noch aus Italien stammen. Sie konzentrierte sich auf den rasenden Pulsschlag des Fremden, der unter der sanften Reinigung allmählich langsamer wurde. Es war inzwischen Oktober und sehr kalt in Köln; obwohl eine Pfanne mit glühenden Kohlen im Zimmer stand, brauchte es nicht lange, und seine Haut zog sich erschauernd zusammen. Er trank von dem Most, in kleinen Schlucken, und als sein Atem wieder regelmäßiger wurde, fragte ihr Onkel in der Volgare: »Ist es wahr?«

Guy oder Gilles nickte mühsam. »Der Kaiser ist tot. Er starb am 28. September in Messina.«

»Und der Herzog von Schwaben?«

»Der sitzt in der Burg von Montefiascone fest. Das Land steht in Flammen! Ihr macht Euch keine Vorstellung, wie die Deutschen nach den Jahrzehnten staufischer Herrschaft in Italien verhasst sind, Meister Stefan«, würgte er unter Schmerzen hervor.

»Ich glaube schon«, sagte ihr Onkel ruhig. »Deswegen habe ich auch keinen nach dort geschickt. Wie steht es um den Papst?«

»Der ist noch am Leben, aber es heißt, dass es stündlich schlimmer um ihn steht. Er hat sogar schon versucht, abzudanken und den Kardinal Giovanni di San Paolo als seinen Nachfolger einzusetzen, aber das Kardinalskollegium hat seine Zustimmung verweigert. Wenn er stirbt, werden sie ganz gewiss nicht den Kardinal wählen, da sind sich die Römer sicher. Aber bis es so weit ist, ruhen in Rom alle Entscheidungen. Jeder der anderen Kardinäle versucht, sich selbst in den Vordergrund zu rücken und Stimmen für die Wahl zu gewinnen.«

»Das ist gut«, sagte Stefan erleichtert. Judith schluckte eine Frage hinunter, die sie sich selbst beantwortete: Wenn in Rom alles mit dem sterbenden Papst und der baldigen Wahl eines neuen beschäftigt war, dann hatte dort bestimmt niemand die Zeit und die Autorität, sich um andere Ereignisse zu kümmern.

»Onkel«, sagte sie langsam auf Deutsch, »der Kaiser hat einen Sohn, der gewählter deutscher König ist.«

»Es gibt ein Kind in Apulien, das hierzulande niemand gesehen hat und das noch nicht in Aachen gesalbt und gekrönt wurde«, gab er zurück, »ganz zu schweigen davon, dass ihm auch die wichtigste Stimme unter den kirchlichen Würdenträgern des Reiches fehlt.« Er fiel erneut in die Volgare und wandte sich an den Boten. »Weiß man, wie es um die Kaiserin Konstanze steht? Wird sie ihren Sohn Herzog Philipp übergeben, wenn er sich zu ihr in das Königreich Sizilien durchschlagen kann?«

Guy oder Gilles hustete und bekam noch etwas Apfelmost. »Die Kaiserin hat bereits Order gegeben, sämtliche deutschen Ritter aus Sizilien fortzuschicken, aber auf dem Weg bin ich von keinem dieser Ritter überholt worden. Es geht ihnen allen wie Philipp. Das Land steht in Flammen, und sie sitzen fest. Ein paar wollen es auch darauf ankommen lassen und bleiben, Schweinspeunt zum Beispiel, oder Anweiler. Sie glauben nicht, dass die Kaiserin Bewaffnete gegen sie einsetzt, woher soll sie die auch nehmen?«

Stefan schloss die Augen und murmelte etwas auf Hebräisch, das Judith als Dankgebet aus ihrer Kindheit erkannte: *Der Mächtige, unser Gott, ist ewig.*

Vorsichtig deckte sie den Boten mit seinem leinenen Unterrock zu. »Wenn das alles ist, was du von Guy wissen wolltest, Onkel, dann solltest du ihn jetzt ruhen lassen«, sagte Judith.

»Gilles. Ich heiße Gilles«, warf der Bote ein, der entweder genügend Deutsch verstand oder den Klang seines Namens richtig gedeutet hatte, auf Französisch ein. Er musterte sie und fügte in der Volgare hinzu: »Ihr wollt mich nicht weiter waschen? Ich dachte schon, ich sei im Paradies angekommen.«

»Nichte, auf ein Wort«, sagte Stefan, half ihr, sich aus ihrer knienden Haltung zu erheben, und führte sie in den Wohnraum, wo seine Gemahlin stickte. »In ein paar Wochen wird ganz Köln von diesen Neuigkeiten sprechen«, sagte er mit gesenkter Stimme,

»doch es ist wichtig, dass dies jetzt noch nicht geschieht. Jede gewonnene Stunde kann entscheidend sein.«

Sie verzichtete darauf, ihn an den Eid zu erinnern, den sie in Salerno geschworen hatte und der ihr verbot, Geheimnisse ihrer Patienten zu verraten. »Du warst nicht überrascht vom Tod des Kaisers.«

»Wir hatten bereits einen Boten, der uns sagte, dass im Lager der Kreuzfahrer bei Messina eine Seuche ausgebrochen sei«, sagte ihr Onkel, »Constantin, Gerhard, Meister Lambert und ich. Vergiss nicht, dass Gerhard auch Zollmeister von Köln ist. Ihn erreichen Gerüchte wie dieses immer als Ersten.«

»Und du hast darauf gehofft, dass so etwas geschieht. Schon deswegen war es dir so wichtig, dass sich Erzbischof Adolf nicht durch einen Eid bindet.«

»Es war eine Möglichkeit von dem Moment an, als der Kaiser gewillt war, den Kreuzzug Wirklichkeit werden zu lassen«, gab Stefan zurück. »Wir alle wissen, was mit seinem Vater im Heiligen Land geschehen ist. Aber Gewissheit hatte ich bis heute nicht.«

Sie wollte ihm glauben. Er war anders als ihr Vater, anders auch als das, woran sie sich vom Wesen ihrer Mutter erinnerte. Sie hatte begonnen, ihn gernzuhaben, ihn und die Familie, mit der sie das Dach teilte, wenn auch nicht das Bekenntnis. Auf ihrem Vater hatte immer eine gewisse Traurigkeit geruht, eine Bereitschaft, vom Leben das Schlimmste anzunehmen, auch wenn er auf das Beste hoffte. Stefan dagegen schien gewillt zu sein, das Schlimmste anzunehmen und dann das Leben zu überlisten, damit er es zu seinem Besseren machen konnte. Sie war sich nur noch nicht sicher, bis zu welchem Ausmaß Stefan dafür bereit war, in das Leben anderer einzugreifen.

Dann wieder verbot sie sich, wie die üblen Klatschmäuler zu denken, die hinter jeder Seuche Gift oder einen bösen Zauber vermuteten. Dergleichen Vermutungen waren oft dafür verantwortlich, dass Ärzten, die versuchten, das Leben ihrer Patienten zu retten, die Schuld gegeben wurde, wenn jemand starb. Dergleichen Annahmen verhinderten auch, dass man nach neuen

Heilmitteln forschen konnte, und sie sollte gar nicht erst solche Verdächtigungen in sich aufkommen lassen, nur, weil ihr Onkel Kaiser Heinrich offenkundig verabscheut hatte und keinen weiteren Staufer auf dem deutschen Thron wollte.

»Und worauf hoffst du jetzt, Onkel?«

»Der Erzbischof mag keinen Eid geschworen haben, doch die übrigen Fürsten haben es getan, einschließlich seines Onkels Philipp. Außerdem sind sicher viele der hohen Herren bereits angekommen in Eretz Israel.« Er fiel ins Lateinische. »Darum eben ist es wichtig, dass wir die Zeit nutzen. Wenn Philipp aus Montefiascone entkommt, dann muss er sich entscheiden, ob er immer noch versucht, seinen Neffen abzuholen, oder die Alpen in Richtung Heimat überquert. Wenn die Kaiserin mit ihren Anhängern wirklich bereits begonnen hat, die deutschen Ritter aus Sizilien zu vertreiben, wird sie ihm den Jungen nicht geben, und das wird die Staufer noch eine Weile hinhalten.« Er sah sie fest an. »Es ist Zeit für einen neuen König. Kein Kind, sondern einen gestandenen Mann, einen, der uns verpflichtet ist und nicht von der Weltherrschaft träumt, nur weil er Karl den Großen übertreffen möchte. Dass sich nicht mehr so viele Fürsten im Land befinden, macht es Erzbischof Adolf einfacher, die Verbliebenen nach Köln zu einer neuen Wahl zu rufen. Mit etwas Glück wird Philipp dann vor vollendeten Tatsachen stehen, sollte er denn überhaupt lebend zurückkehren.«

»Und der Papst in Rom …«

»… wird nicht in der Lage sein, die Fürsten, die sich noch auf dem Kreuzzug befinden, an ihren Eid zu mahnen, wenn er das überhaupt will. Selbst seine Stellvertreter haben anderes im Sinn. Es ist der beste Zeitpunkt, um die Geschicke des Reiches in eine andere Richtung zu lenken.«

»Kaufleute wählen keine Könige, Onkel.«

Er fragte ohne den Funken eines Lächelns: »Warum nicht? Die Zeiten ändern sich und wir mit ihnen! Denk an die Städte in Italien, wie Venedig, Mailand, Pisa, Florenz, Genua; sie sind jetzt schon weitestgehend unabhängig vom Römischen Reich.«

Es glich einem Blick durch einen Kristall, der das Licht umlenkte und alles durch eine neue Spiegelung verzerrt erscheinen ließ. Wenn Judith an die hohen Herren dachte, die ihr bisher begegnet waren, ob Herzog Friedrich, Diepold von Schweinspeunt oder Otto von Poitou, wenn sie weiter an das dachte, was der Kaiser in Salerno getan hatte, dann gab es eigentlich nichts, das jenen Herren höhere Weisheit attestierte als ihrem Onkel. *Erkenne eine Krankheit an ihren Symptomen,* das war ein Grundsatz, den bereits die Griechen festgehalten hatten; wo keine roten Flecken vorhanden waren, da konnten auch keine Masern sein. Die Kaufleute von Köln hatten zumindest keine Freude daran, Städte zu verwüsten oder Frauen zu bedrohen. Woran hatten sie aber wirklich Interesse? *Macht verdirbt jeden Menschen,* das hatte ihr Vater immer gesagt. Was werden diese Leute tun, wenn sie einst mächtiger sind als die Barone, die Grafen oder gar die Könige?

»Nun verstehst du gewiss«, fuhr ihr Onkel fort, »warum es mir so wichtig ist, dass sich keine Gerüchte herumsprechen, solange sich das vermeiden lässt. Die Wahl soll hier in Köln stattfinden, und wir müssen sicherstellen, dass so viele von den hohen Herren erscheinen, als noch im Lande sind. Der Erzbischof hat schon einmal angedeutet, dass er den Herzog von Sachsen oder den Herzog von Zähringen für geeignet hält. Er wird ihnen Boten senden, aber soweit es uns betrifft, gibt es da jemanden, der uns viel passender erscheint, und deswegen werden auch wir eine Gesandtschaft schicken. Die darf jedoch nicht als solche erkennbar sein, solange unsere Vorbereitungen noch geheim sind. Daher will ich dich um deine Hilfe bitten, Nichte.«

Eigentlich hätte Judith sich denken können, dass er nicht ohne besonderen Grund so offen über seine Pläne sprach. Es erinnerte sie daran, wie er in Nürnberg nur von der Familie gesprochen hatte und erst in Würzburg offenbarte, dass er auch die Leibärztin der Herzogin von Schwaben gut gebrauchen konnte. Es war nie so, dass Stefan log; er hatte nur bei jedem Gedanken gleich mehrere Hintergedanken.

»Bis auf diesen Gilles scheint es in deiner Geschichte niemanden zu geben, der die Hilfe einer Ärztin braucht«, entgegnete sie,

»und er wird sich bald wieder von den Anstrengungen der Reise erholt haben.«

Er wechselte erneut die Sprache; diesmal fiel er in das Hebräische, was es ihr schwermachte, da sie es nur als Gebetssprache beherrschte. »Wenn ich vorgebe, um des Handels willen zu reisen, dann müsste ich mir Zeit lassen mit der Vorbereitung, und das kann ich nicht. Alle, auch der Erzbischof selbst, müssen glauben, dass ich einen Grund habe, um sofort aufzubrechen, der später nichts mit dem Tod des Kaisers zu tun hat. Wenn ich krank werde, sehr krank, dann brauche ich vor allem noch einen guten Grund, um nicht in Köln zu bleiben. Kennst du einen, Judith?«

Als sie sich durch die vielen Silben der Sprache ihrer Vorfahren gearbeitet hatte, schüttelte sie den Kopf und kehrte zu der Volgare zurück. Ihre Tante hob spöttisch eine Augenbraue, dann senkte sie den Kopf wieder und stickte weiter. Stefans Gemahlin war stets höflich zu Judith, doch manchmal vermutete sie, dass sich hinter der stets gelassenen Zuvorkommenheit Feindseligkeit verbarg. Es war nichts, worauf sie ihren Finger legen konnte, nur hin und wieder ein Tonfall oder ein Blick. Oder das Bestehen auf Schweinebraten an den Samstagen.

»Onkel, man soll niemals eine List zweimal verwenden. Wenn ich dir Durchfall beschere, dann weiß der Erzbischof sofort, dass dir nichts mangelt, ganz abgesehen davon, dass es äußerst unangenehm ist, mit einem leeren Bauch zu reisen.«

»Nun, ich bin davon ausgegangen, dass eine der Frauen aus Salerno mehr als einen Weg weiß, um Krankheiten zu schaffen«, sagte er mit einem Augenzwinkern, doch der Scherz und die Schmeichelei machten ihr keine Freude. Im Gegenteil, sie entdeckte, dass sich allmählich Ärger in ihr entfaltete.

»Ich *schaffe* niemandem Krankheiten«, sagte sie mit Nachdruck. »Ich *heile* sie. Das habe ich mit einem heiligen Eid geschworen, Onkel, und es ist mir mehr als ernst damit.«

Er beeilte sich, ihr zu versichern, dass er verstünde, und sie versuchte, nicht daran zu denken, wie sie im Geiste die vielen Möglichkeiten durchgegangen war, mit denen sie einen Menschen töten konnte. Oder wie sie es ausgerechnet einem Mann gestanden hatte, dem sie nie vertrauen konnte noch sollte. Vor allem wollte sie nicht daran denken, dass sie sich für kurze Zeit in seinen Armen lebendig und frei gefühlt hatte.

»Es ist möglich«, sagte Judith zögernd, »den Anschein von Krankheit zu erwecken. Wenn die Menschen hier glauben, dass du die Masern hast, dann wird jeder verstehen, wenn du umgehend die Stadt verlässt und nicht zurückkehrst, bis du gesund bist. Mehr noch, sie werden dich dafür segnen.« Mit den Masern war nicht zu spaßen, vor allem, wenn man wie Stefan einen zwölfjährigen Sohn und sonst keine weiteren männlichen Kinder hatte. Manche Familien waren von der Krankheit ausgerottet worden, und zum ersten Mal, seit sie ihn kannte, wirkte Stefan unsicher, als er fragte, was denn getan werden müsse, um die Masern vorzutäuschen.

»Als wir im Frühling von Nürnberg nach Köln gereist sind, ist mir aufgefallen, dass dich Beifuß zum Niesen bringt«, sagte Judith, »und deiner Haut einen Ausschlag gibt, wenn es dir zu nahe kommt. In den Kräutergärten für das Spital gibt es mehr als genug davon. Außerdem kann ich dir mit etwas Krapp noch ein paar mehr Flecken auf die Haut malen. Wenn ich dann noch erkläre, dass du die Masern hast, wird man dir glauben.«

»Aber es sind nicht wirklich …«

»Nein, es sind nicht die Masern, und es wird dir wieder gutgehen, wenn du erst einen Tag von Köln entfernt bist.«

»Du bist eine Perle unter den Frauen«, sagte Stefan, nur sagte er es leider auf Deutsch. Seine Gemahlin schaute erneut auf; diesmal glich ihr Gesichtsausdruck einem Eiszapfen.

* * *

Es gab für einen Mann, der davon lebte, die Gunst reicher Männer zu gewinnen, wahrlich kaum etwas, das weniger dazu geeignet war, als mit der Gattin eines solchen Gönners Ehebruch zu begehen. Das war keine neue Erkenntnis, doch es war eine, die Walther durch den Kopf schoss, als er Beinlinge, Unter- und

Oberkleid zusammenraffte und unter das große Bett flüchtete, um nicht vom Markgrafen von Meißen entdeckt zu werden, der eigentlich erst am späten Abend von der Jagd zurückerwartet wurde.

Eine Liebelei mit einer verheirateten Frau zu beginnen, war natürlich nicht der Grund dafür gewesen, warum er die Einladung des Landgrafen von Thüringen angenommen hatte. Doch Walther musste zugeben, dass er bereits des Öfteren über die Vorzüge nachgedacht hatte, mit einer Frau ins Bett zu gehen, die keine Ansprüche an ihn stellen konnte, aber auch kein Herz hatte, das dafür gebrochen werden musste. Hinzu kam der Anreiz, eine Frau zu verführen, die ihres Standes wegen schwer zu erringen war. Die Tochter des Landgrafen und nunmehrige Ehefrau Herrn Dietrichs von Meißen stellte sich als geradezu ideal heraus. Dass ihr Name ausgerechnet Jutta lautete, war für Walther eine auf widersinnige Weise störende Kleinigkeit, obwohl die Markgräfin sonst keinerlei Ähnlichkeiten mit einer ihm bekannten Ärztin bot und er sie in jedem Fall hinreißend gefunden hätte. Ihr Haar war blond, die Augen blau, und sie war ein vollendetes Beispiel für begehrenswerte weibliche Üppigkeit; sie war drall, wo das sein sollte, und schwungvoll wie eine Fiedel geformt, wo es bei einer reizvollen Frau die Figur erforderte.

Sie war von ihrem Vater, wie alle adeligen Frauen, ungefragt verheiratet worden, um sein Bündnis mit Dietrich zu besiegeln, und klüger als ihr Gemahl, der davon nichts wissen wollte. Er hatte sie ausgelacht, als sie ihm anbot, gemeinsam mit ihm etwas aufzubauen. Ihrem Ärger hatte sie mit einer Bemerkung vor anderen Edlen Luft gemacht, ihr Gatte sei des Nichtlesens und des Nichtschreibens mächtig, was zu Ohrfeigen und mehr geführt hatte. Jetzt verabscheute sie ihn und machte ihm, wann immer es sein musste, klar, nicht mehr von ihm besprungen werden zu wollen; dafür würde sich jede Magd besser eignen. Ihr Vater war Jutta in dieser Angelegenheit keine Hilfe gewesen, obwohl sie und Dietrich immer noch mit ihrer Stiefmutter auf der Wartburg in Thüringen lebten: Der Landgraf Hermann war sofort nach der Hochzeit ins Heilige Land aufgebrochen, um sich an des Kaisers

Kreuzzug zu beteiligen, und hatte Dietrich als Stellvertreter und Verwalter seiner Länder zurückgelassen.

Kurzum, die Markgräfin von Meißen war für jede Ablenkung dankbar, und wenn es eine war, bei der sie sich an ihrem Gemahl für seine schlechte Behandlung rächen konnte, dann freute sie das umso mehr. Der Meißner war ein grober Dummkopf, der sie nicht verdient hatte, und Walther rechnete nicht damit, dass Dietrich lange in der Kemenate und er auf dem kalten Boden unter dem riesigen Eichenholzbett bleiben würde. Deswegen überraschte es ihn sehr unangenehm, als er den Markgrafen poltern hörte: »Weib, bleib, wo du bist, es gibt was zu feiern.«

»Aber es geht mir nicht gut«, protestierte Jutta, denn unter Kopfschmerzen zu leiden, war der den Mägden genannte Grund, warum sie am Nachmittag in ihrem Bett lag.

»Dafür geht es mir umso besser«, sagte Dietrich genüsslich. »Dein Vater hat Nachricht aus dem Heiligen Land geschickt. Er ist auf dem Rückweg. Jetzt, wo der Kaiser tot ist, hat er Philipp bei den Eiern! Meißen ist endlich wieder mein. Und das ist erst der Anfang. Wer weiß, was sich noch alles aus dem kleinen Weichling herausschlagen lässt? Ich habe ihn in Frankfurt gesehen, und ich kann dir versichern, an dem ist wirklich ein Mönch verlorengegangen. Weiche Finger, wie ein Weib.«

»Und doch bist du aus Frankfurt ohne deine Markgrafschaft zurückgekehrt, mein Gemahl«, erwiderte Jutta honigsüß. Etwas klirrte: Dietrichs Gürtel, der auf den Boden fiel.

»Da ging es nur darum, auf den richtigen Moment zu warten. Bei Gott, nun brechen andere Zeiten an! Wenn ich es recht bedenke, dann gibt es eigentlich keinen Grund, warum Philipp für das kleine Balg als Regent agieren soll. Warum nicht ein Rat der wichtigsten Fürsten im Land? Dein Vater könnte dabei sein, und nach ihm ich, meine Teure.« Mit einem dumpfen Ruck senkte sich sein nicht unerhebliches Gewicht auf das Bett.

»Ich glaube nicht, dass der Herzog von Schwaben für seinen Neffen regieren wird«, sagte Jutta kühl. »Er kennt die Bibel so gut wie jeder andere Christ. *Wehe dir, Land, des König ein Kind ist und des Fürsten frühe essen!* Er wird sich selbst auf den Thron setzen und als neuer König und Kaiser diejenigen bestrafen, die zu gierig versucht haben, seine Notlage auszunützen, und vergaßen, dass ihre Lehen noch Reichslehen sind, kein Erblehen.«

»Unsinn! Er hat den Treueid so gut wie jeder andere geschworen, und seinen eigenen Neffen kann er nun schlechterdings nicht übergehen. Was versteht ein Weib schon von solchen Dingen? Komm her, ich will deinen Arsch sehen.«

Die Aussicht darauf, den unfreiwilligen Zuhörer dabei zu spielen, wie der Meißner seine ehelichen Rechte einholte, war alles andere als erhebend, doch immer noch besser als die Aussicht, von dem Mann totgeprügelt zu werden. Also rührte Walther sich nicht und versuchte, sich von den Geräuschen über ihm abzulenken, indem er über das nachdachte, was er gerade gehört hatte. Ob Herzog Friedrich mit dem Landgraf von Thüringen zurückkehrte? Oder würde er versuchen, den Kreuzzug ohne den Kaiser weiterzuführen? Der junge Leopold in Wien hatte gewiss auch schon vom Tod des Kaisers erfahren und Reinmar den Auftrag gegeben, ein Klagelied zu verfassen.

Wehe dir, Land, des König ein Kind ist und des Fürsten frühe essen! Wenn Walther an die Versammlung in Frankfurt dachte, dann konnte man allen Fürsten wahrlich einen gierigen Schlund bescheinigen. Das Wort *satt* kannte keiner von ihnen. Sie würden alle wie Dietrich versuchen, weitere Macht und Ländereien zu gewinnen. Es sei denn, die Markgräfin hatte recht, und Philipp brach den Eid auf seinen Neffen, um selbst König zu werden. Aber müsste er sich dazu nicht erst wählen lassen, von den gleichen Fürsten, die in Frankfurt für seinen Neffen gestimmt hatten und von denen jetzt bestimmt die Hälfte wegen des Kreuzzugs nicht mehr im Lande weilten?

Über sich hörte er Dietrich grunzen und ächzen und fragte sich, ob er selbst so ähnlich klang, wenn er nicht wie gerade eben Vorsicht wegen möglicher Lauscher walten lassen musste. Wie eigenartig, dass Menschen im Augenblick höchster Ekstase nicht melodiöser als manche Tiere sein konnten. Jutta blieb still; Walther hätte das auf ihre Abneigung gegen ihren Gemahl geschoben, doch wenn er sich recht besann, hatte sie in seinen Armen auch erst nach einigen Treffen erkennen lassen, dass sie genoss, was er tat. Walther hatte all sein Wissen nutzen müssen, um aus einer stummen eine schnurrende Katze zu machen, bis sie dann sogar eine laute wurde, deren Schreie er häufig durch eine Hand dämpfen musste. Er fragte sich, ob Jutta in ihrer Beziehung Vergnügen gesucht hatte oder nur Rache gegen ihren Gemahl, doch diese Frage führte ihn unweigerlich in Gefilde, die er lieber nicht besuchen wollte. Er schob sie vehement zur Seite und überlegte lieber, was sich mit dieser Nachricht anfangen ließ, wenn man ein Sänger war und kein begüterter Edelmann. Ein Gedanke kam ihm, scherzhaft, nicht ernster als die meisten Dinge, die er von sich gab, wenn er sich und anderen die Zeit vertreiben wollte: *Wenn alle Fürsten um mehr und neue Lehen bitten, warum dann nicht auch ein Sänger?* Er grinste, und wie zur Antwort stöhnte Dietrich auf dem Bett ein letztes Mal. Das Gerüttel hörte auf, während der Markgraf sich zur Seite wälzte. Er schien kein Freund von Vor- oder Nachspiel bei der Liebe zu sein, wenn er überhaupt davon wusste. »Bring mir Wein, Weib. Dann sieh zu, dass unsere Abreise vorbereitet wird. Wir gehen nach Meißen, und bei Gott, jeder von den Kerlen, der die Stirn hat, mir den Vasalleneid zu verweigern, wird Glück haben, wenn er sich mit doppelten Abgaben um meine Verzeihung bemühen kann.«

Als der Markgraf seinen Wein getrunken hatte und endlich verschwunden war, kroch Walther unter dem Bett hervor und zog sich rasch an. Jutta hielt noch den Becher in der Hand.

»Er ist so ein Narr«, sagte sie düster. »Nach Meißen gehen? Mein Vater wird ihn nie wieder als Nachfolger in Erwägung ziehen, selbst wenn die Stiefmutter nur Töchter in die Welt setzt. Man kann nicht einfach eine Aufgabe übernehmen und dann loslaufen, wenn irgendwo eine Wurst zum Verspeisen winkt.«

Ihre blonden Haare waren zu einem Zopf geflochten gewesen, als sie ihre Mägde fortgeschickt und Walther in ihr Gemach eingelassen hatte. Nun bestand der Zopf nur noch aus lose zusammenhängenden Strähnen, die ihr aber weit über die Schultern hinunterfielen. Am Hals konnte er einen blauen Fleck entstehen sehen und wusste, dass der wohl von ihm stammte. Es löste eine seltsame Mischung aus Bedauern und Begierde in ihm aus, sie so zu sehen, und gleichzeitig war er froh, sie nicht zu lieben, denn sonst hätte es ihm das Herz zerrissen.

»Ich glaube, Ihr habt recht«, sagte er, weil es sinnlos war, etwas über ihre Ehe zu bemerken, »der Herzog von Schwaben wird selbst nach der Krone greifen. Nur ein Heiliger würde das jetzt nicht tun, und ich habe ihn kennengelernt – er ist es nicht.«

Sie starrte weiter in den Weinbecher. »Heilige gibt es nicht mehr in unseren Tagen. Nicht in Schwaben, und erst recht nicht bei uns in Thüringen. Und wenn es sie gäbe, so würden sie mir nur bestätigen, dass die Ehe mit einem Dummkopf mein gottgegebenes Los sei. Sagt mir noch einmal, dass ich schön bin, Walther. Ich brauche etwas, an das ich glauben und mit dem ich mich trösten kann, wenn ich allein bin.«

»Euer Haar ist wie ein Nebelhauch, der einen Berg umschmeichelt; Eure Lippen der Eingang für himmlische Versprechen; der Rücken wie eine Landschaft, die zum ewigen Verweilen einlädt; der Hintern macht aus zwei vollkommenen Hälften ein wundervolles Ganzes; die Brüste – so groß, dass meine beiden Hände kaum reichen – streben zu den Sternen, nicht zur Erde, und wetteifern mit den schönsten Früchten aus dem Paradies; und Eure wohlgeformten Beine, mit herrlichen weichen Schenkeln und einer unglaublich zarten Haut, weisen mir den Eingang dorthin.«

Das Blut stieg ihrem Hals entlang in ihr Gesicht. Walther musste daran denken, wie sie nach einem seiner Minnelieder, mit dem er ihr die einsamen Stunden vertrieb, als sie noch nicht mehr als eine Gönnerin gewesen war, geflüstert hatte, sie wisse nicht, warum manche ihrer Mägde vor Lust schrien und andere sich bekreuzigten, und er ihr angeboten hatte, das ausführlich erklären zu wollen.

»Hört auf, Herr Walther. Ich bin, wie ich bin, nicht wie Ihr mich sehen wollt.«

»Ihr seid ein wundervoll geschaffenes Weib«, antwortete er

wahrheitsgemäß und setzte sich neben sie, um ihr über das Haar zu streichen, »und ich bin ein Glückspilz.«

Sie entzog sich ihm. »Anmaßend ist es, was Ihr seid«, sagte sie mit einer Spur von Hochmut. »Ich bin nicht für Euch geschaffen.«

Weil er sie nicht liebte, konnte er sehen, was in ihr vorging. Sie war machtlos in ihrer Ehe. Ganz gleich, was sie über ihren Gatten dachte, ganz gleich, wie hoch sie selbst geboren war, sie musste Dietrich gehorchen und ihm zur Verfügung stehen wie die einfachste Stallmagd, wenn es ihm gefiel; daran würde sich nie etwas ändern, für den Rest ihres Lebens nicht. Da musste es guttun, anderswo die Mächtige zu spielen. Er wäre deshalb auch bereit gewesen, ihr – wie allen Frauen, die es hören wollten – zuzugestehen, dass es immer nur eine Siegerin im Bett gab und einen Besiegten, selbst wenn alle Männer das Gegenteil beschwören würden. Aber das war in diesem Moment bestimmt kein Trost für sie.

»Das ist die Wintersonne auch nicht«, sagte er stattdessen leichthin, »und es freut mich trotzdem, wenn sie durch die Kälte dringt und mich durch ihre Strahlen etwas erwärmt, ehe sie weiterwandert.«

Ihre Mundwinkel zuckten. »Sehr viel weiter wohl nicht, nur bis nach Meißen, doch es ist hübsch gesagt. Ein wenig werde ich Euch wohl vermissen. Vielleicht sogar mehr als ein wenig, denn Ihr habt etwas in mir geweckt, was ich bisher nicht kannte. Sagt mir, mein Ritter der hübschen Worte, werdet Ihr hier die Ankunft meines Vaters abwarten, oder wohin werdet Ihr als Nächstes gehen? Und«, es fiel ihr erkennbar schwer, die Frage auszusprechen, »führt Euer Weg wieder nach hier zurück?«

Zu bleiben war eine Möglichkeit, vor allem, weil der Winter ins Haus stand und es sich bei Schnee und Eis immer schlecht reiste. Zurückkommen, das ganz bestimmt … irgendwann. Aber das unheilbare Fieber Neugier hatte ihn ergriffen. Ihr Gatte war nicht der Einzige, der nach des Kaisers Tod mehr Möglichkeiten in der Welt sah. Das Letzte, was Walther von Herzog Philipp gehört hatte, war, dass er im September nach Italien aufgebrochen war, um seinen Neffen zu holen, damit dieser in Aachen gekrönt werden konnte. Ob er nun mit oder ohne den Jungen zurückkehrte, ob er sich oder seinem Neffen die Krone aufsetzen wollte, er würde erneut einen Haufen Fürsten überzeugen müssen, ihm Gefolgschaft zu leisten, und das ohne den drohenden Schatten seines Bruders. *Diesmal,* dachte Walther, *wird es dazu bestimmt mehr als ein spöttisches Lied brauchen.* Es juckte ihn in den Fingern, sein Glück erneut zu versuchen.

»Ich glaube, ich werde nach Süden ziehen.«

* * *

Es hatte ganz und gar nicht in Judiths Absicht gelegen, Köln zu verlassen. Aber als Stefans Gemahlin auf die Ankündigung hin, ihr Gatte leide an Masern und müsse umgehend zum Schutze der Kinder und seiner Mitbürger zu einem kleinen Einsiedelhof gebracht werden, spitz bemerkt hatte, dass Stefan der Pflege seiner eigenen Ärztin bedürfe, da war es unmöglich geworden, ihren Onkel nicht zu begleiten. Nun, hätte er wirklich die Masern gehabt, so wäre es grob undankbar von Judith gewesen, ihre Hilfe zu verweigern. Also fand sie sich mit Gilles und Stefan auf dem Weg in Richtung Aquitanien wieder, denn dorthin wollte ihr Onkel ziehen, um keinen Geringeren als den König von England zur Königswahl nach Köln zu bitten.

»Warum nicht nach England?«, platzte Judith heraus, weil es höflicher war als das, was sie wirklich fragen wollte.

»Oh, König Richard hält sich so gut wie nie in England auf«, sagte ihr Weggefährte Gilles aufgeräumt. Wenn es nach ihr gegangen wäre, hätte er noch ein oder zwei Wochen in Ruhe am gleichen Ort bleiben sollen, aber Stefan hatte ihn zu seinem Reisebegleiter gemacht, wohl auch, um zu verhindern, dass er in Köln mehr plauderte, als er sollte. Gilles schien es mit Fassung zu tragen. Wenn er nicht gerade nach seinem mehrwöchigen Gewaltritt vor ihren Augen zusammenbrach, war er offenbar ein sehr gesunder Mann von etwa dreißig Jahren mit einem pfiffigen Gesichtsausdruck und einer großen, kräftigen Statur. »Er ist in

Aquitanien bei seiner Mutter aufgewachsen, und die festländischen Besitzungen seines Reichs sind ihm die liebsten. Außerdem liegen er und der französische König in Dauerfehde miteinander, und die können sie hier am einfachsten austragen.«

Es gab wohl keine Möglichkeit, als direkt zu fragen: »Onkel, lass mich prüfen, ob ich dich recht verstehe: Dir war der Weltenhunger des Kaisers zu viel, aber jetzt wollen du und deine Freunde ihn durch einen Herrscher ersetzen, der dafür berühmt ist, dass er Krieg führt, seit er die Wiege verlassen hat, und der noch nicht einmal unsere Sprache spricht?«

»Nein, nein«, gab Stefan beschwichtigend zurück, »darum geht es nicht. Natürlich werden wir König Richard einladen, das entspricht der Höflichkeit, doch kein Mensch glaubt, dass er kommen wird. Nicht nur, weil er, wie Gilles richtig sagte, im Dauerkrieg liegt, sondern weil er bei seinem letzten Aufenthalt auf deutschem Boden wahrlich üble Erfahrungen gemacht hat. Der Kaiser hat ihn zum Schluss sogar noch gezwungen, ihm den Vasalleneid zu leisten und sich zum Lehnsmann des Heiligen Römischen Reiches zu erklären, ehe er und der Herzog von Österreich ihn freiließen. So etwas vergisst ein Mann mit König Richards Stolz nie. Aber er wird es unwiderstehlich finden, ebenjenen Lehnseid nun zu seinem Nutzen einsetzen zu können. Wenn er ein deutscher Vasallenfürst ist, dann hat er schließlich auch eine Stimme bei der Wahl des Königs. Noch wichtiger ist, was er außerdem noch hat: drei Neffen, die deutsche Fürsten sind, die Söhne Heinrichs des Löwen. Glaub mir, in den letzten zwanzig Jahren habe ich mehr und mehr Menschen klagen hören, die einst den Rotbart gegen den Löwen unterstützten, die Welfen wären für das Reich besser gewesen. Nun gibt es eine Gelegenheit für jedermann, den alten Fehler wiedergutzumachen.«

Zuerst sagten Judith seine Worte nichts, doch dann kam die Erinnerung zurück, die Erinnerung an jenen verwünschten Tag und an den blonden jungen Edelmann, der sie bei der Kehle gepackt und ihr mit der größten Selbstverständlichkeit mit dem Tod ihres Vaters gedroht hatte. »Und welchen der Söhne Heinrichs des

Löwen«, fragte sie gepresst, »wünscht ihr euch auf den Thron, du und deine Freunde?«

»Den Pfalzgrafen Heinrich von Braunschweig, selbstverständlich«, erwiderte Stefan. Judith atmete wieder leichter, während ihr Onkel nieste; der Beifuß machte ihm noch zu schaffen. Über diesen Mann wusste sie nur, dass er der Älteste der Welfensprösslinge war und damit der Bruder jenes Otto von Poitou, mit dem sie in Österreich zu tun gehabt hatte. Trotzdem erschien es ihr merkwürdig, warum ihr Onkel solches Vertrauen in die Welfen setzte. Was machte ihn so gewiss, dass sie anders als die Staufer sein würden? Es entsprach nicht der Denkweise, die sie bei ihm kennengelernt hatte.

»Du willst also den König von England einladen, seinen Neffen zum deutschen König wählen zu lassen. Wenn das dein Ziel ist, warum bist du dann nicht nach Braunschweig unterwegs?«

»Weil der Pfalzgraf noch auf dem Kreuzzug weilt«, warf Gilles ein und lachte. »Wahrscheinlich versucht er jetzt genauso wie die anderen Herren, ein Schiff zu bekommen, denn er war bereits im Heiligen Land. Meister Stefan weiß, dass man als einfacher Mann erheblich schneller reist denn als zukünftiger König mit Kriegsknechten und Ausrüstung.«

»Das versteht sich«, sagte ihr Onkel mit einem Lächeln, »und ich bin dir dankbar für die Geschwindigkeit, mein Freund. Du hast mich nicht geizig bei dem Lohn für deine Leistung gefunden, und wenn auch diese Reise glückt, dann wirst du die gleiche Summe noch einmal erhalten.« Zu Judith gewandt, fügte er hinzu: »Der König von England wird also eine Gesandtschaft schicken müssen, die für seinen Neffen spricht, aber dazu muss man ihn erst einladen, und der Erzbischof, dessen Aufgabe das eigentlich wäre, hat, nun … noch andere Möglichkeiten im Kopf. Wenn die englische Gesandtschaft erst in Köln ist, wird er seine Meinung ändern, da bin ich mir sicher. Solange es kein Staufer ist, wird ihm jeder König recht sein.«

Judith beließ die Angelegenheit fürs Erste auf sich, doch als sie am Abend in einem Gasthaus abstiegen, wo Stefan sie als seine Ehefrau ausgab, damit sie einen Raum erhielten, sagte sie: »Dem

Erzbischof mag jeder recht sein, solange es kein Staufer ist, aber dir und deinen Freunden nicht. Ich habe immer noch nichts von dir gehört, das mir erklärt, warum euch so wichtig ist, einen Welfen auf den Thron zu heben. Ich weiß, dass Köln und England Handelsfreunde sind, aber dafür brauchst du Richard keinen Thron für seinen Neffen anzubieten.«

Er schwieg, während sie ihm ein Heilöl ins Gesicht massierte, um die Folgen des Beifußes abzumildern, und erklärte schließlich: »Wenn die Fürsten sich auf einen Mann einigen sollen, der kein Staufer ist, dann ist die Auswahl nicht so groß, wie man meinen möchte, Nichte, nicht nur, weil nur wenige von ihnen hier sind. Jeder der großen Herzöge wird dem anderen den Vorzug missgönnen und sich selbst ins Spiel bringen wollen, vor allem, wenn sie noch Fehden gegeneinander führen. Aber der Name der Welfen hat Glanz – und weil die drei Söhne des alten Löwen nicht in unseren Landen aufgewachsen sind, kennt man sie kaum. Sie haben niemanden verärgert, niemandem etwas weggenommen, dafür umstrahlt sie der Ruhm ihres Vaters und ihres Onkels. Jeder, der wählt, weiß auch, dass ein Welfe einen der mächtigsten Herrscher als Verbündeten mitbringt. Das wird viele Fürsten überzeugen.«

»Gerhard Unmaze mag der reichste Kaufmann von Köln sein, vielleicht sogar im ganzen Reich, aber er ist kein Fürst – und du auch nicht. Ich kann mir nicht vorstellen, dass der Münzmeister Constantin so bezaubert vom alten Glanz des Welfennamens ist, dass er deswegen den Grimm des Erzbischofs riskiert, aber das tut ihr doch mit dieser Einladung. Was also hat *dich* überzeugt?«

»Du bist deines Vaters Tochter«, sagte er und nieste noch einmal. Seine Augen waren mittlerweile weniger geschwollen als noch am Morgen, nachdem sie ihn eine Nacht mit Beifuß unter dem Kissen hatte schlafen lassen, doch es war auf seinen eigenen Wunsch geschehen, also unterdrückte sie den Anflug von schlechtem Gewissen und Mitleid. »Der musste auch immer den Dingen auf den Grund gehen.«

»Ich wusste nicht, dass du meinen Vater gut genug kanntest, um das zu wissen«, sagte sie mit einer Spur Schärfe, weil sie spürte, dass er ablenken wollte.

Stefan setzte sich auf, verschränkte die Arme und musterte sie. »Wenn ich dir sage, was mich überzeugte, dann wirst du auch das als ärztliches Geheimnis behandeln müssen, obwohl es nichts mit Krankheit zu tun hat.«

»Onkel, du solltest endlich eine Entscheidung treffen. Entweder du vertraust mir, oder du vertraust mir nicht und versuchst weiterhin, mich als unwissendes Werkzeug zu benutzen. Doch wenn du dich für den zweiten Weg entscheidest, dann gibst du mir auch keinen Grund, das, was ich mir selbst denke, nicht in alle Winde zu schreien«, behauptete sie gereizt. Nicht, dass sie es wirklich vorhatte. Wem sollte sie schon die Geheimnisse eines Kölner Kaufmanns erzählen?

»Zollgebühren«, sagte Stefan abrupt. »Denke daran, Gerhard ist unser Zollmeister. Wir werden König Richard einen Handel anbieten: Wenn wir seinen Neffen zum König machen, erlässt er allen Handelsgütern aus Köln den Zoll in England, Aquitanien, dem Poitou, der Bretagne und in der Normandie.«

Sie dachte an den Zoll, den sie und ihr Vater hatten zahlen müssen, als sie von Köln nach Salerno reisten und dabei durch zahllose Baronien, Grafschaften, Herzogtümer, freie Reichsstädte kamen, und das, obwohl sie keine Waren mit sich führten, sondern nur ihre wenigen Besitztümer, hauptsächlich Bücher. Der ungeheure Gewinn, den diese Erleichterung für den Handel von Köln bedeuten würde, war ihr sofort klar.

Judith begann, sich das Öl in dem Wassereimer von den Händen zu waschen, den sie sich vom Hof hatte bringen lassen. Es half ihr dabei, ihren Gedanken Formen zu geben, was ihr bei ihren Gefühlen nicht gelang. »So viel zum Besten des Reiches«, sagte sie und zuckte zusammen, als sie den Klang ihrer eigenen Stimme hörte, die mit einem Mal dünn und brüchig war.

»Handel *ist* gut für das Reich«, gab ihr Onkel zurück. »Weit mehr als Kreuzzüge oder Versuche, Byzanz zu erobern.«

Damit hatte er natürlich recht, aber worauf es im Grunde doch hinauslief, war, dass er die Krone für denjenigen Fürsten haben wollte, der den für ihn und seine Genossen günstigsten Preis zahlen konnte. Das und nichts anderes war es, was ihn für den Welfen einnahm. *Wenn Philipp ihm Zollfreiheit für England und all seine französischen Provinzen hätte zusichern können, dann wäre er jetzt nach Italien unterwegs, um den Herzog von Schwaben höchstpersönlich aus Montefiascone zu retten,* dachte Judith traurig.

War es Enttäuschung, die sie fühlte? Es gab keinen Grund dafür. Ihr Onkel tat nur, was die meisten Menschen taten: Er versuchte, Gewinne für sich und die Seinen herauszuschlagen, auch wenn sein Volk dabei keine Rolle spielte. Andererseits: Ging es allen gut, hatten alle etwas davon, auch die Juden. Es war ja nicht so, dass Judith kein Entgelt erwartete, wenn sie Menschen heilte. Und hatte sie Irene nicht verlassen, weil es für sie das Beste war, obwohl es Gründe gegeben hätte, bei dem Mädchen zu bleiben? Es war unsinnig, ausgerechnet von ihrem Onkel zu erwarten, dass er der Held aus alten Geschichten sein würde, oder gar Samuel, der einen neuen König für Israel fand, weil Saul seinen Pakt mit Gott gebrochen hatte.

»Und du glaubst, dass der König von England dir gewähren wird, was du verlangst?«

»Wenn es uns gelingt, seinen Neffen wählen zu lassen.« Stefan stemmte sich erneut von dem Strohbett hoch, auf dem er gelegen hatte, kniete neben ihr nieder und erfasste ihre Hände. »Dann, Judith, dann werden ein paar Kaufleute von Köln die Welt verändert haben … nicht zuletzt dank deiner Hilfe.«

Es war das erste Mal, dass er ihren alten Namen gebrauchte. Er meinte es gut, als Dank und vielleicht auch, um ihr ein wenig den Kopf zu verdrehen, damit er ihres Schweigens noch ein Stück sicherer sein konnte. Aber eine Stimme in ihrem Kopf, eine widerspenstige Stimme, die auch bei zu sehr von den Nonnen angepriesenen Heilmitteln immer wissen wollte, woraus genau sie gemacht waren, diese Stimme ließ sich nicht unterdrücken und fragte: *Und wenn der König, dem ihr auf den Thron verhelft, kein guter König wird, was dann?*

Kapitel 16

Wenn es etwas gab, das selbst seine schlimmsten Feinde dem Herzog Berthold von Zähringen nicht vorgeworfen hätten, dann, dass er sein Licht unter den Scheffel stellte. Er hatte auch keinen Grund dazu. Als sein Vater starb, hatte der burgundische Adel versucht, sich alte Gebiete zurückzuholen, doch Berthold hatte sie besiegt. Die Silberbergwerke im Schwarzwald, die ihm gehörten, sicherten seinen Reichtum. Er hatte neue Städte wie Bern gegründet und den schmalen Gotthard-Pfad nach Mailand auch für Tiere und leichte Wagen begehbar machen lassen. Es wurde ihm nicht als Feigheit oder Gottlosigkeit vorgeworfen, dass er nicht, wie so viele Fürsten, das Kreuz genommen hatte. Ja, er hatte alle Gründe, mit sich und seinem Leben zufrieden zu sein, und für seine Vorbereitungen eines glanzvollen Weihnachtsfestes in Freiburg scheute sein Haushofmeister keine Kosten. Neben den üblichen Gauklern und Spielleuten lud der Herzog auch Sänger wie Gottfried von Straßburg und jenen Walther von der Vogelweide ein, der im letzten Jahr mehr und mehr von sich reden gemacht hatte. Als nicht nur einer, sondern alle beide gegen Ende November in Freiburg eintrafen, nahm er das für nicht mehr als das, was ihm zustand.

Was die Botschaft des Erzbischofs von Köln in ihm auslöste, traf ihn daher umso überraschender. Er war bestürzt, und er zweifelte.

»*Edler Herzog*«, hatte der Domherr schwungvoll erklärt, »*das Reich braucht Euch.*« Von da an ging es bergab mit Bertholds Laune. Er hatte zuerst geargwöhnt, dass Erzbischof Adolf schlicht und einfach um Geld verlegen war und eine Leihgabe des Schwarzwälder Silbers haben wollte; man munkelte im ganzen Rheinland, wie hoch der Erzbischof von Köln wegen seines geplanten Dombaus und seines wahrlich aufwendigen Haushalts bei den Kaufleuten der Stadt verschuldet war. Ganz falsch war seine Überlegung auch nicht, denn wie sich herausstellte, wollte Adolf von

Altena in der Tat Geld von ihm. Doch er bot keine geringe Gegenleistung an. Gegen 1700 Mark Silber, so ließ er Berthold wissen, würde er sicherstellen, »*dass der Herzog von Zähringen von den deutschen Fürsten in Köln zum König gewählt werden wird*«, die sich dort baldmöglichst auf Adolfs Einladung hin versammeln sollten.

»Es ist eine Ungeheuerlichkeit«, sagte Berthold zu Adalbert von Dagsburg, einem seiner wichtigsten Getreuen, ganz und gar nicht beruhigt durch die sanften Töne, die einer der Sänger im Palas von sich gab, während getafelt wurde.

»Aber Euer Gnaden, welche höhere Ehre könnte es geben, als für würdig des Thrones von Karl dem Großen befunden zu werden?«

»Nun, so wie sich das angehört hat, werde ich vor allem für würdig befunden, die Schulden des Erzbischofs zu begleichen. Und wenn die anderen Fürsten hören, was der gute Adolf für seine Stimme bei der Wahl bekommen hat, werden sie auch so viel Silber haben wollen, ehe sie sich bequemen, mich für würdig zu befinden. Dadurch würde ich den Säckel meines Herzogtums völlig leeren, und für was? Im Gegensatz zu Adolf bin ich nicht mit Gedächtnislücken geschlagen: Wir *haben* bereits einen gewählten König. Wenn jetzt der Treueid von Frankfurt nicht mehr gilt, wer sagt mir dann, dass der auf mich zukünftig Bestand hat? Und erwartet der Erzbischof wirklich, dass die Staufer zu mir als König ja und amen sagen?«

»Mit Verlaub, Euer Gnaden, was soll ihnen denn anderes übrigbleiben, wenn Ihr tatsächlich gewählt werdet? Der Junge ist nie gekrönt worden. Gekrönt wird ein König in Aachen, vom Erzbischof von Köln. Wenn der auf Eurer Seite steht …«

»Ihr seid ein Elsässer, Ihr versteht das nicht. Ich kenne meine Schwaben. Was die einmal in Händen haben, geben sie nicht freiwillig wieder her, wenn es die deutsche Krone ist, dann erst recht nicht, und die Staufer sind schwäbischer als alle anderen. Nein, so einem angebotenen Gaul muss man wahrlich ins Maul schauen, ehe man ihn kauft. Das Schlimmste ist, dass es mir auch Ärger bringen wird, wenn ich ablehne. Dann grollt mir Erzbischof

Adolf, und Philipp wird mich trotzdem für einen gefährlichen Rivalen halten, den er loswerden muss.«

»Ich dachte, Philipp ist tot, von den Welschen in Montefiascone erledigt.«

»Gerüchte sind wie Küsse, Adalbert«, gab Berthold zurück.

»Nett, aber Kinder kriegt man von ihnen nicht. Ich habe sichere Nachricht aus Augsburg, dass Philipp dort gesehen wurde. Inzwischen dürfte er bald wieder in Hagenau sein.«

»Und wenn schon!«, konterte Graf Adalbert stürmisch. »Euer Gnaden, Ihr seid ein besserer Mann als alle Staufer, und ich spreche nicht nur aus Zuneigung zu Euch, sondern aus Erfahrung mit Philipps älteren Brüdern. Ihr habt es verdient, König zu sein; gerade Euer Zögern beweist es. Gewiss werden es die anderen Fürsten genauso sehen.«

»Wenn ich jedem von ihnen 1700 Mark in Silber gebe, werden sie das gewiss«, sagte Berthold säuerlich. »Doch dann kann ich die Reichsinsignien verhökern, um meine Krönung zu bezahlen, die mich bestimmt weitere 4000 Mark in Silber kostet, weil ich dafür dann nämlich kein Geld mehr haben werde.« Er fragte sich, ob er anders empfände, wenn ihm der Erzbischof von Köln die Krone ohne Wenn und Aber angetragen hätte, statt schamlos einen Kaufpreis zu nennen, und musste zugeben, dass dem vermutlich so gewesen wäre. Schließlich hörte man nicht aller Tage, dass man für würdig befunden wurde, das Heilige Römische Reich zu regieren. Für einen Augenblick überließ er sich der Vorstellung von Berthold dem Ersten, König der Deutschen und danach bald auch Kaiser, wie es für die deutschen Könige üblich war, nachdem sich der Papst mit der Kirche unter ihren Schutz gestellt hatte. *Schutzpatron der Christenheit,* was für ein Titel! Schließlich hatte er sich mit der Kirche immer gut gestellt; der Papst, der Einzige, der einen Kaiser krönen durfte, hatte keinen Grund, ihn abzulehnen.

Wenn der Erzbischof von Köln schon 1700 Mark in Silber haben wollte, was würde dann aber der Papst verlangen? Karl der Große hatte sich gewiss nicht mit solchen demütigenden Geschäften herumschlagen müssen. Der nicht!

Berthold liebte sein Herzogtum, das unter seiner Herrschaft

gedieh. Er liebte auch die Regentschaft über das Reichslehen Burgund und wollte, dass es genauso erblich wurde wie Zähringen, statt von jeder neuen Generation vom Kaiser gefordert werden zu müssen. Das alles hieß jedoch nicht, dass er selbst der Kaiser sein wollte, der einem anderen Fürsten sein Zähringen und sein Burgund übergab. Sein dann völlig verarmtes und ausgeblutetes Zähringen. *Zum Teufel mit Adolf von Altena,* dachte Berthold aufgebracht. *Er hätte sich keine bessere Art und Weise wählen können, um mein Leben zu ruinieren!*

Er war immer noch schlecht gelaunt und unschlüssig, was um alles in der Welt er tun sollte, als er sich für die Nacht zurückzog. Sein Knappe teilte ihm mit, dass einer der Sänger ihm noch seine Aufwartung machen wolle.

»Kann er sich nicht an den Haushofmeister wenden?«, knurrte Berthold.

»Herr Walther meint, er wolle sich persönlich bei Euch dafür entschuldigen, nun doch nicht bis zum Weihnachtsfest bleiben zu können, da dringende Geschäfte ihn nach Köln riefen.«

»Nach Köln?«, wiederholte Berthold verblüfft. Eine steile Falte grub sich zwischen seine Brauen. Das konnte kein Zufall sein. Er gab Erlaubnis, Herrn Walther in sein Gemach zu führen, und befahl dem Knappen, zu verschwinden.

»So«, sagte er, »Ihr wollt also nach Köln ziehen, um Euer Glück beim Erzbischof zu suchen? Der gilt aber ganz und gar nicht als großzügiger Gönner von Sängern, Herr Walther.«

»Das glaube ich gerne«, gab der junge Mann mit unbekümmerter Gelassenheit zurück, »und deswegen ist Köln auch nicht mein Ziel. Es kam mir nur darauf an, allein mit Euer Gnaden zu sprechen, denn ich glaube, ich habe eine Lösung für etwas, das Euch auf dem Herzen liegt.«

»Für so eine Anmaßung verdient Ihr es eigentlich, hinausgeworfen zu werden.«

»Nun, wie Ihr wisst, hatte ich ohnehin vor zu gehen, doch es ist keine Anmaßung, die Wahrheit zu sagen. Wenn Euch meine Lösung nicht gefällt, dann könnt Ihr mich immer noch von Euren Leuten hinausprügeln lassen.«

Ganz offenbar hatte der Sänger heute nicht nur Töne von sich gegeben, sondern auch gelauscht. Zum ersten Mal fragte sich Berthold unbehaglich, ob Spielleute und Gaukler immer dergleichen taten. Sie waren bisher stets nur dazu da gewesen, sein Leben zu verschönern, und es gefiel ihm nicht, sie sich mit großen Ohren und eigenen Zielen vorzustellen.

»Ich werde Euch kein Geld geben, nur, damit Ihr nichts über die Botschaft des Erzbischofs von Köln herumplappert«, sagte er warnend.

Walther breitete die Arme aus. »Euer Gnaden, ich bin Sänger. Ich möchte nie dafür bezahlt werden wollen, dass ich schweige, sondern nur für die Kunst des Singens – und des Redens.«

Berthold knetete seine Unterlippe. »Nun gut«, sagte er widerwillig, weil ihm nichts einfiel, auf was Herr Walther hinauswollen könnte. Unbefriedigte Neugier war ein so unangenehmes Gefühl. »Sprecht also.«

»Wenn ich durch einen Wald gehe und mich springt links ein Räuber an, der Geld von mir will, während rechts mein Heim liegt, das überfallen werden könnte, wenn ich dem Räuber nicht gebe, was er will, dann bin ich ein armer Tropf. Aber was, wenn ich stattdessen zum Hauptmann der Stadtwache gehe und mir Geld dafür geben lasse, dass ich in meinem Heim bleibe, und vielleicht auch etwas Holz bekomme für Balken, um meine Tür gegen Räuber zu verbarrikadieren? Dann bin ich ein Glückspilz.«

Gleichnisse waren nie Bertholds Stärke gewesen, wenn er Predigten in der Kirche hörte, doch hier brauchte es nicht viel, den Sinn von Walthers Worten zu verstehen, und was er hörte, ließ seine Kopfschmerzen auf wundersame Weise verklingen.

»Ihr meint also …«

»Herzog Philipp hat gerade das Vermögen der Staufer geerbt, gemeinsam mit der Last des Regierens. Ich bin sicher, er würde sich milde für die Treue von Euer Gnaden zeigen, ein Angebot wie das des Erzbischofs von Köln nicht anzunehmen.«

Bei Gott, dachte Berthold, *diese Art und Weise, die Dinge zu sehen, gefällt mir ausgesprochen gut.* Natürlich war noch ein Beigeschmack von Handel dabei; ein wahrer Edelmann wie er wäre nicht auf so einen Gedanken gekommen, aber Adolf und Philipp gegeneinander auszuspielen, sein schönes Herzogtum zu behalten und noch dazu dafür Geld einzustreichen, dass er still-hielt, nun, das war fast so gut wie der Stein der Weisen. Er stellte sich das lange Gesicht des Erzbischofs vor, wenn der erfuhr, wie er mit seinem Angebot Berthold zwar nicht zu einer Krone, da-für aber zu mehr Geld verholfen hatte und selbst leer ausgehen würde, und gluckste zufrieden. Dann jedoch fiel ihm etwas ein, was ihn erneut zweifeln ließ.

»Wenn der Erzbischof hört, dass ich mich mit dem Herzog von Schwaben zusammengetan habe«, sagte er, »dann zieht er sein Angebot umgehend zurück, und Philipp hat keinen Grund mehr, mir auch nur eine Silbermark zu geben. Man kann über Adolf von Altena denken, was man will, aber dumm ist er nicht, und Spione hat er auch überall. Es würde mich nicht wundern, wenn mein Hofkaplan ihm mehr dient als mir. Außerdem kennt er meine Getreuen. Wenn einer von ihnen im Winter beim Staufer auftaucht, dann kann es dafür nur einen Grund geben.«

Walther von der Vogelweide lächelte ihn an. »Ich bin keiner Eu-rer Getreuen«, sagte er. »Und niemand wundert sich, wenn ein Sänger am Hof des Herzogs von Schwaben erscheint.«

»Das … das lässt sich nicht leugnen.«

»Aber ich bin ein armer fahrender Ritter. Wenn ich an meine Kleidung denke – abgewetzt und kaum mehr eines herzoglichen Hofs würdig, geschweige denn eines königlichen. Ein Knappe wäre mir auch eine Hilfe, schon, um meine Instrumente zu tra-gen und um sich um mein Pferd zu kümmern.«

»Herr Walther«, sagte Berthold, »ich war von jeher ein Freund der Künste. Es wird mir eine Freude sein, Euch für den Weg nach Hagenau völlig neu auszustatten.«

* * *

Wie sich herausstellte, hielt sich König Richard in Chinon auf, was bedeutete, dass sie nur bis zur Loire reisen mussten, nicht in den Süden nach Aquitanien. Gilles erwies sich als angenehmer

Reisegefährte, der immer auch wusste, wie man in fremden Städten die anständigen Badehäuser fand, ohne bei den Badern den gelbgekleideten oder ganz nackten Huren zu begegnen. Er besorgte auch frische Pferde und erzählte von seinem Leben, als er merkte, dass Judith Fragen nach ihrer Vergangenheit unangenehm waren. Er stammte aus Aquitanien, war ursprünglich als Teil von König Richards Kreuzzug nach Italien gekommen, als Knappe eines englischen Ritters, dort unerwartet krank und zurückgelassen worden, während sein Herr mit dem Heer weiter ins Heilige Land zog. »Ich hatte Glück im Unglück«, sagte er und klang noch nicht einmal verbittert. »Keiner hat gedacht, dass ich überleben würde, doch ich hab's getan; danach hat mir die Seuche nichts mehr anhaben können. Meinem Herrn nachreisen wollte ich nicht, außerdem hatte ich kein Geld für die Überfahrt. Daheim wartete auch keiner auf mich, also habe ich mich an den Ersten verdingt, der einen Kriegsmann brauchte, der gut mit Waffen umgehen kann. Und so bin ich bei Herrn Gerhard und Herrn Stefan gelandet.«

Wenn er wusste, dass Stefan und sie Juden waren, so ließ er es durch nichts erkennen, außer bei einer einzigen Unterredung vielleicht. Wie sich herausstellte, kannte er Salerno, denn dort war er gesund gepflegt worden. Er fragte nicht danach, wann Judith dort gelebt, noch, warum sie die Stadt verlassen hatte. Stattdessen fragte er sie, wie es zur Gründung der Schule von Salerno gekommen sei. Während sie die Loire entlangritten, erzählte sie die Geschichte, die sie von ihrem Vater kannte. »Ein griechischer Pilger namens Pontos suchte während eines Sturms Unterschlupf unter den Bögen des Aquädukts. Ein zweiter Mann, Salernus, ein Lateiner, rastete an der gleichen Stelle. Salernus war verletzt und behandelte seine Wunde, wobei er und seine Medikamente genau von Pontos beobachtet wurden. In der Zwischenzeit waren zwei weitere Reisende, der Jude Helinus und der Araber Abdela, hinzugekommen. Sie kümmerten sich bald gemeinsam um die Wunde. Schließlich kamen die vier überein, eine Schule zu gründen, in der ihre Kenntnisse gesammelt und verbreitet werden sollten, und deswegen sind auch die Anhänger aller drei Religionen dort willkommen.«

»Helinus klingt nicht wie ein jüdischer Name«, sagte Gilles, und es klang wie eine Frage.

»Es ist wohl die griechische oder lateinische Form«, entgegnete sie, »so, wie aus Jochanaan Johannes wurde.«

»Dann beherrscht Ihr auch die hebräische Sprache?«, fragte er.

»Das ist eine Kunst, die ich nicht ausüben würde, solange wir noch auf französischem Boden sind, Frau Jutta. Gerade heute nicht, wenn wir in Blois übernachten.«

»Was in Blois geschehen ist, liegt bald dreißig Jahre zurück«, sagte Stefan, der nicht oft erkennen ließ, dass er ihr und Gilles zuhörte.

»Aber vergessen hat es niemand dort«, entgegnete Gilles.

Obwohl ihr das Gefühl sagte, dass sie die Geschichte nicht hören wollte, fragte Judith, was es mit Blois denn auf sich hatte.

»Ein totes Kind wurde aufgefunden, und ein Knecht der Stadtwache behauptete, die Juden hätten es beim Passah-Fest gekreuzigt und danach in die Loire geworfen«, sagte Stefan mit ausdrucksloser Stimme. »Danach ließ der Graf von Blois sämtliche Juden verhaften, in einen Turm aus Holz sperren und verbrennen. Seither gibt es in Blois keine Juden mehr.«

»Das tote Kind wird von vielen Menschen als Märtyrer verehrt«, fügte Gilles ernst hinzu. »Der König von Frankreich gehört dazu. Als er auf den Thron kam, und das ist keine zwanzig Jahre her, da ließ er die Juden seines Landes in den Kerker werfen, weil sie christliche Kinder bei ihren Passah-Feiern umbrächten, und hat fünfzehnhundert Mark Silber gefordert, um sie wieder gehen zu lassen, nachdem er all ihren Grundbesitz konfisziert hatte. Er nannte es das Bußgeld für den kleinen Märtyrer.«

»Wehe dem Land, das keinen guten König hat«, sagte Stefan bedeutungsvoll. Judith verzichtete darauf, ihn zu fragen, ob er denn Grund habe zu glauben, dass seine Welfen so etwas nie tun würden, wo er doch wusste, was ihr mit einem von ihnen in Klosterneuburg passiert war. Ihr war kalt, sehr kalt, und sie bewegte stumm die Lippen, als sie das Kaddisch für die Toten von Blois sprach.

Welche französische Grafschaft zu Frankreich und welche zu

England gehörte, war sehr verwirrend: Chinon hatte früher dem Grafen von Blois gehört, war dann dem Grafen von Anjou als Lehen gegeben worden und schließlich zum bevorzugten Sitz der englischen Könige geworden, seit Alienor von Aquitanien den Vater König Richards geheiratet hatte. Judith war froh, als sie die Stadt erreichten, obwohl ihre Zweifel während der Reise nicht geringer geworden waren.

Die Burg war riesig, weit größer als diejenigen, die sie bisher gesehen hatte, gut 600 Schritt lang und bestimmt 120 Schritt breit. »König Henry hat sie bauen lassen«, sagte Gilles stolz, »und er schwor, dass sie nie eingenommen werden würde.« Die am Burgturm gehissten Wimpel verrieten, dass man sie nicht falsch unterrichtet hatte: König Richard war anwesend. Stefan entschied sich, in der Stadt Quartier zu nehmen und sich so zu kleiden, wie es einem Kaufmann von Köln geziemte, ehe er dem König seine Aufwartung machte.

»Ich dachte, du hast es so eilig, dass jede Stunde zählt?«, fragte Judith neckend.

»Das habe ich, doch er muss mich auch ernst nehmen.«

Das bedeutete auch, nicht in Begleitung seiner Nichte zu erscheinen, doch damit war zu rechnen gewesen. Gilles hatte wieder das richtige Badehaus ausfindig gemacht, und sie beschloss, den Nachmittag dort zu verbringen, weil heißer Dampf ihr guttun würde und sie auch nach Kräutern fragen wollte, die man hier gegen Krankheiten kannte. Gewiss würde ihr Latein genügen, um sich zu verständigen.

Gilles begleitete sie, obwohl er das Badehaus an diesem Tag nicht betreten durfte. Judith drückte ihm ein Geldstück in die Hand; sie würde drei oder vier Stunden hier verbringen, und er sollte nicht die ganze Zeit in der Gasse herumstehen müssen.

»Da wäre ich nicht der Einzige«, sagte Gilles und deutete auf die beiden Kriegsknechte, die vor dem Eingang postiert standen. Judith runzelte die Stirn.

»Habt Ihr nicht gesagt, heute sei ein Badetag für Frauen?« Sie war nicht naiv: Es gab genügend Badehäuser, in denen feste Regeln nicht galten, doch sie bezweifelte, dass Gilles die Nichte seines Schutzherrn wissentlich in ein solches führen würde. Er sprach mit den Soldaten und kehrte zu ihr zurück.

»Es handelte sich um einen Notfall«, sagte er. »Ihr Patron braucht jemanden, der ihm einen Zahn zieht, deswegen ist er zum Badehaus gekommen, aber der Bader ist nicht da.«

Wenn er ihr einen silbernen Anhänger geschenkt hätte, dann hätte das Judith weniger gefreut. Sie strahlte, und Gilles lachte. »Ihr habt wieder diesen Blick«, sagte er.

»Was für einen Blick?«

»Den gleichen, den Ihr in den Augen hattet, als wir in Reims den Stall mit dem Kaufmann teilten und Ihr ihm eine Salbe für sein krankes Knie machtet. Ich habe noch nie eine Frau gekannt, die so darauf versessen ist, Blut, Eiter und Wunden zu sehen.«

»Nun, ich bin darauf versessen, sie zu heilen«, sagte sie. »Tun zu können, worin wir gut sind, macht uns glücklich.«

Gilles sagte den Soldaten, dass seine Herrin eine Magistra aus Salerno sei. Sie wurden in den Raum des Badehauses gebracht, wo gewöhnlich die Kleider abgelegt wurden, diesmal aber ein bekleideter Edelmann saß, den sie zu ihrem Entsetzen sofort erkannte: Es war Otto von Poitou, mit einer geschwollenen Backe und einem ungeduldigen Gesichtsausdruck.

»Ihr seid also eine der Frauen aus Salerno, wie?«, fragte er auf Lateinisch, und sie nickte, ihrer Stimme nicht trauend.

»Ausgezeichnet«, sagte er. »Ich muss diesen Zahn endlich loswerden, aber der Stümper, der auf der Burg seine Blutegel verwahrt, hat mir fast den halben Kiefer mit herausgerissen.«

Es war offenkundig, dass er sie nicht erkannte. Bestimmt hatte er sie längst vergessen. Eine kurze Begegnung vor vier Jahren, bei der er versucht hatte, eine Frau einzuschüchtern, war für ihn gewiss unwichtig. Ein Nichts, neben dem er ein Alles war.

»Es soll Euer Schaden nicht sein«, sagte er. Sie war versucht zu antworten, dass er mit seinem Zahn glücklich werden konnte, soweit es sie betraf. Doch sie hatte geschworen, Kranken zu helfen, und ein Zahn, der im Mund eiterte, konnte den Kieferknochen angreifen. Außerdem verursachte er teuflische Schmerzen.

Sie musterte ihn. Er hatte ihr gedroht, doch ob er seine Drohungen wahr gemacht hätte, das konnte sie nicht wissen, genauso wenig, wie sie wissen konnte, ob der gichtkranke Kaufmann von Reims die Angewohnheit hatte, seine Mägde zu vergewaltigen. Judith schluckte ihre Abneigung hinunter und beschloss, Otto von Poitou so zu behandeln, als wäre sie ihm noch nie begegnet, und ihre Pflicht als Ärztin erfüllen.

Soweit sich das durch vorsichtiges Klopfen und im Licht einer Kerze erkennen ließ, war einer seiner Backenzähne braun und das Fleisch um ihn herum entzündet. Ottos Hände krallten sich an den Rändern der Bank fest, doch er stöhnte nicht, obwohl er beträchtliche Schmerzen haben musste. »Ich brauche Zinnkraut und Petersilie«, sagte sie, »um das Blut zu stillen und um dem Fleisch zu helfen, sich wieder zusammenzuziehen, wenn ich Euch den Zahn gezogen habe. Zinnkraut habe ich selbst dabei, doch nach der Petersilie müsst Ihr schicken lassen. Außerdem solltet Ihr Eure Wachen hereinholen, um Euch zu halten.«

»Ich bin ein Mann, der Schmerz ertragen kann«, sagte er ungehalten. Judith zwang sich, beschwichtigend zu klingen.

»Darum geht es nicht. Wenn Ihr Euren Kopf bewegt, während ich den Zahn ziehe, dann könnte das üble Folgen haben.«

Er murmelte, an König Richards Seite auf dem Schlachtfeld gefochten zu haben, aber er gab nach, was immerhin bewies, dass er nicht so dumm war, seinen Stolz über seine Gesundheit zu stellen. Judith ließ heißes Wasser bringen und benutzte ein wenig davon, um Nelkenöl aus ihrer Ärztetasche in einem Becher zu verdünnen. Nelkenöl war immer gut bei Entzündungen im Mundbereich, und es würde seinen Mund reinigen, ehe sie sich um den Zahn kümmerte. Er gurgelte und trank, wie sie es ihm befahl. Es war kaum zu glauben, dass dies der gleiche Mann war, der den Wunsch ausgedrückt hatte, der Herzog von Österreich möge durch den Anblick eines Juden noch etwas qualvoller zur Hölle fahren.

»Mir kommt der Akzent vertraut vor, mit dem Ihr sprecht, Magistra«, sagte er. Ihre Hand schloss sich ein wenig fester um die

Zange, die Gilles schnell geholt hatte. »Kann es sein, dass Ihr aus einem der deutschen Fürstentümer stammt?«

»Ich bin Rheinländerin«, erwiderte sie, und da inzwischen der Zinnkrautaufguss fertig war, bat sie seine Soldaten, Otto festzuhalten, einer den Kopf, einer die Schultern.

Das Gefährlichste beim Ziehen eines faulen Zahns war, die Zange falsch anzusetzen, so dass er zerbarst und die Wurzel im Fleisch blieb. Es erforderte all ihr Können, all ihre Kraft. Die Erinnerung an ihre erste Begegnung mit dem Mann, der vor ihr stand, wich zurück wie das Meer bei Ebbe. Ihre eigenen Zähne waren aufeinandergepresst.

Ein Schrei, mit einem Ruck war der Zahn entfernt, und der Graf von Poitou spie Blut. Sie flößte ihm umgehend den Zinnkrautaufguss ein und bat ihn, den Kopf zurückzulehnen. Als er sprechen wollte, hielt sie ihm den Mund zu. »Gurgeln, schlucken und speien, aber nicht reden«, sagte sie. »Jedenfalls nicht in der nächsten Stunde.« Sein Mund bewegte sich unter ihren Fingern, die blutig wurden, und sie konnte spüren, dass er durch die Nase schnaubte, doch er nickte. Obwohl sie sich auf heißen Dampf und ein Bad gefreut hatte, war ihr nicht mehr danach; sie wollte nur fort, ehe Otto sich an sie erinnern konnte, jetzt, wo sie ihre Pflicht als Ärztin getan hatte. Außerdem war sie trotz allem zufrieden mit sich, und sie hatte Hunger, wie oft, wenn ihr etwas besonders Schwieriges gelungen war.

Einer von Ottos Wachen gab ihr zwei kleine Silbermünzen, die sehr neu aussahen und zu leicht für das waren, was sie sein sollten. Sie unterdrückte den Wunsch, darauf zu beißen, um die Echtheit zu überprüfen. Es würde ihren Zähnen schaden, und außerdem gab es eine einfache Erklärung: Das Lösegeld für König Richard hatte dafür gesorgt, dass in seinem Reich das gute Silber fehlte, um gerechte Münzen zu prägen.

»Wenn die Petersilie endlich hier eintrifft, dann nehmt sie für weitere Aufgüsse mit«, sagte sie und empfahl sich.

* * *

Ursprünglich hatte Walther vorgehabt, auf dem Weg von Freiburg nach Hagenau – gehüllt in neue Beinlinge, ein Oberkleid aus Leder und einen Schafspelz – einen Knappen zu finden. Keiner von Bertholds Leuten wäre froh gewesen, den Dienst bei einem reichen Herzog mit dem Dienst bei einem fahrenden Sänger zu tauschen, wohingegen in einem der kleinen Orte jemand zu finden sein sollte, der froh sein würde, aus seiner Heimat wegzukommen. Womit er nicht gerechnet hatte, war, dass drei der Dörfer, durch die er kam, gerade gebrandschatzt worden waren. Wie es schien, war ein Graf dabei, sein Gebiet zu erweitern: »Der Kaiser ist tot, und niemand weiß, wer jetzt im Land herrscht«, sagte einer der Männer, mit denen Walther sprach. »Deswegen hat der Graf zugeschlagen. Seine Leute haben uns gesagt, wir hätten von Stund an ihm Abgaben zu leisten und nicht mehr dem Vogt, wenn wir nicht im Frühjahr unsere ganze Saat verlieren wollen.« Auf seinem Gesicht waren Tränenspuren zu erkennen. »Die Ernte war eingebracht und für den Winter eingelagert. Jetzt ist alles fort. Was sollen wir machen? Wir wollen sterben!«

Die Bauern hatte nicht das Recht, ihr Dorf zu verlassen, obwohl sie nur Zinsbauern, keine Leibeigenen waren. Einen zu verleiten, mit ihm zu gehen, hätte diesen das Leben kosten können, wenn sein Herr ihn irgendwann wieder entdeckte. Sich irgendwo zu beschweren, war für die Bauern ebenfalls zwecklos: Man hätte sie ausgelacht und lediglich darüber entschieden, welchem Herrn sie zukünftig dienen mussten. Keiner der weinenden Leute erweckte bei Walther den Eindruck, als hätte ihr Wunsch zu sterben etwas damit zu tun, das ewige Leben zu erreichen; sie wollten einzig und allein ihrem trostlosen Dasein entkommen.

Bisher war die Frage nach dem nächsten Herrscher für Walther ein Glücksspiel gewesen, das den höchsten Einsatz erforderte und fast so aufregend war, wie gegen die Stimmung einer Menge anzusingen und sie für sich zu gewinnen. Was er aber auf den Dörfern sah und hörte, erinnerte ihn daran, dass für die Leute, die in ihrem Leben wohl nie einen Herzog sehen würden, geschweige denn einen König, das Fehlen eines Herrschers sehr wohl alles verändern konnte, und nicht zum Guten.

Einer der Dörfler hatte ein gebrochenes Bein, wie der alte Herzog von Österreich, nur dass es für ihn keine Ärzte gab, nur einen Stock und verdreckte Lumpen, mit denen sein Bein geschient und eingewickelt war. Während der Stunde, die Walther im Dorf verbrachte, hörte der Mann nicht auf zu schreien. Walther fragte, ob niemand Branntwein oder dergleichen habe, um die Schmerzen des Mannes etwas zu erleichtern. Man antwortete ihm, der Verwundete würde ohnehin sterben, und Branntwein sei zu dieser Jahreszeit kostbar wie warme Kleidung. Schließlich hielt es Walther nicht mehr aus und bot an, für die Leute zu singen, wenn sie dem Mann einen Schluck gäben. Zuerst wurde er ausgelacht.

»Geld können wir gebrauchen«, rief eine Dörflerin, »für Holz, um unsere Häuser wieder aufzubauen. Von Liedern kriege ich meine Kinder nicht satt.«

»Aber für eine Weile ist es für sie Sommer statt Winter«, sagte Walther, »und wenn ich sie dazu bringe zu lachen, statt sich in den Schlaf zu weinen, ist das dann einen Schluck Branntwein für den Verwundeten wert?« Er wusste selbst nicht, warum ihm das so wichtig war. Doch die Schreie gingen ihm durch Mark und Bein, mehr als es die des alten Herzogs getan hatten, und für den hatte er auch ein wenig Ablenkung schaffen können.

Am Ende sang er eines seiner Sommerlieder für die Dörfler, nicht eins über Könige und Fürsten, auch keines über unerwiderte Liebe, sondern etwas, das so schön, flüchtig und vergnügt sein sollte wie die Lieder, an die er sich von den Johannisfeuern seiner Kindheit erinnerte.

Als der Sommer kommen wollt'
Und im Gras die Blumen hold
Wonniglich entsprangen:
Wo die Vögel sangen,
Dorthin kam ich gegangen,
Sah die Wiese prangen,
Wo ein lautrer Quell entsprang,
Der am Walde lief entlang,
Drin die Nachtigall hell sang.

An der Quelle stand ein Baum.
All da hatt' ich süßen Traum.
Aus der Sonnenhelle
Kam ich zu der Quelle,
Unter breiten Linden
Schatten kühl zu finden.
An dem Born ich niedersaß,
Meines Leidens bald vergaß,
Dass ich schnell entschlief im Gras.

Und im Träume däucht' mir gleich,
Wie mir diente jedes Reich,
Wie die Seel' ohn' Sorgen
Ewig wär' geborgen,
Und dem Leib gegeben,
Wie er wollt', zu leben.
Unaussprechlich war ich froh.
Wollte Gott, es wäre so.
Schönres träumt' ich nirgendwo.

Gerne schlief ich immer hier.
Doch die Kräh, das schändlich Tier,
Laut begann zu schreien.
Mag ihr das gedeihen,
Wie ich's wünsch' von Herzen!
Denn es kehrt' in Schmerzen
Sich mein Traum, und ich erschrak.
Wenn ein Stein zur Hand mir lag,
War's der Krähe letzter Tag!

Die Dörfler hörten gebannt zu, doch als er den letzten Vers wiederholte, stimmten drei der Kinder ein und sangen kichernd »*War's der Krähe letzter Tag!*« mit ihm. Der Mann mit dem gebrochenen Bein lachte nicht, war aber verstummt und erhielt seinen Schluck Branntwein. Walther gab etwas Kupfer für ihn. Danach verließ er das Dorf, so schnell er konnte.

Immer noch ohne Knappen, traf er in Hagenau ein, wo in der Kaiserpfalz das Wappen der Staufer gehisst war. Auf Anhieb zu Herzog Philipp durchgelassen zu werden, erwies sich als unmöglich, also fragte er sich zur Kemenate der Herzogin durch, die weit weniger umlagert war. Er hatte Glück und traf bereits auf dem Weg dorthin auf eine Magd, die ihm bekannt vorkam. Es war das Kind, das hinter ihr herlief, was schließlich seinem Gedächtnis den entscheidenden Stoß versetzte.

»Kann es sein, Frau Lucia, dass Ihr auf Suche nach Milch seid?«, fragte er. Nach einem Augenblick des Stutzens erkannte sie ihn ebenfalls. Ihre Deutschkenntnisse waren besser geworden. Sie willigte ein, ihn zu Irene zu bringen, und freute sich, als er für ihren kleinen Sohn eine Kuh und eine Ziege nachahmte. »Ein wunderbarer Gaukler, Ihr«, sagte sie.

»Ihr trefft mich tief! Ich bin ein fahrender Ritter der singenden Art«, erwiderte er aufgeräumt und fügte etwas darüber hinzu, wie sehr sich die Herzogin freuen musste, dass eine ihrer Dienerinnen aus Palermo an ihrer Seite geblieben sei.

»Nicht Palermo, Salerno«, verbesserte sie ihn. »War erst im Dienste der Magistra. Hat für mich gebetet.«

Es gab keinen Grund, warum ihn das auch nur im mindesten kümmern sollte. Um sich zu beweisen, wie völlig gleichgültig ihm die Frau war, fragte er, ob die Magistra denn nach ihrer Flucht mit dem Kaufmann noch etwas von sich habe hören lassen und ob der Mann wenigstens versprochen habe, sie zu heiraten. Lucia sah ihn verständnislos an. »Heiraten geht nicht«, sagte sie. »Ist Onkel.«

Als Junge hatte Walther einmal den Fehler gemacht, Markwart zu bitten, ihm das Raufen beizubringen. Es endete damit, dass Markwart auf seinem Brustkorb saß und fragte: »*Gibst du auf?*« Die Erleichterung, als er von Walther hinunterkletterte, mischte sich mit der unausweichlichen Erkenntnis, dass seine eigene Dummheit erst zu dieser demütigenden Erfahrung geführt hatte. Er hatte nicht gedacht, dass ihn dieses Gefühl noch einmal einholen würde. Sein Kopf war immer noch merkwürdig schwerelos, als er das Gemach der Herzogin betrat. Mittlerweile hatte Irene, die unübersehbar in anderen Umständen war, mehrere Damen um sich, die dem Reichtum ihrer Kleidung nach selbst Ehefrauen oder Töchter von Edelleuten waren, und einen Schreiber, dem sie gerade diktierte. Dennoch begrüßte sie Walther sofort.

»Herr Walther! Dass Ihr noch in diesem Jahr den Weg an unseren Hof findet, hätte ich nicht gedacht. Seid willkommen.« Sie sah blendend aus, war von Kopf bis Fuß in Seide gekleidet und trug, wo es nur ging, ausgewählten, kostbaren Schmuck. Er verneigte sich tief.

»Edle Fürstin, Ihr werdet schöner durch die Ehe, wisst Ihr das?« Er konnte es sich nicht verkneifen hinzuzufügen: »Und es freut mich, dass Schwaben sich gegenüber ihren Frauen nicht immer so knauserig zeigen, wie man es ihnen nachsagt. Aber ich kann Euren Gemahl gut verstehen – Eure Hände inspirieren jeden Künstler zu Ringen, Euer Hals zu Ketten, Eure Taille zu Gürteln und Euer Haar für eine Krone.«

Sie lächelte. »Wenn ich nun in den Genuss Eurer Poesie komme, freut mich das ungemein, zumal ich heute keine Dame um mich habe, die sonst gemeint sein könnte. Habt Ihr Euch wieder dem Minnelied zugewandt, Herr Walther?«

»Es gibt Dinge, die alle unsere Pläne verändern.«

»Nun, ich hoffe, dass Ihr nicht gekommen seid, um ein Klagelied auf des Kaisers Tod zu singen«, sagte sie nun sehr ernst. »Denn ich bin nicht die richtige Zuhörerin dafür.«

»Ich kann mir vorstellen, dass Ihr schon zu viele Lieder zu diesem Thema vernommen habt, Euer Gnaden. Ich würde gerne behaupten, dass ich kam, um Euer Kind zu preisen, doch auch Preislieder haben ihre Zeit, und die ist jetzt nicht. Wisst Ihr, dass die Leute in den Bergwerken Vögel mit sich nehmen, um gewarnt zu werden, wenn ihnen die Luft ausgeht?«

Niemand konnte Irene von Byzanz nachsagen, dass sie begriffsstutzig war. »Nein, das wusste ich nicht, doch es freut mich sehr, zu hören, dass Vögel auch Warnungen zwitschern können«, sagte sie leichthin. »Ihr müsst mir mehr darüber erzählen, mir und dem Herzog, denn er liebt die Natur wirklich sehr. Kommt in einer Stunde wieder, dann kann auch er aus Eurem Wissen Gewinne ziehen.«

KAPITEL 17

Philipp war Probst am Marienstift zu Aachen und Bischof von Würzburg, beides Ämter, die er innehatte, als er gerade dreizehn Jahre alt gewesen war, aber natürlich noch nicht ausübte, als er die Nachricht vom Tod seines Vaters erhielt. Fünf Jahre später war auch sein letzter Bruder Konrad tot, erstochen von der Frau, die er zu schänden versucht hatte, eine Todesart, die geheim gehalten wurde, solang es eben ging. Philipp hatte weder Konrad noch seine anderen Geschwister gut gekannt, und er sah auch seinen Bruder Heinrich, den Kaiser, nur selten; was er an Trauer empfand, war schwach und mit Scham vermengt. Doch gerade Konrads Tod hatte für ihn den Beginn eines anderen Lebens bedeutet, denn Kaiser Heinrich ordnete umgehend an, dass sein letzter Bruder das geistliche Leben zu verlassen habe.

Damals war die Kaiserin Konstanze zum ersten Mal schwanger gewesen, in einem Alter, wo man bezweifeln musste, ob sie oder das Kind überleben würden. Heinrichs Befehl war eine Vorsichtsmaßnahme, die jeder verstand. Als das Kind nicht nur überlebte, sondern sich auch als der lange erwartete Sohn herausstellte, fragte einer von Philipps Lehrern, der ihm im Schnellverfahren all das beibringen sollte, was er in seinem Kloster nicht gelernt hatte – zu Pferde und zu Fuß zu fechten, die höfischen Manieren, die wichtigsten Regeln des Rittertums –, ob er enttäuscht war. Philipp verneinte. Bei der Vorstellung, seinem Bruder nachfolgen zu müssen, war ihm nie wohl gewesen. Über den heiligen Augustinus zu debattieren und darüber, ob Abaelard oder Bernard von Clairvaux im Recht waren, war ein Leben, das Philipp mochte, bis Heinrich ihn herausriss. Einen Gegenpapst einzusetzen, wie es ihr Vater getan hatte, war eine Ungeheuerlichkeit, bei der Philipp nicht wusste, ob sie ihm Ehrfurcht oder Grauen einflößte. Auf gar keinen Fall wollte er selbst je eine solche Entscheidung treffen müssen. Nein, er freute sich über die Geburt seines Neffen und tat sein Bestes, um dem Kind die Thronfolge zu sichern.

Dass er heiraten musste, war für ihn eine fast so schwierige Aufgabe. Frauen waren für Philipp in seinem Kloster sehr selten gesehene Wesen aus einer anderen Welt. Die wenigen Male, bei denen er seiner Schwägerin Konstanze begegnete, tat sie ihm leid. Auch sie war Nonne in einem Kloster gewesen und galt als eine der gelehrtesten Frauen, bis eine Reihe von Toten in der Familie und der Ehrgeiz seines Vaters es fügten, dass sie mit Heinrich vermählt wurde, und der Unwillen, der von Anfang an zwischen dem Brautpaar herrschte, wurde so schnell zu Hass, dass ihre Verbindung sprichwörtlich für alle schlechten Ehen im Reich wurde. Den Rest seines Lebens mit einer Feindin zu verbringen, war nichts, das Philipp sich wünschte, und trotz der hastigen Lektionen im höfischen Wesen bezweifelte er, dass er imstande war, Liebe im Herzen einer Fremden zu erwecken. Doch worauf man ihn schon sein ganzes Leben vorbereitet hatte, war, Verhandlungen zu führen; schließlich sollte er ein Kirchenfürst werden, um eines Tages die Angelegenheiten seines Bruders beim Papst zu vertreten. Also entschloss er sich, mit der Prinzessin von Byzanz zu verhandeln.

»Ich will in Frieden mit Euch leben«, sagte er, als sie nach der Hochzeit zum ersten Mal alleine waren, »und da Ihr selbst Euch am besten kennt, so wäre es gut, wenn Ihr mir verrietet, was Ihr Euch für ein Leben in Frieden von mir wünscht?«

Sie betrachtete ihn nachdenklich. Irene glich nicht den Schönen aus den Liedern der Minnesänger, die alle blonde Haare und blaue Augen hatten, doch er erkannte, dass schwarze Locken und dunkle Augen genauso anziehend aussehen konnten.

»Ich weiß, dass unter meinen Damen die Frauen Eurer wichtigsten Vasallen sein müssen, doch meine Mägde, meine Ärzte und meinen Kaplan möchte ich immer selbst wählen«, sagte sie. Das klang vernünftig, und er gestand es ihr gerne zu. Ein wenig Farbe stieg in ihre blassen Wangen. »Auch finde ich, dass wahrer Frieden nicht gehalten werden kann, wo Schläge verteilt werden. Es mag Euer Recht sein, doch – Ihr habt mich gefragt.«

Er hatte nie die Hand gegen einen anderen Menschen erhoben, wenn man von den Übungen mit Holzschwertern einmal absah. Seine Lehrer im Kloster hätten ihn angewiesen, nicht zu schnell nachzugeben und so etwas zu entgegnen wie »gebt mir keinen Grund, Euch zu schlagen, Dame, und es wird nicht geschehen«, doch alles, woran er denken konnte, war, wie sein Bruder Konrad gestorben war. Die Scham, die er selbst in seinem Kloster empfunden hatte, war beträchtlich.

»Auch ich teile diese Ansicht von wahrem Frieden«, entgegnete er und beschloss, gleich noch ein anderes heikles Gebiet bei ihren Verhandlungen zu betreten. »Darf ich nun meinerseits um etwas bitten?«

»Gewiss.« Sie klang gleichzeitig erleichtert und vorsichtig.

»Ihr wart schon einmal verheiratet, Irene. Ich war es nicht. Zwar habe ich mich in den letzten zwei Jahren bemüht, zu erlernen, was mir in unserer Welt noch fehlt, doch … gewisse Dinge waren nicht dabei. Ihr seid es also, von der ich lernen muss, und ich bitte Euch, eine geduldige und offene Lehrerin zu sein, denn ein Schüler kann nur lernen, wenn ihm gesagt wird, wo er etwas richtig und wo er etwas falsch macht.«

Diesmal errötete sie, doch sie lächelte auch, was Grübchen in ihre Wangen malte. »Ihr seid so anders als Euer Bruder«, sagte sie und setzte eilig hinzu: »Das gereicht Euch zur Zier.«

»Dann werdet Ihr …«

»Ihr werdet mich ehrlich und geduldig finden, Philipp.«

Für sie beide öffnete sich eine neue Welt, in der sie voneinander lernten, denn Irenes vorherige Ehe hatte nicht lange gedauert. Philipp verschob deshalb seine Abreise nach Italien, um seinen Neffen zu holen, solange es überhaupt ging, aber im September war es nicht mehr zu vermeiden, wenn er auf der Rückreise noch einen der Pässe frei für eine Überquerung finden wollte.

Seit ihn in Montefiascone die Nachricht von Heinrichs Tod erreicht hatte, fühlte er sich von einem Traum erneut in einen Alptraum gestürzt, und nicht nur, weil er sich auf einmal inmitten eines Meeres von Hass wiederfand. Er hätte die Feste vielleicht halten können, doch für eine lange Verteidigung war keine Zeit, denn die schlechten Nachrichten rissen nicht ab. Diepold von Schweinspeunt traf fluchend bei ihm ein und zeterte darüber, wie »die normannische Hure« mit den treuen Anhängern ihres Gemahls umging. Gleichzeitig schwor er, dass derzeit nach Sizilien kein Durchkommen mehr war.

»Nicht, wenn Ihr nicht zuerst ein schlagkräftiges Heer zusammenstellt. Hört, an meinen Lehen ändert sich doch nichts, oder? Der Kaiser hat mir meine Grafschaft selbst verliehen. Dieses Weib hat nicht das Recht, mir Acerra wegzunehmen!«

Philipp wurde zum ersten Mal klar, dass er keine ehrliche Antwort auf derartige Fragen hatte, die von nun an ständig auf ihn zukommen würden. Sein Neffe war König, doch ein dreijähriges Kind konnte keine der notwendigen Entscheidungen treffen. Natürlich hatte es in der Geschichte schon öfter eine solche Situation gegeben. Die Kaiserin Adelheid von Burgund hatte wie ihre Schwiegertochter, die Kaiserin Theophanu, lang für ihren Sohn regiert, vor gut zweihundert Jahren. Doch wenn Konstanze beabsichtigen würde, die Regentschaft für ihren Sohn zu übernehmen, dann war es ein schlechter Anfang, sich der deutschen Ritter und ihrer Kriegsknechte zu berauben. Es war ja nicht so, dass sie noch auf einen normannischen Adel zurückgreifen konnte, nicht, nachdem Heinrich alle männlichen Mitglieder hatte umbringen oder kastrieren lassen. Außerdem misstraute man ihr nördlich der Alpen; niemand hatte vergessen, dass Heinrich sie beschuldigte, sich mit ihren normannischen Verwandten verschworen zu haben, und vielleicht stimmte ja sogar das Gerücht, dass sie ihn vergiftet hatte und nicht eine Seuche schuld war an seinem Tod.

Philipp gab Montefiascone auf, um in die deutschen Länder zurückzukehren. In Österreich war Leopold verwundert, ihn lebend zu sehen; anscheinend hatte das Gerücht ihn für tot erklärt wie seinen Bruder. Auch er wollte eine Bestätigung seines Lehens.

»Die Steiermark bleibt selbstverständlich Euer.«

»Und Österreich?«, hakte Leopold nach.

»Österreich ist das Lehen Eures Bruders«, sagte Philipp, so

würdig es ging, »und der befindet sich, soweit mir bekannt ist, wohlauf im Heiligen Land.«

Es gab auf der gesamten Rückreise nach Hagenau keinen einzigen Fürsten, bei dem er unterkam, der nicht versuchte, eine Bestätigung oder Erweiterung seines Lehens zu erhalten; sie waren alle sehr unbefriedigt, wenn Philipp sie mit dem Hinweis abspeiste, noch nichts von der Kaiserin Konstanze gehört zu haben. Es wurde immer schlimmer. Er war noch keinen Tag in Hagenau, da traf Heinz von Kalden ein, der Reichshofmarschall seines Bruders und berühmteste Kämpfer im Reich. Es gab niemanden, der sich mit ihm im Zweikampf messen konnte, und manche Gegner zogen es vor, erst gar nicht anzutreten. Man sagte ihm nach, er könne einen Ochsen niederringen, und wer seine Muskelpakete sah, glaubte das. Eigentlich hätte Heinz der Feldherr des Kaisers im Heiligen Land sein sollen, doch da er als Ministerialer geboren war, weigerten sich die Fürsten, sich unter seinen Befehl zu stellen, so dass der Herzog von Brabant mit dem Oberbefehl und Friedrich von Österreich mit der Stellvertretung betraut wurde. Dies hatte Heinz jedoch in die Lage versetzt, von allen Kreuzfahrern als Erster zurückzukehren, das und der Umstand, dass er durchaus imstande war, Menschen allein durch seinen schieren Anblick zu allem zu überreden.

»Euer Gnaden«, sagte Heinz von Kalden, »Ihr werdet die Krone selbst beanspruchen müssen. Auf die Kaiserin und ihren Sohn können wir nicht rechnen. Sie wird in Sizilien bleiben, ganz gleich, was Ihr noch für freundliche Botschaften an sie schickt. Ich kenne sie: Eisen in weiblicher Form.«

Es war nicht so, dass Philipp der Gedanke bisher nicht gekommen war, doch er hatte alles versucht, um ihn nie zu Ende zu denken. »Ein heiliger Eid ist ein heiliger Eid. Ich habe ihn genauso geschworen wie Ihr und alle anderen Fürsten.«

»Unsinn«, sagte Heinz von Kalden grob. Obwohl er auch für seine Offenheit berüchtigt war, wusste Philipp, dass er mit Kaiser Heinrich nie so gesprochen hätte. »Mit Verlaub, Euer Gnaden, Ihr seid als Kleinkind an Gott verlobt worden, und diesen Eid hat der Heilige Vater im Handumdrehen aufgelöst, als es ihm und Eurem Bruder genehm war. Ihr habt auch nie den Eindruck gemacht, als ob Ihr deswegen ein schlechtes Gewissen hättet. Ist auch nicht nötig, denn wir brauchen jetzt hier im Reich einen erwachsenen Staufer, zum Teufel.«

»Ihr meint, Ihr braucht ein Siegel, das Ihr auf Eure Landesurkunden drücken könnt, damit sie gültig bleiben«, sagte Philipp scharf, um Heinz zu erinnern, mit wem er sprach.

»Das auch«, sagte der Reichshofmarschall ungerührt. »Aber vor allem brauchen wir einen gekrönten Herrscher, denn wenn es erst allen Fürsten hier im Land bewusst ist, dass es keinen gibt, dann gnade uns Gott. Vor allem, wenn die Kerle, die sich jetzt noch im Heiligen Land befinden, dort immer noch um den Oberbefehl streiten, anstatt hier mit der richtigen Wahl für Ordnung zu sorgen.«

Philipp war gerührt und begeistert gewesen, seine Gemahlin schwanger vorzufinden, doch jetzt betrachtete er ihren gewölbten Leib und dachte dabei an das unbekannte Kind in Sizilien. Welchen größeren Verrat konnte es geben, als einem Kind das väterliche Erbe zu nehmen? Als er dergleichen laut aussprach, überraschte ihn Irene mit ihrer Antwort.

»Er hat noch immer das Erbe seiner Mutter, das Königreich Sizilien. Außerdem ist doch eure deutsche Krone hier kein Erbe, sondern etwas, das man durch Wahl erhält. Wenn die Fürsten dich wählen, mein Gemahl, dann bist du der rechtmäßige König.« Seine Gedanken an Ehre und Familienpflichten mussten wohl auf seiner Stirn geschrieben sein, denn sie seufzte und fuhr fort: »Eine jede Mutter kämpft für ihr Kind. Wir haben eine lange Geschichte in Byzanz, und derjenige, der versuchte, für seinen Neffen zu regieren, nahm oft ein blutiges Ende. Ich … ich will nicht erneut Witwe werden, Philipp. Ich will nicht erleben, was die Königin Sybilla erleben musste, als dein Bruder Sizilien eroberte. Unserem Kind darf so etwas nicht geschehen.«

Ihr zu versichern, dass auf dieser Seite der Alpen keine Kinder entmannt würden, um die Anzahl von Erben zu verringern, kam ihm in diesem Augenblick nicht in den Sinn, denn gerade, weil er die Chroniken selbst gelesen hatte, wusste er, dass sie nicht unrecht hatte. Was einmal getan wurde, konnte wieder getan werden von jedem, der es für nötig erachtete.

»Es gibt jemanden, der dir Neues bringt, mein Gemahl«, sagte Irene, als sie am Abend zu ihm kam, »und ich glaube, es ist nichts, was vor aller Ohren gehört werden sollte.«

Ihr Nachrichtenträger stellte sich als Walther von der Vogelweide heraus, der Sänger, der Philipp in Frankfurt ein wenig zu erfolgreich gewesen war, um ihn sich ständig in seiner Umgebung zu wünschen. Philipp war nicht so eitel zu glauben, ein Auge, das scharf genug war, um die Fürsten in all ihrer Eitelkeit und Gier richtig zu sehen, würde ausgerechnet bei dem einen Fürsten das Lid senken, der solche Lieder gefördert hatte, oder gar eitel genug, anzunehmen, dass es bei ihm nichts zu erkennen gab. Also hatte er Walther als ein Mahl eingeschätzt, das zu schwer war, um oft genossen zu werden. Hin und wieder, gewiss, dem ein kluger Mann mit Wortmacht sollte immer lieber auf der eigenen Seite stehen als beim Gegner.

Walther fügte seinen Sorgen noch eine weitere, unerhörte hinzu, als er von dem Angebot des Kölner Erzbischofs an Berthold von Zähringen berichtete. Dass der Erzbischof eigenständig die Wahl eines neuen deutschen Königs betrieb, die offensichtlich gegen die Staufer gerichtet war, das wog schon schwer. Doch die offene Forderung nach Geld, das Versprechen auf die Krone gegen die Zahlung einer ganz bestimmten Summe, das war noch nicht da gewesen. Gewiss, jeder Herrscher, der Unterstützung haben wollte, hatte Versprechungen gemacht, an weltliche und geistliche Fürsten gleichermaßen. Aber dennoch sah Philipp einen Unterschied zwischen einem Zugeständnis wie das an Schweinspeunt, er dürfe Acerra behalten, um mit seiner Hilfe sicher zum Brenner zu kommen, und dieser Art von Kuhhandel.

Doch das Schlimmste war, dass er seinerseits mitbieten musste. Wenn er je eine Wahl gehabt hatte, dann bestand sie nun nicht mehr. Ein deutscher König, der nicht dem Haus Hohenstaufen entstammte, würde das Herzogtum Schwaben und allen Besitz der Staufer zerteilen, wie einst Philipps Vater das Herzogtum des Welfen Heinrich zerschlagen hatte, und die deutschen Fürsten würden nicht protestieren. Im Gegenteil, sie würden sich um die Teile reißen, genau, wie sie es bei dem Welfenherzogtum getan hatten. Dabei hatte Philipp noch Glück im Unglück: Ein ehrgeizigerer Mann als Berthold von Zähringen hätte den Teufel getan, statt ihn zu warnen, sondern seinen Beutel geleert, um auf den Thron zu gelangen.

»Euer Gnaden«, sagte Walther, »solange der Erzbischof glaubt, dass der Herzog von Zähringen willig ist, wird er keinem anderen Fürsten dieses Angebot machen, also habt Ihr noch Zeit, um selbst eine neue Wahl in die Wege zu leiten.«

»Oh, ich traue dem Erzbischof durchaus zu, dass er das Angebot an mehrere Fürsten zugleich macht«, sagte Philipp bitter, »und dann denjenigen krönen will, der ihm das geforderte Geld am schnellsten liefert.« *Nur nicht an mich,* ergänzte er in Gedanken. Jetzt fügte sich alles zu einem Bild, auch Adolfs Abwesenheit in Frankfurt. Der Erzbischof musste die Staufer ähnlich hassen wie die Bürger von Montefiascone, wie so viele Menschen südlich der Alpen, obwohl es für Adolf keinen ihm bekannten Grund gab. Im Gegenteil, kein anderer Fürst hatte so profitiert wie der Bischof von Köln. Als Philipps Vater das Herzogtum der Welfen aufteilte, ging alles Land westlich der Weser an den Bischof. Er hätte wahrlich zufrieden sein können. Adolf nun ebenfalls ein Angebot zu machen, war sinnlos. Leider konnte er einem Erzbischof auch nicht Heinz von Kalden schicken, damit der den Mann zum Zweikampf um das Reich herausforderte. *Der Papst,* dachte Philipp, *der Papst könnte dem Erzbischof befehlen, nicht mehr den Königmacher spielen zu wollen.* Wenn sich ein Beweis für die Forderung nach einer bestimmten Summe in Silbermark erbringen ließ, dann musste der Papst sogar Schritte unternehmen – wenn er sich nicht mit einem Anteil begnügte. Aber Coelestin III. lag im Sterben. Gott allein wusste, wer der nächste Papst werden würde, und ob dieser neue Heilige Vater nicht begeistert ob der Aussicht sein würde, es nicht mehr mit den Staufern zu tun zu haben, deren Länder im Süden und Norden fast bis zur Pforte des Kirchenstaats reichten. Ein Berthold von Zähringen hatte dagegen keinen Anspruch auf das Königreich

Sizilien und auch keinen Wunsch, dem Papst durch die Anwesenheit deutscher Macht auf italienischem Boden Magenschmerzen zu bereiten.

»In Wien hat mir einmal jemand die Geschichte vom Augiasstall erzählt«, sagte Walther. »Er war so mit Mist und Dreck gefüllt, dass niemand glaubte, er könne je gereinigt werden, doch es war eine der zwölf Aufgaben des Herkules, genau dies zu tun. Statt jedoch die Mistgabel selbst zu schwingen, lenkte der Held einen Bach in den Stall um, und all der Schmutz wurde weggespült.«

»Ihr müsst entschuldigen, Herr Walther, doch ich bin heute nicht in der Stimmung für Gleichnisse.«

»Für jede noch so schwierige Aufgabe gibt es eine einfache Lösung, Euer Gnaden.«

»Warum nur«, sagte Philipp und wünschte sich, sein Bruder Heinrich hätte bessere Ärzte in seinem Heer dabeigehabt, »habe ich das Gefühl, dass die einfache Lösung, die Euch vorschwebt, etwas mit Euch zu tun hat?«

»Weil sie sonst jeder andere vorschlagen könnte«, entgegnete Walther und grinste, doch er sagte nichts weiter, was Philipp überraschte, bis er begriff.

»Ihr werdet in mir einen milden Fürsten finden«, versprach er, »wenn Euer Rat tatsächlich ein klärender Strom sein sollte, der allen Schmutz hinwegspült.«

»Das freut mich sehr«, sagte Walther, »denn ich bin ein armer fahrender Sänger, der schon lange nicht mehr in einem angenehmen Bett geschlafen hat, sondern nur auf Strohballen. Wenn ich mir vorstelle, in einer herrlichen Kaiserpfalz wie dieser ein Lager wie ein Ministerialer zu genießen ...«

Philipp hob eine Augenbraue. »Nun, das lässt sich einrichten. Von mehr als einem Federbett träumt Ihr nicht?«

»Doch, Euer Gnaden, nur sind meine Träume daran gebunden, ob Ihr mein Wasser für Euren Augiasstall auch wählt.«

Am Ende stimmte Philipp einer Summe Silber und einigen Bögen Pergaments zu und hörte im Gegenzug Walthers Vorschlag, als Sänger die verschiedenen deutschen Fürsten aufzusuchen und ihnen unauffällig Philipps Aufforderung zu einer erneuten Wahlversammlung zu unterbreiten, von der Bischof Adolf so spät wie möglich erfahren sollte. Er dachte darüber nach und schüttelte den Kopf.

»Herr Walther, es ist wirklich ehrenvoll, dass Ihr Euch so für mich in die Bresche werfen wollt, aber ich kann die ganze Last der Verhandlungen unmöglich auf Eure schmalen Schultern legen. Es würde in der zur Verfügung stehenden Zeit auch nicht umzusetzen sein.« Er mochte in einem Kloster aufgewachsen sein, doch so naiv, einem einzigen Mann zu vertrauen, der mit ihm weder verwandt war noch sein geschworener und bewährter Vasall, wäre er selbst als Kind nie gewesen. Die Idee, die ihm Walther unterbreitete, war gut, aber er würde verschiedene seiner Getreuen losschicken. Allerdings hatte man Philipp auch in der Kunst des Ablehnens unterwiesen, und er hatte das Lied von Frankfurt noch zu gut in Erinnerung, um sich Walther unnötig zum Feind machen zu wollen. »Es gibt allerdings zwei Dinge, die Ihr, *nur* Ihr, für mich tun könnt, und tut Ihr sie, dann sollt Ihr mich als einen dankbaren und freigebigen Fürsten finden.«

»Habe ich Euch je anders gefunden?«, fragte Walther, doch obwohl sein Mund lächelte, blieben seine Augen sehr ernst, beinahe bitter.

»Wenn Volk und Edle erfahren, dass ich mich zur Wahl stellen lasse, wird so mancher mich der Treulosigkeit an meinem Neffen bezichtigen. Ich werde meine Gründe in einem Erlass bekanntgeben, doch Erlasse gehen oft zum einen Ohr hinein und zum anderen hinaus. Ich habe Hoffnung, dass es bei Euren Liedern anders sein wird.«

Um Walthers Lippen zuckte es. »Es geschieht nicht oft, dass ein König einem Sänger schmeichelt.«

»Es ist Euch immer noch nicht geschehen«, sagte Philipp, »da ich derzeit nicht mehr und nicht weniger als ein Herzog bin.« Diesmal sah er Respekt und aufrichtige Belustigung in der Miene des Sängers und die Erkenntnis, dass er seine eigenen Möglichkeiten doch vielleicht etwas überschätzt hatte.

»Und was ist das Zweite, das ich für Euch tun kann, Euer Gnaden?«

»Reist für mich nach Köln. Wer in den nächsten Wochen dorthin Gesandte schickt, wird planen, an der Wahl teilzunehmen, die Erzbischof Adolf organisiert, nicht an meiner. Es wäre mehr als hilfreich zu wissen, um welche Fürsten es sich dabei handelt.« Da Walther schwieg, setzte Philipp trocken hinzu: »Es sei denn, eine Reise nach Köln erscheint Euch als unwürdig für Euer Talent, oder gar als zu gefährlich?«

»Nein«, sagte Walther. »Ganz gewiss nicht. Ich glaube, eine Reise nach Köln wird genau das Richtige für mich jetzt sein.«

* * *

Stefan verhandelte drei Tage lang, dann berichtete er Judith, er habe die Einwilligung König Richards zu allen Kölner Bedingungen.

»Ich weiß«, sagte sie und versuchte, die Übelkeit in ihrem Magen zu unterdrücken. Er war nicht der Einzige, der an diesem Tag die Burg von Chinon besucht hatte.

Als sie vom Kloster St. Mexme zurückkehrte, waren sie und Gilles von Soldaten aufgehalten worden, denen befohlen worden war, die Ärztin Jutta von Köln zu ihrem Herrn zu bringen, dem Grafen von Poitou. Für Judith fühlte es sich an, als hätte das Schicksal, dem sie bisher entkommen war, sie eingeholt. Gilles, der nichts von Wien wusste, war auch beunruhigt gewesen, wiewohl aus anderen Gründen. Er hatte sich in einen hitzigen Wortwechsel mit den beiden gestürzt, den Judith nicht verstand, doch der Empörung auf Gilles' Gesicht und dem Gelächter der Kriegsknechte nach hatte er ihre Ehre verteidigt, bis sie ihm eine Hand auf den Arm legte. »Ich glaube nicht, dass der Graf eine Geliebte sucht«, sagte sie, damit sich Gilles nicht auf einen Kampf einließ. Sie mochte ihn, und gegen zwei Mann der Schlosswache mochte er vielleicht gewinnen, obwohl dadurch nichts gewonnen war. Vergeblich versuchte sie, nicht daran zu denken, was ihr Gilles und Stefan über Blois erzählt hatten und über das Schicksal der Juden dort.

Gilles hatte darauf bestanden, an ihrer Seite zu bleiben, und sie war mehr als einmal versucht, seine Hand zu ergreifen: während des langen Wegs zur Burg, während jedes Schrittes durch den Hof, so voller Tiere und Menschen, dass er die Pfalzen der Herzöge von Österreich im Vergleich dazu leer erscheinen ließ, durch die Gänge voller Wachen, Bittsteller und Höflinge. Aber sie war kein Kind mehr, und sie würde sich nicht wie ein verschrecktes Mädchen benehmen.

Der Graf erwartete sie gemeinsam mit einigen anderen Männern, die bei einem Würfelspiel saßen. Er sprang auf und sagte freudig: »Aber da seid Ihr ja endlich! Magistra, im Badehaus seid Ihr so schnell verschwunden, dass ich mich gar nicht richtig bei Euch bedanken konnte.« Sein Gesicht war nicht länger geschwollen, und er strahlte nichts als Wohlwollen aus. »Außerdem, Ihr müsst mich ja für einen Geizkragen sondergleichen halten.«

»Keineswegs«, brachte sie heraus. »Ich bin von Euren Leuten großzügig entlohnt worden.«

»Bah«, sagte er und schnipste mit den Fingern. Ein Diener brachte ihm eine kleine Holzschatulle. »Großzügig für einen Grafen vielleicht. Aber wisst Ihr, Eure leichte Hand hat mir Glück gebracht. Nachdem Ihr mich von meinem Zahn befreit habt, erfuhr ich etwas, das mein ganzes Leben verändert, also ist mir nach Feiern zumute.«

Vermutlich hatte ihm sein Onkel erzählt, dass sein älterer Bruder König und Kaiser werden sollte. Für einen Edelmann, der in der Verbannung herangewachsen und auf das Wohlwollen seiner Verwandten angewiesen gewesen war, stellte dies in der Tat einen doppelten Grund zum Feiern dar.

»Ich habe meine Leute auf mein Wohl trinken lassen, da sollt Ihr auch nicht leer ausgehen«, schloss er und winkte sie zu sich. Er holte zwei weit größere und deutlich schwerere Silbermünzen aus der Schatulle, als sie von seiner Wache bekommen hatte, und drückte sie ihr in die Hand. Judith wollte ihren höflichen Dank ausdrücken, als sich seine Finger um ihr Handgelenk schlossen. »Schließlich«, fügte er hinzu, »sind wir alte Bekannte, Magistra, oder etwa nicht?« Alles an ihr erstarrte, aber er zog sie nur noch etwas näher an sich heran. »Zugegeben, es hat eine Weile gedauert, bis es mir wieder eingefallen ist. Gar so viele Heilerinnen aus Köln kann es nicht geben. Freunde«, sagte er zu seinen Gefährten, »denkt Euch, als der österreichische Hund, der meinen Onkel gefangen genommen und mich zu seiner Geisel gemacht hatte, in den letzten Atemzügen lag, da war er so verzweifelt, dass er Juden an sein Sterbebett ließ. Es war ein ergötzlicher Streich des Schicksals, denn ich half unserer Magistra und ihrem Vater dabei, zu ihm vorzudringen. Den Vater hättet Ihr sehen müssen! Ein echter Trödlerjude wie aus den Fastnachtsspielen, ein schwarzer Uhu sondergleichen, und ich wette, der alte Leopold hat bei diesem Anblick in sein Bett gepinkelt vor Angst, während er starb.«

Ottos Gefolgsleute brachen in Gelächter aus, in das er einstimmte, so herzhaft, dass er sich mit seiner freien Hand die Tränen aus den Augen wischte, ehe er sich wieder beruhigte.

»Ihr dagegen seid ein Anblick, der jeden Kranken aufheitern muss, meine Teure.« Der Daumen seiner anderen Hand bewegte sich über ihre Haut. »Ihr versteht Euer Gewerbe tatsächlich. Mit Euch würde ich täglich ins Badehaus gehen, bis wir ein eigenes in meiner Pfalz haben. Wenn ich König bin, dann dürft Ihr Euch der Gnade Eures Herrschers für seine Magistra gewiss sein.«

Ein Blick zur Seite zeigte ihr, dass Gilles starr am Eingang des Gemaches stand. Er konnte und sollte ihr nicht helfen, nicht, wenn es gegen einen Grafen ging, der ihr gerade verkündet hatte, dass er demnächst die deutsche Krone tragen würde.

Vielleicht verstand sie Otto falsch? König Richard hatte keine Kinder. Einer seiner Neffen musste zu seinem Nachfolger werden, wenn es nicht sein ungeliebter Bruder sein sollte, der, dem Vernehmen nach, sogar eine höhere Summe als das geforderte Lösegeld geboten hatte, wenn man Richard noch etwas in Österreich behielte. Vielleicht war Otto dazu ausersehen? Ja, gewiss sprach er davon, englischer König zu werden, nicht deutscher. Nicht, dass ihn dieser Unterschied weniger gefährlich machte.

»Danke, Euer Gnaden«, sagte sie und malte das strahlendste Lächeln auf ihre Lippen, zu dem sie imstande war. »Mein Gemahl und ich sind froh, das zu hören.«

»Euer Gemahl?«, fragte Otto. Sie wollte gerade Stefan nennen, schließlich hatten sie sich die ganze Reise lang als Mann und Weib ausgegeben, doch dann trat Gilles einen Schritt vor.

»Ich habe diese Ehre«, sagte er und fügte noch etwas auf Französisch hinzu. Einer der Wachen, die sie in die Burg gebracht hatten, sagte ebenfalls etwas, und Otto ließ Judiths Handgelenk los.

»Bei Gott, dann sollte ich Euch beglückwünschen«, wandte er sich sichtbar enttäuscht, aber gönnerhaft auf Deutsch an Gilles, »denn nicht nur habt Ihr eine schöne Frau, nein, Ihr habt auch eine Seele für das Christentum gerettet. Die Pfaffen schaffen dergleichen nur mit Predigen, unsereiner muss dafür Füße ins Feuer halten, aber Ihr fechtet erfolgreich für Gott im Bett.« Er zwinkerte Gilles zu. »Und mit ihren Händen umgehen kann sie auch. Wie gesagt, Ihr seid ein Glückspilz.«

Zwei von Ottos Gefährten, die offensichtlich Deutsch verstanden, lachten. Vor Judiths geistigem Auge tauchten einmal mehr die vielen Arten auf, wie man als Arzt einen Menschen töten konnte. Es half nichts. Aber wenn sie nicht auf irgendeine Weise zurückschlug, würde sie ersticken. Also sagte sie auf Latein: »Darf ich Euch als Ärztin einen Rat geben, Euer Gnaden? Besteigt den Thron nicht, wenn Ihr ein langes Leben wünscht. Zu herrschen, scheint der Gesundheit nicht förderlich zu sein, und die Verdauung stört es obendrein. In Salerno ließ man uns die Berichte darüber studieren, wie der Urgroßvater des englischen Königs und sein Vetter nach dem Genuss von Neunaugen starben. Es wäre doch kein Leben für Euer Gnaden, wenn Ihr Euch bei jedem Fieber und jedem Fischmahl fragen müsstet, ob jetzt Eure Stunde geschlagen hat.«

Otto kniff die Augen zusammen; die übrigen Männer im Raum sahen unsicher zu ihm hin, als ob sie erst herausfinden wollten, ob er die Bemerkungen als Scherz oder ernst nahm, ehe sie selbst eine Reaktion zeigten. Besser, nicht lange genug zu bleiben, um es herauszufinden. Judith knickste.

»Heil Euch und ein langes Leben, Graf Otto«, sagte sie süß und wandte sich um, jeden Schritt zählend in der Befürchtung, dass er sie aufhalten würde. Als sie die Tür erreicht hatte, sprach er.

»Wann war denn Eure Hochzeit?«

»Nun, Euer Gnaden«, stammelte Gilles.

»So lange kann sie noch nicht zurückliegen, wenn Ihr Euer Haar noch immer wie ein Mädchen tragt«, sagte Otto. »In der Tat meine ich mich zu erinnern, dass Ihr selbst in Klosterneuburg mehr wie eine Ehefrau ausgesehen habt.«

Judith erinnerte sich dunkel, dass sie damals ihr Haar vollständig mit Leinenbinden und Haube bedeckt hatte. *Ich schulde ihm keine Erklärung*, dachte Judith, was sich als Fehler erwies, denn dadurch fühlte sich Gilles erneut aufgefordert, für sie zu sprechen.

»Wir sind einander nur versprochen und haben die Hochzeit noch vor uns«, sagte er hastig. »Ich wollte meine Verlobte nicht alleine solch einen weiten Weg machen lassen.«

»Das versteht sich«, sagte Otto und grinste. »Nun, Meister Gilles, dann sollten wir Nägel mit Köpfen machen. Ich möchte feiern, dass die Deutschen mich als ihren König haben wollen, und Ihr wollt meine treue Untertanin hier zum Weib. Bei allen Heiligen, wir sollten die Hochzeit noch heute Abend stattfinden lassen! Mein Kaplan wird sie vollziehen. So dürft Ihr beide einmal in Eurem Leben an der Tafel der Großen speisen und gemeinsam mit uns feiern!«

Judith konnte sich nicht erinnern, wie sie aus der Burg herausgekommen war, ohne alle Vorsicht zu vergessen und Otto genauso wie seinen Onkel, ihren Onkel und alle Männer zu verfluchen. Sogar Gilles, obwohl er es nur gut gemeint hatte. Als Stefan von seinem letzten Besuch in der Burg zurückkehrte, hatte sie ihren Beutel und all ihre Kleidung zusammengepackt und war bereit, Chinon zu verlassen.

»Das ist unmöglich«, sagte er. »Erstens wirst du keine zwei Stunden unterwegs sein, ehe die Nacht anbricht, und du kannst im Winter nicht auf der Landstraße übernachten. Zweitens ... es tut mir leid, Nichte, aber manchmal muss man sich den Launen eines Herrschers beugen.«

Entgeistert schaute sie ihn an.

»König Richard hat der Stadt Köln und ihren Kaufleuten gerade die größten Privilegien zugestanden, die wir je in irgendeinem

Land hatten«, sagte Stefan sachlich, »und Otto ist sein Lieblingsneffe. Das wusste ich bisher nicht, doch es ist so. Deswegen hat er auch darauf bestanden, dass wir Ottos Wahl vorantreiben, nicht die seines Bruders. Wenn du Otto jetzt verärgerst, indem du seine Großzügigkeit zurückweist, dann wird das wohl nicht zum Abbruch des ganzen Unternehmens führen – kein Mann, der einen Thron ersehnt, lässt sich von einer unerfüllten Laune ablenken. Aber es wird ihn rachsüchtig stimmen. Und dann wird er vielleicht nicht zufrieden damit sein, dich verheiratet zu sehen, sondern dich für sein eigenes Bett fordern – und was dann? Wenn er das will, dann ist das Einzige, was du noch tun kannst, um ihm seinen Willen nicht zu lassen, in ein Kloster einzutreten. Ich glaube nicht, dass du dein Leben als christliche Nonne beschließen möchtest.«

Wenn er sie angefleht hätte, ihm das größte Geschäft seines Lebens nicht zu verderben, hätte sie ihn um seiner Selbstsucht willen verfluchen können. Doch er hatte recht mit allem, was er sagte, und sie wusste es. Das hinderte Judith aber nicht daran, kalten Zorn zu empfinden. »Du rätst mir also zu heiraten, einen Christen zu heiraten, den ich kaum kenne, den Rest meines Lebens mit ihm zu verbringen, nur weil ein mächtiger Edelmann eine Laune hat?«

»Nichte, du weißt, dass Schlimmeres geschehen kann, wenn ein mächtiger Edelmann eine Laune hat.«

»Ich dachte, du und deine Freunde wolltet einen neuen König schaffen, um die Welt zum Besseren zu verändern! Du unterstützt aber nun einen Mann, der Juden nicht als Menschen sieht, sondern als Witzfiguren, die er für sein Fastnachtsspiel braucht«, sagte Judith beißend.

»Du enttäuschst mich mit deiner Selbstsucht und Kleinlichkeit«, entgegnete er unerwartet heftig.

»Meiner –«

»Du siehst den Grafen Otto nur in Bezug auf dich selbst«, unterbrach er sie. »Er mag nicht unsere erste Wahl sein, doch er ist kein schlechter Mann. Im Krieg gegen den französischen König hat er sich als Ritter und Heerführer bewährt, und als der alte

Herzog von Österreich seinerzeit Geiseln forderte, hat sich Otto freiwillig gemeldet, damit sein Onkel schneller freikam. Das zeigt, dass er treu und opferbereit ist. All das sind fürstliche Tugenden, und ich kann dir versichern, dass es den anderen daran mangelt. Wann hätte je ein Staufer etwas getan, was nicht nur ihm selbst nutzte? Aber du, du denkst nicht daran, ob Graf Otto gut für das Reich sein wird, du schmollst über einen Vorfall, der Jahre zurückliegt und bei dem niemand zu Schaden gekommen ist, ganz gleich, was gesagt wurde!«

In all den Monaten, die sie unter seinem Dach lebte, hatte Judith ihren Onkel noch nie wütend erlebt. Es war ihr unmöglich, zu entscheiden, ob sein Zorn echt war oder eine Waffe, die er gerade einsetzte. Vielleicht war er auch nur erschöpft und gereizt, nach drei Tagen voller Verhandlungen mit Königen und deren Getreuen. Aber das, was er sagte, traf sie tief. Es stimmte, dass sie nichts über Otto wusste als das, was sie in Österreich und nun in Chinon erlebt hatte, und dass er bisher keine Drohung wahr gemacht hatte. Möglicherweise war er voll ritterlicher Tugenden und fähig, die Geschicke eines Landes zum Besseren zu lenken. König David galt als der größte Herrscher Israels, doch er hatte mitunter sehr üble Dinge getan; er hatte die Frau des Hethiters Uriah begehrt, mit ihr Ehebruch begangen und für den Tod Uriahs gesorgt. Gott hatte David dafür durch den Tod seines Sohnes bestraft, aber er hatte sein Gesicht nicht von David abgewandt. Vielleicht war auch Otto dazu bestimmt, ein großer Herrscher zu werden. Es war nicht an ihr, darüber zu richten, weil sie ihn nicht mochte.

Dann wieder hörte Judith sein Lachen, das Lachen über die Vorstellung, der Herzog von Österreich sterbe einen qualvolleren Tod durch den Anblick eines Juden, und sie wusste mit jeder Faser ihres Herzens, dass ein Mann, der über die Schmerzen und den Tod eines anderen aus vollem Herzen lachen konnte, nie Macht über andere Menschen haben sollte.

An ihrer Lage änderte es nichts, ob Otto nun missverstanden oder ein adliger Schurke war. Genauso gut hätte sie in Salerno bleiben und Meir heiraten können. Nein, das wäre weitaus besser gewesen, denn immerhin war Meir sowohl ein guter Arzt als auch Jude. Von Gilles wusste sie nur, dass er ein umsichtiger Reisegefährte war und es sich gut mit ihm plaudern ließ. Es war besser als nichts, aber bei weitem nicht genug.

Plötzlich kam ihr eine Idee. »Die christlichen Bischöfe können Ehen für ungültig erklären, wenn sie nicht vollzogen und unter falschen Voraussetzungen geschlossen wurden, nicht wahr?«

So schnell, wie der Zorn in die Miene ihres Onkels gestiegen war, so schnell verflog er wieder, und es festigte ihren Argwohn, dass er auch diese Gemütsregung wie einen Schild benutzt hatte, um seine wahren Gedanken zu verbergen und sich bei ihr durchzusetzen.

»Soweit mir bekannt ist«, sagte Stefan aufgeräumt.

Der Erzbischof von Köln schuldete ihr noch einen Gefallen. Die Zukunft sah nicht mehr ganz so unannehmbar aus. Judith beschloss, die Zeremonie über sich ergehen zu lassen. Sie hätte gerne mit Gilles gesprochen, doch Otto hatte darauf bestanden, ihn in der Burg zu behalten und auf die Hochzeit vorzubereiten. Man konnte es aber durchaus auch als Geiselnahme verstehen, darin hatte Otto ja Erfahrung. Judith war gestattet worden, in die Stadt zurückzukehren, weil ihr als Frau wohl niemand zutraute, alleine Chinon zu verlassen.

Es waren erneut ein paar Mitglieder der Schlosswache, die Judith und Stefan holten und zu der kleinen Kapelle in der Burg brachten, wo sie Otto, seine Höflinge, ein paar Frauen, die dem Stoff ihrer Kleidung nach Dienerinnen, nicht etwa Hofdamen waren, und Gilles erwarteten. Er steckte in einem reichbestickten roten Rock, der für einen viel kleineren Mann geschneidert war. Man hatte ihm sogar die neumodischen Schuhe mit eng zulaufenden, nach oben gebogenen Spitzen gegeben, die kein Mensch mit der Absicht, mehr als zehn Schritte am Tag zu machen, tragen sollte. Gilles schaute so unglücklich drein, dass Judiths eigener Ärger etwas geringer wurde. *Auch er wird hier zur Belustigung eines Fürsten zu etwas gezwungen, das er nicht will,* dachte sie und lächelte ihn ermutigend an. Sein Gesicht heiterte sich auf, und er erwiderte ihr Lächeln.

»Auf in den Kampf, mein Freund«, sagte Otto und schlug Gilles auf die Schulter. »Der Kaplan hat etwas von Aufgeboten geschwatzt, die erst verkündet werden müssen, aber ich habe ihm versichert, dass Ihr und unsere Magistra einander schon lange versprochen seid und alle Aufgebote verlesen wurden. Aber wen haben wir denn da? Meister Schlom?«

»Stefan«, sagte ihr Onkel gemessen und höflich.

»Ich wusste, dass es etwas in der Art sein musste. Nun, Meister Stefan, Ihr scheint so etwas wie der Vertreter des Vaters zu sein, aber ich fürchte, ich muss das Recht des zukünftigen Königs in Anspruch nehmen. Die Braut ihrem Bräutigam zu übergeben ist zu schön, um nun darauf zu verzichten.«

Er nahm Judith beim Arm und führte sie bis an die Schwelle der Kapelle, wo sein Kaplan stand. Christliche Hochzeiten fanden immer vor den Kirchen statt, um so vielen Zeugen wie möglich die Gelegenheit zu geben, dabei zu sein. Diesmal waren es außer Ottos Gefährten und den kichernden Mägden nur ein paar neugierige Gesindemitglieder, die jedoch bald die Achseln zuckten und weitergingen.

»Ich hoffe, Euch gefällt der Ring, mein Täubchen«, murmelte Otto, als sie auf den Kaplan zuschritten. Er breitete eine Handfläche auf, damit der Kaplan den Ring segnen konnte. Judith sah im Dämmerlicht, in dem die Mägde Fackeln hielten, dass es sich um einen Bronzering mit einer Gemme handelte, in die ein Kreuz geschnitten war.

»Ich weiß ihn im Sinn des Gebers zu würdigen«, entgegnete sie ausdruckslos und fragte sich, warum niemand bei diesem bösen Scherz auf das Offensichtliche kam – dass sie nicht getauft war, unabdingbar für die christliche Trauung – und was sie tun würde, wenn es jemand bemerkte. Doch diese Entscheidung wurde ihr abgenommen. Der Kaplan segnete den Ring, sprach dann die Worte einer Zeremonie, die ihr unvertraut war; danach steckte ihn Gilles auf jeden Finger ihrer rechten Hand und sprach währenddessen ein Gelöbnis, sie mit diesem Ring zu ehelichen, mit ihr all sein weltliches Hab und Gut zu teilen und ihr die Treue zu halten. Unter anderen Umständen hätte sie die Worte schön gefunden, nur nicht jetzt und nicht hier. Sie verabscheute Otto von Minute zu Minute mehr.

In dem großen Saal, in welchen Otto sie und Gilles als Nächstes zog, war bereits ein Fest im vollen Gang, doch einer der Musikanten blies in ein Horn, als er Otto sah. Die Tafelnden schauten alle auf.

»Freunde, hier sind meine Ehrengäste. Meister Gilles, der weiß, wie man Menschen ins Grab befördert, und Magistra Jutta, die weiß, wie man *alles* am menschlichen Körper belebt! Feiern wir sie, die Königin und den König des Festes!« Ein Diener brachte ihm zwei aus Stroh gewundene Kränze. »Für den Bräutigam und die Braut!«

Ein Teil der Gäste verstand möglicherweise genauso wenig wie Judith, warum das komisch sein sollte, aber sie hatten dem Wein bereits zugesprochen; Otto war überschwenglich und lachte, also lachten sie ebenfalls. Judith nahm an der Tafel Platz. Man reichte ihr und Gilles Schalen mit heißem Wasser, in das Gewürze gegeben worden waren, dazu Handtücher, um ihre Finger zu reinigen. *Rosmarin*, dachte Judith grimmig, als sie den Geruch erkannte, *ist gut für das Erinnerungsvermögen.*

»Das alles war nie«, begann Gilles, aber sie legte ihm den Finger auf die Lippen.

»Ich weiß. Wir werden darüber reden, aber nicht vor … vor unserem Gastgeber.«

Die Gäste waren gerade dabei gewesen, Wachteln zu essen. Otto ließ auch sich und seinem Gefolge von diesem Gang bringen. Zu ihrer Überraschung stellte Judith fest, dass sich in ihr Hunger meldete. Dann sei es so, dachte sie grimmig, und nahm sich von dem Vogel, während die Spielleute leiser wurden, ein Troubadour vor eine Empore trat und nach einer kurzen Ankündigung mit seinem Gesang begann. Gilles flüsterte ihr zu, dass der Mann ein König Richard gewidmetes Lied vortrug, in der Sprache Aquitaniens, der *langue d'oc,* von der sie dank ihrer Lateinkenntnisse Bruchteile verstand.

»Das ist Bertran de Born«, sagte Otto zu ihrer Linken, »einer unserer größten Dichter. Ich wette, Ihr hättet nie gedacht, dass

Ihr bei Eurer Hochzeit einen solchen Sänger hören werdet, wie? Bertran ist auch ein Kreuzfahrer, und wenn es etwas gibt, das er so gut beherrscht wie das Verseschmieden, dann ist es die Kunst, Ungläubige zu töten.«

Etwas in ihr zerriss; ein Faden aus Geduld und Furcht vielleicht. »Ich habe schon bessere Sänger gehört«, sagte sie kühl.

»Ach wirklich?«, fragte Otto. Sein Gesicht wirkte beleidigt, und seine Augen verengten sich. »Wen?«

»Walther von der Vogelweide«, entgegnete sie und trank von dem heißen, gewürzten Wein, den man ihr entgegenhielt. Sie sagte es, weil es der erste Name war, der ihr einfiel. Sie sagte es, weil sie bei dem Anblick der tafelnden Gäste an Wien hatte denken müssen. Und sie sagte es, um Otto wenigstens einen kleinen Schlag zu versetzen. Sie sagte es nicht, weil ihr das Lied, das Walther ihr und Irene auf der Reise nach Frankfurt vorgetragen hatte, noch immer im Gedächtnis war und sich störrisch weigerte, es auch nur mit einer Silbe zu verlassen, oder weil sie sich schon seit Tagen fragte, was geschehen wäre, wenn sie in Nürnberg bei Irene geblieben wäre, statt mit Stefan nach Köln zu ziehen.

»Kein deutscher Sänger«, sagte Otto, »könnte jemals die Klasse der Troubadoure erreichen. Sie haben den Minnesang erfunden! Einer meiner Vorfahren, der Herzog in Aquitanien war, hat die ersten großen Lieder gedichtet. Seither hatte man dort über hundert Jahre lang Zeit, sich in der Kunst zu vervollkommnen. Wollt Ihr mir da ernsthaft weismachen, irgendein hergelaufener Vogelwiesner reiche auch nur im Entferntesten …«

»Das müsste Euer Gnaden doch glücklich machen«, unterbrach Judith ihn sanft, aber bestimmt. »Als unseren zukünftigen Herrscher. Oder zieht Ihr es am Ende doch vor, weiterhin Eurem Onkel hier zur Seite zu stehen?«

»Oh, ich werde die Krone Karls des Großen tragen«, gab Otto zurück. »Dessen seid gewiss.« Der Troubadour wollte zu einem neuen Lied ansetzen, doch Otto winkte ab und befahl stattdessen, dass nun etwas gespielt werden sollte, was *La main chaude* hieß. »Dabei legt der Herr den Kopf in den Schoß der Dame und muss erraten, wer ihn schlägt«, sagte er mit einem Augenzwinkern zu Judith und machte Anstalten, sich in ihre Richtung zu beugen.

»Dann will ich als Bräutigam mit gutem Beispiel voranschreiten«, stieß Gilles hastig hervor, sank vor Judith auf die Knie und legte seinen Kopf auf ihren Schoß, ehe Otto es tun konnte. Es war der unsinnigste Zeitvertreib für Erwachsene, von dem sie je gehört hatte, und wenn es nicht gerade ihr Schoß gewesen wäre, hätte sie es genossen, Otto geschlagen zu sehen.

»Das geht nicht«, freute sich Otto wie ein übermütiger Junge, der dabei war, einen Apfel zu stehlen. »Ihr kennt ja niemanden hier, mein Freund. Wie sollt Ihr da einen Namen erraten?«

Er ging neben Gilles auf die Knie und stieß ihn zur Seite. »So spielt man richtig«, sagte er in das Leinen von Judiths Kleid hinein. Sie hielt ihre Beine geschlossen und spürte, wie er sein Gesicht dagegen presste, um ihre Knie etwas zu öffnen, während sich hinter ihm eine Reihe von kichernden und glucksenden Höflingen aufstellte, um ihm einen Streich auf den Hintern zu versetzen, auf den Rücken oder gegen die Oberschenkel. Sie hatte an Hochzeitsfeiern in Köln teilgenommen; es hatte auch dort Spiele gegeben, deren Hauptzweck es war, Bräutigam und Braut zu necken, aber nicht so etwas. Während Otto Namen nach Namen rief und bei den wahrlich leichten Schlägen aufzuckte, wie er es nicht getan hatte, als sie sein wundes Zahnfleisch untersuchte, grub er sich tiefer und tiefer in ihren Schoß. Seine Hände umklammerten ihre Beine, ihre Hüften, ihr Gesäß. Am schlimmsten war nicht die körperliche Nähe, die er erzwang, sondern dass er wusste, wissen musste, wie widerwärtig ihr das war, und er ihre Abneigung genoss. Sie schaute in eine Ecke, um die jauchzenden Höflinge nicht zu sehen, und erblickte stattdessen ihren Onkel, der die Augen niederschlug. *Das ist der Mann, den du zum König über uns alle machen willst,* dachte Judith. *Schau ihn dir an. Schau mich an.*

»Verzeiht, aber als ungeduldiger Bräutigam will ich nicht länger auf meine Hochzeitsnacht warten«, sagte Gilles, als er bemerkte, dass Otto seine Hände unter ihr Kleid zu schieben begann, stand auf und zog Judith so rasch zur Seite, dass Otto fast zu Boden ging. »Das versteht doch sicher jeder hier?« Er wiederholte es in der Sprache Frankreichs, was Pfiffe und Jubel bei Höflingen und Gesinde auslöste. Wie Judith später erfuhr, war es hier genau wie in Köln Brauch, dass die Frauen der Gesellschaft die Braut zu Bett brachten, ihr Ratschläge für die Hochzeitsnacht erteilten und nach einer Weile der Bräutigam folgte, doch wie Otto vorhin richtig gesagt hatte, kannte sie hier niemand; alles, was die Hofgesellschaft wusste, war, dass diese Hochzeit ein Geschenk und einen Scherz des Grafen von Poitou darstellte. Daher gab es zwar ein paar enttäuschte Rufe, als Gilles sie kurzerhand hochhob und aus dem Saal trug, doch niemand machte Anstalten, sie aufzuhalten, selbst Otto nicht, der lachend und mit zuckenden Schultern auf dem Boden lag.

Als sie erst einmal den Gang erreicht hatten, setzte Gilles sie ab und reichte ihr seine Hand. »Wir sollten uns beeilen«, sagte er.

In der Nacht durfte niemand die Burg verlassen. Otto hatte einen Raum für sie herrichten lassen, doch Judith wollte keinen Moment länger bleiben. Sie liefen auf den Innenhof zu, der zum Burgtor führte; Schritte hinter ihnen stellten sich als die von Stefan heraus, der endlich etwas für sie tat, als er den Wachen Geld gab, um sie in die Stadt durchzulassen.

»Es tut mir leid«, sagte Gilles noch einmal, während sie durch die Nacht auf das Haus zuhielten, in dem sie die letzten drei Tage verbracht hatten.

»Ihr seid der Einzige hier, der sich nicht entschuldigen muss«, gab Judith zurück und sah ihren Atem in der Kälte der Nacht zu Nebel werden. Um die Burg herum standen Fackelträger, doch allmählich schwand der letzte Rest jener Beleuchtung, und das Licht des Neumonds nahm zu. Dennoch war es schwer, die Hand vor den Augen zu erkennen. Unwillkürlich schauderte sie. Gilles löste seinen Umhang und legte ihn um sie, obwohl sie bereits einen Mantel trug. »Als meine Gemahlin«, sagte er, »hätte ich Euch besser beschützen sollen.«

Es lag ihr auf der Zunge, zu antworten, dass er sein Bestes getan hatte und mehr als ihr Onkel, obwohl eine gezwungene Ehe ihn zu nichts verpflichtete. Aber sie spürte Ottos Hände immer noch an ihren Hüften, seinen Kopf zwischen ihren Beinen, und mit einem Mal blieb sie stehen, sank auf die Knie und übergab sich.

Kapitel 18

Für Walther war es nicht einfach, eine Audienz beim Erzbischof von Köln zu erlangen. Anders als Wolfger von Passau war Adolf von Altena kein Freund der Musen, oder er brauchte keinen Sänger für seine Weihnachtsfeste. Der Hinweis darauf, dass Bischof Wolfger sein Gönner sei, brachte Walther vom Haushofmeister nur die höhnische Antwort, dergleichen könne jeder behaupten. Ob er denn ein Empfehlungsschreiben habe? Das hatte er nicht. Also tat er, was für Neugierige immer am einfachsten war: Er machte eine gut besuchte Schenke aus und hörte sich den neuesten Tratsch an. Oberste Gesprächsthema war immer noch der Tod des Kaisers und die Folgen. Inzwischen breitete sich das Gerücht aus, das Kind in Sizilien sei tot, oder gar nicht der Sohn des Kaisers, sondern eines Schlächters aus Jesi.
»Ganz gleich, wessen Sohn der Junge ist«, sagte ein Mann, »der Erzbischof hat bei seiner Predigt gesagt, dass seine Mutter und der Staufer ihn nicht haben taufen lassen! Somit sind alle Treueschwüre hinfällig, wenn ihr mich fragt. Kein Ungetaufter kann König der Deutschen sein, und Eide schwören kann man Ungetauften schon gleich gar nicht!« Das führte zu weiterem Nicken bei allen in Hörweite; außerdem stimmte jeder überein, dass ein Kind als König nichts als Unglück brachte. »Wie war der Bibelvers, den der Erzbischof in seiner letzten Predigt verwendet hat? *Weh dir, Land, des König ein Kind ist.*«
Selbst für Köln, so schien es, waren ausgesprochen viele Fremde in der Stadt, Boten für diesen und jenen hohen Herrn oder Kauf-

mann. Walther hörte über den Bechern, die er bringen ließ, um sie auszuhorchen, sächsische, thüringische und badische Akzente. Österreichische oder bayerische waren nicht dabei; offenbar war Leopold glücklich mit der Steiermark und nicht gesonnen, sich an Unternehmungen des Erzbischofs zu beteiligen. Oder vielleicht war es einfach noch zu früh dafür?

Niemand sprach von den verwüsteten Dörfern, durch die Walther gekommen war. Als er das Gespräch darauf brachte, meinten alle, es gäbe mehr Räuberbanden als in den letzten Jahren, und es würde Zeit, wieder für Recht und Ordnung zu sorgen. Aber es interessierte nicht wirklich, höchstens, dass man die Überlebenden nicht in der Stadt sehen wollte, es kämen ohnehin schon genug, die man durchzufüttern habe.

Ein Sachse wollte wissen, dass seinem Herzog die Krone angeboten worden war, obwohl er noch nicht wieder aus dem Heiligen Land zurückgekehrt sei, jedoch ganz gewiss am Leben und auf dem Weg in die Heimat. »Nein, nein«, entgegnete ein Badenser, »der Herzog von Zähringen ist es, der unser nächster König werden wird. Er ist von allen Herzögen der reichste, bis auf Philipp und die Österreicher. Ganz bestimmt wird es der Zähringer.« Der nächste Gast votierte für den Brabanter.

»Was, wenn es Herzog Philipp wird?«, fragte Walther. Nicht, weil er erwartete, Zustimmung zu hören, sondern weil ihn die Einwände interessierten. Kein Besucher einer Kölner Schenke wollte einen weiteren Staufer, doch sie hatten unterschiedliche Gründe dafür: Die meisten waren sich einig, dass jemand, der seinem Neffen die Treue brach, es nicht verdiente, König zu werden, ungeachtet dessen, was sie gerade selbst über Eide ihrer Herren gegenüber ungetauften Kindern behauptet hatten; wenn Philipp sich zur Wahl stellte, bewies er damit eindeutig seine Unwürdigkeit.

»Außerdem ist er doch ein halber Mönch ohne Mumm in den Knochen«, fügte ein Bäcker hinzu. »Und selbst kaum dem Kindesalter entwachsen.«

»Wisst Ihr, wen wir wirklich brauchen?«, sagte ein Gast und setzte mit Wucht den Bierkrug ab. »Einen Welfen! Wenn sie

Heinrich den Löwen nicht verbannt hätten, wäre alles anders gekommen, das sage ich euch. Dann gäbe es nicht überall diese Schwaben und Bayern in den großen Ämtern und Würden, sondern ehrliche Leute vom Rhein, Westphalen oder Sachsen!«

»Hört, hört«, wurde zustimmend gebrummt.

»Dieser Bischof von Passau, der mit auf den Kreuzzug gegangen ist, der soll versucht haben, unserem Adolf das Recht auf die Königskrönung abzusprechen. So weit ist es schon gekommen! Und Patriarch will der Passauer auch noch werden, vielleicht sogar Papst. Ha, aber daraus wird nichts, nicht jetzt, wo ein redlicher Mann aus dem Westen König wird«, schloss ein Kölner. Ein Sachse aus der Gegend von Braunschweig bemerkte kühl, ein redlicher Mann aus dem Norden sei weit besser geeignet, und nur weil der Herzog von Zähringen mehr Geld als der Herzog von Sachsen habe, mache ihn das noch lange nicht zu einem guten König. »Wer ist denn ins Heilige Land gezogen, um dort für die Sache Christi zu streiten, der Herzog von Zähringen etwa? Nein, der Herzog von Sachsen! Das ist kein Drückeberger, der lieber sein eigenes Geld zählt.«

»Da es unser Geld ist, das der neue König zählen wird«, entgegnete der Kölner, »wäre mir ein Herzog mit Vermögen in der Tat lieber als einer, der sofort Steuern erheben wird, um all das geliehene Geld für seine Wahl bei den Pfeffersäcken wieder zurückzahlen zu können.«

Damit stand er nicht alleine. Walther fragte sich unwillkürlich, ob er selbst eine Meinung hatte, die über den Wunsch hinausging, bezahlt und geschätzt zu werden. Ein neuer König musste her, ja, und wenn er an die zerstörten Dörfer dachte, dann war es bestimmt besser, wenn es sich um einen Mann handelte, vor dem alle Respekt hatten. An Philipp gefiel ihm, dass er nicht dumm war, im Gegensatz zu gewissen Markgrafen, die ihre Frauen nicht verdient hatten, doch gleichzeitig wurmte ihn Philipps Zurückhaltung ihm gegenüber und die Art, wie der Schwabe ihn allzu gerne um seinen gerechten Lohn brachte. Wenn der Herzog von Zähringen König werden sollte, dann würde es Walther keineswegs das Herz brechen, aber im Gegensatz zu den Leuten in der

Schenke wusste er, dass Berthold die Krone nicht wollte. Walther glaubte auch nicht, dass ein halbherziger König ein guter König sein konnte, schon gar kein König für alle im Lande, und das sollte er doch eigentlich sein. Nun, vielleicht war es gut, keine eigene Meinung zu haben; dadurch hörte Walther, was tatsächlich gesagt wurde, nicht, was er hören wollte.

Als nichts Interessantes mehr erzählt wurde, erkundigte er sich, wer außer dem Erzbischof und seiner Umgebung noch einen Haushalt führe, der groß genug sei, um Raum für Sänger bei den Weihnachtsfeierlichkeiten zu bieten.

»Der Kaufmann Lambert und Gerhard Unmaze«, sagte ein Gast, »aber es sollte mich wundern, wenn sie noch Platz in ihren Häusern hätten für Gaukler. Jeder Spielmann, der auch nur einen Ton halten kann, hat schon seit dem Sommer versucht, den großen Gerhard zu überzeugen, dass er ihn für die Weihnachtstage braucht. Ihr kommt reichlich spät, guter Mann.«

Walther verzichtete darauf, klarzustellen, dass er kein Gaukler oder einfacher Spielmann war, und das erwies sich als Glück, denn ein anderer Gast grinste und warf ein: »Ihr solltet es beim Münzmeister Constantin versuchen. Der nimmt das Weihnachtsfest nicht so ernst, dass er schon Vorbereitungen getroffen hat, der nicht.«

»Oder wenn, dann nicht fürs *Weihnachtsfest!*« Eine Welle allgemeiner Belustigung breitete sich aus, bei der Walther klarwurde, dass ihm etwas entging. Schließlich hatte die Schankmagd Mitleid und teilte ihm mit, der Münzmeister Constantin sei ein getaufter Jude. »Er behauptet natürlich, ein guter Christ zu sein, aber wenn das stimmt, warum hat er dann seine Schwester mit einem Juden verheiratet?«

»Meister Stefan ist ebenfalls getauft«, beschwichtigte ein anderer Kölner.

»Ja, und deswegen hat er sich auch seine Nichte ins Haus geholt«, gab die Magd naserümpfend zurück. »Wenn ihr mich fragt, der wollte sie mit seinem Sohn verheiraten, damit alles schön in der jüdischen Familie bleibt. Vielleicht ist sie ja auch gar nicht seine Nichte. Mir kam die Geschichte mit den Masern jedenfalls sehr merkwürdig vor. Da hat sich einer ohne seine Gemahlin eine schöne Zeit machen wollen.«

»Nein, nein, das ist seine Nichte. Ich kann mich an den Vater erinnern, der war tatsächlich mit Stefans Schwester verheiratet. Hat mir einmal den Fuß zurechtgerenkt, der Josef, und einen guten Trunk gegen Erkältung hatte er auch immer.«

»Ich habe gehört, dass er wieder zurück ist. Stefan, meine ich, und nicht alleine. Was auch immer der gehabt hat, Masern waren es nicht. Einen richtigen kleinen Tross hatte er dabei! Seither steckt er ständig mit Gerhard, Constantin und Lambert zusammen.«

Walther stand auf. »Könnt Ihr mir verraten, wo ich das Haus von Meister Stefan finde?«

* * *

Da dem Erzbischof von Köln von Gerhard Unmaze, Lambert, Constantin und ihrem Onkel beigebracht werden musste, dass er nicht den Herzog von Zähringen, sondern den König von England und dessen Neffen unterstützen solle, war es kein guter Zeitpunkt für Judith, um die Auflösung ihrer Ehe zu bitten. Also beschloss sie, erst etwas Zeit verstreichen zu lassen. Es war auch nicht so, dass es in der Zwischenzeit ein schlimmes Los war, mit Gilles verheiratet zu sein. Er hatte nie versucht, mehr zu tun, als ihre Hand zu halten oder die Lage anderweitig auszunutzen. Wenn sie sich wusch oder sich umzog, blieb er aus dem Zimmer. Sie mochte ihn gerne, auch wenn ihm die Medizin ein Buch mit sieben Siegeln war. Er hatte dafür viel gesehen und erlebt, von dem er erzählte, und half ihr, wenn sie für den Besuch bei Patienten oder den Ölverkäufern einen Begleiter brauchte. Seit Stefan ihn seiner Familie als ihren Gemahl vorgestellt hatte, war auch seine Gattin freundlicher zu ihr. Auch eine der reicheren Bürgerinnen, die ein Kind erwartete und bisher nicht bereit gewesen war, sich von Judith behandeln zu lassen, war nun, da diese Entbindung bevorstand und Judith eine ehrbare verheiratete Matrone war, einverstanden.

»Ihr müsst zugeben, dass es für eine Ärztin etwas merkwürdig aussah, ledig zu sein«, erklärte die ehrenwerte Richildis, Gattin eines Salzhändlers. »Eine unvermählte Frau, die keine Nonne ist, sollte nicht mit den Leibern der Menschen auf so eine Art zu tun haben, das findet jedenfalls mein Gatte. Ich kann ihm da nicht widersprechen, aber nun seid Ihr ja eine von uns!« Sie seufzte. »Meine Füße sind ständig geschwollen. Ich kann es nicht abwarten, bis das Kind endlich da ist, selbst, wenn eine Frühjahrsgeburt besser gewesen wäre.«

»Nun, neun Monate sind neun Monate, daran lässt sich nichts ändern, doch gegen Eure geschwollenen Füße kann ich etwas tun. Badet sie in heißem Salzwasser und lagert sie dann hoch, wenn Ihr könnt, das wird Euch helfen.« Es ging Judith durch den Kopf, dass viele Frauen, die sie behandelte, es sich nicht leisten konnten, Salz für ihre Füße zu verwenden. In Salerno war das kein Problem, weil es Meerwasser für jedermann gab, aber hier in Köln musste man die Gattin eines reichen Mannes sein wie Richildis, um so viel Salz zur Verfügung zu haben, wie dafür nötig war. Es wäre gut, sich nach einem Mittel umzusehen, das auch ärmere Frauen verwenden konnten. Brombeersaft vielleicht, in erhitztes Wasser gegossen? Aber Brombeeren gab es nur im Sommer und im frühen Herbst.

»Magistra«, sagte Richildis und räusperte sich, »ich habe da noch eine Frage. Mein Gemahl, nun, er leidet an etwas, das … er will nicht zu einem Arzt gehen. Er hat zu große Angst, dass er dann zum Gespött von Köln wird. Aber ich dachte, jetzt, wo Ihr selbst verheiratet seid … Also, gibt es ein Mittel gegen geschwollene Hoden?« Sie senkte ihre Stimme. »Seine Freunde würden sagen, dass er nur eine Frau braucht, jetzt, wo meine Stunde nahe ist, aber mein Mann schwört mir, dass es nicht daran liegt … nun, gibt es ein Mittel?«

Es war eine Beschwerde, von der Judith vor Salerno nie gehört hatte, weil ihr Vater sie bei all seinen Lehren und ganz gleich, wie sie ihm zur Hand gehen durfte, doch von einigen Dingen ferngehalten hatte. In Salerno jedoch hatte ein Mitstudent während einer Debatte versucht, sie durch diese Frage in Verlegenheit zu bringen, und sie hatte die Antwort in den Schriften Trotas gefunden. »Das gibt es. Ihr braucht Wermut, Eibisch, Eisenkraut, Beifuß, Bilsenkraut und außerdem Kohl. Kocht diese Zutaten in altem oder starkem Wein, macht aus dieser Flüssigkeit feuchte Umschläge und wickelt seine Hoden zwei oder drei Mal pro Tag darin ein.«

»Und es ist auch bestimmt ein christliches Mittel?«, fragte Richildis. Judith biss die Zähne zusammen.

»Das ist es in der Tat.«

Auf dem Rückweg ertappte Judith sich dabei, wie sie Richildis für Gilles nachahmte. Sie erzählte nichts davon, um welche Beschwerde es sich handelte, das hätte gegen ihren Eid verstoßen, doch sie gab Richildis' Stimme zum Besten. *»Ist das auch bestimmt ein christliches Mittel?* Ich habe in Salerno Christen behandelt, Juden und Moslems, und eines kann ich dir schwören, Gilles, die Körpersäfte sind bei allen die gleichen. Ich bin eine Ärztin, keine Magierin! Ich verwende keine Talismane oder Gebete, und mir ist völlig egal, wie der Mars gerade zur Venus am Firmament steht. Christliches Mittel!«

Es war ein unverhältnismäßig starker Ausbruch bei so einem kleinen Anlass, aber in ihr hatte sich seit Jahren etwas aufgestaut, seit jenem Tag in Klosterneuburg. Im letzten Jahr war es immer schlimmer geworden, und wenn sie sich nicht einmal Luft machte, dann würde sie irgendwann die Beherrschung verlieren, am Ende gar in Gegenwart des Erzbischofs.

»Manchmal wünschte ich«, sagte sie heftig, »ich könnte sie alle zwingen, nur einen Tag lang so wie wir zu leben. Eine Stadt zu betreten und sich zu fragen: Hat man hier auch unseresgleichen umgebracht, und war das erst kürzlich oder schon vor ein paar Jahren? Geld gegen Zins zu verleihen, nicht weil wir es wollen, sondern weil wir es müssen, da es Christen verboten ist, und zu wissen, dass es häufig nicht zurückgegeben wird, wenn ein Kirchenfürst oder der Herrscher des Landes das so verfügt. Heilen zu wollen, nur um zu hören, dass man dazu einen neuen Namen braucht, ständig lügen zu müssen. Aber keiner von ihnen wird das je verstehen!«

Gilles blieb stehen. »Ich verstehe es«, sagte er sehr ernst.

Zuerst nahm sie an, er spräche davon, dass er durch den Dienst für die Kaufleute und die Reise nach Chinon genügend erlebt hatte, um zu begreifen, wovon sie sprach. Versöhnlich begann sie: »Du bist mir ein guter Freund gewesen ...«

»Nein«, sagte Gilles leise, »ich verstehe, was es heißt, ständig lügen zu müssen und Angst zu haben.«

Verwundert schaute sie ihn an. Gilles hatte bei den gelegentlichen Pöbeleien auf der Reise nie Furcht gezeigt, sondern sich immer durchgesetzt, nur nicht bei Otto und seinen Leuten, was schlicht und einfach gesunder Menschenverstand gewesen war. Glaubte er etwa immer noch, sie mache ihm einen Vorwurf? Einen Herzschlag lang kam ihr eine andere Möglichkeit in den Sinn, diejenige, dass Gilles selbst ein Jude war, der seinen Glauben versteckte, doch dann verwarf sie den Gedanken wieder; er hätte sie nie danach gefragt, was Schalet war, als er das Brot einmal bei ihr fand.

»Jutta«, fuhr Gilles fort und trat einen Schritt näher, so nahe, dass er ihr beinahe ins Ohr flüsterte, »wenn man Menschen meiner Art entdeckt, dann werden sie am Pranger mit der Staupe geprügelt, wenn sie Glück haben. Sonst werden sie verbrannt. Es – beim Heer war es leichter, dort sieht man lange keine Frauen, und es findet sich meist jemand, der auch so ist. Aber seit mein Herr mich zurückgelassen hat, habe ich jedes Mal um mein Leben gefürchtet, wenn ich – wenn ich jemanden gefragt habe. Wenn man den falschen Mann anspricht, dann hat man Glück, viel Glück, nur ausgelacht zu werden. Man hat immer noch Glück, wenn sie nur zuschlagen, denn sie könnten einen vor aller Welt bezichtigen, und dann würde ich brennen, geradeso wie die Juden in Blois. Deswegen habe ich auch ... Graf Otto hat mich gefragt, an jenem Tag. Er fragte, ob ich dich wirklich heiraten will. Das sei ein guter Witz, hat er gesagt; er würde nie einen guten Christen zwingen, eine Jüdin zu heiraten. Ich schwor ihm, ich sei wirklich dein Verlobter und wolle dich heiraten, und er lachte und lachte, er bog sich vor Vergnügen, und ständig hatte ich das Gefühl, er wüsste Bescheid. Über mich, verstehst du, nicht über dich. Dabei haben gewöhnlich nur solche Leute einen Blick für unsereins, die selbst so veranlagt sind. Aber wenn ich … als verheirateter Mann, dachte ich, werden sie mich nicht mehr gleich auf den ersten Blick verdächtigen, und die Angst, sie müsste nicht mehr jeden Tag mein Begleiter sein.« Er hatte langsam und stockend begonnen und war dann immer schneller geworden, als müsse er die Worte herauspressen, ehe er die Zeit hatte, darüber nachzudenken, was für Folgen es haben könnte.

Zuerst fühlte Judith sich wieder nach Frankreich versetzt, in ein Land, dessen Sprache sie nicht beherrschte, wo hin und wieder einige Worte so vertraut klangen, dass sie das Gesagte zu verstehen meinte, nur um im nächsten Satzteil wieder den Faden zu verlieren. Gilles merkte offenbar, dass ihr der Schlüssel zu dem fehlte, was er ihr erschließen wollte, denn er zitierte plötzlich aus dem Buch Samuel, aus der Totenklage Davids um Jonathan. »Weh ist mir um dich, mein Bruder Jonathan! Wie warst du mir so hold. Deine Liebe war mir wundersamer als Frauenliebe.«

Du sollst nicht bei einem Mann liegen wie bei einer Frau; es ist ein Greuel, zitierte die Stimme ihres Vaters aus der Thora. Ohne nachzudenken, trat sie einen Schritt zurück. Gilles zuckte zusammen, und sie sah die Mischung aus Verletzung, Scham und Ärger in seinen Augen, die ihr nur allzu vertraut war. Es brachte sie dazu, seine Hand zu ergreifen, wie er die ihre in der Nacht von Chinon genommen hatte. Er war ihr Freund und hatte ihr gerade etwas anvertraut, das mindestens genauso gefährlich war wie ihre eigenen Geheimnisse. Sie verstieß selbst ständig gegen die Vorschriften des Gesetzes; sie konnte nur selten den Sabbat einhalten, sie log nach außen und gegenüber sich selbst. Auf dem Weg von Salerno nach Frankfurt hatte sie Milch getrunken und gleichzeitig Fleisch gegessen, was nicht koscher war, und in Salerno hatte sie an Sezierungen teilgenommen. Später konnte sie darüber nachgrübeln, was es bedeutete, dass er seine eigenen Gründe gehabt hatte, sie zu heiraten, die nichts mit dem Wunsch zu tun hatten, sie vor Otto zu schützen. Jetzt musste sie ihm zeigen, dass sie keine Heuchlerin war. Er hatte sie nie spüren lassen, dass er sie als gering ansah, nicht als Jüdin, nicht als weiblichen Arzt. Er hatte sie nicht im Stich gelassen. Also entgegnete sie mit den Worten Ruths an ihre Schwiegermutter Noomi in der Stunde der Not: »Rede mir nicht ein, dass ich dich verlassen und von dir umkehren soll. Wo du hingehst, da will auch ich hingehen. Wo du bleibst, da bleibe auch ich.«

Die Erleichterung glitt wie eine Welle über sein Gesicht, und er erwiderte den Druck ihrer Finger. Sie hielt immer noch seine Hand, als sie das Haus ihres Onkels betraten, wo reger Betrieb herrschte. Er musste gerade von einem seiner Treffen mit Gerhard oder Constantin zurückgekehrt sein und war nicht allein. Sein Schreiber und zwei weitere Männer standen bei ihm. »Ah, Nichte«, sagte Stefan. »Denk dir, einer deiner alten Patienten ist in der Stadt und wollte dir seinen Respekt erweisen.«

* * *

Walther hatte sich alle Mühe gegeben, die richtigen Prioritäten zu setzen: Er war erst zum Haus des Münzmeisters Constantin gegangen und hatte als fahrender Ritter vorgesprochen, der nicht in einer der Schenken Quartier beziehen wollte und die Klöster bereits voll gefunden hatte. Auf die Frage nach Empfehlungen, die nicht nach einem Schreiben verlangte, erklärte er, die Gastfreundschaft des Landgrafen von Thüringen und des Herzogs von Zähringen genossen zu haben. »Außerdem verdanke ich den Erhalt meiner Stimme einer Ärztin aus Eurer schönen Stadt, der Dame Jutta, die mich wiederholt vor völliger Stummheit bewahrte«, fügte er hinzu. Womit er nicht gerechnet hatte, war, dass just in diesem Moment jener grauhaarige Kaufmann, der ihm in Nürnberg solche Magenschmerzen bereitet hatte, das Haus des Münzmeisters verlassen wollte und ihn auch sofort wiedererkannte: »Herr Walther von der Vogeltränke, nicht wahr? Aber ich dachte, Ihr hättet damals an Durchfall gelitten.«

»Es war eine lange Reise, Meister Steffen. Ich hatte mancherlei Beschwerden.«

»Wart Ihr nicht im Dienst des Bischofs von Passau? Ich meine mich zu erinnern, dass Ihr Botendienste für ihn verrichtet habt.«

»Nicht mehr als Ihr, denn wenn mich meine Erinnerung nicht trügt, habt Ihr bei ihm vorgesprochen und eine Botschaft für den Erzbischof von Köln von ihm empfangen.«

»Mmm … Ihr habt ein sehr gutes Erinnerungsvermögen, Herr Walther. Das spricht für Eure Gabe, Dinge zu erzählen und zu singen, die zu hören es sich lohnt. Wisst Ihr, ich bin wegen all der Umtriebe in den letzten Wochen noch gar nicht dazu gekommen, das Weihnachtsfest in meinem Haus vorzubereiten. Warum werdet Ihr nicht *mein* Gast?«

Sticheleien hin oder her, das war mehr, als Walther erwartet hatte, und obwohl er sich mahnte, nicht zu vergessen, dass Stefan von Köln ein scharfsinniger Mann war, der bestimmt mehr als nur Winterlieder hören wollte, begleitete er ihn beschwingten Schrittes. Er legte sich im Kopf mehrere Bemerkungen zurecht, kluge, gewitzte, ernste Bemerkungen für das Wiedersehen. Dabei vergaß er selbstverständlich nicht, dass diese Begegnung keine größere Bedeutung hatte, schließlich war er ein Mann von Welt, und es war nur ein einziger Kuss gewesen.

Nur auf eins war er nicht gefasst: Judith Hand in Hand mit einem gutmütig lächelnden Mann vor sich stehen zu sehen, der auf seine hochgewachsene, muskulöse Art das Idealbild eines Helden zeigte, und Stefan von »meinem neuen Neffen Gilles und seiner Gattin, meine Nichte Jutta, die Ihr ja kennt« sprechen zu hören. Er blieb stumm, bis Judith sich von ihrem Gemahl löste, auf ihn zutrat und mit einer geradezu erzürnend ruhigen und zuvorkommenden Stimme fragte: »Herr Walther, wie geht es Euch? Was führt Euch nach Köln?«

Zum Glück fielen ihm dann doch wieder ein paar der Bemerkungen ein, die er sich zurechtgelegt hatte, und er hörte sich antworten: »Der Wind; was treibt uns Singvögel sonst von einem Ort zum anderen?«

»Die Aussicht auf Futter«, warf Stefan ein.

Walther fragte sich, ob er das Haus sofort verlassen sollte. Schließlich gab es viele Möglichkeiten, zu erfahren, welche deutschen

Fürsten ihre Boten nach Köln schickten. Er hatte es nicht nötig, sich beleidigen zu lassen. Schon gar nicht von einem Kölner Pfeffersack, der ihn doch eigentlich eingeladen hatte.

»Die Aussicht darauf, gehört zu werden«, sagte Judith. Sie klang immer noch ruhig und zuvorkommend, und aus irgendeinem Grund fand er das schlimmer, als wenn auch sie ihn beleidigt hätte. »Das ist doch der beste Grund für einen Vogel, zu reisen.«

»Nun, warum Vögel reisen, kann ich nicht sagen«, meinte ihr Hüne von einem Gemahl, »aber ich selbst war immer froh, wenn ich ehrliche Gastfreunde fand. Es geht doch nichts darüber, das Brot mit Menschen zu teilen, die Freude an der Gesellschaft anderer haben und manches zu erzählen wissen. Seid willkommen, Herr Walther!«

Es wurde also immer schlimmer: Ihr Gemahl war kein tumber Grobian wie Dietrich von Meißen, sondern ein umgänglicher Mensch, der gerade sein Bestes gab, um einen Fremden willkommen zu heißen, und versuchte, eine Spitze des Hausherrn zu entkräften! Walther ahnte, dass ein dunkler Teil von ihm zufrieden gewesen wäre, Judith mit einem Scheusal verbunden zu finden, wenn sie schon verheiratet sein musste. Um sie vor dieser Ehe zu retten, gewiss; in dem Moment, als Stefan von »meinem neuen Neffen« sprach, hatte er sich in das Lied von seinem Namensvetter und Hildegunde hineinversetzt gefühlt und gewusst, dass er mit Judith geradeso wie jener Walther fliehen würde. Eine Frau, die man liebte, ins Elend zu wünschen, um sie retten zu können, war etwas, dessen Walther sich nicht für fähig gehalten hätte. Es verstörte ihn fast so sehr wie seine Stummheit in Wien, wie die Entdeckung, dass Stefan ihr Onkel war, oder die Erkenntnis, dass er bei allem Leugnen doch von Gefühlen für sie sprechen musste.

»Ich danke Euch«, sagte er so freundlich wie möglich zu dem Glückspilz Gilles, entschlossen, den beschämenden Wunsch in sich wiedergutzumachen. »Der armseligste Vogel ist der, welcher für sein Brot nicht singen kann, und es gibt nichts Schöneres, als seine Verse für liebenswerte Gastgeber zu schmieden.«

»Nun, um offen zu sein«, meldete sich Stefan etwas verlegen zu

Wort, »Ihr werdet ein Bett mit meinem Sohn teilen müssen, doch für Euer Ross dürfte Platz im Stall zu finden sein.«

Walther fand sich schließlich bei den Sprösslingen des Kaufmanns in der Stube des Wohnhauses wieder, wobei die Tochter scheu an der Seite ihrer Mutter blieb, während der Sohn unbedingt wissen wollte, ob er auch Geschichten über Drachen kannte. Es war nicht gerade das, worauf Walther sich vorbereitet hatte, doch er erzählte, was ihm von dem neuen Lied über die Nibelungen im Gedächtnis war, und von den älteren Versionen der Geschichte. Die gebannten Gesichter des Jungen und seiner Schwester bereiteten ihm Vergnügen. Als jedoch Judith, ihr Gatte und Stefan dazukamen, konnte Walther nicht widerstehen und begann eine neue Geschichte, von einer wunderbaren Pastete, die ein Koch für den Adler backte, von der aber nichts mehr übrig war, bis sie den König der Vögel erreichte, weil viele kleine Zaunkönige alles weggefressen hatten, im Glauben, es würde sie selbst zu Adlern machen.

»Mir hat die Geschichte von Siegfried besser gefallen«, maulte Stefans Sohn.

Walther legte die Hand aufs Herz. »Das geht vielen so, selbst mir.«

»Mir scheint, Ihr seid ein wenig ungerecht gegenüber den Zaunkönigen, Herr Walther«, sagte Judith, die auf einem Schemel neben dem neumodischen Kachelofen saß, mit dem ein reicher Kaufmann wie Stefan sein Haus ausstatten konnte. »Hat denn der König ein Recht auf die ganze Pastete? Ist sie in seinem Magen wirklich besser aufgehoben?« Sie lehnte sich ein Stück vor. »Ich frage mich manchmal, ob die Welt nicht besser dran wäre, wenn jeder Zaunkönig mit seinem Pastetenstück davonflöge und es gar keine Adler gäbe.«

»Ich auch«, erwiderte Walther ehrlich, »nur befürchte ich, dass es dann auch bald keine Pasteten mehr geben wird. Ein Land braucht einen König, der für alle da ist, für ihre Sorgen und Nöte, nicht nur für die Menschen in seinem Herzogtum.« Davon war er inzwischen überzeugt.

»Die Lösung scheint mir einfach«, warf Stefan ein, der es sich auf dem einzigen Lehnstuhl im Raum gemütlich gemacht hatte. »Schließlich mag der Adler der König der Vögel sein, doch der Löwe ist der König der Tiere, mit mehr als genug Kraft, um all die kleinen Gierhälse von der Pastete fernzuhalten. Kurzum, man brauchte ein Wesen, das Adler und Löwe in sich vereint … einen Leoparden etwa.«

Das war mehr als aufschlussreich. Walther spitzte die Ohren. Die Staufer hatten Löwen als Wappentiere, die Welfen Adler. Leoparden kannte er nur, weil einer davon zu den Gaben gehörte, die der alte Herzog von Österreich von den Engländern erhalten hatte, als er seinen Gefangenen freigab: König Richard, der die Leoparden als Wappentier führte. Die Zähringer hatten einen Greif, von dem hier überhaupt nicht die Rede war. Jemanden, der sowohl Adler als auch Löwen oder Leoparden im Wappen führte. Sollte es den geben?

»Solange man so ein Tier nicht von weit herholen muss«, sagte er vorsichtig, denn wenn ihn nicht alles trog, wollte der Kölner Kaufmann damit sagen, dass er Richard von England als nächsten deutschen König bevorzugte. Das war immerhin etwas, mit dem weder der Zähringer noch Philipp gerechnet hatten, und es erschien Walther als eine unsinnige Idee, auf die nur ein Rheinländer kommen konnte. Er wusste, dass die Kölner Richard nach seiner Freilassung einen triumphalen Empfang bereitet hatten, das hatte am Wiener Hof zu mancherlei Scherzen über rheinischen Wein und englisches Bier geführt. Aber wenn man hier der Ansicht war, dass ein Herrscher, der noch nicht einmal in der Landessprache redete, ein geeigneter deutscher König sein würde, dann hatten die Kölner tatsächlich den Verstand verloren. Allerdings hatte er heute niemanden einen derartigen Vorschlag in den Schenken machen hören. Vielleicht war es nur Stefan, der solcher Ansicht war?

»Und ich dachte, Ihr seid ein tapferer Ritter auf der Suche nach Abenteuern«, spottete sein Gastgeber. »Jetzt schreckt Euch schon ein wenig frischer Wind?«

Walther beschloss, auf Zeit zu spielen. Er hatte wissen wollen, was die mächtigen Kölner Kaufleute über die Königswahl dachten, da sie eng mit dem Erzbischof verbunden waren; laut Berthold von Zähringen waren ja sie es, an die sein Geld gehen würde, wenn der Erzbischof den geforderten Preis erhielt. Aber Stefan hatte bisher nichts gesagt, was auf Berthold hinwies, und schien geradeso versessen wie er selbst darauf, aus Walther eine Stellungnahme herauszulocken. Das war, gelinde gesagt, eine Überraschung, denn sosehr Walther an seinen wachsenden Ruf an ein paar Höfen glaubte, so gewiss war er sich auch, dass einem Kaufmann in Köln eigentlich gleich sein konnte, was ein Minnesänger über den nächsten Herrscher dachte. Um also Stefan etwas länger beobachten zu können – und sich an den Anblick Judiths mit ihrem Gemahl zu gewöhnen, der ihn immer noch wie ein Dorn im Schuh stach, jedes Mal, wenn er in ihre Richtung blickte –, erwiderte er: »Mich schreckt, dass ich nicht weiß, was ich mir wünschen soll.« Er spielte ein paar Noten auf seiner Laute, dann stimmte er eines der Lieder an, die er während seiner Reisen verfasst hatte. Er arbeitete noch daran, doch für einen Kaufmannshaushalt sollte diese erste Fassung genügen.

Ich saß auf einem Stein
Und schlug Bein über Bein,
Den Ellenbogen setzt' ich auf
Und schmiegte meine Hand darauf
Das Kinn und eine Wange.
Da dacht' ich bei mir bange,
Wie man in dieser Welt sollt' leben.
Und keinen Rat konnt' ich mir geben.
Untreue liegt im Hinterhalt
Und auf der Straße fährt Gewalt.
Denn Recht und Fried' sind tödlich wund.
Die zweie haben keinen Schutz …

»Das stimmt, bei Gott«, sagte Gilles und klatschte Beifall. Als niemand mit einstimmte, fragte er verlegen: »Oh, war das Lied noch nicht fertig?«

»Wenn es Euch gefällt«, erwiderte Walther höflich und war erleichtert, endlich einen Grund zu haben, um Gilles zu grollen.

»Das tut es«, sagte Gilles eifrig. »Um ganz ehrlich zu sein, mit den Liedern der Troubadoure habe ich nie viel anfangen können. Aber wie man in der Welt leben soll, das geht alle etwas an. Ihr würdet nicht glauben, wie oft ich kürzlich auf dem Weg von Italien mein Leben habe verteidigen müssen und wie viele Reisende ich erschlagen am Straßenrand gefunden habe, auf Bauernhöfen, selbst in Städten. Die wenigsten dieser Toten waren unter die Räuber gefallen.«

Walther war der Letzte, der nicht zugab, dass ein Sänger Lob für sich selbst als Erstes hörte, doch er dachte kaum *zum Teufel, hör auf, schon wieder liebenswert zu sein,* als ihn das wachrüttelte, was an Gilles' kleiner Lobrede noch wichtiger war.

»Aus Italien kommt Ihr? Um diese Jahreszeit?«

»Nein, das war im Oktober«, entgegnete Gilles, und in Stefans Stirn grub sich eine tiefe Falte.

»Ihr habt uns noch nicht verraten, woher *Euch* denn der Wind hierhergetrieben hat«, sagte Judith. Ihre Stimme hatte die gemessene Zurückhaltung verloren und war ein wenig stichelnd geworden. Er hätte sich darüber gefreut, wenn es nicht geschehen wäre, um ihn von der Enthüllung abzulenken, die ihr Gemahl gerade unabsichtlich gemacht hatte. »Ich wähnte Euch längst wieder in Wien.«

»Nun, Herzog Friedrich ist nicht dort, und …«

»… Ihr hattet keinen Wunsch, an seiner Seite zur höheren Ehre Gottes zu streiten?« Diesmal war die Schärfe eindeutig für ihn bestimmt. Walther konnte nicht widerstehen: Er schlug zurück.

»Nein, nicht mehr, als Ihr offenbar den Wunsch hattet, an der Seite der Herzogin Irene zu bleiben. Sie erwartet ein Kind, wisst Ihr? Es muss ein einsames Leben sein, in einer Burg voller Fremder und ohne Ärztin auf seine Niederkunft zu warten …«

»Dann kommt Ihr also aus Hagenau«, stellte Judith fest.

Walther schloss seine Augen. Natürlich konnte er jetzt behaupten, von Irenes Schwangerschaft nur durch Gerüchte erfahren zu haben, doch eigentlich hatte er keine Lust dazu. Er war gerade nach allen Regeln der Kunst von ihr ausgehorcht worden, und selbst als ein Meister dieser Kunst fand er, dass man Tribut zollen sollte, wo es sich gebührte. Auch, wenn er immer noch nicht sicher war, ob das, was er empfand, Bewunderung oder Groll war, Zorn, verletzte Eitelkeit oder doch eine unsinnige Verliebtheit.

»Ja«, sagte er, als er seine Augen wieder öffnete.

»Nun, als ein Lehnsmann Herzog Friedrichs seid Ihr natürlich dem staufischen Haus verbunden«, bemerkte Stefan, dessen Stirn sich wieder geglättet hatte. Walther entschloss sich zu einem kleinen Glücksspiel.

»Um ein Lehnsmann zu sein, brauchte ich ein Lehen«, entgegnete er trocken. »Das habe ich nicht. Solche Güterlosigkeit verleiht einem eine gewisse Freiheit, um zu reisen und die Welt kennenzulernen.«

Stefan hüstelte. »In der Tat?«

»Mein Onkel«, sagte Judith, und zu Walthers Überraschung hatte sich die Schärfe in ihrer Stimme keineswegs verloren, als sie von Stefan sprach, »kann sich das gewiss nicht vorstellen, denn er reist nur, um Güter zu gewinnen, und ist darin ausgesprochen erfolgreich.«

Zum ersten Mal an diesem Abend mischte sich Stefans Gemahlin Martha in das Gespräch. »Nur zum Nutzen seiner Familie«, sagte sie; auch ihrer Stimme fehlte es nicht an Bissigkeit. »Ein armer Mann kann sonst nicht alle möglichen Kostgänger speisen, nicht wahr?«

Walther war nicht sicher, ob das gegen Judith oder ihn gerichtet war. Sogar Gilles machte eine Miene, als fühle er sich betroffen. Es war eine Lage, die man ausnutzen oder entspannen musste. Oder vielleicht beides.

»Wir reisen alle, um etwas zu gewinnen, ob nun Zuhörer, neues Wissen oder Güter«, sagte er begütigend und mit einer Geste, die Judith und Stefan einschloss. »Und es ist ein wahrhaft glücklicher Reisender, der dann mehrere Gewinne für sich vereinnahmen kann.«

»Der Vater kommt aber nie mit guten Geschichten wieder«, beschwerte sich Stefans Sohn. »Er redet immer nur mit Leuten, und einem Drachentöter ist er auch noch nicht begegnet.«

»Dein Vater hat versprochen, dich dem nächsten König vorzustellen, wenn er in Köln eintrifft. Das ist ein großer Held«, erinnerte seine Mutter ihn tadelnd. »Sei nicht undankbar.«

Man hätte eine Nadel auf den Boden fallen hören.

»Ich glaube, es wird Zeit für Euer nächstes Lied, Herr Walther«, sagte Stefan.

Der Rest des Abends verging mit Wintergesängen der harmlosen Art. Gilles war weiterhin geradezu unanständig freundschaftserweckend und ein dankbarer Zuhörer, der an den richtigen Stellen lachte und sich ein paar Verse wiederholen ließ, wenn ihm die deutschen Worte fehlten, weil er auf gar keinen Fall etwas falsch verstehen wollte. Niemand spielte mehr auf irgendwelche Reisen an, doch als die Zeit kam, sich für die Nacht zurückzuziehen, zog Stefan Walther beiseite und fragte offen, ob man in Hagenau vom kleinen Friedrich oder von Philipp als dem nächsten König spreche.

»Nun, von einem großen Helden ist gewiss nicht die Rede«, sagte Walther. »Ich muss sagen, Meister Stefan, Ihr überrascht mich. Ich habe gehört, dass der König von England einer der ersten Streiter unserer Zeit sein soll, und ich weiß selbst, dass er seine Worte zu setzen versteht, aber vor allem anderen scheint er gut darin zu sein, die Gelder eines Landes für seine Kriege zu nutzen. Also hätte ich nicht erwartet, dass sich ausgerechnet ein Kaufmann ihn zum Herrscher wünscht.«

»Auch Ihr überrascht mich, Herr Walther. Ich hätte nicht geglaubt, dass ausgerechnet ein Sänger seine Fabeltiere nicht der richtigen Geschichte zuordnen kann«, entgegnete Stefan und ließ ihn gehen, nicht ohne zu verkünden, es sei wohl besser, wenn Herr Walther in einem anderen Raum untergebracht würde als dort, wo ein wissenshungriger Knabe des Schlafes bedürfe. Er schlug die Seitenkammer vor, in der Judith ihre Instrumente, Salben und Kräutertränke verstaut hatte und Patienten behandelte. Judith erklärte, in diesem Fall ihre Sachen schnell selbst beiseiteräumen zu wollen, da sie niemandem zutraute, im Halbdunkel nichts umzuschütten oder gar zu zerbrechen. Sie nahm einen der Leuchter in die Hand, die mit echten Kerzen bestückt waren, keinen Talglichtern, was den Wohlstand von Stefans Haus verriet. Walther folgte ihr, halb in der Erwartung, dass Gilles oder sonst ein Haushaltsmitglied es auch tun würde, doch er fand sich allein mit Judith in der engen Seitenkammer wieder.

Es lag ihm so viel auf der Zunge, doch er blieb sprachlos. Er wollte eine spöttische Bemerkung darüber machen, wie schnell sie sich verheiratet hatte und dass sie in Nürnberg vor ihm davongelaufen sei. Eine entschuldigende Bemerkung, weil er sie geküsst hatte. Eine reuige Bemerkung, weil er sie nicht genug geküsst hatte. Eine beifällige Bemerkung, weil sie glücklich zu sein schien. Eine bewundernde Bemerkung darüber, dass sie ihm Hagenau entlockt hatte. Am Ende sagte er nichts dergleichen. Er beobachtete ihre langen, schmalen Finger dabei, wie sie Schalen wegräumte, die vor einer Truhe aufgereiht standen und Salben enthielten, und sagte: »Es ist nicht der König von England, den Euer Onkel und seine Freunde auf dem Thron sehen wollen, nicht wahr? Es muss einer seiner Neffen sein. Adler *und* Löwe, ein Leopard *und* ein Vogel. Einer der Welfen.«

»Ihr hättet Euch das etwas schneller zurechtreimen können«, erwiderte sie, ohne es zu verneinen. »Er hat Euch genügend Hinweise gegeben.«

»Aber er hat mir keinen Hinweis darauf gegeben, warum Euch der Gedanke so zuwider ist«, sagte Walther leise.

Sie hielt inne und schaute zu ihm. Ihre braunen Augen waren im flackernden Schein des Leuchters sehr dunkel. »Seid Ihr dem Grafen von Poitou begegnet, als er Geisel am Wiener Hof war?«

Das war er, und er hatte sich dabei gedacht, dass ein Leben als adelige Geisel kein schlechtes war: Der einzige Unterschied zu einem Dasein als geehrter Gast schien zu sein, dass bei einer Geisel stets ein Wächter blieb. Doch Graf Otto hatte an den meisten Gastmählern im Palas teilgenommen; die Mitglieder des Hofstaats hatten ihm die Ehrerbietung entgegenzubringen, die dem Neffen eines Königs gebührte. Sonst war Walther von Otto nicht viel in Erinnerung geblieben. Dafür fiel ihm wieder ein, dass Judith etwas über ihn gesagt hatte, zu der Herzogin Helena, etwas ganz und gar nicht Freundliches. Aber Stefan hatte sie und ihren Vater nicht nach Klosterneuburg begleitet, und Judiths bittere Bemerkung über Stefans gütergewinnende Reisen hatte auch nicht danach geklungen, als beziehe sie sich auf etwas, das schon Jahre zurücklag. Allmählich setzten sich für ihn die Teile zu einem Ganzen zusammen.

»Seid Ihr dem Grafen Otto erst kürzlich wieder begegnet?«, fragte er, und sie nickte, ohne etwas zu erwidern. Was auch immer sie dazu gebracht hatte, Otto zu verabscheuen, musste ihr so unangenehm sein, dass sie keine Worte an ihn verschwenden wollte. Walters immer rege Vorstellungskraft beschwor sofort Möglichkeiten hervor, die ihm abwechselnd die Kehle zuschnürten und den Wunsch gaben, Otto an einen der Drachen zu verfüttern, die er bisher nur in Liedern gefunden hatte. Doch Judith offen zu fragen, hätte am Ende alles noch schlimmer gemacht. Also tat er, was er so häufig tat: Er kleidete das, was er fühlte, in einen Scherz, der Wahrheit war.

»Nun, eigentlich könnt Ihr Eurem Onkel raten, sein Geld zu sparen, denn Otto wird ganz bestimmt nicht König, und Ihr wisst ja, was mit Menschen geschieht, die in die Höhe springen, ohne darauf geachtet zu haben, ob es da auch etwas zum Festhalten gibt – sie landen mit dem Gesicht im Dreck.«

Ihre Lippen kräuselten sich. »Was macht Euch da so sicher, Herr Prophet?« Sie klang weniger spöttisch als aufrichtig neugierig.

»Prophezeiungen haben ihren Preis«, gab Walther zurück. »Ihr wisst ja, dass ich ein Geschichtensammler bin. Wenn ich Euch verrate, warum ich der Landung im Dreck von Herrn Otto so gewiss bin, höre ich dann von Euch, was genau Euer Onkel sich von der Krönung eines Welfen verspricht?«

Er fragte nicht nur, weil er es wirklich wissen wollte, sondern auch, weil er das Gefühl hatte, dass ihr eine Herausforderung lieber war als ein plumper Versuch, sie wegen etwas zu trösten, von dem er noch nicht einmal wusste, ob es sich überhaupt ereignet hatte. Judith war ihm immer wie eine Bogensehne erschienen, die sich verbog, gewiss, aber nur, um einen Pfeil abzuschicken und sich danach umso sicherer wieder zu straffen.

»Ich weiß nicht, ob dieser Austausch ein gerechter wäre«, sagte Judith, und die Kerzenflammen tanzten in ihren Augen. »Schließlich kann ich mir Euren Grund schon denken. Ihr vertraut darauf, dass die Staufer sich durchsetzen.«

»Das ist nicht der einzige Grund«, gab Walther zurück und fügte nichts weiter hinzu. Auch er konnte Schweigen wirkungsvoll einsetzen.

»Gut«, murmelte sie endlich.

»Gut was?«

»Gut, ich werde Euch sagen, was mein Onkel sich von einer Welfenherrschaft verspricht, wenn Ihr mir den zweiten Grund verratet, warum Ihr sicher seid, dass es nicht dazu kommt.«

»Woher wollt Ihr wissen, dass ich nicht lüge?«

»Ich bin Ärztin«, sagte Judith, »habt Ihr das vergessen? Lügen ist schwieriger, als Ihr glaubt, wenn man jemanden anlügt, der weiß, wie man den menschlichen Körper liest. Könnt Ihr mir helfen, diese Truhe weiter nach hinten zu schieben?«

Walther griff an einem Ende zu, Judith am anderen. Gemeinsam schoben sie ein Ungetüm, das groß und schwer genug war, um eine Leiche zu beherbergen, ein Stück weiter.

»Es würde mir nicht einfallen, an Euch als Ärztin zu zweifeln, aber wenn Ihr nicht Wege gefunden habt, das Augenlicht des Menschen dem der Eule gleichzumachen, dann ist es jetzt in diesem Raum zu dunkel, um Einzelheiten zu erkennen.«

»Gut, ich gebe mich geschlagen. Ich weiß so wenig, ob Ihr lügt oder die Wahrheit sprecht, wie Ihr wissen könnt, wie es sich bei mir verhält.«

»Ich habe Euch vermisst«, sagte er, ehe er sich bewusst war, dass er die Worte laut aussprach, und danach war es zu spät, um sie zurückzunehmen. Er hörte sie Luft holen, den Atem anhalten und wieder ausstoßen. Die riesige Truhe stand zwischen ihnen. Das war ein Glück; es hinderte ihn daran, sich noch einmal zum Narren zu machen.

»Die Stadt Köln wird keinen Zoll zahlen müssen für ihren

Handel mit jedem Ort, der König Richard als Herrn hat«, sagte Judith abrupt, und er nahm den Rückzug in den Austausch von Geheimnissen, die wahr oder falsch sein mochten, mit einem Gemisch aus Erleichterung und Enttäuschung an.

»Euer Erzbischof hat bereits seinen eigenen König ausgemacht, und es ist kein Welfe. Er will den Zähringer, da er sich ein hübsches Sümmchen davon verspricht – sich persönlich, nicht für die Stadt Köln. Also kann ich mir nicht vorstellen, dass er auf Euren Onkel und seine Freunde hört.«

Judith neigte den Kopf, was er gerade noch ausmachen konnte, wandte sich zur Tür und sagte: »Das Kissen und den Strohsack, die ich manchmal für meine Patienten brauche, findet Ihr dort hinten.« Sie stand bereits an der Schwelle, als sie leise hinzufügte, ohne sich umzudrehen: »Gott helfe mir, aber ich habe Euch auch vermisst.«

※ ※ ※

»Dein Onkel«, sagte Gilles zu Judith, als sie im Dunkeln nebeneinanderlagen, »glaubt, du würdest den Erzbischof darum bitten, unsere Ehe für ungültig zu erklären. Er wollte, dass ich dir meine Liebe erkläre und dich überzeuge, es nicht zu tun.«

»Hat er einen Grund genannt?«

»Seine Gemahlin Martha befürchtet, dass du ihn verleitetest, rückfällig im Glauben zu werden. Sie hat Angst um sein Leben und das ihrer Familie. Seit auch du mit einem Christen verheiratet bist, schläft sie wieder ruhiger.«

Das, dachte Judith, *mag tatsächlich* einer *der Gründe sein.* Doch inzwischen kannte sie ihren Onkel und wusste, dass es niemals der einzige war. Vielleicht war das nur gerecht: Auch sie hatte mehr als einen Grund für das, was sie tun würde.

»Mein Onkel«, erklärte Judith, »wird uns Geld leihen, damit wir das Haus meines Vaters zurückkaufen und dort leben können.«

»Uns?«, fragte Gilles verblüfft. »Dann … dann willst du meine Gemahlin bleiben?«

Sie rückte ein wenig näher an ihn heran und legte ihren Kopf an seine Schulter. Sie hatte erst geglaubt, die Nähe eines ihr fremden Mannes nicht ertragen zu können, doch inzwischen war sie dankbar, einen Menschen zu haben, der ihr durch seine Hand, seine Schulter, durch sein einfaches Dasein Sicherheit gab, ohne in ihr Ängste zu wecken, dass mehr erwartet wurde.

»Ja«, sagte sie ernst. »Solange ich unverheiratet war, gab es immer Menschen, die mich verheiraten wollten oder sich fragten, was mit mir nicht stimme. Und du – du wirst niemals heiraten können, wie du liebst, und du hast in Angst gelebt, das hast du mir selbst erzählt. Gemeinsam können wir freier leben, als es uns allein sonst möglich sein wird.«

Sie spürte, wie seine Hand über ihr Haar strich. »Ich glaube, du willst nicht mehr unter dem Dach deines Onkels leben, weil er Graf Otto als König will«, flüsterte Gilles. Obwohl das eine Vereinfachung war, traf er mit seiner Vermutung zumindest an den Rand des Schwarzen.

»Es ist nicht nur Otto. Stefans Ziele sind nicht meine Ziele, und wenn ich weiter bei ihm lebe, dann wird er mich auch weiter benutzen, um sie zu verfolgen. Das ist nun einmal seine Art.«

Vielleicht war es auch ihre Art? Versuchte sie nicht gerade, Gilles für das zu benutzen, was sie für sich unbedingt wollte? Aber sie log nicht und gab nichts vor, was nicht stimmte. Manchmal träumte sie davon, wie Stefan sie in seiner ruhigen, vernünftigen Weise überzeugte, es sei für alle das Beste, wenn sie Philipp von Hohenstaufen vergiftete. Manchmal träumte sie davon, wie sie sich selbst davon überzeugte, es sei für alle das Beste, wenn sie Otto vergiftete, sollte er tatsächlich nach Köln kommen, gewählt werden und sich krönen lassen, und wachte schweißgebadet auf. Manchmal träumte sie auch davon, dass sie einem Mann hinterherlief, obwohl sie wusste, dass er zumindest eine Teilschuld am Tod ihrer Verwandten trug, doch dann wachte sie nicht auf, sondern schlief bis in den Morgen.

Nein, es war das Beste, mit Gilles verheiratet zu sein, der nie mehr als Freundschaft von ihr fordern würde und der sie davor bewahrte, ihr Leben ständig von Wohlmeinenden und nicht so Wohlmeinenden verplant zu finden.

»Glaubst du wirklich, dass er dir das Geld geben wird?«, fragte Gilles skeptisch.

»Ich habe etwas, das er wissen möchte.«

KAPITEL 19

Adolf von Altena war nie ein Mann gewesen, dem man vorwerfen konnte, abenteuerlich oder unbedacht zu handeln. Sein ganzes Leben hatte sich auf einer höchst vorhersehbaren Laufbahn ereignet, und er war froh darum. Als zweiter Sohn des Grafen von Berg-Altena war er von jeher für die Geistlichkeit bestimmt gewesen und dafür, der Familie den Bischofssitz zu erhalten, denn sein Onkel Bruno war bereits Erzbischof von Köln gewesen. Sorgsam achtete Adolf darauf, sich nicht leichtfertig wie gewisse Sprösslinge der Staufer zu einem Bischof machen zu lassen, ohne vorher Erfahrung in anderen Ämtern gesammelt zu haben. Er begann als Domherr, wurde danach Domdechant und schließlich Dompropst, so dass er das Erzbistum guten Gewissens übernehmen konnte, als sein Onkel Bruno aus Altersgründen abdankte. Ja, Gott hatte sich ihm gnädig gezeigt, doch Adolf fand, er konnte behaupten, sich dieser Gnade auch immer würdig erwiesen zu haben.

Als Heinrich von Hohenstaufen endlich Vater eines Sohnes wurde und sofort Anstalten machte, das Heilige Römische Reich in ein Erbreich umzuwandeln, da tat Adolf nur, was sein Gewissen ihm befahl. Es sagte ihm klar und deutlich, dass er desgleichen nicht zulassen sollte. Könige mochten im restlichen Europa ihre Söhne auf den Thron setzen, aber deutsche Könige wurden gewählt, von Fürsten, denen dieses Recht sehr wichtig war. Wenn man es ihnen nahm, was würde dann als Nächstes folgen? Ein herrliches, blühendes Erzbistum wie Köln würde nicht bedeutender sein als andere, wenn sein Erzbischof nur einer von mehreren Erzbischöfen im Reich war, statt derjenige, dessen Recht es war, deutsche Könige zu krönen, die dadurch zu Kaisern wurden und zu Beschützern der heiligen Kirche. Nein, solche Pläne durfte Adolf als guter Christ nicht zulassen, nachdem die Staufer bewiesen hatten, dass sie nicht Diener, sondern Herren der Stellvertreter Christi sein wollten.

Seine Kaufleute, die Adolf beträchtliche Summen für seine Repräsentationspflichten borgten – denn gehörte es nicht zu seinen Pflichten, dem Bischofssitz Glanz zu verleihen? –, waren der gleichen Ansicht. Auch sie hatten die Nachricht von Heinrichs später Vaterschaft mit großem Bedauern gehört und Adolf ihre Bewunderung für seine felsenfeste Stellung gegen die Zumutung, ein Kind zum König zu krönen, ausgesprochen. Sie hatten ihn auch in Verbindung mit einem Amtsbruder gebracht, den er eigentlich nicht so sehr schätzte. Alles an Wolfger von Erla, dem Bischof von Passau, war Adolf verdächtig. Angefangen damit, dass der Mann jahrelang als weltlicher Ritter lebte, verheiratet war und Kinder in die Welt setzte, statt die geistliche Laufbahn wie Adolf als Kind zu beginnen. Außerdem liebäugelte Wolfger schamlos mit dem Patriarchenstuhl von Aquileja, ein Amt, das ihn innerhalb der Kirche über jeden Erzbischof erheben würde. Und er war kein Mann klarer Worte, kein Mann eindeutiger Freundschaften wie Feindschaften. Wolfger gelang es, sowohl vom Kaiser als auch vom Papst geschätzt zu werden, und selbst sein Streit mit den Herzögen von Österreich um den Status von Wien änderte nichts daran, dass er stetig von beiden empfangen wurde.

Kurzum, man konnte Wolfger eine Menge vorwerfen, doch eines nicht: Er war kein Narr. Es musste ihm so klar wie Adolf sein, dass ein mächtigerer Kaiser und eine Erbmonarchie immer einflusslosere Fürsten bedeuten würde, weltliche *und* geistliche Fürsten; ganz zu schweigen davon, dass ein übermächtiger Kaiser wie einst Barbarossa versuchen würde, selbst die Papstwahl zu diktieren, und der Heilige Vater wiederum war der Stellvertreter Christi, dem alle Bischöfe gehorchen mussten. Daher war Adolf geneigt, den Ratschlag, den ihm Wolfger erteilte, nicht mit einem verächtlichen Schnauben abzulehnen. Im Gegenteil, er dachte darüber nach und sagte sich, dass es wohl wirklich besser war, sich geschmeidig zu geben und Krankheit vorzuschützen, statt den Kaiser vor den Kopf zu stoßen. Wolfger war es auch, der ihm die unschätzbare Nachricht zukommen ließ, dass der kleine Sohn des Kaisers noch nicht getauft war, was kirchenrechtlich ein Juwel für seine Argumente bedeutete.

Zweifellos hatte Wolfger seine eigenen Gründe. Adolf hielt sich für einen gutmütigen Mann, doch er war nicht so gutmütig, davon auszugehen, dass Wolfger allein von Sorge um die Kirche getrieben wurde. O nein, Wolfger träumte bestimmt davon, dass sein Schützling Philipp von Schwaben seinem Bruder nachfolgte. Ganz gewiss wollte er nicht mit der Kaiserin Konstanze um die Regentschaft für den kleinen Friedrich streiten. Jedermann wusste, was sie für eine unweibliche, harte Frau war, die sich sogar gegen ihren Ehemann erhoben hatte. Was würde sie erst Männern der Kirche antun, sollte sie die Macht dazu haben?

Adolf hatte nichts dagegen, sich von Wolfger als Waffe gebrauchen zu lassen, solange seine eigenen Wünsche auch bedient wurden. Ihm war aber klar, dass es damit aus und vorbei sein musste, wenn Kaiser Heinrich das tat, worum so viele Menschen den Allmächtigen anflehten, und er das Zeitliche segnete: Dann hatte sich zu zeigen, wer der Klügere war und wen Gott als bedeutendsten Bischof des Reiches sehen wollte. Wer das war, daran hegte Adolf nicht die geringsten Zweifel, also begann er, seine Pläne für den Fall der Fälle zu schmieden.

Am Ende verlief alles noch besser, als Adolf je gehofft hatte. Der Kaiser starb im Feldlager in Sizilien, während der übereifrige Wolfger bereits im Heiligen Land war, was bedeutete, dass der deutsche Klerus allein auf den Bischof von Köln schauen würde. Philipp von Schwaben saß in irgendeinem italienischen Nest fest, doch Adolfs Wunschkandidat war in der Nähe. Eigentlich musste er nur noch warten, bis genügend Fürsten für eine angemessene Wahl in Köln eingetroffen waren, damit er im Anschluss seinen neuen König krönen konnte.

Leider schien sich sein Glück zu wenden, als Berthold von

Zähringen ihm eine gedrechselte Antwort sandte, die kein Ja und kein Nein war, statt sofort mit der Übergabe von Silbersäcken zu beginnen. Es war nicht zu fassen, dass der Mann so kleinlich war, um den Preis einer Königskrone feilschen zu wollen, denn welchen Grund konnte sein Zögern sonst haben? Ein Rivale würde ihm möglicherweise auf die Sprünge helfen. Also streckte Adolf vorsichtig Fühler in Richtung des Herzogs von Sachsen aus, der zu Weihnachten aus dem Heiligen Land zurückgekehrt war – und zu seiner Überraschung mitteilen ließ, er könne sich die Krone schlicht und einfach nicht leisten. Wahrlich, der Geiz der weltlichen Fürsten und ihr Mangel an Einsatz für das Wohl des Reiches waren betrüblich! Was stellten sich diese Tröpfe denn vor? Er brauchte das Geld doch nicht für sich, sondern für die Ehre Gottes. Es ging um den neuen Dom, der natürlich prächtiger sein sollte, als die in Worms oder Mainz es werden konnten.

Adolf sinnierte einmal mehr traurig darüber, als sich Gerhard Unmaze, der Münzmeister Constantin sowie die Kaufleute Lambert und Stefan bei ihm anmelden ließen. Nach gegenseitigen höflichen Grüßen und Geplaudere eröffneten sie ihm, ohne zu erröten, dass König Richard in seiner Eigenschaft als eingeschworener Vasall des Reiches durch eine Gesandtschaft bei der Wahl repräsentiert zu sein wünsche und dass er seinen Neffen Otto von Poitou als König vorschlage.

»Auch wir halten Graf Otto für den geeignetsten deutschen König, Euer Gnaden«, fügte der Münzmeister an.

Das war eine Unverschämtheit sondergleichen. Adolf argwöhnte, dass der permanent mit seinen Kriegen gegen den französischen König beschäftigte Richard von sich aus nie und nimmer auf die Idee gekommen wäre, sich bei der deutschen Wahl zu beteiligen, geschweige denn, einen Kandidaten vorzuschlagen. Das konnte nichts anderes bedeuten, als dass seine Pfeffersäcke, in deren Adern kein Tropfen adliges Blut floss und von denen zwei noch dazu getaufte Juden waren, es auf sich genommen hatten, sich in die Geschicke des Heiligen Römischen Reiches einzumischen. Gut, er hatte in der Vergangenheit ein, zwei Mal auf ihre Ratschläge gehört. Sie streckten ihm gelegentlich Geld vor, dessen ein Erzbischof von Köln, der seinem Stand keine Schande machen wollte, einfach bedurfte. Aber das hieß nicht, dass sie sich anmaßen sollten, sich in eine solch wichtige Angelegenheit einzumischen. König Richard musste annehmen, dass die Einladung zur Wahl von Adolf gekommen war. Wenn sein Neffe nicht König wurde, würde er es am Ende Adolf anlasten, und viel vom Kölner Handel hing von Richards Reich ab. Ganz zu schweigen davon, dass Berthold von Zähringen sich vielleicht von einem Rivalen wie dem Herzog von Sachsen doch befleißigt gefühlt hätte, nun schneller mit dem Silber herauszurücken – ein Rivale mit der Unterstützung des Königs von England, dessen Armee nicht allzu weit von Bertholds burgundischen Besitzungen entfernt stand, würde ihn bestimmt nicht motivieren.

Adolf holte tief Luft, um seine Empörung angemessen kundzutun, doch ehe er dazu kam, fügte der Kaufmann Stefan hinzu: »Graf Otto mag nicht das Vermögen des Herzogs von Zähringen besitzen, doch das größte Reich nach dem unseren steht hinter ihm. Überdies hat er alles zu gewinnen und nichts zu verlieren, wenn er sich um die Krone bemüht. Er wird denjenigen dankbar sein, die ihm helfen. Verzeiht, Euer Gnaden, doch wir bezweifeln, dass dies auch für den Herzog von Zähringen gilt.«

Zu leugnen, dass der Herzog von Zähringen sein Wunschkönig war, wäre unter Adolfs Würde, und so schluckte er zähneknirschend einen Fluch hinunter, zumal er ihn hätte beichten müssen. Außerdem fand er es beunruhigend, dass die Kaufleute von seinen Verhandlungen mit Berthold wussten; wer hatte das ausgeplaudert? Und wie konnten die Menschen, die er als seine Werkzeuge betrachtete, welche der Allmächtige ihm in seiner unendlichen Güte zur Verfügung gestellt hatte, sich für befugt halten, ihn zu manipulieren? Das erzürnte ihn, doch schlimmer, es verstörte ihn auch, denn er war sich bewusst, dass er die Kaufleute nicht hinauswerfen konnte. Er war bei ihnen allen verschuldet, und das Geld des Herzogs von Zähringen war noch nicht in seiner Hand. Wären sie Juden gewesen, hätte Adolf seine Schulden für ungültig erklären können, doch sie waren allesamt Christen, also war ihm dieser Weg versperrt.

»Graf Otto steht es natürlich frei, sich um die Krone zu bewerben, und gerne höre ich die Empfehlungen König Richards«, sagte er mit einem freudlosen Lächeln. »Doch wen die Fürsten wählen, liegt nur in Gottes Hand. Wie sollte ich da irgendwelche Versprechungen abgeben können?«

»Euer Gnaden sind zu Recht der angesehenste Bischof im Reich«, sagte Gerhard Unmaze, »und man wird auf Euch hören. Dürfen wir davon ausgehen, dass Ihr zur Wahl Graf Ottos raten und Eure eigene Stimme zu seinen Gunsten abgeben werdet?«

Wie es schien, blieb Adolf nichts anderes übrig, als deutlicher zu werden. »Nein«, sagte er ungnädig. »Gern werde ich ihn in meinem eigenen bescheidenen Haus unterbringen, sollte er selbst nach Köln kommen, denn schließlich handelt es sich um einen vaterlosen jungen Mann. Aber Herzog Berthold scheint mir bei weitem der erfahrenere Fürst. Er wird uns nicht in Kriege mit den Franzosen stürzen oder erwarten, dass wir Geld für König Richards Feldzüge aufbringen. Ist Euch überhaupt bewusst, dass das Bistum Köln heute bis zur Weser reicht, wo vorher welfisches Land war? Wie schnell wird Otto das wieder fordern, wenn er erst König ist?«

Das waren höchst vernünftige Einwände, auf die er stolz sein konnte, obwohl es bereits demütigend war, sie überhaupt machen zu müssen. Eigentlich sollte es genügen, zu sagen, er wünsche nicht, Graf Otto zu unterstützen, und damit Punktum.

»Euer Gnaden«, sagte der Münzmeister Constantin, »Graf Otto ist bereit, selbst hier zu erscheinen und den Verzicht auf das Herzogtum zu bestätigen, auch auf die Gefahr hin, durch einen Verlust der Wahl gedemütigt zu werden. Er will dafür alles geben. Könnt Ihr das von Herzog Berthold behaupten? Wie Ihr richtig bemerkt, ist er kein Jüngling mehr. Wenn er wirklich König werden wollte, wäre er nicht schon längst bei Euch oder hätte zumindest feste … Versicherungen in Eure Hände gegeben? Kann man einem Mann trauen, der Euch hinhält und den Thron Karls des Großen wie einen Kuhhandel angeht?«

Leider sprach er Dinge aus, die Adolf selbst beunruhigten. Zum ersten Mal tauchte in Adolf der unglaubliche Verdacht auf, dass

Berthold von Zähringen ihn nicht nur in der Absicht hinhielt, weniger Geld zahlen zu müssen, sondern vielleicht überhaupt nicht bereit war, König zu werden. Gleich darauf verscheuchte er den Gedanken wieder. Wer wollte nicht König werden? Nun, bis auf den geizigen Herzog von Sachsen vielleicht.

»Ein Vorschlag zur Güte«, sagte Stefan, »um Euer Gnaden vor unlauteren Machenschaften zu schützen. Ihr solltet von Herzog Berthold verlangen, Euch Geiseln zu stellen, um für sich zu bürgen. Für sein Kommen und für seine Dankbarkeit gegenüber Euer Gnaden. Wenn er das tut, beweist er, dass er die Krone so sehr wünscht wie Graf Otto. Aber erst dann!«

»Auch, wenn er Euer Gnaden nie im gleichen Maß dankbar sein wird«, fügte Lambert hinzu. »Leider sind Herren, die schon vom Glück verwöhnt wurden, oft geneigt, Hilfe für selbstverständlich zu nehmen. Wohingegen der tapfere Otto, Sohn des so grausam verbannten Heinrich des Löwen, aufgewachsen in der herzlosen Fremde, geradezu nach dem väterlichen Rat eines Mannes wie Euer Gnaden lechzt und bereits versprochen hat, das Erzbistum Köln zum Juwel seines Reiches zu machen.«

»Ganz wie sein Onkel, der vornehmste Ritter der Christenheit, zutiefst beeindruckt vom Edelmut Euer Gnaden nach seiner Freilassung aus den Klauen des Österreichers und des Staufers war, als Ihr ihn hier in Köln so großmütig willkommen hießt«, sagte Gerhard Unmaze. »Die Stadt Köln ist ihm so unvergessen, dass er uns den Zoll für sein gesamtes Reich erlässt … falls Graf Otto unser König wird.«

Zum ersten Mal begann etwas in Adolf zu schwanken. Bisher hatte er keinen Vorteil in Otto gesehen, nur die Gefahr, das ganze Westfalen wieder abgeben zu müssen, aber Gott ging in der Tat manchmal unerforschliche Wege. Derartige Zollprivilegien waren nicht zu verachten; auch er würde durch die Steuern und Einfuhrzölle davon Gewinn ziehen. Außerdem würde sich ein junger Niemand in der Tat viel eher seiner Führung anvertrauen als jener viel zu selbstsichere Zähringer mit seinen ausweichenden Antworten.

Andererseits würde Ottos Dankbarkeit nicht sofort die klare

und klingende Form annehmen, die Adolf brauchte, um seine Schulden zu begleichen und danach die Kaufleute wieder auf ihren Platz zu verweisen.

Geiseln waren keine schlechte Idee. Ja, er würde Geiseln verlangen. Und dann würde sich zeigen, ob er weiter auf Berthold bauen konnte oder einen anderen als König in Erwägung ziehen musste.

* * *

»Der Zähringer ist ein gerissener Hund«, sagte Heinz von Kalden, als er mit Philipp alleine war. »Zuerst hatte er die Stirn, für seine Hilfe das Herzogtum Schwaben zu verlangen, aber das war natürlich nur deshalb, damit ich ihn herunterhandeln konnte auf das, was er wirklich wollte, und das hört sich immer noch gewaschen an: Er will nicht nur die Vogtei über Schaffhausen als Lehen, sondern auch das Recht, die Burg Breisach zu zerstören. Anscheinend hat Euer verstorbener Bruder dort nicht nur Frauen geschändet.«

Philipp zog eine Grimasse, doch er bemerkte nichts weiter dazu. »Und?«, hakte er nach.

»Elftausend Silbermark.«

»Elftausend?«

»Ganz recht. So hoch schätzt er sein Versprechen ein, sich nicht um die Krone zu bewerben und sich für Euch als König zu erklären. Was uns natürlich auch all seine Lehnsleute und Bündnispflichtigen zuführt. Aber elftausend sind eine Menge Geld. Von dem englischen Silber ist kaum mehr etwas da, nicht nach dem letzten Kreuzzug.«

»Grundgütiger«, sagte Philipp, halb entsetzt, halb belustigt. Allmählich wurde er sich bewusst, welchen Unterschied der Tod seines Bruders machte. Um die Fürsten für die Wahl seines Neffen zu gewinnen, hatte er auch ein paar Vorteile versprechen müssen und mehr erbliche Lehen in Aussicht gestellt, aber so schamlose Forderungen waren nie erhoben worden. Hätte sein Bruder damals nicht den Kronschatz der Normannen aus Sizilien herschaffen lassen, hätte er nicht noch einen Rest des Lösegelds von Richard, ihm würden alle wirklich überzeugenden Argumente für seine Wahl fehlen. Vor Heinrich hätten sie Angst gehabt, aber vor ihm …

»Wie viele von den Fürsten sind inzwischen wieder zurück?«, fragte er. Berthold konnte mit seinem Pfund wuchern, solange er einer der wenigen Hirsche am Platz war, aber er musste wissen, dass sich dieser Umstand ändern würde, sobald der Winter vorbei war.

»Nicht sehr viel mehr als zu Weihnachten«, erwiderte Heinz von Kalden bedauernd. »Der Sachse und der Landgraf von Thüringen, aber der Rest hat noch nichts von sich hören lassen. Bis auf den Herzog von Österreich, doch da gibt es schlechte Nachrichten. Friedrich hat auch eine der Seuchen erwischt, und in der Botschaft, die uns der Bischof von Passau schickt, heißt es, dass es nicht viel Aussicht auf eine Genesung gibt.«

Das war in der Tat eine schlechte Nachricht. Friedrich von Österreich war einer der wenigen deutschen Fürsten, die reich und mächtig waren, ohne selbst den Anspruch auf die Krone erheben zu wollen, und bei denen man sich darauf verlassen konnte, dass sie das Haus Hohenstaufen unterstützten. Außerdem hatte Philipp den Herzog bei den wenigen Malen, die sie einander begegnet waren, als einen guten Mann empfunden, der es nicht verdient hatte, in der Fremde an einer Seuche zu sterben. Er bekreuzigte sich; dann fiel ihm etwas an den Worten des Reichshofmarschalls auf, das noch einer Erklärung bedurfte.

»Wie kann der Bischof von Passau uns Botschaften aus Italien schicken, wenn sich niemand über die Alpen wagt?«

»Sein Bote hat den Weg um die Alpen an der Rhone entlang genommen«, entgegnete Heinz von Kalden. »Es ist nur allzu wahrscheinlich, dass auch der Zähringer die Nachrichten hat.«

Sie sprachen vom Landgrafen von Thüringen, der es gerade noch vor Wintereinbruch zurückgeschafft und bereits klargemacht hatte, dass die Markgrafschaft Meißen für seinen Schwiegersohn nur der bescheidene Anfang von dem war, was er für seine Treue erwartete, als einer von Philipps Dienern Herrn Walther von der Vogelweide anmeldete. Philipp fiel auf, dass sein Reichshofmarschall keineswegs meinte, jetzt sei nicht die Zeit für einen Sänger. Als er danach fragte, sagte Heinz offen: »Der Dreckspatz ist nützlich. Die Sache in Frankfurt hätte ein einmaliger Treffer sein können, aber auf dem Weg von Freiburg hierher bin ich in einer Schenke abgestiegen, wo der Spielmann tatsächlich ein Lied dieses Kerls zur Königswahl zum Besten gab. Ich war nie versessen auf Reime und Lieder, aber dieses hatte einen sehr erinnerungswürdigen Schluss.« Er begann, mit seiner rauhen Stimme zu singen: »*Die Fürsten dünken sich zu hehr, die armen Könige drängen dich. So setz Philipp den Waisen auf: Dann sollen sie bescheiden sich.*«

»Erbarmen«, sagte Philipp mit einem Lächeln. »Ihr seid ein großer Kämpfer, Heinz, aber als Sänger ...«

»Ich weiß. Aber solche Lieder höre ich lieber als welche auf Berthold von Zähringen. Ich glaube, was mir daran am besten gefällt, ist der Hinweis auf den Waisen. Es kann nicht schaden, die Menschen zu erinnern, dass wir die Kronjuwelen haben.« Philipp sagte nichts, doch er zog eine Augenbraue hoch. »Ihr«, verbesserte sich Heinz von Kalden.

Natürlich hatte sein Marschall recht: Zepter und Krone, einschließlich des legendären Kronjuwels, das man den Waisen nannte, waren im staufischen Besitz, hier in Hagenau, wo zum Glück in der Zeit zwischen Heinrichs Tod und Philipps Rückkehr niemand gewagt hatte, Hand an sie zu legen. Ganz gleich, wie stolz der Erzbischof von Köln auf sein Recht war, Könige zu krönen, über die einzig wahren Insignien dafür verfügte er nicht. Das ließ Philipp seit seiner Ankunft wieder viel ruhiger schlafen. Er bedeutete dem Diener, Herr Walther möge eintreten. Dem Sänger ging es offensichtlich gut; Heinz von Kalden trug derzeit abgewetztere Kleidung. Trotzdem hatte er noch den gleichen Blick, den Philipp zuerst für hungrig gehalten hatte und mittlerweile als zu neugierig, zu gewitzt empfand. Herr Walther, so schien es, spazierte durch das Leben und fragte sich ständig, was es ihm zu bieten hat. Damit stand er nicht allein, doch die anderen Menschen mit einer ähnlichen Einstellung, die Philipp kannte, gründeten sie auf Grundlagen wie Reichtum oder Macht, nicht auf die merkwürdige Mischung aus Beobachtungsgabe und einem Talent für Reimereien. Alle anderen Minnesänger, denen Philipp begegnet war, verhielten sich anders: Sie wollten alle etwas vom Leben, doch es war klar, *was* sie wollten – einen Gönner und einen warmen Platz. Man konnte sich deshalb auch immer auf sie verlassen. Walther dagegen mochte Lieder im Sinne Philipps geschrieben haben, aber bisher war jedem, das Philipp zu Ohren gekommen war, auch eine Prise Spott beigemischt gewesen, die Walthers höchsteigene Meinung widerzuspiegeln schien. Er wünschte sich, er hätte Friedrich von Österreich mehr nach den Eigenarten seines Schützlings befragt.

Vom plötzlichen Wunsch getrieben zu erkunden, ob Walther so etwas wie Treue zeigen konnte, auch wenn es sich für ihn nicht auszahlte, sagte Philipp: »Ihr kommt zu einer trüben Stunde. Wir haben schlechte Nachrichten erhalten, Herr Walther.«

»Und ich dachte, es sei mein höchsteigenes Privileg, die Unglückskrähe zu geben«, gab Walther zurück, offensichtlich nicht beunruhigt und in dem Versuch, Philipp neugierig auf seine eigenen Nachrichten zu machen.

»Herzog Friedrich liegt an einer Seuche danieder.«

Walthers Mund formte ein lautloses O, dann schloss er ihn wieder und schaute zu Boden. Als er wieder aufblickte, war sein Gesicht ernst, doch nicht traurig. »Ich werde für ihn beten.«

Was bleibt von uns, fragte sich Philipp und wusste selbst nicht, warum ihn derartige Grübeleien ausgerechnet jetzt befielen. Sein Vater hatte Päpste in die Knie gezwungen, doch am Ende hatte ihn ein kalter Fluss in einem fernen Land besiegt, und heute gab es niemanden mehr, der von ihm sprach. Sein Bruder Heinrich war erst wenige Monate tot. Alle Welt sprach von den Folgen, doch an Heinrich selbst dachte kaum jemand, ganz gewiss nicht die Sänger des Reiches. Philipp schloss sich selbst nicht aus. Auch er dachte weit öfter über die Folgen nach, die Heinrichs Tod für ihn und das Reich hatte, als an seinen Bruder. *Wenn ich morgen sterbe,* dachte Philipp, *wer wird dann übermorgen noch an mich denken? Irene vielleicht. Doch niemand sonst.* Es war eine verstörende Vorstellung.

»Er wird unsere Gebete brauchen«, erwiderte Philipp.

»Und er ist nicht der Einzige«, sagte Walther und kam ungefragt näher. »Der Erzbischof von Köln braucht dringend himmlischen Beistand, weil er sich offenbar unabsichtlich zwei verschiedenen edlen Herren als zukünftigen Königen verpflichtet sieht. Leider gehört Ihr nicht dazu, Euer Gnaden.«

»Der Gierschlund hat sich überfressen?«, fragte Heinz von Kalden vergnügt. »Das ist zu gut, um wahr zu sein.«

So viel zu Friedrich von Österreich, dachte Philipp. Aber er selbst war auch nicht anders. Was war ihm der Herzog von Österreich im Vergleich zum Kampf um seine Krone? Nichts.

»Zumindest dürfte ihm derzeit der Magen schwer sein«, stimmte Walther zu. »Aber leider löst sich dieses Problem für ihn sehr schnell, wenn er erst entdeckt, dass der Herzog von Zähringen ihn nur hinhält. Vielleicht ist er auch vorher schon mit dem Spatz in der Hand zufrieden, denn man könnte in diesem Fall sehr wohl von einem Täuberich sprechen.«

»Und wie lautet dessen Name?«, fragte Philipp, nicht gewillt, noch länger Ratespielchen mitzumachen. Wenn Walther zuerst eine Bezahlung haben wollte, würde er sich künftig anderer Quellen bedienen. Vielleicht war er ungerecht, doch er war jetzt nicht in der Stimmung, sich von einem wetterwendischen Sänger hinhalten zu lassen.

»Ihr seid mit ihm verwandt«, sagte Walther. »Sein Bruder ist mit Eurer Base vermählt.« Er musste an Philipps Miene abgelesen haben, dass dies nicht der Zeitpunkt für weitere Ausflüchte war, und fügte hastig hinzu: »Graf Otto von Poitou.«

»Himmelherrgott«, fluchte Heinz von Kalden, während Philipp stumm blieb. »Noch nicht einmal der Älteste der Welfenjungen?«

»Anscheinend hat König Richard auf Otto bestanden«, sagte Walther. »Vielleicht sieht man das in adligen Kreisen anders, aber wenn ich der Pfalzgraf Heinrich von Braunschweig wäre und bei meiner Rückkehr aus dem Heiligen Land hörte, dass mein jüngerer Bruder als deutscher König vorgeschlagen wurde, dann wäre ich gekränkt … und nicht gesonnen, für die Sache meines jüngeren Bruders zu streiten.«

Dietrich von Meißen und dessen verstorbener Bruder tauchten vor Philipps innerem Auge auf; auch seine eigenen toten Brüder, vor allem Konrad, dessen immer wildere Handlungen vielleicht auch darin begründet waren, sich am Ruf von Heinrich messen zu wollen. Es stimmte, brüderliche Rivalität war allgegenwärtig, und es mochte sich lohnen, dem Pfalzgrafen von Braunschweig einen Boten zu schicken. Aber das verminderte nicht die Gefahr, die sich durch Walthers Eröffnung sofort für Philipp darstellte. Ein Herzog wie Berthold war reich und mächtig, aber als Rivale nicht gefährlich, wenn er schon im Vorfeld klarmachte, dass er sich lieber für einen Verzicht auf die Krone kaufen ließ. Ähnliches galt für den Herzog von Sachsen. Aber die Welfen hatten die Fehde mit den Staufern von ihren Vätern geerbt. Sie würden sich nie durch Geld oder Drohungen abbringen lassen. Was Otto betraf, so wusste Philipp von ihm nur, dass er sich bei König Richards Feldzügen hervorgetan haben musste. Schlimmer als dergleichen Kampfesruhm war, dass Otto als Richards Neffe auch auf dessen Heer zurückgreifen konnte. Ein Welfe war genau der Rivale, den Philipp nicht hatte haben wollen.

»Inwieweit hat der Erzbischof sich auch Otto verpflichtet?«, fragte er, denn der Umstand, dass Adolf noch mit dem Zähringer in Verhandlungen war, stellte einen Vorteil dar, der aber nicht unbegrenzt zur Verfügung stehen würde.

»Seine Geldgeber haben es«, erklärte Walther. »Einige der wichtigsten Kölner Kaufleute zögen es vor, wenn ...«

»Die Pfeffersäcke nehmen es sich heraus, bei einer Königswahl mitzumischen?«, unterbrach Heinz von Kalden. »Jetzt haben wir das, was ich immer befürchtet habe! Die verfluchten Städter verdrängen die Fürsten von der Macht; erst immer mehr in Italien, jetzt hier in unseren deutschen Landen.«

»Ich fürchte, es wird bald niemanden im Reich geben, der sich das nicht herausnimmt«, sagte Philipp resigniert. »Eines steht fest, wir können es uns nicht mehr leisten, darauf zu warten, dass alle unsere Verbündeten aus dem Heiligen Land zurückkehren. Wir müssen die Wahl *jetzt* einberufen und dürfen keine Zeit mehr verlieren.« Er fasste Walther ins Auge. »Wisst Ihr, wohin Euch Euer Weg als Nächstes führen wird?«

»Zurück nach Köln«, sagte Walther prompt. Er schien sich dessen sehr sicher zu sein und lächelte sogar bei der Aussicht.

»Nun, ich würde vorschlagen, dass Ihr umgehend nach Wien zurückkehrt, Herr Walther«, sagte Philipp, »um Herzog Leopold in der Stunde seines drohenden Verlustes beizustehen und Eure Pflicht gegenüber Eurem Gönner zu leisten. Und bei dieser Gelegenheit könnt Ihr Leopold auch eine Nachricht von mir überbringen. Wenn Friedrich gesundet, dann stifte ich gerne ein paar Messen, doch in jedem Fall möchte ich Leopold so bald als möglich an meiner Seite sehen, mit allen Männern von Rang, die er aufbringen kann.«

* * *

»Es ist zu deinem eigenen Besten«, sagte Stefan herzlich. Judith traute ihren Ohren nicht. Sie ließ ihren Mantel sinken, an dem sie herumflickte, und starrte ihren Onkel ungläubig an.

»Dass du dein Versprechen nicht halten willst, soll zu meinem Besten sein? Das ist selbst für dich eine Verschwendung deines rednerischen Talents, Onkel.«

»Ich habe nicht gesagt, dass ich dir das Geld nicht leihen werde, nur, dass ich es dir *jetzt* nicht leihen kann. Und offen gesprochen, Nichte, hättest du dir das denken können. Du weißt, welche Ausgaben mich zurzeit belasten.«

»Was ich weiß«, sagte Judith eisig, »ist, dass du mir ein Versprechen gegeben hast. Außerdem weiß ich, dass ich meine Versprechen dir gegenüber bisher alle erfüllt habe.«

Stefan setzte sich neben sie auf die Ofenbank und lächelte begütigend. »Niemand bestreitet das. Aber gerade der Wunsch, mitten im Winter deine Familie zu verlassen und allein mit einem Fremden in einem fremden Haus leben zu wollen, zeigt mir, wie jung du noch bist. Du brauchst die Weisheit und Leitung eines Vaters, Jutta, und da ich dein nächster Verwandter bin …«

»Es ist das Haus meines Vaters, in das ich zurückkehren möchte.

Mit meinem Gatten. Nach christlichem und jüdischem Gesetz ist er es, dem ich Gehorsam schulde, Onkel, nicht du.«

»Dein Gemahl ist nicht dein Gemahl, das wissen wir beide«, sagte Stefan ruhig. »Ich nahm an, dass du froh sein würdest, wenn ich den Erzbischof ersuche, deine Ehe für ungültig zu erklären, wie du es auf unserem Rückweg von Chinon von mir gefordert hast. Du wirfst mir vor, meine Versprechen nicht zu halten, Nichte, aber inmitten der Verhandlungen, die unser aller Leben betreffen, habe ich daran gedacht, diese Bitte an den Erzbischof zu richten. Er ist einverstanden. Du musst dich nur von drei ehrbaren Frauen der Stadt untersuchen lassen, damit sie dir deine Jungfräulichkeit bestätigen.«

Es war nicht zu fassen! Sie weigerte sich zu glauben, dass er nicht genau wusste, was er da tat. Natürlich hatte sie gleich nach Chinon über die Auflösung ihrer Ehe mit ihm gesprochen, doch ehe sie ihm von den Verhandlungen des Erzbischofs mit dem Herzog von Zähringen erzählte, hatte sie ihm auch über ihre Pläne für ein Leben mit Gilles in ihrem alten Haus berichtet und seine Zustimmung und Unterstützung zugesagt bekommen. Sie hatte sogar schon mit dem Arzt Ja'akov gesprochen, der inzwischen dort wohnte, aber bereit war, es gegen eine entsprechende Summe mit ihr und Gilles zu teilen, um sich dann im Sommer ein neues Heim zu suchen.

»Warum tust du das?«, fragte sie ihren Onkel. »Es wird dir mehr Frieden in deinem eigenen Haus bringen, wenn ich es verlasse.«

»Du magst es glauben oder nicht, aber ich tue es für dich und meine Schwester, Gott sei ihrer Seele gnädig. Sieh dir an, was mit dir geschehen ist, seitdem du dein eigenes Leben bestimmst: Du verlässt Salerno, wo du doch am besten hättest als Ärztin wirken können, und reist lieber mit einem staufischen Schlagetot und einer Griechin, als einen ehrbaren Mann zu heiraten, den dein Vater für dich ausgewählt hat. Dann änderst du deine Meinung wieder und reist ab Nürnberg mit mir, obwohl ich ein Lügner und Betrüger hätte sein können, der nur vorgab, dein Onkel zu sein. Und nun hast du dich entschieden, einen unserer Söldner als deinen Gemahl zu betrachten. Jutta, wenn es je eines

Beweises bedurft hat, dass Frauen nicht in der Lage sein dürfen, ihr eigenes Geschick zu betreiben, dann ist er durch dich nun erbracht.«

Sie hätte ihm nicht von Meir erzählen dürfen. Doch nein, dann hätte er einen anderen Grund gefunden, um sein Verhalten zu rechtfertigen. *Stefan*, dachte Judith, *wäre in der Lage, den Tempel in Jerusalem Stein für Stein zu verkaufen und zu erklären, dass er es nur zum höheren Ruhme Gottes tut.* Das war ihr schon seit einiger Zeit klar gewesen, doch sie fühlte sich trotzdem, als hätte er ihr einen Dolch in den Rücken gestoßen. Vielleicht hatte sie ihn tatsächlich ein wenig an der Stelle ihres Vaters gesehen, ohne sich dessen bewusst zu sein; sie hatte angenommen, dass er an sie glaubte, wie es ihr Vater getan hatte, nicht, dass er sie im Grunde für dumm und kindisch hielt.

Nun, es konnte ihr gleichgültig sein, was er dachte. Es musste ihr gleichgültig sein. Worauf es ankam, war, sich nicht länger von ihm ausnutzen zu lassen. Wenn er darauf bestand, sie weiterhin unter seinem Dach zu behalten, dann gewiss nicht aus verwandtschaftlicher Besorgnis. Um sich Zeit zu geben, darüber nachzugrübeln, was das sein könnte und wie sie ohne seine Hilfe genügend Geld für ihre Hälfte des Hauses aufbringen würde, schluckte sie ihren Groll hinunter und sagte nur: »Wenn ich nicht in der Lage bin, mein eigenes Leben zu meistern, dann sollte es dich doch beruhigen, Onkel, dass ich mich nunmehr im gottgefälligen Stand der Ehe befinde. Und da Gilles für dich arbeitet, musst du ihn für ehrlich und fähig halten; ich verstehe nicht, welche Einwände du gegen ihn erbringen könntest. Vertraust du ihm auf einmal nicht mehr?«

Stefan legte begütigend einen Arm um ihre Schultern. »Doch, das tue ich. Ich vertraue ihm so sehr, dass ich ihn als Leibwächter für die Geiseln vorgeschlagen habe, die der Herzog von Zähringen dem Erzbischof gestellt hat, als Zeichen seines guten Willens. Sie sind heute eingetroffen.« Da Stefan am guten Willen des Herzogs von Zähringen nichts liegen konnte, war das alles andere als beruhigend. »Doch das heißt nicht, dass ich ihn für würdig befinde, die Nichte eines der wichtigsten Kaufleute der Stadt zu heiraten. Wäre nicht ein unglücklicher Zufall gewesen, wäre es nie dazu gekommen, und du würdest heute keinen Gedanken mehr an ihn verschwenden.«

Ihre Hände waren so fest um ihren Mantel und die Nadel verkrampft, dass sie sich stach; noch ehe sie das kurze Aufflackern von Schmerz spürte, konnte sie Blut aus ihrem Handballen tropfen sehen. Blutstropfen waren aus guten Stoffen so gut wie nicht mehr zu entfernen; sie ließ hastig alles los, was sie hielt, und fuhr sich mit der Zunge über den Handballen. »Es war kein unglücklicher Zufall«, sagte sie schneidend, »sondern der Mann, den du zum nächsten deutschen König machen willst.«

»Umso mehr bin ich bestrebt, die Folgen unseres Besuches in Chinon zum Besseren zu wenden.« Er löste seinen Arm von ihrer Schulter und ergriff ihre Hand, die sie in die Höhe gehoben hatte, damit die Blutung schneller stoppte. »Glaub mir, ich habe über Graf Ottos Verhalten dir gegenüber nachgedacht und das, was es bedeutet. Ich bin nicht blind, Nichte. Es tat mir weh, dich als Ziel eines groben Scherzes zu sehen.«

Vor ein paar Monaten hätte Judith das als Entschuldigung aufgefasst und wäre dankbar gewesen, dass ihr Onkel endlich verstand, auf wie viele Arten ihr jener Abend in Chinon zuwider war und warum es ihr nicht nur um ihre verletzten Gefühle ging, wie er einmal behauptet hatte. Aber mittlerweile kannte sie Stefan besser; außerdem wäre eine Entschuldigung nach all dem, was er vorher gesagt hatte, die unlogischste Handlung. Nein, er musste auf etwas anderes hinauswollen.

»Deswegen«, fuhr er fort, »war ich froh, als mir klarwurde, dass es an uns ist, dem Vorkommnis eine andere Wendung zu geben. Graf Otto hat ganz offensichtlich Gefallen an dir gefunden. Er mag eine grobe Art und Weise gehabt haben, um das zu zeigen, doch man muss bedenken, dass er noch jung ist. Nichte, wenige Frauen unseres Volkes werden so verehrt wie Esther.«

Diesmal verstand sie sofort, was er meinte, und fragte sich unwillkürlich, ob er ihre Hand festhielt, damit sie ihn nicht schlagen konnte.

»Und zweifellos siehst du dich bereits als Mordechai, der Esther dem König Xerxes zuführt und als sein erster Minister endet. Nun, Onkel, es gibt Frauen, die von unserem Volk mehr verehrt werden als Esther. Ich bin nach einer von ihnen benannt.« Sie war noch nie so stolz auf diesen Umstand gewesen wie jetzt. Auch Stefan verstand sofort, was sie meinte: Die Judith der Schriften hatte den heidnischen Feldherrn Holofernes geköpft – danach, als er erschöpft eingeschlafen war.

Abrupt ließ er ihre Hand los. »Über so etwas solltest du noch nicht einmal scherzen«, sagte er kühl.

»Das Gleiche gilt für dich, Onkel. Mag sein, dass ich jung bin und Fehler bei meinen Entscheidungen begangen habe. Aber eines weiß ich genau, und das ist, dass man nicht die Schrift bemühen muss, um eine Hure eine Hure zu nennen. Genau das willst du gerade aus mir machen! Ich soll es für deinen Handel tun, nicht für unser Volk, wie Esther, denn für das jüdische Volk hast du in diesem Zusammenhang keinesfalls gesprochen.«

Sie hatte sich Mühe gegeben, ruhig zu bleiben, hatte sich angestrengt wie selten in ihrem Leben. Doch sie zitterte vor Wut, und am Ende hatte ihre Selbstbeherrschung nachgegeben. Ihre Stimme wurde lauter und lauter; den letzten Satz schrie sie. Ihr Vetter und seine Mutter, die in einer anderen Ecke der Stube saßen, starrten sie betreten an. Judith fragte sich, ob sie sich entschuldigen sollte, zumindest bei Stefans Frau, und wusste, dass sie nichts dergleichen tun würde.

»Die Dame Richildis hat mich gebeten, sie heute noch einmal zu besuchen«, log sie, raffte ihren Mantel und ihre Arzneitasche und verließ das Haus, so schnell sie konnte.

* * *

Wenn man von Hagenau aus den Weg bis Ulm nahm, konnte man von dort aus auf der Donau nach Wien kommen, ohne die Alpen riskieren zu müssen; der Fluss war selbst im Januar nicht zugefroren. Walther überredete einen der Kahnschiffer, ihn gegen ein gutes Entgelt zu befördern. Bedauerlicherweise war es für den Kahnschiffer mit Münzen allein nicht getan; für das

Zugeständnis, einen Monat früher als beabsichtigt zu fahren, wollte er Walthers Pelz haben.

»Soll ich erfrieren?«, protestierte Walther. Auf dem Fluss fühlte sich die Temperatur immer noch etwas kälter an als an Land.

»Du kannst ja dein Glück mit einem anderen Schiff versuchen, Herrchen, aber kaum eines ist im Januar wegen der treibenden Eisschollen aus den Nebenflüssen unterwegs.«

Walther schimpfte in Gedanken wie ein Rohrspatz auf den Herzog, der so auf die Zeit gedrängt hatte. Am Ende verblieben sie dabei, dass Walther seinen Pelz einen Teil der Reise noch tragen durfte und sich ansonsten mit Decken behalf. Der Schiffer transportierte in erster Linie Leinen und meinte augenzwinkernd, auch das könne dabei helfen, warm zu bleiben; sein Patron rechne dann aber bestimmt damit, dass er den Ballen in Wien bezahle.

Es war kein schlechtes Leben für ein paar Tage auf dem reißenden Fluss. Walther hatte Zeit, um darüber nachzudenken, was er mit seinem Leben anfangen wollte. Es hätte ihn glücklich machen müssen, dass ihn jetzt die hohen Herren des Reiches empfingen, zu einem gewissen Grad ins Vertrauen zogen und sich von ihm manchmal, wie eine gelungene Wendung in einem Lied, an die richtige Stelle schieben ließen. Aber die verbrannten Dörfer zwischen Hagenau und Köln und die, deren Reste er inzwischen auf seinen Reisen immer wieder aus der Ferne hatte rauchen sehen, hatten ihn daran erinnert, dass die anstehende Königswahl kein Schachspiel war, bei dem nur Figuren aus Holz in Gefahr standen, vom Brett geworfen zu werden.

Sein Besuch in Köln hatte ihm gezeigt, dass er immer noch in der Lage war, Hirngespinsten nachzujagen. Er hatte deshalb auch das Haus von Stefan am nächsten Tag sofort wieder verlassen, ohne Weihnachten abzuwarten. Am Ende war es gut, dass Philipp ihn nach Wien geschickt hatte. Judith war verheiratet und schien glücklich. Was bedeutete es schon, dass er sich durch die Unterhaltung mit ihr lebendiger gefühlt hatte als durch sonst irgendetwas, außer vielleicht dem Verfassen eines außergewöhnlich guten Liedes? Er war kein armseliger Tropf wie in Reinmars

Liedern, der damit zufrieden war, aus der Ferne zu schmachten, und eine Nähe zu Judith konnte es nicht geben, es sei denn, er zerstörte das neue Leben, das sie sich aufgebaut hatte. Und für was? Er wusste noch nicht einmal, ob sie mehr für ihn empfand als alten Groll und einen flüchtigen Augenblick der Nähe, der in ihren letzten Worten durchgeklungen war.

Dann wieder dachte er daran, wie sich ihr Körper in seinen Armen angefühlt hatte, damals in Nürnberg, und wie sie stets jeder seiner Bemerkungen einen Gegenpart bot. Doch, er war sich sicher, dass da mehr war, mehr sein musste, und dass sie das auch spürte.

Das beste Mittel, derartige Grübeleien loszuwerden, war, einander Zoten zu erzählen. Der Schiffer kannte einige, die Walther neu waren, wie die von den Studenten, die bei dem betrügerischen Müller die Nacht verbrachten und mit der Müllerin schliefen, während er selbst, von ihnen betrunken gemacht, mit einem ausgestopften Sack im Arm schnarchte. Walther lästerte über den Erzbischof von Köln und dessen Tafelfreuden, der Schiffer schwor, den gewaltigsten Furz aller Zeiten gehört zu haben, als der Bischof von Passau einmal an ihm vorbeiritt. Doch am zweiten Tag gingen ihnen diese Geschichten aus. Stattdessen gestand der Schiffer, sich Sorgen um seine Zukunft und die seiner Familie zu machen.

»Unser Markgraf hat mit dem Herzog von Bayern und dem Kaiser selbst gestritten und ist verbannt worden. Jetzt ist er wieder zurückgekehrt, wo der Kaiser tot ist, und das heißt gewiss, dass die Fehde mit dem Herzog von Bayern erneut beginnt. Kriegsknechte trinken gerne, also versuch einmal, einen Kahn voller Weinfässer durch ein Kriegsgebiet zu lenken und am Schluss noch etwas zu besitzen. Außerdem werden alle hohen Herren nun bestimmt die Abgaben und Zölle erhöhen, um ihre leeren Börsen wieder vollzumachen. Dabei reicht der Verdienst von uns kleinen Leuten kaum für das tägliche Brot. In meinem Dorf stirbt fast jeden Monat ein Kind an Hunger. Unser Dorf wäre bald leer, wenn Kinder nicht der einzige Reichtum für uns arme Leute wären, das kannst du mir glauben. Außerdem, wenn alles so ungeklärt bleibt, dann werden es sich meine Auftraggeber dreimal überlegen, ob sie ihre Waren nicht besser in ihrer Umgebung verkaufen und meine Dienste nicht mehr brauchen.«

»Nun, es wird gewiss bald wieder einen Kaiser geben.«

»Meinst du das Kind, Bruder? Das in Apulien?«

»Sizilien, und nein, eigentlich …«

»Weh dir, o Land, dessen König ein Kind ist«, zitierte der Schiffer wie die Schankgäste von Köln. Anders als sie wollte er jedoch keinen Sachsen auf dem Thron sehen und auch keinen Zähringer. Er hatte nichts gegen Herzog Philipp, doch auch nichts für ihn, und fand, es sei Zeit, um endlich die Welfen ans Ruder des Reichsbootes zu lassen, wie er sich ausdrückte.

»Ich dachte, Ihr mögt keine Norddeutschen? Der älteste Sohn Heinrichs des Löwen ist Pfalzgraf von Braunschweig«, sagte Walther, weil er neugierig war, ob überhaupt bekannt war, dass Heinrich der Löwe mehr als einen Sohn gehabt hatte. Sein Schiffer winkte geringschätzig mit der Hand.

»Das tut nichts zur Sache. Heinrich der Löwe war auch Herzog von Bayern. Er hat einiges in die Wege geleitet bei uns, Städte wie München und Landsberg gegründet, das war immer gut für den Handel. Da müssen die Söhne etwas von den vernünftigen Eigenschaften geerbt haben!«

»Wie viele Söhne hatte er denn?«, fragte Walther beiläufig.

Der Schiffer krauste die Stirn. »Zwei oder drei? Ganz ehrlich, genau weiß ich das nicht. Einer war mit König Richard auf Kreuzzug … oder ist jetzt auf Kreuzzug? Auf jeden Fall hat ein Mann wie der alte Löwe bestimmt heldenhafte Söhne.«

Allmählich fragte sich Walther, ob der gute Ruf von Heinrich dem Löwen daher rührte, dass er die letzten zwei Jahrzehnte seines Lebens fern des Reiches verbracht hatte und daher auch nicht in der Lage gewesen war, irgendjemanden hier zu enttäuschen. Ähnliches galt für den Rest der Welfen. Er konnte es selbst in den Fingerspitzen zucken spüren, denn die Geschichte vom verbannten Beinahe-König und dem Welfen-Prinzen, der zurückkehrt, um endlich das Erbe seines Vaters anzutreten und das Reich zu erlösen, die hatte mehr, als es die Geschichte vom Bruder eines toten Kaisers haben konnte, der – ganz gleich, wie man es drehen oder wenden mochte – gerade dabei war, seinem vaterlosen Neffen das Erbe wegzunehmen. So jemand eignete sich in Heldenliedern bestenfalls zum Schurken, während verbannte Prinzen geradezu gemacht waren für die Heldenrollen.

Er hatte seine Pergamentbögen bei sich, die ihm Philipp überlassen hatte; sie waren immer noch unbeschrieben. Es war etwas gleichzeitig Erregendes und Besänftigendes, neues Pergament zu fühlen, nicht bereits tausendfach beschriebenes und wieder abgeschabtes, sondern frisch gegerbte, mit Bimsstein geglättete und mit Kreide.geweißte Lämmerhaut. Manchmal glitt Walther mit seinen Händen darüber und malte sich aus, darauf zu schreiben, doch bisher hatte er es nicht über sich gebracht. Die Lieder, die auf diesem Pergament entstanden, sollten seine besten sein.

Es kam ihm in den Sinn, dass Herzog Friedrich tatsächlich sterben konnte. Trotz Philipps düsterer Formulierung war Walther die Möglichkeit sehr unwahrscheinlich erschienen. Der Herzog war in seinem Alter und hatte immer nur so vor Gesundheit gestrotzt. Wenn aber selbst so ein Mann wie der Herzog sterben konnte, dann konnte auch Walther sterben, nicht durch wütende Zuhörer, Räuber oder unberechenbare Ritter, sondern an einer Krankheit, jederzeit, überall.

Friedrich war nicht vollkommen, aber aus der Ferne betrachtet, erschien er Walther als der beste der großen Herren, die er bisher kennengelernt hatte. So mancher wäre angesichts dessen, was Friedrich beim Tod des alten Herzogs hatte herausfinden müssen, verbittert und hätte seine neu gewonnene Macht genützt, um dieses Gefühl am Rest der Welt auszulassen. Friedrich aber hatte sogar den Wunsch des alten Herzogs erfüllt und seinem Bruder klaglos die Steiermark überlassen. Überdies hatte er auch guten Geschmack bewiesen und Walthers Lieder von Anfang an geschätzt, noch ehe sie ihm nützen konnten, und überhaupt sehr viel mehr Vertrauen gezeigt in seines Sängers Fähigkeiten als andere Herzöge.

Wenn Friedrich seine Krankheit überlebt und nach Wien heim-

kehrt, dachte Walther, *dann kann es sich vielleicht lohnen, eben-*
falls dortzubleiben. Eine Weile jedenfalls. Wien ist weit entfernt
von Köln, ganz anders als Hagenau.

* * *

Es war nicht schwer, Richildis und den Salzhändler zu überzeugen, dass sie zum Besten ihres Kindes eine Ärztin im Haus
brauchten, vor allem in den letzten Schwangerschaftswochen.
Schwerer war es, eine Möglichkeit zu finden, mit Gilles zu sprechen, vor allem, als sich herausstellte, dass die beiden Geiseln des
Herzogs von Zähringen nach Andernach gesandt worden waren,
nicht nach Köln. Eines der von Pferden gegen die Strömung gezogenen Boote, mit denen auch im Winter Waren den Rhein
hochtransportiert wurden, hätte Judith wohl nach Andernach
gebracht, aber danach hätte sie bestimmt nicht mehr mit Richildis rechnen können.

Von ihrem Plan, sich dem Onkel ganz zu entziehen, hatte sie sich
vorerst verabschieden müssen. Judith lebte noch nicht ganz ein
Jahr wieder in Köln. Sie hatte einige Patienten gefunden, aber
noch nicht so viele, wie es zum Schluss in Salerno der Fall gewesen war. Dass sie eine Zeitlang Leibärztin der Byzantinerin gewesen war, gereichte ihr sogar zum Nachteil, so groß war die
Ablehnung in breiten Kreisen der Bürgerschaft. Sich selbst hätte
sie zur Not ernähren können, aber nicht auch noch Gilles. Ihr
Onkel hatte nie etwas für Kost und Logis verlangt, und er war
der Herr ihres Mannes. Nachzurechnen, wie viel Geld sie aufbringen müsste, wenn Gilles nicht mehr für Stefan arbeitete, verursachte Judith Magenschmerzen, nicht zuletzt, weil ohne Stefans Hilfe alles Geld, das sie besaß, einschließlich Irenes Ring,
nicht für den Rückkauf des Hauses genügen würde.

Es galt also, vorerst bei Richildis auszuharren und zu versuchen,
genau das zu vermeiden, was Stefan ihr vorgeworfen hatte: sich
kopfüber und ohne nachzudenken in eine unklare neue Lage zu
stürzen. Zunächst musste sie herausfinden, ob Gilles wirklich auf
ihrer Seite stand oder auf der Stefans. Davon hing es ab, ob es

sich lohnte, den Erzbischof um eine Audienz zu ersuchen und klarzumachen, dass sie keine Auflösung ihrer Ehe wünsche. Dann galt es, eine zweite Einkommensquelle zu finden. Richildis' Gemahl war ihr gegenüber immer noch ein wenig misstrauisch, was es erschwerte, sich auf unverfängliche Weise zu erkundigen, ob er einen weiteren Mann in seinen Diensten gebrauchen könnte. Die Freunde Stefans kamen in dieser Situation bestimmt nicht in Frage, und der Erzbischof erhielt sein Geld von Gerhard Unmaze, Stefan, Lambert und Constantin.

Sie massierte Richildis den Rücken, braute ihr beruhigende Tränke und dachte daran, was Walther erzählt hatte. Was, wenn sie Köln verließe und Irene bäte, sie als Leibärztin wieder aufzunehmen, und Gilles als Wächter? Es würde bedeuten, ihren Stolz hinunterzuschlucken und genau dem Problem gegenüberzustehen, das sie dazu gebracht hatte, in Nürnberg mit Stefan zu gehen; ihre ärztliche Kunst auf das Wohlergehen einer einzigen Frau zu beschränken.

Mosche ben Maimon hatte sich nicht nur um Saladin und dessen Familie gekümmert; es war ihm möglich gewesen, eine Menge anderer Patienten in Kairo zu behandeln, sonst hätte er seine Fallstudien nicht schreiben können. Er musste Saladin nur zur Verfügung stehen, wenn der Sultan nach ihm verlangte. Doch Rabbi Mosche war einer der berühmtesten Männer der Welt, und da konnte man gewiss ganz andere Bedingungen stellen, als es bei einer einfachen Judith – Jutta – aus Köln der Fall war.

Dann gab es noch die Möglichkeit, als fahrende Ärztin durch die Lande zu ziehen. Kranke Menschen gab es schließlich überall und in jedem Vermögensstand. Es war sehr viel gefährlicher, als zum Haushalt einer Fürstin zu gehören, und sehr viel ungewisser, doch es würde sie auch in die Lage versetzen, niemals nur von einem Menschen abhängig zu sein. Wenn Gilles mit ihr kam, um sie als ihr Ehemann vor etwaigen Straßenräubern zu beschützen, und sie nirgendwo ein Haus erwerben mussten, dann konnten sie bestimmt zu zweit von ihrer Arbeit leben. Es sei denn, Gilles erklärte, Stefan sei sein Brotgeber, und er wolle in seinen Diensten bleiben.

Ihr junger Vetter, Stefans Sohn Paul, besuchte sie. Er würde bald fünfzehn Jahre alt werden, was ihn mündig machte, doch in mancher Hinsicht erschien er ihr immer noch wie ein Kind. Sein Vater hatte ihn gebeten, ihr auszurichten, sie könne jederzeit nach Hause kommen, wenn sie Vernunft annähme. »Aber er hat nicht gesagt, was du so Unvernünftiges tust«, fügte Paul offen hinzu. »Vor allem im Haus des Salzhändlers. Ganz ehrlich, Base, ich war enttäuscht, als ich hörte, dass du hier bist. Ich habe gedacht, du bist vielleicht mit dem Minnesänger fortgelaufen, um Drachen zu finden. Nun – keine Drachen. Die gibt es nicht, das weiß ich jetzt. Aber das Horn vom Einhorn ist doch ein Arzneimittel, nicht wahr? Also dachte ich …« Er stockte. »Ein Abenteuer. Ich dachte, du erlebst ein Abenteuer.«

Es war ausgesprochen hinterhältig von Stefan, seinen großäugigen Sohn zu schicken, dem sie weder die Wahrheit sagen noch einfach abweisen konnte. Doch auch sie konnte denken. Pauls Erwähnung von Walther war eine Hilfe. *Wenn Walther,* dachte Judith, *von seinen Liedern leben kann, wenn er immer wieder Gönner findet, an deren Höfen er lebt, dann muss mir das mit meinem Heilwissen doch auch gelingen.*

»Paul«, sagte sie, »warst du schon einmal in Andernach?«

»Einmal«, sagte er stolz, »als der Vater mich mitgenommen hat. Seine Gnaden der Erzbischof residiert manchmal dort.«

»Würdest du dir zutrauen, nach Andernach zu gehen und Gilles eine geheime Botschaft von mir zu geben? Er bewacht dort zwei Geiseln für den Erzbischof. Wenn du es dir nicht zutraust, dann verstehe ich das. Es könnte gefährlich werden, und wenn du nach Köln zurückkehrst, wird dein Vater mit Sicherheit wütend auf dich sein.«

Paul strahlte und schwor, gerne ihre Botschaft zu überbringen. Es war Judith bewusst, dass sie gerade genau das tat, was sie ihrem Onkel vorgeworfen hatte: Sie benutzte jemanden zu ihrem eigenen Vorteil. Doch im Gegensatz zu dem, was sie gerade gesagt hatte, bestand für Paul keine Gefahr. Als Sohn Stefans würde er ohne weiteres bis zu Gilles und den Geiseln vorgelassen werden, die ja keine Gefangenen im schlechten Sinn des Wortes waren und wie Gäste untergebracht sein würden. Nach seiner Rückkehr hatte er mit nicht mehr als mit väterlichem Grimm zu rechnen, wie jeder Junge in seinem Alter, der zwei Tage ohne Erlaubnis anderswo verbracht hatte.

Zuerst wollte sie ihr Wachstäfelchen opfern und Gilles schreiben, doch dann wurde ihr bewusst, dass sie gar nicht wusste, ob er lesen konnte. Es versetzte ihr einen Stich, weil es Stefans Vorwurf über ihre Unüberlegtheit und ihren Mangel an Wissen über die Menschen, denen sie sich anvertraute, bestätigte, ein wenig zumindest. Aber daran ließ sich jetzt nichts ändern. Also wählte sie sich ein paar Sätze aus, die Paul behalten konnte und die für die meisten Leute nichts weiter bedeutet hätten als das, was auf der Oberfläche lag.

»Wieso sind Stellen aus der Bibel eine wichtige geheime Botschaft?«, fragte Paul verwundert.

»Wenn du das wüsstest, wäre sie nicht mehr geheim. Aber ich verspreche dir, wenn alles vorbei ist, dann wirst du erfahren, worum es ging.«

KAPITEL 20

Unter Leopolds Regentschaft hatte der Hof in Wien nichts an seiner Betriebsamkeit und seinem Glanz verloren. Wie es schien, war Philipp nicht der Einzige, dem Bischof Wolfger Boten gesandt hatte: Die Nachricht von der Krankheit seines Bruders hatte ihn bereits erreicht, und noch mehr als das.

»Seine Heiligkeit der Papst ist gestorben«, sagte Leopold, »und die Kardinäle sind zusammengetreten, um seinen Nachfolger zu wählen. Ich bin natürlich willens, Herzog Philipp zu unterstützen, doch gewiss kann es nicht schaden, zu warten. Der nächste Papst wird gewiss das Seine zur Wahl unseres neuen Königs zu sagen haben.«

Wenn Walther nicht innerhalb des letzten Jahres wiederholt die Gelegenheit gehabt hätte, mit mehreren Fürsten über die Angelegenheiten des Reiches zu sprechen, hätte er sich vielleicht daran erinnert, dass Leopold um einiges empfindlicher und adelsstolzer als Friedrich war und weit weniger für spitzzüngige Scherze empfänglich. Stattdessen sagte er unüberlegt genau das, was er dachte: »Wenn man bedenkt, was es derzeit kostet, um vom Erzbischof von Köln eine Empfehlung für eine Wahl zu hören, weiß ich nicht, ob es eine gute Idee ist, den Papst dazu zu befragen, Euer Gnaden.«

Leopold starrte ihn ungläubig an. Unter den Höflingen um ihn lachten ein oder zwei, nur kurz, bis auch sie in das eisige Schweigen ihres Herrn einstimmten.

»Ich will hoffen, dass eine derartig respektlose Bemerkung über den Heiligen Vater nie wieder über Eure Lippen dringt, Herr Walther«, sagte Leopold scharf. »Wir sind hier nicht in einem Schankhaus, wo solche Zoten vielleicht am Platz wären. Wollt Ihr behaupten, dass dergleichen am Hof Philipps geduldet wird?«

Vieles in Walther drängte ihn dazu, das zu bejahen. Um Leopolds Gesicht zu sehen; weil es ihm nicht wirklich wichtig war, was Leopold von Philipp dachte; weil es Walthers Ansicht nach nichts gab, für das er sich entschuldigen musste, denn was er gesagt hatte, entsprach der Wahrheit. Doch dann erinnerte er sich an das qualvolle Sterben des alten Herzogs und die Furcht seiner Familie, der Mann würde wegen des Bannes, der auf ihm lag, geradewegs in die Hölle fahren, und musste zugeben, dass Leopold Grund hatte, sich mit dem Heiligen Stuhl gut stellen zu wollen.

»Herr Philipp ist ein frommer Sohn der Kirche«, sagte er stattdessen, was weder ein Ja noch ein Nein war, doch Leopold genügte.

»Das will ich hoffen«, entgegnete der Herzog der Steiermark. »Ihr könnt gehen, Herr Walther.«

»Ich habe ein Lied für Euren edlen Bruder …«

»Ihr könnt gehen.«

Das kam einem Hinauswurf so nahe, wie es Walther noch nicht geschehen war. Er wanderte einigermaßen benommen durch die

Gänge, ehe er bemerkte, dass ihn seine Füße zum Gemach Reinmars führten. Dieser war nicht unter den Höflingen um Leopold gewesen, sondern saß in einen warmen Pelz gehüllt mit seinem Knappen zusammen bei einem Würfelspiel, ein wenig grauer, ein wenig faltiger, doch ansonsten unverändert.

»Schau, wer eingeflogen ist«, sagte er, als er seinen Schüler erblickte; seine Stimme war leicht belegt. Walther lächelte.

»Ein gerupfter Hahn, wie es derzeit aussieht, Reinmar. Es wird dir gewiss zu Ohren kommen, aber mir scheint, Herr Leopold schätzt Bemerkungen über den Heiligen Vater und dessen Sorge um Macht und Geld noch weniger als du.«

»Nun, ich bin sicher, es wird dir bald wieder gelingen, dich mit neuen Federn zu schmücken«, gab Reinmar trocken zurück und schickte seinen Knappen, um Wein für den Gast zu holen.

»Solange du mich nicht beschuldigst, dass es fremde Federn sind …«

»Walther«, sagte Reinmar kopfschüttelnd, »deine Lieder sind zu erzürnend, um von irgendjemand anderem zu stammen.«

»Hast du das von Frankfurt gehört?«, fragte Walther schamlos neugierig, denn obwohl er im letzten Jahr noch anderes verfasst hatte, auf das er stolz sein konnte, wusste er, was sein größter Erfolg gewesen war.

»Es ist nicht das, was ich Dichtkunst nennen würde, doch es ist unvergesslich«, gab Reinmar steif zurück. Sie stürzten sich in eine Debatte über den Sinn und Zweck des Dichtens, als wäre es immer noch das Jahr nach Walthers Ankunft in Wien. Es machte ihm Freude, doch er verlor auch nie das Bewusstsein, auf einem Schiff zu stehen, das sorgsam alle Klippen umschiffte und nie zu einem gewissen Strudel kommen durfte. Schließlich fragte er Reinmar nach dessen eigenen neuen Liedern. *Vielleicht,* dachte Walther, *werde ich Reinmars Lobpreis der unerwiderten Liebe jetzt anders hören.*

Reinmar war höchst zufrieden, gefragt worden zu sein, und drei wunderbar ausgefeilte, aber gefühllose Lieder später zog Walther die Schlussfolgerung, dass er immer noch nicht ausreichend Geduld für dergleichen Entsagungshymnen hatte. Im Gegenteil:

Mit jedem angehörten Vers kroch ihm der Spott erneut in die Fingerspitzen und wollte sich Luft machen.

»Du bist bei all deinen Spruchdichtungen über Fürsten und das Reich wohl nicht dazu gekommen, Neues über die Liebe zu schreiben?«, erkundigte sich Reinmar ein wenig ungnädig, denn er musste an Walthers einsilbigen Reaktionen gemerkt haben, dass er von seinen Liedern alles andere als begeistert war.

»Aber ganz im Gegenteil!« Walther gab Reinmar das kurze Verslein zum Besten, das er sich während seines Vortrags zurechtgelegt hatte.

Wer sagt, dass Minne Sünde sei,
Der soll sich erst bedenken wohl.
Ihr wohnet manche Tugend bei,
Die man mit Recht genießen soll.
Die falsche Minne mein' ich nicht
Die hab ich nie gewollt,
Die könnt' Unminne heißen ehr:
Und will sie hassen sehr.

»Walther, Walther, du weißt noch immer nicht, wovon du sprichst und singst«, seufzte Reinmar. »Ist es dir denn gar so wichtig, alles in den Staub zu treten, was mir lieb und teuer ist?«

»Nun, wenn es dir Befriedigung verschafft, dann lass dir gestehen, dass ich mich in eine Frau vernarrt habe, die so weit von mir entfernt ist wie nur irgendeine deiner Damen und nie die Meine sein kann. Betrachte es als Strafe Gottes.«

Es war heraus, ehe Walther es sich versah; als er es einmal ausgesprochen hatte, begriff er, dass er deswegen zu Reinmar gekommen war. Es gab sonst niemanden, dem er sich anvertrauen konnte, und gerade der Umstand, dass er Reinmars dunkelste Seite miterlebt hatte, ließ ihn sicher sein, dass er ihm nicht mit diesem Wissen in den Rücken fallen würde. Was Reinmar an Bösartigkeit ihm gegenüber in sich trug, das hatte sich in jener Nacht erschöpft.

»Walther«, sagte Reinmar besorgt, »du warst doch nicht so töricht, die Prinzessin von Byzanz … was gibt es denn da zu grinsen?«

Walther versuchte vergeblich, sein Lächeln zu einem Husten abzuwandeln. »Du musst zugeben, für jemanden, der mich gelehrt hat, dass nur eine Dame, die weit über dem Sänger steht, des Minnesangs würdig ist, ist es ein starkes Stück, jetzt gegen eine Dame zu protestieren, die eindeutig den höchsten Rang im gesamten Heiligen Römischen Reich hat, bis auf die Kaiserinwitwe natürlich.«

»Ich sprach immer nur von Liedern, aber bei dir muss man befürchten, dass du unziemliche Gedanken zu Taten machen wirst. Das würde dich den Kopf kosten«, sagte Reinmar gekränkt. »Sosehr du bisweilen eine Lektion benötigst, so wenig wünsche ich dir diese.«

Walthers Erheiterung verschwand so schnell, wie sie gekommen war, weil er an die letzte Lektion dachte, die Reinmar ihm erteilt hatte, ob absichtlich oder nicht.

»Nun, dann kannst du ruhig schlafen«, sagte er brüsk. »Die Herzogin Irene hat nichts von mir zu befürchten.«

»Aber wer …«

Es kam Walther in den Sinn, dass er vorgeben könnte, in die Markgräfin von Meißen verliebt zu sein, was immer noch Reinmars Vorstellungen entspräche und immerhin nicht völlig erfunden war, doch gerade heute wollte er ehrlich sein.

»Ich sprach von weiter Entfernung, und es sieht dir ähnlich, dass du sofort davon ausgehst, dies bedeute, dass die Dame über mir stehen müsse. Reinmar, hast du denn nie in deinem Leben ein Mädchen geliebt, das im Rang unter dir stand?«

Reinmar hüllte sich noch ein wenig mehr in seinen Pelz. »Das ist keine Liebe, Walther. Das ist nur das, was wir mit den Tieren gemeinsam haben.«

Der Zorn, der Walther ergriff, überraschte ihn. »Was wir mit einigen Raubtieren gemeinsam haben, das ist die Lust am Töten. Aber kein Tier, das ich je beobachtet habe, hat andere dazu abgerichtet, für sich diese Drecksarbeit zu erledigen, um sein Mütchen an Dritten zu kühlen.«

Reinmars Haut wurde fahl. Man konnte die Stoppeln jenseits seiner sorgfältig gehaltenen Bartlinie erkennen, genau wie die roten Adern in seinen gealterten Augen. Er wusste, wovon Walther sprach. Natürlich wusste er es. »Warum«, stammelte er, »was hat das …«

Ob blutleer oder nicht, Reinmar war immer ein Meister des Wortes gewesen und hatte sich nie anders als klar ausgedrückt. Ihn auf einmal stottern zu sehen, verriet, wie sehr ihm die Erinnerung an jene Nacht zu schaffen machte. Auf seltsame Weise beruhigte das Walther ein wenig. Zu klar erinnerte er sich daran, wie die Kreuzritter, die den Tross ein Stück begleiteten, nur gelacht hatten über ihre Untat.

»Sie ist eine Jüdin«, sagte Walther. »Die Base des Münzmeisters Salomon. Und nun weißt du, warum es hoffnungslos ist.«

Diesmal war die Stille, die sich in den Raum senkte, nicht eisig wie im Palas bei Leopold und seinen Höflingen, sondern schwer mit dem Gewicht eigener Taten und belastender Träume. Schließlich streckte Reinmar seine linke Hand aus und legte sie auf Walthers.

»Du könntest ihre Seele retten, wenn du sie für das Christentum gewinnst und heiratest«, sagte er ernsthaft. Er meinte es gut, das war offensichtlich, und was auch immer ihn im letzten Frühjahr an Eifersucht und Groll getrieben hatte, war nicht mehr vorhanden. Doch Walther hatte sich ihm nie ferner gefühlt. Er sagte nichts, sondern erwiderte Reinmars Händedruck, doch ihm war klar, dass er nie mehr ein vertrauliches Wort mit ihm wechseln konnte.

Er würde nicht lange hier in Wien bleiben. Um Leopold in der Hoffnung herumzustreichen, den verpatzten Eindruck von vorhin wiedergutzumachen, das war eine trübselige Aussicht, die auch nicht dadurch besser wurde, wenn er sich vorstellte, das den ganzen Weg von Wien ins Rheinland zu tun, denn Philipp hatte ihm verkündet, dass seine Königswahl nicht in Hagenau, sondern in Mainz stattfinden würde. Nein, es war an der Zeit, wieder etwas zu tun, auf das die hohen Herren nicht gefasst waren. Leopold wollte erkennbar auf den Bescheid aus Rom vom nächsten Papst warten und verbat sich unverschämte Einschätzungen eines Sängers zu diesem Thema? Philipp behandelte Botschaft nach Botschaft so, als sei sie zwar wichtig, doch nicht wichtig genug, um Walther einen festen Platz an seinem Hof anzubieten?

Nun, es gab jemanden, der über ihnen stand, und das war nicht die Kaiserinwitwe Konstanze. Wer auch immer der nächste Heilige Vater sein würde, er musste eine Meinung zu den Ereignissen im Reich haben, damit hatte Leopold recht gehabt. Und es mochte sich für mehr als einen Beteiligten lohnen, herauszufinden, was das für eine Meinung war.

* * *

Die Entbindung der Salzhändlergemahlin Richildis fand zwei Wochen früher statt, als Judith sie nach den Angaben der Frau erwartet hatte. Da deswegen die Hebamme noch nicht im Haus war, gab es außer Judith nur noch das Gesinde, um ihr zu helfen. Die Knechte und Mägde hatten ihre Anwesenheit im Haus nicht freudig aufgenommen; sie wussten nicht, ob sie die Magistra als Teil des Gesindes oder als Herrschaft zu behandeln hatten, und außerdem sprach sich sehr schnell herum, dass sie eine Jüdin war, ob getauft oder nicht, das wusste niemand mit Gewissheit zu sagen. Eine der Mägde fragte offen, ob es stimme, dass Juden kleine christliche Kinder bei ihren Passah-Feiern schlachteten.

»Nein«, entgegnete Judith mit zusammengebissenen Zähnen und erniedrigte sich nicht zu einer längeren Antwort, denn der Vorwurf war zu lächerlich, um ihn ernst zu nehmen. Dann fiel ihr ein, was Gilles und Stefan über die jüdischen Bürger von Blois erzählt hatten, die wegen ebendieses Vorwurfs bei lebendigem Leibe verbrannt worden waren, und es lief ihr kalt den Rücken hinunter.

Als bei Richildis die Wehen einsetzten, musste Judith dreimal darum bitten, dass Wasser abgekocht wurde. Von da an verlief nichts mehr so, wie es sollte: Das Fruchtwasser kam bald aus Richildis heraus, doch das Kind nicht, und das machte den Geburtsvorgang unendlich schmerzhafter. Außerdem lag es falsch, das konnte Judith ertasten. Eine der Mägde war so dumm, um von Teufelskindern zu sprechen, ehe Judith sie aus dem Zimmer warf. Richildis geriet immer mehr in Angst, ihre Krämpfe wurden schlimmer, und ihr Gemahl, der wie alle Männer dem Geburtszimmer wohlweislich fernblieb, hörte auf die Magd und holte einen Priester, was Richildis gänzlich davon überzeugte, dass ihr letztes Stündlein geschlagen hatte.

Schließlich beschloss Judith, das Kind im Mutterleib zu drehen, um es aus der Steißlage zu befreien. Sie hatte das bei Hebammen beobachtet, aber selbst noch nicht getan, obwohl ihr Francesca erklärt hatte, was zu tun war. Ihre eigene Angst war inzwischen groß, obwohl sie versuchte, sich nichts davon anmerken zu lassen. Richildis stöhnen und schreien zu hören, ohne zu wissen, ob es vor Schmerzen oder aus Furcht geschah, steigerte das Gefühl, sich vor einem Abgrund zu befinden. Judith rieb sich Hand und Unterarm mit Öl ein und versuchte ihr Bestes, um das Kind zu drehen, doch es gelang ihr erst beim zweiten Anlauf. Richildis fing an zu flehen, Christus möge sich ihrer Seele erbarmen, weil sie zugelassen hatte, dass eine Jüdin Hand an sie legte.

Endlich kam das Kind, und als Judith die Nabelschnur zerschnitt, nahm es die verbliebene Magd sofort an sich, damit, wie sie offen sagte, kein böser Zauber damit getrieben werden konnte. Es war ein gesunder Junge, obwohl er erst einen Klaps auf den Hintern erhalten musste, um zu schreien, aber Richildis blutete immer noch zu stark, als dass es sich dabei nur um die Nachgeburt handeln konnte. Am Ende musste sie miterleben, wie die Salzhändlergattin verblutete.

Judith hatte noch nie einen Patienten verloren; dass es eine Frau war, empfand sie als doppelt schändlich. Es war ein widerliches Gefühl der Ohnmacht und des Wissens, irgendetwas falsch gemacht haben zu müssen. Ja, das Kind lebte, aber Richildis war es noch vor einem Tag gutgegangen. Judiths Behauptung, der gesamte letzte Monat ihrer Schwangerschaft müsse ständig überwacht werden, war eine Lüge gewesen, um sich ein Obdach zu verschaffen, und nun fragte sie sich, ob diese Lüge dazu beigetragen hatte, in Richildis die Furcht wachsen zu lassen und ihren Willen zum Überleben zu zerstören. Entsetzt sprach sie für die Frau Kaddisch, ohne nachzudenken, und die Magd fing an, etwas über bösen Zauber zu murmeln. Als Judith mit dem schreienden Kind im Arm den Raum verließ, um dem Salzhändler den Tod seiner Frau beizubringen, war sie zu betäubt von Schuld, um gegen das Gezeter der Frau zu protestieren.

Der Kaufmann bestand darauf, dass sein Sohn die Nottaufe erhielt, obwohl das Kind gesund war. Während der Priester die nötigen Worte sprach, stand Judith mit ihrem blutigen Oberkleid in einer Ecke und fragte sich, wann die erste Anschuldigung ausgesprochen würde. Als es an der Tür pochte, stellte sich das Klopfen als das der Hebamme heraus, doch sie war nicht alleine: Bei ihr standen Gilles und zwei junge Männer, die Judith noch nie gesehen hatte.

Paul hatte Gilles ihre Botschaft überbracht, doch Judith keine Antwort bekommen. Sie hatte angenommen, Gilles' Schweigen sei seine Erklärung für Stefan. Aber hier war er, in einem der schlimmsten Momente ihres Lebens, und sie blinzelte ungläubig, als sei er eine Erscheinung, die sich in jedem Moment in Luft auflösen konnte.

»Richildis ist tot«, sagte sie hilflos. Gilles wirkte, als verstünde er ein wenig, was das für sie bedeutete. Sie dachte daran, wie sie sich in seiner Gegenwart einmal über Richildis ausgelassen hatte, und ihr Schuldgefühl stieg. Unbeholfen legte Gilles seine Arme um sie. Als er sie an sich zog, flüsterte er ihr ins Ohr: »Die beiden sind die Geiseln des Erzbischofs. Es wäre wahrlich gut, wenn wir die Stadt sehr schnell verließen.« Judith warf einen Blick auf die beiden Mägde, die sich sofort bekreuzigten, auf den trauernden Salzhändler mit seinem neugeborenen Sohn neben dem Priester und nickte, statt Fragen zu stellen.

Ein paar Stunden später kauerten sie alle auf dem ersten Schiff, das sie hatten finden können und dessen Schiffer nicht sofort abergläubisch die Anwesenheit einer Frau ablehnte. »Ich habe lange nachgedacht über deine Worte«, sagte Gilles zu ihr, während sie von Pferden den Rhein aufwärts gezogen wurden. »Dein Onkel war mir immer ein guter Patron, und ich habe schon einmal herrenlos gelebt; das ist kein gutes Dasein. Aber dann hat er mir eine Botschaft geschickt. Er wollte, dass ich die Geiseln gehen lasse.« Judith schaute zu den beiden jungen Männern, Verwandte des Herzogs von Zähringen. »Er wollte, dass ich sie gehen lasse und behaupte, sie hätten mich überwältigt«, erläuterte Gilles. »Damit ich … wie sagt man in deiner Sprache … einen Sündenbock abgebe gegenüber dem Erzbischof. Er wollte, dass Adolf keinen Grund mehr hat, auf das Geld des Zähringers zu warten. Aber der Erzbischof, das ist kein Herr, der leicht verzeiht. Er hätte mir die Schuld gegeben. Und so wäre dein Onkel mich ganz einfach losgeworden.«

»Onkel Berthold hätte uns ohnehin nicht ausgelöst«, bemerkte eine der Geiseln. »Nicht bei unseren Spielschulden. Er hat gemeint, wir seien eine Schande für die Familie, und ein paar Wochen beim Erzbischof seien genau das, was wir verdient hätten. Als Mann der Kirche könne der Erzbischof ohnehin nicht mehr tun, als uns in kargere Räume stecken, wenn er es satthabe, auf Berthold und sein Geld zu warten.«

Judith war in Gedanken noch bei Richildis und dem Kind. Hoffentlich kannte die Hebamme eine andere Wöchnerin, so dass der kleine Junge anständig genährt werden konnte. Und Richildis … wieder und wieder ging sie in Gedanken alles durch, was sie getan hatte und was nicht. Auf diese Weise brauchte sie länger, als es sonst der Fall gewesen wäre, bis sie Gilles stirnrunzelnd fragte: »Aber wenn du durchschaut hast, warum Stefan das von dir verlangt hat, warum …« Sie blickte zu ihm hin und verstand. »Danke.«

»Nun, wir konnten doch nicht allein und ohne ausreichenden Schutz übers Land ziehen«, sagte der junge Verwandte des Herzogs von Zähringen. »Es ist gefährlich auf den Straßen dieser Tage! Auf dem Weg nach Andernach hatten wir immer fünf Bewaffnete bei uns, und die waren auch nötig. Aber wenn diese Pfeffersäcke so gegen den Onkel als neuen König sind, dass sie uns loswerden wollen, greifen sie vielleicht noch zu ärgeren Methoden, als uns fliehen zu lassen. Deswegen mussten wir die Gelegenheit beim Schopf packen.«

»Du hast gesagt, dass wir Geld brauchen und neue Arbeit«, sagte Gilles und sah Judith bedeutungsvoll an.

Sie zweifelte, ob der Herzog von Zähringen bereit war, Gilles für die sichere Rückkehr seiner Neffen zu bezahlen, wenn er schon nicht die Absicht hatte, das beim Erzbischof zu tun, doch vielleicht irrte sie sich. Eigentlich hatte sie vor allem neue Arbeit für sich selbst gemeint, doch sie konnte immer noch das Blut von Richildis an sich riechen; in ihrer jetzigen Stimmung hätte Judith es sich noch nicht einmal zugetraut, eine Maus zu heilen. Sie wusste, dass sich das ändern würde. Aber vielleicht gab es etwas, das sie bis dahin tun konnte.

Walther belieferte seine Gönner nicht nur mit angenehmen und stacheligen Versen: Er war in Köln gewesen, um etwas für Herzog Philipp herauszufinden, nicht nur für sich selbst, das hatte sie sich sehr schnell zusammengereimt. Vielleicht konnte er auch deswegen von seinen Liedern leben, weil er außerdem noch Geheimnisse herausfand, mit denen sich handeln ließ.

Nun, Onkel, dachte Judith, *mein Herz hat nicht staufisch geschlagen, doch Ihr habt dafür gesorgt, dass es mit Sicherheit nicht welfisch schlägt, und Otto hat noch etwas bei mir gut!*

»Edle Herren«, sagte sie zu den Neffen des Herzogs von Zähringen, »wenn Euer Onkel Euch so ungnädig gesinnt ist, dann gibt es einen Herrn, der gewiss über Eure Anwesenheit froh wäre, vor allem, wenn Ihr ihm berichtet, was Ihr in Andernach alles gesehen habt. Immerhin steht dort die wichtigste Feste des Erzbischofs.«

»Ihr meint …«

»Unseren zukünftigen König«, sagte Judith, »Philipp von Schwaben.«

* * *

Die einzigen Reisenden, die im Winter von Wien zu Fuß nach Italien zogen und bereit waren, Kälte, Schnee, Lawinen und kaum überquerbare Flüsse zu riskieren, waren Pilger, von denen einige so sehr um ihr Seelenheil fürchteten, dass sie nicht den Frühling abwarten wollten. Mit jeder Papstkrönung war gewöhnlich auch ein Generalablass verbunden, um den es ihnen ging. Wenn sie auch als Rompilger unter dem generellen Schutz der Kirche standen, was ihnen Sicherheit gegenüber menschlichen Übergriffen versprach, gegen Kälte und Naturgewalten half das nichts, und sie riskierten ihr Leben. Das zumindest erzählten sie Walther, der nicht erwartet hatte, sich in einer Schar Büßender wiederzufinden, und sehr erleichtert war, als sich herausstellte, dass er nicht der Einzige mit ausschließlich weltlichen Gründen war, nach Rom zu reisen: Ein Ritter mit seinem Dienstmann nahm an dem Pilgerzug teil, weil er darauf hoffte, vom Papst die Ehe seiner Eltern als gültig und sich selbst daher als erbberechtigt bestätigt zu bekommen, etwas, was bisher niemand bezweifelt habe, bis sein gerissener Hund von einem Vetter auf einmal einen Kaplan hervorzauberte, der behauptete, der verstorbene Vater des Ritters wäre vor seiner Eheschließung mit der Mutter bereits vermählt gewesen. »Das würde mich zum Bastard und meine arme Mutter zur Hure machen! Natürlich hat mein Vetter ihn bestochen«, donnerte der Ritter. »Der Bischof von Passau ist noch nicht wieder zurück, doch dessen Stellvertreter hat einfach für meinen Vetter entschieden. Fragt mich nicht, wie viel auch dem bezahlt worden ist. Aber nicht mit mir! Wenn nötig, gehe ich bis nach Rom, habe ich zu meinem Vetter gesagt, und genau das tue ich jetzt!« Genau wie Walther hatte der Ritter ein Pferd, musste es aber auch, um in der Gruppe aufgenommen zu werden, für das Gepäck zur Verfügung stellen.

Außerdem war ein Bettelmönch dabei, der sich auf das Singen verstand, was Walther bereits beim ersten Mal heraushörte, als die gesamte Schar einen Chorus anstimmte. Er trug in seiner Kapuze nicht nur Medaillen, die er in Rom segnen lassen wollte, sondern auch eine Menge Broschen, was für Walther nur so lange ungeklärt blieb, bis die Pilgergruppe zum ersten Mal in ein Städtchen einkehrte. Zwar kamen sie wie immer in einem Kloster unter, doch der Bettelmönch brachte es fertig, einigen Bürgersfrauen die Beichte abzunehmen und mit weniger Broschen zurückzukehren, dafür aber mit einem runderen Bäuchlein und der noblen Erklärung, er würde zugunsten der anderen Pilger auf seinen Anteil am gemeinsamen Mahl verzichten.

»Du und ich, mein Freund«, sagte er zu Walther, »sollten uns zusammentun. Ich stamme aus der Gegend von Brixen, du aus der Nähe von Bozen, das verbindet. Oder hast du ein Gelübde abgelegt, auf dem Weg nach Rom zu fasten?«

»Nein, aber ich bin auch nicht derjenige, der vom Anführer unserer Schar wegen des Bruchs des Gelübdes belangt werden kann«, erwiderte Walther. Bei dem Anführer handelte es sich um einen gestrengen Zisterzienser, mit dem nicht gut Kirschen essen war. Im ersten Kloster, in welchem sie blieben, hatte man ihnen anfangs kein Quartier geben wollen, weil bereits das Gefolge eines Grafen dort logierte, und der Zisterzienser war dem Benediktiner-Abt so zu Leibe gerückt, dass man fast von einem Turnier ohne Lanzen sprechen konnte. Außerdem hatte er bereits einen Scholaren aus ihrer Schar geworfen, weil er der jüngsten der drei Nonnen schöne Augen gemacht hatte.

»Dem Tapferen gehört die Welt, und dem Sänger guter Lieder das Ohr der Frauen und die Leckereien in ihren Kochtöpfen«, sagte der Bettelmönch. »Im Übrigen bin ich ein Laienbruder.«

»Aber hast du nicht gesagt, dass du berechtigt wärest, die Beichte abzunehmen?«

»Nun, um offen zu sein, mein genauer Stand wird sich in Rom klären, das hoffe ich wenigstens. Wem schadet es, wenn ich in der Zwischenzeit die Herzen von ihrer Sündenlast befreie?«

Sein Name war Martin, doch Walther argwöhnte, dass dieser Name genauso wenig echt war wie die Broschen und Medaillen, die ihm sehr wie mit etwas silberner Farbe überzogene Bronzen vorkamen. Als Geschichtenerzähler wusste er Martins Einfallsreichtum jedoch zu würdigen. Außerdem zeigte sich der Bettelmönch besser unterrichtet, als es Leopold gewesen war, nachdem er von seinen Beichten zurückkehrte. Wie es schien, war noch in der Nacht nach dem Tod Coelestin III. ein neuer Papst gewählt worden, ein Kardinaldiakon namens Lothar von Segni.

Coelestin war bei seiner Wahl bereits fünfundachtzig gewesen, meinte Martin, und das Einzige, was er über Lothar von Segni wusste, war, dass der Mann siebenunddreißig Jahre alt war und den Namen Innozenz III. angenommen hatte.

»Wir werden es noch rechtzeitig zur Papstweihe nach Rom schaffen«, erklärte er zuversichtlich. »Anna, mein Beichtkind von gestern, hat gesagt, sie sei auf Ende Februar angesetzt. Ihr Gatte liefert das Tuch für ein paar der neuen Roben.«

»Warum ist dir das so wichtig?«, fragte Walther neugierig.

»Wegen des Generalablasses natürlich«, gab Martin zurück. »Der nächste kommt erst zu Ostern, und bis dahin … nun, um offen zu sein, in mir ist ein Geschwür. Ich werde nach Salerno weiterziehen, doch wer weiß, ob sie mir dort helfen können. Also möchte ich vorher im Reinen mit unserem Herrn sein.« Er zwinkerte Walther zu. »Aber bis wir nach Rom kommen, lohnt es sich, noch ein wenig zu sündigen. Selbst der große Augustinus hat gebetet, Gott möge ihn sündenfrei machen, aber doch nicht gleich! Was einem Kirchenvater recht ist, muss einem armen Laienbruder wie mir doch billig sein, oder?«

Zwei Mitglieder der Pilgerschar holten sich Erfrierungen an den Zehen, ehe sie die Berge hinter sich ließen, aber ansonsten brachten sie Schnee und Schneeschmelze hinter sich, ohne Verluste zu erleiden. Gefährlich wurde es erst, als sie die Gegenden verließen, in denen Deutsch gesprochen wurde. Sie hatten alle Geschichten darüber gehört, wie nach dem Tod des Kaisers in Italien die Hölle ausgebrochen war. Der Ritter versicherte, sie beschützen zu können, doch der Zisterzienser beschwor ihn, das sein zu lassen. Walther und Martin, die zwar beide die Volgare sprachen, aber den Schutz der größeren Gruppe nicht verlieren wollten, hatten sich vorgenommen, das für sich zu behalten, um gar keine Diskussion über ständige Hilfe beim Übersetzen aufkommen zu lassen.

»Wir sind Pilger«, sagte der Zisterzienser. »Brüder und Schwestern in Christus. Wer Pilger nach Rom und Santiago de Compostela verletzt, ist verflucht und verliert sein Seelenheil. Wenn wir dagegen als Waffenträger erscheinen, beschwören wir die Gefahr geradezu herauf.« Mit einem strengen Blick in die Richtung von Walther und Martin fügte er hinzu: »Gesten und Scherze, die missverstanden werden könnten, sollten auch unterlassen werden.«

Wie sich herausstellte, waren die Klöster wirklich gastfreundlich, doch das mochte auch damit zusammenhängen, dass im letzten Jahr eine Flut an deutschsprachigen Rittern und Kaufleuten nicht nur Obdach auf heiligem Boden gesucht hatte, sondern auch bereit gewesen war, dafür zu bezahlen. Nachdem der Zisterzienser sie an die Pflicht der brüderlichen Liebe für Pilger erinnert hatte, wurden sie zwar etwas weniger freundlich empfangen, doch trotzdem untergebracht. Walther gelangte allmählich zu der Überzeugung, dass alle schlimmen Berichte heillos übertrieben worden waren, bis der Ritter in Verona den Fehler machte zu erwähnen, dass sein Vater mit dem alten Kaiser Rotbart hier gewesen sei, und das in Hörweite einer Gruppe von Einheimischen. »Barbarossa?«, wiederholte einer wütend. Am Ende hatte die Pilgergruppe Glück, nach einem Steinhagel gerade noch ihre Herberge zu erreichen.

»Nun ja«, sagte der Ritter unbehaglich, da er sich nicht eben geopfert hatte, um der Schar einen sicheren Abzug zu ermöglichen, »vielleicht hätte ich daran denken sollen, dass Verona nicht mehr so gut dastand nach seinem Besuch.«

»Vielleicht hättest du das, Bruder«, gab eine der Nonnen wütend zurück. Sie hatten ihren Beutel auf der Straße zurücklassen müssen, um schneller rennen zu können. Walther fragte sie, was sich denn in dem Beutel befunden hatte, und erfuhr nach einigem Hin und Her, es habe sich um Untergewänder und Strümpfe gehandelt. Das Problem waren die Strümpfe; die Untergewänder, welche die Nonnen am Leibe hatten, mussten eben bis Rom reichen, aber die Strümpfe nutzten sich durch das ständige Laufen ab und konnten nicht ewig geflickt werden.

Sie taten Walther leid; außerdem hatte er es noch nie gut vertragen, irgendwo eingesperrt zu sein. Also schnappte er sich Martin mit seinen Broschen und Medaillen. Gemeinsam schlichen sie

aus der Herberge, um am Marktplatz ein paar italienische Trink-
und Frühlingslieder zu schmettern. Sie kehrten mit frisch gebackenem Brot und zwei Paar Strümpfen für die drei Schwestern zurück. »Ihr werdet Euch eben abwechseln müssen, Schwestern«, sagte Walther und wurde gesegnet. Bisher waren ihm die
Nonnen aus dem Weg gegangen, doch nun hörten sie fast nicht
mehr auf zu reden.

Wie sich herausstellte, waren zumindest sie nicht wegen des Ab-
lasses auf dem Weg nach Rom, sondern weil sie das Recht erwirken wollten, das Gemeinschaftskloster zu verlassen, in dem sie
mit den Brüdern des Heiligen Benedikt lebten, um ihr eigenes
Stift zu gründen, wo sie nur einer Äbtissin untertan sein würden, nicht einem Abt. Der für sie zuständige Bischof wäre Wolfger gewesen, doch in seiner Abwesenheit hatte der Abt ihres
Gemeinschaftsklosters ihre Bitte strikt abgelehnt. Jede Nonne
brachte neben ihrer Arbeitskraft auch ihre Mitgift mit ins Kloster; deswegen wollte er sie wohl behalten.

»Wenn wir ein Bistum in Wien hätten«, sagte die älteste Nonne
und musste den Gedanken nicht zu Ende sprechen. Bei sich
dachte Walther, dass sie dann immer noch vor dem Problem
stünden, wem der Bischof die Mitgiften der Novizinnen mehr
gönnte, doch für die Schwestern brachte er fertig, was er bei Leopold nicht vermocht hatte: Er hielt sich zurück.

Bald sprachen sie über die Hoffnungen, die sie in den neuen
Papst setzten. Im Gegensatz zu Martin hatten sie schon früher
von ihm gehört. »Er hat in Paris studiert und gilt als wahrer
Meister des Kirchenrechts«, so hieß es, »einer der klügsten Köpfe der Christenheit«, so nannten sie ihn. Die älteste Nonne gestand, dass ihr merkwürdig zumute war bei dem Gedanken, mit
einem Mal älter als der Heilige Vater zu sein, wo es sonst immer
umgekehrt gewesen sei. Doch auch sie bewunderte ihn und hoffte, dass er zu ihren Gunsten entscheiden würde.

»Wisst Ihr, ob er den Gesang liebt?«, fragte Walther nur halb
im Scherz und bekam zu hören, dass die Nonnen das sehr be-
zweifelten, obwohl sie selbst, der großen Hildegard eingedenk,
Freundinnen des Gesanges seien. »Unser neuer Heiliger Vater

hat in demjenigen seiner Bücher, aus dem der Abt in unserem Kloster hat rezitieren lassen, geschrieben: *Aus Erde geformt ist der Mensch, empfangen in Schuld und geboren zur Pein. Er handelt schlecht, gleichwohl es ihm verboten ist, er verübt Schändliches, das sich nicht geziemt, und setzt seine Hoffnung auf eitle Dinge. Er endet als Raub der Flammen, als Speise der Würmer, oder er vermodert.* Das bedeutet bestimmt nicht, dass er glaubt, man dürfe die Pein des irdischen Daseins durch weltliche Freuden lindern.«

Das klang alles andere als vielversprechend, was Walther betraf, aber sich auf halbem Weg nach Rom entmutigen zu lassen, war nicht seine Art. Nur der Bettziechenweber, der außer bei gemeinsamen Gebeten noch nie von sich hatte hören lassen, murmelte etwas davon, dass man Sänger, die Männer Gottes zur Sünde verleiteten, eigentlich dazu zwingen sollte, als Buße ein härenes Hemd zu tragen. »Ich habe eines dabei«, fügte er hilfsbereit hinzu, was ihm bewundernde Blicke der Nonnen einbrachte und Walther dazu veranlasste, das Weite zu suchen. Immerhin erinnerte ihn das Gerede von der Schlechtigkeit des Menschen daran, dass er schon viel zu lange tugendhaft gelebt hatte. Auf dem Marktplatz in Verona war ihm mehr als ein wohlwollendes Lächeln geschenkt worden, solange er die Volgare gesprochen hatte.

Ihre nächste Übernachtung fand in einer Einsiedelei statt, doch danach führte sie der Weg wieder durch ein betriebsames Städtchen. Walther überredete Martin, einen weiteren Ausflug zu unternehmen, diesmal einen, der nichts mit Nonnen zu tun hatte.

»Mir geht es heute nicht so gut«, sagte Martin mit einem leicht verzerrten Lächeln.

»Ein Grund mehr, um zu sündigen«, gab Walther zurück.

Sie schlichen sich aus dem Spital, in dem sie übernachten sollten. Es war erst früh am Nachmittag; sie hatten in dieser Stadt haltgemacht, weil der Zisterzienser sicher war, dass nach der Stadt auf dem Weg nach Rom lange nichts mehr kommen würde, und es war immer noch zu kalt, um im Freien zu übernachten, selbst hier in Italien, wo die Natur ein paar Wochen weiter zu sein schien.

»Musik und Liebe kennen keine Grenzen«, sagte Walther, zumal er und sein Begleiter geschickt vertuschen konnten, Deutsche zu sein. Seine Laute und Martins wunderbare Stimme ließ die beiden dann auch nicht lange einsam in der Schenke vor ihrem Becher Wein sitzen, wo sie ein beliebtes Weinlied sangen.

Sitzt so ein Sänger beim Weine,
Hemmungen kennt er dann keine,
Säuft er sich voll bis zum Rande,
bringt leicht sein Mund ihn in Schande.
Ich aber, bin ich betrunken,
sprühen mir die Verse wie Funken.
Drum lasst mich trocken nicht hocken,
sonst folgt ein Stümpern und Stocken!

Walther, der nach seinem Abschied von Judith noch bei keiner Frau gelegen war, wollte vergessen, dass sie verheiratet war. Lange schwarze Haare, die seine Beine streiften, wenn sie auf ihm saß, eine Haut wie ein Pfirsich, breite Hüften und ein weicher, großer Hintern, geformt wie zwei köstliche Brote, zum Reinbeißen einfach, dazu noch kräftige Brüste mit großen, dunklen Warzen und ein unstillbarer Hunger auf Leben, der ihm aus dunklen Augen entgegenblitzte, schafften es dann auch schnell, ihn so abzulenken, dass er jede Zeit vergaß. Er hätte sich wahrlich Glückspilz nennen sollen, denn sie ließ und ließ ihn nicht gehen. Sie hatte offenbar auch etwas nachzuholen, und dann waren sie beide irgendwann eingeschlafen.

Als er erwachte, war es früher Morgen, und er brauchte fast bis zum Mittag, um Martin zu finden, dem es nicht schlechter als ihm ergangen sein musste. Als sie die Einsiedelei erreichten, stand nur noch Walthers Pferd da, die Gruppe war ohne sie weitergezogen.

Da er wusste, dass die Pilgerreise nach Rom für Martin einen ernsten Grund hatte, schlug er vor, nicht auf die nächste Gruppe zu hoffen, sondern sich gemeinsam bis in die Ewige Stadt durchzuschlagen. Martin war indes tiefer von dem Debakel getroffen:

Er wanderte verstört und mit zitternden Lippen den Weg entlang, bis Walther, dessen Versuche, ihn aufzuheitern, alle fruchtlos verlaufen waren, schließlich sagte: »Nimm es mir nicht übel, aber wir wissen beide, dass du kein Mönch bist. Sei doch froh, nicht länger einen spielen zu müssen!«

»Aber ich wollte ein Mönch sein«, entgegnete Martin düster. »Kein Kloster hat mich aufgenommen. Da dachte ich mir, ich werde beweisen, dass ich als Mönch leben kann. Nur musste ich mich eben auch von etwas ernähren, und so führt ständig eines zum anderen. Aber es gab eine Zeit, da hatte ich kein größeres Vorbild als den heiligen Benedikt.«

»Besser ein tapferer Sünder als ein halbherziger«, meinte Walther philosophisch, und sie lachten. Eigentlich wollte er Martin gerne anbieten, sein Knappe zu werden, denn er mochte ihn, doch wenn Martin wirklich zu Tode erkrankt war, dann machte ein solches Angebot keinen Sinn.

Sie verbrachten die nächsten beiden Tage guter Dinge, wobei sie abwechselnd beide liefen und Hildegunde nur das Gepäck tragen ließen, oder einer von ihnen, der gerade etwas Erholung brauchte, auf dem Pferd saß. Dann hatte Hildegunde wieder einen ihrer Anfälle von Bissigkeit und Sturheit, weigerte sich, weiterzugehen, keilte aus und wäre um ein Haar durchgegangen. Martin machte einen Scherz über die Ähnlichkeit von Herr und Tier – und hielt mitten im Satz inne. Seine Stirn überzog sich mit einem Runzeln.

»Walther«, sagte er und schniefte ein paarmal, »da liegt etwas in der Luft, lass uns in den Büschen verschwinden, hier stimmt etwas nicht.«

Kaum hatten sie den Weg verlassen und sich hinter hohem Gestrüpp verborgen, als ein Trupp Berittener mit einem bunten Wappen auf ihren Rüstungen in Sichtweite kam. Walther hielt Hildegunde die Nüstern zu, damit sie ruhig blieb, was sie erstaunlicherweise auch hinbekam. So verstanden sie etwas von dem Gegröle in der Volgare. »Die hat gequiekt wie ein Schwein« und »Hast du mitbekommen, das waren Deutsche« und »Nicht besser verdient«. Eine Ahnung, dass etwas Schreckliches passiert sein musste, drängte sich ihnen auf.

Sie fanden die Leichen eine halbe Stunde später, Pilger, die unter dem Schutz Gottes standen. Alle waren sie tot, die Nonnen, der Ritter, sein Knappe, der Zisterzienser, der Bettziechenweber. Tot und ausgeplündert, sogar ihre Kutten und Unterkleider waren offenbar den Diebstahl wert gewesen. Die Nonnen waren vor ihrem Tod noch vergewaltigt worden; man konnte Blut und Samen zwischen ihren Schenkeln und auf ihrem Bauch sehen. Warum es geschehen war, blieb Walther unbegreiflich: War das Morden den Kriegsknechten so in Fleisch und Blut übergegangen, dass ihnen egal war, wen sie töteten? Durfte man solchen Leuten überhaupt Waffen geben? War das nicht schon zu viel Macht, wie die Toten bewiesen? Gab es niemanden mehr, der solchen Auswüchsen Einhalt gebieten konnte? Martin murmelte etwas von Tieren, nicht Menschen, die hier gewütet hatten.

»Tu diesen Kreaturen nicht die Ehre an, sie Tiere zu nennen. Tiere vergewaltigen nicht, Tiere quälen nicht, sie töten nur, wenn sie Hunger haben, nicht aus Freude.« Aber Walthers Zorn ebbte auch durch diesen Gefühlsausbruch nicht ab.

Martin äußerte die Hoffnung, dass mörderische Verhältnisse wie diese mit dem neuen Papst ein Ende haben würden, und forderte Walthers Widerspruch geradezu heraus. »Mord, Vergewaltigung, Raub, das gibt es heute, das wird es morgen geben und in tausend Jahren. Solange es Menschen gibt, die den Besitz anderer begehren oder Macht über andere haben wollen, ändert sich daran nichts. Ich bin eher gespannt, ob Innozenz mit Macht umgehen kann. Ob bei ihm der Auftrag von Jesus, seinen Nächsten zu lieben wie sich selbst, erkennbar bleibt«, fügte er noch verbittert hinzu.

Sie verbrachten den Rest des Tages damit, die Leichen zu beerdigen, während Martin alle Gebete sprach, an die er sich erinnerte. Walther konnte sich noch an die Namen der Nonnen und des Zisterziensers erinnern, aber nicht, aus welchem Kloster sie gekommen waren. Der Ritter Heinrich hatte einen Kärntner Akzent gehabt, aber sein Name war der häufigste Name im Heiligen Römischen Reich. Der Bettziechenweber war ihnen gänzlich ein Unbekannter geblieben. Niemand, nicht der Vetter des Ritters, der ihn unehelich genannt hatte, noch der Abt der Nonnen würde je erfahren, was aus ihnen geworden war. Es war, als hätten sie nie gelebt, ausgelöscht durch eine Stunde Gewalt und den Tod.

Das sah ich, und ich sag euch das: keiner, der lebet ohne Hass.

Die Worte gingen ihm nicht aus dem Kopf, fügten sich in eines seiner Lieder für Philipp ein. Aber wenn die Welt immer so war, dann war Walther trotzdem nicht zufrieden damit. Nicht zufrieden, sie so zu lassen. Die Menschen hatten Besseres verdient. Alle Menschen hatten Besseres verdient.

KAPITEL 21

Was Philipp am meisten im Magen lag, war, dass es ihm entschieden an geistlichen Fürsten mangelte. Der Bischof von Mainz, der nicht nur der Erzkanzler des Reiches war, sondern eigentlich auch derjenige, der zur Wahl eines deutschen Königs laden sollte, ließ sich mit seiner Rückkehr aus dem Heiligen Land ungewöhnlich lang Zeit, und Adolf von Köln hatte sich zu seinem Stellvertreter erklärt. Außerdem hatte er den Erzbischof von Trier für sich gewonnen, indem er ihm den gesamten Kölner Kirchenschatz verpfändete, weil auch die Hilfe und das Geld seiner Kölner Kaufleute nicht unbegrenzt waren. Der Bischof von Straßburg stand ebenfalls an der Seite von Adolf und wollte wie dieser den Zähringer als König sehen.

Damit durfte es nun aber wohl vorbei sein; nach der Flucht der Geiseln sollte auch Adolf klar sein, dass er in Herzog Berthold keinen willigen Thronanwärter hatte. Trotzdem war Philipp nicht undankbar für das Erscheinen der beiden jungen Männer an seinem Hofe: Sie ermöglichten es ihm, die eingeplanten Kosten für Bertholds Unterstützung etwas zu senken. Eine Burg war eine Burg, und die Feste seines Bruders Konrad nicht zur

Zerstörung freigeben zu müssen, erhielt ihm nicht nur einen Stützpunkt, sondern ersparte ihm auch die Kosten des Wiederaufbaus. Außerdem schwor Heinz von Kalden, dass man nach Lage der Dinge um einen Angriff auf Andernach früher oder später nicht herumkommen würde, und die beiden Geiseln waren mit einem Söldner aufgetaucht, der dort gedient hatte. Das war alles sehr nützlich – nur an dem Mangel an hochrangigen Klerikern auf seiner Seite änderte es nichts.

Auf Wolfger von Passau würde er gewiss zählen können, aber der war immer noch in Italien. Der einzige Rheinländer, der nicht auf Seiten Adolfs stand, weil er es satthatte, immer im Schatten von Köln und Trier zu stehen, war Bischof Lupold von Worms, aber der allein genügte nicht. Philipp versuchte noch, Bischöfe zu ködern, indem er anbot, zukünftig auf das Erbe verstorbener Priester zu verzichten, was dem Kaiser schon ewig zustand, musste aber erfahren, dass dieses Angebot auch von Otto gekommen war.

Eine glückliche Idee kam Philipp, als er sich seiner Zeit als gewählter Bischof von Würzburg entsann. Natürlich war er zu jung gewesen, um das Amt auszuüben, doch man hatte ihn damals über die wichtigsten Anliegen des fränkischen Klerus unterrichtet. Wichtiger noch in der Kirchenhierarchie als das Bistum Würzburg war das Erzbistum Bamberg. Die Bamberger hatten seit Jahr und Tag den Wunsch, die in ihrem Dom bestattete Kaiserin Kunigunde heiliggesprochen zu wissen. Der derzeitige Erzbischof Thiemo war vor zwei Jahren sogar eigens nach Rom gepilgert, um beim Papst für die Heiligsprechung Kunigundes zu bitten. Soweit Philipp wusste, hatte Coelestin zwar unverbindliche Versprechungen gemacht, aber wirklich geschehen war nichts. Es wäre nur billig, wenn ein Erzbischof im Austausch für eine heilige Kaiserin als Stadtpatronin einem Herzog zur Königskrone verhalf. Wenn Bamberg für Philipp stimmte, dann würde er als König der Deutschen und baldiger Kaiser des Heiligen Römischen Reiches seinen ganzen Einfluss dafür einsetzen, Kunigunde heiligsprechen zu lassen. Er hatte Spaß an diesem Gedanken; dergleichen würden die Welfen Thiemo ganz bestimmt nicht anbieten. Er beauftragte auch sofort seinen Beichtvater, Erkundigungen bei anderen Bistümern einzuholen, die sich noch nicht festgelegt hatten, ob es vergleichbare Wünsche gab.

Um aber als König regieren zu können, waren das immer noch zu wenige geistliche Fürsten. Bei den weltlichen hatte Heinz von Kalden gute Fortschritte erzielt. Der Herzog von Sachsen und der Zähringer waren die wichtigsten, da sie selbst damit als Rivalen wegfielen. Der Herzog von Bayern hatte nicht die geringste Absicht, sich im Fall einer Welfenwahl seines Herzogtums beraubt zu sehen, das einst Heinrich dem Löwen gehört hatte. Dietrich von Meißen hatte seine Markgrafschaft erhalten und konnte eigentlich von Otto nicht mehr erwarten, aber sein Schwiegervater, Hermann von Thüringen, hatte bereits Botschaft geschickt, noch ehe er die Alpen überquert hatte, dass er sich an seinen ihm in Frankfurt abgenommenen Eid an den jungen Friedrich gebunden fühle und greifbarere Argumente benötigte, um seine Meinung zu ändern, was bisher die hartnäckigste Art von Geldforderung war, die Philipp erhalten hatte.

»Er glaubt, dass er es sich bei Euch leisten kann«, sagte Heinz von Kalden. »Lasst mich zwei seiner Städte oder eine seiner Burgen brandschatzen, dann hält er Euch nicht mehr für ein Leichtgewicht. Das Gleiche gilt für die anderen Fürsten auch.«

»Ihr wollt, dass ich meine Herrschaft damit beginne, Städte und Burgen zu verwüsten?«, fragte Philipp bestürzt.

»So ist der Krieg nun einmal. Wir tun es, die Welfen tun es, die Engländer, die Franzosen, alle tun es. Wie wollt Ihr Euch sonst einen Krieg leisten, wenn Ihr nicht Schulden machen möchtet? Ohne Beute gibt es keine Kriegsknechte, dafür aber Loch auf Loch in Eurer Schatzkammer. Die Juden kann man auch nur alle fünfzig Jahre einmal schröpfen. Wenn Ihr Euch nicht jahrelang mit aufständischen Fürsten herumschlagen wollt, gibt es keinen anderen Weg. Vor Eurem Bruder hatte jeder Angst, weil allen klar war, dass er wirklich der Sturm aus Schwaben war und es nichts gab, was ihn aufhalten konnte, wenn er einmal losbrach. Bei Euch muss es auch so werden.«

Er dachte an Montefiascone und den unverschleierten Hass der Menschen, der ihm bisher nur als dem Bruder Heinrichs gegolten hatte. Wer war es noch gewesen, der erklärt hatte, *Mögen sie mich hassen, solange sie mir nur gehorchen,* oder *Es ist besser, gehasst zu werden, als geliebt und verraten* – etwas in der Art? War es der römische Kaiser Tiberius gewesen? Philipp erinnerte sich an das Skriptorium, das Gefühl, vorsichtig mit den Fingerspitzen auf den Seiten die Worte von Tacitus oder Sueton zu verfolgen, die ein Bruder sorgfältig abgeschrieben hatte. Damals hatte er es nie für möglich gehalten, sich je fragen zu müssen, ob Tiberius recht gehabt hatte.

»Wenn ich erst gewählt, gekrönt und ein gesalbter Herrscher bin, dann wird es Sünde sein, gegen mich aufzustehen«, sagte Philipp. »Vor allem, wenn es uns gelingt, den neuen Heiligen Vater zu einem deutlichen Wort dafür zu bewegen. Das wird die Fürsten schnell in ihre Schranken weisen.«

»Kein Papst mag je einen Staufer leiden«, zitierte der Reichshofmarschall das Sprichwort, das Philipps Familie verfolgte.

»Der Grund dafür ist nicht mehr da«, gab Philipp zurück. »Konstanze hat klargemacht, dass sie ihren Sohn nur als König Siziliens und ihren Erben, nicht als Erben meines Bruders zu sehen wünscht und alle Verbindungen zum Reich beendet. Damit braucht der Heilige Vater auch nicht mehr zu befürchten, das Patrimonium Petri in unserem Reich eingesperrt zu sehen. Er hat keinen Grund, mein Feind zu sein.«

»Aber auch keinen, um Euer Freund zu werden, nicht bei der Anzahl von Bischöfen, die der Kölner jetzt schon auf seine Linie eingeschworen hat«, sagte Heinz von Kalden.

Das brachte Philipp wieder zum Kern seines Problems. Er ertappte sich dabei, dass er mit Irene darüber sprach. Ihr Vater hatte den Kaiser vor ihm gestürzt, und obwohl er nichts über die inneren Angelegenheiten der oströmischen Kirche wusste, ging Philipp davon aus, dass Isaak Angelos einen Weg gefunden haben musste, um sich mit dem Patriarchen von Konstantinopel und den Bischöfen seines Reiches gut zu stellen.

»Mein Vater ist durch einen Volksaufstand Kaiser geworden, den er geschürt und gesteuert hatte«, sagte Irene, »und er hat Andronikos Kommenos der Menge übergeben, die ihn tötete. Dann verheiratete er all seine Schwestern und Nichten mit Königen und heiratete selbst die Tochter des Königs von Ungarn. Der Patriarch wagte nicht, anders zu handeln, als ihn zu unterstützen. Aber jetzt unterstützt er wohl meinen Onkel.«

Sie klang eher sachlich als bitter, doch der Ausdruck in ihren Augen war zu alt für sie; ihre Hand ruhte auf ihrem Leib. Philipp fragte sich, ob sie fürchtete, dass es für ihr ungeborenes Kind eines Tages auch ein blutiges Ende geben könnte. Was sie von ihrem Vater erzählte, war natürlich nicht für ihn anwendbar. Er war schon verheiratet, und seine Brüder waren tot. Die Vorstellung, Volksaufstände zu entfachen und seine Feinde der Menge zu übergeben, war gleichzeitig lächerlich und entsetzlich; natürlich konnte so etwas nie im Reich geschehen. Die Bauern durften keine Waffen tragen. Wer trotzdem eine solche hatte, wurde gehängt. So musste es auch bleiben.

»Nun, leider habe ich keine Schwester, die ich mit Otto verheiraten könnte, um ihn davon abzubringen, sich für die Krone zur Wahl zu stellen«, sagte er, »und wenn der Erzbischof von Köln Angst vor mir hätte, wäre er nie auf die Idee gekommen, selbst den König bestimmen zu wollen.«

Vielleicht hat Heinz von Kalden recht, dachte Philipp und versuchte, den Gedanken wieder zu unterdrücken, aber er war einmal gedacht und senkte sich in sein Herz.

»Aber Otto ist noch nicht verheiratet«, gab Irene zu bedenken, »und es sollte mich wundern, wenn die Fürsten, die nicht den Herzog von Zähringen oder dich auf dem Thron sehen wollen, ihm nicht schon jetzt alle weiblichen Verwandten anbieten.«

Er verstand nicht ganz, worauf sie hinauswollte, und nickte verwundert.

»Hat der Landgraf von Thüringen Töchter?«

»Zwei. Eine von ihnen ist mit dem Markgrafen von Meißen verheiratet, aber die andere ... nun, es sähe Hermann durchaus ähnlich, sie anzubieten, doch ich glaube, da überschätzt er sich. Thüringen ist wichtig, aber Ottos Mutter ist die Schwester eines

Königs, und er ist am Hof eines Königs aufgewachsen. Die Welfen sind stolz. Ich wette, er hält nur eine Königstochter seiner würdig.«

»Sein Bruder hat deine Base Agnes geheiratet«, stellte Irene fest.

»Nun, sie ist auch die Base eines Kaisers gewesen«, sagte Philipp mit einem Lächeln, das rasch verblasste. Der Pfalzgraf Heinrich und seine Ehe mit Agnes konnten noch von Vorteil sein, wenn Walther von der Vogelweide mit seiner Bemerkung über brüderliche Eifersucht recht hatte. Doch der Pfalzgraf konnte genauso gut darauf hoffen, dass ihm sein Bruder Otto das gesamte alte Herzogtum der Welfen verschaffen würde, statt dass er sich weiterhin nur mit Braunschweig abfinden musste. Vielleicht hoffte er sogar auf Schwaben, denn dass ein König und Kaiser Otto seinen Gegner Philipp im Besitz der staufischen Erblande lassen würde, war mehr als unwahrscheinlich.

»Wenn es keine Welfen gäbe«, fragte Irene, »und weder der Herzog von Zähringen noch der von Sachsen zur Verfügung stünden, wem würde der Erzbischof von Köln wohl dann als Nächstem die Krone antragen? Den Herzögen von Österreich oder denen von Bayern?«

»Nein, diese Herzogtümer wurden von uns Staufern geschaffen, und für die Rheinländer ist es schon schlimm genug, wenn ein Schwabe regiert. Einen Bayern werden sie nie ans Ruder lassen, außerdem hat der am meisten zu verlieren, sollte ein Welfe wieder Anspruch auf das Herzogtum seines Vaters erheben. Anders wäre es aber mit dem Brabanter. Der Herzog kann seine Abstammung bis zu Karl dem Großen nachweisen. Er ist immer noch im Heiligen Land, Gott segne ihn, denn das bedeutet, dass er mir hier nicht im Magen liegen kann; die einzige Botschaft, die ich von ihm erhalten habe, kam direkt nach Heinrichs Tod und besagte, dass er sich nach wie vor berufen fühlt, für die Sache Christi zu fechten. Das ist ein Glücksfall. Er ist so reich wie der Zähringer und könnte Adolf bestimmt den Preis bezahlen, den er haben will.«

»Hat er eine Tochter?«

Nachdem ihn sein Bruder aus dem Kloster geholt hatte, war

Philipp in Windeseile mit den Namen von allen in Frage kommenden reichen Erbinnen vertraut gemacht worden, ehe der Bescheid aus Italien eingetroffen war, dass eine byzantinische Prinzessin zur Verfügung stand. Er nickte. »Aber wenn ihr Vater im Heiligen Land ist, kann sie nicht verheiratet werden. Wer sollte die Verhandlungen für sie führen?«

»Ihre Mutter«, sagte Irene nachsichtig.

Philipp, der kaum Erinnerungen an seine eigene Mutter hatte, war von dieser so offensichtlichen Möglichkeit betroffen. Eine Ehe mit einer der Erbinnen von Brabant würde Otto die Unterstützung eines der wichtigsten Fürsten und vor allem dessen Geld sichern, zusätzlich zu dem, was auch immer die Kölner Kaufleute für ihn aufbringen würden. Er fluchte und entschuldigte sich dafür bei Irene.

»Es gäbe eine Möglichkeit, herauszufinden, ob die Herzogin Verhandlungen mit dem Welfen führt«, sagte Irene. »Vielleicht sogar eine Möglichkeit, sie zu verhindern.«

»Ich bezweifle, dass selbst Heinz von Kalden so schnell einen Spion am Hof von Brabant unterbringen kann, und die Herzogin hat keinen Grund, auf mich zu hören, wenn ich ihr rate, keine welfische Ehe für ihre Tochter zu schließen.«

»Hmm«, machte Irene. Etwas in ihrem Gesichtsausdruck machte ihn neugierig. Sie erinnerte ihn an die Katze des Abtes, der ihn aufgezogen hatte, wenn es ihr gelungen war, etwas von der Milch zu naschen, ehe ihr davon gegeben wurde. »Bevor man mich verheiratet hat«, sagte seine Gemahlin, die einen kaiserlichen und einen königlichen Hof überlebt hatte, »da bestand König Tankred darauf, mich von einem seiner Ärzte untersuchen zu lassen. Dein Bruder hat ebenfalls wissen wollen, ob ich gesund war, ehe er mich aus Sizilien zu dir schickte. Was wäre natürlicher, als wenn auch der Tochter des Brabanters ein Medicus geschickt würde? Und gar eine der Frauen aus Salerno? Oh, ich bin sicher, mein Gemahl, die Herzogin von Brabant wird sie empfangen.«

* * *

Walther und Martin gelang es, sich wieder einer Pilgergruppe anzuschließen. Doch Martin ging es schlechter. Selbst starker Wein
konnte ihn nur bedingt von seinen Schmerzen ablenken. »Ich
glaube nicht, dass ich es bis Salerno schaffe.«

»Es gibt gute Ärzte außerhalb Salernos. Es gibt sogar Ärzte aus
Salerno außerhalb Salernos«, sagte Walther, um ihn aufzumuntern. »Ich kenne eine.«

»Eine Frau? Wie gut kennst du sie?«, fragte Martin und ließ seine
Augen vielsagend wackeln. Selbst heftige Schmerzen und wunde
Glieder trieben ihm nur selten den Appetit auf Scherze und Zo-
ten aus.

»So gut, dass sie mir schon einmal den Hals umdrehen wollte«,
entgegnete Walther. Natürlich zog Martin die falsche Schlussfolgerung und lachte, obwohl sein Lachanfall rasch zu einem Husten wurde, weil er sich verschluckt hatte.

»Es gibt schlimmere Dinge, die eine Frau einem Mann umdrehen
kann! Sag, ist sie wirklich eine der Frauen aus Salerno? Eine Ärztin?«

»Das ist sie. Hat sogar die zukünftige Kaiserin behandelt, du
Tropf, da wäre sie gerade gut genug für dich.«

»Das mag ja sein«, sagte Martin, »aber sie ist nicht hier. Wo lebt
sie denn?«

»In Köln«, musste Walther zugeben, denn genauso gut hätte sie
im Paradies leben können; so grau und fahl, wie Martin aussah,
würde er es nicht noch einmal über die Alpen schaffen.

»Dann hoffe ich, dass der Papst mir vergibt. Ich muss es noch bis
Rom schaffen, Walther, hörst du das?«

Nicht zum ersten Mal kam Walther in den Sinn, was er Martin
vorgeschlagen hatte, als sein Reisegefährte anfing, seine Freude
an guten Mahlzeiten und dem Lächeln der Frauen zu verlieren.
Wenn Martin so sehr Absolution für seine Bettelmönchlügen
wollte, dann war es doch sehr viel einfacher, dem nächsten Mönch
oder gar einem Abt in einem der Spitäler zu beichten, in denen
Reisende untergebracht wurden, und von diesem seine Buße auferlegt und seine Absolution zu bekommen.

»Du verstehst das nicht, Bruder«, sagte Martin. »Diese Pilgerfahrt nach Rom *ist* meine Buße. Wenn ich sie vorzeitig beende, dann fahre ich zur Hölle, das weiß ich gewiss.«

Was Walther nicht verstand – der selbst die Wahrheit oft so zurechtbog, dass sie einen besseren Sinn ergab, oder einfach so, dass man sie missverstand, weil er sie missverstanden wissen wollte –, war, warum sich Martin keine einfachere Buße gewählt hatte. »Den Mönch zu spielen, ist doch eigentlich kein so großes Vergehen. Wenn du so getan hättest, als wärest du ein Ritter«, sagte er und richtete die Spitze seines Scherzes gegen sich selbst, auch wenn Martin das nicht wissen konnte.

»Ich habe das Sakrament der Beichte entweiht, indem ich vorgab, ein Mönch zu sein, und anderen Absolution erteilte«, murmelte Martin. »Genauso gut hätte ich das Kreuz in den Staub treten können. Das war es nicht, was ich wollte, verstehst du? Ich wollte wirklich ein Mönch sein, ein guter Mönch, aber jetzt sehe ich, dass ich entweiht habe, was mir heilig hätte sein sollen.« Seine Finger krallten sich um Walthers Arm. »Ich will nicht in der Hölle brennen!«

»Das wirst du nicht, das wirst du nicht«, beruhigte ihn Walther, der seine Angst körperlich spürte. »Aber meinst du nicht, wir sollten hier nach einem Medicus fragen?« Vielleicht konnte ein Arzt Martin Hoffnung geben, wenn er sich schon keinem Priester anvertrauen wollte.

»Nein! Eine Buße ist eine Buße. In Rom soll meine Heilung an Körper und Seele beginnen, so muss es kommen, nicht vorher.«

Sie trafen am Tag vor der Papstweihe in Rom ein. Zu diesem Zeitpunkt hatte Martin bereits drei Nächte lang nicht mehr geschlafen, weil er nur noch von der Hölle träumte, selbst wenn der Branntwein ihn betäubte.

»Gott ist gnädig«, sagte Walther und kämpfte einmal mehr gegen die aufblitzende Versuchung, Martin einfach der Pilgerschar zu überlassen. Es wäre leicht, so leicht, Martin und seiner schweißdurchtränkten Angst vor der Verdammnis zu entkommen, Martin und seinem gequälten Körper, der noch zu Beginn der Reise das Leben aus vollen Zügen genossen hatte und Walther an seine eigene Sterblichkeit erinnerte.

Doch er blieb. Er war schon einmal davongelaufen.

Walther hatte sich Rom wie Wien, Köln oder Frankfurt vorgestellt, nur etwas größer; womit er nicht gerechnet hatte, war das Wirrwarr an Sprachen. Ob nun wegen der Papstweihe oder um der Ewigen Stadt willen, Pilger aus aller Welt waren hier und sangen Lieder, während sie durch die Straßen zogen. An die Volgare hatte er sich inzwischen wieder gewöhnt, aber einmal kamen sie an einer Gruppe vorbei, die etwas sprach, das keine Ähnlichkeit mit dem Lateinischen oder dem Deutschen hatte. Er sprach sie an: Es waren Ungarn. Ein andermal sah er zum ersten Mal in seinem Leben drei Männer, deren Haut ganz und gar dunkel war, obwohl sie, anders als die Ungarn, in der Volgare miteinander sprachen. Das mussten Mohren aus Venedig sein. Rom war Babel, ein Teppich aus fremden Sprachen, Farben und Gerüchen, wie er ihn noch nie erlebt hatte. Unter anderen Umständen hätte er gedacht, dass dies allein schon die lange Reise wert gewesen sei. Doch die Umstände waren nicht anders, und er fragte den Bruder Vorsteher des Spitals, in dem sich die Pilger mittlerweile zu dritt ein Bett teilen mussten, weil die Stadt so voll war, ob er zufällig wüsste, welche höherrangigen deutschen Kleriker in der Stadt seien. Er hatte Glück: Der Bischof von Mainz, so wurde ihm beschieden, sei gerade aus dem Heiligen Land zurück – und der Bischof von Passau!

Es war einfach, das Kloster zu finden; schwieriger fiel es Walther, Martin durch die Straßen zu ziehen, denn mittlerweile konnte er kaum noch drei Schritte aufrecht gehen.

»Der Bischof ist ein alter Gönner von mir. Wenn jemand beim Papst ein gutes Wort für dich einlegen kann, dann er«, sagte Walther, ließ ihn noch einen Schluck Branntwein trinken und schaffte es bis zum Ende der Straße, ehe Martin erneut zusammenbrach. Auf diese Weise brauchten sie einen halben Tag, doch schließlich trafen sie den Bischof von Passau gerade noch an. Er saß bereits in einer Sänfte, die ihn zur Peterskirche bringen sollte, um an dem Gottesdienst teilzunehmen, der aus Lothar von Segni endgültig Innozenz III. machen würde.

»Herr Walther?« Das Gesicht des Bischofs war etwas faltenreicher, doch mit seinem sonnenverbrannten Gesicht wirkte er gesund und munter wie eh. »Bei Gott, Ihr macht Eurem Namen Ehre! Welcher Wind hat Euch hierhergetrieben? Warum zwitschert Ihr nicht in Wien oder Hagenau?«

»Ein eiliger Wind«, sagte Walther und erläuterte hastig Martins Notlage.

»Euer Freund ist nicht der einzige Kranke, der der Absolution bedarf, Herr Walther. Herzog Friedrich«, Wolfgers Stimme war ein strafender Unterton beigemischt, der Walther daran erinnerte, dass er nicht nach dem Herzog von Österreich gefragt hatte, »siecht in einem Kloster außerhalb der Stadt dahin, und auch für ihn will ich mit dem Heiligen Vater sprechen. Im Gegensatz zu manchen hat er ein gutes christliches Leben geführt.« Er schaute auf Martin, der in seiner weinfleckigen verschlissenen Kutte, den Arm um Walthers Hals geschlungen, eher wie das Spottbild eines Trunkenbolds als wie eine gequälte Seele kurz vor dem Sterben wirkte.

»Euer Gnaden, hat nicht Christus dem Schächer am Kreuz vergeben?«

»Das hat er«, sagte der Bischof. »Ich kann Euch und Euren Freund in die Peterskirche mitnehmen. Vielleicht überlegt es sich der Heilige Vater noch einmal und erteilt doch eine Generalabsolution.«

»Aber ist das nicht Sitte?«, stammelte Martin fassungslos.

»Das war es. Doch der Heilige Vater hat vor, einige Neuerungen durchzuführen, und dies ist eine davon. Er ist ein sehr … betriebsamer Mann, was wohl an seinem Alter liegen mag. Auf jeden Fall hat er beschlossen, dass Generalabsolutionen zu Ostern und Weihnachten genügen.«

Die Peterskirche war eine alte Basilika, zu klein für die Massen, die sich versammelt hatten, doch dank Bischof Wolfger kamen Walther und Martin weit genug vorne zu stehen, um den neuen Papst aus der Nähe sehen zu können. Er war klein und schmächtig; die weiße Robe, die offenbar seinem Vorgänger gehört hatte, war zu groß für ihn. Dass er jünger war als viele der Kardinäle, die ihn umgaben, hätte die Zeremonie wie die Weihe eines Priesternovizen wirken lassen können. Doch durch sein kräftiges Kinn und die durchdringenden Augen kam kein Eindruck von Schwäche auf, und seine Stimme war, als er begann zu predigen, schneidend wie ein Schwert.

Was er zu sagen hatte, war auch nicht weniger deutlich als eine gezückte Klinge. »Vorbei sollen die Zeiten sein, in denen es weltliche Herrscher gewagt haben, sich in die Papstwahl einzumischen. Der Papst ist nicht nur der Stellvertreter, sondern auch der Statthalter Christi auf Erden. Das bedeutet, dass er es ist, der über den weltlichen Herrschern steht.« Walther konnte sich nicht vorstellen, dass irgendein deutscher Fürst, ob nun Philipp, Otto oder Berthold, glücklich darüber sein würde, das zu hören, und er war noch selbst damit beschäftigt, sich über den aufsteigenden Groll in sich selbst zu wundern, als Innozenz vom Zustand der Welt auf den Zustand des Menschen zu sprechen kam. »Der Mensch«, verkündete er, »ist nichts als eine Hülle aus Dreck, Blut, Schleim und Eiter, die es verdient, zu verrotten, denn er wählt immer wieder das Schlechte, statt Gott und seinen Dienern zu folgen.« Dann ging er dazu über, die Qualen der Hölle auszumalen, die jede irdische Folter überstiegen und aus denen es kein Entkommen gab. »Jeder Augenblick des Leidens wird Ewigkeit sein«, donnerte Innozenz, »keine Vergebung ist mehr möglich, niemals. Und ihr, die ihr glaubt, eurer Strafe entrinnen zu können: Sterben werdet ihr in eurem eigenen Kot und ersticken darin!«

Es war für Walther unmöglich, Martin länger aufrecht zu halten; sein Freund sank in die Knie und fing an zu schluchzen, während die geißelnde Stimme über sie hinweg von hinausgerissenen Eingeweiden und ewigen Flammen sprach. Mehr und mehr Zuhörer brachen in Tränen aus oder jammerten leise vor sich hin. Doch Martin war der Einzige, der sich zusammenrollte, zuckte und krümmte, als seien die Worte des Papstes echte Peitschenhiebe. Walther versuchte, ihn zu beruhigen, doch seine Stimme ertrank in dem allgemeinen Schluchzen. Er hielt Martins Hand und spürte noch ein weiteres Aufzucken. Dann erstarrte sein Freund; die

Grimasse des Entsetzens und der Qual auf seinem Gesicht wurde zu Stein.

»Der Teufel hat ihn geholt«, schrie Wolfgers Schreiber, der neben Walther gestanden hatte, und zeigte auf Martin, bis Walther seine Augen schloss und zu dem Mann im weißen Gewand blickte, der immer weiter predigte, unaufhaltbar wie eine der Berglawinen, denen sie entkommen waren. Die Nächstenliebe erwähnte er mit keinem Wort.

Worte, dachte Walther, *Worte als Waffen, Worte als Geißeln. Aber nicht in Latein, Euer Heiligkeit, und nicht von einer Kanzel.* Er wusste nicht, wer der nächste deutsche König werden würde; vielleicht kümmerte es ihn weniger, als es sollte. Hier beanspruchte gerade ein neu gekrönter Papst alle weltliche und geistliche Macht für sich, über alle Menschen des Erdkreises, egal wo und wer sie waren. Was Walther aber wusste, während Martins Hand noch warm in der seinen lag, war dies: Diesen Papst, der sich selbst für würdig hielt, das Jüngste Gericht zu verkünden für alles, was er Sünde nannte, und darüber zu richten, wer gut und böse war, anstatt dies dem Herrgott zu überlassen, würde er zum Spott all jener machen, die von nun an seine Worte hörten. Der Zorn auf den Zustand der Welt, der in Walther gewachsen war, nicht erst, seit sie die Toten am Straßenrand gefunden hatten, nicht erst, seit er durch verbrannte Dörfer geritten war, sondern seit er erlebt hatte, wie leicht aus feiernden Menschen Mörder werden konnten, dieser Zorn fand endlich ein Ziel, ein gewaltiges Ziel, das kein Mitleid verdiente. Das größte, das es in der Welt gab.

Und fraget Gott, wie lang' er wolle schlafen?
Sie hintertreiben sein Werk' und fälschen seine Wort':
Sein Kämmerer veruntreut seinen Himmelshort,
Sein Mittler raubet hier und mordet dort,
Sein Hirte ward zu einem Wolf ihm unter seinen Schafen.

KAPITEL 22

Marie von Brabant war keine Frau oder eine Heranwachsende: Marie war ein Kind von gerade acht Jahren. Niemand hatte daran gedacht, dies Judith gegenüber zu erwähnen; der Anblick des kleinen Mädchens, das Otto heiraten sollte, traf sie wie ein Schlag. Damit hatte sie nicht gerechnet, als sie ihren Auftrag von Irene erhielt, noch, als es ihr gelungen war, sich am Hof von Brabant einzuschmuggeln.

Sie verbot sich, töricht zu sein. Unter Fürsten wurden Kinder wie Faustpfänder ausgetauscht und verlobt. Solche Versprochene traten erst dann vor den Priester, wenn die Mädchen mindestens zwölf und die Knaben vierzehn Jahre alt waren. Ob die Ehe zwischen Otto und der Erbin von Brabant nun zustande kam oder nicht, Marie würde noch Jahre vor sich haben, in denen nichts anderes von ihr erwartet wurde, als zu spielen, zu lernen, was für eine Edeldame angemessen war, und zu lächeln. Es war nicht nötig, sich Sorgen um sie zu machen; und deswegen war sie auch nicht hier.

Es war für Judith nicht einfach gewesen, Irene wiederzusehen. Nicht, weil die junge Herzogin sich rachsüchtig gezeigt oder ihr den Empfang verweigert hätte, sondern, weil Irenes Schwangerschaft sie an Richildis erinnerte und an ihr eigenes Versagen. Immer wieder stellte sie sich vor, wie ihr auch Irene unter den Händen wegstarb, und all die geleerten Becher mit beruhigender Melisse halfen ihr nicht dabei, besser zu schlafen. Es gab zwar eine bewährte Hebamme in Hagenau und einen Arzt, der in Diensten der fürstlichen Familie stand, doch Philipp hatte die Wahl kurzerhand nach Thüringen verlegt, was ihm die Stimme des Erzbischofs von Magdeburg einbrachte. Die Krönung sollte dann in Mainz stattfinden, dem neben Köln bedeutendsten Bistum auf dem alten fränkischen Gebiet. Philipp hoffte, dass bis dahin auch der Mainzer Erzbischof vom Kreuzzug zurück wäre und dass Adolf von Köln sich dann nicht weiter ohne dessen schriftliche

Legitimation als sein Bevollmächtigter ausgeben konnte. Natürlich würde Irene ihn in ihrem Zustand nicht begleiten, aber das bedeutete auch, dass sie mit nur ein paar Hofleuten, der Hebamme und dem Gesinde zurückgelassen würde. Alles Mögliche konnte geschehen.

Zugegeben, der Erzbischof von Köln würde nicht auf die Idee kommen, mit einem Stoßtrupp aufzutauchen um Irene als Geisel zu nehmen, dafür war Hagenau allein schon wegen der Reichsinsignien zu gut bewacht, doch Otto wäre gewiss auch zu solchen verrückten Versuchen fähig, und Judiths Phantasie spielte ihr eine Zukunft vor, in der einer hochschwangeren Irene jede Hilfe verweigert wurde, oder eine Zukunft, in der sie Irenes einzige Hilfe war und versagte, wie sie es bei Richildis getan hatte. Sie wusste nicht, was schlimmer war, und sie konnte niemandem davon erzählen, denn wenn sie in ihrer neuen Umgebung Zweifel an ihren Fähigkeiten als Ärztin weckte, dann war es um ihren Lebensunterhalt geschehen. Als Irene sie überraschenderweise bat herauszufinden, ob Otto bereits um die Erbin von Brabant geworben hatte, und einen Keil dazwischenzuschlagen, nahm Judith die Herausforderung gerne an. Es würde ihr Zeit geben, wieder zu sich selbst zu finden.

Die Herzogin von Brabant residierte in Abwesenheit ihres Gemahls mit ihren Kindern in Brüssel. Von Irene mit Geld und Pferden ausgestattet, brach Judith mit Gilles auf und erreichte die Stadt ohne größere Schwierigkeiten. Nur einmal kam es zu einer schweren Stunde, als sie mit einem Tuchhändler reisten, der wegen der unsicheren Zeiten viele mit Streitkeulen, Spießen und Knüppeln bewaffnete Knechte mitgenommen hatte, doch froh um ein wenig Gesellschaft und den Austausch von Neuigkeiten war. Er kam ursprünglich aus Frankfurt, hatte jedoch in Köln haltgemacht und dort gehört, dass der Erzbischof nun auch so schnell wie möglich die Wahl eines neuen deutschen Königs anstrengte. Von geflohenen Geiseln erzählte er nichts, dafür aber von einem Salzhändler, der seine teure Gemahlin durch eine Hexe im Kindbett verloren hatte. In Judith verkrampfte sich alles. Doch der Tuchhändler fuhr fort: »Die Dienstmagd war's, denkt Euch. Hat wohl gehofft, selbst die Herrin werden zu können.«

»Was?«, fragte Judith aufrichtig verblüfft und entsetzt.

»Nicht zu fassen, wozu diese Weiber imstande sind, nicht wahr? Euer Gatte sollte sehr vorsichtig sein, wen er einstellt.«

»Und wie hat man es herausgefunden?«, fragte Judith bestürzt.

»Ein ehrenwerter Kaufmann namens Stefan hat dem Salzhändler einen Beileidsbesuch abgestattet und dabei die Magd ertappt, wie sie Beweise vergraben wollte. Das Weib ist dann sehr schnell vor Gericht gestellt und gehängt worden.«

Judith wurde übel.

Das Schlimmste war, dass sie genau verstand, warum Stefan es getan hatte: Er musste von Richildis' Tod gehört und sehr viel schneller als Judith erkannt haben, zu was es führen konnte, wenn man der *jüdischen* Ärztin die Schuld gab. Wenn er wirklich den Salzhändler besucht hatte, dann musste er den Haushalt so vorgefunden haben, wie sie ihn überstürzt verlassen hatte, mit zwei Mägden, die sie bereits anklagten. Also hatte er die Beschuldigung umgedreht und jemanden als Sündenbock präsentiert, der keinen Verteidiger haben und sterben würde, ohne die jüdische Gemeinschaft in Gefahr zu bringen.

»Dein Onkel muss dich doch sehr lieben«, sagte Gilles zu ihr, als sie den Tuchhändler wieder verlassen hatten, denn auch er hatte begriffen, was sich in Köln ereignet haben musste.

»Ich hoffe, er hat es für uns alle getan, nicht nur für seine kaufmännischen Interessen«, sagte Judith. Wieder und wieder ging ihr der Eid durch den Kopf, den sie in Salerno geschworen hatte. Nun waren ihretwegen nicht nur eine, sondern schon zwei unschuldige Frauen tot.

Gilles beließ es dabei. In schweigender Übereinkunft erwähnte keiner von ihnen die Ereignisse von Köln mehr, bis sie in Brüssel eintrafen.

Wie sich herausstellte, hatten sie Glück, denn man wartete am Hof bereits auf Nachricht von Graf Otto; außerdem hatte die Herzogin Mathilde eine große Feier vorbereitet, um ihren Gemahl zu ehren, da Nachricht aus dem Heiligen Land gekommen war, dass er mit dem restlichen Heer die Städte Sidon und Beirut erobert hatte.

»Unser Herzog«, sagte der Haushofmeister, der Judith zu der Herzogin brachte, zufrieden, »ist der Einzige von den Fürsten, der geblieben ist, um für die Ehre Christi zu streiten, statt Hals über Kopf alles im Stich zu lassen, als bekannt wurde, dass der Kaiser gestorben ist. Alle anderen kamen umgehend ins Reich zurück, um neues Land und Titel an sich zu raffen. *Er* sollte König werden, aber er ist einfach ein zu bescheidener, frommer Mann, um an sein eigenes Wohl zu denken.«

Dafür, so schien es, hatte Hans von Brabant dann auch seine Gemahlin, eine große, tatkräftige Dame, die Judith voller Ungeduld empfing. »Es wird aber auch Zeit. Ich will nicht hoffen, dass Graf Otto immer noch auf ein besseres Angebot wartet? Eine Nachfahrin Karls des Großen zu ehelichen ist eine Ehre, der er sich bewusst sein sollte, und kleinliches Feilschen um die Mitgift ziemt sich nicht für einen Mann seines Ranges. Ganz zu schweigen davon, dass es bei der Heirat um das Wohl des gesamten Heiligen Römischen Reiches geht!«

»Nun, mein Herr …«

»Es muss vor den Staufern gerettet werden!«, unterbrach die Herzogin Mathilde, die offenbar zu den Naturen gehörte, deren Gespräch mehr Wasserfällen als stillen Flüssen glich. »Heinrich, möge er in der Hölle schmoren, hat meinen armen Schwager umbringen lassen, weil er ihn nicht als Bischof von Lüttich sehen wollte. Einen Mann Gottes! Und wer hat die üble Tat damals in die Wege geleitet, frage ich Euch? Kein anderer als Heinz von Kalden, der jetzt meinen Gatten im Heiligen Land im Stich gelassen hat, um an die Seite dieses Nichts von Philipp zurückzukriechen. Er hat wahrscheinlich gehofft, dass die Heiden meinen heldenhaften Hans für ihn ermorden. Dieser Art von Männern ist das Reich ausgeliefert, wenn wir nicht schnell genug handeln!«

»Deswegen …«

»Jaja, ich weiß, Euer Herr muss sich vergewissern, dass meine kleine Marie gesund und munter ist. Das verstehe ich. Aber ich muss darauf bestehen, dass mein Goldstück danach nicht nur als seine Verlobte bezeichnet wird, nein, er soll sie bei seiner Krönung als deutscher König an seiner Seite gehen lassen. Das ist unabdingbar! Nicht, dass ich Graf Otto etwas unterstellen möchte, aber so mancher Fürst hat die Mitgift eines armen Kindes eingesäckelt, als er sie brauchte, die Eltern jahrelang hingehalten und am Schluss eine andere geehelicht.«

Da der Grund ihrer Anwesenheit in Brüssel alles andere als die Förderung von Ottos Eheabsichten war, nutzte Judith den Moment, als selbst die Herzogin Mathilde einmal tief Atem holen musste, und warf ein: »Auch Graf Otto würde sich nie unterstehen, Euer Gnaden etwas zu unterstellen, aber es soll in der Vergangenheit edle Fräulein gegeben haben, deren nobles Blut nicht mit einem gerade gewachsenen Körper und der Fähigkeit einherging, Kinder zu gebären.«

Das brachte die Herzogin nicht dazu, Otto oder Judith als unverschämt zu bezeichnen, sondern nur, die Achseln zu zucken und zu bestätigen, dem sei so, aber ihre Marie habe nichts zu verbergen. Überhaupt seien all die Gerüchte nur böswilliges Geschwätz niederer Seelen. Judith wusste von keinen Gerüchten, schwieg deshalb und folgte der Herzogin in ein Gemach, wo drei kleine Mädchen mit Kreiseln auf dem Boden spielten. Die beiden älteren waren Zwillinge, und damit war Judith einiges klar, als sie über ihre Bestürzung angesichts von Maries Alter einmal hinweg war. Erasisthrates hatte die Vermutung aufgestellt, dass Zwillinge nur durch eine doppelte Befruchtung entstehen könnten, dadurch, dass die Mutter mit zwei Männern schlief. Obwohl mittlerweile viele Ärzte nicht mehr seiner Meinung waren, hielt sich bei den meisten Menschen zumindest ein Misstrauen gegenüber den Müttern von Zwillingen. Die Heiratsaussichten für Zwillinge waren daher nicht sehr groß, denn man konnte sich bei keinem Kind der Vaterschaft gewiss sein. Eine Mitgift wie der Reichtum und die Macht Brabants und die edle Abstammung machte das vermutlich für die meisten Freier wett, doch Judith bezweifelte, dass ein deutscher König, der nicht in einer schweren Notlage steckte und dringend Geld und Stimmen brauchte, normalerweise dazu gehört hätte.

»Marie«, rief die Herzogin, und eines der beiden Mädchen sprang auf. Sie hatte haselnussbraunes, lockiges Haar, eine Stupsnase, blaue Augen und ein so offenes Lächeln, als sei ihr noch nie im Leben ein Fremder begegnet, der anders als freundlich zu ihr gewesen war. Als Tochter eines reichen Herzogs traf das vermutlich auch zu, doch Judith konnte sich dieses Kind um alles in der Welt nicht als Gattin von Otto vorstellen. Sie versuchte, sich zehn Jahre dazu zu denken und Marie als hochgewachsene Frau mit den üppigen Formen ihrer Mutter zu betrachten, doch alles, was ihr Verstand ihr stattdessen vorgaukelte, war ihr sogenannter Hochzeitsabend, als Otto seinen Kopf in ihren Schoß gelegt, seine Hände an ihren Hüften hatte und nichts als johlende Rufe und Gekichere um sie herum war. Es erweckte in ihr den absurden Wunsch, das kleine Mädchen an der Hand zu nehmen und mit ihm fortzulaufen, so, wie es Gilles mit ihr an jenem Abend getan hatte.

»Ich muss schon sagen, es spricht für Graf Otto, dass er eine Frau schickt«, sagte die Herzogin, »für diese Art von Untersuchung. Steht Ihr schon lange in seinen Diensten?«

»Ich bin erst im vergangenen Jahr aus Salerno zurückgekehrt«, erwiderte Judith, was der Wahrheit entsprach und gleichzeitig keine Antwort auf die Frage der Herzogin war. Es fiel Mathilde nicht auf. Sie schickte die anderen Kinder mit einer Magd fort und teilte Judith mit, sie möge mit der Untersuchung beginnen.

Es war auf seltsame Weise beruhigend, etwas tun zu können, bei dem es unmöglich war, etwas falsch zu machen. Marie fehlten die Eckzähne, was in ihrem Alter normal war; man konnte aber einen der nachwachsenden Zähne bereits spüren. Sie war gut genährt und weder zu groß noch zu klein für ihr Alter. Dafür fielen Judith Krusten an ihrem Handgelenk und an der Stirn auf. Sie schaute sich die Stellen näher an, und das Mädchen fing an zu zappeln.

»Es juckt dort sehr, wie?«, fragte Judith behutsam. »Vor allem des Nachts?« Marie nickte.

»Alle Kinder kratzen sich hin und wieder«, sagte die Herzogin scharf. »Meine Töchter haben keine Läuse, wenn Ihr das unterstellen wollt.«

»Nein, aber Eure Tochter hat die Krätze«, gab Judith zurück. »Ich werde ihr ein Pflaster machen, doch Ihr müsst dafür sorgen, dass sie sich nicht mehr kratzt, sonst verbreiten sich diese Stellen nur noch mehr. Ich brauche Korn, Wein und Pulver aus Weihrauchharz. Nichts davon dürfte schwer zu bekommen sein. Außerdem muss sie vorher ein Vollbad nehmen, und nach vier Tagen noch einmal.«

Die Herzogin wirkte erleichtert. »Und es heilt schnell wieder ab?«

Judith zögerte. Oft schwand die Krätze nach zwei Wochen, wenn sie behandelt und die Patienten vom Kratzen abgehalten wurden, aber es wäre sehr leicht möglich, dafür zu sorgen, dass Marie noch mindestens die nächsten zwei Monate mit der Krätze zu tun hatte. Vielleicht würde es die Verhandlungen verzögern, bis Otto nicht mehr König werden konnte; dann wäre Hans von Brabant wohl nicht mehr daran interessiert, seine Tochter mit ihm zu vermählen. Oder sie konnte auf Ottos Eitelkeit setzen und hoffen, dass schon ein Gerücht von Krätze ihn dazu brachte, das kleine Mädchen und seine Schwestern zurückzuweisen.

Das Mädchen schaute Judith mit großen Augen an, und sie dachte daran, wie es Diepold von Schweinspeunt nur gekümmert hatte, dass Irene nicht starb, nicht, was mit ihr sonst geschah. Marie würde verlobt werden, selbst wenn sie am ganzen Körper mit Schürfwunden bedeckt war. Oder man würde einfach ihre Zwillingsschwester anbieten. Dachte sie ernsthaft daran, einer Patientin zu schaden, und sei es nur durch das Hinauszögern einer Hautentzündung, nach dem, was mit Richildis geschehen war?

»Wenn wir Glück haben, dann sollte nach zwei Wochen nichts mehr zu sehen sein«, sagte Judith. Mathilde trat einen Schritt zurück. Erst jetzt wurde Judith bewusst, dass die Herzogin ihre Tochter in der Zeit, wo sie beide sich im Raum befanden, noch nicht berührt hatte. Vielleicht war das bei adeligen Müttern nicht üblich.

»Ich will nicht hoffen, dass die Krätze auf die anderen Kinder überspringt, oder auf mich.«

»Diese Gefahr besteht«, sagte Judith. »Ihr solltet Eurer Tochter einen eigenen Raum geben und sie erst wieder bei den anderen Kindern unterbringen, wenn alle Bläschen und der Schorf verheilt sind. Warum lasst Ihr mich nicht noch ein paar Tage hier bleiben?«, schlug sie vor. »Dann kann ich Euren Mägden zeigen, wie man die Pflaster für Krätze bereitet, und sichergehen, dass nur das Fräulein Marie betroffen ist.«

»Erwartet Graf Otto nicht so schnell wie möglich Euren Bescheid?«, fragte die Herzogin misstrauisch.

»Die Gesundheit seiner zukünftigen Gemahlin ist ihm gewiss das Wichtigste«, gab Judith sanft zurück. Eigentlich gebot es die Vorsicht, sich so schnell wie möglich wieder aus dem Staub zu machen, denn zweifellos würde bald der Arzt, den Otto garantiert auch geschickt hatte, in Brüssel eintreffen. Die Möglichkeit, dass der Herzogin die Verlobung ihrer Tochter ausgeredet werden konnte, bestand gewiss nicht bei dem Hass, den Mathilde den Staufern wegen des Todes ihres Schwagers entgegenbrachte. Aber Judith wurde das Gefühl nicht los, dass es noch mehr geben musste, was sie hier tun konnte. Außerdem war die Krätze nicht harmlos; sie wollte sichergehen, dass die Mägde wussten, was für Marie zu tun war. Die meisten Patienten, die Judith in Salerno mit Krätze erlebt hatte, waren von Pusteln, Blasen, Schorfwunden und Furunkeln geplagt worden, und all das war mit der Zeit abgeklungen und verheilt, aber es hatte auch einen Mann gegeben, dessen Hände zu krabbenartigen Klauen geworden waren, ehe er überhaupt in Salerno eintraf, und ihm hatte man nicht mehr helfen können. Francesca hatte darauf bestanden, alle Kleidung und jeden Fetzen Tuch, der mit ihm in Berührung gekommen war, zu verbrennen.

Man konnte der Herzogin Mathilde wirklich nicht mangelnden Unternehmungsgeist nachsagen: Binnen kurzem hatte sie ihren Kaplan beordert, Judith mit allem Weihrauchharz zu versorgen, das sie benötigte, und genug heißes Wasser für drei Vollbäder erhitzen lassen, was Judith empfehlen ließ, dass Maries Schwestern in anderen Wannen ebenfalls gewaschen werden sollten. Als Judith um den kostbarsten aller Stoffe bat, Seide, bekam sie ihn sofort, obwohl der Haushofmeister wissen wollte, wofür, und zunächst sehr ungehalten war, als er Judith die Seide zerschneiden und Bänder daraus machen sah.

»Man kann von einem Kind nicht erwarten, dass es aufhört, sich zu kratzen«, sagte Judith. »Vor allem nicht, wenn es so entsetzlich juckt. Also werde ich Eurer kleinen Herrin die Handgelenke binden, aber nicht mit einem Strick, der sie nur schlimmer aufschürfen würde.«

»Ihr wollt die Erbin von Brabant fesseln wie eine Gefangene?«

»Zu ihrem eigenen Besten, und nicht den ganzen Tag lang. Sie muss die Arme hin und wieder auch bewegen.«

Außerdem bat sie um einen Spielmann und einen Gaukler, um das Kind abzulenken. Wegen des Festes zu Ehren von Hans von Brabant und seinen Siegen waren mehr als genügend in der Stadt. Marie sprach einen starken Dialekt, hatte aber selbst keine Probleme, Judith zu verstehen, als diese ihr erklärte, warum das alles nötig war.

»Wenn ich erst Königin bin«, sagte Marie, »werde ich verbieten, dass irgendjemand die Krätze bekommt.«

»Das ist leider kein Verbot, das Fürsten erteilen können. Krankheiten kann man nur bekämpfen, nicht verbieten.«

»Werdet Ihr auch Mouche heilen, Magistra?«

»Wer ist denn Mouche?«

»Mein Schoßhund«, sagte Marie. »Sie hat die Räude.«

Damit war zumindest geklärt, wie und wo sich das Mädchen angesteckt hatte. Außerdem war es eine Erleichterung, denn die Art der Krätze, die von Tieren übertragen wurde, befiel Menschen Judiths Erfahrung nach nicht so heftig. Um den Hund allerdings war es geschehen. Die Herzogin gab den Befehl, das Tier augenblicklich töten und verbrennen zu lassen, als sie davon hörte. Marie weinte einen halben Tag lang und weigerte sich zunächst, mit Judith zu sprechen. Danach erklärte sie ihr, wenn sie erst Königin sei, würde sie Ärzte, die ihre Schoßhunde nicht retteten, hinrichten lassen.

»Dann«, sagte Judith, »werden nicht mehr viele Ärzte an Euren Hof kommen. Wir hängen alle an unserem Leben, und keiner von uns kann immer und bei jedem Patienten erfolgreich sein. Aber wenn Ihr erst Königin seid, könnt Ihr befehlen, dass keine Hunde mehr getötet werden.«

Marie schniefte. »Was, wenn mein Gemahl Hunde hasst?«

Der Gaukler, der sie durch Bälle, Reifen und kleine Handpuppen ablenken sollte, saß mittlerweile dösend in einer Ecke, doch der Spielmann war noch hellwach. *Trotzdem*, dachte Judith, *ist das jetzt der Zeitpunkt.* »Nun, deswegen ist es gut, dass Ihr den Grafen Otto nicht gleich heiraten werdet. Je länger Eure Verlobungszeit mit ihm dauert, desto besser könnt Ihr herausfinden, ob er Hunde hasst oder nicht. Und ob er König wird oder nicht.«

Das kleine Mädchen starrte sie erstaunt an. »Mein Hund musste sterben, und ich muss Pflaster und Fesseln tragen, aber er wird noch nicht einmal *sicher* König? Meine Mutter hat mir versprochen, dass ich Königin werde!«

Der Spielmann gab keinen Mucks von sich, doch seine Augen waren fest auf Judith geheftet. Mit ihm würde sie später sprechen müssen.

»*Graf* Otto«, gab sie zurück und betonte den Titel, »muss erst gewählt werden. Das soll noch in diesem Jahr geschehen, aber niemand kann mit Gewissheit sagen, was die Zukunft bringen wird. Vielleicht wählen die deutschen Fürsten einen anderen zum König.«

»Wenn er nicht König wird, dann will ich ihn nicht«, entschied Marie. »Ich bin eine Nachfahrin von Karl dem Großen, und mein Papa ist ein Herzog. Da kann ich keinen Grafen heiraten!« Sie warf Judith einen immer noch verletzten Blick zu, als diese den Verband und das Pflaster auswechselte. »Und schon gar keinen, der so schlechte Ärzte schickt, dass sie keine Hunde retten können.«

»Nun, Ihr seid diejenige, die ja oder nein sagt«, antwortete Judith. »Ihr allein.«

Es war nicht gerade heldenhaft, ein Kind so zu beeinflussen, aber andererseits konnte sie sich nicht vorstellen, dass irgendjemand mit Otto glücklich werden würde. Natürlich würden Maries Eltern sich letztendlich nicht darum kümmern, was sie wollte, aber Marie wirkte eigenwillig genug, um sich bis zum Altar zu weigern, ja zu sagen, zumindest jetzt noch, solange sie jung und Kind genug dafür war, und mehr als eine Verzögerung war auch nicht nötig. Gewiss würde Otto, war Philipp erst als König anerkannt, an die Seite seines Onkels zurückkehren und versuchen, sich mit dem Thron von England zu trösten. Aber dann brauchte er Marie nicht mehr.

»Warum spielt Ihr nicht ein Schlaflied?«, schlug sie dem Spielmann vor. »Es ist spät geworden.«

»Es juckt immer noch viel zu sehr, als dass ich schlafen könnte«, murrte Marie, doch sie legte sich zurück, während der Spielmann eine sanfte, beruhigende Weise anstimmte, die Judith bekannt vorkam. Nach einigem Überlegen fiel ihr wieder ein, dass sie die gleiche Melodie in Wien gehört hatte, von dem Sänger Reinmar, ehe Walther den Saal betreten hatte, und sie wünschte sich, sie hätte gerade jetzt nicht daran gedacht.

Gilles gefiel es nicht, dass sie sich immer noch in Brüssel befanden, doch er hatte seine Zeit genutzt. Die Herzogin Mathilde, so hieß es in der Stadt, sei bereit, alles zu tun, um möglichst glanzvolle Hochzeiten für ihre Töchter abzuschließen, damit das den Makel ihrer eigenen Geburt auslöschte. Ihr Vater hatte seinerzeit ihre Mutter aus dem Kloster entführt, dessen Äbtissin sie gewesen war. Daher war die Ehe ihrer Eltern nie von der Kirche anerkannt worden. Man hatte Mathilde nachträglich legitimiert, was sehr viel Geld und Einfluss gekostet hatte, doch das Spottwort vom Nonnenkind machte nach wie vor die Runde. Wenn eine ihrer Töchter allerdings Königin und Kaiserin des Heiligen Römischen Reiches wurde, dann gäbe es diese Art Häme natürlich nicht mehr.

»Zu schade, dass Herzog Philipp schon verheiratet ist«, sagte Gilles halb im Spaß, halb im Ernst. »Vielleicht würde sie sonst ihren Groll auf die Staufer verlieren. Immerhin ist auch er ein Klosterangehöriger auf freiem Fuß.«

Judith zog eine Grimasse. Nach dem, was sie beobachtet hatte, behandelte Philipp Irene gut; das war eine Erleichterung, denn wenn er genauso wie Otto gewesen wäre, dann wäre die Byzantinerin vom Regen in die Traufe geraten. Doch das bedeutete noch lange nicht, dass sie sich ein Kind wie Marie überhaupt verheiratet wünschte, es sei denn, mit einem anderen Kind. Vielleicht würde Irene eines zur Welt bringen, doch das war dann auch neun Jahre jünger als Marie, und damit …

Plötzlich hielt sie inne, denn ihr fiel ein, dass Philipp nicht der einzige lebende Staufer war. Der Gedanke, der ihr kam, war verführerisch, doch sie hatte keine Ahnung, ob man ihn auch in die Tat würde umsetzen können.

»Wie lange sollen wir noch hierbleiben?«, fragte Gilles.

»Nur noch ein, zwei Tage. Dann bin ich sicher, dass die Mägde wissen, was zu tun ist, und mit der Tierkrätze alles so läuft, wie es sollte. Ich möchte einfach sehen, wie die Heilung fortschreitet, bevor ich gehe«, gestand sie und schaute auf ihre Hände, die jetzt, wo niemand außer Gilles sie sehen konnte, wieder leicht zitterten. Seit Richildis' Tod geschah ihr das, nicht ständig, doch es verging kein Tag, an dem es nicht mindestens einmal passierte. In ihrem Herzen war sie überzeugt, dass es erst verfliegen würde, wenn sie jemandem das Leben gerettet hatte. Das war bei Marie zwar nicht der Fall, doch ihre Genesung würde helfen.

Am Morgen des übernächsten Tages, den sie und Gilles in den Quartieren für niedere Hofleute und Dienstboten begannen, sah es zunächst so aus, als hätte Judith sich damit verdammt, denn sie war kaum angekleidet, da zerrte man sie in die Gemächer der Herzogin.

»Gerade«, sagte Mathilde unheilverkündend, »hat mich der Bescheid erreicht, dass der Arzt, den Graf Otto gesandt hat, auf offener Straße erschlagen wurde. Nur einer seiner Knechte konnte entkommen. Wer bist du, und was hast du mit den Mördern zu schaffen?«

Es war an der Zeit, alles auf einen Wurf zu setzen, denn auf das, was nun kommen würde, hatte sie niemand vorbereitet.

»Gar nichts, Euer Gnaden. Mich hat der zukünftige deutsche

König geschickt, wie ich es Euch sagte, aber ich habe nie behauptet, dass es sich dabei um Graf Otto handelte. Herzog Philipp ist mein Herr.«

»Dann hat er dich wohl beauftragt, meine arme kleine Tochter zu vergiften!«, platzte eine völlig überrascht aussehende Herzogin heraus. »Bei Gott, das sieht einem Staufer ähnlich!«

»Nein«, sagte Judith, »er hat mich geschickt, um zu prüfen, ob sie eine Braut für das Haus Hohenstaufen sein kann, eine zukünftige Königin und Kaiserin.«

Mitten in der Empörung wirkte Mathilde von einem Moment zum anderen verblüfft. Sie runzelte die Stirn. »Will er seine Ehe mit der Byzantinerin annullieren lassen?«

Judith schüttelte den Kopf. »Er will für seinen Neffen Friedrich um Eure Tochter anhalten. Euer Gnaden, es ist dem Herzog wichtig, alle alten Wunden zu heilen, nicht neu aufzureißen. Er weiß, dass selbst die Anhänger der Staufer gespalten sind, denn sie haben seinem Neffen zuerst Treue geschworen. Doch jetzt muss ein Mann auf dem Thron sitzen. Welche bessere Lösung gäbe es da, als seinen Neffen an Sohnes statt anzunehmen und zu seinem Erben zu machen? Und welche bessere Braut gäbe es für einen zukünftigen Kaiser als Eure Tochter, Erbin eines Geschlechtes, dem seine eigene Familie unrecht getan hat?«

Mathilde, die bisher gestanden hatte, setzte sich auf eine Truhe. »Hmm. Das … das lässt sich hören. Natürlich ist Graf Otto unendlich würdiger, und es gibt keinen Zweifel, wen ich bevorzuge, doch es freut mich, dass Philipp nicht gänzlich blind gegenüber dem ist, was er mir und meiner Familie schuldet. Aber warum hat er nicht eine größere Gesandtschaft geschickt, um förmlich um meine Tochter zu werben?«

Judith breitete die Hände aus. »Euer Gnaden, auch der Herzog ist nur ein Mann – ein Mann, der seinen Stolz hat. Ehe er eine Gesandtschaft schickt, wollte er erst erkunden, ob es überhaupt eine Möglichkeit gibt, dass Ihr sein Angebot nicht sofort ablehnt. Deswegen hat er mich gebeten …«

»Hm«, machte Mathilde erneut. Sie stützte ihren linken Ellbogen auf ihr Knie und legte ihr Kinn auf die offene Hand. Ihre Augen fingen an zu funkeln. Die Vorstellung, nicht nur einen, sondern beide Bewerber um die Königskrone zu Füßen ihrer Tochter zu sehen – und damit zu ihren eigenen –, gefiel ihr offensichtlich ausgesprochen gut. Im Inneren sprach Judith ein kleines Dankgebet, das sie seit ihres Vaters Tod nicht mehr von sich gegeben hatte.

»Nun denn«, entschied die Herzogin, »wenn meine Tochter tatsächlich jene hässlichen Schürfstellen loswird, statt davon noch mehr zu bekommen, dann will ich glauben, dass Philipp tun will, was rechtens ist. Meine Tochter wird Graf Otto anverlobt werden, denn ich stehe zu meinem Wort, aber ihre Schwester ... ihre Schwester ist noch ungebunden. Sollte Philipp für seinen Neffen um sie anhalten, dann muss die Antwort nicht Nein lauten. Es versteht sich, dass die Mitgift meiner Adelaide nicht geringer sein wird als die meiner Marie.«

»Und wem«, wagte Judith zu fragen, »wird die Stimme Eures Gemahls gelten?«

»Dem zuvorkommenderen unserer zukünftigen Schwiegersöhne«, gab die Herzogin huldvoll zurück.

* * *

Die Frühlingssonne schien sehr hell. Es war ein Tag, an dem die Wunden, die der Winter der Erde geschlagen hatte, allmählich zu heilen schienen, als Philipp von Schwaben im thüringischen Mühlhausen am 8. März zum deutschen König gewählt wurde. Dietrich von Meißen war sich bewusst, dass sein Schwiegervater ihn für einen voreiligen Narren hielt, der bei etwas längerer Zurückhaltung noch mehr hätte aus Philipp herausholen können, aber das war nur neidisches Gehabe, weil Dietrich es war, der mit der Vermittlerrolle beauftragt worden war, er, der den Bischof von Magdeburg für die Staufer an Land gezogen hatte, er, der dafür gesorgt hatte, dass Thüringen, nicht irgendeine Rheinfeste, die Ehre hatte, Ort der deutschen Königswahl zu werden.

»Und wie viel Geld bringt dir das ein?«, hatte sein Schwiegervater vernichtend gefragt. »Ich hoffe, du kannst dir die Ausgaben leisten, Gastgeber für Philipp und die Fürsten zu spielen, denn da hast du uns etwas eingebrockt. Himmelherrgott noch mal!« Hermann war einfach nur neidisch.

Dietrich sah sich bereits als zukünftigen Reichshofmarschall. Heinz von Kalden war schließlich nicht mehr der Jüngste. Ein, zwei Jahre sollte man ihn vielleicht noch aus Gründen der Dankbarkeit im Amt lassen, aber dann wurde es Zeit für einen neuen, jungen, tatkräftigen Kämpfer für das Reich. Er malte sich seinen Platz an der Seite des Königs aus, während die Herzöge von Sachsen, Bayern, Lothringen und Zähringen sowie der Bruder des Österreichers mit all ihren Lehnsleuten ihre Wahl für Philipp erklärten. Dietrich sah sich bereits bei zukünftigen Turnieren und in Schlachten siegen, während die Bischöfe von Bamberg, Worms und Magdeburg desgleichen taten. Und er musste sich zusammenreißen, um sein eigenes »Ja« gemeinsam mit dem des Grafen Siegfried von Orlamünde nicht laut herauszuschmettern.

Er war der zukünftige Mann des Reiches. Ja, nicht mehr und nicht weniger war er!

* * *

»Noch nie«, donnerte Adolf von Altena, »ist ein König anderswo als auf fränkischem Boden gewählt worden!« Was genau man darunter verstand, seit Karl der Große gelebt hatte, war zwar umstritten, doch für Adolf stand außer Frage, dass Thüringen nicht dazugehörte. Außerdem war es eine bessere Einleitung, als sich über den treulosen Zähringer zu empören. »Noch nie«, fuhr Adolf fort, »ist ein deutscher König ohne die Stimmen der Erzbischöfe von Köln, Mainz und Trier gewählt worden!« Für den Mainzer und den Trierer hatte er sich allerdings selbst bevollmächtigt. »Diese Wahl ist ungültig, also brauchen wir uns von nichts, was Philipp von Schwaben entscheidet, gebunden zu fühlen. Hier, und nur hier, findet die einzig gültige Wahl des nächsten deutschen Königs statt!«

Seine Feste in Andernach hatte vielleicht bessere Tage gesehen, aber keinen glorreicheren. Selbst das Wetter stand auf seiner Seite: Die Sonne strahlte, während er am 9. Juni Reichsgeschichte schrieb. Gut, mit etwas Unterstützung gewisser Kaufmannskreise vielleicht, aber das war nun einmal nicht zu vermeiden gewesen. Wenn er es recht bedachte, so hatte er doch eigentlich von Anfang an dem Zähringer misstraut und das große Unrecht tilgen wollen, das dem Geschlecht Heinrichs des Löwen widerfahren war. Und man brauchte sich den jungen Grafen Otto nur anzuschauen, um zu wissen, dass Gottes Hand auf ihm lag. Er würde ihn innerhalb eines Monats in Aachen krönen, das hatte er geschworen. Mochte Philipp bei der Wahl schneller gewesen sein, bei der Krönung würde er sich nicht wieder abhängen lassen, selbst wenn er dafür die Reichsinsignien nachmachen lassen musste; der Auftrag dazu war bereits erteilt. Als wahrhaft milder Fürst hatte Otto sich jetzt schon gezeigt und die Kosten für die Unterbringung von Adolfs Gästen übernommen. Adolf war fest überzeugt, ihn auch noch bewegen zu können, den Kölner Domschatz wieder auszulösen, denn eigentlich war es eine Peinlichkeit, diesen in Trier zu wissen. Ja, Otto war der rechte König, und Adolf war Samuel, der David salbte, Prophet und Königsmacher zugleich. Er fühlte sich getragen von den Schwingen der Engel, während er mit den Stimmen von Trier und Mainz Otto wählte und hörte, wie die Bischöfe von Paderborn, Minden und den meisten Diözesen im Reich desgleichen taten. Zwar hatte er nur zwei weltliche Fürsten auf seiner Seite, den Grafen Balduin von Flandern und Herzog Heinrich von Brabant, wobei Letzterer nur durch einen Brief seiner Gemahlin vertreten war, doch was machte das schon! Der neue Papst hatte ganz klar und deutlich für alle Welt verkündet, dass die Einheit von Kirche und Reich blieb, aber die Autorität der Kirche über allem stand, und der erste Mann dieser Kirche im Reich, das konnte nur einer sein. Er, Adolf von Altena, war der Auserwählte des Reiches. Nicht mehr und nicht weniger.

IV.
KRIEG

1199

KAPITEL 23

Nur noch Aasfresser schienen am Leben, Krähen und Vagabunden, die sich auf die Leichen stürzen – die einen, um zu fressen, die anderen, um zu stehlen, was von den Siegern noch dagelassen worden war. Walther zügelte sein Pferd. Er hatte gehört, dass es um das Kölner Erzstift Kämpfe gegeben hatte, doch er hatte nicht erwartet, einen der Schauplätze in einem kleinen Dorf so kurz vor seinem Ziel zu durchqueren. Der Krieg zwischen Welfen und Staufen, zwischen Otto und Philipp, zwischen jedem ihrer Anhänger hatte ihn seit seiner Rückkehr aus Rom allerorts empfangen, und es gab auch nach über einem Jahr keine Anzeichen, dass er bald vorüber sein würde; er hörte selbst dann nicht auf, wenn jemand die Seiten wechselte, so wie der Landgraf von Thüringen es soeben wieder getan hatte.

Im Frühjahr sah es einmal gut für Philipp aus, als König Richard von England unverhofft gestorben war. Beinahe hätte er das Otto-treue Straßburg erobert, doch dann brandschatzte Otto Koblenz, so dass Philipp seine Belagerung abbrechen und der Stadt zu Hilfe kommen musste. Keinem von beiden war es im vergangenen Jahr gelungen, einen so großen Vorteil zu erringen, der den Gegner zum Aufgeben gezwungen hätte. All dies nützte nur einem: dem neuen Papst. Walther presste den Mund zusammen. Was er kurz vor seiner Abreise in Passau noch erfahren hatte, machte ihn wütend und froh zugleich. »Innozenz III. hat sich nach reiflicher Überlegung für Otto entschieden, was aber erst verkündet werden soll, wenn dessen Zusagen verbindlich vorliegen«, hatte es Bischof Wolfger ausgedrückt. Walther nahm an, dass Otto dem Papst also ein besseres Angebot gemacht hatte. Hugo erzählte nach einigen Bechern etwas von großen Ländereien in Mittelitalien und aus dem Territorium von Sizilien, die an den Kirchenstaat angrenzten und nun an den Papst gehen sollten. Auf staufisches Gebiet zugunsten des Papstes zu verzichten, war für Otto eine geschickte Lösung, die ihn nichts kostete.

Eine päpstliche Festlegung würde für Philipp und viele seiner Anhänger ein Schlag sein, doch soweit es Walther betraf, war es auch ein Vorteil. Bisher war jedes Mal, wenn er ein Lied vortrug, in dem er den Papst angriff, ein Teil seiner Zuhörer sehr verstört gewesen, ganz gleich, ob sie Ritter, Bürger oder Bauersleute waren, und dabei hatte jeder von ihnen bestimmt schon schlechte Erfahrungen mit gierigen, scheinheiligen und unwürdigen Kirchenmännern gemacht. Trotzdem waren sie auf den Bänken und Stühlen herumgerutscht oder aus dem Raum gegangen. Gewiss, ein Teil war geblieben, hatte gelacht und ihn sogar angefeuert, aber man spürte doch, wie eine Mehrheit fand, er ginge zu weit, und über den Stellvertreter Christi solle man nicht so sprechen. Sie hatten nicht erlebt, was er erlebt hatte, oder nicht verstanden, was er ihnen vermitteln wollte. Doch nun, wo der Papst sich nicht nur herausnahm, den König im Reich zu bestimmen, sondern auch alle Anhänger seines Gegners zu bannen, da musste der Zorn, der in Walther brannte, auch aus anderen im Lande herausschlagen. Von einem Italiener zur Hölle verurteilt zu werden, nicht, weil man sündigte, nicht, weil man gegen die Gebote Gottes verstieß, sondern nur, weil man einem deutschen Fürsten folgte, dessen Vater und Großväter deutsche Könige und Kaiser gewesen waren, das ging zu weit! Diese Ungerechtigkeit musste jedem ins Auge stechen. Der Umstand, dass Philipp ihn jetzt doch für die Lieder gegen den Papst bezahlen würde, war natürlich auch nicht zu verachten.

Walther war aus Rom zunächst nach Wien zurückgekehrt, wo die Nachricht von Friedrichs Tod inzwischen eingetroffen war, was Leopold zum alleinigen Herzog von Österreich und der Steiermark machte. Von Respektlosigkeiten gegenüber dem Heiligen Stuhl wollte er noch weniger wissen als vorher. Seither führte Walther ein Wanderleben, was zu Friedenszeiten erheblich einfacher war, doch er führte es nicht alleine.

»Wir sollten hier nicht lange bleiben«, sagte Markwart. »Die Kerle da drüben sehen nicht so aus, als ob sie vor Lebenden haltmachen, wenn sie bei den Toten nicht genügend finden.«

Die Pilgerfahrt nach Rom hatte Walther klargemacht, wie kurz das Leben sein konnte, und vielleicht war er deswegen in den einzigen Ort zurückgekehrt, den er eigentlich nie wiedersehen wollte. Er hatte damit gerechnet, seinen Vater tot zu finden, doch nein, es ging ihm gut, umso mehr, weil er erneut geheiratet und Kinder in die Welt gesetzt hatte. Die zweite Frau war ein liebenswertes Nichts, dem man nicht böse sein konnte, und blieb genau wie seine Halbgeschwister für ihn eine Unbekannte. Von Walther von der Vogelweide hatte keiner von ihnen gehört; so viel zu dem Ruhm, von dessen Reichweite Walther bis zu seiner Ankunft überzeugt gewesen war.

Die große Überraschung kam, als er abreisen wollte. »Als wir Jungen waren, musste ich dich fast knebeln und fesseln, damit du mit mir gingst«, hatte Walther ungläubig zu Markwart gesagt, der mit einem geschnürten Bündel vor ihm stand, »und du bist so schnell wie möglich wieder aus Wien verschwunden, weil dir der Hof deines Vaters wichtiger war.«

»Das war damals. Ich bin älter geworden, Walther. Den Hof führt mein Bruder. Und … und es gibt – nun, es …« Nach einigem Hin und Her hatte sich herausgestellt, dass Markwart, der in ihrer gemeinsamen Jugend immer der Zurückhaltende von ihnen gewesen war, es irgendwie fertiggebracht hatte, zwei Frauen die Ehe zu versprechen, und nicht irgendwelchen, sondern Frauen mit sehr streitlustigen, einflussreichen Verwandten, die eine saftige Strafe bei Kirche und Gericht für so etwas durchsetzen konnten.

Es hatte etwas Angenehmes, wieder mit Markwart zu leben. Dass Markwart mit seiner großen Statur auch den Eindruck erweckte, gut mit Waffen umgehen zu können, selbst wenn das nicht stimmte, war dabei noch das Geringste. Sein Freund neigte immer noch dazu, sich schnell zu beschweren, aber er konnte kochen und brachte es fertig, selbst aus einer mageren Wachtel ein köstliches Gericht zu machen, wenn es keine Burg, kein Kloster oder kein Spital gab, in dem sie die Nacht verbringen konnten. Außerdem war er der einzige Mensch, den Hildegunde auf Anhieb mochte und der selbst dann noch auf Walthers Seite stand, wenn er sein Tun für gänzlich verrückt hielt. Ausgerechnet

Köln einen Besuch abzustatten, hatte Markwart trotzdem von Anfang an mit tiefem Unwohlsein erfüllt. »Warum willst du das tun? Ich dachte, du stehst auf Philipps Seite? Sind die Kölner da nicht von ganz allein deine Feinde?«

»Ich bin auf meiner Seite, und die hält sich derzeit mehr an Philipp, das stimmt. Aber es lohnt sich nicht, Loblieder auf Philipp oder Spottlieder auf den Papst nur da zu singen, wo einem der Beifall gewiss ist. Die wahre Herausforderung liegt darin, eine feindselige Zuhörerschaft für sich zu gewinnen.«

»Du willst vor Leuten singen, die dich deswegen in Stücke reißen werden?«, rief Markwart entsetzt.

»Ich verspreche dir, keine Lieder zu singen, die mich oder dich als Einzelteile enden lassen«, erwiderte er. Es war nicht so, dass er Markwart nicht vertraute. Doch was sein Freund nicht wusste, das konnte er nicht ausplappern, und dazu gehörte sowohl Walthers Auftrag als auch das, was ihn außerdem noch nach Köln trieb. »Du solltest doch inzwischen wissen, dass ich meine Kunst immer auf die Zuhörer abstimme. Für die Kölner wird es Lieder geben, bei denen sie zu zwei Dritteln ohnehin der gleichen Meinung sind und nur in einem Drittel einer anderen. Ich werde ihnen den Stachel mit Honig versüßen. Sie werden erst dann merken, dass sie ihn geschluckt haben, wenn sie anfangen, bei der nächsten Lobpreisung Ottos Magenschmerzen zu erleiden.«

»Da ist noch etwas anderes, gib es zu«, mutmaßte Markwart und bewies, dass er seine Fähigkeit, Walther richtig einzuschätzen, noch nicht ganz verloren hatte.

»Der Erzbischof von Köln hat mich bei meinem letzten Besuch nicht hören wollen, und das liegt mir im Magen.«

»So eitel bist du nicht.«

»Doch, das bin ich. Der Erzbischof von Köln ist der wichtigste Bischof, Herr der größten Stadt im Reich, Herzog des Rheinlands und Kurfürst, das verkündet er schließlich oft genug. Wenn ich der berühmteste Sänger im Reich werden will, dann muss ich auch an seinem Hof gespielt haben. Das ist eine Frage der Zunftehre, Markwart.«

»Fahrende Ritter dürfen gar nicht Mitglied einer Zunft sein«, murrte sein Freund, »und dass es keine für euch Sänger gibt, ist sogar ein Glück, denn wenn die anderen so wie du und der alte Reinmar sind, dann würdet ihr euch bei jedem Zunftessen so lange die Ohren vollreden, bis alle Gerichte kalt geworden sind.« Er hatte sich noch einmal versprechen lassen, dass Walther nichts zu Herausforderndes singen würde, und dann die Reise nach Köln mit ihm begonnen.

Die Leichen in dem Dorf waren nicht die ersten, die sie auf ihrem Weg gefunden hatten; sie waren vorher schon durch viele Siedlungen gekommen, die gebrannt hatten und in denen kaum noch Menschen lebten. Markwart hatte recht mit seiner Warnung vor den Plünderern, doch Walther trieb Hildegunde nicht an, sondern stieg ab.

»Was zum Teufel …«

»Markwart, ich werde die Wachen überreden müssen, mich überhaupt in die Stadt zu lassen. Wenn ich einer Familie ihren toten Sohn oder Gatten bringe, damit sie ihn bestatten können, dann wird das wesentlich einfacher werden.«

Markwart warf ihm einen merkwürdigen Blick zu, halb entsetzt, halb beeindruckt. »Du hast dich verändert«, sagte er, mehr nicht, und hielt die Pferde, während Walther zwischen den Leichen umherwanderte. Wenn Ritter darunter waren, dann hatte man sie schon längst ihrer Rüstungen beraubt. Die meisten Körper auf der Erde trugen Platen, jene Tuchröcke mit aufgenieteten Eisenplatten, die sich auch ein einfacher Handwerker oder freier Bauer leisten konnte. Der Gestank von Blut, Schweiß und Urin hing schwer in der Luft, aber noch nicht der süßliche Geruch von verwesendem Fleisch; so lange konnte das Scharmützel also nicht her sein. Trotzdem waren einige Augen bereits den Raben zum Opfer gefallen, und er blickte oft in leere Augenhöhlen. Walther erinnerte sich an die Pilger auf der italienischen Landstraße und fragte sich, warum er nur noch ein schwächeres, taubes Echo seines Zornes von damals fühlte. Vielleicht, weil es Kriegsknechte waren, die wenigstens Waffen in den Händen gehalten hatten? Trotzdem fragte er sich, wie viele von ihnen überhaupt in der Lage gewesen waren, *Welfe* oder *Staufer* zu buchstabieren, und ob es für sie einen Unterschied machte, wem sie ihre Abgaben zahlten und für wen sie starben.

Zuerst erschien es unmöglich, zwischen Kölnern und ihren Gegnern zu unterscheiden. Dann kam Walther zu dem Schluss, dass die Kölner einen kürzeren Weg hinter sich und daher weniger abgewetzte Beinlinge hatten.

»He, ich habe den zuerst gesehen!«, rief ihm einer der Leichenschänder zu, als Walther das Bein eines Toten anhob, dessen Stiefel aus feinerem Leder gemacht zu sein schienen als die der meisten anderen Toten. Er trug auch noch seinen Kalottenhelm, und als Walther unter den Platen griff, konnte er spüren, dass der Tote ein vollständiges Untergewand anhatte und darunter ein Hemd. Um den Hals trug er ein Medaillon, das die heilige Ursula zeigte, die Schutzheilige von Köln. Was Tote betraf, die aus einer besseren Kölner Familie stammten, so war dieser wohl die erste Wahl.

»Ich habe gesagt, das sind meine Stiefel!«, zischte der Fledderer, der über das Feld zu Walther gerannt war. Aus der Nähe betrachtet, stellte er sich als Mann um die dreißig heraus, dem fast alle Zähne fehlten, der dafür aber einen Spieß und eine Streitaxt mit sich führte und bunt zusammengewürfelte Sachen trug, die alle zusammengestohlen sein mussten.

»Hätte er mir sagen können, dass er sie dir versprochen hat.«

»Eh?«, gab der Leichenräuber zurück.

»Die Stiefel. Wer bin ich, um den Letzten Willen eines Mannes nicht zu respektieren? Als wir gestern unseren Schweinebraten verzehrten, da sagte Hugo zu mir, Walther, mein guter Freund, was mein ist, soll auch dein sein, bis auf meine Frau, versteht sich, und …«

»Hör auf, Blödsinn zu schwafeln«, sagte der Leichenfledderer unwirsch. »Der Kerl war viel zu geizig, um was zu teilen. Das ist Gerhard, der Sohn vom Bierbrauer. Verheiratet war er auch nicht, aber gute Stiefel hat er, und die gehören jetzt mir – glaub nicht, dass ich den Weg von Köln hierher gemacht habe, um sie dir zu überlassen!«

»Wie du wünschst«, sagte Walther mit einer Verbeugung. Er

wartete, bis der Mann mit den Stiefeln und nach einem misstrauischen Blick auf Walther und Markwart zu den nächsten Leichen weitergelaufen war.

»Das hätte ins Auge gehen können«, sagte Markwart mürrisch.

»Glaubst du, mir macht das Spaß? Ganz im Gegenteil. Aber das Treffen mit dem Kerl war ein ausgesprochener Glücksfall. Markwart, hilf mir, Gerhard seiner Familie zurückzugeben.«

Die große Stadtmauer um Köln mit dem riesigen Turmbau am Eigelsteintor erschien ihnen die großartigste und gewaltigste zu sein, die auf Erden stand, obwohl die Befestigungen von Wien auch nicht zu verachten waren; aber Köln galt mit seinen fast vierzigtausend Bewohnern auch als größte Stadt im Deutschen Reich. Was Walther Sorgen machte, waren die zahlreichen Wachen, von denen einige zu unterschiedlich gekleidet waren, um Kölner Stadtwächter zu sein. Außerdem trugen zwei von ihnen das welfische Wappen über dem Kettenhemd.

»Walther«, murmelte Markwart, während sie näher ritten, beide auf Hildegunde, während die Leiche des unglückseligen Gerhard auf Markwarts Pferd festgeschnürt war, »ist das nicht das Wappen des Grafen von Poitou?«

»Vergiss nicht, solange wir uns in Köln aufhalten, ist es das Wappen des deutschen Königs«, sagte Walther grimmig.

Wie er vorausgesehen hatte, wollten die Stadtwachen zuerst wissen, warum ein Minnesänger ausgerechnet jetzt Köln besuchen wollte, und wo er herkam, nicht warum er eine Leiche mitbrachte.

»Steht die große Stadt Köln nicht allen offen, die ihr Glück suchen? Und mein Patron, der Landgraf von Thüringen, durchlebt gerade harte Zeiten.«

»Das tun alle«, sagte der Wachposten ungnädig, doch die Nennung des Landgrafen entspannte ihn etwas; Hermann hatte sich im letzten Jahr mit großem Getöse auf Ottos Seite geschlagen.

»Aber Ihr müsst zugeben, dass harte Zeiten für Könige immer noch großzügiger ausfallen als solche für Landgrafen. Doch selbst, wenn es mir nicht gelingen sollte, die Gunst des Königs zu erringen, muss ich, wie Ihr seht, in Eurer schönen Stadt eine fromme Pflicht erfüllen. Ich kam gerade noch rechtzeitig, um die letzten Worte dieses jungen Kölner Streiters zu hören. Nun möchte ich seiner Familie wenigstens den Trost bringen, dass er nicht alleine gestorben ist. Er sagte, sein Name sei Gerhard, und sein Vater sei …«

»Hubert der Bierbrauer. Ach, verflucht!« Die Stadtwache ließ sie danach nur noch Zoll für Walthers Pergament bezahlen.

Während sie durch die Gassen gingen, sagte Markwart: »Es ist herzlos, Eltern etwas über den Tod ihres Kindes vorzulügen.«

»Herzlos wäre es, wenn ich über einen Lebenden löge, er sei tot, oder über einen Toten, er sei noch am Leben. Dieser Gerhard ist tot, so oder so. Durch mich erfahren sie es, was sonst wahrscheinlich nie passiert wäre, und sie werden wissen, wo er beerdigt liegt. Wenn ich einen Sohn hätte, wäre mir das lieber, als mir vorstellen zu müssen, dass er auf einem elenden Acker nur auf Vögel und wilde Tiere als Bestatter hoffen kann.«

»Ich nehme alles zurück. Du hast dich nicht verändert«, sagte Markwart. »Du bist immer noch gut darin, eine Wildpastete zu stehlen und dem Koch zu erzählen, dass du es nur in Gedenken an das tote Reh tust.«

»Du hast damals die Pastete mit mir geteilt, also hör auf, dich zu beschweren.« Trotzdem wusste Walther, was Markwart meinte, und verschwieg, wie unwohl er sich selbst fühlte.

Als sie Hubert den Bierbrauer gefunden und die Leiche vom Pferd gehoben hatten, war es nicht mehr möglich, innerlich ruhig und unberührt zu bleiben, nicht bei den Rufen »mein Sohn, mein Sohn!« von Seiten des Bierbrauers und bei dem Anblick von Gerhards Mutter, die auf die Straße lief und nicht mehr aufhören wollte zu weinen. Aber er war ein Geschichtenerzähler; die Erzählung, die er für den Bierbrauer und seine Gemahlin spann, war so trostreich, wie Walther sie machen konnte. Er ließ sich davon hinwegtragen und fügte Kleinigkeiten hinzu wie die, dass Gerhard »Mutter« geflüstert und seine Hand gedrückt hatte, als er schließlich verblich.

Zu seiner Überraschung versiegte der Tränenfluss der Bierbrauergattin sofort, und der Bierbrauer schaute auf, Verwirrung und aufflammenden Zorn im Blick. »Mutter? Aber er kann doch nicht an diese Dirne gedacht haben! Er hat sie gar nicht gekannt!« Etwas war ganz deutlich nicht so, wie es sein sollte, doch die Aussage zurücknehmen und zu etwas unverfänglichem wie »dir, Jesus, empfehle ich meinen Geist« verändern konnte Walther nicht, ohne sich als Lügner zu entlarven. Musste seine kleine Sünde denn wirklich gleich bestraft werden? Aus den Augenwinkeln sah er, wie Markwart die Arme verschränkte und ein Gesicht machte, als sei er zufrieden, dass Walter endlich einmal bei einer Lüge ertappt wurde; er schien nicht zu verstehen, was das für Konsequenzen haben konnte.

»Das war es, werter Gevatter, was ich verstand. Ich glaube, er war wieder ein Kind und wie jeder Sterbende froh, in den Armen seiner Mutter ...«

»Seine Mutter«, fiel nun auch die Frau des Bierbrauers ein, »war ein gewissenloses Weibsstück, das meinen armen Gatten allein mit drei kleinen Kindern ließ und mit einem Spielmann davonrannte. Zum Gespött der ganzen Stadt hat sie ihn auf Jahre hinaus gemacht, und genauso lange hat es gedauert, bis sein zartes Gemüt wieder in der Lage war, zu lieben!« Sie kniff die Augen zusammen und schaute auf Hildegunde und die Instrumente, die an ihrem Sattel hingen. »Einem Spielmann wie Euch.«

»Ich bin Sänger und Ritter«, sagte Walther hastig. »Und gewiss hat Gerhard an Euch«, er machte eine Verbeugung vor der Bierbrauergattin, »als seine wahre Mutter gedacht?« Wenn er sich die Frau allerdings näher anschaute, so war sie höchstens zehn Jahre älter als der tote Gerhard, was bedeutete, dass sie noch nicht lange die Ehefrau des Bierbrauers sein konnte. Zu allem Überfluss färbten sich nun ihre Wangen zartrosa.

»Oh, Gerhard!«, rief sie und brach erneut in Tränen aus. »Mein Gerhard!«

»Ihr habt euch doch kaum guten Morgen und guten Abend gewünscht«, sagte der Bierbrauer misstrauisch, dann wandte er sich an Walther. »Warum fehlen meinem Jungen die Stiefel, wenn er in Euren Armen gestorben ist?«

Welcher Vater denkt denn in so einem Moment an Stiefel?, dachte Walther empört.

»Ich fand ihn, wie ich ihn Euch bringe«, sagte er würdevoll. »Als ich den Ort erreichte, waren bereits ein paar Diebe dort, doch sie rannten fort, als sie meines Knappen und meiner angesichts wurden. Seht, Eurem Sohn ist wenigstens der Anhänger der heiligen Ursula geblieben, und so war die Schutzpatronin Eurer Stadt bei ihm.«

»Das habe ich doch dir geschenkt«, schnauzte der Bierbrauer seine Gemahlin an, die wieder mitten im Schluchzen aufhörte.

»Ich dachte, als Glücksbringer«, begann sie.

Walther hielt es für angeraten, das Weite zu suchen. Falls der verstorbene Gerhard ein zu inniges Verhältnis mit seiner jungen Stiefmutter gehabt haben sollte, war das nichts, was er wissen wollte. Im Übrigen hatten Menschen die unliebsame Angewohnheit, schlechte Nachrichten häufig am Boten zu rächen.

»Ich bin nicht der Mann, der anderen sagt, er habe es gleich gewusst«, bemerkte Markwart, während sie die Pferde durch die Gassen führten, weil man innerhalb Kölns kaum reiten konnte, ohne jemanden in Gefahr zu bringen.

»Du? Niemals.«

»… aber ich habe gleich gewusst, dass es zu nichts Gutem führen kann, wenn man Eltern Lügen über den Tod ihres Kindes erzählt.«

»So, wie ich es sehe«, sagte Walther, »hat es uns in die Stadt gebracht, noch dazu ohne einen Wächter an unserer Seite.«

Markwart schüttelte unwirsch den Kopf und begann dann, sich mit großen Augen umzuschauen. Auch Walther musste einmal mehr zugestehen, dass Köln außergewöhnlich war. Das fing schon mit dem gigantischen Bollwerk von Mauer an, die bestimmt mehr als zwölf große Tore besaß, und den Straßen, die vom Rhein aus immer weiter nach Westen führten, ohne dass ein Ende erkennbar war. Die Häuser waren nicht nur einstöckig, sondern besaßen gerade um das Rathaus herum meistens zwei und sogar drei Stockwerke, was es bei Feuer bestimmt schwierig machte, sie zu löschen. Dafür befanden sich an den Straßen immer wieder Senken, die mit Löschwasser gefüllt waren. Außerdem gab es viele Plätze, nicht nur vor dem Rathaus. Auch der Dom war gewaltig lang mit Querhäusern an beiden Enden. Nur die Türme waren zu kurz und passten irgendwie nicht zu dem riesigen Bauwerk.

»Versprich mir nur, dass wir nicht als Nächstes bei einem Vater einkehren, dessen Tochter du geschwängert hast.«

»Wir kehren nicht als Nächstes bei einem Vater ein, dessen Tochter ich geschwängert habe.«

Markwart wirkte nicht beruhigter.

Nach einigem Überlegen fand Walther den Weg zu Stefans Haus und stellte fest, dass die Wächter vor dem Eingangstor neu waren. Er hatte eine lange Rede über Meister Stefans Gastfreundschaft vorbereitet, doch ehe er dazu kam, trat ein Junge vor das Tor, schaute zu Walther und rief laut: »Ihr!«

»Walther«, stöhnte Markwart.

»Ihr seid doch der Sänger«, sagte der Junge. Es dämmerte Walther, dass es der Sohn des Hauses sein musste, der im letzten Jahr noch einmal ordentlich gewachsen war.

»Das bin ich, und inzwischen ein paar Drachen mehr begegnet.«

»Herr Walther«, sagte der Junge gekränkt, »ich bin kein Kind mehr. Ich weiß, dass es keine Drachen gibt.« Dann grinste er. »Aber Löwen. Der König hat einen aus Aquitanien mitgebracht und dem Erzbischof geschenkt. Wir durften ihn alle beim letzten Umzug bewundern. Ich wette, Löwen habt Ihr noch nicht gesehen.«

Am Wiener Hof gab es zwei, die der alte Herzog aus dem Heiligen Land mitgebracht hatte, obwohl sie von dort auch nicht herkommen sollten. Doch hier galt es, eine Gelegenheit zu nutzen. »Nein«, sagte er. »Aber der römischen Wölfin bin ich begegnet, und noch ein paar anderen Ungeheuern. Wollt Ihr darüber hören?«

»Das und noch vieles mehr.« Der Junge trat einen Schritt näher. »Ich dachte, Ihr wüsstet vielleicht, was aus meiner Base Jutta geworden ist«, sagte er mit gesenkter Stimme.

Walther erstarrte. Er öffnete den Mund, um zu fragen, ob sie denn nicht hier sei, und schluckte die lächerliche Frage gerade noch rechtzeitig hinunter. Er konnte es sich nicht leisten, noch mehr Fehler zu machen.

»Ich sehe, wir haben einander eine Menge zu erzählen«, sagte er und zwang ein entwaffnendes Lächeln auf seine Lippen. »Darf ich noch einmal die Gastfreundschaft Eures Hauses für mich und meinen Knappen erhoffen?« Vom Sohn des Hauses eingeladen zu werden, ersparte langwierige Erklärungen und Bestechungsgelder bei Hauswachen, die, wie sich herausstellte, keine Kriegsknechte waren, sondern zum Gesinde gehörten und nur mit Knüppeln ausgestattet worden waren. Eine Vorsichtsmaßnahme, auf die der Hausherr bestand.

»Mein Vater sagt, man kann nie wissen in diesen Zeiten«, meinte Paul. Ob er sich dabei auf den Krieg oder auf etwas anderes bezog, ließ er offen. Er selbst plante, für Otto zu kämpfen, sobald es sein Vater ihm erlaube. »Philipp muss ein ehrloses Ungeheuer sein«, fügte er hinzu.

»Sagt das Euer Vater?«

»Nein, das kann ich selbst erkennen, wie jeder in Köln. Er hat Straßburg bereits angreifen lassen, bevor er im September in Mainz gekrönt worden ist!«

»Nun, er war gewählt, und da der Bischof von Straßburg sich für Otto … für den König erklärte …«

»Und dann«, fuhr Paul fort, »hat er Andernach verwüstet. Unser Andernach!«

»Eine der wichtigsten Festungen des Stifts«, sagte Walther zu Markwart, der immer unbehaglicher dreinblickte.

»Was mit der Nonne geschehen ist, hat aber nichts mit Festungen zu tun«, rief Paul empört. »Oder habt Ihr etwa nichts davon gehört? Eine Nonne von Andernach ist geteert, gefedert und verkehrt herum auf einem Pferd durch die Gegend geführt worden. Wer tut einer Frau Gottes so etwas an? König Otto würde seinen Mannen so ein Verhalten niemals gestatten. Er ist ein echter Ritter.«

»Wir sind auf dem Weg hierher durch Dörfer gekommen, die von König Ottos Leuten verwüstet waren«, sagte Markwart und klang, als versuche er, etwas vor sich selbst zu rechtfertigen. Die Geschichte von der Nonne klang wirklich übel, das musste Walther zugeben. Aber gerade jetzt konnte er nicht darüber nachdenken, ob sie stimmte, genauso wenig wie ihm danach war, dem Jungen zu erzählen, die Welfen hätten das Marienstift in Aachen, das schon seit Karl dem Großen kirchliches Gebiet war, seinen Thron beherbergte und schon seit ewigen Zeiten Immunität gegenüber allen weltlichen Mächten besaß, mit Gewalt erobert, nur um Otto dort krönen zu können. Die Kanoniker, so hieß es, habe man dabei zwingen wollen, Frauenkleider zu tragen. Nein, man habe sie gezwungen, im Staub zu kriechen. Nein, man habe sie gezwungen, einander die Schwänze zu lutschen. Die Geschichten wurden jedes Mal wilder und abstoßender, je öfter sie erzählt wurden. Im Grunde bewiesen diese Mären nur, dass die Anhänger von Otto und Philipp wussten, was für eine Waffe ein guter oder schlechter Ruf heutzutage war. Und das wiederum bewies, dass sie sich beide mittlerweile stark in die Enge getrieben sahen.

»Ich würde gerne mehr von Ottos Ruhmestaten hören«, sagte Walther und zerbrach sich den Kopf, wie er das Gespräch wieder auf Judith lenken konnte. Anscheinend erhörte ein Schutzheiliger, den er noch gar nicht angerufen hatte, seine Hoffnung, denn Paul sagte bereitwillig: »Nun, jeder weiß, dass Otto ein so tapferer Krieger wie sein Onkel ist, aber er tut auch Edles, von dem niemand erfährt. Mein Vater hat mir erzählt, dass er die Ehe zwischen Jutta und Gilles gestiftet hat. Wisst Ihr, Gilles ist ein netter Kerl, aber eben sehr arm, und Jutta hat von ihrem Vater auch nicht viel geerbt. Als der König in Chinon von der Not der beiden hörte, als Vater sie mitgenommen hatte, um den König zur Wahl zu bitten, da hat er ihnen sogar eine Hochzeitsfeier ausrichten lassen!«

»Was für ein großzügiger Fürst«, murmelte Walther, erinnerte sich aber noch genau an die heftige Abneigung in Judiths Stimme, als sie ihm von dem Handel zwischen König Richard und ihrem Onkel um Kölner Zollprivilegien erzählte, und verstand die Welt wieder ein Stückchen weniger. Er hatte sie mit Gilles gesehen. Offenkundig empfand sie Zuneigung für ihren Gemahl.

Wenn Otto wirklich ihre Ehe gestiftet hatte, warum war sie damals nicht voller Welfenbewunderung und daher unwillig gewesen, Geheimnis gegen Geheimnis zu tauschen? Vielleicht hatte Otto es für ihren Onkel getan, als zusätzlichen Gefallen und Dank für die angebotene Krone, aber wenn ein reicher Kaufmann wie Stefan einen Gemahl für seine Nichte suchte, dann bestimmt nicht einen, der von seinem Sohn gerade als *sehr arm* bezeichnet wurde.

Er musste zugeben, dass ihm die Möglichkeit gefiel, dass an Judiths Ehe etwas nicht stimmte, und schalt sich gleich wieder selbstsüchtig.

»Ich dachte, Jutta käme für seine Krönung zurück, als königliche Leibärztin«, sagte Paul niedergeschlagen. »Aber das tat sie nicht. Und … nun … ich dachte, vielleicht wisst Ihr mehr. Schließlich zieht Ihr durch die Lande, und sie, nun, sie kannte Euch von früher …«

»Herr Walther vom Vogelhain«, unterbrach ihn die Stimme seines Vaters, »wer hätte gedacht, dass Ihr noch einmal den Weg nach Köln findet!« Sein Gesichtsausdruck war ganz Wohlwollen. Walther war sofort auf der Hut.

»Nun, wer fände nicht gerne den Weg in eine solch schöne Stadt zurück«, sagte er vorsichtig.

»Ein Mann, der Lieder darüber schreibt, warum Philipp der wahre König der Deutschen ist?«, fragte Stefan belustigt. »Wie ging das noch gleich – *Sie lachen beid' einander an, die Krone und der junge süße Mann?*«

Hinter Walther holte Markwart laut Luft.

»Fast«, sagte Walther. »Die Edelsteine, nicht die Krone. Die Krone habe ich schon ein paar Verse vorher verwendet. Aber ich finde es äußerst schmeichelhaft, dass Ihr meine Lieder kennt, besser noch als meinen Namen!«, schloss er und zauberte sein strahlendstes Lächeln hervor. Es war nicht ganz ungeheuchelt. Gewiss, nun bestand die Möglichkeit, dass er früher als erwartet aus Köln hinausgeworfen wurde, aber ein Beweis dafür, dass seine Lieder in der Hochburg der Welfen bekannt waren, war ganz und gar nicht zu verachten.

»Ihr seid für Philipp?«, fragte Paul enttäuscht.

»Ich«, gab Walther zurück, Stefan nicht aus den Augen lassend, »bin für den rechtmäßig gekrönten König, der bedürftige Menschen unterstützt, Arme, Heimatlose und natürlich fahrendes Volk.«

»Ah«, sagte Stefan und lud Walther zu einem Stockfischmahl ein. Nicht in seinem Haus, fügte er hinzu; er spüre die härteren Zeiten so wie die meisten Kölner, doch sein Freund Constantin gebe heute ein kleines Fest, wo ein Sänger mehr als willkommen sei. »Euer Knappe wird allerdings hierbleiben müssen. Mein Gesinde wird sich um ihn kümmern.«

»Nie würde es mir einfallen, Eure Gastfreundschaft auszunutzen, wenn Ihr selbst darbt«, sagte Walther. »Mein Knappe wird in einer Schenke speisen, macht Euch um ihn keine Sorgen.«

Markwart hatte nichts dagegen, bis ihn Walther beiseitezog und bedeutete, er solle ihnen unauffällig folgen, wenn sie das Haus verließen. »Walther, ich habe wirklich Hunger.«

»Und ich traue diesen Kölner Kaufleuten nicht. Wenn ich irgendwo in einem Keller eingesperrt ende, dann wüsste ich gerne, dass du mich herausholen kannst.«

»Das füllt mir den Magen nicht«, grummelte Markwart, doch Walther wusste, dass er ihn nicht im Stich lassen würde. Ob Markwart es fertigbrachte, irgendjemandem unauffällig zu folgen, war eine andere Frage.

Sie gingen bald schon gemeinsam mit zwei Knechten als Fackelträger und Geleitschutz los. Wie Walther erwartet hatte, hörte Stefan auf, Belanglosigkeiten mit ihm auszutauschen, noch ehe sie zwei Straßen weiter waren; da die Knechte gebührenden Abstand hielten, konnten sie sich mit gesenkten Stimmen unterhalten.

»Ihr seid nicht dumm, Herr Walther«, sagte Stefan. »Also verschwendet bitte nicht weiter meine Zeit. Warum seid Ihr in Köln? Der König hat bereits Sänger, die ihn lobpreisen. Noch mehr kann er sich nicht leisten, ganz gleich, wie gut Ihr Verse schmiedet.«

»Um ganz offen zu sein, Meister Stefan, ich bin Euretwegen hier, und um Eurer Kaufmannsfreunde. Ich kann ja verstehen, dass

Ihr König Otto für ein besseres Geschäft als König Philipp gehalten habt, bei den englischen Verbindungen. Aber jetzt, da sein Onkel tot ist, da sieht die Sache doch wohl anders aus.«

Stefan runzelte die Stirn. »König John wird die Versprechungen seines Bruders einhalten.«

»Seid Ihr da sicher? Vielleicht trügt mich mein Gedächtnis, aber als wir in Wien alle darauf hofften, dass der englische König so bald und so reich als möglich von seiner Verwandtschaft ausgelöst werden würde, da erreichte uns die Nachricht, dass John sein Bestes gab, damit Richard gefangen bliebe. Außerdem hat doch Euer Otto selbst einmal auf die englische Krone gehofft, und König Richard hat ihn auch bevorzugt, bis Ihr ihm die deutsche Krone angeboten habt. Ihm, nicht John. Also, ich würde sagen, die Möglichkeit, dass König John König Otto die Geldmittel kürzt und zu sparen anfängt, ist beträchtlich; als Erstes bestimmt bei den Kölner Zollprivilegien, weil ihm das etwas einbringt.«

»Solltet Ihr als Sänger nicht nur an Ehre und Liebe denken, statt an so schnöde Dinge wie Geschäfte?«, fragte Stefan. Seine Mundwinkel zuckten. Doch er hatte sich nicht die Mühe gemacht, irgendetwas von dem zu widerlegen, was Walther gesagt hatte.

»Philipp kann Euch keine englischen Zollprivilegien anbieten«, sagte Walther, »aber dafür Frieden im Land. Wenn Otto Köln verliert, dann ist dieser Krieg zu Ende, und das muss doch auch Eurem Handel zugutekommen.«

»Mit anderen Worten, Ihr bietet mir gar nichts für viel an, was wir haben. Das muss sich wirklich Philipp ausgedacht haben. Nur ein schwäbischer Fürst hält so etwas für einen gerechten Handel.«

Zumindest schien Stefan noch nichts von der Entscheidung des Papstes für Otto gehört zu haben, was ein Vorteil war, der aber leider nicht mehr sehr lange halten mochte.

»Nein, was Euch angeboten wird, ist mehr statt weniger. Und weniger ist das, was Ihr bekommt, wenn Köln beim Welfen bleibt: Keine Vorzüge im Handel mit den englischen Territorien mehr, ganz gleich, ob Ihr welfisch oder staufisch schwenkt, aber mehr und mehr Bewaffnete benötigt, um Handelszüge in unseren Landen überhaupt noch durchzubringen. Wie viele Dörfer und Festen stehen im Erzstift eigentlich noch so, wie sie einst waren? Ich bin auf dem Weg hierher jedenfalls nicht mehr an vielen stattlich aussehenden Burgen und Orten vorbeigekommen.«

Die Abendluft war feucht, vielleicht des Rheines wegen. Walther konnte fast spüren, wie sich die kleinen Tröpfchen, die in der Luft hingen, in seine Kleider saugten, und sie im blassen Schein der untergehenden Herbstsonne auch auf Stefans Gesicht erkennen.

»Köln ist das Juwel in Ottos Krone«, begann Stefan.

»Die nicht die echte ist«, unterbrach ihn Walther.

»Weil Philipp die Insignien des Reiches nicht herausrücken will, obwohl sie ihm nicht zustehen«, parierte Stefan. »Otto hat uns bereits zur bevorzugten Stadt des Reiches erklärt, was nur Vorteile bringt. Wenn wir auf Philipps Seite übergingen, dann wären wir nur eine staufische Stadt mehr, und ich bezweifle, dass er die Toten wieder zum Leben erwecken kann. Um ganz offen zu sein, Herr Walther, wenn Philipp uns nicht dringend brauchen würde, dann hätte er Euch gar nicht geschickt. Warum sollten also wir Philipp brauchen?«

»Wie steht es denn um Euren Handel mit Frankreich?«, fragte Walther. Er hatte gehofft, sich dieses Argument noch etwas aufsparen zu können, bis er mehr als einen der großen Kaufleute von Köln vor sich hatte.

»Da die meisten und größten Fürstentümer Frankreichs dem König von England gehören, steht es mit unserem Handel ausgesprochen gut.«

»Hmm … das ist auch so eine Geschichte, bei der mich mein Gedächtnis trügen mag, aber ich habe noch nie gehört, dass John ein guter Feldherr sein soll. Deswegen ist er ja auch seinem toten Bruder stets unterlegen, nicht wahr? Und der französische König mag die englischen Herrscher allesamt nicht leiden. Wie lange, glaubt Ihr, kann der neue englische König sich gegen den Franzosen halten, nachdem der die volle Unterstützung der Staufer hat?«

»Länger als Ihr, wenn ich Euch den Leuten des Erzbischofs als Philipps Mann übergebe«, sagte Stefan. »Wenn Ihr dann nur geteert und gefedert werdet, um die Angelegenheit mit der Nonne wettzumachen, dann habt Ihr Glück. Gestern erst haben mehrere Familien in dieser Stadt Söhne verloren. Ich glaube, wenn man ihnen einen von Philipps Leuten anböte ...« Er breitete die Arme aus und drehte die Handflächen nach oben. Walther dachte daran, wie schnell in Wien eine Menge zu Mördern geworden war. Ja, er kannte die Menschen inzwischen.

Und deswegen würde er dieses Spiel auch gewinnen.

»Ich erzähle Euch jetzt nicht, was man über Ottos Leute bei der Eroberung von Aachen erzählt. Was ich von Euch wissen will, ist, womit Ihr Eure Nichte aus der Stadt getrieben habt?«, fragte er abrupt und blieb stehen.

»Was?«, gab Stefan, vom jähen Wechsel überrascht, zurück.

»Euer Sohn«, sagte Walther und musste die Schärfe in seiner Stimme nicht heucheln, »hat mir erzählt, dass *Graf* Otto so gütig war, die Hochzeit Eurer Nichte zu stiften. Wisst Ihr, ich kann mich an Graf Otto aus seiner Zeit als Geisel in Wien noch gut erinnern. Da ist er Eurer Nichte schon einmal begegnet, und damals war er alles andere als freundlich zu ihr, aber was die Sache vollends merkwürdig macht, ist, dass Euer Welfe jetzt in Köln weilt, aber Eure Nichte und ihr Gemahl nicht mehr, und dass in Eurem Haushalt kein Mensch weiß, wo sie ist, obwohl Ihr Judiths nächster Verwandter seid.«

Wie Wetterleuchten konnte er Ärger und Sorge über Stefans Gesicht huschen sehen; das machte aus dem nagenden Unbehagen, das ihn erfüllte, seit Paul ihn nach Judith gefragt hatte, Furcht. Er hatte eigentlich erwartet, dass Stefan schnell eine gute Erklärung parat hatte, und die Sache hauptsächlich angesprochen, um den Mann aus seiner überlegenen Selbstsicherheit zu holen. Stattdessen ließ der Kaufmann Moment nach Moment verstreichen, ohne Walther zu fragen, was ihn eigentlich seine Nichte anging.

»Himmelherrgott«, sagte Walther, nun aufrichtig bestürzt. »Was habt Ihr Eurer Nichte angetan?«

Inzwischen hatte Stefan sich wieder gesammelt. »Ihr vergesst Euch, Herr Walther.«

»Und Ihr habt mich immer noch nicht den Leuten des Erzbischofs übergeben. Wisst Ihr, wenn ich es mir recht überlege, dann ist der einzige Grund, dass Ihr mir damit droht, statt es schon längst getan zu haben, der, dass Ihr etwas von mir wollt. Wenn es ein besseres Angebot von König Philipp ist, dann habt Ihr kein Glück. Gerade jetzt weiß ich nicht, ob Philipp Köln und Otto nicht einfach einander überlassen sollte, während er im Rest des Reiches regiert.«

»Mein Freund«, sagte Stefan, wieder ganz Gelassenheit, »Ihr redet Unsinn. Es gibt in der Tat einen Grund, warum ich nicht längst die Wachen auf Euch gehetzt habe, und der liegt nicht darin, dass Ihr so eine angenehme Stimme habt. Ihr scheint ein gewisses Talent dafür zu besitzen, an allen möglichen Orten aufzutauchen, wo Ihr nichts zu suchen habt. So etwas finde ich nützlich.«

Worauf immer Stefan hinauswollte, änderte nichts daran, dass etwas mit Judith geschehen war, etwas, das nicht gut sein konnte. Auf einmal erschienen ihm die Phantasien, die er bisher dazu gesponnen hatte, als kindisch und töricht.

»Wenn das ein Angebot sein soll, auch für Euch an ein paar Orten aufzutauchen, dann haben wir ein Besoldungsproblem, Meister Stefan, denn meine erste Entlohnung wäre eine Antwort auf die Frage, was zum Teufel mit Eurer Nichte geschehen ist und wo sie sich jetzt befindet.«

»Ich hatte anderes erwartet!« Stefans Stimme war voller Spott. »Etwas wie eine empörte Erklärung, dass Euer Herz nur für Philipp schlägt, oder dass Kaufleute unter Eurer Würde seien.«

»Kein Mensch, der sich meine Verse gut genug merkt, um daraus zitieren zu können, ist unter meiner Würde«, sagte Walther, ohne zu lächeln. »Was ist mit Eurer Nichte geschehen und diesmal keine Ausflüchte, bitte.«

»Das eben sollt Ihr für mich herausfinden«, sagte Stefan. »Nach dem Stockfischessen.«

Sie hatten nur noch ein paar Schritte bis zu Constantins Haus zu gehen. Walther verzichtete darauf, noch etwas zu fragen. Er wurde aus Stefan nicht schlau: Ging es dem Mann nun um ein besseres Angebot von Philipp? War er an einem Spitzel in Philipps Lager interessiert? War er wirklich um seine Nichte besorgt? Benutzte er sie nur als Vorwand, den ihm Walther durch seine besorgt klingende Frage geliefert hatte? Es hatte Momente auf dem Weg zu Constantin gegeben, in denen Stefan Walther Anlass bot, dies alles zu glauben, und nichts davon.

Constantin wirkte wie ein gemütlicher Mann, der sich nur selten bewegte und einen gut gefüllten Bauch durch die Gegend trug, aber seine Augen waren hellwach, und er tat keinen Moment so, als glaube er, dass Walther ihm ein paar Lieder vortragen wolle.

»Wenn Herr Otto«, fragte er, »dem Herzog von Schwaben den Erhalt seines Herzogtums verspräche, träte Philipp dann von seinem Anspruch auf die Krone zurück?«

Über dergleichen hätte Philipp nie mit Walther gesprochen, doch wenn man als Verhandlungspartner akzeptiert werden wollte, dann durfte man nicht zugeben, nur ein kleines Licht zu sein. Außerdem musste es sich um eine Prüfung handeln: Sollte Stefan ernsthaft beabsichtigen, Walther als Spitzel anzuwerben, dann musste er gewiss sein, nicht mit falschen Auskünften abgespeist zu werden.

»Nein«, sagte Walther. »Nicht zuletzt, weil er ein solches Angebot nie glauben würde, selbst wenn Herr Otto es mit eigenem Blut auf Kölner Pergament schriebe.« Um das zu sagen, brauchte man kein Vertrauter Philipps zu sein; der gesunde Menschenverstand genügte. Es lag nicht nur am bösen Blut zwischen Welfen und Staufern, daran, dass Philipps Vater einst das Herzogtum von Ottos Vater in einzelne Fürstentümer zerschlagen und unter seinen Anhängern verteilt hatte. Jeder wusste, dass die Welfen geschworen hatten, ein Gleiches mit dem staufischen zu tun. Philipp und Otto waren beide gewählt und gekrönt worden, der eine mit den echten Reichsinsignien von der Mehrzahl der Fürsten, der andere vom richtigen Bischof am richtigen Ort, aber mit einer Kopie von Karls Krone, Apfel und Zepter. Einen bereits einmal gekrönten König ließ man sicher nicht im Besitz eines der reichsten Herzogtümer, wenn man selbst König sein und als rechtmäßig von allen weltlichen und geistlichen Fürsten anerkannt werden wollte.

»Die Welt versinkt in Misstrauen«, seufzte Constantin. »Sogar die Kinder erfasst es.«

Beide betrachteten Walther aufmerksam, Constantin und Stefan, und er hatte das Gefühl, dass er einer weiteren Prüfung unterzogen wurde; es war eine Anspielung, die er verstehen musste. An Philipps im letzten Jahr geborene Tochter dachten sie bestimmt nicht.

Wenn man stolz auf seinen Verstand ist, dachte Walther, *muss man ihn einsetzen.* Kinder. Misstrauische Kinder. Von Bedeutung für Köln, oder Otto, oder beide. Wozu brauchte ein Fürst Kinder? Als Nachfolger. Legitime Kinder aus einer Ehe.

»Herr Otto«, sagte Walther, einer vagen Vermutung nachgehend, »ist immer noch Junggeselle, wie? Ich muss sagen, das überrascht mich. Wir dachten doch alle, dass der Brabanter ihn zu seinem Schwiegersohn machen würde.«

Die Kaufleute warfen sich einen Blick zu. Dann sagte Constantin: »Bis die junge Marie erwachsen ist, kann noch so manches geschehen. Vielleicht ist ihre Gesundheit nicht die stärkste. Sie scheint im letzten Jahr eine Ärztin gebraucht zu haben.«

Etwas in Walther wurde kälter.

»Und dann«, sagte Stefan, »begannen die Gerüchte, dass der Herzog von Brabant mehr als eine Tochter hat und sich vielleicht nicht nur einen welfischen Schwiegersohn wünscht. Es ist nicht weiter verwunderlich, dass Herr Otto nicht glücklich war, dergleichen zu hören, zumal eine Mitgift etwas ist, das man eben nur bei der Eheschließung erhält. Dass die Ehe auf einmal davon abhängig gemacht wurde, wann er überall im Reich als König anerkannt sei, war neu und nie vereinbart gewesen.«

Constantin räusperte sich. »Herr Otto ist ein guter Fürst, doch seine englischen Verwandten sollen vom Teufel selbst abstammen, und manchmal, so scheint es fast, blitzt ein wenig von jener unseligen Erblast durch.«

»Sollte ein guter Christ denn Nachkommen des Teufels auf den Thron verhelfen?«

»Ihr vergesst«, sagte Stefan leise, »dass so mancher glaubt, dass keiner hier im Raum ein Christ ist, ob gut oder nicht ... bis auf Euch, Herr Walther.«

Constantin runzelte die Stirn, sagte jedoch nichts. Walther war sich nicht sicher, wie er diesen Hinweis auf die Verwundbarkeit aufnehmen sollte, die Constantin und Stefan als getaufte Juden hatten; als Vertrauensbeweis? Als Herausforderung? Und was hatte das mit Judith zu tun?

»Wir sind sehr vertraut mit der Angewohnheit von anderen guten Christen, sich Sündenböcke zu suchen«, fuhr Stefan fort. »Als nun Herrn Otto zu Ohren kam, dass er, wie Ihr Euch auszudrücken beliebt, noch länger Junggeselle sein würde als beabsichtigt, da wünschte er sich sehr einen Sündenbock, und es lag nahe, wem er die Schuld geben würde.«

»Wollt Ihr damit sagen«, unterbrach ihn Walther ungläubig, »Ihr habt Eure Nichte als Ärztin nach Brabant geschickt und sie dann Otto ausgeliefert?«

Stefan schlug mit der Handfläche auf den Tisch, dass die Holzteller klapperten, auf denen die Stockfische lagen. »Ihr seid doch dümmer, als ich dachte«, sagte er scharf. »Der Staufer war es! Euer Staufer, dem offensichtlich nicht daran gelegen ist, die rechte Hand wissen zu lassen, was die linke tut. Und es ist ihm sehr daran gelegen, Werkzeuge loszuwerden, die er nicht mehr braucht. Ihr wollt wissen, was aus meiner Nichte geworden ist? Dann kehrt zu Philipp zurück und findet es heraus. Wem, glaubt Ihr wohl, hat es genützt, dass die Brabanter auf einmal ein doppeltes Heiratsspiel betreiben können? Eurem jungen Mann, den die Kronjuwelen so anlachen in Eurem Lied, nicht Otto!«

Constantin legte ihm beruhigend die Hand auf die Schulter. »Mein Freund, du weißt nicht, was geschehen ist. Gewiss geht es deiner Nichte gut.«

»Ich weiß, dass sie es gewesen ist, die Marie von Brabant behandelt hat«, sagte Stefan bitter. »Jutta aus Köln! Sie hat sich noch nicht einmal die Mühe gemacht, ihren Namen zu verbergen. Ich weiß auch, dass sie danach vom Angesicht der Erde verschwunden ist!« Er wandte sich Walther zu. »Und Ihr seid schuld«, sagte er mit echten Tränen in den Augen. »Ihr habt ihr von der Byzantinerin und ihrer Schwangerschaft erzählt. Ihr habt ihr damit in den Ohren gelegen, dass Irene so allein sei. Da fühlte sie sich verantwortlich und hat die Stadt verlassen, um dieser Fürstin beizustehen, die nichts Besseres zu tun hatte, als meine Nichte als Spitzel zu missbrauchen und dann jede Verantwortung für sie zu leugnen! Verdammt, es ist Eure Pflicht und Schuldigkeit, jetzt nach ihr zu suchen.«

Er war leidenschaftlich, heftig und überzeugend, ein besorgter Onkel, und Walther glaubte ihm, einen, zwei, drei Herzschläge lang, bis ihn eine warnende Stimme in seinem Verstand an etwas erinnerte, das an Stefans Geschichte falsch klang: Wäre Judith gegangen, um Irene beizustehen, dann wüsste Paul davon; es war kein Grund, den man verheimlichen musste, selbst in einer welfisch gesinnten Stadt wie Köln nicht.

Es mochte durchaus sein, dass Judith die kleine Marie von Brabant behandelt hatte, und sogar im Auftrag der Staufer. Wenn Stefan ihm das erzählte, musste es einen Grund haben. Er wollte Walther gegen die Staufer wenden, nicht nur mit Gold, sondern auch mit seinen Gefühlen, so viel war klar. Er wollte einen Spitzel an Philipps Hof; Walthers ständiges Fragen nach Judith hatte ihm gewiss den Eindruck verschafft, dass ihm mehr an ihr gelegen war, als es sich für eine flüchtige Bekanntschaft ziemte.

Die besten Lügen, dachte Walther, der sich selbst in dieser Beziehung auskannte, *sind solche, die zum größten Teil der Wahrheit entsprechen, nur eben aus einem anderen Blickwinkel.*

Leider beruhigte ihn nichts an diesen Überlegungen. Ottos Hochzeitsabsichten hinsichtlich der Tochter des Brabanters hatten sich im letzten Jahr überall im Reich herumgesprochen, und sollte Judith sich in der Nähe der kleinen Marie befunden haben, dann war es in der Tat wahrscheinlich, dass Otto einen Sündenbock wollte und irgendwann auch fand. Was Philipp betraf, so bezweifelte Walther, dass der Staufer Judith als Gefangene auslösen würde. Er würde ihr einen Platz an seinem Hof geben, um seiner Gemahlin einen Gefallen zu erweisen, aber wenn ihm Otto eine Botschaft zukommen ließ, er habe eine jüdische Ärztin als seine Gefangene, dann würde Philipp wohl so tun, als habe er noch nie von Judith gehört. Geiseln waren nur wertvoll, wenn sie zur Familie eines Fürsten zählten. Ja, auch dieser Teil von Stefans Behauptungen klang wahrscheinlich genug … bis man bedachte, dass Judiths Verwandtschaft mit Stefan kein Geheimnis war, schon gar nicht für den Mann, der in Chinon ihre Ehe gestiftet hatte. Sollte ein grollender Otto sich daher für die Hinauszögerung seiner Ehe durch eine Gefangennahme und ein Goldpflaster rächen wollen, dann wäre Stefan und kein anderer der Allererste, der davon erfahren hätte.

Nichts davon drang über Walthers Lippen. Sollte Stefan glauben, dass er ihm jedes Wort abnahm. Den Kaufmann der Lüge zu bezichtigen oder gar zur Rede zu stellen, hatte sich auf der Straße als fruchtlos erwiesen und würde hier bestenfalls dazu führen, dass Walther hinausgeworfen wurde. So zu tun, als habe ihn Stefan überzeugt, würde ihm dagegen wenigstens die Möglichkeit geben, herauszufinden, ob Stefan mehr als nur eine allgemeine Anwerbung im Sinn hatte, und vielleicht auch, was wirklich mit Judith geschehen war. Also schluckte Walther, schlug die Augen nieder, verzichtete im letzten Moment darauf, die Hände zu ringen, weil er Stefan nicht durch Übertreibung misstrauisch machen wollte, und sagte: »Aber wo? Wo soll ich suchen? In Brüssel?«

»Das wäre sinnlos«, warf Constantin rasch ein. »Wir haben … Freunde am herzoglichen Hof. Wenn sich die Magistra noch dort befände, dann wüssten wir davon.«

»Da *König* Otto derzeit in Eurer eigenen Stadt residiert«, sagte Walther harsch, »nehme ich an, dass Ihr auch einen Freund in seiner Umgebung habt, der sich dort bereits nach der Magistra umgesehen hat.«

»Ich habe Euch gesagt, dass ich nie Zeit verschwende«, gab Stefan zurück. »Verschwendet also auch nicht die meine. Ihr wisst, wo Ihr zuerst suchen müsst: bei Philipp. Er wird wenigstens wissen, was er Jutta aufgetragen hat und wann er das letzte Mal von ihr oder über sie hörte.«

Gut möglich, dachte Walther, *aber warum bin ich mir nur sicher, dass Ihr von mir Erkundigungen nach mehr als Eurer Nichte wollt*? Laut sagte er: »Um ganz offen zu sein, wenn *König* Philipp mich das nächste Mal empfängt, wird er vor allem etwas von mir hören wollen, nämlich darüber, was die Kaufleute von Köln veranlassen könnte, ihre Unterstützung des Welfen aufzugeben. Wenn ich darauf keine Antwort weiß ...«

Er ließ seinen Satz unvollendet ausklingen. Stefans Tränen waren getrocknet, und er musterte Walther mit Augen, denen keine Schwäche anzumerken war.

»Erzählt mir nicht, dass Ihr nicht mittlerweile auch die Männer in Philipps Umgebung gut genug kennt, um sie zum Sprechen zu bringen.«

Walther plante bereits, Irene nach Judith zu fragen, doch das ging Stefan nichts an. »Einige von ihnen«, gab er zurück, »kenne ich gut genug, um zu wissen, dass sie einer volleren Börse nicht abgeneigt wären. Mit leerem Magen dagegen werden sie gewiss schweigsam bleiben.«

»Herr Walther von der Vogelweide«, sagte Constantin langsam, »habt Ihr tatsächlich das Herz, einem Mann, der sich um seine Nichte sorgt, auch noch Geld abzuknüpfen dafür, dass Ihr seine Seele beruhigt seht?«

Jetzt kam es darauf an, dass er sich in seiner Einschätzung der Kölner Kaufleute nicht irrte.

»Ja«, sagte Walther, nicht mehr, nicht weniger. In Gedanken begann er zu zählen, während das Schweigen zwischen ihnen das Rumoren in den übrigen Räumen von Constantins Haus hörbar machte. Auf seinem Teller lag ein nur halb aufgezehrter Stockfisch. Walther hatte keinen Hunger, doch er begann, Teile vom Fisch und dem Brot hinunterzuwürgen. Alles in ihm war gespannt.

Als Walthers schweigendes Zählen bei *neun* angekommen war, verzog sich Constantins Gesicht zu einem Lächeln.

»Bei Gott, Ihr seid der Richtige. Ihr sollt Silber für Euch und für weitere Singvögel haben, wenn die ihre Fähigkeiten beweisen.«

Stefans Gesicht blieb ernst. »Wir wollen die Namen, wenn Ihr

Erfolg habt«, sagte er. »Von jedem einzelnen Höfling. Wir sind keine Edelleute, Herr Walther. Wir können rechnen. Wir wollen über Ausgaben und Erfolge Bescheid wissen, erst recht, wenn da mehr Ausgaben sein sollten als Erträge.«

Das war es also, was Stefan wirklich wissen wollte: Wer in Philipps Umfeld bereit war, Geheimnisse auszuplaudern, und mit wem die Kölner Kaufleute ins Geschäft kommen konnten. Walther brauchten sie eigentlich nur als unauffälligen Zwischenträger. Aus Kölner Sicht war das überaus vernünftig, das konnte Walther sogar verstehen: Ihre Stadt und die Umgebung hatten durch die Staufer stark gelitten. Wenn sie sichere Gewährsleute an Philipps Hof finden konnten, dann würde Otto von so etwas wie der Belagerung von Straßburg nicht mehr überrascht werden, es würde ihm vielleicht sogar irgendwann – zusammen mit der Unterstützung des Papstes – zum Durchbruch verhelfen und damit Köln zum stabilen Mittelpunkt als reichste und mächtigste Stadt im Reich machen. Es gab nichts, was Philipp bieten konnte, das sich damit vergleichen ließ.

Doch so einsichtlich das alles war, so gab es doch etwas, das Walther gleichzeitig frösteln ließ und zornig machte. Irgendetwas musste wirklich mit Judith geschehen sein. Vielleicht sagte sich Stefan, dass er zwei Fliegen mit einer Klappe schlagen konnte: entdecken, was mit seiner Nichte geschehen war, und dazu ein paar nützliche Quellen an Philipps Hof finden. Vielleicht war er sogar rachsüchtig, denn wenn sie die Herzogin von Brabant und ihre Tochter beeinflussen konnte, dann hatte sie die Dinge für Stefan und seine Freunde sehr viel schwieriger gemacht. Doch ganz gleich, was in seinem Herzen vorging, er zögerte gerade nicht, seine Nichte zu benutzen, um einen seiner Pläne umzusetzen.

»Braucht Ihr die Namen in Blut?«, erkundigte Walther sich höflich. »Oder tut es einfaches Wachs?«

»Ein Siegel«, entgegnete Stefan, noch immer ohne zu lächeln. »Siegel auf Pergament. Jeder der Herren bei Hofe sollte einen Siegelring haben, und Ihr …«

Walther hatte inzwischen angefangen, das Pergament, das er ergattert hatte, zu benutzen, und nicht die geringste Absicht, seine Lieder zugunsten einiger adeliger Wappen in Siegellack abzuschaben. »Dann denkt daran, mir auch genügend Geld für Pergament zu geben«, sagte er ungerührt.

»Wir sind uns also einig?«, fragte Constantin.

»Das sind wir.« Ein paar Namen waren kein Problem, er hatte ja bei seinem eigenen genügend Phantasie gezeigt, und gern gelesene Nachrichten zu schreiben wäre auch nicht schwer. Einfache Siegel konnte man schnell aus Holz schnitzen, und die meisten Wappen hatten ohnehin nur Adler, Löwen, Helme oder Tauben, die man kaum noch unterscheiden konnte. Je nachdem, was er über Judith herausfand, würde er bestimmt sogar die Gelegenheit nutzen, um den Kölnern und damit Otto falsche Nachrichten zu vermitteln. Egal was passierte, es würde *ihm* nutzen, nicht ihnen. »Das sind wir«, wiederholte er, »wenn Ihr mir die Gelegenheit verschafft, vor dem Erzbischof zu singen.«

Zum zweiten Mal an diesem Tag hatte er die Genugtuung, Stefan verblüfft zu erleben.

»Ist das ein Scherz?«, fragte Constantin aufrichtig neugierig.

»Nun, Meister Constantin, Meister Stefan, ich kann nicht mit leeren Händen zu den Staufern zurückgehen und erwarten, lange genug am Hof zu bleiben, um etwas über die Magistra herauszufinden, geschweige denn, mehrere edle Herren davon zu überzeugen, dass ihr Leben mit Eurer Unterstützung etwas leichter werden wird. Wenn ich aber glaubwürdig den Hof des Erzbischofs beschreiben kann, dann wird man sehen, dass ich hier nicht meine Zeit verschwendet habe.«

»Nun, der Erzbischof bittet die Domherren regelmäßig zu Tisch, da könnte man …«

»Wunderbar! Ich danke Euch.«

»Herr Walther«, sagte Stefan langsam, »ist das wirklich Euer einziger Grund, um beim Erzbischof vorgestellt zu werden?«

Walther machte ein steinernes Gesicht. »Nein.«

»Welchen anderen Grund gibt es?«

»Ich weiß nicht, warum ich das immer wiederholen muss«, sagte Walther, »aber ich bin ein fahrender Ritter und Sänger. Der

Erzbischof von Köln ist auch der Herzog vom Rhein, einer der großen Herren des Reiches. Nichts für ungut, aber ganz gleich, wer der letzte König auf dem Schachbrett sein wird, ein Erzbischof bleibt ein Erzbischof.«

***

»Kehlstück, Kopf, Milz und Lunge – und davon auch noch wenig«, schimpfte Markwart. »Etwas anderes gab es nicht. Dabei habe ich mich hier auf einen Ranzenspanner gefreut!«
Wie sich herausstellte, hatte er an der Armenspeisung teilgenommen, weil sie neben Constantins Haus stattfand. »Das gab mir schließlich eine Entschuldigung, dort herumzulungern«, sagte er, doch Walther vermutete, dass ihn schlicht und einfach der Hunger geplagt hatte.
»Die erzbischöfliche Küche morgen ist bestimmt besser«, sagte er aufmunternd. Zum Glück hatte er zwei Lauten dabei und verbrachte den Rest der Nacht damit, Markwart die Grundgriffe beizubringen, aber auch, wie er nur so tat, als ob er spiele. Auf diese Weise konnte er Markwart zu seinem Spielmann erklären, statt ihn noch einmal zurücklassen zu müssen, und sich sicherer fühlen. Die Lektionen fanden in einem Stall statt, weil Walther die Gastfreundschaft von Constantin und Stefan dankend abgelehnt hatte und in Schenken und Spitälern sonst kein Platz mehr war, weil so viele Menschen aus dem Kölner Umland in die Stadt geflohen waren.
»Ganz wie in alten Zeiten, wie? Und ich dachte, du wärest inzwischen ein großer Herr.« Markwart seufzte, als er sich ins Stroh fallen ließ. »Also, um ein Mädchen geht es? Himmelherrgott, das hättest du mir doch gleich sagen können.« Walther hatte behauptet, Stefan wolle nur herausfinden, was mit seiner Nichte geschehen sei, und habe ihm dafür das Spielen vor dem Erzbischof ermöglicht; von dem Verrat, um den es vor allem ging, musste Markwart nichts wissen.
»Sie ist verheiratet«, sagte Walther.
»Auf mein Schweigen ist Verlass!«, schwor Markwart, erkennbar

an den Grund für seine eigene Flucht aus ihrem Heimatort denkend. Seine Worte brachten Walther zu Bewusstsein, dass er sich nicht so sehr von Stefan unterschied; er benutzte ebenfalls die Wahrheit, um jemanden anzulügen.

Adolf von Altena und seine Domherren tafelten in einem Stil, der sich mit dem Hof von Wien oder Hagenau mehr als vergleichen ließ. Kein Wunder, dass er den Kirchenschatz hatte verpfänden müssen und so sehr auf seine Kaufleute angewiesen war. Als Hauptgang wurde ein Pfau aufgetischt, ein Vogel, den Walther noch nie im Leben gesehen hatte, ganz gleich, ob lebendig oder tot, und trotz allen anderen Dingen, die ihm durch den Kopf gingen, starrte er auf die bunten, schillernden Federn, die man dem Tier vor dem Braten ausgerupft und dann wieder angesteckt haben musste. Wenn man die Macht besaß, solche Tiere aus weiter Ferne herbeischaffen zu lassen, warum sie dann schlachten, wenn man gleich vor der Haustür Fasane bekommen konnte, die bestimmt genauso schmackhaft waren? Daneben hatte man noch die Auswahl zwischen einem gesottenen Aal mit Pfeffer, gesalzenem Hecht mit Petersilie und einer Ente mit roten Rüben. Mit der Vielzahl dieser Gänge wollte der Erzbischof natürlich zeigen, wer der höchste Fürst unter den Fürsten des Landes war; der Pfau hingegen sollte ihm wohl das Gefühl geben, etwas Schönes und Seltenes verschwenden zu können. Walther schauderte.
Die adligen Domherren waren alle mit Bäuchen gesegnet, die für zwei Menschen reichen würden. Die ersten Becher Wein hatten ihnen bereits eine gesunde Gesichtsfarbe beschert. Ihrem Gerede konnte Walther entnehmen, dass sich Adolf zwar noch in seiner Rolle als Königmacher sonnte, doch Otto nicht vergessen zu haben schien, dass der Erzbischof die Krone zuerst Berthold von Zähringen angeboten hatte. Daher war niemand aus Ottos Gefolge anwesend, und es herrschte auch kein reger Austausch zwischen Ottos jeweiliger Residenz und Adolf. »Immerhin hat Otto den Kirchenschatz wieder von Trier nach Köln bringen lassen und einen neuen Schrein für die Gebeine der Heiligen Drei Könige versprochen«, hörte Walther einen Domherrn in

schwarzer Soutane erzählen, neben dem er weiter unten an der Tafel plaziert worden war. »Die Schulden bei den Kaufleuten haben trotzdem eher zu- als abgenommen«, tuschelte ein anderer zurück, bevor er sich in normaler Lautstärke seinem Lieblingsthema zuwandte. Walther bezweifelte, dass diese Gespräche über neue Ämter für einen Neffen oder Pfarrstellen für einen Vetter in der Nähe des Bischofs unterblieben wären; derartiges Ämtergeschachere schien hier so alltäglich wie Mehl mahlen für einen Müller, zumal immer auch erörtert wurde, dass man zusätzlich zu dem Amt natürlich genügend Hilfskräfte für die eigentliche Arbeit brauchte.

Als sie sich darüber entrüsteten, dass die Preise für eine Entbindung vom Zölibat ständig stiegen und darin zukünftig auch nicht mehr die fällige Buße und die Beichte eingeschlossen sein sollten, war er noch belustigt. Doch das Lächeln verging ihm, als auch darüber gesprochen wurde, wie man sich den Grundbesitz der freien Bauern des Dorfes, wo am Tag vorher das Scharmützel stattgefunden hatte, aneignen könne. Es ginge immerhin um Höfe im Wert von zehn bis zwanzig Silbermark. Einer empfahl, einen der Stadtjuden hinauszuschicken, der Geld für einen Wiederaufbau anbieten konnte, um dann – anders als anständige Christen – ehrlos und betrügerisch Zins zu fordern. Dann wäre es nur noch eine Frage der Zeit, bis man die Gehöfte billig übernehmen könnte, weil die Zinslast den Bauern erdrücken würde; zudem war der Zehnte aus den geforderten Zinsen der Juden für die Kirche in jedem Fall gewonnen. Ein anderer hielt nichts von Zeitverschwendung und wollte einen seiner geschicktesten Vikare schicken, um die Menschen dazu zu bringen, für ihre Schwerverwundeten Gelübde abzulegen, also ihren Grundbesitz der Kirche zu überschreiben, sollte der Mann genesen. Dies würde bei der Angst der Eltern um ihre Söhne bei jedem Zweiten klappen, ohne dass dann mehr als einige Gebete dafür gesprochen werden mussten. Walther bekreuzigte sich, was er außerhalb von Kirchen selten tat.

Sie sprachen aber auch ungeniert darüber, dass man ihrer Ansicht nach mit dem Zähringer besser gefahren wäre.

»Oder mit Hans von Brabant!«, sagte ein Domherr sehnsüchtig. »Ein Streiter im Heiligen Land *und* ein reicher Mann. Wenn er nur da gewesen wäre, dann hätte man ihn wählen können. Ich schwöre Euch, dann wären alle Bischöfe geschlossen auf unserer Seite geblieben, statt sich vom Staufer abspenstig machen zu lassen.«

»Nun, wird nicht Otto seine Tochter heiraten?«, fragte Walther. »Das sollte doch dann eigentlich auf das Gleiche herauskommen.«

Der Domherr runzelte die Stirn, als habe er bereits vergessen, um wen es sich bei Walther handelte, antwortete jedoch bereitwillig: »Wer's glaubt. Das Mädchen hätte eigentlich Otto übergeben und bei einem seiner Lehnsleute leben sollen, bis es mit zwölf Jahren alt genug zum Vollzug der Ehe ist, aber stattdessen ... also, ich meine, dass der Brabanter nicht glaubt, dass Otto gewinnen kann, deswegen hat er auf einmal seine Tochter bei sich behalten, bis die Verhältnisse klar sind.«

»Wenn Otto verliert, dann gnade uns Gott, uns und dem Erzbischof«, sagte ein anderer Domherr beunruhigt. »Es sähe Philipp ähnlich, unsere Pfründe diesem Kerl aus Bamberg zuzuschanzen. Oder dem Würzburger. Glaubt Ihr, ein Staufer schert sich darum, dass heutzutage in den Bistümern dergleichen nur dem Papst zusteht?«

»Ein Staufer vielleicht nicht, aber der Papst«, sagte sein Gegenüber aufgeräumt. »Freunde, wir haben nun einen neuen, starken Papst, einen, der nie zulassen wird, dass die Kirche von irgendwelchen weltlichen Herrschern unterdrückt wird, und er ist so jung, dass wir ihn noch viele Jahre haben werden.«

Es kostete Walther einiges an Selbstbeherrschung, aber er sagte nichts dazu. Stattdessen brachte er das Gespräch wieder auf Hans von Brabant. »Ich habe gehört, der Herzog von Brabant habe an seinem Hof eine Ärztin aus Köln«, sagte er beiläufig.

»Da wird er der Stadt doch wohl gewogen sein.«

Der Domherr neben ihm prustete in seinen Bierkrug. »Da habe ich anderes gehört.«

»Ich auch«, stimmte der Domherr ihm gegenüber zu. »Mir hat

der Schreiber des Erzbischofs erzählt, dass Otto unsern Herrn beschuldigt hat, eine Hexe nach Brabant geschickt zu haben, um seine Ehe zu verhindern. Gerade noch, dass unser Adolf ihn beruhigen und schwören konnte, nichts mit der Frau zu tun zu haben, nur weil sie aus seiner Diözese stammt.«

»Mein Vetter hatte an dem Tag bei unserm Herrn Erzbischof Dienst«, sagte Walthers Nebenmann, »und ich sage Euch, Otto war außer sich. Er wollte nicht glauben, dass Herr Adolf nichts von der Angelegenheit wusste. *Ihr habt mir die Hure schon nach Chinon geschickt*, hat er gebrüllt, *zusammen mit ihrem Geldsack von Onkel, und jetzt fallt Ihr mir so in den Rücken?*«

Lass dir nichts anmerken, befahl sich Walther, *lass dir nichts anmerken.* Er verschränkte seine Finger ineinander; seine Knöchel wurden weiß. »So grob hat er sich ausgedrückt? Was hat unser hochwürdigster Erzbischof darauf gesagt?«

»Was sollte er sagen? Zugeben, dass er von nichts wusste, wie üblich? Das hätte nur wieder gezeigt, dass unsere Pfeffersäcke ihm auf der Nase herumtanzen. Nein, er hat gesagt, er wäre selbst ein Opfer, sie hätte ihn bereits einmal fast vergiftet, ehe er sie aus der Stadt verbannt habe. Wenn sie sich je wieder in Köln blicken lässt, das hat er Herrn Otto geschworen, dann wird sie für ihre Taten büßen.«

»Wenn sie es nicht schon tut«, sagte Walthers Gegenüber bedeutungsvoll. »Meint Ihr wirklich, dass Herr Otto sich mit einem bloßen Versprechen zufriedengegeben hat, so wütend, wie er war?«

Adolfs Haushofmeister kam zu Walther und sagte, nun sei dem hochwürdigen Erzbischof ein Vortrag recht. Er hatte ursprünglich geplant, eines seiner harmloseren Lieder zu singen, um noch etwas länger bleiben und mehr erfahren zu können; aber nach dem, was er gerade gehört hatte, schwebte Judith in höchster Gefahr. Außerdem ritt ihn jetzt der Teufel.

Walther sah sie an, diesen selbstzufriedenen Haufen gut gefütterter Schoßhunde, die in ihrem Leben nur um ein Stück mehr vom Braten bangten, nicht weniger, und die sich nie sorgen mussten, ob überhaupt Brot auf den Tisch kam. Aber sie ließen ihren Bauern gerade mal Rüben und Kraut zum Überleben und überlegten sogar ganz offen, wie man sie bestmöglich auch noch um ihren letzten Besitz bringen konnte. Von Seelsorge, von Trost in der Not hatte nicht einer von ihnen gesprochen und bestimmt auch niemand gedacht. Keiner von diesen Männern würde je in die Verlegenheit geraten, selbst für einen König oder ihre eigene Stadt kämpfen zu müssen. Keiner von ihnen würde je von Otto als Opfer zur Besänftigung seines Zornes gefordert werden. Keiner von ihnen erweckte den Eindruck, sich um andere als ihre Neffen, Vettern und Brüder zu sorgen, um so ihre eigene Machtbasis auszubauen, anstatt darum, dass der Kampf zwischen Otto und Philipp den ihnen Schutzanempfohlenen Tod und Leid bringen musste.

Er dachte an Martins qualvollen Tod in Rom, der nicht durch Güte oder Gnade erleichtert worden war, und daran, wie die Domherren gerade die Stärke des neuen Papstes gepriesen hatten. Er dachte an Judith, und wie sie sich gegenseitig an den Kopf geworfen hatten, davonzulaufen. *Es geht ihr gut,* sagte er sich. *Wo sie auch ist, geht es ihr gut. Ich werde sie finden, und diesmal werde ich mich nicht hinter Scherzen verstecken, nicht hinter Liedern, nicht hinter Wortgefechten.*

»Mach dich bereit, den Saal zu verlassen«, flüsterte er Markwart, der hinter ihm stand, ins Ohr. »Wenn ich fertig bin, werden sie mich nicht länger hören wollen.«

»Was habt Ihr für uns, Herr Walther von den Vögeln?«, fragte Adolf wohlwollend. Sein Gesicht glänzte vor Schweißperlen. Es war warm für einen Septembertag; vielleicht lag ihm auch das Fleisch des Pfauen nicht leicht im Magen. »Ein Sommerlied? Ein Herbstlied? Ein Tagelied?«

»Ein Lied über uns alle«, sagte Walther.

Geheim konnt' ich durchschauen
Die Männer und die Frauen,
Dass ich es hörte wohl und sah,
Was jeder tat und dachte da.
Ich hört' in Rom belügen

Zwei Kön'ge und betrügen.
Davon entstand der größte Zwist,
Der je war oder jemals ist:
Anfingen zu entzweien
Die Pfaffen sich und Laien.
Welch eine Not vor aller Not!
Es lagen Leib und Seele tot.
Die Pfaffen stritten sehr,
Doch war der Laien mehr.
Da legten sie die Schwerter nieder
Und griffen zu der Stola wieder.
Sie bannten, die sie wollten,
Und nimmer, die sie sollten.
Die Gotteshäuser sind verstört.
In einer fernen Klaus' ich hört'
Ein lautes Weheklagen.
Den Klausner hört' ich sagen
Und klagen seinem Gott sein Leid:
O weh, der junge Papst liegt mir im Magen,
Hilf, Herr Gott, deiner Christenheit!

In Frankfurt hatte er gespürt, wie er seine fürstlichen Zuhörer packte; er hatte ihre Gier gegen sie selbst gewendet, aber sie genossen es, weil es ihnen auch schmeichelte. Auch hier folgten sie ihm atemlos, niemand unterbrach ihn; die Gespräche, die noch im Gange gewesen waren, als er begann, verstummten nach und nach, genau wie Markwarts Versuch, so zu tun, als spiele er die Laute. Bereits nach der ersten Strophe ließ sein alter Freund die Hand sinken und wurde zusehends bleicher.

Bis Walther endete, herrschte ungläubige Stille. Allmählich holte ihn die Wirklichkeit wieder ein, die Wirklichkeit, die sehr leicht Teeren und Federn einschließen konnte. Aber einmal hatte er es auch vor diesem Publikum sagen wollen! Das Hoch, das ihn jedes Mal erfasste, wenn er wusste, dass ihm ein Lied nicht nur bei der Ausarbeitung gelungen war, sondern auch während des Vortrages, dieses Hoch verlieh ihm den Schwung, sich nun auch noch vor dem Erzbischof zu verbeugen. Dann schritt er auf den Ausgang des Saals zu und kam fast bis zur Tür, als Markwart hinter ihm stolperte, was den Bann brach.

»Wie könnt Ihr es wagen!«, rief der Erzbischof. Unter den Domherren brach entrüstetes Schimpfen aus.

»Geh weiter«, murmelte Walther und packte Markwart am Arm. Hier im Saal befanden sich keine Wächter, nur Gesinde, um Speisen auf- und abzutragen.

»So dumm warst du nicht mehr, seit ich die Müllerssöhne deinetwegen verprügeln musste«, zischte Markwart, als sie die Schwelle überschritten. Der Erzbischof schrie noch etwas anderes, aber inzwischen zeterten die Domherren so laut, dass man nicht mehr verstehen konnte, ob Adolf nun irgendwelche Befehle gegeben hatte oder nicht.

»Die hast du auch verprügelt, weil sie dir den Esel weggesteigert hatten«, sagte Walther und entschied, dass der Würde genug gewahrt worden war. »Und jetzt lass uns rennen!«

KAPITEL 24

Philipp erhielt die Nachricht, dass der Papst sich für Otto entschieden hatte, zusammen mit den Forderungen Hermanns von Thüringen nach mehr Lehen für einen Wechsel zurück ins Lager der Staufer. Handelte es sich um einen Zufall, oder hatte der Mann bessere Quellen als Philipp und wusste bereits, dass den Staufern nun jeder Verbündete doppelt wertvoll sein musste?

Heinz von Kalden nannte Hermann einen thüringischen Halsabschneider und klang dabei so, als wäre es eine Lobpreisung. »Nordhausen, Mühlhausen, Saalfeld, Orla … das macht das Kraut wirklich fett. Aber keine Sorge: Sein Schwiegersohn war der Dummkopf, der mit der bestätigten Markgrafschaft zufrieden war, und solange Hermann den am Hals hat, kann man damit rechnen, dass er selbst immer wieder eine Suppe hat, die er auslöffeln muss.«

»Macht es dir denn gar nichts aus, dass der Stellvertreter Christi auf Erden mich zu einem Kronendieb erklärt hat, Heinz?«, fragte Philipp, für den der Reichshofmarschall mehr und mehr zu einem Freund geworden war, sosehr sie sich auch unterschieden. »Du weißt doch, was der nächste Schritt sein wird: Er wird mich bannen. Mich und alle, die mir folgen.«

Die Aussicht darauf belastete ihn. Sein Vater war mehrfach gebannt worden; sein Bruder Heinrich war im Bann gestorben, weil er seinen Kreuzzug nicht beenden konnte. Keiner von beiden war glücklich über den Kirchenbann gewesen, doch sie hatten beide die felsenfeste Überzeugung gehabt, im Recht zu sein, und sich kaum die Mühe gemacht, die päpstlichen Begründungen bis zum Ende zu lesen. Philipp dagegen hatte den Bescheid aus Rom hinsichtlich seines Thronanspruchs nur zu genau studiert. Es lag ihm im Magen, dass die Argumente des Papstes nicht aus der Luft gegriffen waren: Er war nicht am rechten Ort und vom rechten Bischof gekrönt worden. Er hatte seinen eigenen Neffen übervorteilt. Gut, der Junge war nicht getauft, gekrönt und gesalbt, seine eigene Mutter hatte für ihn sogar auf die deutsche Krone verzichtet, aber durfte sie das? Noch dazu war Konstanze nun gestorben, und der Papst hatte den kleinen Friedrich kurzerhand zu seinem Mündel erklärt. Und wenn auch Philipp die Mehrheit der weltlichen Fürsten auf sich hatte einschwören können, so war dies Otto mit Hilfe Adolfs bei den Bischöfen gelungen.

Was, flüsterte es in ihm, *wenn der Griff nach der Krone wirklich eine Sünde war und du dich und die Deinen zur Hölle verdammt hast?* Dergleichen Gedanken konnte er Heinz von Kalden nicht anvertrauen, der darüber gelacht und ihn womöglich als Schwächling gesehen hätte. Aber sie gingen ihm nicht aus dem Kopf. Daher war Philipp nicht in der besten Verfassung, als ihm Walther von der Vogelweide gemeldet wurde. Was der von Köln erzählte, hob seine Stimmung erst recht nicht.

»Herr Walther, lasst mich sehen, ob ich Euch recht verstehe. Ihr seid auf meine Kosten nach Köln und wieder zurück gereist, nur um herauszufinden, was wir schon vorher wussten, nämlich dass die Stadt voller Welfenanhänger steckt?«

Der Sänger presste die Lippen zusammen. Dann sagte er mit sichtlich beherrschter Stimme: »Nein, Euer Gnaden, ich habe herausgefunden, dass die Kaufleute im Moment nicht zum Übertritt bewegt werden können. Aber beim Erzbischof dürfte es möglich sein. Er hat nach wie vor große Schulden. Herr Otto und er sind alles andere als ein Herz und eine Seele, man hat sie laut miteinander streiten hören. Wenn man dem Erzbischof also bei der richtigen Gelegenheit das Gefühl gibt, als einzigartig gewürdigt zu werden, dann sollte es auch möglich sein, ihn zu einem vergoldeten Seitenwechsel zu bewegen.«

»Adolf hasst meine gesamte Familie«, sagte Philipp düster. »Ich bezweifle, dass er seine Meinung ändern wird, nur weil Otto ihn hin und wieder anbrüllt.«

»Nun, Otto misstraut ihm bereits. Das solltet Ihr verstärken.« Walther zögerte, dann brach ein Wortschwall aus ihm heraus, der sich offenbar auf dem Weg von Köln in ihm gestaut hatte. »Warum überfallt Ihr Ortschaften und Städte und lasst zu, dass Menschen sterben, die kaum wissen, warum?« Philipp und Heinz runzelten die Stirn, aber ehe sie etwas sagen konnten, fuhr er fort: »Krieg lässt sich nur mit Geld führen, das ist nicht unbegrenzt verfügbar; Tote lassen sich dagegen durch neue Unschuldige ersetzen. Warum greift Ihr nicht da an, wo es Euren Gegnern wirklich weh tut, beim Geld? Lasst deren Kaufmannszüge überfallen, da, wo sie sich in ihrem eigenen Land noch sicher fühlen. Bezahlt meinetwegen sogar Räuber dafür, setzt Belohnungen für erfolgreiche Überfälle aus, aber wenn schon Krieg, dann doch bitte dort, wo es nur dem eigentlichen Gegner weh tut.« Er sah ihren Unmut, aber einmal wollte er das alles loswerden. Er wusste auch nicht, ob er je wieder Gelegenheit dafür haben würde, und so fuhr er fort: »Ihr könnt auch Zölle erhöhen für Waren aus deren Städten, sogar verbieten, deren Erzeugnisse zu verwenden, hier und bei allen mit Euch verbundenen Fürsten. Ihr könnt

Zweifel an dem Silbergehalt ihrer Währung schüren, dass niemand diese mehr tauschen will. Ihr könnt bestimmt sogar Zwietracht zwischen ihnen säen, indem Ihr Briefe von Euch abfangen lasst, die so klingen, als ob Ihr welche bekommen und nun beantwortet hättet. So viel ist möglich, ohne dass dabei Unbewaffnete, Frauen und Kinder umkommen müssen.«

»Glaubt Ihr wirklich, dass Ihr uns beibringen könnt, wie wir Kriege zu führen haben? Was wir tun müssen, damit ein Keil zwischen Adolf und Otto getrieben wird?«, fragte Heinz von Kalden halb belustigt, halb drohend. »Ich habe schon Kriege geführt, als Ihr noch in den Windeln lagt, Bürschchen!«

»Wisst Ihr denn, *warum* Otto und Bischof Adolf sich heute schon mit Misstrauen begegnen?«, entgegnete Walther, dessen Stimme inzwischen so scharf geworden war, als kanzele er Schuljungen ab. »Das hat keinem Menschen das Leben gekostet.«

»Das habt Ihr bei Eurem Bericht ausgelassen«, sagte Heinz von Kalden. Jegliche Belustigung war aus seinem Gesicht verschwunden. Er sprach selbst gelegentlich mit grober Offenheit zu Philipp, doch er tat es nur, wenn sie alleine waren. »Es ist wohl zu viel zu hoffen, dass Ihr Euer Geld tatsächlich verdient und für dieses Misstrauen gesorgt habt?«

»Otto glaubt, dass seine Eheschließung mit Marie von Brabant durch eine Kölner Ärztin verzögert wurde«, sagte Walther, ohne auf Heinz von Kalden zu achten, die Augen unbeirrt auf Philipp geheftet. Es dauerte einen Moment, dann wusste dieser, von wem die Rede sein musste. Er verstand nur nicht, warum Walther seine Feststellung wie einen Vorwurf aussprach.

»Wisst Ihr, wo die Magistra Jutta sich jetzt befindet?«, fragte Walther drängend, und Philipp entschied, dass der Tonfall nun wirklich zu weit ging. Überdies begann er, sich zu fragen, warum Walther das eigentlich wissen wollte. Soweit ihm bekannt war, gab es keine Verbindung zwischen ihm und Irenes Magistra. Mehr noch, Walther war nie das gewesen, was man einen überzeugten Anhänger des Hauses Hohenstaufen nennen konnte. In einem seiner Lieder hatte er gar von Fürsten gesprochen, deren Kronen als Verzierung ihrer Häupter nur davon ablenken sollte, dass darunter kein Kopf war, auch wenn er offenließ, auf wen das zielte. Der Mann hatte einfach vor nichts Respekt! Und nun war er mit recht vagen Auskünften und äußerst merkwürdigen Vorschlägen aus Köln zurückgekehrt, gerade zu einem Zeitpunkt, an dem das Glück sich gegen die Staufer wandte.

Vielleicht war es gar nicht Walther, der mehr über die Magistra wissen wollte? Vielleicht war es Erzbischof Adolf, vielleicht waren es die Kölner Kaufleute? Vielleicht war Walther auch nur ein gewöhnlicher Spitzel und hatte dieselben Ratschläge in Köln verkauft? Vielleicht kam er sogar von Otto?

»Herr Walther«, sagte er kühl, »Ihr könnt gehen.«

»Aber ...«

»Seine Gnaden, der König«, sagte Heinz von Kalden, »hat genug von Euch gehört. Es gibt andere Botschaften, die wichtiger sind, Herr Walther.«

* * *

Irenes Tochter hatte nicht nur eine Amme, sondern auch mehrere Mägde und würde, wenn sie ihre frühe Kindheit überleben sollte, in die Obhut eines verdienten Lehnsmannes und seiner Familie gegeben werden, bis sie heiratsfähig wurde. So war es für die Töchter von Herrschern üblich, das wusste Irene sehr gut. Aber obwohl sie sich sagte, dass Beatrix sie nicht brauchte, verbrachte sie trotzdem so viel Zeit wie möglich mit der Kleinen. Ihre Mutter hatte ihr eingeschärft, ihr Herz nie an Kinder zu hängen, ehe sie nicht mindestens drei Jahre alt waren; erst dann konnte man vergleichsweise sicher sein, dass sie nicht wie so viele Säuglinge sterben würden. Aber Beatrix war *ihre* Tochter, ein Stück von ihr selbst. Gegen ihre Erwartung hatte Irene Gefallen an ihrer Ehe mit Philipp gefunden, doch so etwas wie die Liebe, die sie gepackt hatte, als sie Beatrix zum ersten Mal in den Armen hielt, dieses Gefühl, das wie ein Gebirgsbach im Frühjahr alles andere überschwemmte und fortriss, so etwas hatte sie noch nie erlebt. Sie konnte das Einatmen und Ausatmen des Mädchens spüren, als wäre es ihr eigener Körper.

»Ihr Sänger irrt euch«, sagte sie zu Walther von der Vogelweide, als er ihr gemeldet wurde und sie bei ihrer Tochter fand. »Die Liebe zwischen Mann und Frau ist nichts im Vergleich zu der zwischen Eltern und Kindern.«

»Und doch gibt es Eltern, die ihre Kinder aussetzen«, sagte er, »und Kinder, die ihre Eltern verlassen und nie zurückblicken.«

Es war wohl eine allgemeine Beobachtung und Bemerkung, doch Irene fühlte sich dadurch getroffen. Mit so ungeschickten Worten war er noch nie bei ihr eingetreten. Sie dachte an ihren Vater, der nun schon seit Jahren blind in der Gefangenschaft ihres Onkels dahinvegetierte. Vielleicht hoffte er verzweifelt darauf, dass sie seine Rettung in die Wege leitete? Gewiss, sie hatte ihn in ihrer Kindheit selten gesehen, doch auch Beatrix würde wohl eines Tages mehr Erinnerungen an ihre Amme und die Mägde als an ihre Eltern haben, aber jetzt, da Irene selbst Mutter war, bezweifelte sie nicht mehr, dass ihr Vater sie liebte.

Der unbetrauerte Schwager Heinrich hatte Pläne gehabt, ihre byzantinische Herkunft für seine Zwecke zu benutzen. Vielleicht ließen sich diese beleben? Philipp war bereits König. Er würde auch Kaiser werden, Otto hin, Otto her; für den deutschen König und weströmischen Kaiser musste es möglich sein, ihrem Vater und ihrem Bruder zu helfen. Bischof Wolfger hatte sich seinerzeit bereit erklärt, einen Brief für sie zu überbringen, und wohl nicht aus reiner Menschenfreundlichkeit. Was ihm damals nützlich schien, mochte auch jetzt noch als hilfreich gelten. Auch ein verspäteter Brief sollte ihrem Vater helfen können.

So sehr war Irene in Gedanken bei ihrem Vater, dass ihr fast Walthers Frage entgangen wäre. Er wiederholte sie; erst jetzt fiel ihr auf, dass der Sänger angespannt dreinblickte.

»Die Magistra? Naturlich weiß ich, wo sie ist«, sagte sie. »Aber ganz ehrlich, Herr Walther, es ist nicht so, dass Ihr ein Recht darauf habt, das ebenfalls zu wissen. Wenn Ihr um sie fürchtet oder sie alleine wähnt, das braucht Ihr nicht. Ihr Gatte ist an ihrer Seite, und er versteht, ein Schwert zu führen.«

»Euer Gnaden«, sagte Walther mit gepresster Stimme, »ich habe

Grund zu der Annahme, dass diese Ehe nicht freiwillig eingegangen wurde. Das lässt mich …«

Irene lachte und schüttelte den Kopf. Sie mochte den Sänger, doch das hieß nicht, dass sie ihm vertraute, und sie würde ihm ganz gewiss nicht verraten, wo die Magistra steckte. »Oh, macht nicht so ein Gesicht!«, schalt sie. »Ihr seid ein erwachsener Mann. Wir wissen alle, dass Lieder nicht die Wirklichkeit sind. Wie viele Frauen gibt es denn auf der Welt, die sich ihren Gatten selbst wählen konnten? Ich kenne keine einzige. Doch glaubt mir, ich habe die Magistra und ihren Gatten zusammen gesehen. Sie hat ihn aufrichtig gerne, und er sie. Das ist mehr, als die meisten von sich sagen können. Ihr solltet Euch schämen, ihr das nicht zu gönnen.«

Es entging ihr nicht, dass er zusammenzuckte. Trotzdem gab er nicht auf. »Euer Gnaden, darum geht es nicht. Ich mache mir Sorgen um sie, weil ich glaube, dass sie sich in Gefahr befindet. Ich habe Dinge in Köln gehört, die …«

Genug war genug: Jemand musste Herrn Walther seine Grenzen zeigen. Es war schön und gut, Verse auf jemanden zu schreiben, doch ernsthaft eine Ehe zu gefährden, ging entschieden zu weit. Irene konnte sich noch gut erinnern, wie angespannt und aufgebracht Judith meist in der Nähe Walthers gewesen war und wie gelassen und vertrauensvoll sie dagegen mit Gilles umging. Wenn der Sänger glaubte, er könne sie benutzen, um seinen eifersüchtigen Hirngespinsten zu folgen, dann hatte er sich geirrt.

»Ihr werdet die Magistra in Ruhe lassen«, befahl Irene streng. »Ich wünsche nicht, noch Weiteres von Euch über sie zu hören. Wenn Ihr meinen Wünschen nicht folgen könnt, Herr Walther, dann seid Ihr nicht länger willkommen bei mir.«

* * *

Wenn es nach Walther gegangen wäre, dann hätte er Philipp samt seiner Gemahlin frohen Herzens im Rhein ertränkt. Dabei war der Mangel an Dankbarkeit noch das wenigste. Er hatte jetzt mit

Rittern, Grafen, Herzögen, ja Königen genauso gelebt wie mit Priestern, Äbten und Bischöfen. Er hatte selbst den Papst sein Credo verkünden hören, wo er sich in dieser Reihe sah. Hatte keiner von ihnen Gottes Gebot *Liebe deinen Nächsten* je gehört, je verstanden? Warum war er Luft, wenn es diesen Menschen gefiel? Er hätte genauso ein Wandleuchter sein können, so unbedeutend musste er ihnen vorkommen. Dabei hatte er bereits bewiesen, dass er sehr wohl am Rad der Geschichte drehen konnte. Was wäre also so schwer daran, ihn in aller Ruhe anzuhören? Ihm gegenüber Vorbehalte gegen seine Überlegungen zu artikulieren und mit ihm darüber zu diskutieren? Und warum konnten sie ihm nicht einfach sagen, wo sich Judith befand, wenn es ihr doch so wunderbar erging?

»Ich verstehe nicht, warum du dich so aufregst«, sagte Markwart. »Entweder sind diese Fürstin und ihr Gemahl vertrauenswürdig, oder sie sind es nicht. Wenn sie es nicht sind, dann solltest du ihnen nicht weiter helfen. Wenn sie es sind, dann gibt es für dich keinen Grund mehr, etwas zu befürchten, wenn sie sagen, dass es deinem Mädchen gutgeht, oder?«

»Sie ist nicht mein Mädchen«, entgegnete Walther unwirsch. Markwarts Art und Weise, die Dinge zu sehen, war erfrischend einfach und beneidenswert. Es wäre schön, wenn er recht hatte, doch Walther bezweifelte es.

»Genau«, sagte Markwart, »außer, dass du sie so siehst. Und das ist es doch, was dir wirklich im Magen liegt. Gib es zu.«

»Zum Teil«, räumte Walther ein. »Aber glaub mir, das ist nicht der Grund, warum ich sie finden will. Wenn es einen rachsüchtigen Fürsten gibt, dann ist das Otto. Dann sollte niemand, und schon gar keine«, *Jüdin*, wollte er sagen, doch er schluckte das Wort hinunter, »Frau sich irgendwo befinden, wo dieser Mann Hand an sie legen kann. Schau, Markwart, wenn sie hier wäre, an diesem Hof, dann würde ich nichts weiter sagen.«

»Das würdest du doch. Ich kenne dich. Du hast es noch nie fertiggebracht, still zu sein, wenn du etwas haben wolltest.«

Walther kam nicht dazu, diese maßlose Übertreibung zu berichtigen, weil er schnelle Schritte hörte. Er drehte sich um und stand

Judiths ehemaliger Magd Lucia gegenüber. War sie vorhin in der königlichen Kinderstube gewesen?

»Herr Walther«, sagte sie auf Deutsch, das sie mittlerweile fließend sprach. »Die Magistra ist in Gefahr, habt Ihr gesagt?« Er nickte. Lucia biss sich auf die Lippen. »Ich – ich schulde ihr viel«, sagte sie. »Sie hat mir in Salerno geholfen und ich – ich glaube, sie denkt, ich bin undankbar. Was für eine Gefahr?«

Damit er nicht wieder verdächtigt wurde, nur den heiligen Gilles zu beneiden, verzichtete Walther diesmal auf Spekulationen über den Grund von Judiths Eheschließung und sagte nur, er habe in Köln böse Worte über sie von einem Fürsten gehört, dem die Magistra auf gar keinen Fall in die Finger geraten dürfe.

»Die Herrin war sehr froh, als die Magistra zurückkam aus Brüssel, auch wenn sie nicht lange bleiben wollte und sagte, sie brauche viele Patienten oder eine Aufgabe. Gut, hat da die Herrin geantwortet, eine Stadt und eine Aufgabe: Braunschweig.«

Zuerst dachte Walther, er müsse sich verhört haben. »Braunschweig?«, wiederholte er bestürzt. Seine Stimme klang heiser.

»Liegt das nicht irgendwo im Norden?«, fragte Markwart.

»Es ist das Herz der Welfen«, sagte Walther. »Der Pfalzgraf Heinrich residiert dort, Ottos älterer Bruder.«

Nimm dich zusammen, befahl er sich. Er hatte sich selbst lang und breit bei Philipp über brüderliche Rivalitäten ausgelassen und darüber, dass der Pfalzgraf eigentlich vor Groll seinem jüngeren Bruder gegenüber bersten musste. War es wirklich so überraschend, dass Philipp oder Irene nun jemanden geschickt hatten, um in diesem Hornissennest herumzustochern? Dass sie jemanden geschickt hatten, der bereits sehr erfolgreich einen anderen Auftrag gegen Otto erledigt hatte?

Otto ist in Köln, sagte er sich, *nicht in Braunschweig, und es ist nicht so, als ob er sonst keine Sorgen hätte, als überall im Reich nach einer Ärztin suchen zu lassen. Ganz bestimmt erwartet er sie bei seinem eigenen Bruder am allerwenigsten.*

»Wie lange ist das her, Lucia?«, fragte er trotzdem. Die Magd runzelte die Stirn, zählte an den Fingern ab und kam zu der Schlussfolgerung, dass es sechs Monate sein mussten.

Es war sehr gut möglich, dass er sich mit einer Reise nach Braunschweig nur lächerlich machen würde. Dass er Judith gesund, munter und frei vorfand und binnen einer Viertelstunde in einen Streit mit ihr verwickelt sein würde. Gut, dann würde er eben die Reise als Möglichkeit betrachten, einmal für den Pfalzgrafen von Braunschweig gesungen zu haben. Denn wenn er hierblieb und für die Staufer weiter die Laute zupfte, während Judith niemanden hatte, der bereit war, alles für ihre Sicherheit zu tun, dann war das unendlich schlimmer als die Verlegenheit, überflüssigerweise den Retter spielen zu wollen.

Markwart warf ihm einen Blick zu und seufzte. »Wir bleiben nicht lange hier, nicht wahr?«

»Nein.«

Walther wusste, dass er bisher sehr viel Glück gehabt hatte, immer erst nach einem Kampf oder einem Überfall am Ort des Geschehens eingetroffen zu sein. Damit konnte er nicht ewig rechnen. Zum Glück brauchte er nicht lange, um jemanden zu finden, der bald nach Norden reisen würde, ohne das bisher zu ahnen. Botho, ein Dienstmann von Philipps Kanzler, verriet, dass jener Konrad von Querfurt über die Entscheidung des Papstes für Otto noch unglücklicher war als der Rest von Philipps Anhängern: »Das Bistum von Würzburg sollte das seine sein, aber der Papst hat es noch nicht bestätigt«, sagte der Mann. »Jetzt wird er Würzburg bestimmt nicht bekommen, als Philipps Mann. Dabei hat er doch mit dem Papst zusammen in Paris studiert! Eine Schande ist das, die ihm die Seele bluten lässt.« »Er brauchte eben nichtstaufische Fürsprecher beim Heiligen Stuhl«, meinte Walther und schenkte Wein nach.

»Wem sagt Ihr das! Aber die sind in solchen Zeiten kaum zu finden.«

»Der Pfalzgraf Heinrich«, sagte Walther gelassen, »soll eine großzügige Seele sein. War er nicht einst für kurze Zeit Geisel am Hof Eures Herrn, ehe sein Vater Frieden mit den Staufern schloss?« Botho schaute verblüfft drein, was kein Wunder war, denn Walther hatte diese Kleinigkeit selbst am Nachmittag erst herausgefunden, als er sich umhörte, ob der Pfalzgraf – außer seiner Heirat mit Philipps Base Agnes – je in Verbindung mit den Staufern und ihren Leuten gestanden hatte. »Euer Herr war gewiss ein freundlicher Gastgeber. Wie könnte er etwas anderes gewesen sein?«

»Gewiss, nur ...«

»Und hegte der Pfalzgraf Groll gegen alle Stauferanhänger, dann würde er das rheinische Erbe seiner Frau nicht verwalten können. Dabei ist er der Bruder des Mannes, den der Papst gerade zum gottgewollten König erklärt hat. Wirklich, einen besseren Fürsprecher kann sich Euer Herr beim Stellvertreter Christi nicht wünschen!«

Zwei Tage später war unter der Führung Bothos ein kleiner von Kriegsknechten bewachter Tross aus Dienstleuten des gewählten, aber nicht bestätigten Bischofs von Würzburg in Richtung Braunschweig unterwegs, dem sich Walther anschloss. Markwart fragte etwas säuerlich, ob er ihm nicht zugetraut hätte, allein mit Wegelagerern fertig zu werden.

»Besser zu vorsichtig als tot. Außerdem fragt uns auf diese Weise niemand an den Braunschweiger Stadtmauern, was wir in der Stadt eigentlich wollen. Mich als Philipps Sänger vorzustellen, könnte unserer Gesundheit schlecht bekommen.«

Markwart bat die Kriegsknechte jedes Mal, wenn sie eine Pause machten oder zur Nacht abstiegen, ihn mit stumpfen Waffen üben zu lassen, und er machte erkennbare Fortschritte auf der langen Reise. Es kam Walther in den Sinn, das Gleiche zu tun, doch er hielt es für sinnlos: Er würde nie gut genug mit Spieß, Schwert oder Keule umgehen können, um sich mit einem Ritter, Kriegsknecht oder Räuber zu messen. Sein Verstand würde ihm helfen müssen, erst gar nicht in solche Situationen zu kommen. Also unterhielt er ihre Begleiter stattdessen mit dem deftigen Lied eines Sängers, das man bei Hofe nicht spielen durfte, bei diesen rauhen Gesellen aber sehr beliebt war:

Ungern schien sie's zu ertragen,
Mir doch war's ein Wohlbehangen:
Räuber – fing sie an zu klagen,

Wie nur konntest du es wagen.
Bitte, tu's nicht weitersagen,
Weil ich Sorge hege.
Mein Vater und die Brüder wachen,
Arg strenge über solche Sachen,
Hätte wahrlich nichts zu lachen,
Selbst Mutter würde schnell zum Drachen,
Mir die Hölle heißzumachen,
Und es gäbe Schläge.

Kaum hatten sie die Grenze des westlichen Sachsen passiert, erwies sich, dass Walther die richtige Entscheidung getroffen hatte, nicht alleine loszuziehen. Es waren keine Räuber oder Männer der Welfen, sondern Leute des Herzogs von Sachsen, dem es ganz und gar nicht gefiel, inmitten seines Herzogtums noch welfische Besitzungen zu haben. Daher verlangte er doppelt hohe Zölle von allen, die nach Braunschweig wollten. Alleine hätte Walther keine andere Wahl gehabt, als für sich und Markwart zu zahlen; die Männer des Bischofs von Würzburg hatten indes nicht die geringste Absicht, es zu tun. Botho teilte mit dem Reichsmarschall Heinz von Kalden – dessen Verwandtschaft mit ihm er stets betonte – den Hang zur Gewalt. Es kam zu einem Kampf, irgendwo zwischen einer Schenkenkeilerei und einem kleinen Gemetzel angesiedelt. Am Ende war ein Mann tot, aber die Leute des Bischofs mussten nur den gewöhnlichen Zoll zahlen.

»Donnerwetter«, sagte Markwart. »Das lässt einen doch ganz anders über deinen Vater denken.« Sein Versuch, sich gelassen zu geben, erstickte in einem gequälten Grinsen.

Walthers Vater hatte für den Grafen von Tirol Zoll erhoben, und er fragte sich, ob es mittlerweile auch im Herzogtum Bayern Sitte war, die Zöllner zu erschlagen, die aus Sicht von gut gerüsteten Reisenden zu viel forderten. Doch nein, nicht in Bayern. Das Herzogtum war schon immer sehr ruhig und sicher. Dort würde es keine Unruhen geben.

Braunschweig war von dem verstorbenen Heinrich dem Löwen zu einer großen Stadt mit einer würdigen Residenz gemacht worden, wo – ähnlich wie in Wien – etwa zehntausend Menschen wohnten. Zu Walthers Erleichterung fragte bei den Stadttoren niemand nach ihm oder Markwart, sondern hörte sich nur die Erklärung des Dienstmannes Botho über eine Botschaft vom Bischof von Würzburg an den Pfalzgrafen an.

»Ihr meint den Kanzler des Herzogs von Schwaben, wie?«, fragte einer der Wächter.

»Ich meine den Kanzler des verstorbenen Kaisers des Heiligen Römischen Reiches«, sagte Botho nachdrücklich, »und dem gewählten Bischof von Würzburg, den langjährige Gastfreundschaft mit dem Pfalzgrafen verbindet.« *So kann man eine Zeit als Geisel auch darstellen,* dachte Walther. Doch wie er gehofft hatte, wurde die Gesandtschaft durchgelassen.

Es war nicht zu übersehen, dass die Straßen voller Kriegsknechte waren, von denen viele das Wappen der Welfen so trugen, dass man sie nicht mit der Stadtwache verwechseln konnte. »Ich hätte nicht gedacht, dass der Pfalzgraf so viele Männer unter seinem Befehl hat«, sagte Walther zu Botho, der nur etwas vor sich hin murmelte und nicht antwortete. Dafür sagte Markwart, als sie wieder nebeneinander gingen: »Ich glaube nicht, dass die meisten von denen Sachsen sind. So, wie die durch die Stadt stapfen, gehört sie ihnen nicht. Außerdem habe ich gerade einen von ihnen einen Bauern anbrüllen hören, er solle mit seinem Apfelkarren aus dem Weg gehen, und wenn der mit der deutschen Sprache aufgewachsen ist, beiß ich mir in den Hintern.«

»Der Pfalzgraf ist wie sein Bruder Otto bei König Richard aufgewachsen«, sagte Walther unruhig. »Vielleicht stellt der neue englische König ihm bereits Kriegsknechte zur Verfügung.« Was ihm mehr als das im Magen lag, war die Möglichkeit, dass es sich gar nicht um Leute unter dem Befehl des Pfalzgrafen handelte, sondern um Ottos Mannen. »Wenn wir in der Burg sind«, sagte er zu Markwart, »dann geh in die Küche, sag, du hast Hunger …«

»Ich habe Hunger!«

»… und frag, ob auch Männer König Ottos in der Stadt sind.«

»Und nach deinem Mädchen soll ich nicht fragen?«

»Sie ist nicht mein Mädchen, und nein, lass mich das machen. Wenn es ihr gutgeht, dann will ich sie nicht in Gefahr bringen.«

»Wie willst du das dann bitte herausfinden?«

»Markwart«, sagte Walther mit einem schwachen Lächeln, »ich werde der Pfalzgräfin meine Aufwartung machen und darum bitten, für sie singen zu dürfen. Und dann werde ich ganz, ganz dringend einen Arzt brauchen.«

Leider teilte die Pfalzgräfin Agnes die Vorliebe ihrer Familie für den Gesang ganz und gar nicht. Im Gegenteil: Sie ließ Walther mitteilen, nicht das geringste Bedürfnis zu haben, von einem Spielmann unterhalten zu werden; dergleichen eitler Zeitvertreib sei nichts für sie. Sie und ihre Damen hörten gerade eine Bußpredigt des großen Bernard von Clairvaux, übersetzt und vorgetragen von einem ehrwürdigen Bruder der Zisterzienser, und daher waren sie ganz und gar nicht zu sprechen für fahrende Sänger, gleich welchen Standes.

»Ich kann auch Klagelieder vortragen, über die Schlechtigkeit der Welt und den Zustand der menschlichen Seele«, sagte Walther.

»Seid Ihr geistlichen Standes?«, fragte der Haushofmeister.

»Nein, aber …«

»Dann will die Pfalzgräfin auch nicht hören, was Ihr über die menschliche Seele zu sagen habt.«

Nun gut, dachte Walther. Dann war es eben an der Zeit, seinen Plan etwas anders voranzutreiben. »Auch der Zustand des menschlichen Körpers kümmert mich. Ich leide gerade unter einem starken Magengrimmen. Wenn die Pfalzgräfin mich nicht sehen will, könnt Ihr mir vielleicht einen Arzt weisen?«

»Nun, wir haben zwei, drei Bader in der Stadt«, begann der Haushofmeister. Walthers Herz sank. »Und dann gibt es auch noch die Magistra aus Salerno. Aber die hat gerade wohl kaum Zeit, sich um Euch zu kümmern. Also solltet Ihr lieber zum Bader gehen.«

»Eine Frau aus Salerno, wirklich? Das klingt doch sehr gut. Wo finde ich sie?«

»Derzeit? Nun, wenn ich raten müsste, würde ich sagen, um Gnade winselnd bei jedem, der sie anhören will. Der Pfalzgraf hat strikte Anweisung gegeben, sie nicht mehr vorzulassen.«

Er hätte doch mit Markwart und den Kriegsknechten üben sollen. Selbst eine miserabel geführte Klinge wäre jetzt bestimmt hilfreich gewesen. *Wo ist sie?*«

Der Haushofmeister sah ihn überrascht an, nannte ihm dann aber eine Straße, wo die Magistra ein Haus mit einem jüdischen Rabbi und seiner Familie teile: »Und das sagt doch schon alles. Warum die Pfalzgräfin ihr so lange ihre Gunst geschenkt hat, war mir immer schleierhaft, noch ehe jene unglückliche Wahrheit an den Tag getreten ist, die alle ehrbaren Menschen zum Erröten bringt.« Seinem Blick war deutlich anzumerken, dass er Walther nicht dazu zählte, aber der hörte ihm schon nicht mehr zu. Er eilte in die Küche, um sich Markwart als Verstärkung zu holen.

»Walther, du hattest recht, das sind Ottos Leute. Wie es scheint, will er, dass sein Bruder ihm Braunschweig überlässt, und …«

»Erzähl mir das später. Markwart, wir müssen uns beeilen!«

In einer fremden Stadt den Weg zu einer bestimmten Straße zu finden, war nie ein Vergnügen, schon gar nicht, wenn einem die Gewissheit unter den Nägeln brannte, keine Zeit verlieren zu dürfen. Schließlich geschah das Unvermeidliche: Walther rannte geradewegs in zwei Kriegsknechte, die ihn sofort mit deutlichem Akzent anfuhren.

»Mein Fr– … mein *Herr* ist ein Ritter«, versuchte Markwart, ihn zu unterstützen. »Tretet aus dem Weg, wir haben es eilig.«

»Ein Ritter, wie? Jeder reiche Bauer, der ein Schwert bezahlen kann, nennt sich heute so«, sagte der Bewaffnete, der das bessere Deutsch sprach.

Walther entschied, dass dies nicht die Stunde war, um auf seinen Rang zu bestehen. »Mir geht es sehr schlecht, ich muss die Ärztin finden, die hier in der Gegend leben soll.«

»Müsst Ihr das? Wirklich?« Zu Walthers Unglück schien der

Mann Streit zu suchen. »Ich kann Euch auch helfen. Ich kann Euch für immer von allen Sorgen heilen.«

»Immer mit der Ruhe«, sagte Markwart beschwichtigend, während Walther mit den Achseln zuckte und versuchte, um die Kriegsknechte herumzugehen.

»He, ich rede mit dir, *Ritter!*«

»Nein, Ihr brüllt, und ich höre nicht zu«, sagte Walther, ehe er es sich versah. Aus den Augenwinkeln sah er etwas und hörte Markwart rufen, doch die Warnung kam zu spät. Walther spürte einen jähen Schmerz am Hinterkopf, schmeckte Blut und stürzte zu Boden. Dann wurde es schwarz um ihn.

Das Erste, was ihm bewusst wurde, als er die Augen wieder öffnete, war, dass einige Zeit vergangen sein musste, denn es war nicht mehr hell, sondern dämmrig. Dann merkte er, dass er sich nicht mehr auf der Straße, sondern im Inneren eines Hauses befand. Außerdem fühlte sich sein Gesicht an Stirn und Kinn feucht an; jemand hatte seinen Kopf mit einem nassen, kühlen Tuch umwickelt.

»Walther«, sagte eine wohlvertraute Stimme, »was um alles in der Welt tut Ihr in Braunschweig?«

Sie beugte sich über ihn. Unter ihrer Haube drängten sich ein paar Locken hervor, so rot wie an dem Tag, als er sie zum ersten Mal gesehen hatte. Ihr Gesicht war unverändert, vielleicht etwas schmaler, als habe sie Gewicht verloren. In ihren braunen Augen lag etwas, das er nicht deuten konnte: Erleichterung? Überraschung? Zufriedenheit? Zorn?

»Ich wollte Euch retten«, sagte er ohne Umschreibung, ohne Scherze und mit der Ehrlichkeit, die er sich ihr gegenüber vorgenommen hatte.

»Mich? Aber ich brauche keine Hilfe«, erwiderte sie, nicht aufgebracht oder beleidigt, sondern aufrichtig verblüfft. »Trotzdem bin ich froh, dass Ihr da seid, Walther. Mein Gatte ist in tödlicher Gefahr. Und wenn Ihr jemanden retten wollt, dann bitte ihn!«

Kapitel 25

Braunschweig schien für Judith eine gute Gelegenheit zu sein, das zu tun, was ihr Leben bestimmen sollte: das Heilen von Kranken. Doch hier konnte sie auch fortführen, was sie in Brabant begonnen hatte – sich für die Sache der Staufer einzusetzen. Trotzdem schien es ihr besser zu sein, sich nicht sofort als Hofärztin aufzudrängen. Sie hatte in Brabant sehr viel Glück gehabt; darauf allein durfte sie sich nicht verlassen. Besser, sich in Braunschweig erst einen Ruf als Judith von Salerno zu schaffen und dann zu versuchen, bei der Pfalzgräfin empfangen zu werden.

»Was, wenn Graf Otto seinen Bruder besucht?«, fragte Gilles.

»Die Möglichkeit besteht«, gab Judith zu, »aber es gibt andere Orte, an denen er dringender sein muss, um Verbündete in seinem Kampf gegen Philipp zu finden.« Es bereitete ihr großes Vergnügen, dass Ottos Krönung durch ihr Handeln beinahe in Frage gestellt worden war, weil er nicht mit Maries Mitgift rechnen konnte und hart um Unterstützung ringen musste.

»Er wird die großen Fürsten mit Versprechungen und Land umwerben, und Geld, sobald er etwas hat«, erklärte ihr Irene. »Aber wie man hört, wähnt er seinen Bruder als Verbündeten sicher. Nun, meines Vaters Bruder hat meinen Vater gestürzt und geblendet, also sehe ich Verwandtschaft etwas anders, als Otto es gerade tut.«

»Wisst Ihr, wie die Pfalzgräfin ihre Verwandtschaft zu König Philipp sieht?«

»Die beiden kennen sich nicht«, sagte Irene. »Er hat selbst seine Geschwister selten zu Gesicht bekommen, geschweige denn Basen. Aber die Pfalzgräfin ist Mutter, genau wie ich. Sie wird das Beste für ihr Kind wollen. Erinnert sie daran, dass Otto ihren Gemahl darum gebracht hat, Oberhaupt des welfischen Hauses und König zu werden, und von dem Welfenerbe, was noch geblieben war, nimmt und nimmt und nimmt. Wenn der Pfalzgraf nun Philipp den Lehnseid schwört, dann wird mein Gemahl ihm mehr als nur Braunschweig von den alten Besitzungen Heinrichs des Löwen bestätigen.«

Natürlich konnte Judith nichts davon als Grund dafür angeben, Braunschweig zu besuchen, geschweige denn, sich dort anzusiedeln, als sie die Stadt betrat. Es war zum ersten Mal seit längerer Zeit nötig, die Urkunde vorzuweisen, die sie in Salerno erhalten hatte. Die Siegel und Namen zu sehen, berührte sie eigenartig; sie fragte sich unwillkürlich, ob sie Salerno wohl je wiedersehen würde.

Selbstverständlich, versicherte Judith sich. *Wenn Otto besiegt ist, dann kann ich mit Gilles nach Salerno ziehen.*

Nur einer der Stadtwächter konnte lesen, und das nicht sehr gut. Doch sie zeigten sich genügend beeindruckt von den Siegeln, um »den Arzt Gilles und seine Gemahlin Judith« passieren zu lassen. Man wies sie aber darauf hin, dass ein längerer Aufenthalt in Braunschweig davon abhing, ob bewährte Bürger für sie sprechen würden.

Gilles entdeckte bald jemanden, den er kannte und der in Braunschweig lebte. Jener Robert war selbst ein gestrandeter Krieger; als der Pfalzgraf vom Kreuzzug zurückkehrte, hatte er wegen der Unruhen in Italien hastig alle ungebundenen Kriegsknechte angeworben, um seinen Tross zu verstärken und sicher zurückkehren zu können. Judith kannte niemanden, doch sie fand heraus, dass etwa fünfzig Juden in Braunschweig lebten. Es war kein Arzt darunter, dafür aber ein Rabbi aus Spanien, der einmal mit Mosche ben Maimon selbst diskutiert hatte und dessen philosophische Schriften übersetzte. Er sammelte alle Werke Rabbi Mosches, derer er habhaft werden konnte, also war er bereit, Judith gegen ihr Exemplar der Schrift über das Asthma eine Unterkunft zu besorgen und für sie zu sprechen. Sie brachte ihn auch dazu, für diese Unterkunft zu bezahlen, doch ihr Herz blutete, als er zufrieden sagte: »Niemals würde ich mich von einem solchen Schatz trennen! Das bringt nur eine Frau fertig.«

Nicht zum ersten Mal fragte sie sich, ob sie das Richtige tat. Doch die Unterkunft und einen Bürgen in Braunschweig zu haben, versetzte sie in die Lage, wieder als Ärztin zu arbeiten, und das war wichtiger als der Besitz eines Buches, das sie fast auswendig kannte. Das sagte sie sich wenigstens.

Gilles fand über seinen alten Freund schnell eine Beschäftigung bei der Stadtwache, und dank des Rabbis dauerte es nicht lange, bis Judith ihre ersten Patienten hatte. Manchmal zitterten ihr immer noch die Hände, selbst, wenn sie nur etwas Einfaches tat, wie einen verstauchten Knöchel einzusalben und zu verbinden. Während der Behandlung selbst ließ sie sich nichts anmerken, doch sie hütete sich immer noch vor Schwangeren.

Bereits wenige Tage nach ihrer Ankunft kam es zu einer Begegnung, die Judith immer erwartet, von der sie aber irgendwie gehofft hatte, diese vermeiden zu können. Es fing alles normal an – mit einem Klopfen an der Tür. Als Judith öffnete, stand dort eine Frau, etwas älter als sie, mit selbstsicherem Auftreten, einem hübschen Gesicht und guter Kleidung. Die Besucherin stellte sich als Maria aus Braunschweig vor. »Seid Ihr die Magistra aus Salerno?«

Judith bat die Frau herein, froh, dass die Hemmschwelle zu ihr als neuer Ärztin selbst bei den wohlhabend erscheinenden Frauen so schnell gebrochen schien. Was sie überraschte, war der neugierige und selbstbewusste Blick, als die Frau ihre Kammer betrat, der so überhaupt nicht in das Muster ihrer bisherigen Patientinnen passte, die meist verängstigt und scheu wirkten, wenn sie nicht wie Irene meinten, eine gewisse Überheblichkeit zum Ausdruck bringen zu müssen. Deshalb begann sie auch nicht sofort mit den üblichen Fragen »womit kann ich Euch helfen« oder »woran fehlt es Euch«, sondern sagte: »Ihr macht mich neugierig, werte Dame. Seid Ihr Euretwegen oder als Botin zu mir gekommen?«

Sie freute sich über die Antwort, Maria käme für sich selbst, und dachte, es würde sich lohnen, diese Frau als Freundin zu gewinnen. Judith erkundigte sich daher zunächst, ob Maria in Braunschweig geboren sei, in welchem Bezirk sie wohne und wie es ihr dort gefiele. Es entging ihr nicht, dass sie besonders aufmerksam gemustert wurde, als Maria die Straße nannte, wusste aber als

Neuling in der Stadt nichts damit anzufangen. Es entspann sich ein Gespräch, das beiden Spaß zu machen schien, bis Judith dann doch die entscheidende Frage stellte: »Was kann ich für Euch tun?«

»Ich habe eine Entzündung am Hintern.«

Judith war daran gewöhnt, dass eine solche Aussage unsicher vorgetragen wurde oder voller Schamgefühl, auch wenn es dazu keinen Grund gab. Doch wieder wurde sie überrascht: Maria drehte sich um, schlug die Röcke hoch und zeigte ihren Hintern, als sei es für sie das Selbstverständlichste von der Welt. Judith erkannte rund um den Schließmuskel Pusteln, Entzündungen und sogar Furunkel, die sicher unangenehm waren, bei den meisten Menschen aber dazu geführt hätten, nicht darüber zu reden und zu hoffen, alles ginge alleine vorüber. Sie hatte eine derartige Häufung auch nur bei einer Fischerin in Salerno gesehen, die täglich lange bis zur Hüfte im Wasser gestanden hatte. Um die Ursache für diese Entzündungen zu erfahren, wollte Judith wissen, ob ihre Besucherin vielleicht zu häufig bade, was ungewöhnlich wäre; viele Menschen, die zu ihr kamen, besaßen nicht einmal einen Zuber.

»Was versteht Ihr unter zu häufig?«, wollte Maria wissen, als sie sich Judith gegenüber auf einem Schemel niederließ.

»Nun, ein Mal pro Woche sollte es bestimmt sein, wenn man stark geschwitzt hat, häufiger«, sagte sie gewohnheitsmäßig.

»Nun, bei mir sind es bestimmt zehn Bäder pro *Tag,* und ich wüsste nicht, wie ich die reduzieren kann!«

Dies ließ nur einen Gedanken zu, doch er war Judith mehr als unangenehm. »Ihr … nun, arbeitet Ihr … bei einem Bader? Sollte ich etwas falsch verstanden haben, bitte ich um Verzeihung«, fügte sie hastig hinzu, verlegen, weil Badehäuser nun einmal einen zweifelhaften Ruf hatten – für jedes, das nur dem Baden diente, gab es zwei, in denen auch andere Geschäfte getätigt wurden.

»Ich arbeite nicht für einen Bader – mir gehört das Haus«, erklärte Maria freiheraus und musterte Judith. »Habt Ihr etwas dagegen? Soll ich gehen?«

Nimm dich zusammen, befahl Judith sich. *Es gibt keine Patienten, die keine Menschen sind, oder Menschen einer anderen Art. Du machst keine Unterschiede zwischen Kranken, gerade du nicht.* Und weil dieser Gedanke gerade noch zur rechten Zeit gekommen war, konnte sie aus ehrlichem Herzen sagen: »Nein, entschuldigt, ich war nur etwas überrascht.«

»Ich wollte nicht in dem in Braunschweig vorgeschriebenen gelben Kleid zu Euch kommen«, erklärte Maria. »Ich trage es nur, wenn es sinnvoll ist, und ich wollte Euch gegenüber Euren Nachbarn nicht in die Verlegenheit bringen, gefragt zu werden, was eine wie ich von Euch gewollt hat.« Das klang so selbstverständlich, als ob ihr Gegenüber sich mit ihr über nichts anderes als das Backen von Brot unterhielt. Nun, auch sie war in der Lage, unverblümte Beobachtungen zu machen.

»Ich bin nur erstaunt, weil Ihr erwähnt habt, dass Euch das Haus gehört. Also zwingt Euch nicht Armut zu Eurem Gewerbe?«, fragte Judith. Es fiel ihr schwer, sich vorzustellen, dass eine Frau wie Maria als Badehure tätig sein *wollte*.

»Mir scheint, Ihr wisst nicht sehr viel über das Leben, Kindchen.«

Judith war sehr lange nicht mehr so angesprochen worden, und sie merkte, wie sie zornig wurde, aber das war etwas, was sich für einen Arzt nicht schickte. Also sagte sie nichts dazu, obwohl sie meinte, mehr als die meisten Menschen über das Leben zu wissen, und fragte stattdessen: »Wie meint Ihr das?«

»Gäbe es die Städte nicht, gäbe es uns Huren nicht. Vergesst nicht, früher waren alle Frauen unfrei, den Männern hilflos ausgeliefert. Jetzt können wir erben, können ein Gewerbe ausführen, können sogar ein Hurenhaus leiten. Glaubt mir, keine Stadt kommt heutzutage mehr ohne Huren aus. Wir sind genauso wichtig wie Bäcker, Schmiede, Metzger oder Schneider. Wenn unserem Herrn Gesandtschaften gemeldet sind, schickt der Stadtrat uns den Besuchern entgegen, als Willkommensgruß Braunschweigs. Der Lohn kommt dann auch von der Stadt, nicht von den Gästen. Unsere Kunden sind Kriegsknechte, ja, aber auch Bürgermeister, Handwerker, Priester, sogar Mönche. Doch die meisten sind Ehemänner, die zu Hause nicht das bekommen, was sie wollen, und so von ihren Ehefrauen fast zu uns geschickt werden«, fügte sie mit einem Schmunzeln hinzu.

Maria konnte nicht wissen, dass Judiths Ehe nur dem Namen nach bestand; trotzdem fühlte sie sich berufen, Partei zu ergreifen: »Kaum eine Frau kann und wird sich weigern, ihren ehelichen Pflichten nachzukommen. Das ist einer der Gründe dafür, verprügelt oder gar verstoßen zu werden.«

»Haben Euch Eure Lehrer nie gesagt, dass Pflichten, die nicht gerne getan werden, selten gut erfüllt werden?«, fragte Maria herausfordernd. »Die meisten Männer wollen nicht, dass eine Frau nur ihre Pflicht erfüllt – was er dabei bekommt, kann seine Hand genauso gut, oder besser. Aber wer gibt, der kriegt auch.«

Judith war in eine Diskussion geraten, auf die sie nicht vorbereitet war und die sie hätte abbrechen müssen, weil sie sich für eine ehrbare Frau nicht schickte. Andererseits hatte Judith noch nie eine Frau erlebt, die so voller Selbstbewusstsein, ja Selbstsicherheit über etwas sprach, wovon sie überzeugt zu sein schien, auch wenn außerhalb ihrer Welt ganz anders darüber geredet wurde. Konnte Judith das Thema abbrechen, nur um sich hinter ihrer eigenen Voreingenommenheit zu verstecken? Durfte sie das überhaupt? Nichts war Studenten in Salerno mehr übelgenommen worden, als einem Disput auszuweichen oder die Gelegenheit verstreichen zu lassen, neues Wissen zu erlangen; alles andere galt als Schwäche.

»Ich weiß, dass jede Tätigkeit schneller von der Hand geht, wenn sie gerne getan wird«, antwortete sie. »Aber Ihr wollt mir doch nicht ernsthaft einreden, dass jeder Mann, der bezahlt, einer Hure angenehm ist! Wenn eine Ehefrau das Unglück hat, an einen Mann verheiratet worden zu sein, den sie nicht liebt, nun, so muss sie ihn aushalten, aber eben nur diesen einen. Ihr dagegen habt gerade von zehn Bädern pro Tag gesprochen. Bei dreihundertsechzig Tagen im Jahr sind das eine Menge Männer. Darunter müssen allein der Wahrscheinlichkeit nach auch viele sein, die Euch widerwärtig sind, und bei Dirnen, die nicht mit Eurer Schönheit gesegnet sind und daher noch weniger wählerisch bei ihren Kunden sein können, sind es gewiss noch mehr.« Sie sah Maria offen an. »Ist das etwa besser, als unfrei und Leibeigene zu sein?«

Die schweigende Pause ließ erkennen, dass es sich ihre Besucherin nicht leichtmachte, hierzu eine Antwort zu finden.

»Ihr habt recht, die meisten von uns treibt eine Notlage in unser Gewerbe. Ich wüsste auch von keiner, die nicht von Vater, Bruder, Bauer, Großknecht oder Verwalter vorher vergewaltigt worden ist. Nicht einmal, sondern ständig. Aber glaubt Ihr wirklich, unsere Frauen wären, was das betrifft, Ausnahmen? Jeder zweiten Frau in dieser Stadt ist das widerfahren, wenn es nicht mehr sind. Keine konnte ihre Familie, den Hof, die Stelle verlassen oder den Mann mit der Hoffnung auf Gerechtigkeit anzeigen. Je besser die Frauen aussehen, je größer ist die Gefahr für sie. Sie tun bei mir also nichts, was sie nicht anderswo jeden Tag auch tun müssten, dort aber umsonst und meist mit Gewalt verbunden. Und was ist falsch daran, es in einer Umgebung zu tun, wo es fröhlich zugeht, wo gelacht wird, wo es keinen Hunger gibt und nicht vierzehn Stunden Arbeit am Tag, sieben Tage in der Woche? Da, wo es keine Ehemänner gibt, die ihre Frauen züchtigen dürfen, wann und wie oft sie wollen, und wo der Lohn für mehr als das Überleben reicht.«

»Kein Mann, der sich eine Dirne nimmt, schlägt sie?«, fragte Judith ungläubig.

Maria zögerte. »Doch, auch das geschieht. Manche bezahlen im Voraus mehr dafür, manche im Nachhinein, aber mehr bezahlen müssen sie auf jeden Fall.«

»An Euch oder an das Mädchen, das sie schlagen?«

Diesmal hob Maria beide Hände, wie um selbst einen Schlag abzuwehren. »Getroffen«, sagte sie lächelnd. »Aber ich kann Euch versichern, eine Ehefrau bekommt überhaupt kein Geld für Schläge, genauso wenig wie dafür, besprungen zu werden, also geht es trotzdem gerechter bei uns zu. Und«, sie fuhr sich lächelnd mit der Zunge über die Lippen, »es gibt auch Frauen, die es gerne tun.«

Judith meinte herauszuhören, dass Maria sich selbst dazu zählte.

Das veranlasste sie, kühn eine Frage zu stellen, die sie schon lange beschäftigte.

»Warum eigentlich?«, platzte sie heraus. »Was ist so schön an diesem Rein und Raus, dass es einem Spaß machen soll, wo man eigentlich hofft, dass es schnell vorbei ist? Ich vermisse jedenfalls nichts davon.« Sie dachte an ihre einzigen Erfahrungen mit ihrem Schwager zurück und war erstaunt über sich selbst, dass dieses Eingeständnis über ihre Lippen kam.

Das Lächeln auf Marias Lippen wurde größer, als sie antwortete: »Ich bin zwar zu Euch gekommen, um Hilfe für meinen Hintern zu erhalten, nicht um Arzt bei Euch zu spielen. Eure Worte lassen mich aber erkennen, dass sowohl Eure Lehrer in Salerno, Eure Mutter und Euer Mann etwas versäumt zu haben scheinen. Man vermisst natürlich nur das, was man kennt, so kennt, wie es sein könnte! Glaubt mir, die Lust kommt mit dem Tun. Das ist das Geheimnis für uns Frauen. Verzeiht, ich will nicht persönlich werden, aber wenn eine Frau nicht gelernt hat, sich selbst Vergnügen zu bereiten, kann sie auch ihre Pflicht ihrem Ehemann gegenüber nicht erfüllen … nicht erfüllen *wollen*. Hat man Euch in Salerno nicht gelehrt, dass Hände zum Entdecken da sind? Warum also nicht zuerst den eigenen Körper entdecken, damit diese Erkenntnisse von Nutzen sind? Eine Frau muss wissen, was ihr wo und wie guttut, und ein vernünftiger Ehemann wird sich darüber freuen!« Sie strich sich spielerisch über den Hals. »Jede Frau hat Stellen an ihrem Körper, die gestreichelt, verwöhnt werden wollen, die sie erregen. Manche Frau hier, manche woanders. Manche brauchen mehr, manche weniger Zeit. Magistra, Ihr … verzeiht, *Frauen* müssen diese Bereiche kennen oder finden, um so ihr Vergnügen zu entfalten. Jede von uns wird über ihrer Pforte eine Perle finden, die ihr absolut sicher hilft, Lust zu spüren, auch wenn ihr Mann es noch nicht verstanden hat. Und was kann es Schöneres geben, für beide, Mann und Frau?«

Obwohl Maria wirklich überzeugt schien, wollte – nein, konnte Judith nicht darauf eingehen und griff nach dem ersten Argument, das ihr die Aussage unlogisch erscheinen ließ. »Hätte ich das meinen Patientinnen sagen sollen, die vergewaltigt zu mir kamen, denen Gewalt angetan worden war an Körper und Seele?«

»Für die Seele bin ich nicht zuständig, dafür sind die Pfaffen verantwortlich, oder die Familie und die Freunde. Für den Körper seid wiederum Ihr gefragt, zunächst jedenfalls. Aber nach der Gewalt kommt auch immer wieder das Leben, und darauf gilt es vorbereitet zu sein.« Dann wechselte Maria das Thema. »Doch weil wir gerade wieder beim Körper angelangt sind: Was ist zu tun, um mein Problem loszuwerden? Es hemmt meine Möglichkeiten ... Ihr versteht?«

Judith verstand zwar nicht, wie Maria das meinte, war aber Ärztin genug, um die Hilfe für eine Patientin über die Befriedigung ihrer Neugier zu stellen.

»Die fortwährende Feuchtigkeit schadet Euch und führt zu diesen Entzündungen. Ihr müsst Euch nach dem Bade besser abtrocknen, gerade um den betroffenen Bereich. Ich werde Euch noch eine Salbe aus Kamille und Mineralien geben; die tragt täglich mehrmals auf, und Ihr werdet dort bald wie neugeboren sein, zumal Ihr diesen Teil nicht so dringend braucht für Euer Geschäft!«

Sie war froh, schon wieder etwas scherzen zu können, und nicht gefasst auf das, was sie als Antwort bekam. »Nun, der hintere Eingang ist ein sicherer Eingang, wie sollte ich ihn da nicht genauso dringend benötigen?«

Judith wurde feuerrot und stotterte: »Aber das ... das ist doch nur der Weg zwischen Männern, nicht bei Frauen.«

»Man sollte meinen, Ihr hättet in Salerno etwas über den sicheren Eingang erfahren. Es wäre ein gutes Werk, dies mancher verlassenen Ehefrau, manchem jungen Mädchen und mancher Rittersfrau, deren Mann auf dem Kreuzzug ist, zu verraten, weil sie es sich nicht leisten können, schwanger zu werden.« Maria lachte. »Es scheint, als könnten wir beide viel voneinander lernen.«

Als ihre neue Patientin schließlich ging, war Judith nicht sicher, ob sie eine weitere Begegnung mit Maria fürchtete – oder sich trotz der Welt, die sich ihr unerwartet eröffnet hatte, wünschen sollte.

Mit Ausnahme von Maria, die nur auf ihrer eigenen Seite zu stehen schien, waren alle Patienten, die zu Judith kamen, voll und ganz für Otto. Zwar hatten ihn die wenigsten je mit eigenen Augen erblickt, doch sein Vater war allen immer noch als »der gute Herzog« in Erinnerung. Niemand hatte vergessen, wie Braunschweig an Bedeutung verlor, als Barbarossa das Herzogtum Heinrichs des Löwen in zahlreiche kleinere Fürstentümer aufteilte. Außerdem war Ottos Geschichte fast wie die eines Helden aus einem Lied: der Fürstensohn, der in der Verbannung groß geworden war, zurück in die alte Heimat kehrte und dort endlich die Krone erhielt, die schon die seines Vaters hätte sein sollen. Wenn Judith danach fragte, ob denn die Krone nicht seinem älteren Bruder gebührt hätte, dann waren die meisten der Meinung, der verstorbene König Richard, bei dem die Brüder aufgewachsen waren, hätte gewiss am besten gewusst, wer einer Krone würdiger sei.

Dann trafen die ersten Nachrichten vom verwüsteten Straßburger und dem Kölner Umland ein. Judith sagte sich, dass das Gerücht gewiss übertrieb. Was nicht übertrieben aussah, war der Mann, der in einem der Gefechte seine linke Hand verloren hatte und zu ihr kam, weil der Wundbrand ihn plagte und er dem Bader nicht traute. Es gelang Judith, den Mann und den Rest des Armes oberhalb seines Ellbogens zu retten, nachdem sie alles darunter entfernte und den Stumpf ausbrannte, so dass er ohne faulendes Fleisch verheilte. Karl war einer der Kriegsknechte des Pfalzgrafen, und während seiner Besuche erzählte er vom Krieg. Was er zu sagen hatte, unterschied sich nicht von den Geschichten, die Judith in Salerno von den Überlebenden gehört hatte; sie ertappte sich dabei, den Gedanken laut auszusprechen.

»Heinz von Kalden hat sein Handwerk unter dem Kaiser in Italien gelernt«, stimmte Karl zu, »und er befehligt nun Philipps Truppen. Aber keine Sorge. König Otto hat an Richards Seite gefochten, und der war der beste Krieger unseres Zeitalters, das sagen alle. Er weiß auch, wann er hart zu sein hat. Kennt Ihr die Geschichte, wie all die Gefangenen vor Akkon hingerichtet wurden, damit Saladin verhandelte?«

»Nein, aber ich möchte sie auch nicht hören.«

Was hatte sie erwartet – einen unblutigen Krieg? Judith sagte sich, dass sie dazu beitragen konnte, dass dieser so rasch wie möglich zu Ende ging. Ob sie dabei auf der richtigen Seite stand, war bisher eine Frage gewesen, die sie sich leicht beantwortet hatte: Otto hatte bei Richard Löwenherz gelebt, als dieser ein großes Massaker an Juden in York zuließ. Die Staufer dagegen hatten die Juden schon seit Jahrzehnten unter ihren Schutz gestellt. Dieser Schutz erschien ihr wichtig, auch wenn dafür beträchtliche Steuern gezahlt werden mussten. Zudem war Otto ein Mann, der Freude an der Furcht anderer und seiner Macht über sie hatte, und damit konnte er kein guter Herrscher sein. Philipp war ihr bei den wenigen Malen, die sie ihm begegnet war, als ein nachdenklicher, freundlicher Mann erschienen, und er war Irene ein guter Ehemann. Das machte es leicht, sich für ihn zu erwärmen.

Stefan hatte einmal zu ihr gesagt, dass die Tugenden eines Herrschers und die Tugenden eines Mannes in seinem Familienleben nicht unbedingt die gleichen waren. Damals hatte sie es nur für eine weitere seiner eigenen Selbstrechtfertigungen gehalten. Sie glaubte immer noch nicht, dass er recht hatte, zumal er ihrem Hinweis, ein Herrscher sei durch seine Macht bestimmt noch nie ein besserer Mensch geworden, nicht widersprochen hatte. Aber die Vorstellung, dass Philipp, was die Einstellung zum Krieg betraf, nicht besser als Otto sein mochte, machte ihr zu schaffen.

Endlich kam es zu dem Ereignis, auf das sie gewartet hatte: Die Pfalzgräfin schickte ihre Leute, um die Magistra Judith von Salerno zu sich zu bitten. Ihr kleiner Sohn, der noch keine zwei Jahre alt war, litt unter Pickeln, was harmlos war, zumal Judith ihr wiederholt versichern konnte, dass es sich nicht um die Masern handelte. »Kein Honig mehr«, ordnete sie an, »und seine Haut wird sich bessern. Ich kann Euch auch Salzumschläge bereiten.«

Schwerwiegender war, dass die Pfalzgräfin erneut schwanger war und bereits unter Blutungen litt, obwohl sie nach ihrer Rechnung erst drei Monate hinter sich hatte. »Meine letzte Geburt«, vertraute sie Judith an, »war sehr schmerzhaft und dauerte eineinhalb Tage lang.« Judith dachte an die Schriften Trotas, welche die Ansicht vertreten hatte, dass manche Frauen einfach nicht geeignet für Schwangerschaften waren und dass man ihnen einen Gefallen tue, wenn man ihnen half, nicht zu empfangen. Die Pfalzgräfin hatte ein sehr enges Becken; ihre Hautfarbe war fahl und ungesund.

»Ich weiß nicht, ob ich Euch helfen kann, Euer Kind zu behalten«, sagte sie ehrlich und versuchte mit aller Macht, den Wunsch zu unterdrücken, davonzulaufen. Agnes war nicht Richildis.

»Zu was seid Ihr dann gut?«, fragte die Pfalzgräfin bitter. »Zu was bin ich gut? Der einzige Grund, warum ich lebe, ist Kinder zu gebären. Ein Erbe für das Haus der Welfen genügt nicht.«

»Manchmal ist eine Fehlgeburt …«

»Verschwindet!«

Eine Woche lang hörte Judith nichts von der Pfalzgräfin. Dann ließ man sie erneut holen. Diesmal fand sie Agnes im Bett vor.

»Ihr habt mir die Wahrheit gesagt«, sagte die Pfalzgräfin. »Ich hatte eine Fehlgeburt.«

»Es tut mir leid.«

»Ich will, dass Ihr mich so schnell wie möglich gesund macht«, befahl Agnes fieberhaft, »damit ich wieder empfangen kann. Vielleicht merkt mein Gemahl es dann nicht.«

»Euer Gnaden, selbst wenn sich Euer Körper sofort wieder erholt, bezweifle ich, dass Ihr innerhalb der nächsten zwei Monate wieder empfangen werdet. Der Pfalzgraf wird dann bereits erwarten, Euch hochschwanger zu sehen. Ihr solltet ihm die schlechte Nachricht jetzt überbringen lassen.«

»Was für eine Art von Ärztin seid Ihr denn?«, stieß die Pfalzgräfin aufgebracht hervor. »Der Bader schwört, dass er mich gleich wieder fruchtbar machen kann!«

»Ich bin die Art Arzt, welcher keine Wunder verspricht, weil ich die Kunst an Menschen studiert habe, nicht an der Deutung von Himmelsgestirnen«, sagte Judith und versuchte, würdevoll zu klingen, doch ihre Worte kamen eher schneidend heraus. Einen

Moment lang herrschte Schweigen. Die Mägde der Pfalzgräfin starrten sie bestürzt an.

»Also gut«, sagte Agnes dann. »Zumindest seid Ihr ehrlich.«

Sie ließ sich massieren, nahm die Kräutertränke, die Judith bereitete, und war nach einigem Überreden sogar bereit, Schmerzen in ihrer Vagina einzugestehen. Judith machte ihr moschusöldurchtränkte Zäpfchen und begab sich dann in die Küche. Sie hatte Glück: Der Pfalzgraf, aufgewachsen in Aquitanien und der Normandie, hatte sich daran gewöhnt, hin und wieder Orangen und Zitronen zu genießen, und ließ sie sich nach Braunschweig bringen. Es kostete sie einige Überzeugungskraft und das Herbeirufen einer der Damen der Pfalzgräfin, ehe man ihr glaubte, dass sie die kostbare Zitrone für Agnes haben wollte. Danach brauchte sie einige Zeit, um das Fruchtfleisch zu entfernen und die Schalen so auszupressen und zurechtzuschneiden, wie sie es in Salerno gelernt hatte.

»Ihr wollt …« Die Pfalzgräfin lief rot an, genau wie sie es bei den Zäpfchen getan hatte.

»Es wird Euren Muttermund stärken«, sagte Judith. »Schließlich wollt Ihr so bald als möglich wieder gesund werden, nicht wahr?« Es würde auch mit großer Gewissheit verhindern, dass sie sofort wieder schwanger wurde, jetzt, wo der Pfalzgraf wieder in Braunschweig war und erfahren musste, dass er doch nicht zum zweiten Mal Vater werden würde. Judith hatte kein schlechtes Gewissen dabei, diesen Teil der Wahrheit nicht auszusprechen. Ihrer Meinung nach, das hatten die Untersuchungen bestätigt, würde Agnes nur mit sehr viel Glück eine weitere Geburt überleben; man sollte ihrem Körper wirklich Zeit geben, um sich zu erholen. Nachdem sie Agnes den Zitronenschalenring eingesetzt hatte, musste sie ihr versprechen, dem Pfalzgrafen die schlechte Nachricht von der Fehlgeburt selbst zu überbringen.

Judiths erster Eindruck war Erleichterung, weil der Pfalzgraf Heinrich seinem Bruder kaum glich. Er hatte braune Haare und war nur mittelgroß; anders als Otto war ihm nicht anzuhören, dass er seine Kindheit und Jugend nicht an deutschsprachigen Höfen verbracht hatte. Nachdem sie ihm vorgestellt worden war, fragte er sie sofort, ob sie diejenige sei, die seinen Sohn von seinem Ausschlag geheilt habe. Es lag ihr auf der Zunge, ja zu sagen, aber gemessen an dem Verhalten seiner Gattin, würde er Untermehr als Übertreibung schätzen, also beschloss sie, ehrlich zu bleiben, solange es ging.

»Es waren nur Pickel, keine Krankheit, und Eurer Gemahlin und der Amme Eures Sohns gebührt das Verdienst, auf meine Empfehlung geachtet zu haben.«

»Aber er ist noch nicht aus dem Alter hinaus, in dem Kinder sterben wie die Fliegen.« Heinrichs Stimme klang rauh.

»Das liegt in Gottes Händen«, sagte Judith sachlich.

»Nun, Gott will nicht, dass ich ohne Erben bleibe. Ich bin das Oberhaupt meines Hauses. Wann wird meine Gemahlin wieder gesund sein?«

Auf widersinnige Weise war Judith ihm dankbar, weil er ihr durch sein Verhalten die Möglichkeit gab, Abneigung gegen ihn zu empfinden; es half ihr bei ihren wachsenden Zweifeln.

»Verzeiht, doch Eure Gemahlin scheint zu glauben, dass Ihr sofort ein weiteres Kind wünscht. Ich habe ihr natürlich versichert, dass ein großer Herr wie Ihr, der Sohn Heinrichs des Löwen, der Enkel Alienor von Aquitaniens, seine edle Gattin mit doppelt so viel Zartsinn behandelt, wie dies ein einfacher Bürger täte, nachdem sie einen so traurigen Verlust erlitten hat.«

Seine Stirn verdunkelte sich. Ihr fiel ein, dass die Christen an Enthaltsamkeit als Bußübung glaubten. »Auch war sie nicht sicher, dass Ihr nun beten und fasten würdet, aber es war mir eine Freude, ihr zu versichern, dass Ihr – ein Kreuzritter und Neffe eines Kreuzritters – strenger als ein Mönch leben könntet, wenn es dem Seelenheil Eurer Gemahlin und Eures toten Kindes zugutekommt.«

Heinrich starrte sie an; Judith riss ihre Augen weit auf, um so unschuldig wie möglich dreinzuschauen.

»Magistra«, sagte er scharf, »hat man Euch in Salerno nicht gelehrt, wie man mit Menschen spricht, die über Euch stehen?«

»Nicht in Salerno.«

Es erwies sich, dass der Pfalzgraf Heinrich besser zuhörte als sein

Bruder, denn ihm fiel sofort die Auslassung auf. »Wo dann?« Es war an der Zeit, den zweiten Zweck ihres Hierseins anzugehen. Wenn sie sich irrte, dann würde sie Braunschweig eben den Rücken kehren müssen.

»Zuletzt«, sagte Judith, »in Hagenau.«

Der Pfalzgraf verzog das Gesicht, doch er schwieg zunächst und beschränkte sich darauf, einen Brummlaut in seinen Bart hinein zu murmeln. Endlich beschied er ihr, sie möge gehen, ohne weiter etwas zu ihrer Antwort zu bemerken.

Judith besuchte die Pfalzgräfin weiter regelmäßig, wurde gut dafür entlohnt und fand nun auch Patienten unter den reicheren Bürgern, als sich herumsprach, dass die Magistra aus Salerno von Agnes zu Rate gezogen wurde. Die Pfalzgräfin erholte sich gut von ihrer Fehlgeburt, und soweit Judith feststellen konnte, erwiesen sich entweder ihr Rat an den Pfalzgrafen oder die Zitronenschalen als wirksam.

Nach mehreren Wochen befahl Heinrich sie wieder zu sich. »Der verstorbene Kaiser«, sagte er, »war der gefährlichste Mann, dem ich je begegnet bin, aber sein Wort war nichts wert. Fragt die normannischen Adligen im Königreich Sizilien. Das heißt, die kann niemand mehr fragen, weil sie alle tot sind. Warum sollte ich nicht auch alles hinrichten lassen, was von einem Staufer kommt, um mich selbst zu schützen?«

Weil Ihr mich nicht in den Kerker geworfen und nicht einmal gefragt habt, ob ich Philipp je zu Gesicht bekommen habe, dachte Judith. *Weil Ihr Wochen verstreichen habt lassen, ehe Ihr mir diese Frage stellt. Ihr tragt den Seitenwechsel bereits in Eurem Herzen. Irene hatte recht!* Laut sagte sie: »Weil Euer Sohn zur Hälfte ein Staufer ist. Weil Ihr für Euren Bruder nur ein Rivale und eine lästige Verpflichtung seid, jemand, von dem er nimmt, während Ihr für Philipp ein geschätzter Verbündeter wäret, dem er gibt, um ihn zu gewinnen.«

Er begann, an seinem Bart zu zupfen. »Ich habe mich erkundigt«, schleuderte er ihr entgegen. »Als Otto in Chinon die Krone angeboten wurde, da war es ein Kaufmann aus Köln, der die Nachricht überbrachte, und bei ihm war seine Nichte, eine Ärztin.

Wer sagt mir denn, dass Ihr nicht Ottos Geschöpf seid? Es sähe ihm ähnlich, mich auf diese Weise zu prüfen. Er sucht doch nach einer Entschuldigung, mich um das Erbe unseres Vaters zu bringen. Dabei habe ich nie etwas anderes getan, als ihm zu helfen. Ich bin ein Mann, der zu seinem Wort steht.«

Daran, dass er sie für einen Spitzel Ottos halten könnte, hatte Judith nicht gedacht. Natürlich hatte sie kein Schreiben Philipps bei sich, nur Irenes Ring. Ob sich der Pfalzgraf allerdings von so etwas beeindrucken lassen würde? Immerhin blieb ihr die Wahrheit – und die menschliche Eitelkeit.

»Es stimmt, ich war in Chinon. Mein Onkel wollte ein Bündnis mit Eurem Onkel Richard – und es wart Ihr, den wir auf dem Thron sehen wollten und den die Kaufleute Kölns vorschlugen. Euer Onkel bestand auf Otto. Wir verstanden das nicht, aber was soll ein einfacher Untertan tun, wenn ein Fürst spricht?«

»Immer war es Otto«, murmelte der Pfalzgraf. »Gut. Gesetzt, ich glaube Euch, Magistra, wie kommt es dann, dass Ihr dieser Tage für Vetter Philipp die Botin spielt?«

»Weil ich gesehen habe, was für ein Mann Euer Bruder ist«, sagte Judith. Die Muskeln in den Wangen des Pfalzgrafen zuckten.

»Weib, es steht Euch nicht zu, über meinen Bruder zu urteilen«, gab er zurück. In seiner Stimme lag die klirrende Kälte seiner Stellung und seiner Geburt. Ihr Mund war trocken, doch jetzt gab es kein Zurück mehr.

»Ihr habt mich gefragt, und ich habe geantwortet.«

»Wenn sie Euch in Hagenau gelehrt haben, wie man zu Fürsten spricht, dann haben sie es nicht gut getan«, sagte er kühl. Immerhin ließ er sie nicht hinauswerfen, was bedeutete, dass sie recht hatte: Er hatte innerlich schon die Seite gewechselt und wartete nur auf eine bessere Entschuldigung für sich selbst.

»Euer Gnaden, Ihr kennt Euren Bruder besser als jeder andere Mensch auf Erden. Nur Ihr allein wisst, ob er Euch so behandelt, wie es einem Bruder geziemt; es steht mir nicht zu, dergleichen zu beurteilen. Doch kann ich beschwören, was ich selbst erfahren und gehört habe: König Philipp sehnt sich danach, Euch als Verbündeten zu gewinnen, und er wird nicht zögern, Euch mehr vom alten Gut der Welfen zurückzugeben, als Euer Bruder Euch genommen hat.«

»Das sind schöne Worte«, knurrte der Pfalzgraf. »Worte sind billig. Hat er irgendwelche bestimmten Güter genannt?«

»Stade«, sagte Judith und sah, dass die Augen des Pfalzgrafen aufleuchteten, ehe er seine Miene wieder im Griff hatte.

»Otto hat Stade dem Bremer Erzbischof als Dank für seine Unterstützung zugeschanzt«, sagte Heinrich herausfordernd. »Ich wüsste nicht, wie Philipp darüber verfügen will.«

»Ich kann nicht in die Zukunft sehen und wissen, wem das Kriegsglück hold ist, oder gar wann«, sagte Judith großäugig. »Aber König Philipp hat den Wunsch geäußert, Euch bereits einen Vorabentgelt für die Einkünfte zukommen zu lassen, die Stade Euer Gnaden bringen wird, wenn es erst Euer ist.« Sie hoffte, es so formuliert zu haben, dass es den Stolz des Pfalzgrafen nicht verletzte. Da er sie nicht anbrüllte, ob sie ihn für bestechlich halte, schien sie dabei Erfolg gehabt zu haben.

»Geht«, sagte der Pfalzgraf. »Ich werde Euch wieder rufen lassen.«

Judith hielt es nur noch für eine Frage der Zeit, bis sie auch in Braunschweig ihren Auftrag erledigt hatte. Sie war glücklich und zufrieden und überlegte, ob sie nicht sogar in der Stadt bleiben sollte. Immerhin hatte sie hier Patienten gefunden; vielleicht konnte sie in ein, zwei Jahren sogar Mosche ben Maimons Werk über das Asthma zurückkaufen. Ihr Leben schien endlich so zu verlaufen, wie sie es sich wünschte – bis man Gilles aus ihrem Haus zerrte.

Zuerst dachte Judith, sie hätte sich bei ihrer Einschätzung der Lage wie des Pfalzgrafen völlig geirrt, und die Männer kämen ihretwegen. Dann fiel ihr brennend heiß ein, dass die wichtigste Festung des Kölner Erzbischofs, Andernach, vielleicht so schnell gefallen war, weil Gilles nach ihrer Flucht Heinz von Kalden die richtigen Hinweise gegeben und man im welfischen Lager davon erfahren hatte. Die Männer der Wache blickten tatsächlich ausschließlich zu Gilles, der sich schützend vor sie stellte, mit Hohn und Widerwillen in ihren Mienen.

»So etwas bringen nur die Welschen fertig«, sagte einer von ihnen. »Kerl, du hättest deine dreckigen Finger bei dir behalten sollen.«

Gilles war von seinem alten Freund ausgeliefert worden: Robert hatte einen falschen Mann angesprochen und unter der Folter einen einzigen Namen genannt, bevor er seinen Verletzungen erlag. Gilles wurde in eines der Lochgefängnisse geworfen. Jeder, zu dem Judith ging, um für ihren Gemahl zu bitten, erzählte ihr etwas anderes darüber, was mit Gilles passieren würde. Die einen gingen davon aus, er müsse öffentlich ausgepeitscht und dann aus der Stadt geworfen werden, die anderen dagegen bestanden darauf, ein solches Greuel verdiene den Tod durch Verbrennen. Als Judith in ihrer Not bei der Pfalzgräfin vorsprach, war diese erst gewillt, sie zu trösten, doch als sie Judiths Anliegen hörte, war sie entsetzt.

»Seid froh und dankbar, wenn Euch das Gesetz von so einem Sünder befreit!«, rief sie. »Ich werde beten, dass Gott Euch Einsicht in seine Gnade schenkt.«

Dem Pfalzgrafen dagegen wäre ein Trostversuch erst gar nicht in den Sinn gekommen. »Solche Kerle«, sagte er, »waren mir schon immer zuwider. Ausrotten sollte man sie, wo man sie findet, aber mein Onkel hat ja … hmm … Verständnis gezeigt. Nun, das ist vorbei. Wenn ich Ihr wäre, Magistra, dann würde ich schleunigst zu Philipp zurückkehren. Ich habe mir die Sache überlegt, wir können handelseinig werden. Also, was zögert Ihr noch? Wenn es an sicherem Geleit für die Reise liegt, ich werde Euch Kriegsknechte mitgeben.«

Mit Gilles durfte sie nur einmal sprechen. Er sagte, dass es ihm leidtäte, und machte den Eindruck eines Mannes, den der Alptraum, vor dem er ein Leben lang davongerannt war, eingeholt hatte: Seine Augen waren leer und hoffnungslos. Er bat sie, sich um ein Begräbnis für Robert zu kümmern und ihn dann in Braunschweig zurückzulassen.

»Ganz bestimmt nicht«, sagte Judith. »Wo du hingehst, da will auch ich hingehen. Ich nehme meine Schwüre ernst, und ich werde nie jemanden dem Tod überlassen, wenn ich dagegen kämpfen kann. Du hast mich immer durch alle Gefahren gebracht. Wofür hältst du mich, wenn du denkst, dass ich dir nicht ein Gleiches tue!«

Aber die Lage wurde immer schlimmer. Gilles hatte Freunde in Braunschweig gefunden, doch jeder von ihnen schien Angst zu haben, für ihn zu sprechen, könne ihn selbst verdächtig machen. Ihre eigenen Freunde und Patienten verstanden genauso wenig wie die Pfalzgräfin, warum sie nicht mit Abscheu erfüllt war und auf Gilles' Tod hoffte.

Auch das Begräbnis des toten Robert innerhalb der Stadtmauern erwies sich als schwer, doch immerhin konnte sie beweisen, dass das Gesetz auf ihrer Seite stand: Robert war nicht hingerichtet worden, und er hatte sich auch nicht selbst umgebracht.

»Er ist ohne Beichte und im Zustand der Sünde gestorben«, sagte der Priester, den sie immerhin dazu gebracht hatte, den Toten zu seinem Grab zu begleiten.

»Das trifft auf die meisten Kriegsknechte zu«, sagte Judith. Der Priester nickte, warf ihr aber einen schrägen Blick zu.

»Wie steht es um Eure eigene Seele, meine Tochter?«

»Ich bin Jüdin«, sagte sie.

»Und trotzdem wünscht Ihr Euch den Segen der Kirche für jenen Toten? Nun, das spricht für Euch.« Er erklärte sich auch bereit, Gilles die Beichte abzunehmen, aber für ihn sprechen wollte er nicht. Der Rabbi, der Judiths Buch gekauft und ihr das Haus besorgt hatte, war nicht minder unwillig und machte ihr sogar zum Vorwurf, dass er ihr Bürge in der Stadt gewesen war. Er hätte bei seinen Glaubensbrüdern schon genug Ärger gehabt, weil sie eine Abtrünnige vom wahren Glauben sei; ohne Taufe habe sie Gilles schließlich nicht heiraten können. »Habt Ihr Euch ihm verweigert?«, wollte der Rabbi wissen. »Ist das der Grund für seinen Sündenfall? Versucht Ihr deswegen, ihn zu retten?«

»Nein«, gab Judith heftig zurück und fragte sich, ob sie nicht hätte lügen sollen. Vielleicht würde jedermann die Sache gnädiger sehen, wenn sie Gilles bemitleideten als einen Mann, dessen Gattin ihre ehelichen Pflichten verweigerte? Doch nein, jeder

Dummkopf konnte sich ausrechnen, dass Gilles in diesem Fall zu anderen Frauen getrieben worden wäre.

Sie fragte sich auch, ob er Robert geliebt hatte. Es kam ihr eigenartig vor, dass ihr nicht einmal in den Sinn gekommen war, dass er sein Leben als ihr Gatte nicht keusch wie ein Mönch verbringen würde. Aber sie war nie neugierig gewesen; er hatte Robert einen alten Freund genannt, und sie hatte sich nie gefragt, ob er auch nur »Freund« meinte. Ständig mit sich und ihren eigenen Angelegenheiten beschäftigt gewesen zu sein, war ein weiterer Beweis ihrer Selbstsucht, und sie schämte sich. Hatte sie wirklich geglaubt, dass Gilles damit zufrieden war, sein Leben an ihrer Seite ohne Liebe zu verbringen?

Judith kam gerade von einem weiteren vergeblichen Versuch zurück, das Oberhaupt der Böttcherzunft als Fürsprecher zu gewinnen, dem sie bei seinem Rheuma geholfen hatte, als ihr der Bäcker zurief, ein Verrückter liefe durch die Straßen und frage alle Leute nach ihr. »Und nicht allein«, sagte er anzüglich. »Er hat noch einen anderen Mann bei sich.«

Judith hätte ihn umbringen können, aber dazu war keine Zeit. Wenn jemand sie so dringend suchte, dann hatte es gewiss mit Gilles zu tun, also beeilte sie sich, in ihr Heim zurückzukehren. Es kam ihr auch in den Sinn, dass der Pfalzgraf wissen wollte, warum sie noch nicht nach Hagenau aufgebrochen war, und nach ihr geschickt hatte. Womit sie auf keinen Fall gerechnet hatte, war der Anblick, der sich ihr bot: Walther von der Vogelweide, niedergeschlagen von einem Bewaffneten. Sein Begleiter, den sie nicht kannte, war drauf und dran, einen Streit mit der Wache anzufangen. Judith hatte nicht die Zeit, um nachzudenken.

»Vetter Walther!«, rief sie und stürzte neben dem Niedergeschlagenen auf die Knie. Zu den Kriegsknechten aufschauend, klagte sie: »Mein ehrenwerter Vetter kommt in der Stunde meiner Not, und Ihr behandelt ihn so? Ist es nicht genug, dass keiner Mitleid mit meinem Gemahl hat? Müsst Ihr nun auch meine Familie dafür bestrafen, dass sie mir beisteht?«

»Er hat behauptet, ein Ritter zu sein«, sagte einer der Soldaten, doch er klang unbehaglich. Judith brach in Tränen aus. Es fiel ihr nicht schwer, bei all dem, was in den letzten Tagen geschehen war, und sie schluchzte, so laut sie konnte, was das befriedigende Ergebnis hatte, dass die Männer schnell das Weite suchten. Walthers Freund stellte sich als Markwart vor und half ihr, den Bewusstlosen ins Haus zu schaffen. Dabei schaute er immer wieder schnell zu ihr, so dass sie sich fragte, was um alles in der Welt Walther über sie zu ihm gesagt haben mochte.

»Ihr seid doch die Magistra?« Sie nickte, während sie Wasser holte, um kalte Umschläge zu machen. »Wir sind Euretwegen einen ganz schön langen Weg gekommen«, sagte Markwart, doch noch ehe sie ihn darum bitten konnte, ihr zu erklären, wie er das meinte, erlangte Walther wieder das Bewusstsein. Judith sagte das Erste, was ihr in den Sinn kam.

Seine Antwort war völlig unerwartet, aber was sie wirklich aus der Fassung brachte, war sein Gesichtsausdruck, als sie ihn bat, Gilles zu helfen. Sie hatte ihn bisher wütend erlebt, spöttisch, zufrieden, selbstgefällig, verständnisvoll, um Beifall heischend, herausfordernd und in einem Dutzend weiterer Stimmungen, aber selbst, als er über seine Verstrickung sprach, was ihrem Vetter und den Seinen in Wien angetan worden war, hatte keine so große Verwundung in seinen Augen gelegen. Anders als bei allen Streitereien, die sie mit ihm gehabt hatte, war es diesmal nicht ihre Absicht gewesen, ihn zu verletzen, und doch zitterten seine Lippen für einen kurzen Moment wie bei einem Kind, ehe er sich wieder unter Kontrolle hatte und eine Maske wie ein weißes Leinentuch über sein Antlitz fiel.

Sie hörte sich selbst einen kleinen Laut ausstoßen, ein »oh«, ohne sich dessen bewusst zu sein. Konnte er wirklich in sie verliebt sein? Judith hatte sein Verhalten immer als ein Teil des Wettbewerbs genommen, in den sie zu fallen schienen, wann immer sie einander begegneten. Es war ganz bestimmt besser, sich Walther als jemanden zu denken, der außerhalb seiner Lieder gar nicht tief empfinden konnte.

Sie versuchte, sich zu sammeln, und fiel auf ihre Ärztemanier zurück, in der sie sachlich die Symptome einer Krankheit schilderte, ohne sich anmerken zu lassen, was sie selbst empfand. »Gilles ist angeklagt, einem anderen Mann beigewohnt zu haben. Niemand in dieser Stadt ist willens, Gnade walten zu lassen. Ehe Ihr fragt, die Anklage stimmt, aber das bedeutet nicht, dass ich ihn im Stich lassen werde. Er ist für mich durchs Feuer gegangen. Diese Ehe ist ihm aufgezwungen worden wie mir, aber wir haben das Beste daraus gemacht.«

Walther setzte sich so schnell auf, dass sie ihn an den Schultern zurückhielt. »Ihr könntet unter einer Gehirnerschütterung leiden. Bleibt noch etwas liegen.«

»Ich wusste, dass an dieser Ehe etwas nicht stimmte!«, sagte er triumphierend. Sein Tonfall erinnerte sie unglücklicherweise wieder daran, warum es so schwer war, mit ihm im gleichen Raum zu bleiben, ohne einen Streit zu beginnen.

»Woher? Ihr kennt mich nicht gut genug, um das zu wissen.«

»Nun, Euer Vetter Paul hat mir erzählt, dass Herr *Otto* den Ehestifter gespielt hat«, entgegnete Walther.

»Dann wart Ihr in Köln? Wie geht – ach, das hat Zeit. Walther, wir müssen Gilles helfen, so schnell wie möglich. Heute soll zwischen einer Züchtigung und einer Hinrichtung entschieden werden, und kaum jemand glaubt, dass sie Gnade walten lassen. Morgen könnte schon sein letzter Tag anbrechen.«

»Ich bin ein Sänger, kein Rechtsgelehrter«, sagte Walther, »und ein schwertkämpfender Held, der ihn vom Marktplatz entführen könnte, bin ich auch nicht.«

»Wie habt Ihr mich dann retten wollen?«, warf sie ihm an den Kopf. Er schenkte ihr ein schwaches Lächeln.

»Durch Bestechung, Amtsanmaßung, Fälscherei, was immer notwendig hätte sein können.«

»Bestechung?«, fiel Markwart ein. »Du hast Geld, um Gefangenenwärter zu bestechen, aber wir schlafen immer noch in Ställen?«

»Man kann nicht nur mit Geld bestechen«, entgegnete Walther.

Judith krauste die Stirn. »Ich habe Bücher«, sagte sie, »aber das einzige, das sofort einen Käufer finden würde, habe ich bereits verkauft.« Erneut fiel ihr Irenes Ring ein. Sie trug ihn nicht am Finger, weil Ringe sie nur bei der Arbeit behindern würden, aber er hing an einer Schnur um ihren Hals, verborgen unter ihrem Oberkleid, wo ihn begehrliche Augen nicht sehen konnten. Rasch holte sie ihn hervor. Markwart pfiff durch die Zähne, als er ihn sah.

»Nun, eigentlich sollte der mehr als genügen«, sagte Walther, »nicht nur für einen Wächter, aber das Problem bei Bestechungen ist, dafür zu sorgen, dass die Leute nicht einfach nur das Geld nehmen und einem danach trotzdem nicht helfen.«

»Ihr seid nicht ermutigend«, sagte sie mürrisch und meinte das Gegenteil: Nicht mehr alleine über einen Ausweg nachgrübeln zu müssen, sondern jemanden zu haben, der alles Mögliche war, doch nicht dumm, ließ ihre Lebensgeister aufleben.

Walther setzte sich erneut auf, diesmal wesentlich langsamer. »Wie«, fragte er, und auch in seine Stimme kehrte mehr und mehr Belebung zurück, »steht es wohl um die Gesundheit der Wärter?«

KAPITEL 26

Die Lochzellen befanden sich unter dem Rathaus. Da in der Regel niemand länger als ein paar Wochen in ihnen gefangen gehalten wurde, ehe ein Urteil erging, gab es nur zwei Wächter. Judith hatte überlegt, den beiden einen Krug Bier mit einem Schlaftrunk zu bringen, doch sie kannten ihr Gesicht von all den vergeblichen Versuchen, mit Gilles zu sprechen. Als Walther nun fragte, erzählte sie ihm davon und berichtete von den Mitteln, jemanden kürzer oder länger außer Gefecht zu setzen.

»Ich hoffe, dass ich niemals wirklich krank werde. Als Ärztin seid Ihr furchteinflößend.«

»Danke«, sagte sie und klang durchaus geschmeichelt.

Walther dachte kurz nach, meinte dann aber, er habe eine bessere Idee. Markwart sollte beginnen, Judiths Habseligkeiten in Satteltaschen zu verstauen und zwei weitere Pferde zu besorgen, die bereitstehen mussten, wenn sie Erfolg hatten. »Ihr habt doch bestimmt Siegellack, um Eure Arzneifläschchen zu versiegeln?« Judith bejahte. »Und eine Münze mit dem Wappen der Welfen doch bestimmt auch?«

»Auch das, aber wollt Ihr mir nicht erzählen, was Ihr plant?«

Es war ihm anzusehen, dass er Vergnügen daran hatte, ihr seine Überlegenheit zu beweisen, und er hätte sie bestimmt noch eine Weile im Unklaren gelassen, wenn ihm nicht eine Schwachstelle in seinen Überlegungen bewusst geworden wäre. »Verdammte Schei– … entschuldigt bitte. Ohne Kettenhemd und Oberkleid mit dem Welfenwappen wird es schwierig.«

»Dann sagt mir endlich, was genau Ihr beabsichtigt, vielleicht kann ich helfen.« Um ihren Worten Nachdruck zu verleihen, begleitete Judith sie mit einem bewundernden Blick, der ihr nicht schwerfiel: Hilfe zu haben, war etwas Köstliches.

»Ich habe Pergament, Ihr Siegellack und Münze. Ich schreibe den Befehl des Markgrafen, dem Übermittler den Gefangenen auszuhändigen, sowie einen weiteren für die Stadtwache, vier Leuten zu jeder Zeit freien Durchlass zu geben.«

»Ihr schreibt … was?«

»Ihr habt mich durchaus recht verstanden.« Walther grinste zufrieden. »Kaum ein Kriegsknecht kann lesen und schreiben. Was ihnen glaubhaft und mit Autorität unter die Nase gehalten wird, werden sie nicht anzweifeln. Wer kennt schon den Siegelring des Markgrafen? Sein Wappen kennen aber alle in Braunschweig und werden das, was auf kostbarem Pergament damit gesiegelt ist, nie und nimmer anzweifeln. Nur unsere Kleidung, die passt nicht. Nicht bei Markwart, nicht bei mir.«

»Wir haben Gilles' Ausrüstung«, sagte Judith schnell. »Er war bei der Stadtwache. Alles liegt noch hier. Gilles ist kaum kleiner als Euer Begleiter, und für Euch«, ihr Lächeln verschwand, »für Euch … habe ich auch eine Lösung. Ich brauche zwei Stunden.«

Judith ging einen Weg, den sie bisher immer vermieden hatte. Nicht, weil es ihr nach mehreren Monaten ihrer Bekanntschaft mit Maria immer noch unmöglich erschien, ihn zu gehen; sie war ihr eine gute Freundin geworden, doch die beiden Frauen waren übereingekommen, dass dies nicht bekannt werden musste. Maria hatte Verständnis gezeigt, dass Judith ihre Position bei der frommen Pfalzgräfin nicht gefährden wollte, und war daher nur nach Einbruch der Dunkelheit zu ihr gekommen, um zu plaudern und mit ihr Neuigkeiten auszutauschen.

Maria führte das Hurenhaus tatsächlich alleine. Ihr Mann, der es vorher als Bader geleitet hatte, war verstorben, aber sie hatte keine Schwierigkeiten damit, eine Autorität für Frauen und Männer zu sein, und von der Stadt die Erlaubnis erhalten.

Im Verlauf der Monate hatte es sich ergeben, dass Maria auch nach Mitteln fragte, die den Frauen bei ihrer Tätigkeit im Hurenhaus helfen konnten. Es stellte sich rasch heraus, dass sie selbst einige Stärkungsmittel kannte, die Judith unbekannt waren, obwohl just dies ein Thema war, über das sich männliche Ärzte aller Zeiten immer gerne schriftlich ausgelassen hatten. »Zufriedene Kunden sind häufige Kunden«, sagte Maria. So erfuhr Judith, dass nicht nur Spargel, sondern auch Sellerie, Karotten und Petersilie den Mann stärkten und dass Basilikum, Thymian, Spinat und Nüsse bei Mann und Frau die Lust auf die Lust gleichermaßen erhöhen sollten. Was alle Frauen um Maria aber am meisten interessierte, waren Mittel für die Verhütung. Darüber hatte Judith in Salerno zwar einiges erfahren – wie das Tragen der Gebärmutter einer Ziege auf dem Bauch –, doch das wenige, was ihr einigermaßen verlässlich erschien wie Zitronenschalenhüte für den Muttermund, war für eine einfache Frau nicht zu erhalten. Dafür konnte sie mit Mitteln gegen Schwellungen und Jucken in der Vagina aufwarten, wofür Eibisch und Polei-Minze in die Bäder gestreut werden sollten, genau wie mit Mitteln gegen Ausschläge. Außerdem bereitete sie für Maria Mixturen, mit denen randalierende Männer ruhiger gestimmt werden konnten oder diese ganz zum Schlafen brachten. Auch Mittel gegen Läuse und verträglichere Salben für das Gesicht sowie bessere Gleitmittel für den sicheren Eingang, welche sie selbst auch gelegentlich bei Untersuchungen brauchte, waren begehrt.

So erfuhr Judith mehr und mehr aus diesem Haus, ohne es je betreten zu haben. Zunächst stieg ihr noch die Röte in die Wangen, wenn Maria so ganz nebenbei erzählte, wie ein Mann drei Frauen haben wollte, bezahlt hatte und nach dem ersten Anlauf schon eingeschlafen war. Auch von merkwürdigen Sonderwünschen hörte Judith, wenn ihr auch ein Mann wie der, welcher nur durch die Füße der ihm gegenübersitzenden Frau befriedigt werden wollte, ein Rätsel blieb. Eines Tages entdeckte sie dann, dass sie über solche Dinge lachen konnte, so natürlich erzählte Maria davon, eingeflochten in ihre Gespräche über Kochrezepte, wo es Bier, Rüben und Roggen am billigsten gab oder warum Braunschweig wieder die größte Stadt Sachsens werden sollte.

Als sie nun vor dem Hurenhaus stand, war es trotzdem eine große Überwindung, einzutreten – bis sich zwei Männer, welche den gleichen Weg hatten, einfach bei ihr unterhakten und fragten, ob sie heute noch frei sei. Judiths natürliche Reaktion wäre eine Ohrfeige gewesen, aber das hätte zu Aufsehen geführt, was sie vermeiden wollte. Sie bremste sich gerade noch rechtzeitig und sagte mit ihrem freundlichsten Lächeln: »Nicht so schnell, Freunde, ich muss erst mit Maria sprechen. Wisst Ihr, wo ich sie finde?«

»Du hast noch viel zu viel an, mein Schatz, aber wir werden dir helfen, du kannst dich auf uns verlassen«, meinte einer. Das war nicht das, was sie erhofft hatte, aber was blieb ihr übrig; sie betrat zwischen ihnen das Haus. Aus dem Raum, dessen Tür ihre Begleiter gutgelaunt aufrissen, kam Musik. Als sie hineinblickte, sah sie zwei Spielleute mit Fiedel und Laute, eine Tischplatte voll mit Speisen und Getränken, mehrere freie und einige von Frauen und Männern benutzte Zuber für zwei, aber auch solche für mehr Benutzer. Die Anwesenden trugen ein loses Tuch um ihre Körper oder waren ganz nackt, bis auf Hauben bei den Frauen und häufig Hüten bei den Männern. Vollständig bekleidet war niemand, noch nicht einmal die Mägde, welche warmes Wasser nachschütteten oder Gäste auf Ruheliegen massierten. Es herrschte eine ausgelassene Stimmung; alle lachten, sangen und schienen bester Laune. Nur, wenn man genauer hinblickte, sah man, dass einige der Frauen wohl starke Pflanzenmittel benutzten, um die Zeichen der Erschöpfung aus ihren Gesichtern fernzuhalten. Sie hatten die unterschiedlichsten Figuren, manche sehr üppig, andere fast knabenhaft. Einige wären sogar als Modell für die Statuen der heidnischen Götter geeignet gewesen, die Judith in Italien gesehen hatte, so ebenmäßig wirkten sie. Erst als sie bemerkte, wie eine Frau sich völlig ungezwungen das Glied eines Mannes nahm, wusste Judith nicht mehr, wohin sie schauen sollte. Als einer ihrer Begleiter »Maria!« brüllte, tat sich eine weitere Tür auf, und ihre Freundin betrat endlich den Raum. Judith war geneigt, eine Kerze zu stiften, obwohl das eine rein christliche Zeremonie war.

Maria musste ihr ansehen, dass etwas nicht stimmte; vielleicht wusste sie auch einfach nur, dass es schwerwiegende Gründe gab, wenn Judith ihr Haus besuchte. »Meine Freundin und ich müssen etwas besprechen«, sagte sie und griff nach Judiths Hand; da die beiden Männer nicht von ihr lassen wollten, fügte sie hinzu: »Fragt oben nach Brunhilde, die ist gerade frei.« Brunhilde musste etwas Besonderes zu bieten haben, denn die Männer gaben Judith ohne Maulen und mit erkennbarer Vorfreude frei und zogen ab, während Maria die Tür des Nebenraums hinter ihnen schloss. »Ich brauche ein Kettenhemd«, begann Judith ohne Vorrede, »Wehrgehänge, Helm und Oberteil mit dem Wappen der Welfen, für einen Mann, schlank und gut einen halben Kopf größer als ich, und Männerkleider für mich. Kannst du mir das alles rasch besorgen?« Sie fügte nichts hinzu. Maria musste von Gilles gehört haben, das war Stadtgespräch.

Maria schaute sie einen Moment lang schweigend an, dann sagte sie: »Warte hier, ich brauche nur einen kurzen Moment. Ich kann dich dann auch gleich zur Hintertür rauslassen, du musst nicht mehr an allen Besuchern vorbei.« Judith wollte sie umarmen, aber Maria war schon aus dem Raum verschwunden.

Was folgte, erschien Judith wie eine Ewigkeit. Sie wollte nie mehr eine solche hilflose Wartezeit erleben. Sie konnte sich auch nicht setzen; von einer Wand zur anderen zu laufen, hin und her, nur das ging. So hatte sie einen Braunbären im Bärenzwinger von Köln gesehen und Mitleid mit ihm gehabt. Jetzt war sie der Bär.

Als Maria mit einem Sack wieder den Raum betrat, war Judith sicher, alle Sünden abgebüßt zu haben, die sie getan und nicht getan hatte. Sie war klatschnass, so hatte sie geschwitzt.

»Ich hoffe, du kannst das alles tragen, es ist nicht leicht«, sagte Maria. »Einige Besucher haben dein kräftigstes Schlafmittel ins Bier bekommen und dazu etwas Branntwein. So hast du eine Nacht Vorsprung, wenn meine Gäste denn je den Mut haben zuzugeben, wo sie ihre Kleider verloren haben.« Sie kniff ihr in die Wange. »Ich hoffe, wir werden uns irgendwann wiedersehen. Es war schön mit dir hier in Braunschweig. Und Judith, nie vergessen: *Wer gibt, der kriegt,* das gilt immer noch!«

Judith umarmte sie und hielt ihre Freundin fest umschlungen. Schließlich stammelte sie ihr ins Ohr: »Ich werde dich auch vermissen. Leb wohl.«

Der Sack war wahrlich schwer. An jedem anderen Tag hätte Judith einen Mietknecht geschickt, die Last zu holen. Heute war aber kein normaler Tag, und trotz des großen Gewichts ging sie leichten Fußes, beschwingt, als wäre die Befreiung bereits gelungen. Sie war voll neuer Hoffnung.

* * *

Natürlich hatte Markwart geunkt, dass er nicht im Kerker landen wolle und was Walther für Menschen kannte; trotzdem hatte er nicht mit einer Silbe angedeutet, dass er ihn im Stich lassen würde, und Walther hatte ihn umarmt, was er seit langer Zeit nicht getan hatte. Sein Freund machte sich dann auf den Weg, um Pferde zu kaufen.

Zwei Pergamente mit Anweisungen zu schreiben dauerte nicht lange und war nichts im Vergleich dazu, auf Judith warten zu müssen. Während das Siegel mit dem Abdruck der Münze erkaltete, nahm Walthers Nervosität von Moment zu Moment zu. Endlich tauchte Markwart mit zwei gesattelten Pferden auf. Walther war dankbar, ihn über den fürchterlichen Preis schimpfen zu hören, den er hatte zahlen müssen, denn das lenkte ihn ab.

Als Judith schließlich schwer bepackt erschien, wusste er nicht, ob er sie erleichtert an sich reißen oder fragen sollte, woher sie das weitere Kettenhemd und die andere Männerkleidung hatte. Er entschied sich gegen beides und schlüpfte mit Markwart in die Sachen. Nachdem sie die Helme aufgesetzt hatten, waren sie nicht mehr zu unterscheiden von den vielen anderen welfischen Kriegsknechten in der Stadt. »Du redest kein Wort«, schärfte er Markwart ein, aber das hätte er nicht zu sagen brauchen. Sooft Walther auch schon mit Frauen das Bett geteilt hatte, war er doch noch nie Zeuge geworden, wie sie sich zurechtmachten, und es berührte ihn eigenartig, Judith dabei zu beobachten, was nicht nur daran lag, dass sie ihrem Gesicht mit Kohle, Rinde und einem Gemisch aus weißer und roter Zaunrübe männliche Züge gab. Sie tat es mit einer Freude und Leichtigkeit, als hätte ihr der Plan, Gilles zu retten, Jahre von der Schulter genommen. Ob sie so als Mädchen gewesen war, ehe er sie kennengelernt hatte?

Die Sonne war bereits untergegangen, als Judith sie durch die dunklen Gassen direkt zum Rathaus führte. Offensichtlich waren alle Bediensteten bereits nach Hause gegangen; Walther und Markwart begegneten niemandem im Gebäude und standen bald vor der Tür, die Judith ihnen beschrieben hatte und hinter der die Lochgefängnisse lagen.

Walther klopfte und meinte, sein Herz gegen das Gewirr aus Stahlringen, das er erstmals trug, schlagen zu hören. Als aber die Tür geöffnet wurde, war alles ruhig in seiner Stimme, der er einen leichten Akzent gab: »Eine Order der Pfalzgräfin, für Euch. *Eilig!*« Mit einer schwungvollen Bewegung knallte er dem Wachmann sein erstes versiegeltes Pergament vor die Brust und schaute so fordernd, wie er nur konnte. Der Mann blickte von ihm zu dem Pergament und wusste offenbar nicht, was von ihm erwartet wurde. »Nun macht die Order schon auf. Es ist ein Befehl für Euch, uns den gefangenen Aquitanier zu übergeben.«

Sein Gegenüber blickte auf das Siegel, dann brach er es vorsichtig auf, um ja nichts zu beschädigen. Sein Blick in das Dokument verriet nicht, ob er es lesen konnte. Jedenfalls starrte er so lange auf die geschriebenen Wörter, als müsse er das ganze Nibelungenlied darin entziffern, so erschien es zumindest Walther. So konnte es nicht weitergehen.

»Geht schon!«, herrschte er den Mann an. Als seine Worte immer noch keine Reaktion hervorriefen, packte er ihn bei den Schultern, drehte ihn einfach um und schob ihn in den Gang. Einmal in Bewegung geraten, lief er dann auch. Vor der nächsten Tür drehte er sich aber um, schaute zu ihnen beiden und fragte: »Und Ihr seid …«

»Ein Dienstmann der Pfalzgräfin.«

»Was will die denn mit einem überführten Liebhaber von Männern?« Misstrauen flackerte in seinem Blick auf.

»Ganz unter uns? Aber es muss ein Geheimnis bleiben!« Der Wächter nickte. »Er ist ein *sehr* alter Freund ihrer Familie. Ihrer Schwäger, wenn Ihr versteht, was ich meine.« Walther räusperte sich. »Oder ist Euch etwa nicht aufgefallen, dass er aus Aquitanien stammt, wo der Pfalzgraf mit seinen Brüdern auch … nun, ihre Jugend verbracht haben?«

»Ihr meint … bei allen Heiligen! Der Otto, gar unser Pfalzgraf?«

»Die Pfalzgräfin«, bemerkte Walther gewichtig, »macht sich große Sorgen, dass der Mann vor seiner Bestrafung und aller Ohren Dinge sagt, die am Hofe Richards geschahen und … nun, jedenfalls wünscht sie, ihn zu sehen.«

Der Wächter hatte die Augen aufgerissen. »So was aber auch!« Er rieb Walthers kostbares Pergament zwischen den Fingern und starrte wieder auf das Siegel. »Sagt der Pfalzgräfin, sie kann sich jederzeit auf mich verlassen. Kommt mit!«

Ganz egal, ob der Mann lesen konnte oder nur das Siegel erkannte: Wie einfach war es doch, Menschen mit etwas beschriebenem Pergament zu beeindrucken, wenn ihr Wissen und ihre Phantasie nicht ausreichten, um Behauptungen zu hinterfragen. Walther ließ sich das Schriftstück wieder aushändigen; er hatte noch Verwendung für das Pergament. Danach folgten Walther und Markwart ihm durch die unteren Gänge des Rathauses zum Lochgefängnis. Der zweite Wachmann saß davor und schnarchte.

»He, steh auf, wir müssen den Gefangenen übergeben.« Sein Kollege blickte nicht gescheiter daher, als er selbst es getan hatte, war aber offenbar gewohnt, zu gehorchen. Er stieß den Riegel zurück, der den runden Verschlag über dem Gefängnis zuhielt, und rief hinein: »Männerficker!«

Schweigen. Es kam Walther in den Sinn, dass Gilles glauben konnte, sein Ende sei gekommen, daher fügte er hastig hinzu: »Die Pfalzgräfin will Euch sehen, und Eure Gemahlin, und Ihr sollt singen wie ein Minnesänger.«

Seine Hoffnung ging auf: Gilles schien durch den Hinweis auf den Minnegesang seine Stimme erkannt zu haben. Es rührte sich etwas. Walther kniff die Augen zusammen und konnte einen verdreckten Mann ausmachen, der sich schwerfällig vom Boden erhob und in die Höhe reckte, um sich von den zwei Wächtern an seinen ausgestreckten Armen nach oben ziehen zu lassen. Als Gilles endlich seinem Loch entkommen war, musterte ihn Walther mit einiger Bestürzung. Der Mann war mit Hautrissen, dunklen Flecken und Beulen übersät und musste mehr als einmal zusammengeschlagen worden sein. Seiner Rolle getreu fuhr er ihn jedoch an, er solle sich nicht so anstellen und ihm folgen. Schweigend machten sie sich auf den Weg. Walther meinte die ganze Zeit, die Blicke der Wachleute im Rücken zu spüren. Gilles bewegte sich mit derart schweren, offenkundig schmerzerfüllten Bewegungen, dass er außerdem fürchtete, ihn nicht bis zu der wartenden Judith durchzubringen.

Als sie endlich die Rathaustür hinter sich gelassen hatten, ohne einer weiteren Wache begegnet zu sein, raunte er ihm zu: »Lasst uns verschwinden. Judith wartet.« Markwart und er packten ihn wie einen betrunkenen Freund unter seinen Armen; so würden sie schneller vorankommen.

Inzwischen war es tiefe Nacht, doch dank des Halbmonds konnten sie noch einigermaßen sehen. Walther entdeckte Judiths Gestalt, als sie ihnen über den Marktplatz entgegeneilte. Gilles machte sich los und umarmte sie trotz seiner Wunden mit einer Heftigkeit, die Walther an die Eifersucht erinnerte, die ihn in Köln beim ersten Anblick des Paares geplagt hatte.

»Ich dachte, ich sei tot«, flüsterte Gilles in Judiths Haar. »Robert?«

»Er hat ein christliches Begräbnis erhalten«, sagte sie beruhigend und streichelte seinen Rücken. Als er zusammenzuckte, fügte sie mit belegter Stimme hinzu: »Gilles, du gehörst ins … du solltest …«

»Wir müssen von hier verschwinden«, ergänzte Walther scharf, »Judith, Ihr solltet die Pferde festhalten!« Sie sah ihn erschrocken an und wusste offensichtlich, dass sie einen Fehler gemacht hatte. Glücklicherweise standen die Tiere immer noch dort, wo sie zurückgelassen worden waren. »Gilles, zieht schnell die frischen Sachen über, das wird helfen, aus der Stadt zu kommen. Wir müssen uns beeilen. Keine Macht auf der Welt schätzt es, wenn man ihnen Gefangene entführt, und ich glaube nicht, dass die Braunschweiger da Ausnahmen sind.«

Auch die Wachen am Stadttor ließen nicht erkennen, ob sie lesen konnten oder nicht, aber nach einer kurzen Diskussion – bei der Walther sein Talent dafür entdeckte, wütend die Stimme zu erheben, während er eigentlich das Gefühl hatte, die Luft anhalten zu müssen – hatten das gefälschte Siegel und das echte Pergament die richtige Wirkung. Die Wache, die zugab, nicht lesen zu können, das Siegel ihres Herrn auf teurem Pergament jedoch erkannte und Männer, die sich amtsgewaltig gaben, nicht durchließ, musste erst noch geboren werden.

Während Walther und die anderen langsam davonritten und den Moment herbeisehnten, wenn sie den Pferden die Sporen geben konnten, ohne verdächtig zu wirken, dachte er daran, dass er zufrieden sein konnte, die beiden Pergamente wieder sicher in seiner Tasche zu wissen. Bei der nächstbesten Gelegenheit würde er die beiden Blätter abschaben, dann waren sie wieder so gut wie neu. *Manchmal*, dachte Walther, *war es eine gute Sache, die Vergangenheit loswerden und einen neuen Anfang machen zu können.*

Ob die Braunschweiger sich überhaupt die Mühe machten, Gilles jemanden hinterherzuschicken, wusste keiner von ihnen. Sie hatten absichtlich das Westtor genommen und so getan, als ob sie in Richtung Rheinland wollten, und waren erst weit außerhalb der Sicht der Wachen nach Süden geschwenkt. Trotzdem erschien es angebracht, erst zwei Tagesritte von Braunschweig entfernt etwas länger zu verweilen. Gilles, das musste Walther zugeben, zeigte große Selbstbeherrschung und beschwerte sich nicht, obwohl er gewiss bei jedem Schritt des Pferdes litt. Auch sonst war er schweigsam, was kein Wunder war. Dass der sonst recht redselige Markwart ebenfalls ein Schweigegelübde abgelegt zu haben schien, kam überraschend. Als Walther ihn in der ersten Nacht zur Seite zog und fragte, ob etwas nicht stimmte, kratzte sich Markwart am Kopf und meinte, er wisse eben nicht, ob man Gilles trauen könne.

»Inwiefern trauen?«, fragte Walther verblüfft.

»Also, ich schlafe lieber mit meinem Hintern gegen eine Wand, wenn du verstehst, was ich meine«, entgegnete er bedeutungsvoll.

»Markwart, der Mann ist gerade dem Tod entronnen, man hat tagelang auf ihn wie auf einen Sack voll Korn eingeprügelt, und wenn ich es recht verstanden habe, dann hat er jemanden verloren, der … nun, der ihm etwas bedeutet hat. Unter solchen Umständen ist deine Tugend bestimmt nicht gefährdet.«

»Wenn jemand so abartig ist, hinter Männern statt Frauen her zu sein, dann weiß man nie«, verteidigte sich Markwart. »Außerdem ist dein Mädchen auch ganz und gar nicht so, wie ich sie mir vorgestellt habe. Sie … sie ist ja gelehrt wie eine Nonne!«

»Du wusstest doch, dass sie eine Heilerin ist.«

»Die alte Gundel bringt bei uns im Dorf alle Kinder zur Welt und braut auch Kräutertee für alle Kranken, aber ihren Namen schreiben kann sie trotzdem nicht. Weißt du, wie schwer die Bücher sind, die mein armer Gaul nun für sie zu schleppen hat? Außerdem verstehe ich nicht, warum sie so zärtlich mit dem Kerl tut, der sie betrogen und gegen Gott und die Welt gesündigt hat. Und sag nicht, dass dich das nicht auch stört! Ich kenne dich. Du schaust immer noch wie jemand, dessen Braten gerade von einem anderen gegessen wird.«

Mit dieser Beobachtung hatte er nicht ganz unrecht. Was Walther immer wieder einen Stich versetzte, war die Vertrautheit und Zuneigung zwischen Gilles und ihr, vor allem, wenn er bedachte, wie wenige Begegnungen zwischen Judith und ihm je ohne Streit geendet hatten. Gleichzeitig war er sich bewusst, wie dumm dieser Neid war, und versuchte, ihn zu unterdrücken, so gut er konnte. Die Wirklichkeit war immer anders, als man sie sich erhoffte. Zumal es in seiner Vorstellung Judith, nicht Gilles gewesen war, die er vor einer drohenden Gefahr rettete, um dann mit einem Kuss sämtliche Missverständnisse zu klären.

Da er mit ihr sprechen wollte, auch wenn er nicht das sagen konnte, was er sich wünschte, fragte er Judith, was es nun mit ihrem Onkel, Otto und den Staufern auf sich hatte. Zuerst wich sie ihm aus, weshalb er sich zu einem eigenen Geständnis entschloss: »Er hat versucht, mich als Spitzel anzuwerben, Euer Onkel. Mit dem Auftrag, nach Euch zu suchen, weil er sich so große Sorgen um Euch macht.«

»Und das habt Ihr ihm geglaubt?«

»Nein«, gab Walther zu. »Das heißt, ich glaube wohl, dass er sich Sorgen macht, aber ob nun Sorgen um Euch oder Sorgen darum, dass Ihr ihn in den Augen des Erzbischofs und Ottos als unzuverlässig erscheinen lasst, das weiß ich nicht. Vor allem jedoch wollte er durch mich Verbindungen zu ganz bestimmten Edelleuten an Philipps Hof knüpfen, um so ein paar gut unterrichtete Spitzel zu gewinnen.«

Judith biss sich auf die Lippen. »Das sieht ihm ähnlich«, sagte sie enttäuscht.

»Es könnte sein, dass er recht hat«, sagte Walther.

»Womit?«

»Damit, wen er unterstützt. Ich habe das Angebot Eures Onkels nicht angenommen, weil der Papst sich für Otto entschieden hat, und derjenige, der mir in diesem ganzen Spiel am meisten zuwider ist, ist dieser Innozenz. Der will nur die Weltherrschaft der Staufer durch seine eigene ersetzen. Aber sonst ... Judith, soweit es Philipp und Irene betraf, hättet Ihr in Braunschweig verrotten können. Wenn mir Lucia nicht erzählt hätte, wo Ihr seid, dann würde ich jetzt noch in Hagenau auf eine Auskunft warten, wo ich Euch finden kann.«

»Woher hätten der König und seine Gemahlin denn wissen sollen, dass ich Hilfe brauche?«, fragte Judith zurück. Sie klang so, als wollte sie sich selbst überzeugen. »Was in Braunschweig geschehen ist, hatte nichts mit Staufern oder Welfen zu tun.«

»Das mag alles so sein. Aber haltet Ihr Philipp wirklich für den besseren König? Bisher kann ich keinen Unterschied zwischen ihm und Otto erkennen, was die Art, Kriege zu führen betrifft oder den Umgang mit Untergebenen.«

»Ich schon. Philipp hat keine Freude daran, Menschen zu quälen«, sagte Judith bestimmt.

»Das war der Nonne, die von seinen Leuten geteert und gefedert wurde, gewiss ein Trost«, gab Walther zurück. »Natürlich glaube ich nicht, dass Philipp persönlich den Befehl dafür gegeben hat, aber …«

»Wenn Soldaten nicht glauben würden, dass sie für so etwas belohnt statt bestraft werden, dann täten sie es nicht«, fiel Gilles überraschend ein. Seine Stimme war noch immer rauh; er klammerte sich an den Sattelknauf seines Pferdes, als müsse er sich vor dem Stürzen bewahren, doch offenbar hörte er ihrem Gespräch sehr aufmerksam zu.

»Kümmert Euch wirklich die Nonne oder dass Philipp Euch nicht genügend ehrt und vertraut?«, fragte Judith mit erkennbar angespannter Stimme, und da wusste er, dass sie selbst auch ihre Zweifel haben musste. Was nichts daran änderte, dass sie mit ihrer Vermutung mehr als ein Körnchen Wahrheit aufgelesen hatte, wenn er in sich horchte.

»Mich kümmert … manches. Was kümmert Euch?«, fragte er herausfordernd. »Wofür habt Ihr in Braunschweig und Brabant Euer Leben aufs Spiel gesetzt? Für die Sache der Staufer, oder um Otto und Eurem Onkel eins auszuwischen?«

Sie erwiderte nichts. Walther verfluchte sich, weil es ihm vorkam, als folgten seine Begegnungen mit Judith den strengen Vorschriften eines Tageliedes, ohne Abweichung: Auf Harmonie folgte Streit, so sicher wie das Amen in der Kirche. Gleichzeitig wollte er auch nichts zurücknehmen. Es war eine ehrliche Frage gewesen, und wenn sie selbst unbequeme Wahrheiten aussprach, dann musste sie auch bereit sein, solche zu hören.

»Lasst uns beide darüber nachdenken«, sagte Judith.

Danach wurde lange Zeit nichts mehr gesprochen.

In einer Nacht, als sie in einem verlassenen Dorf Quartier in einer Ruine machten, die nicht so ausgebrannt war wie die meisten anderen, um Gilles etwas Zeit zur Erholung zu geben, sprach dieser ihn überraschend an.

»Mein Freund«, sagte er, »ich habe Euch noch nicht gedankt für Eure Hilfe.«

Walther machte eine wegwerfende Handbewegung.

»Ich glaube, ich wäre sonst tot«, fügte Gilles sehr ernst hinzu. »Und manchmal wünschte ich mir das sogar, nachdem Robert mich an die Wachen verraten hatte.«

»Es geschah nicht Euretwegen«, sagte Walther ehrlich, und der Aquitanier überraschte ihn.

»Ich weiß. Aber wenn Ihr sie gewinnen wollt, dann werbt Ihr auf eigenartige Weise«, antwortete Gilles weise lächelnd. Zum ersten Mal seit Jahren fühlte Walther, wie ihm das Blut ins Gesicht stieg. Er hatte den peinlichen Eindruck, dass er errötete wie ein Knabe. Er schluckte die erste Antwort hinunter, die ihm auf der Zunge lag, nämlich die, dass er besser wisse, wie man Frauenherzen gewänne, als ein Mann wie Gilles. Dessen Feststellung war aber so erkennbar gutmeinend, dass es beleidigend gewesen wäre, und außerdem würden sie es noch eine ganze Weile miteinander aushalten müssen. Plötzlich kam Walther ein Gedanke. Judith wusch sich gerade, und Markwart war bei den Pferden, was hieß, dass er mit Gilles alleine war.

»Was genau hat Otto ihr eigentlich angetan, und was ihr Onkel?«

Gilles musterte ihn nachdenklich. »Warum wollt Ihr das wissen? Um zu entscheiden, für wen Ihr zukünftig Eure Lieder schreibt und Eure Dienste verrichtet?«

»Nein. Um Judiths willen.«

Das meiste, was Gilles ihm erzählte, hatte Walther sich gedacht; ein paar Kleinigkeiten überraschten ihn dennoch, und er war erleichtert, dass seine schlimmste Befürchtung, Otto habe sie vergewaltigt, nicht zutraf. Er dankte Gilles und versprach, die Eröffnungen vertraulich zu behandeln.

Sie hatten eine angekohlte Bibel in dem Haus gefunden, was für ein Pfarrhaus sprach. Wenn der Pfarrer oder der Vikar eine Bibel besaß, dann gehörte er zu den wohlhabenderen, denn viele Priester in den Dörfern, die er kannte, hatten nie eine besessen. Walther bat Markwart und Gilles, das Haus doch etwas genauer zu untersuchen. »Viele Leute vergraben etwas, um bei Überfällen ihre Wertsachen nicht zu verlieren. Gerade die Feuerstelle«, sagte er ihnen, »ist ein sehr übliches Versteck.« Egal, ob sie etwas fanden, sie waren jetzt längere Zeit beschäftigt – und er wollte unbedingt allein mit Judith sprechen.

Er traf sie auf dem halben Weg zum Bach, wieder in Frauenkleidern und mit einer feuchten Haube; sie musste ihre Haare gewaschen haben.

»Ich wünschte, Ihr würdet sie offen tragen«, sagte Walther. »Wenigstens so lange, wie wir hierbleiben. Die Tiere um uns herum bringt das bestimmt nicht zum Erröten.«

Ihre Mundwinkel zuckten. »Aber wer wird Euren armen Freund vor dem Anblick meiner unbedeckten Haare schützen? Ich habe den Eindruck, dass er schon jetzt um seine Ehre fürchtet.«

Walther wusste nicht, ob sie ihn und Markwart in der ersten Nacht ihrer Flucht gehört hatte oder aus seinem Verhalten ihre eigenen Schlussfolgerungen zog, doch er musste grinsen. »Ich denke, er wird es überleben.« Weil er Markwart die Treue eines alten Freundes schuldete, fügte er etwas ernster hinzu: »Vergesst nicht, dass er jetzt ein Gesetzesbrecher ist, der einem Verbrecher geholfen hat, vor der Strafe zu fliehen. Und er hat nicht gezögert. Da fallen seine übertriebenen Vorsichtsmaßnahmen, finde ich, nicht so sehr ins Gewicht.«

Judith betrachtete ihn mit ihrem Blick, der ihm immer schärfer erschien als der bei den meisten Menschen, als hätte sie die Macht, genauso deutlich in Seelen schauen zu können, wie sie Krankheiten erkannte. Dabei wusste er, dass sie es nicht konnte; sonst hätte sie bereits in Wien gewusst, was in ihm vorging.

»Nein, das tun sie wirklich nicht«, erwiderte sie leise. »Walther, ich habe mir immer gesagt, dass ich nur tun will, was rechtens ist. Ich habe einen Eid geschworen, den Menschen zu einem erfüllten gesunden Leben zu verhelfen, nicht zu einem raschen Tod. Aber erst habe ich durch meinen Onkel Otto geholfen, danach Philipp, und nun herrscht Krieg im Reich, zu dem ich ebenfalls etwas beigetragen habe. Als ich nach Salerno kam, da habe ich mit eigenen Augen gesehen, was mit einer Stadt geschieht, die gebrandschatzt wird. Was mit den Menschen in so einer Stadt geschieht. Genau das ereignet sich jetzt jedes Mal, wenn ein Anhänger Ottos eine Stadt oder Burg von Philipps Anhängern angreift, oder wenn Philipp eine Stadt stürmen lässt, welche Otto unterstützt. Und ich – ich habe geholfen, statt es zu verhindern! Deswegen bin ich wütend geworden, über mich, als Ihr meine Gründe wissen wolltet. Wenn Ihr recht habt, wenn ich es nur getan habe, weil ich meinem Onkel grolle und weil Otto mir widerwärtig ist, dann klebt das Blut dieser Menschen an meinen Händen, nur meiner Eitelkeit wegen.«

Es war nach ihrem Geständnis, die Mörder ihrer Verwandten in Wien umbringen zu können, das zweite Mal, dass sie ihm Einblick in ihr Inneres gewährte. Walther spürte Zärtlichkeit und Mitgefühl in sich aufwallen. Jetzt kam es darauf an, nicht wieder das Falsche zu tun, richtig zu reagieren.

Auf dem kleinen Pfad zum Bach lagen mehrere geschlagene Baumstämme, die von den vertriebenen Dörflern wohl für kältere Zeiten vorgesehen waren. Walther deutete auf einen von ihnen, und sie setzten sich, Judith ein Stückchen von ihm entfernt, nicht weit genug, um Misstrauen zu bedeuten, doch so, dass ein gewisser Abstand gewahrt blieb.

»Eitelkeit würde ich es nicht nennen«, entgegnete er behutsam. »Wir können alle nur nach dem urteilen, was wir wissen. Und Ihr wisst über Otto und Philipp, was Ihr bei Euren Begegnungen mit ihnen erfahren habt. Ich – nun, bei aller mangelnden Bescheidenheit, ich habe auch das Meine getan, um Philipp zu unterstützen, aber nicht, weil ich von den Staufern so beeindruckt gewesen wäre, also wundert es mich nicht, dass mir die Zweifel schneller gekommen sind als Euch. Doch glaubt Ihr ernsthaft, dass ohne uns jetzt kein Krieg toben würde? Ich habe eine hohe Meinung von mir, aber so hoch ist sie nun auch wieder nicht.«

»Ihr macht immer noch aus allem lieber einen Scherz, als Bedenken ernst zu nehmen«, sagte sie, doch sie sagte es ohne Vorwurf. Er meinte sogar, eine gewisse Zuneigung in ihrer Stimme zu hören.

»Mir ist es mit meinen Zweifeln sehr ernst«, gab er zurück. »Ich habe von keinem unserer beiden Könige eine hohe Meinung. Deswegen frage ich mich, ob es nicht besser ist, einen gegen den anderen auszuspielen und mir von beiden mein Säckel füllen zu lassen. Treue haben sie beide nicht verdient, scheint mir, und der Krieg findet in jedem Fall statt. Aber ich habe auch Dinge gesehen, die mir so zuwider waren, dass ich nicht damit zufrieden sein kann, selbst nur der lachende Dritte zu sein.«

Er erzählte ihr von den Domherren in Köln, deren einzige Sorge ihre persönliche Bereicherung war und die Nächstenliebe nicht einmal mehr buchstabieren konnten. Er sprach von Martin und dessen Tod im Herzen Roms, von der Gnadenlosigkeit des neuen Papstes und dessen Anspruch, über allem zu stehen, selbst über Gottes Gebot, zu verzeihen. Die Galle, die in ihm hochkam, als er an Martins entsetzte Augen dachte, war unverändert bitter, und er stockte ein paarmal, weil er die Übelkeit niederkämpfen musste, die ihn erfasste.

»Es tut mir leid«, sagte Judith leise, während sie eine Hand auf seine Schulter legte. »Kein Mensch sollte so sterben.«

Ihre Berührung veränderte die Stimmung zwischen ihnen, und auf einmal wusste er, dass er das Gespräch wieder weniger ernst werden lassen musste. Das, oder sie an sich ziehen … aber er wollte nicht wieder alles durch voreiliges Handeln verderben.

»Wenn jeder von uns das bekäme, was er verdient, nicht, was er glaubt, zu verdienen, dann wäre es eine andere Welt, aber ich weiß nicht, wie es mir darin erginge. Ihr würdet natürlich in Salerno als Meisterin der Heilkünste lehren, aber würde ich an den

Höfen der Mächtigen die Laute zupfen oder nur irgendwo in einer Dorfschenke?«

»So schlecht sind Eure Lieder nicht«, sagte sie mit einem Lächeln und zog ihre Hand zurück.

»Schlecht?«, rief er mit nur teilweise gespielter Empörung aus. »Meine Lieder sind großartig, und wenn ich irgendwann das Zeitliche segne, dann wird mich Euer König David selbst aus dem Fegefeuer freibitten, weil er den besten Sänger an seiner Seite haben will, um zu Füßen Gottes die Harfe zu spielen.«

»Das wird er nicht«, entgegnete sie. »Wenn ich etwas gelernt habe, seit ich Euch kenne, dann, dass Ihr Sänger eifersüchtig seid und noch weniger Götter neben Euch duldet als der Allmächtige selbst.«

»Wir sind eine zutiefst missverstandene Zunft«, sagte Walther und legte eine Hand auf sein Herz. »Niemand ist so sehr darauf versessen, herauszufinden, was ein anderer Sänger kann, wie wir. Wie soll man sonst die Leistungen anderer Verseschmiede heruntersetzen?«

Diesmal brachte er sie nicht nur zum Lächeln, sondern zum Lachen, auch wenn es nur ein kurzes Prusten war. »Dann ähnelt Ihr den Ärzten mehr, als ich dachte«, gab sie zurück. »Wir sind ungeheuer versessen darauf, die Methoden anderer zu studieren, denn wie sollen wir sonst herausfinden, was sie falsch machen?«

Er spürte Gelächter in sich aufsteigen wie Luftblasen, die an die Oberfläche brechen mussten. Nicht nur wegen Scherzen, die ihm zu anderer Zeit vielleicht nur ein kurzes Grinsen entlockt hätten; nein, vor Freude, hier mit Judith zu sitzen, entgegen aller Wahrscheinlichkeit, und noch einmal am Anfang zu stehen.

KAPITEL 27

Gilles hatte sich einigermaßen erholt, obwohl er immer noch wenig sprach. Manchmal, wenn Judith zu ihm hinblickte, hatte er Tränen in den Augen, und sie wusste, dass er jeden Abend für die Seele des toten Robert betete.

Nachdem sie das Herzogtum Sachsen hinter sich gelassen hatten, fühlten sie sich alle deutlich sicherer. Sie begegneten einer Gruppe Kaufleute und erfuhren von ihnen, dass sich Philipp nicht mehr in Hagenau befand, sondern mit seinem Hofstaat nach Franken gezogen war. Inzwischen wusste jeder im Reich, wie der päpstliche Bescheid hinsichtlich der Thronfrage lautete, und Gerüchte waren im Umlauf, ob und wann der Papst den Bann folgen lassen würde.

»Müssen sich denn nicht selbst ohne den Bann alle Bischöfe von Philipp lossagen«, fragte Markwart, »wenn der Papst die Anerkennung Ottos als deutscher König fordert?«

Das wollte Judith auch wissen. Da es früher weder sie noch ihren Vater betroffen hatte, welcher christliche Herrscher gerade exkommuniziert worden war und welcher bei der Kirche in der Gunst stand, wusste sie nichts darüber, wie sich Bischöfe in einem solchen Fall verhielten. Sie konnte sich dunkel daran erinnern, dass Wolfger von Passau dem sterbenden Herzog von Österreich Bußbedingungen überbracht hatte, doch damals hatte sie nur gekümmert, dass er die Hetze gegen ihren Vater nicht noch schlimmer gemacht hatte.

»Die letzten drei englischen Könige waren wenigstens einmal in ihrem Leben gebannt«, sagte Gilles. »Die meisten Bischöfe sagten sich, dass der Papst in Rom weit weg war und der König sehr nahe. Ist das im deutschen Reich anders?«

»Früher, als die Soldaten des Kaisers in Italien standen, war es bestimmt genauso«, sagte Walther mit erhobener Augenbraue. »Nur anders herum: Die deutschen Bischöfe waren weit weg, die Truppen des Kaisers dafür ganz nahe beim Papst. Aber jetzt sind die deutschen Herren, denen der Kaiser Land in Sizilien, der Lombardei und Apulien gegeben hat, entweder wieder hier im Reich, oder sie müssen selbst kämpfen, um sich dort zu halten. Alles, was nördlich des Kirchenstaats liegt, sieht sich offenbar nicht mehr als Bestandteil des Reiches. Es gibt also niemanden im Süden, der auch nur auf den Gedanken kommt, für die Staufer in Richtung Rom zu marschieren.«

»Werden die Bischöfe also alle zu Otto umschwenken?«, fragte Judith beunruhigt.

»Ich glaube, deswegen ist Philipp nach Franken unterwegs. Die Bischöfe sind meist auch Fürsten und dem König verpflichtet, das macht es kompliziert. Der Erzbischof von Bamberg gehört aber zu den wenigen hochrangigen Klerikern, die ihn unterstützt haben, und er will wohl sicherstellen, dass das so bleibt. Erst recht, nachdem der Bischof von Würzburg sein Kanzler ist. Der Mann ist zwar noch nicht von Rom bestätigt, hat dafür aber bereits angefangen, den Welfen Angebote zu machen, um ihre Hilfe beim Papst zu erreichen.«

»Und du weißt das, weil …«, begann Judith, die bemerkt hatte, dass er in einem sehr bestimmten Tonfall von den Angelegenheiten des Würzburger Bischofs sprach. Die vertraulichere Anredeform glitt ihr über die Zunge, ehe sie darüber nachdachte; sie merkte erst, dass sie Walther wie einen Freund und Vertrauten angesprochen hatte, als sie Gilles lächeln sah. Zum Glück war Walther gerade zu beschäftigt damit, sich verlegen zu räuspern, um das zu bemerken.

»Weil ich seine rechte Hand erst auf den Gedanken gebracht habe. Wir sind unter deren Geleitschutz nach Braunschweig gekommen, Markwart und ich.«

Judith horchte in sich hinein, ob es sie wirklich kümmerte, dass Philipp möglicherweise einen seiner wenigen kirchlichen Anhänger verlor, und kam zu dem Schluss, dass es sie nicht weiter traf. Ob das nun an ihren eigenen Zweifeln lag oder an Walther, das wusste sie nicht. Auf jeden Fall war es ganz und gar nicht gut: Gleichgültigkeit war das Schlimmste, das ihr geschehen konnte. Sie konnte entweder Philipp dienen oder ihre Abscheu vor Otto überwinden, aber sie musste es mit Überzeugung tun, nicht halbherzig. »Wir müssen Philipp hinterherreisen«, sagte Judith deshalb bestimmt. Sie würde sich noch einmal überzeugen, ob er es wert war, ihm zu dienen. Das war besser, als fruchtlos über ihre eigenen Taten zu grübeln.

»Nun, in Franken war ich noch nie«, sagte Gilles nachdenklich.

»Ich schon. An Nürnberg habe ich sehr lebhafte Erinnerungen«, bemerkte Walther und formte mit seinen Lippen einen Kuss. Nun war es an Judith, sich zu räuspern. Aber immerhin half es ihr, nicht nur an Philipp, Otto oder ihre eigene Verantwortung für die jetzige Lage zu denken – zumal sie sich immer schwerer tat, all die Gründe nicht zu vergessen, warum es eine schlechte Idee wäre, sich auf Walther einzulassen. Selbst das Schlimmste, was er getan hatte – sein Mitwirken, ganz gleich in welchem Umfang, am Tod von Salomon und den Seinen –, hatte nun ein Gegengewicht, weil er ihr, ohne zu zögern, geholfen hatte, Gilles zu retten; ohne ihn wäre es überhaupt nicht möglich gewesen.

»Über Nürnberg müssen wir nicht nachdenken, wenn es Philipp um Würzburg und Bamberg zu tun ist«, stellte sie fest. Walther sah einen Moment lang geknickt drein. Als er bemerkte, dass sie zu ihm hinschaute, übertrieb er seinen Gesichtsausdruck bis hin zur Grimasse und zwinkerte ihr zu. *Dieser Mann hat Augen, die lachen können,* dachte Judith. Dass er sich häufig über sich selbst lustig machte, war eine Eigenschaft, die ihn für sie immer wieder anziehender machte, als er es eigentlich Recht hatte zu sein.

»Wie steht es eigentlich um das Geld?«, fragte Markwart. »Vier Leute allein, das wird nicht billig bis Franken, selbst wenn wir nirgendwo Räubern begegnen. Und«, schloss er bedeutungsvoll, »ich habe fast alles ausgeben müssen, um schnell Pferde für die Magistra und ihren … Gemahl zu bekommen.«

Judith trug ihre Ersparnisse bei sich; sie genügten gerade noch, um für Gilles und sich selbst in Herbergen und Spitälern zu bezahlen, nachdem sie Markwart und Walther das Geld für die Pferde zurückgegeben hatte. Doch sie waren sich einig, dass es vor allem sicherer war, mit einem größeren Tross zu reisen und sie versuchen würden, sich dem nächsten Kaufmannszug anzuschließen, dem sie begegneten.

»Oder der nächsten Pilgerschar«, sagte Markwart. Walther schüttelte den Kopf.

»Nein, keiner Pilgerschar«, entgegnete er rauh.

Da er Judith von seinem eigenen Zug nach Rom erzählt hatte, wusste sie, was er meinte. »Welchem Zug auch immer wir uns anschließen«, sagte sie rasch, »es sollte nicht schwer sein, Geld zu sparen. Ich kann meine Dienste als Ärztin anbieten, Gilles sollte bald wieder in der Lage sein, als Bewaffneter zur Sicherung der Gruppe beizutragen – und jeder Reisende auf langer Fahrt ist dankbar für Zerstreuung am Abend.«

»Da hat man für Bischöfe, Herzöge und zweifelhaft gekrönte Könige gespielt und endet doch als Straßengaukler«, seufzte Walther. Markwart grinste.

»Das hätte ich dir gleich sagen können, als du unbedingt nach Wien wolltest.«

Es war schwieriger, als Judith geglaubt hatte, einen geeigneten Tross zu finden; zu viele hatten die Gerüchte gehört, dass Otto einen Heerzug in südlicher Richtung machen würde. Am Ende verbrachte Judith einige Tage in einem Spital damit, die Reisenden dort zu verarzten. Das erhöhte ihre Barschaft wieder, doch es bedeutete auch, dass ihr allmählich bestimmte Kräuter ausgingen und sie darauf angewiesen war, möglichst bald in einem Kloster ihre Vorräte aufzufüllen. Immerhin stellte sich der längere Spitalaufenthalt dann als ein Glücksfall für sie heraus, weil am Abend des vierten Tages just die Leute des Bischofs von Würzburg einkehrten, mit denen Walther nach Braunschweig gereist war. Sie befanden sich auf dem Rückweg, und Botho war guter Stimmung, was wohl hieß, dass der Pfalzgraf sich wohlwollend gezeigt hatte. Er war von Heinrich aber leider auch befragt worden, ob er etwas davon wisse, dass zwei Unbekannte in welfischen Rüstungen einen Gefangenen befreit hatten, der mit einer ebenso verschwundenen Ärztin aus Salerno zusammenlebte. »Nun, Herr Walther, ich hatte meine Vermutungen, aber natürlich sprach ich in eigenem Interesse nicht darüber, wen ich mit in die Stadt gebracht hatte. Doch wenn ich Euch nun mit der Magistra und einem Mann sehe, der offensichtlich gefoltert wurde, wüsste ich doch zu gerne, was dahintersteckt und warum Ihr Braunschweig so plötzlich verlassen habt.«

Walther erzählte Judith dies, als er sie beim Einsalben des geschwollenen Knöchels eines Franzosen fand, der auf dem Weg nach Köln war. »Was hast du ihm gesagt?«

»Nun, ursprünglich wollte ich Botho weismachen, dass ich mit meiner Geliebten durchgebrannt bin, aber dann hätten wir keine Erklärung für Gilles gehabt. Also musste ich mir etwas anderes einfallen lassen.«

Judith schaute auf, als er schwieg. Er hatte seine Arme verschränkt, und ein kleines Lächeln spielte um seine Lippen. »Was war es?«

»Rate«, sagte er vergnügt. Man brauchte kein Meister des Scharfsinns zu sein, um zu spüren, dass er Freude daran hatte, sie zu necken. Es erinnerte sie an die lang entfernten Tage in ihrer Kindheit, ehe ihre Geschwister und die Mutter gestorben waren. Als Junge musste Walther gleichzeitig unerträglich und wunderbar gewesen sein. Leider konnte sie Markwart nicht danach fragen, da er ihr aus dem Weg ging.

»Du hast zugegeben, einen Gefangenen befreit zu haben, weil es dir ein Vergnügen war, die Torwächter zu täuschen«, gab Judith zurück. Walther machte eine wegwerfende Handbewegung.

»Nein, das hätte mir nie jemand geglaubt, das wäre viel zu unwahrscheinlich. Da könnte ich ja gleich sagen, ich sei ein Sänger mit dem Ehrgeiz, den Lauf der Welt zu beeinflussen, und doch zu dumm, eine Weise zu finden, die mir Gehör bei der einzigen Frau verschafft, auf die es mir ankommt.«

Es war leichthin als Teil seiner Neckerei gesagt, aber Judith hörte es wohl, und sie dachte, dass Walther vielleicht auf diese Weise am besten Geständnisse machen konnte: indem er ein inneres Anliegen als Scherz darbot. Vielleicht … vielleicht war dies ein Weg, den auch sie gehen konnte. »Das ist in der Tat geradeso wenig glaubhaft«, entgegnete sie im gleichen Tonfall, »wie eine Jüdin aus Köln, die als Ärztin vieles an anderen Menschen verstehen kann, aber nicht ihr eigenes Herz.«

»Seid Ihr jetzt fertig, Magistra?«, fragte der Kaufmann auf Latein. »Wer ist dieser Mann?«

»Walther von der Vogelweide, zu Euren Diensten«, sagte Walther in der gleichen Sprache. »Auch ich brauche die Magistra. Mit meinem Gehör stimmt etwas nicht – ich glaube, ich höre Dinge, die ich noch nie vernommen habe.«

Der Kaufmann schaute von Walther zu Judith, brummte »Bah« und drückte ihr, nachdem sie das Auflegen des Verbandes beendet hatte, zwei Münzen in die Hand.

»Was also hast du den Würzburgern gesagt?«, fragte Judith, während ihr Herz hämmerte und sie bereits befürchtete, sich mit ihren Worten zu weit über die Brüstung eines hohen Turms hinausgelehnt zu haben. Außerdem sollte sie es wissen, ehe sie selbst einem der Leute Bischof Konrads über den Weg lief.

»Dass die Pfalzgräfin mich mit der heiklen Aufgabe betraut hat, so schnell wie möglich einen Mann aus der Stadt zu schaffen, den ihr Gatte weder tot sehen wollte noch weiter im Gewahrsam von Menschen, denen Gilles unliebsame Geschichten aus Aquitanien erzählen könnte.« Er lachte. »Wenn der Ruf der Welfen nun auch Gerüchte über deren Vorliebe für Männer beinhaltet, ist es mein Verdienst«, schloss Walther reuelos. Er trat näher an sie heran. »Aber das ist keine Auskunft, die dir hilft, dein Herz besser zu verstehen.«

Es wäre möglich, ihn mit einer spitzen Bemerkung abzufertigen; Judith hatte ein Dutzend zur Hand. Es wäre auch möglich, einfach zu schweigen und davonzugehen. Aber beides wäre unehrlich und eine Flucht gewesen. Und wenn es nicht wortwörtlich um ihr Leben oder das eines anderen Menschen ging, wollte Judith nicht mehr fliehen.

»Ich glaube nicht an Worte, die alles entschlüsseln können, was wir in uns verbergen«, sagte sie. »Und ich glaube, dass nichts gefährlicher ist als eine zu schnelle und falsche Diagnose. Walther, ich habe Menschen gesehen, die fürs Leben verstümmelt wurden, weil ein Arzt zu wissen glaubte, was ihnen fehlte, und nicht bedachte, dass er sich irren könnte.«

Er trat noch etwas näher an sie heran. Sie konnte erneut die Sommersprossen auf seiner Nase zählen, die kleinen Fältchen, die sich um seine grünen Augen gebildet hatten, obwohl er noch jung war. Sie konnte sogar den Rauch des Kaminfeuers an ihm riechen, das in der großen Spitalhalle brannte, wo er vor den anderen Reisenden gesungen hatte.

»Und ich«, sagte Walther, »habe Menschen ihr Leben an einem Ufer verträumen sehen, weil sie nie den Mut hatten, ins kalte Wasser zu springen, um herauszufinden, wohin der Strom sie trägt. Vielleicht war der Fluss voller Tücken, ja, aber vielleicht hätte er sie auch an einen besseren Ort gebracht. In jedem Fall fanden sie es nie heraus. Nicht, wohin der Fluss sie gebracht hätte, und noch nicht einmal, was es bedeutete, zu schwimmen.«

Wieder lag ihr die Bemerkung auf der Zunge, dass es in der Welt viele Flüsse gab und gar manchen Lehrer für die Kunst des Schwimmens. Doch leider fehlte ihr der Zorn, der sie in der Vergangenheit befähigt hatte, ihre Zunge wie eine Klinge gegen ihn zu führen. Einen Menschen, den man mochte, nicht verletzen zu wollen, war wie ein Fischernetz, das einen fesselte, lähmte und entwaffnete.

Nein, nicht lähmte, bestimmt nicht. Sie fühlte sich alles andere als gelähmt; sie fühlte sich so lebendig wie selten, außer wenn ihr ein besonders schwieriger Eingriff oder eine ausgesucht komplexe Mixtur gelang, doch selbst dann war dem berauschenden Gefühl, am Leben zu sein, kein Hunger auf mehr beigemischt, so wie jetzt. Eine alte Redensart fiel ihr ein, etwas, mit dem die Lehrer in Salerno prahlende Studenten herausforderten. Es war die Geschichte eines griechischen Fünfkämpfers, der immer wieder und wieder über seine Leistungen bei einem Weitsprung in Rhodos tönte, bis die Leute genug von seiner Prahlerei hatten und ihn aufforderten, sich an Ort und Stelle zu beweisen.

»Hier ist Rhodos, springe hier«, murmelte Judith. Dann schloss sie die Handbreite, die als Abstand zwischen ihnen verblieben war, und nahm sich seinen Mund.

Botho war zwar willens, Judith und Gilles mit ihnen reisen zu lassen, bestand aber darauf, dass die beiden im Wagen blieben, den er in Braunschweig für Bischof Konrad erworben hatte. »Seine Gnaden wartet in einem Kloster bei Frankfurt, um mit uns weiter nach Würzburg zu ziehen. Ob er Euch gestatten wird, mit ihm zu reisen, bleibt dahingestellt. Was ich auf jeden Fall vermeiden will, ist Unruhe bei meinen Männern.«

»Ich bin schon öfter in Gruppen gereist«, sagte Judith, »und nie …«

»Nun, das war sicher, bevor sich Euer Gemahl als Liebhaber von Männern herausgestellt hat. In Braunschweig hat jedermann nach seiner Flucht von nichts anderem mehr gesprochen. Mir ist's gleich, aber ein Teil von meinen Leuten wird deswegen hinter seinem Hintern her sein und ein Teil hinter Eurem. Deswegen reist Ihr beide im Wagen, oder Ihr reist nicht mit uns.«

Sie wusste nicht, ob sie diese Worte als mehr beleidigend oder lächerlich empfand, aber es war unwahrscheinlich, dass sie so schnell einen weiteren Tross auf dem Weg nach Franken finden würden. Daher fand sie sich mit Gilles und einem Haufen Gepäck im Wagen wieder, der noch nicht für den Bischof mit mehreren Lagen Fellen ausgestattet worden und daher sehr unbequem war.

»Du siehst glücklich aus«, sagte Gilles zu ihr.

»Wir sind umgeben von einem Haufen Narren, denen ihr Anführer zutraut, einem von uns beiden Gewalt anzutun, der Weg ist noch nie befestigt worden, und mir wird bei jedem Schlag des Rades etwas schlechter«, protestierte Judith.

Gilles schenkte ihr ein kleines Lächeln. »Ja, aber du siehst trotzdem glücklich aus.«

Sie errötete und fragte sich sofort schuldbewusst, wie er sich fühlen musste; der Tod von Robert lag erst drei Wochen zurück. Außerdem war sie zwar nicht seine Gemahlin im üblichen Sinn, doch sie war alles, was er hatte.

»Ich … ich weiß nicht, ob ich glücklich bin«, sagte sie. Ohne darüber nachzudenken, fuhr sie mit ihren Fingern über ihre Lippen. »Es ist alles so neu für mich.«

»Neu?«, fragte er überrascht. »Ich dachte in Köln, da wäre schon etwas gewesen. Dein Onkel auch. Hat mich eigens darauf hingewiesen und gesagt, ich solle auf meine Frau achten.«

Diesmal war die Röte, die ihr in die Wangen stieg, die des Zorns. *Was für ein Heuchler,* dachte sie aufgebracht: Nur Stefan brachte es fertig, ihr einerseits Geschichten von Esther und König Xerxes zu erzählen und andererseits ihren Gatten zu ermahnen, auf ihre Tugend zu achten.

»Mein Onkel?«, begann sie wütend. »Wenn er so mit dir gesprochen hat, warum hast du nie etwas davon zu mir gesagt?«

Im Halbdunkel des Wagens konnte sie gerade noch erkennen, dass Gilles' Augen sich weiteten. »Es hätte dir nur Kummer gemacht«, sagte er. »Bitte, sei nicht wütend auf mich.« Judith rückte näher und legte ihm einen Arm um die Schultern.

»Du bist der beste Freund, den ich je hatte, Gilles. Ich werde nie etwas anderes als froh sein, dass es dich gibt.«

»Und wenn dein Sänger dich ganz für sich haben will?«

»Er ist nicht *mein* Sänger«, sagte Judith. »Er ist – Walther. Und ich weiß noch überhaupt nicht, was ... ob ihn nicht vor Ende des Jahres der Wind irgendwo anders hin blasen wird als mich.«

»Aber *möchtest* du denn, dass dein ... dass Walther weiter in deiner Nähe bleibt?«

Sie biss sich auf die Lippen und dachte an Walthers Hände, so sicher und geübt an ihrem Körper wie die eines Arztes, und daran, woher er diese Art von Übung wohl hatte. Sie dachte an ihre eigenen Hände, an das, was sie damit in den letzten Monaten entdeckt hatte. Sie dachte auch daran, dass sie nur deswegen nicht miteinander geschlafen hatten, weil sie in dem Spital keinen Raum gefunden hatten, wo sie alleine sein konnten, und daran, dass man auch im Schatten und in Ecken gedrückt viel mehr tun konnte, als sie früher für möglich gehalten hätte, bevor ihr Maria mehr und mehr davon erzählte. So war sie jetzt noch zornig, nicht beschämt, dass ausgerechnet Botho sie ertappt und ihre Zweisamkeit unterbrochen hatte, als er mit einem zynischen Abendgruß vorbeigegangen war. Judith dachte daran, dass sie nicht wusste, ob sie weniger oder mehr sie selbst gewesen war in jener Stunde, nur, dass ihr Mund trocken wurde und ihr Puls schneller ging, wenn ihr nur Kleinigkeiten dieser Begegnung wieder einfielen. Galens Theorien vom Gleichgewicht der Säfte im Körper halfen ihr dabei kein bisschen.

»Ja«, sagte sie. »Aber als ich noch ein Kind war, wollte ich ständig Honigkuchen essen, und wenn ich das getan hätte, dann würde ich heute nicht mehr alle meine Zähne haben.«

Gilles zupfte sie an der Nase. »Männer sind keine Honigkuchen, Jutta. Glaub mir, ich weiß es.«

Ob Bothos Vorsicht nun übertrieben oder angemessen war: Niemand belästigte Judith oder ihren Gatten während der Reise. Stattdessen taten die Männer des Bischofs alles dafür, bei den abendlichen Waffenübungen gegen Gilles antreten zu können, der eigentlich nur mit Markwart üben wollte. Aus dem Vorsatz, dem Liebhaber von Männern ihre Überlegenheit zu beweisen, wurde aber nichts, und ein Herausforderer nach dem anderen zog gegen Gilles den Kürzeren. Botho war ein besonders schlechter Verlierer und schob es darauf, sich zurückhalten zu müssen, weil man schließlich nur übe, aber es verletzte seine Ehre erkennbar. Judith hatte zuerst alles versucht, um diese Kämpfe zu verhindern, aber Männer waren nun einmal nicht abzubringen, beweisen zu wollen, wer der Überlegenere war. Statt mit dem Schwert schlug man im Tross nun mit hämischen Witzen nach Gilles, bis ausgerechnet Markwart wütend verkündete, es sei genug; der Aquitanier habe für seine Sünden gebüßt. »Ein jeder hat das Recht auf einen neuen Anfang.«

»Also fürchtest du nicht länger um deine Keuschheit?«, fragte Walther neckend.

»Du wirst schon sehen, wer zuletzt lacht«, murmelte Markwart duster, »wenn du mit deinem Mädchen *und* Gilles gemeinsam im Bett landest, so, wie die aneinander hängen. Aber weißt du, die Kerle des Bischofs habe ich schon über wunde Zehen klagen hören. Gilles mag gegen die Natur lieben, aber Mumm hat er, das muss man ihm lassen. Wenn ich daran denke, wie grün und blau er geschlagen war, als wir ihn aus Braunschweig herausholten …

Also finde ich, diese Jammerlappen haben sich das Recht auf Witze einfach nicht verdient.«

Die Reise wurde für Walther eine seltsame Mischung aus Freude und Qual. Botho hatte ihn am Tag nach dem Vorfall im Spital zur Seite genommen und mitgeteilt, an und für sich kümmere es ihn nicht, mit wem Herr Walther es treibe, aber es würde den Männern bei ihrer Selbstbeherrschung helfen, wenn sie die Frau wirklich mit keinem anderen als ihrem Gatten zu Gesicht bekämen. »Ich könnte es meinen Leuten nicht einmal verdenken, wenn sie die Frage stellen würden: Wenn ein Liebhaber, warum nicht gleich mehrere«, schloss Botho. »Eine Frau ist eine anständige Frau, oder eine Hure, und wenn Ihr nicht wollt, dass Eure Magistra wie eine Hure behandelt wird, dann lasst die Finger von ihr.«

»Wenn Eure Männer nur das Bett mit Frauen teilen, die sie dafür bezahlen, dann haben sie mein tiefes Mitgefühl, Herr Botho«, schoss Walther zurück. »Vielleicht würde sich das ändern, wenn sie Huren wie anständige Frauen behandelten, statt anständige Frauen wie Huren?«

»Ich scherze nicht, Herr Walther. Schön, habt Euren Spaß, aber dann beschwert Euch nicht bei mir, wenn ein paar von meinen Leuten das Gleiche versuchen.«

Also nahm Walther sich zusammen und berührte Judith noch nicht einmal an den Fingerspitzen. Wenn sie in Spitälern abstiegen, machte er keine Anstalten, den Raum der Frauen zu besuchen; wenn sie in Klöstern unterkamen, dann blieb er ihrer Zelle fern. Aber er konnte nicht umhin, wie ein kleiner Junge zu strahlen, wenn er sie morgens und abends sah, und sehr laut zu sprechen begann, wenn er mit Markwart in der Nähe des Wagens ritt, eine lustige Begebenheit nach der anderen erzählend. Viel Schlaf fand er in den Nächten trotzdem nicht, was ihm immerhin dabei half, neue Lieder zu verfassen. Bis sie den Kanzler und Bischof im St.-Josef-Kloster in Hanau trafen, hatte er einen großen neuen Vorrat, und es waren nur zwei gegen den Papst dabei.

Konrad von Querfurt, der früher Bischof von Hildesheim gewesen war und nun auch Bischof von Würzburg sein wollte, war wie Wolfger von Passau ein geübter Reitersmann, der am verunglückten Kreuzzug des toten Kaisers teilgenommen hatte und eigentlich keinen Wagen brauchte, aber damit endete auch jede Ähnlichkeit. Bei Bischof Wolfger hatte man immer den Eindruck, dass er genau wusste, was er wollte. Wenn er einen Raum betrat, dann zog er die Aufmerksamkeit aller Anwesenden sofort auf sich; Bischof Konrad dagegen wirkte gedrückt und angespannt. Er hörte der Erklärung, was Walther, Markwart, die Magistra und ihr Gemahl bei seinen Leuten zu suchen hatten, kaum an, winkte ungeduldig und stimmte ohne weiteres zu, sie weiter mit sich reisen zu lassen.

»Ich leide unter Magengrimmen«, sagte er, »und mein Medicus hat mir bisher nicht helfen können. So hat es beim Kaiser auch angefangen.«

»Euer Gnaden, nach allem, was ich gehört habe, ist Kaiser Heinrich durch Sumpffieber von uns gerufen worden«, versuchte Judith, ihn zu beruhigen. »In diesen Breiten ist es mehr als unwahrscheinlich, dass Ihr darunter leidet.«

Markwart versetzte Walther einen Rippenstoß. »Hör mit deinem bewundernden Schafsblick auf«, grummelte er.

Der Kanzler schaute halb hoffnungsvoll, halb zweifelnd drein. »Als Seine Heiligkeit der Papst und ich gemeinsam in Paris studierten, da sprach Seine Heiligkeit oft davon, dass der menschliche Körper das Instrument ist, mit dem Gott uns für unsere Sünden bestraft. Und ich habe gesündigt. Oh, wenn ich nur selbst nach Rom ziehen könnte, um mit Seiner Heiligkeit über all diese Missverständnisse zu sprechen!«

Walther lag auf der Zunge, etwas wenig Hoffnungsvolles dazu zu sagen, doch Botho kam ihm zuvor: »Der König braucht seinen Kanzler, Euer Gnaden.«

»Seid Ihr sicher?«, fragte der Bischof naserümpfend. »Bei seiner Reise nach Franken hat er nicht darauf bestanden, dass ich ihn begleite. Er war sofort einverstanden, als ich sagte, dass ich hier noch Geschäfte zu erledigen habe. Nun, er steckt ja auch ständig mit Eurem Onkel zusammen, dem Reichshofmarschall, und verglichen mit einem Heinz von Kalden, bin ich für ihn wohl langweilige Gesellschaft, wie?«

»Mein Onkel schätzt Euer Gnaden so hoch wie der König«, erklärte Botho ausdruckslos. »Deswegen hat er Euch ja auch gebeten, mir diese Stelle bei Euch zu geben. Ich hoffe, dass ich sie zu Eurer Zufriedenheit erfülle.«

»Oh, gewiss«, sagte der Bischof, wirkte aber nicht überzeugt. Er wurde erst wieder etwas heiterer, als Judith frische Luft für gesünder als das Reisen im Wagen erklärte und ihm außer heißen Kräutertränken auch Musik zur Entspannung empfahl. Da wusste Walther, dass auch sie ihn vermisste.

Nach zwei Herbstliedern kündigte er ein Minnelied an. »Es sei denn, Euer Gnaden wünschen nichts dergleichen zu hören.«

»Selbst die Heilige Schrift birgt das Hohelied«, meinte der Bischof wohlwollend. »In der entsagungsvollen Liebe zu seiner Dame spiegelt sich das Verhältnis des guten Christen zu seiner Kirche, der Meinung war ich immer. Reinmars Lieder bringen das besonders gut zum Ausdruck, doch ich bin sicher, die Euren sind auch ganz nett.«

Markwart machte ein bierernstes Gesicht, doch Judith, die seitlich des Bischofs stand, kämpfte gegen ein Lächeln. Das gab für Walther den Ausschlag. Nach all den Tagen erzwungener Keuschheit würde er wenigstens mit Worten lieben, und zwar nicht auf entsagende Art. Er hieß Markwart seine Laute stimmen.

Mich nimmt immer wunder, was ein Weib
Hab' an mir ersehn,
Dass sie bezaubert nun mein Leib.
Was ist ihr geschehen?
Oder täuscht sich ihr Gesicht?
Weil mit Lieb in Augen Scharfblick tut nichts taugen:
Ich bin der Männer Schönster nicht!

Hat ihr jemand was von mir gelogen,
Schau sie an mich bass.
Soll ich schön sein, ist sie arg betrogen,
Will sie nichts als das.
Schau sie nur mein Haupt,
Das ist nicht so wohlgetan;
Sie betrügt fürwahr ein eitler Wahn,
Wenn sie das nicht glaubt.

Wo sie lebt, da gibt's wohl tausend Mann
Schöner von Gesicht.
Wenn ich eine schöne Kunst auch kann,
Bin ich schön doch nicht.
Ist die Kunst auch klein:
Dennoch soll sie allen Leuten
Allenthalben Freud bereiten,
Allen sein gemein.

Wenn für Schönheit Kunst sie nehmen kann,
Hegt sie edlen Mut;
Will sie das, so steht es wohl ihr an,
Was sie an mir tut.
So will ich mich neigen
Und vollbringen, was sie will.
Was bedarf es dann des Zaubers viel?
Ich bin doch ihr Eigen!

Hört nun, wie sie Zauberkünste übt
An mir alle Zeit:
's ist ein schönes Weib, das Klugheit liebt
Und die Heiterkeit.
Dass sie mehr ersonnen,
Kann ich nimmer zugestehn:
Nur ihr zauberischer Liebreiz schön
Schafft mir Lieb und Wonnen.

Der Bischof blinzelte erstaunt, als Walther das Lied zu Ende gebracht hatte. Dann klatschte er zögernd; seine Leute stimmten mit ein. »Nun«, sagte Konrad, »das ist … etwas anderes. Ich glaube nicht, dass sich Euer Lied als Allegorie auf Jesus und seine Kirche eignet, Herr Walther.«

»Mit Verlaub, Euer Gnaden, unser Herr Jesus und seine Kirche verdienen ihre eigenen Lieder. Andere Dichter mögen es halten, wie sie wollen, aber wenn ich über irdische Liebe schreibe, dann ist es irdische Liebe.«

»Aber kann denn erfüllte Liebe ein der Poesie würdiges Thema sein?«, fragte der Bischof zweifelnd. »Ich weiß, dass die menschlichen Körper zueinandergetrieben werden, aber das genau ist es, was wir mit den Tieren gemeinsam haben.«

»Euer Gnaden«, sagte Judith, die bisher ein ausdrucksloses Gesicht gemacht hatte, an dem Walther nichts ablesen konnte, »Gott hat unsere Körper so erschaffen, dass die Säfte erst dann ins Gleichgewicht kommen, wenn Mann und Frau einander beiwohnen. Gottes Schöpfung so zu besingen, wie er das geplant hat, ist dann doch gewiss eine würdige Beschäftigung.«

»Vielleicht«, sagte der Bischof, »doch ich muss zugeben, dass mir die Kunst des Herrn Reinmar mit ihrem Preis der Entsagung doch lieber ist. Zu schade, dass er von uns genommen wurde.«

Walther war so sehr damit beschäftigt, Judith anzuschauen, dass ihm die letzte Bemerkung des Bischofs beinahe entgangen wäre. Konrad war bereits zu seinen Plänen bezüglich ihrer Reise nach Franken übergegangen und seiner Hoffnung, den größeren Teil per Schiff auf dem Main zurücklegen zu können, als ihm bewusst wurde, was der Bischof gesagt hatte.

»Verzeiht, Euer Gnaden – Herr Reinmar ist … tot?«

»Es steht Euch nicht zu, den Bischof zu unterbrechen, Herr Walther«, sagte Botho. Konrad runzelte ebenfalls die Stirn, doch war immerhin bereit, eine Antwort zu geben.

»So heißt es aus Österreich. König Philipp hat den Herzog Leopold zum Weihnachtsfest nach Magdeburg gebeten, und der Bote, der uns die Zusage überbrachte, erzählte, dass Wien nun ohne seinen edelsten Sänger sei.«

Walther war einmal als Kind mit der Nase im Schlamm gelandet; für einen Moment war es unmöglich gewesen, zu atmen, bis er sich aufrappelte. Geradeso fühlte er sich jetzt.

Sie waren immer noch im St.-Josefs-Kloster, und so fand Walther schnell die Kapelle der Mönche. Es war keine Gebetsstunde, daher konnte er dort alleine sein.

Er versuchte, seine Gedanken zu ordnen und ein Gebet für Reinmar zu sprechen, aber es fiel ihm schwer. Zu viele widersprüchliche Empfindungen zogen ihn in zu unterschiedliche Richtungen. Als er Schritte auf dem Steinboden der Kapelle hörte, blickte er auf. Judith setzte sich neben ihn. Es wurde ihm bewusst, dass er sie noch nie in einer Kirche gesehen hatte.

»Er war mein Lehrer«, sagte Walther, »und der Erste, den ich wirklich beeindrucken wollte mit den Versen, die ich schuf. Er hat mich so viel gelehrt, auch wenn er darunter bestimmt etwas anderes verstand als ich: dass Schönheit und Vollkommenheit wandelbar sind, wogegen das Einfache und Natürliche in Ewigkeit bleibt. Aber es hat auch Zeiten gegeben, da wollte ich nichts mehr, als mich über ihn lustig machen, über ihn und seine Regeln und seine alte Welt.«

Judith sagte nichts; sie ergriff nur schweigend seine Hand. Ihre schlanken Finger waren kühl in den seinen. Seine Kehle erschien ihm zusammengeschnürt, und doch sprach er weiter, als hätte ihre Anwesenheit einen Damm in ihm geöffnet.

»Ich wusste, dass er mir manchmal grollte deswegen, aber ich habe nicht verstanden, wie tief seine Bitterkeit reichte, bis ... bis zu jenem Abend, an dem wir in eine Schenke gingen und die Hölle auf Erden losbrach.« Er schaute Judith nicht an; stattdessen starrte er auf das Kreuz vor ihnen, während er ihr erzählte, was wirklich geschehen war an dem Tag, der ihrem Vetter das Leben gekostet hatte. Ein paarmal spürte er sie zusammenzucken, aber sie sprach nicht und machte keine Anstalten, ihre Hand aus der seinen zu lösen.

»Und dann bist du weggelaufen?«, fragte sie heiser. Er nickte. »Du hast mich aber glauben lassen, dass du selbst einer der Mörder warst.«

»Ich habe nichts getan, um es zu verhindern.«

Nun riss sie ihre Hand fort. »Das ist nicht dasselbe«, fuhr sie ihn wütend an. »Was dein Lehrer getan hat, das war Beihilfe zum Mord. Was du getan hast, war, dein eigenes Leben zu retten. Das war vielleicht feige, aber nicht mehr.«

Immer, wenn Walther glaubte, er verstünde sie, fand sie einen Weg, ihn wieder zu verwirren. »Und nun bist du zornig auf mich, weil ich keinen deiner Verwandten getötet habe?«

»Ich bin kein Werkzeug, um sich selbst zu bestrafen, wie diese Geißeln, mit denen ihr Christen euch auf den Rücken schlagt, aber du, du hast mich wohl dazu machen wollen! Weißt du, wie sehr ich mich verabscheut habe, als ich dich in Nürnberg geküsst habe? Ich dachte, ich sei die schlimmste Verräterin an meinem Volk über alle Zeiten! Ich dachte, alles sei besser, als Gefühle für einen unserer Totschläger zu haben!«

Ihr Gedankengang war für ihn nicht ganz nachvollziehbar, aber immerhin erfasste er etwas für ihn Wesentliches an ihrem Ausbruch. »Deine Lippen sagen häufig etwas anderes, als man von ihnen ablesen kann. Was jetzt da stand, war, dass du in Nürnberg bereits in mich verliebt warst, richtig?«

Judith holte tief Luft, wie um ihn anzuschreien, stieß den Atem wieder aus und sagte gepresst: »Ich glaube, ich verstehe jetzt, wie dieser Reinmar zum Mord getrieben wurde.«

In das erneute Schweigen zwischen ihnen murmelte Walther: »Es tut mir leid.«

»Was? Dass du fortgerannt bist? Dass du diesen Reinmar übertrumpfen musstest? Dass du im Unfrieden mit ihm auseinandergegangen bist? Oder dass du mich in dem Glauben gelassen hast, dass ich in einen mörderischen Gojim verliebt bin statt nur in einen unerträglichen?«

»Ich bin nicht im Unfrieden mit Reinmar auseinandergegangen, und wenn ich nicht mit ihm gewetteifert hätte, dann würde ich heute noch nachahmen, statt selbst eine Stimme zu haben«, gab er zurück. Während er es sagte, löste sich etwas von der erstickenden Beklemmung in ihm. »Aber alles andere tut mir leid.«

Judith machte keine Anstalten, ihm ihre Hand zurückzugeben,

und verschränkte ihre Arme ineinander, doch sie blieb neben ihm sitzen.

»Wenn ich dir schwöre, dass ich keine Absicht habe, dich für mich zu einer Geißel zu machen, kann ich dir dann noch etwas gestehen, was mir zusätzlich im Magen liegt?«

Judith warf ihm einen Seitenblick zu. »Du überlegst dir, ob du an den Hof zu Wien zurückkehren kannst, wo Reinmar tot ist und Leopold noch keinen Nachfolger zur Hand hat.«

Er wusste nicht, ob er es verstörend oder beruhigend fand, dass sie ihn so genau durchschauen konnte, vor allem, weil er auf diesen Gedanken nicht stolz war. Reinmar war tot; soweit es Walther betraf, war er gerade erst gestorben. Da sollte es möglich sein, ein paar Tage lang nur über Reinmar selbst und all das Gute und Schlechte zwischen ihnen nachzugrübeln, ehe er anfing, nachzuzählen, was er durch seinen Tod erreichen konnte. Es war gierig und schäbig, aber der Gedanke war ihm in der Tat gekommen, zusammen mit all den anderen.

»Du kannst aufhören, ein schlechtes Gewissen deswegen zu haben«, sagte Judith sachlich. »Ich glaube nämlich nicht, dass der Herzog von Österreich dir Reinmars Platz an seinem Hof geben wird.«

»Und warum nicht?«, fragte Walther gekränkt. »Ich bin inzwischen durchaus berühmt im Reich. Vielleicht noch nicht der berühmteste Sänger, aber auf dem Weg dorthin, und ganz offen, nach Reinmars Tod gibt es am Wiener Hof niemanden, der auch nur annähernd so gut sein kann wie ich.«

Sie schüttelte den Kopf. »Wenn du auf deinem Sterbebett liegst, von tausend Krankheiten dahingestreckt, dann werde ich nur zu sagen brauchen, dass die Welt immer noch nicht von deiner Dichtergabe überzeugt ist und drei andere Sänger für besser hält, und du wirst aufspringen und gesund sein, um sie alle eines Besseren zu belehren.«

Er legte seine Hand aufs Herz. »Ich? Ganz im Gegenteil ... ich würde bereits bei der Nennung eines anderen Sängers vor mir von den Toten auferstehen.« Diesmal war es ein volles Lächeln, das sie ihm schenkte. »Aber würdest du denn an meinem Sterbebett sitzen?«, fragte er. Sofort wurde sie wieder ernst und schaute von ihm fort, geradeaus auf den Altar.

»Ich weiß es nicht. Doch ich weiß, was ich gesehen habe. Der jetzige Herzog von Österreich ist der Junge, der als Erster mit den Ärzten auf meinen Vater losgegangen ist, nicht wahr?«

»Er hatte gerade seinen eigenen Vater verloren, Judith.«

»Das verstehe ich«, gab sie zurück. »Aber er hat falsche Vorwürfe gegen die Juden wiederholt, die längst von christlichen Klerikern richtiggestellt worden sind. Er schien mir jemand zu sein, der Zuflucht im Alten nimmt. Und es war sein Bruder, der damals dein Gönner war. Hältst du ihn für einen Mann, der mit einem Mal deine Lieder schätzt?«

Walther musste zugeben, dass bisher davon nichts zu spüren gewesen war; zu gut erinnerte er sich noch an die Abfuhr, die ihm Leopold wegen einer spöttischen Bemerkung über den Papst erteilt hatte. Es war nicht so, dass er für immer nach Wien zurückkehren wollte. Doch es wäre nicht schlecht, zu wissen, ob er dort willkommen wäre und geehrt würde, schon deshalb, weil es ihm eine völlig andere Verhandlungsgrundlage bei gewissen deutschen Königen schuf.

»Ich halte ihn für den Mann, der mir ein geruhsames Alter sichern könnte«, sagte er und zog eine Grimasse. »Irgendwann einmal, in ferner Zukunft. Nur, wenn ich nicht gleich nach Wien gehe, finden sich wahrscheinlich vier, fünf andere Sänger vor mir dort ein, um Reinmars Platz einzunehmen.« Da er nicht wusste, wann sie das nächste Mal allein sein würden, gab er sich einen Ruck und sagte offen: »Aber ich will jetzt nicht nach Wien zurück. Judith, ganz gleich, ob du Philipp nun in Franken als König vorfindest, dem du weiter dienen kannst, oder als das Gegenteil – ich will nicht noch einmal Jahre warten, bis wir uns wiedersehen.«

»Ich auch nicht«, sagte sie leise.

»Für Gilles findet sich bei Philipp gewiss eine Stelle«, sagte er, »und wenn Bischof Wolfger noch auf seiner Seite steht, dann wird er bereit sein, eure Ehe zu annullieren. Vielleicht sogar Konrad, wenn du ihm seine Magenschmerzen heilst. Dann gibt es noch …«

»Walther«, unterbrach ihn Judith. Eine feine Linie stand auf ihrer Stirn. »Ich will meine Ehe nicht annullieren lassen.«

Es war ihm ein unerwarteter Hieb ins Gesicht, schlimmer, als hätte sie ihm wieder eine Ohrfeige gegeben. Einen Herzschlag lang hasste er sie für die Fähigkeit, ihm diese Art von Schmerz zuzufügen. Dann zwang er sich, die Sache vernünftig anzugehen. »Es ist doch keine Ehe«, sagte er, »und du liebst mich. Das hast du selbst gesagt, gerade eben.«

»Ich habe gesagt, dass ich etwas für dich empfinde. Das war kein Heiratsantrag! Außerdem stimmt es nicht, dass Gilles und ich keine Ehe führen: Es ist keine, bei der wir ein Bett teilen, aber wir haben ein gutes Leben zusammen. Du und ich haben es noch nicht fertiggebracht, länger als zwei Wochen ohne Streit zu verbringen. Höre uns doch gerade jetzt wieder an!«

Er hörte nicht nur, er sah auch. Und was er sah, war, dass ihr Busen sich durch den schnelleren Atem rasch hob und senkte. Das erinnerte ihn daran, wie sich ihre Brüste unter seinen Händen angefühlt hatten. Wie sie alles andere als still und starr blieb, sondern unter seinen Fingern zum Leben erwacht und mit ihrem ganzen Körper geantwortet hatte. Wenn sie es gerade fertigbrachte, ihm das Gefühl zu geben, nicht mehr als eine Ablenkung gewesen zu sein, und nicht zugeben wollte, dass ihre Gefühle tiefer gingen, gut, dann würde er den Gefallen erwidern und die Schwäche in ihrer Rüstung ausnutzen.

»Dann bist du wohl zufrieden damit, als keusche Nonne nur für die Heilkunst zu leben«, sagte er hart. »Die heilige Jutta aus Salerno. Wenn du das für den Rest deines Lebens willst, dann wünsche ich dir viel Vergnügen dabei.«

Sie stand auf, und er folgte ihr nicht.

Bischof Konrads Magenleiden waren im Wesentlichen das Ergebnis seiner Ängste, was eine Heilung nicht einfach machte. Aber der Glaube eines Patienten an die Wirksamkeit von Heilmitteln war bereits der halbe Weg, das hatte Francesca immer gesagt, und so verschrieb ihm Judith gesalzenes Brot mit gut durchbackenem Sauerteig, ohne Rinde, da diese, so erklärte sie ihm, den Körpersaft schwärze. Da der Reisegesellschaft mit einem Bischof die besten Klöster offenstanden und in jeder Stadt die Bäcker nur zu gerne bereit waren, ihre Ware an ihn zu verkaufen, war es nicht weiter schwer, an das entsprechende Brot zu kommen. Außerdem konnte sie in den Klöstern ihre Kräutervorräte ergänzen.

Der Bischof hatte Rabbi Mosche ben Maimon gelesen und bedauerte sehr zu hören, dass sie sein Werk über das Asthma verkauft hatte. »Ich hätte es liebend gerne in Händen gehalten«, sagte er, »auch wenn ich seine philosophischen Schriften vorziehe. Was für ein Jammer, dass ein solcher Gelehrter noch im Irrtum des Judentums verstockt ist! Er wäre das größte Juwel unserer Zeit, wenn er nur erleuchtet wie Saulus würde.«

Als er das sagte, fuhr die alte Angst für einen Moment lang in Judith, doch dann entspannte sie sich wieder. Bischof Konrad hatte keine Ahnung, welcher Religion sie angehörte; er ging selbstverständlich davon aus, dass sie eine Christin war.

»Unser Herr Jesus«, fuhr der Bischof fort, »ist natürlich der größte aller Heiler. Nur er kann mir die Sünde des gebrochenen Eids vergeben. Wir haben alle auf den kleinen Friedrich geschworen, und nun sind wir verdammt. Dagegen könnt Ihr mir kein Heilmittel geben, Magistra.«

Wenn Judith das christliche Prinzip von Buße und Absolution richtig verstand, dann stünde es dem Bischof offen, seine Ämter abzugeben, das Kanzleramt genau wie das des Bischofs von Würzburg, und all die damit verbundenen Einkünfte, um seinen gebrochenen Eid wiedergutzumachen. Doch sie bezweifelte, dass er auch nur einen Bauernhof aufgeben würde, ganz gleich, wie schlecht er sich fühlte. Für ihn bedeutete Abstinenz als Christ nur den Verzicht auf das, was er ohnehin nicht vertrug.

»Euer Gnaden, Ihr seid der Arzt für Seelen«, sagte Judith. »Ich kann Euch Heilbatunge in Wermutsaft und Warmwasser abkochen, das hilft gegen Magenschmerzen, und Salbei und Raute in Euren Wein empfehlen, um Eure körperlichen Leiden zu lindern.« Eigentlich waren Salbei und Raute ein Mittel gegen die Kopfschmerzen, die einem Rausch folgten, doch schaden konnte es dem Bischof nicht. Mehr, um überhaupt etwas zu sagen, damit er weiter von seinen Sorgen sprach und nicht verstummte, fügte sie hinzu: »Doch wenn Euch die Sorge um den jungen Friedrich so plagt, Euer Gnaden, dann steht Euch doch gewiss eine Reise ins Königreich Sizilien offen, um Euch seiner anzunehmen und so den Eidbruch wiedergutzumachen.«

»Hmm«, machte der Bischof zu ihrer Überraschung. »Die Kaiserin ist tot und der junge Friedrich ein Mündel der Kirche. Da brauchte er wirklich einen Mann von Tugend und Edelmut, um für ihn das Königreich zu regieren, und Seine Heiligkeit ist fern. Hmm …«

»Gott helfe mir«, sagte Judith an diesem Abend zu Gilles. »Ich glaube, ich habe den Kanzler auf die Idee gebracht, dass es für ihn einträglicher wäre, vom Papst zum Regenten Siziliens gemacht zu werden, als sich weiter um seinen Sitz in Würzburg zu bemühen und Philipp zu unterstützen.«

Gilles blickte ein wenig ratlos drein, als könne er nicht entscheiden, ob das gut oder schlecht war. Endlich entgegnete er: »Ich bin stolz auf dich«, was in diesem Zusammenhang keinen Sinn ergab. Sie versuchte, zu erklären, warum sie das auf keinen Fall beabsichtigt hatte, doch er fragte nur, ob sie nun selbst auch Zweifel an Philipp habe, das habe sie jedenfalls damit gesagt.

»Das heißt aber doch nicht …«

»Du bist eine Frau, die ihre Meinung oft ändert, da hat Walther recht«, sagte Gilles mit einem kleinen Lächeln.

»Walther? Du hast mit Walther über mich gesprochen?«

»Er suchte meinen Rat«, sagte Gilles beschwichtigend. »Als Freund.«

Judith wusste nicht, ob sie Walthers Hinterhältigkeit verfluchen sollte oder die Tücke von Männern, sich hinter ihrem Rücken zu verbünden. *Du hast deinen Stolz*, sagte sie sich. *Nach der Bemerkung über die ewige Jungfräulichkeit einer Nonne wirst du dich ihm ganz gewiss nicht wieder an den Hals werfen. O nein.* Da würde Walther lange warten müssen. Es war nur schade, dass sie nicht mit ihm über die Angelegenheit mit dem Bischof sprechen konnte, denn er würde sofort verstehen, was für Auswirkungen es haben konnte, wenn Konrad ihrem nicht ernstgemeinten Ratschlag folgte.

»Ich ändere meine Meinung nur, wenn ich einen sehr guten Grund habe«, sagte Judith und starrte grollend an die Decke der Mönchszelle.

KAPITEL 28

In Aschaffenburg bekamen sie Boote; so ließ sich der Main durch seinen Treidelpfad und mit Zugpferden für den Rest des Weges nutzen.

Markwart, der mit den Pferden und den Knechten dem Treidelpfad folgte, hatte das zweifelhafte Vergnügen zu hören, wie gut es ihnen allen ergehen würde, wenn ihr Herr erst vom Heiligen Stuhl als Bischof von Würzburg bestätigt war. »Der alte Kaiser Rotbart«, tat sich einer der Männer wichtig, »hat die Bischöfe von Würzburg zu Fürstbischöfen und Herzögen in Franken gemacht. Unser Herr führt den Titel nur deswegen noch nicht, weil der Heilige Vater zuerst ja sagen muss, aber dabei kann es sich nur noch um eine Frage der Zeit handeln, jetzt, wo wir auch welfische Fürsprecher haben.«

»Ich bin ja nur der arme Knappe eines fahrenden Sängers«, sagte Markwart, »aber ich dachte, nur der Kaiser hätte das Recht, jemanden mit Herzogtümern zu belehnen, und einen Kaiser haben wir derzeit nicht, nur zwei Könige.«

Die Knechte schauten betreten zu dem vormaligen Sprecher. Der räusperte sich. »Herzöge können ihr Herzogtum auch von Königen bekommen, aber egal wie, das ist in jedem Fall nur eine Frage der Zeit. Wenn der einzig wahre König überall anerkannt ist, dann wird ihn der Papst zum Kaiser krönen, und unser Herr wird auch als Herzog in Franken bestätigt werden.«

»Wenn du es sagst«, meinte Markwart und versuchte, Hildegunde davon abzuhalten, das Pferd neben sich zu beißen.

»Sag mal«, warf der Knecht ein, der sich ebenfalls um die Pferde kümmerte, »hast du es auch schon mit der Ärztin getrieben? Ist ein Jammer, dass sie jetzt unter dem Daumen des Bischofs steht, aber was will man machen! Wo die da oben ihre Vorrechte haben, da haben sie halt ihre Vorrechte.«

»Was?«, fragte Markwart entgeistert. Der Knecht betrachtete ihn mitleidig.

»Schau, wir haben uns gleich gedacht, dass es bei euch lustig zugeht, auch wenn Botho uns gesagt hat, wir sollen die Finger von der Frau lassen. Ich muss zugeben, eine Zeitlang, da war ich mir nicht sicher. Ihr habt mich hinters Licht geführt mit all dem Gerede von Salerno und gelehrter Frau. Aber es ist doch ganz klar, dass der Bischof sie als Konkubine genommen hat. Magenschmerzen!« Er wieherte wie eins der Pferde. »Irgendwo da unten hat sie ihm was kuriert, das ist schon richtig …«

Markwart hatte seine eigene Meinung zu der Frau aus Köln. Es war ihm unheimlich, wie frank und frei sie über den menschlichen Körper redete. Was sie und den Aquitanier zusammenhielt, verstand er auch nicht, und außerdem glaubte er, dass sie sich Walther gegenüber dankbarer verhalten könnte. Auch fand er es abwechselnd erzürnend und lustig, wie sie die Macht hatte, seinen sonst so selbstsicheren Freund in einen kleinen Jungen zu verwandeln, und plante bereits, Walther in der nächsten Stadt in ein Haus zu führen, wo man Frauen haben konnte, die einem weniger Kopfschmerzen bereiteten.

Trotz seiner großen Statur war Markwart ein friedliebender Mensch und zog es vor, Streitereien aus dem Weg zu gehen. Nichts hielt ihn nun jedoch ab, dem Knecht einen Faustschlag zu versetzen, der den Mann vom Pferd warf. Erst danach kam es Markwart in den Sinn, dass es am Ende nicht so gut war, einen Kampf inmitten von Männern zu beginnen, die alle auf der anderen Seite standen, vor allem, da Walther und Gilles auf dem Schiff waren. Deswegen wäre Markwart nie alleine durch die Welt gezogen: An solche Dinge dachte er immer erst hinterher.

Er ballte erneut die Fäuste und bereitete sich darauf vor, sich schlagen zu müssen, doch der Vormann der Bischofsleute schaute den Knecht, der sich ungläubig ans Kinn langte, strafend an und sagte: »So solltest du nie von unserm Herrn Bischof reden, sonst verdienst du einen Eisenstachel durch die Zunge.« Dann klopfte er Markwart wohlwollend auf die Schulter. »Das war recht getan, mein Freund.«

Markwart musste sich zusammennehmen, um nicht aufzuatmen.

»Botho hat neulich nicht anders über den Bischof geredet«, murrte der Knecht. Der Vormann schaute unbehaglich drein.

»Botho steht über uns«, sagte er. »Er ist der Neffe des Reichshofmarschalls. Das macht es nicht rechtens, lose Reden über den Bischof zu führen, nicht für dich, nicht für mich und nicht für sonst jemanden, der nicht Heinz von Kalden hat, um ihn zu beschützen, lass dir das gesagt sein!«

Früher hatte Markwart sich vorgestellt, dass es im Haushalt eines Bischofs friedlicher zugehen müsste. Er verstand auch nicht, warum dieser Botho überhaupt beim Bischof von Würzburg diente, wenn er keine gute Meinung über ihn hatte.

Als er Walther wiedersah, nachdem dieser mit wankenden Beinen in Würzburg wieder an Land gegangen war, erzählte er ihm von dem Vorfall und stellte diese Frage.

»Vermutlich bespitzelt er den Kanzler für seinen Onkel«, sagte Walther abwesend.

»Aber sind Kanzler und Reichshofmarschall nicht alle Verbündete und Diener von König Philipp?«

»Ich bin nun bald zehn Jahre an verschiedenen Höfen. Wenn sie etwas gemeinsam haben, dann dass jeder sich selbst als höher und wichtiger sieht als den Nächsten, Markwart.«

»Darum hast du dich auch überschlagen, den Gatten deines Mädchens zu retten, wie?«, fragte Markwart. Walther hörte auf, zu der Magistra hinüberzuschauen, und entgegnete wütend: »Wie oft soll ich dir noch sagen, dass sie nicht mein Mädchen ist!«

»Schön. Dann lass uns ein paar Frauen suchen, wegen der du dich nicht hinterher aufführst wie ein Hengst, den der Hafer sticht«, sagte Markwart unbeeindruckt. »Bestimmt ist Würzburg groß genug dafür! Schließlich haben mir die Knechte die ganze Zeit über damit in den Ohren gelegen, dass sie fast die Hauptstadt eines Herzogtums sei.«

»Das ist«, begann Walther und wurde abgelenkt, weil dem Bischof gerade ein Bote entgegenlief. Er kniff die Augen zusammen. »Den kenne ich. Der gehört zum Haushalt des Markgrafen von Meißen. Was macht der hier?«

Er zog Markwart am Arm und näherte sich dem Bischof, der mit seinem Schreiber und zwei Klerikern dabei war, in eine Sänfte überzuwechseln, die man zu seinem Empfang geschickt hatte, und nun den Boten anhörte.

»Darum bittet Euch meine Herrin«, schloss der Bote.

»Es wird mir ein Vergnügen sein, die Markgräfin Jutta zu empfangen«, entgegnete der Bischof huldvoll. »Als Sohn Magdeburgs und ehemaliger Domherr dort fühle ich mich der alten Heimat immer noch sehr verbunden.«

Mit Walther ging eine erstaunliche Verwandlung vor: Statt abwechselnd unzufrieden, brütend und versonnen dreinzuschauen, wirkte er jetzt ausgesprochen hinterhältig.

»Weißt du, Markwart«, sagte er, »manchmal hast du genau die richtigen Einfälle.«

»Dann gehen wir heute Abend auf Frauensuche, wenn du dem Bischof noch einmal vorgesungen hast?«, fragte Markwart erleichtert.

»O nein. Ich weiß schon genau, wo ich eine Frau finde.«

* * *

Ein Übermaß an schwarzem Gallensaft, hatte es in Salerno geheißen, *sorgt für Trauer, Neid, Begier, aber auch für Reizbarkeit und Erregbarkeit.* Invidus et tristis, cupidus. *Von den vier Temperamenten ist das des Cholerikers, der an zu viel schwarzem Gallensaft leidet, das verdrießlichste.* Bisher hatte Judith gedacht, eine Mischung aus Sanguinikerin und Melancholikerin zu sein, aber was sie zwischen Walther und der Markgräfin beobachtete, ließ sie an ihrer Diagnose zweifeln.

Wie sich herausgestellt hatte, befand sich Philipp bereits in Bamberg, aber dort hatte man nicht alle edlen Herren unterbringen können, die mit ihm reisten. Dass sich die Markgräfin von Meißen in Würzburg befand, lag daran, dass sie bei Philipps Reise nach Franken für ihren Vater bitten wollte, den Landgrafen Hermann; das jedenfalls war der Grund, den der Bischof seinem Hofstaat nannte. Auf Judith machte es eher den Eindruck, die Markgräfin sei hier, um sich von fahrenden Sängern anbeten zu lassen. Gut, es entsprach der Sitte, dass Walther beim Willkommensmahl des Bischofs seine Lieder an die höchstrangigste Frau richtete, und das war nun einmal die Markgräfin, die auf geradezu lächerliche Art allen Schönheitsidealen entsprach. Nicht nur konnte man ihren Augenbrauen ansehen, dass ihr Haar hellblond war, nein, sie hatte auch blaue Augen, einen üppigen roten Mund, und sie war mutig genug, um nicht nur enganliegende Ärmel, sondern auch ein solches Oberkleid zu tragen, was offenbarte, dass sie vollkommene Brüste besaß. Selbst ihre Haut hatte die Reise überstanden, ohne zu bräunen, und wirkte wie eine Mischung von Milch und Rahm, die selbst Katzen verführt hätte.

Nichts davon sollte Judith kümmern, wenn die Markgräfin nicht so vertraut mit Walther getan hätte. Wenn sie nicht ständig mit einem kehligen Lachen auf seine Scherze geantwortet hätte. Wenn er nicht so genussvoll und übertrieben laut von der Gastfreundschaft gesprochen hätte, welche die Markgräfin ihm in Thüringen erwiesen hatte. Und dann hieß sie auch noch Jutta!

»Warum ist denn der Markgraf nicht hier?«, fragte Judith aufgebracht. Sie saß am untersten Tischende der zweiten Tafel, wo sich die niedrigeren Ränge, aber auch zwei Frauen befanden, welche die Markgräfin begleiteten.

»Eine Fehde mit einem Anhänger Ottos, die ausgefochten sein will. Die Markgräfin spricht für ihn, genau wie für ihren Vater. Wenn sie nicht hier wäre, dann könnte der König es missverstehen, dass der Markgraf und der Landgraf nicht zu ihm geeilt sind, nach den betrüblichen Neuigkeiten aus Rom.«

Unter anderen Umständen hätte Judith jetzt Mitgefühl für die

Markgräfin empfunden. Was sie gerade gehört hatte, lief darauf hinaus, dass Jutta eine Art Geisel war. Es erinnerte sie daran, wie Gilles von ihrem Onkel benutzt wurde, nachdem Judith sich Stefans unsinnigem Esther-Einfall verweigert hatte. Außerdem bezweifelte sie, dass sich der Markgraf oder der Landgraf auch nur im mindesten von Sorge um Jutta zurückhalten ließen, etwas zu tun, was ihnen Gewinn brachte. Man hatte schon gehört, dass erzürnte Mächtige Geiseln hinrichten ließen, doch nie, wenn es sich um Frauen handelte. Wahrscheinlich rechneten sie damit, dass Philipp nichts gegen die Markgräfin unternahm, wenn er sie denn überhaupt als Geisel sah.

Aber dann hörte Judith Walther die Markgräfin ansingen. *»Was schadet's, dass man Euch begehrt? / Gedanken sind ja doch wohl frei.«* Die Versuchung, Jutta zu bedauern, schwand wieder.

»Übrigens, stimmt es, dass Ihr eine Frau aus Salerno seid?«, fragte ihre Tischnachbarin.

»Ja«, sagte Judith dünnlippig.

»Dann wünscht meine Herrin Euch nach dem Mahl zu sehen. Ihr seid ohnehin im Vorzimmer ihres Gemachs untergebracht, mit uns zusammen, aber sie sucht auch Euren Rat.«

Ärztliche Pflicht war ärztliche Pflicht, also biss Judith die Zähne zusammen und nickte. Sie mahnte sich daran, Vernunft anzunehmen. Vielleicht täuschte sie sich ja auch in der Markgräfin? Walther mochte ihr den Hof machen, nicht nur, weil es der Sitte entsprach, sondern auch, um Judith vorzuführen, was sie zurückgewiesen hatte. All das Getue hieß noch lange nicht, dass die Markgräfin mehr im Sinn hatte, als einfach nur auf die Freundlichkeiten eines Sängers einzugehen. Schließlich stand Walther im Rang tief unter ihr, und diese adligen Damen waren immer sehr stolz auf ihre Abstammung. Gewiss würde es ihr nie einfallen, mehr als Worte mit ihm zu tauschen. Ja, so musste es sein. Die Markgräfin spielte nur ein Spiel; Walther war der Tor, wenn er das ernst nahm.

Mit dieser Schlussfolgerung gestärkt, fand Judith sich nach dem Gastmahl in den Gemächern ein, die man der Markgräfin zugewiesen hatte. Jemand war sogar so umsichtig gewesen, ihre

Tasche mit Kräutern und Instrumenten hierherzubringen; Gilles vermutlich, der mit Markwart und Walther zusammen bei dem Schreiber und dem Hofkaplan des Bischofs untergebracht worden war.

Die Markgräfin hatte sich bereits auf das große Bett gesetzt, jedoch noch keine Anstalten gemacht, sich von ihren Damen entkleiden zu lassen. Sie begrüßte Judith huldvoll und plauderte ein wenig über Kleinigkeiten wie das Wetter, die Beschwernisse des Reisens gerade für Frauen, die sich nicht wie die Männer vor aller Augen erleichtern konnten, und fragte dann, wie lange eine Ausbildung zur Ärztin in Salerno dauert.

»Bis zu fünf Jahren«, sagte Judith, »aber da mich mein Vater bereits vieles lehrte und ich ihm lange Zeit zur Hand gegangen bin, brauchte ich nur zwei Jahre bis zu meiner Prüfung. Es ging die Rede, dass eine bestimmte Ausbildungszeit Vorschrift werden soll, aber als ich Salerno verließ, war es noch nicht so.«

»Manchmal«, erwiderte die Markgräfin versonnen, »habe ich mich gefragt, wie es wohl wäre, ein Leben der Gelehrsamkeit zu führen. Doch das schien mir nur als Nonne möglich, und dazu«, sie lachte herzlich, »fühlte ich mich wahrlich nie berufen.«

Judith schluckte den Frosch in ihrer Kehle hinunter. Es war nur ein Zufall, konnte nur ein Zufall sein, dass die Markgräfin sich ausgerechnet heute und ihr gegenüber so ausdrückte.

»Keine der anderen Frauen, die gleich mir in Salerno lernten und lehrten, war geistlichen Standes«, sagte sie und hoffte, dass die höfische Rede ihren Kampf um Selbstbeherrschung verbarg.

Jutta klatschte in die Hände und teilte ihren Damen mit, sie wünsche, mit der Magistra alleine zu sein. Erst, als auch die letzte Frau verschwunden war, winkte die Markgräfin Judith näher und fragte mit gesenkter Stimme: »Stimmt es, dass es Mittel gibt, um die Empfängnis zu verhüten?«

Das war das Letzte, was Judith erwartet hatte. Sie versuchte, auf Zeit zu spielen, während sie ihre Gedanken ordnete. »Ihr meint, außer dem offensichtlichen?«

»Ja«, sagte die Markgräfin ungeduldig, »außer dem. Ich weiß nicht, ob ich mich immer genügend zurückhalten kann … gerade heute nicht.« Sie packte Judiths Hand. »Was auch immer ich Euch sage, ist wie zu einem Beichtvater gesprochen, so ist es doch bei einem Medicus, nicht wahr?«

»Wir schwören alle einen Eid«, bestätigte Judith.

»Es werden Monate vergehen, bis ich meinen Gemahl wiedersehe«, sagte die Markgräfin. »Da kann ich es mir nicht leisten, schwanger zu werden. Er ist nicht der klügste Kopf, doch bis neun kann er zählen.«

Einen Moment lang hoffte Judith, dass die Markgräfin ihr eröffnen würde, sie sei unter Philipps Gefolge dem Ritter ihrer Träume begegnet, ganz gleich welchem, solange es nicht Walther war. Doch selbst dann war sie nicht sicher, ob sie ihr Marias Rat bezüglich des sicheren Eingangs geben konnte.

»Nun?«, hakte Jutta herausfordernd nach.

Alles in Judith trieb sie an, sich hinter der christlichen Überzeugung zu verschanzen, nur Gott alleine dürfe über Empfängnis bestimmen, auch wenn sie das nicht glaubte. Oder sie könnte tadelnde Worte über Ehebruch sprechen, auch wenn ihr das nicht zustand. Wenn die Markgräfin sie davonjagen würde, was tat das? Sie war nicht auf deren Gunst angewiesen.

Aber wenn sie Jutta nicht half, und sie wurde schwanger, dann konnte das kein gutes Ende nehmen. Entweder ihr Gatte fand heraus, dass er gehörnt worden war, und rächte sich an ihr, oder die Markgräfin ging zu einer Engelmacherin, was meist mit dem Tod endete.

»Ihr habt wohl keine Zitrone zur Hand, oder?«, fragte Judith, und ihre Stimme krächzte, als wäre sie erkältet. Die Augen der Markgräfin verengten sich; sie schien sich zu fragen, ob sie verhöhnt wurde. Dann klärte sich ihr Blick wieder.

»Hilft denn Zitronensaft? Ich habe von der Frucht gehört, doch im Leben noch nie eine gesehen.«

»In Italien gibt es sie häufig«, sagte Judith. »Aus ihrer ausgepressten Schale lässt sich ein Werkzeug machen, das Ihr Euch einführen könntet. Doch ich glaube nicht, dass der Bischof und seine Küche mit Zitronen gesegnet sind.« Sie seufzte. »Avicenna empfiehlt, sich sofort danach aufzustellen, zu niesen und neunmal rückwärtszuhüpfen, damit der Samen abfließen kann, das und das Trinken von drei Unzen Basilikum vorher.«

»Und das hilft?«, fragte die Markgräfin begierig.

Mittlerweile brannte Galle in Judiths Kehle. Basilikum war auch gut, um die Lust zu fördern, aber sie weigerte sich, es der Markgräfin zu erzählen; bei ihr schien ohnehin keine Art von Lustförderung nötig zu sein. »Ich weiß es nicht aus eigener Erfahrung, Euer Gnaden, und würde vorsichtshalber noch Kohlblätter empfehlen. Kohl hat man uns gerade serviert, also sollte es in der Küche welchen geben.«

»Aber wenn ich den Kohl doch schon gegessen habe …«

»Ihr brauchet die Blätter zum Einführen, Euer Gnaden.«

»Ah, ich verstehe. Nun gut, dann besorgt mir das Basilikum und den Kohl, Magistra. Es soll Euer Schaden nicht sein.« Sie lachte, ihr gurrendes, hungriges Lachen. »Und meiner auch nicht, wie ich hoffe.«

»Wie wäre es auch noch mit Kampfer?«, fragte Judith bissig, als ihre so sorgsam geübte Zurückhaltung schließlich nachgab.

»Kampfer?«

»Der Geruch des Kampfers gilt als sichere Möglichkeit, um das männliche Glied zu schwächen«, sagte Judith spitz. »Kaum hat er Kampferduft in seinen Leib gesogen, ist jeder Mann um seine Kraft betrogen. Verzeiht, aber ich fühle mich gerade einfach dichterisch inspiriert.«

Der Mund der Markgräfin öffnete sich zu einem überraschten kleinen O, doch ehe sie mehr sagen konnte, verbeugte sich Judith rasch und verschwand.

Bis sie die Küche erreichte, kochte sie vor Wut, ganz gleich, wie sehr sie sich sagte, dass es dazu überhaupt keinen Grund gab. Schließlich war sie nicht mit Walther verheiratet. Es gab überhaupt keine Schwüre zwischen ihnen. Wenn er mit sämtlichen Markgräfinnen des Reiches tändeln wollte, hatte er das Recht dazu. Was ging sie das an? Überhaupt nichts. Was kümmerte sie es? Nicht das Geringste.

Aus irgendwelchen Gründen benahmen sich die Küchenjungen so, als hätten sie Angst vor ihr, und wichen hastig in alle Ecken zurück. »Wie viel Unzen Basilikum, sagtet Ihr?«, fragte der Koch mit leicht bebender Stimme. Vielleicht hätte Judith nicht eine der Pfannen auf den Herd schlagen sollen, um bei dem umgebenden Lärm Aufmerksamkeit für sich zu bekommen?

Sie holte tief Luft. »Sechs Unzen«, sagte sie. »Und Wein, um sie hinunterzuspülen.«

Einer der Küchenjungen drückte ihr einen Weinbeutel in die Hand, nachdem der Koch das Basilikum gewogen und geschnitten hatte. Judith verlangte nach einem Becher.

»Ihr habt doch gesagt, es sei für die Markgräfin?«

»Die Markgräfin bekommt nichts, das ich nicht vorher auch gekostet habe«, sagte Judith. Dann spülte sie drei Unzen Basilikum hinunter.

* * *

Walther war bereits auf dem Weg zum Gemach der Markgräfin, als ihm Judith entgegenkam. Sie ging so schnell, als brenne der Boden unter ihr, und in ihren Augen loderte das gleiche Feuer. Er kam nicht dazu, sich selbst zu beglückwünschen, weil sie ihn bereits an den Schultern packte und gegen die Wand stieß.

»Wenn du mit deiner Markgräfin ins Bett gehen willst, nur zu«, stieß sie hervor. »Aber wenn du je in deinem Leben mehr als nur denselben Raum mit mir teilen willst, dann verlässt du jetzt mit mir die Burg.«

Er könnte es länger ausreizen, dachte Walther. Er könnte sie dazu zwingen zuzugeben, dass sie eifersüchtig wie ein Kind war, dessen Spielzeug man gerade einem anderen gegeben hatte. Er könnte es sogar darauf ankommen lassen, von ihr zu fordern, ihm ihre Liebe zu gestehen. Aber er roch den Duft ihrer Haut und tat nichts davon. Nicht zuletzt, weil er ihr zutraute, es ernst zu meinen. Das Leben mochte häufig ein Glücksspiel sein, doch ein guter Spieler wusste, wann seine Stunde kam.

Er ergriff ihre Hand und lief mit ihr in den warmen Herbstabend hinein. Der September ging bald zu Ende; es würde nicht mehr viele solche warmen Nächte geben. Der Boden war noch warm, ein Abglanz der Sonne, die den ganzen Tag geschienen hatte. Die Feste, die der Bischof bereits ausbauen ließ, lag auf einem Hügel, umgeben von Weingärten und hin und wieder einem Baum dazwischen. Unter einer Linde, die so dicht mit Blättern geschmückt war, dass man von der Feste aus im Mondlicht nichts zu ihren Füßen erkennen würde, blieben sie stehen. Judith legte den Umhang ab, den sie trug, und breitete ihn auf dem Boden aus. Es ging ihm durch den Kopf, dass er mittlerweile jedes ihrer wenigen Oberkleider kannte. Auch dieses, das sie für das Festmahl des Bischofs getragen hatte, weil es das beste war, wiewohl es wegen seiner vielen Knitter unter den Frauen am höheren Ende der Tafel für spöttische Bemerkungen gesorgt hatte. Er hingegen fand es ausgesprochen hübsch an ihr. Obwohl er vor ein paar Stunden noch voll und ganz damit beschäftigt gewesen war, seine Rache zu planen und zu genießen, war ihm durch den Kopf geschossen, dass Judith mit ihrem alten Kleid und ohne Schmuck trotzdem jede der anderen Anwesenden überstrahlte. Sollte er ihr das sagen? Vielleicht musste er dann hören, er baue nur vor, um für zukünftige Kosten nicht geradestehen zu müssen, aber sie könne selbst ihre Kleider bezahlen. Oder etwas ganz anderes. Bei ihr war er nie sicher, was ihn als Nächstes erwartete. Er wusste wahrlich nicht, wie sie ihn so verzauberte. Gewiss, die Finger waren lang und schmal, und es waren keine Narben zu erkennen von all den Instrumenten und Säuren, mit denen sie ständig hantierte. Sicher, sie hatte lange Beine, doch sie machte stets zu große Schritte für eine Frau. Ihr Busen war wohlgeformt, durchaus, doch nur von durchschnittlicher Größe. Ihr Mund dagegen war etwas zu groß, ihre braunen Augen wirkten jetzt im Dämmerlicht fast schwarz. Ihre Gesichtshälften waren nicht völlig identisch und ihr Haar mehr als ungewöhnlich. Aber irgendwie ergaben all diese kleinen Unvollkommenheiten ein Ganzes, das ihn mitten ins Herz traf, jedes Mal, wenn er sie anblickte. Er streckte die Hand aus, um sie von ihrer Kopfbinde zu befreien. Als würden ihre roten Haare das wenige Licht zu sich locken, schien nun ein herbstliches Wetterleuchten um sie zu sein.

»Gott helfe mir«, sagte sie. »Ich glaube, ich liebe dich.«

Später, als der aufgegangene Vollmond jede Einzelheit erkennbar machte, las sie Blätter aus ihrem Haar, die er hineinsteckte, da er darauf bestand, dass es Blumen waren, das Lächeln der Erde. »Eine Rose«, wie er sagte, »und noch eine.«

»Böse Zungen würden behaupten, es seien Gräser und Lindenblätter«, flüsterte sie, während er sie in seinen Armen hielt.

»Das ist das Geheimnis von uns Nachtigallen: Was auch immer wir Rose nennen, ist auch eine, wir könnten sonst doch auch nicht die Farbe des Windes beschreiben«, gab er zurück und spürte am ganzen Leib, wie sie lachte. Es wurde allmählich zu kühl, um draußen unter einem Baum zu liegen, aber er wusste, dass der Zauber in dem Augenblick gebrochen sein würde, in dem sie in die Feste und das Alltagsleben zurückkehrten, und gerade jetzt wollte er, dass die Ewigkeit nichts als dieser Moment war. Judith streckte die Hand aus und ließ sie spielerisch durch die Haare auf seiner Brust streifen, ehe sie mit Mund, Händen und ihren Brüsten jeden Fleck seines Körpers besuchte, wie um nachzuholen, was sie sich bisher hatte entgehen lassen. Seine Küsse, zärtlich und fordernd, dankten ihr und erkundeten sie ebenfalls aufs Neue. Schließlich hielt sie inne und flocht ein Blatt in sein Haar.

»Rosmarin und Lorbeer«, sagte sie, »weil mir ein Vogel zugezwitschert hat, dass man bei den heidnischen Griechen und Römern so die Dichter krönte.«

»Nur, wenn sie sehr, sehr gut waren«, murmelte er, legte einen Finger auf ihre Lippen und ließ seine rechte Hand von ihrer Brust zu ihrer Hüfte wandern.

Judith richtete ihren Oberkörper auf, so dass sie nun in sein Gesicht schaute, während sie auf ihm lag. »Du«, sagte sie, nahm eine ihrer lockigen Haarsträhnen und kitzelte ihn damit unter dem Kinn, »bist einfach der eitelste Mann, den ich kenne.«

»Ich meine nur, dass es mehr als eine Art und Weise gibt, mit der du mich auf dem Sterbebett wieder gesund machen kannst«, protestierte er. »Ich habe diese Überzeugung, dass Dichtung wie Liebe ist. Da, wo sie erwidert wird, ist sie am besten.«

»Weißt du, ich glaube, das lässt sich medizinisch rechtfertigen«, sagte sie. Er rollte sie herum, um ihr noch einmal zu beweisen, dass sie beide recht hatten.

Danach war es wirklich zu kalt, um noch weiter draußen zu bleiben. Bis sie beide vollständig bekleidet waren, fiel Walther ein, warum er sich während der Reise hatte zurückhalten müssen. Gewiss, sie würden bald nach Bamberg aufbrechen, und selbst, wenn der Bischof ebenfalls zu Philipp reiste, was er als Kanzler früher oder später tun musste, war nicht anzunehmen, dass er wieder Botho und seine Leute mitnahm; er hatte noch andere Dienstleute und Knechte. Doch es konnte trotzdem nicht schaden, Judith nicht zu offen als seine Geliebte zu behandeln, zumal, wenn ihr das Gerücht, von dem Markwart ihm erzählt hatte, Schutz verlieh.

»Wusstest du, dass ein paar von den Leuten des Bischofs glauben, er hätte dich als Konkubine genommen?«

»Was?«, fragte Judith entgeistert.

»Nicht alle«, beeilte sich Walther hinzuzufügen. »Er hat wohl im Allgemeinen nicht den Ruf, im offenen Konkubinat zu leben.«

»*Ich* würde mich niemals mit einem eurer christlichen Kleriker einlassen«, sagte Judith empört. »Und ich würde mich nie mit jemandem einlassen, dessen Ärztin ich bin. Für was für eine Frau halten die mich denn?«

»Für eine Frau, die mich heiraten sollte, damit ihr Ruf nicht weiter gefährdet ist«, sagte Walther. Sie legte ihm eine Hand auf den Mund.

»Lass uns heute nicht darüber reden. Bitte. Ich – ich werde darüber nachdenken, aber nicht jetzt.«

Auch er wollte den Zauber der Nacht nicht zerstören, und so fielen sie in das vorsichtige, brüchige Schweigen, das von Anfängen und Enden wusste und nur nicht sagen konnte, wie das Leben dazwischen aussehen würde.

Bei allem, was geschehen und nicht geschehen war, hielt sich Walther für verpflichtet, der Markgräfin Jutta wenigstens eine Erklärung für seine Abwesenheit zu geben, ehe er nach Bamberg weiterzog, denn sie hatte ihn an jenem Abend eindeutig wie nie eingeladen, und er hatte ihr den Eindruck gegeben, dass er dankbar dafür war und kommen würde.

Es war für Walther eine neue Erfahrung. Er hatte sich schon oft entschuldigen müssen, aber noch nie für etwas, was er *nicht* getan hatte. Außerdem hatte er das unbehagliche Gefühl, dass sein Verhalten gegenüber Jutta unrecht war. Gut, sie war verheiratet, es gab keine Treueschwüre zwischen ihnen, doch er hatte sie benutzt, um Judith eifersüchtig zu machen; das war keine sehr ritterliche Haltung. *Du bist kein Ritter,* flüsterte es in ihm, *du gibst es nur vor.* Aber auch das war keine Hilfe.

»Herr Walther«, sagte Jutta kühl, als er seine Verbeugung gemacht hatte, »was für eine Überraschung. Lasst mich raten. Ihr habt Euch in der Nacht plötzlich verkühlt? Nun, dann trifft es sich wahrlich gut, dass wir eine Magistra aus Salerno unter uns haben, nicht wahr?« Irgendjemand musste seit ihrer letzten Begegnung bereits geklatscht haben.

»Es tut mir leid«, sagte Walther, doch da es im Grunde eine Lüge war und er nicht daran gewöhnt, Menschen zu belügen, die er gernehatte und welche Besseres verdienten, sagte er es nicht sehr gut.

»Nein, mir tut es leid«, entgegnete Jutta kalt. »Mir tut es leid, da mein Vater beabsichtigt, einen Wettstreit der besten Sänger im Reich zu veranstalten, und ich ihn beschworen habe, Euch dazu einzuladen. Mir tut es leid, dass ich ihm gesagt habe, er müsse Euch für seinen Hof gewinnen. Und es tut es mir mehr als leid, dass ich mich dazu herabgelassen habe, einem unwürdigen Gecken wie Euch auch nur eine Stunde meiner kostbaren Zeit zu widmen!«

Vielleicht war es am besten, noch einmal eine Verbeugung zu machen und zu verschwinden, aber er wollte sie nicht so zurücklassen. »Es waren sehr schöne Stunden«, sagte Walther, »an die ich immer gerne denken werde.«

Sie rümpfte die Nase, doch sie sprach nicht.

»Ich habe mich verliebt«, sagte er einfach.

»So kann man es auch nennen, wenn ein Bock eine neue Ziege wittert«, gab sie bissig zurück.

»Der Magistra bin ich schon vor vielen Jahren begegnet. Es gab … Missverständnisse zwischen uns.«

Kaum war der Satz heraus, da wusste Walther, dass es ein Fehler war. Er hatte Jutta beschwichtigen wollen, indem er klarmachte, dass er nicht einfach der nächstbesten Frau nachstellte, doch was sie hörte, war, dass er bereits Gefühle für Judith gehabt hatte, als er Juttas Geliebter gewesen war. Das Gesicht der Markgräfin verzog sich, ihre Lippen zitterten. Einen schrecklichen Moment lang befürchtete er, sie würde anfangen, zu weinen. Dann wurde ihre Miene wieder hart.

»Ihr scheint Frauen sehr häufig misszuverstehen, Herr Walther. Vielleicht wäre dem weiblichen Geschlecht besser gedient, wenn Ihr das Schicksal Abaelards erleidet.«

Die Kastration des großen Abaelard lag nur ein Menschenleben zurück. Er war einer der berühmtesten Köpfe des Abendlandes gewesen, dessen Werke nicht nur in Frankreich, sondern überall gelesen wurden, und dennoch hatte jemand den Befehl geben können, ihn zu verstümmeln. Es wäre für jemanden wie Jutta von Thüringen, Markgräfin von Meißen, mehr als leicht, einen fahrenden Sänger kastrieren zu lassen. Vielleicht hatte sie ihre Worte nicht so gemeint, sondern einfach nur als Ausdruck ihres Ärgers gesprochen. Doch jemand in ihrer Stellung konnte jemandem in seiner ohne weiteres so drohen und es auch ernst meinen. Blutig ernst.

Ihre Mundwinkel krümmten sich; er wusste, dass sie seine Gedanken und den jähen Anflug von Angst von seiner Miene abgelesen hatte. Es gab wohl nichts mehr zu sagen.

»Euer Gnaden«, sagte er, verbeugte sich und ging.

Judith war dabei, den Haushofmeister des Bischofs auf so freundliche Weise wie möglich um die Bezahlung ihrer Dienste zu bitten, als Walther sie fand und beiseitezog.

»Wir müssen heute noch abreisen«, sagte er zu ihr und erklärte hastig, warum. Judith war gleichzeitig bestürzt und auf unangemessene Weise belustigt, vor allem, weil sie nicht glauben wollte, dass die Markgräfin eine solche Drohung ernst gemeint haben konnte. »Sie hat recht, weißt du? Du verstehst Frauen wirklich nicht besonders gut.«

»Und du verstehst Männer nicht im Geringsten, wenn du meinst, dass ich meine Männlichkeit aufs Spiel setze, im Vertrauen darauf, dass sie scherzt!«

»Ich könnte versuchen, mit ihr zu sprechen …«

»Judith«, sagte Walther nachdrücklich, »du und ich haben überhaupt nichts zu gewinnen und alles zu verlieren, wenn du noch ein Wort mit einer Frau wechselst, die weit über uns steht und dich nur zu beschuldigen braucht, sie vergiften zu wollen, damit man dich aufhängt oder einen Kopf kürzer macht. Wir müssen hier fort!«

»Ich dachte, es geht um deine Hoden, nicht um meinen Hals«, scherzte Judith, doch dann sah sie seine Miene und gab nach. »Gut. Wir reisen noch heute. Ich werde Gilles Bescheid geben.«

Walther konnte noch nicht einmal sagen, dass er unglücklich darüber war, denn zwei Männer wie Gilles und Markwart waren besser als keiner, nur für den Fall, dass Jutta ärgerlich genug war, um ihm ein paar Leute hinterherzuschicken. Flüchtig fragte er sich, welche Erklärung Judith ihrem Gemahl wohl für die Eile gab, und entschied dann, dass er es eigentlich nicht wissen wollte, weil es sich vermutlich um die Wahrheit handelte.

Markwart bestand allerdings darauf, die Angelegenheit aus einem völlig falschen Blickwinkel zu betrachten: »Du meinst, du hättest als … äh … Sänger eines so leckeren und reichen Weibsstücks wie der Markgräfin für dein Leben aussorgen können und rennst stattdessen einer schwierigen, ständig Kopfschmerz verursachenden Frau wie der Magistra hinterher? Walther, du musst von allen guten Geistern verlassen sein!«

»Die Magistra hat nicht damit gedroht, mich zu kastrieren, und ihr Gemahl hat auch nicht die Macht oder das Gemüt, um mir bei lebendigem Leib die Haut abziehen zu lassen – das sieht bei Jutta deutlich anders aus. Also scheint mir, dass ich die richtige Wahl getroffen habe«, gab Walther grimmig zurück. Markwart hörte auf zu feixen und half dabei, die Pferde zu satteln und zu bepacken. Als Judith mit Gilles auftauchte, stellte Walther fest, dass sich Markwarts Grinsen auf Gilles' Miene spiegelte, und fand das ausgesprochen undankbar.

Sie kamen an diesem Tag noch bis zum Kloster in Ebrach. Judith ging sofort zum Bruder Medicus, um zu hören, welche Kräuter sie erwerben konnte. Sie kehrte mit Botho zurück, dem sie im riesigen Komplex dieses Klosters begegnet war.

»Wie ich höre, seid Ihr auf dem Weg nach Bamberg, Herr Walther. Das trifft sich gut, denn auch ich will an den Hof des Königs, um meinem lieben Onkel, Heinz von Kalden, meine Aufwartung zu machen. Da ich allein unterwegs bin, können wir morgen gemeinsam weiterreisen!«

Botho war Walther mittlerweile unangenehm, doch es gab keine vernünftige Art und Weise, sein Angebot abzulehnen. Walther tröstete sich damit, dass Bamberg nicht gar zu weit von Ebrach entfernt lag, nur eine halbe Tagesreise. Für ein paar Stunden ließ sich Botho gewiss aushalten. Was auch immer er über Judith dachte, es stand nicht zu erwarten, dass er ihretwegen einen Streit mit drei Männern begann.

In der Tat benahm sich Botho am nächsten Morgen zunächst ausgesprochen höflich. Er sprach kaum, und als er doch begann, geschah es, um über die Wege zu schimpfen und die Hoffnung auszudrücken, dass die Bischöfe von Bamberg und Würzburg Gelegenheit haben würden, sie besser befestigen zu lassen, wenn der Krieg erst vorbei wäre. »Zu Pferd mag dieser Weg ja angehen, doch mit Wägen ist er die reine Hölle, das kann ich beschwören!«

Gilles steuerte eine Geschichte über die alten Wege der Römer im Königreich Sizilien und die Pässe in den Alpen bei, und wie er dort einmal einen Tross mit Weinfässern eskortieren musste. Bald lachten sie alle, obwohl Gilles schwor, dass es eine bitterernste Angelegenheit gewesen sei: »Jedes Mal, wenn ein Fass wegen all der Schlaglöcher undicht wurde, sahen wir es als unsere Pflicht an, dafür zu sorgen, dass der gute Wein nicht im Boden versickerte!« Dann lachte auch er. »Ach, noch einmal so ein Abenteuer erleben …«

Nahe des Weges, den sie nahmen, lagen Wälder voller Buchen, deren Laub sich bereits ins Rötliche verfärbte. Ein leichter Wind

kam auf und wehte Walther ein paar Blätter ins Gesicht. »Unge-
haltene Zuhörer, Herr Walther?«, meinte Botho spöttisch.

»Nein, Blumen«, gab Walther zurück. Aus dem Augenwinkel
sah er, dass Judith lächelte. Inzwischen hatte sich die Sorge, Jutta
könne ihre Drohung ernst machen, gelegt. Zum Teufel auch, er
hatte wirklich Grund, glücklich zu sein: Es war ein wunderschö-
ner Herbsttag, die Landschaft schien sich ein Festkleid aus Grün,
Gelb und erstem Rot übergeworfen zu haben, und Judith ritt an
seiner Seite. Nun, fast an seiner Seite, doch Walther musste zugeben, dass ihn Gilles eigentlich nicht mehr störte. Jetzt, da er sie in
den Armen gehalten hatte, fiel es leicht, die Vorzüge des Mannes
einzugestehen. Gilles war ein netter Kerl, der eine üble Erfahrung durchgemacht hatte und trotzdem dem Leben noch ein Lächeln abgewinnen konnte. Außerdem war er Judith ein Freund,
ohne den ihr in Chinon oder Köln wahrlich Übles hätte geschehen können, und er hatte nie versucht, Walther von ihr fernzuhalten, eher das Gegenteil. Wenn Walther an den Abend bei Judiths Familie in Köln dachte, dann hatte Gilles sogar den guten
Geschmack bewiesen, seine Lieder zu schätzen. Allein das musste man würdigen.

Walther erzählte gerade, wie er in den Bergen aus gerade noch
sicherer Entfernung eine Lawine erlebt hatte, als Botho ihn unterbrach und bedeutungsvoll meinte, die Pässe über die Alpen
hören sich fürwahr gefährlich an. »Mag sein, dass ich mich irre«,
fuhr er fort, »doch es ist immerhin möglich, dass sich Seine Gnaden, unser Herr Bischof, in den Kopf setzt, nach Rom zu reisen,
um Seine Heiligkeit vor Ort um sein Bistum zu bitten. Als sein
treuer Mann sollte ich ihm davon doch eigentlich abraten, findet
Ihr nicht? Wenn der Weg so gefährlich ist.«

Erstauntes Schweigen setzte ein, weil keiner von ihnen wusste,
was Botho damit sagen wollte. Keiner, bis auf Judith, die nach
einer Weile meinte: »Herr Botho, als des Bischofs engster Vertrauter wisst Ihr bestimmt am besten, welche Unternehmungen
gut oder schlecht für Seine Gnaden sind.«

»Ich wünschte, ich wäre sein engster Vertrauter«, sagte Botho
mit einem Seufzen. »Schließlich waren mein Onkel und er Waf-

fenbrüder bei dem letzten Kreuzzug. Doch leider kam es dabei zu … zu Missverständnissen. Ich fürchte, der Bischof lässt sich deswegen davon abhalten, mir uneingeschränkt zu vertrauen.«

»Oh, von dem Streit haben wir gehört, als die ersten Kreuzfahrer aus dem Heiligen Land zurückkehrten«, bemerkte Gilles aufgeräumt. »Wollte der Kanzler nicht den Kreuzzug ohne den Kaiser weiterführen, aber Euer Onkel sofort ins Reich zurückkehren?«

»Mitnichten«, gab Botho scharf zurück. »Mein Onkel hatte bereits seinen Stolz für die gute Sache geopfert, indem er seinen Anspruch auf den Oberbefehl an Hans von Brabant weitergab – trotz der unwürdigen Hetze auf dem Weg ins Heilige Land, weil mein Onkel manchem Edlen nicht hoch genug geboren ist. Als der Kaiser dann in Messina starb, da war es beiden klar, meinem Onkel und dem Kanzler, dass ihre oberste Pflicht darin bestand, die Nachfolge zu sichern.«

»Worin bestand dann das Missverständnis?«, kam Walther nicht umhin, zu fragen.

»Gebt Gott, was Gottes ist, und dem Kaiser, was des Kaisers ist«, zitierte Botho aus der Heiligen Schrift. »Als Mann der Kirche sah der Kanzler das natürlich genau in dieser Reihenfolge, nicht gleichgewichtig, aber mein Onkel hat bei Markus und Lukas nachgelesen und festgestellt, dass dort zuerst der Kaiser und dann Gott genannt wird. Darüber stritten die beiden. Als Mann weltlichen Standes setzte mein Onkel seine Pflicht dem Reich gegenüber an erste Stelle. Unser Herr Bischof besitzt eben manchmal nicht genügend Sinn für das Weltliche. Deswegen braucht er auch Männer wie mich.«

»Dann ist es ja gut, dass er Euch hat«, sagte Judith begütigend.

Botho ließ sein Pferd etwas langsamer gehen und musterte sie. »Um ein guter Diener meines Herrn zu sein und ihn vor unangemessenen Nebensächlichkeiten zu schützen, sollte ich über alles Bescheid wissen, was ihn betrifft, Magistra.«

Judiths Miene wurde eisig. »Wenn Ihr wissen wollt, ob ich ein unlauteres Verhältnis zu Bischof Konrad unterhalte, so lautet die Antwort nein.«

Markwart schaute anklagend zu Walther, denn er konnte sich

denken, wer Judith von dem Gerücht erzählt haben musste. Gilles blickte einfach nur verblüfft. Walther wünschte sich, sie wäre nur einmal in ihrem Leben etwas unehrlicher, denn es wäre durchaus nützlich, wenn Botho zumindest bis Bamberg noch an dieses Märchen glaubte. Botho jedoch stutzte, dann warf er den Kopf zurück und lachte in aufrichtiger Erheiterung.

»Nein«, sagte er und wischte sich die Tränen aus den Augen, »nein, daran habe ich weiß Gott nicht gedacht. Ich habe durchaus meine Gründe, an die Enthaltsamkeit unseres Bischofs zu glauben.«

»Danke«, murmelte Judith, so leise, dass man sie kaum hörte, und wenn sie noch mehr zu sagen hatte, dann schluckte sie es hinunter.

»Woran ich ebenfalls glaube«, sagte Botho, und die Belustigung in seiner Stimme schwand völlig, »ist, dass Ihr manchmal Empfehlungen aussprecht, deren Folgen auf den ersten Blick nicht zu ersehen sind. Also, habt Ihr etwas von dem Bischof gehört, das ich wissen sollte?«

»Sagt Euch denn der Bischof nicht alles, was Ihr wissen wollt?«, entgegnete Judith, die etwas errötet war. Walther trieb sein Pferd näher an Gilles heran, um ihm einen warnenden Rippenstoß zu versetzen.

»Ich habe Euch gerade auseinandergesetzt, dass es Dinge gibt, die ich um seiner selbst willen wissen muss, ehe er dazu kommt, sie mir zu eröffnen«, sagte Botho gepresst.

»Was ich bei der Behandlung im Umgang mit meinen Patienten sehe und höre, das muss ich verschweigen und als Geheimnis bewahren«, sagte Judith. »Das ist ein Teil des Eides, den jeder Arzt schwört, Herr Botho. Er ist mir heilig.«

»Ist er das?«, fragte Botho gefährlich leise. »Was ist Euch sonst noch heilig, Magistra? Mir ist nämlich aufgefallen, dass Ihr niemals an Gottesdiensten teilgenommen habt. Und wenn ich mich recht besinne, dann hat man in Braunschweig davon gesprochen, dass der Kerl, der vor seiner Strafe wegen Männerliebe weggelaufen ist, mit einer Jüdin verheiratet ist. Wisst Ihr, Bischof Konrad verabscheut das Volk der Gottesmörder. Er hat mir einmal erzählt, dass Seine Heiligkeit der Papst in Paris während ihres gemeinsamen Studiums die Ansicht geäußert hat, es sei von Grund auf falsch, Juden herumlaufen zu lassen wie Christenmenschen oder ihnen zu gestatten, unter ihnen zu wohnen. Man müsste sie in ihre eigenen Viertel sperren, wenn man sie denn überhaupt in einem christlichen Land duldet. Jeder von ihnen sollte ein Kleidungsstück tragen, auch um Mischehen von vornherein auszuschließen, welches sie sofort als das offenbart, was sie sind: Gottesleugner. Gottesmörder. Mit dem Blut Christi an ihren Händen. Nur töten, das solle man sie nicht. Sie sollten zu einem Leben, schlimmer als der Tod, bewahrt bleiben, das war damals schon die Meinung unseres Heiligen Vaters!«

Judith starrte ihn an. Ihre Lippen öffneten sich, und Walther war sicher, was auch immer sie sagen wollte, wäre etwas, das sie in noch mehr Gefahr bringen würde, also sprach er schnell das Erste aus, was ihm in den Sinn kam.

»Vielleicht habe ich es falsch gehört in meiner Kirche, aber unser Pfarrer hat uns immer vorgelesen, dass es die Römer waren, die unsern Herrn Jesus haben kreuzigen lassen.«

»Hat Euch jemand um Eure Meinung gebeten, Herr Walther?«, fragte Botho ungehalten. »Ich kenne meine Bibel.«

»Lasst die beiden Herren über die Bibel sprechen und uns vorausreiten«, sagte Gilles zu Judith. »Wenn in Bamberg kein Raum für die Markgräfin von Meißen und ihr Gesinde war, dann haben wir es bestimmt auch schwer, Platz zu finden, aber wenn du dich bei der Königin zurückmeldest, dann wird sie dir gewiss bei ihren eigenen Damen etwas anbieten. Schließlich schätzt sie dich sehr.«

Bei allen Heiligen, dachte Walther. *Gilles ist alles andere als dumm.* Das war ein ausgesucht kluger Einwand, der Botho klarmachen musste, dass Judith die höchstgestelltesten Gönner hatte. »Recht hast du, mein Freund«, sagte er laut und schlug Gilles auf die Schultern. »Lasst euch von uns nicht zurückhalten. Mein Pferd scheint etwas zu lahmen. Würdet Ihr es Euch ansehen, Herr Botho? Ihr müsst der beste Pferdekenner unter uns sein.« Er stieg ab und hob den linken Vorderhuf seines Pferdes, bevor er weitersprach. »Markwart und mir macht es nichts aus, im Stall zu nächtigen, bis etwas Geeignetes gefunden ist, aber es wäre doch gelacht, wenn die Leibärztin der Königin nicht in ihrem Vorzimmer nächtigen würde.«

Botho zeigte keine Anzeichen, dass er zuhörte. Stattdessen verengten sich seine Augen zu Schlitzen, doch er stieg ebenfalls ab und griff nach dem Huf von Hildegunde. Er verfolgte dabei aber mit seinen Augen Gilles und Judith, bis sie hinter der nächsten Biegung verschwunden waren. Dann sprach er Walther direkt an.

»Wisst Ihr, was man mit vorlauten Vögeln tut, da, wo ich herkomme? Man dreht ihnen die Hälse um.«

Heute war eindeutig nicht Walthers Tag. Abwesend fragte er sich, welches seiner Körperteile als Nächstes bedroht werden würde. »Dann hättet Ihr zwar einen toten Vogel, aber immer noch niemanden, der Euch von den geheimen Absichten des Bischofs erzählt.«

Langsam sog der Neffe des Reichshofmarschalls Luft zwischen seinen Zähnen ein. »Dann erzählt«, sagte er hart.

»Mein guter Mann, ein Vogel will erst gefüttert werden. Vor allem, wenn er gerade höchst unfreundlich bedroht wurde. So etwas ermutigt nicht zum Singen.«

Hinter Botho machte Markwart ein unglückliches Gesicht, doch er legte seine Hand auf die Keule, die am Sattel hing und mit der er gelernt hatte umzugehen.

»Hmm. Wenn das kleine Miststück die Ehe mit Euch bricht, dann wird sie wohl auch diesen angeblich heiligen Ärzteschwur brechen, das ist wohl klar«, sinnierte Botho laut. »Nun, ich bin durchaus bereit, Euch zu glauben, dass Ihr in Erfahrung bringen könnt, was ich wissen will, aber warum zum Teufel soll ich Euch dafur das Maul mit Gold statt mit meiner Faust öffnen, Herr Walther? Um ganz offen zu sein, wenn Ihr nicht reden und nicht singen könnt, dann seid Ihr für mich gar nichts. Das macht Euch doch Angst, oder? Stumm zu sein? Und jetzt stellt Euch vor, jemand schneidet Euch die ach so gewandte Zunge heraus.«

Nein, es war ganz und gar nicht sein Tag. Aber mit einem Mal schien Walther die Vorstellung, dass Grobheit und Gewalt über Verstand und Witz siegen sollten, noch unerträglicher, als es schon gewöhnlich der Fall war. »Wir sind beide Ritter und Anhänger König Philipps, wir sollten einander nicht bedrohen. Ja, Ihr habt recht: Ich würde es nicht ertragen, meine Stimme zu verlieren und stumm zu sein. Es würde mich dem Wahnsinn ausliefern. Aber wer weiß, was ich dann tun könnte? Am Ende fiele auch mir etwas ein dazu, und ich würde mit der Liste in der Hand zum König gehen, so irrsinnig wäre ich dann bestimmt.«

Botho krauste die Stirn. »Welche Liste?«

»Da gibt es doch böse Zungen«, sagte Walther freundlich, »die behaupten, dass die Welfen bereit wären, für Spitzel an Philipps Hof ein erkleckliches Sümmchen zu zahlen. Mehr noch, das üble Gerücht behauptet, sie hätten das schon getan, und eine Liste mit den Namen all derer, die damit ihre Einkünfte aufbessern wollten, die gäbe es schwarz auf weiß. Ich weiß nicht, wie Ihr das seht, Herr Botho, doch eine Reise nach Braunschweig, dem Nest, aus dem die Welfen alle stammen, das sieht mir doch beinahe wie ein Geständnis aus, wenn man es mit der Möglichkeit verbindet, dass Euer Name auf einer solchen Liste schon zu finden wäre.«

»Der Bischof hat mich nach Braunschweig geschickt«, sagte Botho, mit einer Mischung, die nach Ärger und Besorgnis klang. »Jeder weiß das.«

»Aber wer hat den Bischof auf den Gedanken gebracht, dass eine solche Reise notwendig wäre? Wer als sein oberster Dienstmann?«

»Das warst doch du, du Hundsfott«, rief Botho. »Du hast es mir angeraten!« Er trat wütend zu Walther, aber Hildegunde keilte aus. Walther konnte sie nur mit Mühe am Zügel festhalten. Nachdem sie sich wieder einigermaßen beruhigt hatte, sah er, dass sich Markwart zwischen ihn und Botho gestellt hatte, was ihn um seinen Freund fürchten ließ. Markwart war gut im Streit mit seinesgleichen, doch Botho gehörte zu den Rittern, die bereits von Kindheit an gelernt hatten, mit Waffen umzugehen.

»Herr Botho, nehmt Vernunft an«, sagte Walther begütigend. »Es gibt keinen Grund zum Streit. Wenn Ihr uns auf der Straße erschlagen könntet, gleich hier und jetzt, dann hättet Ihr zwar Euer Mütchen gekühlt, aber ich kann Euch versichern, dass es Euch trotzdem Eure Stelle kosten wird. Die Liste, von der ich gesprochen habe, die gibt es, ich habe sie aber nicht bei mir.«

»Hat das Weib sie?«, stieß Botho hervor.

»Nein. Vielleicht hat sie die Markgräfin von Meißen, vielleicht der Abt von St. Josef, vielleicht jemand, den Ihr nicht kennt«, sagte Walther kurzentschlossen, denn Jutta von Thüringen und der Abt hatten bestimmt nichts von einem Botho zu befürchten. »Wenn der Besitzer von mir in einem gewissen Zeitraum keine Botschaften mehr erhält, wird diese Liste an König Philipp gehen. So ist es vereinbart.«

Botho dachte darüber nach. Seine Hände krampften sich zusammen und lockerten sich wieder. »Nun, dann wollen wir Eure dreckige Zunge in Eurem Schnabel belassen, zumindest heute«, erklärte er großmütig. »Wann kann ich mit der Auskunft über die Pläne des Bischofs rechnen?«

»Ich glaube, Ihr habt da etwas missverstanden«, gab Walther in seinem sanftmütigsten Tonfall zurück. »Mein Gott, der Tag steckt doch voller Missverständnisse. Wenn Ihr, Herr Botho, Euch als großmütiger Neffe Eures Herrn Onkel erweist – und darunter verstehe ich die Milde, die dafür sorgt, dass meinem treuen Markwart und mir in Bamberg etwas Besseres als ein Stall zur Verfügung gestellt wird –, und dass ein paar liebliche Münzen den Weg in meine Börse finden, dann, werter Herr, werde ich vielleicht bereit sein, zu übersehen, dass Ihr heute mehrfach eine Frau beleidigt habt, die von der Königin hochgeschätzt wird. Ja, ich könnte mich sogar bereit finden, die unfreundlichen Worte gegen mich überhört zu haben, statt die traurige Geschichte vom Verrat in Braunschweig dem König zu erzählen, wenn er mich zu sich bestellt. Aber um von mir auch nur Auskunft über das Wetter zu erhalten, Gevatter, da müsstet Ihr schon wenigstens … ein Buch als Geschenk anbieten.«

»Ein Buch?«, wiederholte Botho ungläubig.

»Die Schrift über das Asthma von einem gewissen Maimonides«, sagte Walther, da ihm im letzten Augenblick der graecisierte Name des Arztes und Philosophen und seines Buches eingefallen war, um dessen Verlust Judith so geklagt hatte. »Wir sehen uns, werter Herr«, schloss er, stieg auf und schnalzte mit der Zunge. Hildegunde gehorchte ihm zur eigenen Überraschung widerspruchslos. Der Galopp, in den sie ausbrach, brachte ihn zweimal vom Weg ab, doch seine Stimmung hob sich mit jedem Schritt.

Als ihn Markwart allein eingeholt hatte, keuchend und mit schweißüberströmtem Gesicht, ächzte sein alter Freund: »Dir braucht man nicht die Zunge abzuschneiden, du bist jetzt schon verrückt, vielleicht sogar schon tot.«

»Ich weiß«, sagte Walther und hätte die ganze Welt umarmen können. »Aber war es die Sache nicht wert?«

Kapitel 29

Eines steht fest«, sagte Judith zu Gilles, als sie weit genug entfernt waren, um die Pferde wieder etwas ruhiger traben zu lassen, »ich muss so schnell wie möglich mit der Königin sprechen.«

Gilles zögerte. »Und was, wenn ... wenn es sie nicht kümmert?«

Judith schaute ihn an. »Du kennst sie«, sagte er hastig. »Ich habe sie nur aus der Ferne gesehen. Aber wenn sie dich als Ärztin brauchte, dann hätte sie dich nicht nach Braunschweig gehen lassen, oder? Und vielleicht kümmert es sie auch nicht, was aus jemandem wird, den sie nicht braucht? Sie ist eine Fürstin. Fürsten sind ... anders.«

Die Zweifel, die sie selbst plagten, halfen bei solchen Gedankengängen ganz und gar nicht. »Es geht nicht nur um mich. Was auch immer dieser Botho vorhat, er hat nicht von mir bekommen, was er wissen wollte. Wahrscheinlich lässt er seinen Groll darüber jetzt an Walther aus.«

»Du glaubst nicht, dass er sich zu verteidigen weiß, er und sein Freund?«

»Für eine kurze Weile vielleicht«, gab Judith zurück, »aber wenn sie hier in Bamberg ankommen, dann ist Botho der Neffe des Reichshofmarschalls, Walther mit etwas Glück ein beliebter Sänger, der aber ersetzbar wäre. Das ist nicht Schutz genug, vor allem, wenn er Botho noch wütender gemacht hat, und Walther ist so gut darin, Menschen wütend zu machen.«

Gilles klopfte seiner Mähre beruhigend auf den Hals. »Sprich für dich selbst«, sagte er neckend zu Judith. »Mich hat er noch nie wütend gemacht.«

»Du bist auch ein ausgesprochen geduldiger Mensch«, gab sie mit einem kleinen Lächeln zurück, dann wurde sie wieder ernst. »Gilles, es ist mir bitterernst. Ich muss erreichen, dass die Königin mit den Reichshofmarschall spricht. Wenn Botho auf jemanden hört, dann auf ihn. Und Heinz von Kalden wiederum hat nur den König und die Königin über sich.«

»Dann werde ich auf unserem Weg zurückkehren, um Walther und Markwart abzufangen, sobald klar ist, wo der König in Bamberg residiert, und wir wissen, ob du vorgelassen wirst«, fügte er hinzu, und wenn sie nicht auf zwei verschiedenen Pferden gesessen hätten, dann hätte sie ihn umarmt.

Bamberg stellte sich als Stadt auf mehreren Hügeln heraus. Bereits aus der Ferne konnte Judith eine Burg ausmachen, doch wie sich bereits bei der Stadtwache herausstellte, war Philipp nicht dort, sondern in der kaiserlichen Pfalz neben dem Dom zu Gast. Wegen all der Edlen, die ihm hierher gefolgt waren, und deren Gesinde war die Stadt bis zum Bersten gefüllt; Judith und Gilles stiegen bald ab und führten ihre Pferde zu Fuß durch die Straßen. Die engen verschachtelten Gassen erinnerten Judith an Teile Kölns, und sie fühlte plötzlich einen Kloß in der Kehle, als ihr bewusst wurde, dass sie ihre Heimatstadt wohl nicht wiedersehen würde. Seltsam: Während der zwei Jahre in Salerno hatte sie kein Heimweh gehabt; damals waren ihre Erinnerungen an Köln überwiegend gute gewesen. Jetzt mischten sich der Ärger und die Enttäuschung über Stefan mit der Erinnerung an den Tod von Richildis und der Magd, die man auch wegen Judiths Versagen hingerichtet hatte. Und doch erschien es auf einmal wie eine nicht verheilte Wunde, dass sie Köln nie wiedersehen sollte. *Wenn Otto besiegt ist*, sagte Judith sich, *dann vielleicht.*

Vorerst musste sie jedoch herausfinden, ob sie hier am rechten Platz war, und Irene dazu bringen, Walther und ihr gegen diesen Botho zu helfen. Bereits auf dem Weg den Domberg hoch passierten sie immer wieder Wachen, die sie fragten, was für ein Geschäft sie hierherführte, und darauf hinwiesen, dass es in der Kaiserpfalz ganz gewiss keinen Platz mehr gebe.

»Die Königin erwartet mich«, sagte Judith, was immerhin halbwegs der Wahrheit entsprach, denn Irene und Philipp erhofften bestimmt baldmöglichst einen Bericht über den Pfalzgrafen und dessen Willen, die Seiten zu wechseln und seinen Bruder zu verraten. Ihre Erklärung wurde mit Misstrauen aufgenommen, bis sie Irenes Ring zeigte, was die Wache überzeugte. Auf diese Weise gelangte sie auf den Platz, wo Dom und Pfalz nebeneinanderstanden. Der Dom war von Baugerüsten umgeben und musste, so hörte sie von dem Kriegsknecht, der sie begleitete, nach einem Brand wieder aufgebaut werden, was noch eine Weile dauern würde.

»Sie hoffen hier auf neue Gelder«, fügte er hinzu, »vor allem, wenn sie demnächst eine Heilige in ihrer Gruft haben.«

Gilles legte Judith eine Hand auf die Schulter, und sie verabschiedete sich durch einen Kuss auf seine Wange von ihm. Im Stall der Pfalz war wirklich kein Platz mehr für ein weiteres Pferd. Sie opferte eine Kupfermünze, damit einer der Knechte das ihre zumindest tränkte und abrieb, bis sie mit der Königin gesprochen hatte.

Der geräumige Innenhof war gepflastert, was Judith nicht erwartet hatte, und sie brauchte nicht lange, um zu erkennen, wo man Irene untergebracht haben musste: auf der südlichen Seite, wo die Pfalz an die Domherrenhöfe grenzte. Während Judith zwei Treppen aus festem, stämmigem Eichenholz erklomm, hörte sie um sich die Betriebsamkeit vieler Menschen und dachte mit einem Anflug dunklen Humors, dass die Markgräfin Jutta es in Würzburg fürwahr besser getroffen hatte; die Feste war deutlich geräumiger gewesen. Aber Philipp hatte seine Gründe, hier abzusteigen und nicht in der Burg, welche die Stadt überragte: »Der König will zeigen, wie nahe er Gott ist«, hatte der Kriegsknecht vermutet. Judith wurde so daran erinnert, dass Philipp womöglich bereits gebannt war. Natürlich wollte er diesem Eindruck etwas entgegensetzen.

Das Erste, was sie registrierte, als sie vor der Königin stand, war, dass Irene erneut schwanger sein musste. Das Zweite, dass sie ein sternenbesticktes Brokatgewand trug, das ihr in diesem Zustand zu schwer sein dürfte; unwillkürlich öffnete Judith den Mund und sagte genau das.

»Ihr habt Euch nicht verändert, Magistra«, entgegnete Irene und lachte. »In Byzanz musste ich weit schwerere Gewänder und noch mehr Schmuck tragen, als ich weitaus kleiner und schwächer war als jetzt. Aber ganz unrecht habt Ihr trotzdem nicht. Es ist nur so, dass wir hier eine Kaiserin ehren wollen, die zur Heiligen erhoben wird – da dachte ich, es wäre gut, so kaiserlich wie möglich auszusehen, selbst wenn ich derzeit nur eine bald gebannte Königin bin.« Sie winkte Judith, näher zu kommen, und senkte die Stimme. »Wenn Philipp und ich so dem heiligen Herrscherpaar ähneln, das man hier verehrt, dann denkt man bei unserem Anblick weniger daran, dass der Papst ihn Eidbrecher und unwürdig genannt hat, das ist der Grund.«

»Dann bleibt der Bamberger Erzbischof weiter an Eurer Seite?«

»Mit seiner Gesundheit steht es nicht zum Besten, aber er will seine Bistumsgründerin als Heilige sehen, ehe er stirbt«, sagte Irene. »Natürlich liegt es am Papst, sie zur Heiligen zu erklären, doch Philipp ist derjenige, der für einen Schrein bezahlt und sie als Erster verehren wird. Ich glaube, der Erzbischof bleibt uns.«

»Und Ihr gewinnt den Pfalzgrafen Heinrich von Braunschweig«, sagte Judith, was ihr ein Strahlen und eine stürmische Umarmung einbrachte. Während sie das Zedernöl in Irenes Haar und auf ihrer Haut roch, das für die Königin aus ihrer Heimat gebracht wurde, und den kleinen, festen Körper mit der noch zarten Wölbung an dem ihren spürte, entschied Judith, dass Irene nun glücklich und gelöst genug war, um ihre Bitte vorzubringen.

»Euer Gnaden«, sagte sie und löste sich von der Königin, »ich wäre um ein Haar gar nicht aus Braunschweig fortgekommen, um Euch diese gute Nachricht zu überbringen, wenn nicht der Sänger Walther von der Vogelweide erschienen wäre, um meinem Gemahl und mir das Leben zu retten.« Das war nur eine leichte Verbiegung der Tatsachen, die gerechtfertigt war. Schließlich war Walther nach eigenem Bekunden ursprünglich erschienen, um sie zu retten, wenn es am Ende dann auch um Gilles gegangen war. Wenn Irene aus der Formulierung ihrer Worte etwas anderes schloss, war das nicht Judiths Schuld.

»Wirklich?«, fragte die junge Königin bestürzt. »Er hat so dringend nach Euch gefragt, als er in der Hagenauer Pfalz vorsprach, dass … nun, um offen zu sein, ich dachte, er würde Euch in Gefahr bringen, wenn ich ihm verriete, wo Ihr Euch befandet, nicht Euch erretten. Und ganz gewiss nicht Euren Gemahl. Wie hat er es denn herausgefunden, wo Ihr wart?«

Lucia hatte Judith nirgendwo erblicken können, als sie Irenes Gemach betrat, doch hütete sie sich trotzdem davor, ihre ehemalige Magd als Walthers Quelle zu nennen.

»Das hat er mir nicht erzählt, Euer Gnaden. Aber er ist gut darin, Dinge herauszufinden.«

»Wenn der Pfalzgraf sich von Euch für unsere Sache hat überzeugen lassen«, sagte Irene und bewies einmal mehr, dass sie alles andere als dumm war, indem sie sofort ihren Finger auf die Schwachstelle in Judiths Darstellung legte, »warum habt Ihr dann Walthers Hilfe gebraucht?«

Wenn Judith Irenes Schutz für Walther haben und verhindern wollte, dass Botho oder ein anderer der Leute des Bischofs, die in Braunschweig gewesen waren, später diese Anschuldigung aufbrachten, hatte sie keine andere Wahl, als Irene die Wahrheit über Gilles zu sagen. Nun, einen Teil der Wahrheit. Sie erinnerte sich, was Walther den Leuten des Kanzlers über den Grund der Flucht aus Braunschweig erzählt hatte, und formulierte ihre Aussage so, dass nichts an ihren Worten Walthers Geschichte widersprach.

»Man hat meinen Gemahl beschuldigt, sich mit einem anderen Mann vergnügt zu haben, und hätte ihn wohl hingerichtet. Dem Pfalzgrafen war die Angelegenheit peinlich, wegen irgendwelcher alten Gerüchte aus Aquitanien. Er konnte deshalb nicht offiziell einschreiten. Er wollte, dass wir beide vom Erdboden verschwanden, irgendwie. Das verhinderte Walther.«

Irene machte ein bestürztes Gesicht, nahm Judiths Hand und murmelte: »Als man mich nach Sizilien schickte, um vermählt zu werden, sagte mir meine Mutter, es sei weit besser für uns Frauen, wenn unsere Gatten die Ehe mit anderen Männern brächen. Zumindest hat man von diesen keine Bastarde zu erwarten, sie werden auch nie den Ehrgeiz besitzen, selbst die Gemahlin unserer Ehemänner werden zu wollen, und uns deswegen vergiften. Dennoch, es ist wohl nicht leicht, wenn einem so etwas zum ersten Mal geschieht.«

Offenbar waren in Byzanz die Sitten anders als im Reich. Gerade hier und jetzt war Judith erleichtert darüber.

»Euer Gnaden, um die Wahrheit zu sagen, haben Gilles und ich immer wie Bruder und Schwester zusammengelebt, in beiderseitigem Einvernehmen.«

Kopfschüttelnd meinte Irene: »Magistra, Ihr hättet bei mir bleiben sollen. Ich hätte einen besseren Gatten für Euch gefunden, wenn Ihr denn unbedingt heiraten wolltet.« Es war eine Spur dringlicher gesagt, als es reine Höflichkeit verlangt hätte. Judith fragte sich, ob ihr Irene den plötzlichen Abschied in Nürnberg doch noch nachtrug. Daher schluckte sie ihre erste Antwort hinunter, die daran erinnert hätte, dass sie nicht eines Gatten wegen gegangen war, und versuchte stattdessen, das Gespräch wieder auf den Grund ihres Hierseins zu lenken.

»Es ist nun einmal gekommen, wie es gekommen ist. Ich verspüre große Zuneigung für Gilles. Doch leider sind nicht alle Menschen so verständnisvoll wie Euer Gnaden. Walther, Gilles und ich reisten mit ein paar Leuten des Kanzlers nach Franken, und ihr Anführer hat uns alle drei wiederholt bedroht. Da es sich bei ihm um einen Neffen des Reichshofmarschalls handelt, ist er fest davon überzeugt, tun zu können, was er will.«

Die Königin ließ Judiths Hand los. »Ein Neffe des Reichshofmarschalls?«, wiederholte sie in einem undeutbaren Tonfall.

Bitte, dachte Judith. *Bitte lass nicht all die Befürchtungen wahr sein.* Es war weniger Angst um ihre Sicherheit, die sie plagte, sondern die Furcht, dass Irene sich als so erwies, wie es Stefan von allen Staufern und Walther von allen Fürsten glaubte. Wenn Irene, und mit ihr Philipp, nicht besser als Otto waren, dann waren Judiths Bemühungen bisher kleine Räder gewesen, die eine mörderische große Mühle aus Blut im Gang hielten, weil es keine gute Sache gab, für die man streiten, auf deren Sieg man hoffen konnte. *Bitte!*

»Ein Dienstmann namens Botho, Euer Gnaden. Er hat gedroht, dass seine Männer mir oder meinem Gatten Gewalt antäten. Und er hat mich mit dem Tod bedroht, falls ich nicht für ihn den Spitzel beim Bischof von Würzburg spiele.«

Die dunklen Augen der jungen Königin weiteten sich. Dann sagte Irene abrupt: »Ich werde mit dem Reichshofmarschall sprechen. Es kann nicht angehen, dass meine treuen Diener bedroht werden.« Noch ehe Judith die Gelegenheit hatte, erleichtert auszuatmen, fügte Irene hinzu: »Deswegen ist es ein Glück, dass Ihr mich nicht wieder verlassen werdet, Magistra, es sei denn, dass ich es wünsche.« Es war nicht laut gesprochen, nicht bedrohlich, sondern wie eine selbstverständliche Feststellung, und Irene lächelte. Doch Judith erkannte nun das verletzte Mädchen, das von dem ersten Menschen, zu dem es in einer verzweifelten Lage Zuneigung und ein gewisses Vertrauen gefasst hatte, verlassen worden war. Es war nicht so, wie Walther und Gilles befürchtet hatten, nicht so, dass sie Irene gleichgültig war, ganz im Gegenteil. Es war auch nicht so, dass die Königin ihr Böses wollte. Aber Irene hatte gelernt, Macht zu besitzen und Macht zu gebrauchen, und sie war nicht gewillt, ihren Schutz ohne Gegenleistung zu gewähren.

Es war ein eigenartiges Zwischending aus Erleichterung, Schuldgefühl und Resignation, das Judith erfasste.

»Zweifellos, Euer Gnaden … das ist ein Glück.«

* * *

Als Walther und Markwart in Bamberg eintrafen, wurden sie bereits erwartet. »Du hast es übertrieben«, brummte Markwart. »Dieser Botho wird beschlossen haben, dass er dich doch lieber in den Kerker werfen lässt, deine ominöse Liste hin oder her.«

»Abwarten«, gab Walther zurück, doch innerlich war er durchaus nicht so sicher.

Es stellte sich jedoch heraus, dass der Wächter, der sie in Empfang nahm, sie nicht zu Botho oder dessen Onkel brachte, sondern zu Philipp, der sich sehr viel umgänglicher zeigte als bei seiner letzten Begegnung mit Walther. Offenbar wusste er bereits, dass der Pfalzgraf zum Seitenwechsel bereit war, denn er bedankte sich bei Walther sogar für dessen Hilfe, diese gute Nachricht so rasch zu ihm gebracht zu haben. »Die Magistra Jutta ist voll des Lobes über Euch«, fügte Philipp hinzu.

Walther unterdrückte gerade noch rechtzeitig ein albernes Grinsen in seinem Gesicht und meinte, es sei ihm eine Freude gewesen, der Magistra behilflich sein zu können.

»Sagt, Herr Walther, habt Ihr ein paar neue Lieder verfasst, seit wir uns das letzte Mal gesehen haben?«

Bei unserer letzten Begegnung sind Lieder überhaupt nicht zur Sprache gekommen, dachte Walther, *aber sei's drum.* »Gewiss, Euer Gnaden. Es war sogar eine ausgesprochen fruchtbare Zeit für meine Muse.«

»Das tut gut zu hören. Wisst Ihr, es gibt eigentlich viel zu wenige Lieder, die den Menschen klarmachen, wie die Angelegenheiten der Kirche und die der Welt sich trennen lassen.«

Mit anderen Worten: Jetzt, da der Papst sich offen auf Ottos Seite gestellt hatte, konnte Philipp gar nicht genug scharfe Töne über Rom hören. Nun, Walther sollte es recht sein. Allerdings war er bei seiner letzten Begegnung mit Philipp abgekanzelt worden wie ein unwürdiger Diener, und er musste etwas klarstellen. »Selbst, wenn es mehr Lieder von dieser Art gäbe, wenn sie nicht von mir sind, Euer Gnaden, bestände die Gefahr, dass sie ungehört verhallen.«

Philipps Brauen zogen sich zusammen. Er wirkte immer noch jung, aber inzwischen zierte ein kurzer Bart sein Kinn, was ihn mehr als einen Fürsten und weniger als einen Knappen oder ehemaligen Mönch wirken ließ.

»Das mag sein, Herr Walther«, gab er gedehnt zurück, »doch bis es mir aus allen Ecken des Reiches entgegenschallt, dass der Papst zu jung für sein Amt ist und ich der einzig Richtige für meines bin, fehlt mir noch der Beweis, dass Eure Lieder so sehr gehört werden, wie Ihr das meint.«

Walther legte eine Hand auf die Brust. »Der Erzbischof von Köln hat sich in eigener Person über diese Lieder empört. Welch besseres Zeugnis für ihre Wirksamkeit kann man verlangen?«

»Wenn die Bischöfe sich nicht nur empören, sondern das Urteil des Heiligen Vaters so weit anzweifeln, dass sie auf meiner Seite bleiben, oder weitere kirchliche Würdenträger zu mir kommen, dann habt Ihr Eure Antwort«, entgegnete Philipp. »Fürs Erste jedoch soll es mir genügen, wenn Ihr für mich heute Abend spielt.«

»Nur heute Abend, Euer Gnaden?«, fragte Walther, entschlossen, einen weiteren Glückswurf zu wagen.

»Nun, ich plane, Weihnachten dieses Jahr in Magdeburg zu feiern, wie es sich für die Geburt unseres Herrn gebührt, wenn ein Jahrhundert zu Ende geht. Wie könnte ich das ohne einen guten Sänger?«

Es war keine Bitte, für immer an seinem Hof zu bleiben, doch es war in der Stimmung, in der sich Walther befand, Anerkennung genug. Am Ende war es doch nicht nötig, darauf hinzuweisen, dass er jederzeit nach Wien gehen konnte, denn es mochte sehr wohl sein, dass Judith recht hatte, was Leopold betraf.

Er hoffte, dass Botho genügend eingeschüchtert von der Lüge mit der Verräterliste war, um irgendwo eine gute Schlafstätte aufzutreiben, statt sich darauf zu besinnen, dass er Walther erdolchen und vorgeben konnte, verleumdet worden zu sein, sollten irgendwelche Listen auftauchen.

Die andere Möglichkeit war, dass Botho erst überprüfte, ob Judith wirklich die Leibärztin der Königin war, denn sonst stand es ihm frei, sein Mütchen an ihnen beiden zu kühlen. Diese Aussicht brachte Walther dazu, sein Vorsprechen bei Philipp zu beenden.

»Es wird mir eine Freude sein, für Euch zu singen, Euer Gnaden, und für Eure Gemahlin. Darf ich ihr meine Aufwartung machen?«

»Sie erwartet Euch bereits«, sagte Philipp zu Walthers Überraschung und nickte wohlwollend.

Irene befand sich nicht in dem Gemach, das man ihr zur Verfügung gestellt hatte; der Diener, der Walther zu ihr geleitete, führte ihn zu dem Garten hinter dem Haus des Erzbischofs von Bamberg, das sich auf der anderen Seite des Platzes befand, Dom und Kaiserpfalz gegenüber. Der Erzbischof selbst war krank und lag darnieder, teilte der Diener Walther mit, weswegen er nicht an Philipps Hoftagen teilnehmen konnte, aber es war ihm eine Freude gewesen, die Königin und ihre Damen in seinen Garten einzuladen, wo sie, statt vom Schweiß und der Pisse einer vollen Pfalz fast erstickt zu werden, Ruhe und Entspannung zwischen duftenden Blumen und Kräutern fanden. Die Sonne würde bald untergehen; da war es kein Wunder, wenn die Damen die letzten Abendstunden im Freien verbringen wollten.

Walther hatte den Verdacht, dass der Erzbischof von Bamberg seine Krankheit benutzte, ähnlich wie Adolf von Köln, um eine Entschuldigung zu haben, Philipp weder aus seinem Bistum zu werfen noch an seiner Seite gesehen zu werden, aber das kümmerte ihn nicht weiter. Er konnte Judith neben Irene ausmachen, unversehrt und gesund, und diesmal war es unmöglich, das Lächeln auf seinem Gesicht zu unterdrücken.

»Das Beste, was einem Mann geschehen kann«, sagte er und kniete vor Irene nieder, »ist, sich in einem Garten voller Rosen wiederzufinden – mit und ohne Dornen. Ich hoffe, Euer Gnaden befinden sich wohl?«

»Wie könnte es anders sein, mit meiner Ärztin an meiner Seite«, sagte Irene huldvoll und bedeutete Walther, sich zu erheben. »Es ist eine schöne Stadt«, sagte sie und zeichnete mit der Hand einen Halbkreis von dem mächtigen Klosterbau auf einem der Bamberger Hügel, der dem Domberg gegenüberlag, über die roten Ziegeldächer der Häuser hin, die sich zwischen die Hügel und das Flussufer schmiegten. »Ich glaube, sie wird uns Glück bringen, meinem Gemahl, mir und allen, die uns dienen.« Vielleicht hatte der Bischof doch erkennen lassen, dass er sich bald von seinem Krankenbett erheben würde, mit einer Predigt zu Philipps Gunsten? So klang diese Aussage jedenfalls für Walther.

»An so einem Tag«, sagte er und schob Kastrationsdrohungen und Ritter mit hochgestellten Verwandten zur Seite, »und in solcher Gesellschaft kann ich nichts anderes glauben.« Er schaute zu Judith und dachte daran, wie er vor genau zwei Tagen mit ihr unter einer Linde gelegen hatte. Sie hob ihre linke Hand, wie um ihre Kinnbinde zurechtzurücken, und ihre Finger legten sich wie ein Versprechen auf ihren Mund.

»Das habt Ihr sehr schön gesagt, Herr Walther«, gab Irene zurück. »Es tut mir leid, dass ich Euch bei unserer letzten Begegnung nicht anvertraut habe, wo die Magistra sich aufhielt, denn wie ich höre, wart Ihr dort ein Held. Nur eines wundert mich; wo ist denn nun der Gemahl, den Ihr dort unter Einsatz Eures Lebens gerettet habt?«

Die Frage verwunderte Walther; er machte sich nicht die Mühe, es zu verbergen. »Ist er denn nicht bei Euch?«, fragte er formell, jedoch an Judith gewandt. Sie schüttelte den Kopf, und ein beunruhigter Ausdruck erschien auf ihrem Gesicht.

»Nachdem wir an der Kaiserpfalz ankamen, wollte er zurückkehren, um Euch den Weg zu sichern, Herr Walther«, sagte sie. »Schließlich gab es auf der Reise hierher … Vorkommnisse.«

Nun, das war sehr anständig von Gilles, dachte Walther, obwohl er nicht widerstehen konnte, darauf hinzuweisen, dass er seinen Kopf sehr gut selbst aus der Schlinge ziehen konnte. »Die gab es in der Tat, Magistra, doch glaubt mir, ich habe die Missverständnisse, die zu diesen Vorkommnissen führten, so gut geklärt wie alle anderen.« Jetzt schaute Judith nicht nur besorgt, sondern geradezu entgeistert drein, was an einem anderen Abend doch ein wenig kränkend gewesen wäre.

»Euer Gilles ist ein weitgereister Mann«, sagte die Königin zu Judith. »Er wird seinen Weg hierher bestimmt bald zurück finden. Vielleicht ist er einfach in der Stadt aufgehalten worden, oder die Wachen haben ihn allein nicht passieren lassen, nachdem er Herrn Walther nicht begegnet ist. Voll genug ist Bamberg ja dieser Tage.«

»Mag sein«, erwiderte Judith, »doch es wäre mir lieb, wenn er recht bald auftauchen würde. Euer Gnaden, könnte …«

»Herr Walther wird gehen«, sagte Irene bestimmt. »Ihr bleibt hier bei mir. Glaubt mir, ein Mann alleine kann sich sicherer und viel schneller den Weg durch die Gassen bahnen als eine Frau, und hat er Euch nicht schon einmal Euren Gatten zurückgebracht, Magistra?«

Auf diese Weise fand sich Walther nach einem sehr langen Tag auf einem Pferderücken statt in Judiths Armen oder bei der Vorbereitung für das nächtliche Festmahl, auf der Suche nach Gilles in den Gassen von Bamberg wieder. Er war darüber nicht glücklicher als Markwart, der ihm half. »Am Ende gibt es in dieser Stadt auch welche von denen«, knurrte Markwart. »Unter all den Kriegsknechten und Höflingen sind bestimmt welche. Und Gilles begeht irgendwo in einer dunklen Ecke die Sünde von Sodom, unter dem Vorwand, nach dir zu suchen.«

Walther schüttelte unwirsch den Kopf. Sie gingen den Weg vom Domberg zum Stadttor der Straße, die nach Würzburg führte, zweimal ab, dann zu den anderen Stadttoren, ohne Gilles zu finden.

»Vielleicht«, mutmaßte Markwart, »hat er das Weite gesucht.«

»Wie meinst du das?«

»Das würde ich an seiner Stelle tun: ein neues Leben anfangen, irgendwo, unter einem anderen Namen. Es ist ja nicht so, als ob dein Mädchen ihn noch braucht, oder er sie. Und wenn er bei ihr bleibt, dann kann er nicht mehr leben, wie er will.«

Das war, je länger Walther darüber nachdachte, gar nicht so unwahrscheinlich. Gewiss, Judith hatte mehrfach betont, dass sie und Gilles einander nie im Stich lassen würden. Jetzt war sie aber in Sicherheit. Judith als Leibärztin der Königin zurücklassen, konnte man keinesfalls als Verrat an ihr bezeichnen, und Gilles wusste gewiss alles, was es über Walther und Judith zu wissen gab. Wenn er, wie Markwart sich ausdrückte, das Weite gesucht hatte, dann konnte ihm Walther das nicht verdenken. Ihm selbst wäre es höchst unbehaglich zumute gewesen, das fünfte Rad am Wagen zu sein, und Gilles war als erfahrener Kriegsmann gewiss leicht in der Lage, irgendwo Brot und Unterkommen zu finden.

Nur etwas nagte an Walther, und das war, dass die Torwächter niemanden, auf den Gilles' Beschreibung passte, durch eines der Tore hatten gehen sehen. »Das mag daran liegen, dass Gilles gar nicht auf die Straße nach Würzburg wollte«, mutmaßte Markwart. »Vielleicht ist er genau in die andere Richtung verschwunden, in der Gewissheit, dass ihn dort niemand vermuten wird. Oder er hat einen der Fischer oder Schiffer überzeugt, ihn ein Stück die Regnitz hinunter mitzunehmen.«

Inzwischen herrschte Dämmerlicht. Es war unwahrscheinlich, dass sie noch Bootsleute finden würden, um sie nach Gilles zu befragen. Walther entschied, dass genug genug war. Wenn Judith darauf bestand, konnten sie morgen ja weitersuchen. Doch gewiss würde auch sie erkennen, dass man Gilles seine Entscheidung treffen lassen musste.

Er war bereits auf dem Rückweg, denn er hatte ein paar Lieder vor dem König zu singen, als ihm zwei Männer entgegenkamen, die ihrer Kleidung nach Ritter waren, doch bestenfalls von niederem Adel. Etwas an ihnen war ihm vertraut, doch erst, als sie unmittelbar vor ihnen eine Schenke betraten, wobei einer von ihnen seinen Umhang raffte, löste die Bewegung eine Erinnerung in Walther aus. Das war Georg, jener Kreuzritter, der zu den Mördern von Judiths Vetter Salomon gehört hatte und der später ein Stück mit ihnen gen Westen geritten war.

Georg hatte Walther nicht erkannt, und Walther ging etwas

schneller, was Markwart dazu veranlasste, zu grummeln, es gebe häufig auch zu eifrige Freier. Walther öffnete den Mund, um zu erklären, warum er schnell wegwollte, und schloss ihn wieder. Er hatte Markwart nie von jenen Ereignissen in Wien erzählt. Er wollte auch jetzt nicht darüber sprechen, jetzt, wo endlich alles zum Guten stand zwischen Judith und ihm, jetzt, wo sie die Vergangenheit endlich hinter sich lassen konnten.

Es war ein unglücklicher Zufall, dass jener Ritter aus Bamberg stammte und ihm hier wieder begegnete. Walther hörte Gelächter aus der Schenke und versuchte mit aller Gewalt, nicht daran zu denken, wie schnell eine frohe Runde Blut riechen konnte, oder bitter darüber zu sein, dass Friedrich von Österreich gestorben war, während weder Krankheit noch das Schwert eines Moslems den Ritter Georg von Bamberg zu seinem Schöpfer schickten.

Mit etwas Glück würde Philipp nicht lange in Bamberg bleiben. Schließlich hatte der König selbst erwähnt, dass er weiter nach Thüringen ziehen wollte. Deswegen brauchte Judith nie zu erfahren, dass einer jener Männer hier war.

»Warum machst du denn auf einmal ein Gesicht, als wäre dir eine Laus über die Leber gelaufen? Dem Gilles geht es gut, das schwör ich dir«, sagte Markwart. »Der atmet wahrscheinlich das erste Mal seit Wochen freier, weil er sich nicht mehr mit deinem liebeskranken Gesicht herumärgern muss.«

»Judith – die Magistra wird sich trotzdem noch Sorgen um ihn machen, das ist alles«, antwortete Walther.

»Dann sieh es als gute Gelegenheit an, sie zu trösten. Das kann sehr schön sein«, sagte Markwart und schauderte übertrieben. »Wenn sie sich trösten lässt. Dein Mädchen kommt mir manchmal wie ein Mann vor, bei dem es sich die Natur im letzten Augenblick anders überlegt hat. Kein Wunder, dass so ein Mannweib mit Gilles verheiratet wurde.«

»Ich kann dir versichern, dass sie in jeder Hinsicht eine Frau ist«, gab Walther zurück; der ungute Druck in der Magengegend, die üble Erinnerung an die Nacht in Wien wich der Gegenwart. Trotzdem entschloss er sich, morgen eine Kerze zu stiften und ein Lied zum Lobe Gottes zu schreiben, wenn Judith Georg nicht zu Gesicht bekam.

»Es wäre trotzdem besser gewesen, wenn Gilles irgendjemandem eine Botschaft anvertraut hätte«, sagte er.

»Walther, erinnerst du dich nicht, was er gesagt hat? Er träumte davon, noch einmal ein Abenteuer zu erleben – nur ein zimperlicher Dichter wie du würde da auf die Idee kommen, noch schnell einen Abschiedsbrief zu verfassen. Und jetzt genug davon. Was mich gerade mehr beschäftigt, ist: Müssen wir jetzt im Stall schlafen oder nicht?«, fragte Markwart. »Wenn nicht, dann werde ich noch einmal nach den Pferden sehen. Mich lässt man ohnehin nicht dabei sein, wenn du vor dem König singst.«

Jetzt musste sich zeigen, ob Walthers Lüge Botho gegenüber oder der Umstand, dass Philipp und Irene wegen der guten Nachricht aus Braunschweig dankbar waren, dazu beigetragen hatten, ihnen einen guten Schlafplatz zu sichern. Er fand nach einigem Suchen Philipps Haushofmeister, der in der Küche die letzten Vorbereitungen des Gastmahls überwachte, und hörte, dass Herr Botho bereits erklärt habe, sein Lager mit Walther und dessen Knappen teilen zu wollen.

»Und das ist Euer Glück, Herr Walther. Wirklich, Ihr hättet zu keinem ungünstigeren Zeitpunkt kommen können. Ich weiß nicht, wann hier zum letzten Mal ein Herrscher residiert hat, aber es muss ein Jahrhundert her sein. In dieser Pfalz ist alles zu knapp und zu klein, so schön die Stadt auch ist.«

Nun, mit diesem Schlafnachbar war es eigentlich nicht das, was Walther sich unter einer guten Schlafstätte vorgestellt hatte, obwohl der Neffe eines Heinz von Kalden gewiss nicht mit einem Strohsack vorliebnehmen musste. Er erkannte die Rache, welche darin lag: Botho rechnete bestimmt damit, dass Walther nicht viel Schlaf finden würde vor Angst, am nächsten Morgen nicht mehr zu erwachen. Auch Markwart machte ein Gesicht, als ob er just dies für die wahrscheinlichste Entwicklung hielt.

»Wenn er überzeugt wäre, er könne mir den Hals umdrehen, dann würde er sich selbst nicht danebenlegen«, beruhigte Walther sie beide. »Seinen eigenen Kopf will er ganz gewiss nicht verlieren, und als Mörder würde ihm genau das geschehen. Er will nur, dass die Nacht so ungemütlich wie möglich für uns ist.«

»Nun, *ich* werde bestimmt nicht schlafen«, sagte Markwart bedeutsam.

Es gab keine Möglichkeit, Judith vor dem Mahl noch zu sehen, um ihr das Ergebnis ihrer Suche nach Gilles mitzuteilen, also hoffte Walther, dass sie dort sein würde, und atmete erleichtert auf, als er sie hinter Irene stehend erspähte, zusammen mit zwei weiteren Damen. Er stellte mit Befriedigung fest, dass außer ihm zwar eine Menge Musikanten da waren, jedoch keine Sänger. Da der Erzbischof von Bamberg nicht anwesend war und Philipp erkannt hatte, dass es ihm nichts nützte, weiter den gehorsamen Klostersprössling zu geben, brauchte Walther keine Rücksicht zu nehmen, und sang »Sieh nur, wie christlich doch der Papst jetzt unser lacht!« mit allem Hohn, dessen er fähig war. Während die Gesellschaft noch dabei war, zu entscheiden, ob sie mehr entsetzt, belustigt oder wütend über das Lied war, ließ er die Reimerei folgen, die sich heute auf dem Weg von Würzburg hierher in seinem Kopf zusammengesetzt hatte, wenn er nicht gerade um sein Leben schwatzen musste.

Unter den Linden,
Bei der Haide,
Da unser beider Bette war.
Da könnet ihr finden
Wie wir beide
Die Blumen flechteten uns ins Haar.
Vor dem Wald in einem Tal,
Tandaradadei!
Sang so süß die Nachtigall,
War mit Lieb dabei.

Während er Strophe nach Strophe sang, war das Schweigen der Leute kein betretenes oder nur halb entzücktes wie bei dem Lied gegen den Papst; es war auch keine Gleichgültigkeit zu spüren, sondern es legte sich ein Samtmantel aus Wohlbefinden um Sänger und Zuhörer. Walther sah, dass Philipp die Hand Irenes ergriffen hatte, und das war ein schöner Tribut, aber nicht halb so gut wie Judiths Lächeln. Sein Lied über das Ende des Sommers, was er eigentlich noch geplant hatte, strich er; es hätte die Stimmung zwischen Judith und ihm nur verdorben. So überließ er die Empore den Gauklern und bahnte sich den Weg durch die Menge, was nicht so einfach war, weil ihn viele Gäste beglückwünschen wollten.

»Ein Lied aus der Sicht eines Mädchens«, sagte Philipps Schreiber, der ihm anerkennend auf die Schulter klopfte, »das erinnert mich an die alten Tagelieder, aber dieses besungene Mädchen ist doch bestimmt keine edle Dame. Und sagt, wenn Ihr Bett sangt, meintet Ihr tatsächlich ...«

»Ein Lied muss für sich selbst sprechen, mein Freund«, gab Walther zurück und reckte den Hals, weil er Judith nicht mehr hinter Irene sah.

»Aber glaubt Ihr wirklich, dass ...«

»Verzeiht, doch ich hörte, die Königin hat nach mir gesandt«, log Walther und ließ den Schreiber hinter sich. Wenn ihn Judith das nächste Mal wegen seiner Eitelkeit neckte, würde er darauf hinweisen, dass er ihretwegen auf Lob aus durchaus erfahrenem berufenem Mund verzichtet hatte. Nur konnte er sie immer noch nicht finden, und unglücklicherweise war der Nächste, der ihn aufhielt, kein anderer als Botho.

»Habt Ihr denn immer noch nicht genug?«, brummte dieser.

»Von was? Beifall? Werter Herr Botho, kein Mann hat je ...«

»Davon, mir von meinem Onkel in die Eier treten zu lassen, du Hundsfott!«, knirschte Botho. »Ich habe getan, was du verlangt hast, also gab es keinen Grund, die Königin mit hineinzuziehen.«

Das war ein erfreulicher Hinweis darauf, dass Judith nicht nur von Irene wieder in Gnaden aufgenommen worden war, sondern auch erfolgreich um ihre Hilfe gebeten hatte, doch Walther hütete sich, Botho seine Schlussfolgerung erkennen zu lassen.

»Ja, ich habe gehört, dass Ihr und ich heute Nacht das Vergnügen haben werden, unser Zimmer zu teilen«, sagte er, »nachdem ich der Königin meine Aufwartung gemacht habe, nicht vorher.«

»Das wird kein Vergnügen für Euch werden«, gab Botho düster zurück, doch immerhin ließ er von Walther ab und beschränkte sich darauf, grimmig dreinzuschauen, statt weitere Drohungen auszustoßen, auch als Walther mit einem gespielten Seufzer hinzugefügt hatte, er fühle sich unter seinen Fittichen geborgen wie eine Seele im Himmel, bevor sie von den anderen Gästen getrennt wurden.

Er war erst drei Schritte weiter, als jemand von hinten die Hände auf seine Augen legte. Es waren kühle Hände inmitten des vollen Saales, der vor Menschen barst, langfingrige Hände wie die seinen, und daran erkannte er sie, während sie ihn nach hinten in eine ruhigere Ecke zog.

»Bin ich der Gefangene, dann müsst Ihr mir gestatten, mein Lösegeld zu bestimmen, Magistra«, sagte er auf seine höfischste Weise, doch er wusste, dass sie unter ihren Fingerspitzen fühlte, wie sich um seine Augen Lachfältchen bildeten.

»Ihr müsst mir ein Rätsel lösen. Wie wird aus einem Weinberg ein Wald und ein Tal?«, fragte sie.

»Nun, ganz so, wie aus einem Blatt eine Rose wird«, gab er zurück, drehte sich zu ihr um und küsste sie. Viele Menschen dürfte es ohnehin nicht geben, die zu ihnen schauten, und selbst wenn, dann war es ihm gleich. Jetzt gab es nichts mehr, das Judith und er befürchten mussten.

Er wusste nicht, wie viel Zeit vergangen war, bis sie sich von ihm löste.

»Ich bin sehr froh, dass du aus der Reichweite einer bestimmten Markgräfin bist, die dich missverstanden haben muss«, murmelte sie. »Es wäre eine Verschwendung von Gottes Gaben gewesen. Womit ich natürlich nur deine Dichtkunst meine.«

»Natürlich.« Er versuchte, einen weiteren Kuss zu stehlen, doch diesmal ergriff sie seine Schultern und hielt ihn zurück.

»Hast du Gilles gefunden, Walther?«

Erst in dem Moment, als er den Mund öffnete, um die Frage zu verneinen, traf Walther die Entscheidung, mit der er sich den ganzen Abend herumschlug, seit Markwart seinen Verdacht geäußert hatte. Wenn er ihr erzählte, was Markwart mutmaßte, dann war das immer noch keine Gewissheit, obwohl es mit größter Wahrscheinlichkeit stimmte. Doch es würde sie ruhelos lassen, und möglicherweise würde sie sich sogar verpflichtet fühlen, hier in Bamberg zu bleiben und weiter nach Gilles zu suchen, statt die Königin zu begleiten. In Bamberg, wo Ritter Georg und seine Freunde lebten, die es für eine Tat zu Ehren Christi hielten, Juden zu töten, egal wo sie diese fanden. In Bamberg, das der in Würzburg lebende Botho bestimmt öfter besuchte, der glaubte, dass Judith keine echte Christin war.

»Ja«, sagte Walther. »Aber er wird nicht zurückkommen. Er will ein neues Leben anfangen, nach allem, was geschehen ist. Das verstehst du gewiss. Er wünscht dir alles Glück der Welt.«

Judith trat einen Schritt zurück. Bestürzung, Schuldgefühl und Trauer traten in ihr Gesicht. »Aber – aber wohin …«

»Das hat er mir nicht verraten«, sagte Walther rasch, »doch ich hatte den Eindruck, dass er seine Heimat wiedersehen will.«

Sie biss sich auf die Lippen. »Ich hätte mehr für ihn da sein müssen«, sagte sie leise. In dem Festlärm verstand Walther sie beinahe nicht, doch als er begriff, schüttelte er den Kopf.

»Nein, nein. Du warst alles, was ihn noch hier gehalten hat, und er dankt dir für all das Gute«, spann er seine Lüge weiter, denn in der Kunst, zu wissen, was die Menschen hören wollten, war er sehr erfahren, »was du ihm durch deine Freundschaft in sein Leben gebracht hast. Doch nun, da er dich sicher und geliebt weiß, da fühlte er sich frei, zu gehen. Er hätte es dir selbst gesagt, doch der Abschied fiel ihm zu schwer.«

Judith blinzelte und fuhr sich mit dem Handrücken über die Augen, wie um eine Träne wegzuwischen, doch wenn sie weinte, dann ließ sie es nicht erkennen. Stattdessen blickte sie Walther in die Augen. »Das hat er gesagt?«

Er wusste, was auf dem Spiel stand. Er konnte nicht vorgeben, es nicht zu wissen; es hatte lange gedauert, doch nun vertraute ihm Judith, nun liebte sie ihn, nun war sie bereit, das auch zuzugeben. Wenn sie herausfand, dass er dieses gerade erst errungene

Vertrauen so schnell benutzte, um sie anzulügen, würde sie ihm das nicht verzeihen.

Aber es ist keine Lüge, sagte sich Walther, *nicht wirklich, denn es ist so gut wie die Wahrheit.* Er war sich mittlerweile sehr sicher, dass Gilles es geradeso gehalten hatte. Außerdem war es zu Judiths Bestem. Am Ende rettete er sie mit dieser Lüge vor diesem Ritter Georg und somit ihr Leben. Walther unterdrückte die Stimme in seinem Herzen, die wie Judiths klang und ihn einen Lügner nannte. »Das hat er.«

»Ich kann hier nicht atmen«, sagte Judith und ergriff seine Hand.

»Und ich«, entgegnete er und schob alle Zweifel und Gewissensbisse endgültig von sich, »kann mir nichts Schöneres vorstellen, als mit dir draußen die Sterne zu betrachten.«

V.
TAGELIED

1202 – 1203

Kapitel 30

D as kann so nicht weitergehen«, sagte Otto ruhig, was die Sache für Adolf von Köln beunruhigender machte, als wenn der Welfe geschrien hätte. Der von ihm gekrönte König hatte etwas, das Adolf Furcht einflößte, daran war nicht zu deuten. Das wäre bei dem Zähringer, dem verwünschten Kerl, nie der Fall gewesen.

»Es ist nun schon zwei Jahre her, dass Seine Heiligkeit mich zum rechtmäßigen König erklärt hat. Ich bin eigens nach Rom gezogen, um mich von ihm segnen zu lassen. Ich habe ihm einen Eid geschworen, dass ich nie das Königreich Sizilien noch eine andere der Eroberungen der Staufer in italischen Landen für das Reich beanspruchen werde, wenn ich erst Kaiser bin. Und was habe ich dafür bekommen?«

»Seine Heiligkeit hat Philipp gebannt«, sagte Adolf und verzichtete uneigennützig, auf seine eigenen Entbehrungen im Dienste der welfischen Sache zu verweisen. Immerhin war Köln dreimal belagert worden; seine Einkünfte aus dem Lehen waren entsprechend drastisch gesunken.

»Und wen kratzt das? Offensichtlich nicht die deutschen Bischöfe«, gab Otto zurück. »Die benehmen sich, als wäre so ein Kirchenbann nicht mehr als ein Flohstich und scharwenzeln weiter um Philipp herum.«

»Das ist nicht wahr!«, rief Adolf empört. »Der Erzbischof von Bamberg hat es getan, aber das lag nur daran, weil Philipp ihm das Grab für seine Stadtheilige gespendet hat. Im Übrigen ist der Bischof jetzt tot. Sein Nachfolger, dieser Philipp-Knecht, ist vom Papst nicht bestätigt worden, und ich kann Euch schwören, dass es auch nicht dazu kommen wird, bis er nicht Euch den einzig wahren König nennt. Der Bischof von Magdeburg, nun, zugegeben, an dem ist Hopfen und Malz verloren. Aber ansonsten steht der deutsche Klerus hinter Euch, mein König. Und das habt Ihr nur mir zu verdanken.« In letzter Zeit schien Otto diesen Umstand häufig zu übersehen.

»Nicht der Bischof von Passau«, sagte der Welfe ungerührt. »Der hat sich immer noch nicht öffentlich gegen Philipp gestellt, und wie man hört, will ihn der Heilige Vater sogar zum Patriarchen von Aquileja machen.«

Das lag Adolf selbst schwer im Magen. Nur der Patriarch von Jerusalem war ein noch erhabeneres Amt, wenn man nicht gerade ein Kardinal war, und er verstand nicht, warum ausgerechnet Wolfger dafür in Frage kommen sollte, mit seinen staufischen Verbindungen und der weltlichen Vergangenheit. Ein Mann wie der jetzige Papst sollte einen Kleriker wie Adolf vorziehen, der nie für etwas anderes als die Kirche bestimmt gewesen war, statt den Dienst an Gott wie eine Laune zu behandeln, der man nach dem Tod der Ehefrau auch noch folgen konnte.

»Dennoch steht die Mehrzahl der kirchlichen Fürsten nach wie vor auf Eurer Seite, mein König, genau wie ich es tue.«

»Wie schön. Warum folgt ihnen dann nicht die Mehrheit der weltlichen Fürsten?«

Weil Ihr dafür, dass Ihr auf dem Schlachtfeld so überragend sein sollt, nicht genügend Schlachten gewinnt, dachte Adolf, doch er wusste, dass er diesen Einwand nicht aussprechen konnte. Otto war es nicht nur jedes Mal gelungen, Köln zu verteidigen, er hatte es auch durchaus ein paarmal geschafft, Philipp in die Enge zu treiben; einmal hatte er ihn bei Speyer sogar eingeschlossen, und der Staufer war nur knapp entkommen. Doch Tatsache blieb, dass der Tod Kaiser Heinrichs nun schon vier Jahre zurücklag und das Reich immer noch geteilt blieb, wenn auch Ottos Teil viel kleiner als der von Philipp war. Dafür, dass Otto immer wieder stolz auf seine Jugend an der Seite Richards von England hinwies, war das einfach zu wenig. Die Menschen hatten sich einen unbezwinglichen Helden erhofft, nicht einen gewöhnlichen Fürsten, der manchmal Pech in der Schlacht hatte. Und er einen, der gab, statt ständig mehr Geld für seinen Krieg zu fordern.

»Nun«, entgegnete Adolf, der wusste, wie er Otto die herablassende Behandlung und den Mangel an Dankbarkeit heimzahlen konnte, »dass Euer Bruder nun an der Seite Philipps kämpft, das hat natürlich ein schlechtes Beispiel gegeben.«

Ohne sich umzudrehen, ergriff Otto eine von Adolfs kleinen Holzfiguren, welche die heilige Ursula darstellte, und schleuderte sie an die Wand. Dann sagte er in einem Tonfall, der im völligen Gegensatz zu dieser Geste aufgeräumt und gelassen klang: »Hat nicht Abel unter Kain gelitten, ist nicht Josef von seinen Brüdern nach Ägypten verkauft worden? Treulose Brüder hat es schon immer gegeben.«

Vor allem, wenn sie immer nur geben müssen und nichts bekommen, dachte Adolf und beäugte die Reste der kleinen Figur, der jetzt alle Konturen fehlten. Sie war bei weitem nicht das Kostbarste im Raum, und er besaß viele schöne Heiligenfiguren, aber es war die Respektlosigkeit, die ihm zusetzte. An der Behauptung, Ottos englische Verwandten stammen vom Teufel ab, war vielleicht doch etwas dran. Vielleicht hätten die verdammten Kaufleute, die ihm diesen König eingebrockt hatten, sich daran erinnern sollen. Doch nein, Otto war nicht der Gottlose, Philipp war es. Das musste Adolf glauben, sonst war alles, was er bisher getan hatte, widersinnig und umsonst gewesen. Und unergiebig. Sehr, sehr unergiebig. Ein ärmeres Leben zu führen als zuvor, was nicht zu leugnen war, das hatte sich Adolf nicht als Lohn eines Königsmachers vorgestellt. Ganz zu schweigen davon, dass er immer noch bei den verwünschten Kaufleuten verschuldet war, sogar mehr noch als früher, viel mehr!

»Etwas«, sagte Otto, »muss sich ändern, Euer Gnaden. Und zwar bald.« Er war ein hochgewachsener Mann, und Adolf, dessen Gewicht es ihn inzwischen vorziehen ließ, zu sitzen, fühlte sich unbehaglich, als Otto auf ihn zutrat, mit diesen Händen, die nicht zögerten, Heiligenstatuen zu misshandeln. Adolf räusperte sich. Eigentlich hatte er die Nachricht für sich behalten wollen, eine Weile jedenfalls noch, weil es sich nicht um ein Versprechen handelte, nicht um eine angekündigte Tatsache, sondern nur um eine Andeutung. Aber jetzt, wo Otto seine Hände links und rechts von Adolfs Kopf auf die Lehnen des breiten Stuhls stützte und sich über ihn beugte, da konnte er nicht anders. Er fuhr sich mit der Zunge über die Lippen und sagte: »Das wird es gewiss, denn ich kann mir nicht vorstellen, dass Philipps

Anhänger nicht entmutigt sind, wenn sein Kanzler auf Eure Seite übertritt.«

Ottos blaue Augen weiteten sich. Dann warf er den Kopf zurück und lachte. Als er sich wieder beruhigt hatte, tätschelte er Adolf die Wange und sagte: »Aber Euer Gnaden, warum habt Ihr das nicht gleich gesagt? Konrad von Würzburg will überlaufen?«

Ganz so hatte sich der Würzburger nicht ausgedrückt. Vor zwei Jahren war er plötzlich zu einer Pilgerfahrt nach Rom aufgebrochen und von dort versöhnt mit dem Heiligen Vater und mit dem bestätigten Bistum Würzburg zurückgekehrt. Wie er dieses Wunderwerk vollbracht hatte, während Philipp gleichzeitig gebannt wurde, wollte er niemandem verraten, doch da er nun einmal ein alter Freund des Papstes war, hatte man sich eben in beiden Lagern gesagt, dass selbst der gestrenge Innozenz bei Freunden Ausnahmen machte.

Bei den Staufern hatte man zwar sehr erfreut getan, doch wie Adolf inzwischen erfahren hatte, war damals die Saat des Misstrauens gesät worden. Der Reichshofmarschall hatte den Kanzler sogar offen als Papstspitzel bezeichnet.

»Dieser Emporkömmling Heinz von Kalden«, sagte Adolf laut, »hat sich wohl endlich durchgesetzt. Der Bischof von Würzburg wird nicht länger Philipps Kanzler sein, sondern sich ganz nach Würzburg zurückziehen und nur seinem Bistum widmen. Das ist es wenigstens, was er den anderen Fürsten erzählen will.«

»Das kommt davon, wenn man sich von Ministerialen auf der Nase herumtanzen lässt«, sagte Otto belustigt. »Wenn Philipp so dumm ist, einen seiner wenigen hochrangigen Kleriker gehen zu lassen, dann umso besser für uns. Aber will sich der Würzburger wirklich offen erklären?«

Was Konrad von Würzburg an Adolf geschrieben hatte, inmitten einer Flut biblischer Gleichnisse und Klagen über die Schlechtigkeit der Zeit, war, dass seine schöne neue Marienfeste in Würzburg nun einsam da stand, wo die schwäbische Sonne ihr nicht mehr lächelte, und dass eine Prise rheinischen Frohsinns sehr willkommen wäre. Das konnte man als Aufforderung zu einem Besuch Adolfs verstehen oder als ersten Annäherungsversuch an die Welfen, aber verpflichtet hatte sich Konrad noch zu nichts.

»Wenn er sich offen für Euch erklärt, mein König, wird er Truppen zu seinem Schutz benötigen. Als Kanzler kennt er jedes Geheimnis der Staufer. Sie werden ihn nie freiwillig aus ihrer Kontrolle entlassen.«

»Oh, ich werde ihm gerne Truppen schicken, mit Eurer finanziellen Unterstützung«, sagte Otto frohgemut, reckte sich und griff sich einen der Äpfel, die für Adolf bereitgestellt worden waren. »Das macht die unglückliche Verirrung meines Bruders mehr als wett. Aber Heinz von Kalden ist nicht nur ein Emporkömmling, sondern ein ausgesprochen hinterlistiger und erfolgreicher. Dem traue ich zu, den Würzburger einen Brief an Euch schreiben zu lassen, nur um meine Leute und vielleicht auch mich in eine Falle zu locken. Ich will eine Sicherheit haben, dass Philipps alter Kanzler es ernst meint.«

»Was für eine Sicherheit soll das sein, Euer Gnaden? Geiseln?«, schlug Adolf vor und hätte sich gleich darauf am liebsten auf die Zunge gebissen, denn er dachte daran, wie wenig Geiseln ihm genutzt hatten, als der Herzog von Zähringen sie stellte.

»Etwas in der Art. Als Mann der Kirche ohne weltliche Gelüste, mein hochwürdigster Herr Bischof, mögt Ihr es bereits vergessen haben, aber ich befinde mich immer noch im ehelosen Stand, weil der Herzog von Brabant nach wie vor nicht geruht, mir seine Tochter zu schicken. Und wir wissen doch beide, wessen Schuld das ist.«

»Die der Herzogin? Sie will Euch eben erst als Herrscher …«

»Ich *bin* der König«, sagte Otto kalt. »Der unbestrittene, von Euch gekrönte König der Deutschen, und von der versprochenen Mitgift wie von dem Gör aus Brabant habe ich trotzdem noch nichts gesehen, seit ich mich ihr anverlobt habe, für nichts und wieder nichts. Weil jemand ihnen Flausen ins Ohr gesetzt hat, den Weibern aus Brabant – diese Ärztin aus Köln, die Ihr mir nach Chinon geschickt habt.«

Adolf fragte sich, ob er ein weiteres Mal protestieren sollte, dass sich Otto mit solchen Beschwerden an die Kaufleute wenden musste, und kam zu dem Schluss, dass der Welfe nicht mehr auf solche Proteste achten würde, als er es bisher schon getan hatte.

»Ich bin ein alter Mann, mein Sohn«, sagte er, etwas übertreibend und absichtlich den Umstand betonend, dass er als Priester und Bischof von Otto eigentlich als sein Vater in Christus geehrt werden sollte. »Vielleicht verstehe ich deswegen nicht, was das verwünschte Weib mit dem Bischof von Würzburg zu tun hat.«

Otto schenkte ihm ein mitleidiges Lächeln. Es wirkte noch verstörender, als die zerstörte Ursula auf dem Boden es tat. »Ihr seid nicht der Einzige, der Verbindungen hat«, sagte er. »Die Magistra Jutta von Köln dient der Byzantinerin, die unser guter Philipp geheiratet hat. Das heißt, sie gehört zu seinem Hof. Als Kanzler muss der Würzburger sie gut genug kennen, um ihre Dienste verlangen zu können. Das ist die Art von Beweis für seine guten Absichten, die mir vorschwebt, und die Geisel, die ich haben möchte.«

Adolf war Konrad nur ein paarmal begegnet, doch er konnte sich nicht vorstellen, dass der Würzburger über die Zumutung, für Otto eine Frau zu entführen, erfreut sein würde. Dergleichen war einfach unter der Würde eines Erzbischofs. Für solche Dinge sollte der Welfe wahrlich seine Kriegsknechte haben.

Er fragte sich nicht zum ersten Mal, was wohl gewesen wäre, wenn er damals seine Abscheu vor den Staufern überwunden und Philipp gekrönt hätte. Ohne die Krönung in Aachen und Köln wäre Otto nur einer von vielen Thronbewerbern gewesen. Und vielleicht hätte Philipp Adolf doch besser behandelt, als er dies von einem Staufer erwartet hatte. Gewiss, Konrads Schicksal ermutigte nicht gerade zu einer solchen Schlussfolgerung, doch der war eben nur der Bischof von Würzburg. Einen Erzbischof von Köln, der die Seiten wechselte, würde gewiss niemand mit Geiselfragen und Wünschen nach weiblichen Störenfrieden behelligen. Im Gegenteil, man würde ihn mit Gold und Würden überhäufen.

»Werdet Ihr das den Bischof von Würzburg wissen lassen?«, fragte Otto. Adolf wurde wieder in die unliebsame Gegenwart zurückgeholt. Beim Anblick der zerborstenen heiligen Ursula erinnerte er sich daran, dass Ottos Großvater, Henry II., nicht davor zurückgeschreckt war, den Erzbischof von Canterbury vor seinem Altar erschlagen zu lassen. Es war wohl besser, sich an das Hier und Jetzt zu halten und zu versuchen, das Beste daraus zu machen. Das bedeutete, weiterhin Otto zu unterstützen und auf einen baldigen Sieg zu hoffen. Mit Hilfe von Philipps altem Kanzler, dem Bischof von Würzburg.

Adolf seufzte. »Gewiss werde ich das.«

* * *

Judith war dabei, Irenes jüngste Tochter zu untersuchen, die im Vorjahr zur Welt gekommen war und gerade unter dem Durchbrechen ihrer Zähnchen litt. Noch mehr litt Lucia, die zur Amme der kleinen Maria geworden war, weil sie fast zur gleichen Zeit ihr zweites Kind zur Welt gebracht hatte. »Sie sind bald alt genug, um sie zu entwöhnen«, sagte Judith, »alle beide.«

»Das ist nicht das, was die kleine Königstochter denkt, eh?«, gab Lucia zurück. Judith lachte und versprach, eine Salbe aus Kampfer herzustellen, mit der sich Lucia die Brustwarzen einreiben konnte. Sie wussten beide, dass sie Irene nichts davon erzählen würden, denn die Königin war so besorgt um ihre Kinder, dass sie darauf bestand, sie müssten so lange gestillt werden, wie sie nach Muttermilch verlangten, und an mindestens zwei Jahre dachte.

Vielleicht hatte Irene sogar recht. Drei Mädchen hatte sie bisher zur Welt gebracht, kurz hintereinander, gerade, dass sich ihr eigener Körper von der letzten Schwangerschaft erholt hatte, und dennoch waren alle drei Mädchen gesund und am Leben. Das war selten, selbst für Fürstenkinder, denen es nicht an Nahrung und Wärme mangelte. Irene schaute auf Lucias Kind und fragte sich, ob es wohl ebenfalls überleben würde. Diesmal hatte Lucia eine kleine Tochter zur Welt gebracht, eine Halbschwester für ihren Sohn. Der Vater war Markwart, der Lucia geheiratet hatte, als sie schwanger war. Bisher schienen sie glücklich miteinander zu sein, obwohl Walther Markwart manchmal damit neckte, vor einem Schicksal geflohen zu sein, das anderswo erfolgreich auf ihn gewartet hatte.

Sie schaute Maria an. So schnell war die Zeit vergangen. Zu schnell. Sie betrauerte immer noch jede Stunde, die sie nicht mit Walther verbrachte. Das Gefühl, dass da jemand war für sie und dass sie für jemanden da sein konnte, war mehr als selbst die Befriedigung, helfen zu können, in ihrer schönsten Zeit in Salerno. Alles, was sie sich jemals erträumt hatte, war mit ihm in Erfüllung gegangen, und noch einiges mehr. Sie konnten reden und schweigen miteinander; dieses Schweigen nannte er *Selbstgespräche mit unseren Seelen.* Danach stellten sie häufig fest, dass sie beim gleichen Thema gewesen waren, was sonst nur alten Leuten passieren sollte, nach vielen Jahren einer harmonischen Ehe. Umgekehrt brachten sie es fertig, am Abend, ohne zu sprechen, ohne sich abzustimmen, übereinander herzufallen, als müssten sie Jahre nachholen, was ja auch nicht abwegig war, um später gleichzeitig den Mund zu öffnen, um darüber zu reden, was ihnen gerade auf dem Herzen lag. Sie hatte ihm sogar von ihrem Schwager erzählen können; er hatte den Kopf geschüttelt über dessen Selbstsucht, statt ihr Vorwürfe zu machen. Er hatte ihr auch von Mathilde berichtet, die seine ersten Schritte in die körperliche Liebe gelenkt hatte, und sie hatte ohne Eifersucht zuhören können. Als er davon sprach, wie schön er damals immer das Licht einer brennenden Flamme beim Liebesspiel empfand, hatte sie am Abend nie mehr selbst das Licht ausgelöscht. Wie oft schon hatte sie an das gedacht, was ihr in Braunschweig gesagt worden war: *Was aus Liebe gegeben wurde, wurde gern und gut gegeben.* Sie hatte Walther von ihrer Freundin Maria erzählen können, und es gab von ihm keine Scherze über solche Freundschaften, wie sie es eigentlich von ihm erwartet hatte. Er hatte im Gegenteil sogar gesagt, dass er bisher der Überzeugung gewesen sei, dass Menschen zu Bettlern werden, die sich auf ihre Freunde verlassen. Glücklich, wer anderes erleben durfte. Ihr Leben mit ihm war einfach schön!

»Aber gibt es noch Kampfer?«, fragte Lucia. »Der Boden ist schon gefroren.«

Judith kam nicht dazu, zu antworten, weil eine Magd sie unterbrach und bat, zur Königin zu kommen. Wie sich herausstellte, war Irene nicht alleine, obwohl die Königin ihre Damen fortgesandt hatte. Bei ihr befand sich ein junger schwarzhaariger Mann, der ihr ähnelte und sichtlich schlecht in die höfische Kleidung passte, die man ihm zur Verfügung gestellt haben musste. Er zuckte zusammen, als Judith den Raum betrat, statt es für selbstverständlich zu nehmen, wie Edelleute es gewöhnlich taten. Obwohl er wie die meisten Adeligen Armreife und Ringe trug, waren seine Arme dünn, während sein Bauch schon eine leichte Wölbung zeigte. Er konnte in den letzten Jahren nicht viel Bewegung gehabt haben, und dafür gab es bei seinem offenkundig hohen Stand eigentlich nur eine Erklärung.

»Mein Bruder Alexios«, sagte Irene auf Lateinisch, obwohl sie mittlerweile mit Judith genau wie allen anderen Mitgliedern ihres Hofstaates Deutsch sprach, »hat den Weg in die Freiheit und zu mir gefunden.« Judith erinnerte sich an ihre ersten Begegnungen mit Irene; bei den Byzantinern war es üblich, sich zu Boden zu werfen, wenn man ein Mitglied des Kaiserhauses zum ersten Mal vor sich sah.

Irenes Bruder war, wie ihr Vater, jahrelang von ihrem Onkel gefangen gehalten worden, insofern hatte Judith Mitleid mit ihm und konnte verstehen, dass einiges nötig war, um seinem Stolz wieder Nahrung zu geben. Aber es war ihr unmöglich, die Stimme ihres Vaters zu vergessen, als er sagte, dass man nur vor dem Allerhöchsten selbst im Staub lag und nicht vor einem heidnischen Idol, ob lebend oder aus Stein. Sie musste so viel von ihrem Judentum unterdrücken, um in dieser christlichen Welt zu leben, doch es gab Grenzen. Selbst, wenn sie Möglichkeiten fand, den Sabbat zu begehen, so verstieß sie oft genug gegen die Essensvorschriften, und obwohl sie niemals eine Hostie zu sich genommen hatte, war es ihr unmöglich gewesen, sich immer der Messe zu entziehen. Als Philipp seine zweite Tochter Kunigunde nannte, nach der Kaiserin, deren Gebeine er im Bamberger Dom selbst in eine neue, prunkvolle Grabstätte umgebettet hatte, da hatte Judith in der Taufgemeinde gestanden und das Credo aller Anwesenden mit angehört. Sich einmal in den Staub zu werfen, hätte im Vergleich nicht viel bedeuten sollen, aber aus irgendeinem Grund tat es das für sie, und so entschloss sie sich für einen Kompromiss. Sie sank in die Knie, schlug die Augen nieder und murmelte auf Latein: »Es ist mir eine Ehre, höchstedler Alexios.«

Er beachtete sie nicht, sondern stellte Irene eine Frage auf Griechisch, die sie beantwortete. Dann schaute er zu Judith und fragte auf Latein, ob sie wirklich zu den Frauen aus Salerno gehöre.

»Wäre sie sonst meine Leibärztin?«, warf Irene ungeduldig ein. »Bruder, du kannst ihr vertrauen.«

Es fiel Judith auf, dass die Augen des byzantinischen Fürsten zwar in Irenes Richtung schauten, aber nicht direkt auf ihr Gesicht, sondern über ihre Schulter hinweg. Dass er nicht zu Judith blickte, mochte also einen anderen Grund haben als Hochmut. Mit einem Mal verstand sie, warum Irene weder Damen noch Gesinde um sich behalten hatte.

»Kann es sein, dass Ihr Schwierigkeiten mit Euren Augen habt, höchst edler Alexios?«, fragte sie behutsam.

»Ich bin nicht geblendet worden«, sagte er rasch. »Das war mein Vater. Nicht ich. Niemals.«

Ein blinder Herrscher, erinnerte sich Judith, konnte nicht regieren. Deswegen war Irenes Vater geblendet worden, deswegen hatte Kaiser Heinrich die letzten normannischen Prinzen nicht nur kastrieren, sondern ebenfalls blenden lassen. Es war eigentlich verwunderlich, dass Alexios jenes Schicksal erspart geblieben war.

»Wenn man sehr lange Zeit im Dunkeln verbringt«, sagte Judith leise, »und dann plötzlich ans Tageslicht kommt, dann können die Augen Schaden nehmen, weil sie das Licht nicht mehr gewohnt sind.«

»Die Magistra wird niemandem davon erzählen, das gebietet ihr Eid«, warf Irene ein. Alexios senkte das Haupt. Dann bedeutete er Judith, sie möge näher treten, um ihn zu untersuchen.

Da er der Sohn eines entthronten Vaters war, gab es keinen Grund zu erwarten, dass er je wieder auf einem Thron sitzen würde. Keinen, außer Irene, die in den letzten Jahren alles Mögliche versucht hatte, um aus der Ferne Druck auszuüben und ihren Onkel dazu zu bewegen, ihren Vater und ihren Bruder freizulassen. Keinen, außer dem, was man sich vor langer Zeit über die Träume des Staufers Heinrich erzählt hatte, eine Verwandtschaft mit der byzantinischen Kaisertochter zu nutzen, um auch Kaiser des Ostreichs zu werden.

Doch Philipp war nicht unumstrittener deutscher König, geschweige denn Kaiser des Westens. Er hatte mehr als genug damit zu tun, Otto in Schach zu halten, denn immer noch war keiner von beiden in der Lage, sich dauerhaft als der Stärkere zu beweisen. Da war es unmöglich, daran zu denken, Byzanz zu erobern, ob nun für seinen Schwager oder sich selbst.

Judith hob vorsichtig das Kinn des Kaisersohns und drehte seinen Kopf hin und her. Dann ließ sie ihn los, hielt einen Finger in die Höhe und bewegte ihn langsam. Seine Augen folgten ihr bei unmittelbarer Nähe, doch als sie die Geste in einigen Schritten Entfernung wiederholte, konnte sie sehen, dass sein Blick weiter geradeaus gerichtet blieb.

Zum ersten Mal seit Jahren dachte sie an Meir, ihren Mitstudenten und kurzfristigen Freier, der sich auf Augen verstand wie kein Zweiter in Salerno und vermutlich sofort gewusst hätte, ob es sich um starke Kurzsichtigkeit handelte oder um einen äußerlich zugefügten Schaden.

»Habt Ihr vor Eurer Einkerkerung gut sehen können, Euer Gnaden?«

»Ja«, sagte er rasch, doch Irene machte eine ungeduldige Handbewegung.

»Lüg sie nicht an, sonst kann sie dir nicht helfen. Mein Bruder war nie gut bei der Falkenjagd, Magistra, weil er den Vögeln nicht lange mit den Augen folgen konnte. Doch früher hätte er ohne weiteres Euer Gesicht und Eure Kleidung beschreiben können, so, wie Ihr vorhin im Rahmen der Tür standet, und nun ist ihm selbst das nicht mehr möglich.«

»Nero soll einen Smaragd gehabt haben, durch den er besser sah. Ich habe auch von feingeschliffenen Kristallen gehört, die diese Wirkung haben. Aber ich glaube nicht, dass sie Eure Sicht auf Dauer besser machen können, Euer Gnaden«, sagte sie, denn eine der ersten Regeln, die sie gelernt hatte, war, dass man nicht über den Kopf eines Patienten hinweg über ihn sprach, sofern er nicht taub oder ein Kleinkind war, denn sonst erwachte in ihm schnell Groll wider den Arzt, und er versperrte sich ihr gegenüber. Man musste stets versuchen, ihn mit einzubeziehen. »Nur während der Zeit, die Ihr durch einen solchen Kristall blickt, wenn wir einen richtig geschliffenen für Euch finden. Zudem … nehmt Ihr die Farben in Eurer Nähe noch klar wahr?«

»Wie durch einen grauen Schleier«, sagte er, und da wusste sie, dass er mit großer Sicherheit unter einer Form des Stars litt.

»Euer Gnaden«, sagte sie, »wenn wir in Salerno wären, dann gäbe es einen Arzt, der sich auf solche Gebrechen versteht und einen Eingriff vornehmen kann. Ich selbst vermag manches, aber Augen waren nie meine Stärke. Einen solchen Eingriff kann ich nicht durchführen.«

»Zu was seid Ihr dann gut?«, fragte er heftig. Irene legte ihm eine Hand auf den Arm.

»Es ist möglich«, sagte sie mit gesenkter Stimme, »dass mein Bruder den Weg nach Salerno findet. Vielleicht sogar bald. Doch er wird nicht lange dort verweilen können.«

»Das menschliche Auge ist ein Wunderwerk Gottes, aber auf einer Reise gerät rasch Staub hinein, und der quält uns, selbst, wenn das Auge gesund ist. Nach einem solchen Eingriff sollte man ein paar Wochen Zeit haben, um an einem Ort zu ruhen, einem Hospital oder in dem Gemach der alten Burg dort, das ist gleich, nur nicht auf der Straße mit all dem Staub.«

»Wir werden darüber nachdenken«, sagte Irene. »Ihr könnt gehen.« Auf Deutsch fügte sie hinzu: »Und ich danke Euch für Eure Ehrlichkeit, Magistra.«

Ihr Bruder fiel wieder ins Griechische; es hörte sich alles andere als dankbar an, was verständlich war: Judith hatte ihm nicht eben gute Nachrichten gebracht. Sie beschloss, noch einmal in den Werken nachzuschlagen, die ihr zur Verfügung standen, doch sie kannte ihre Grenzen, und Augenoperationen waren nichts, was sie ohne gesicherte Diagnose angehen konnte.

Wenn Alexios bald wieder in Italien sein würde, statt sich am Hof seiner Schwester von seiner Gefangenschaft zu erholen, dann konnte das eigentlich nur einen Grund haben, aber Judith verstand immer noch nicht, woher um alles in der Welt Philipp die Kriegsknechte nehmen wollte, um seinem Schwager bei der Rückeroberung eines riesigen Reiches wie Ostrom zu helfen.

Im Gegensatz zu ihrer ursprünglichen Befürchtung waren Judith an Philipps Hof und an Irenes Seite nie die Patienten ausgegangen. Irene reiste nur dann nicht mit ihrem Gemahl, wenn sie hochschwanger war, was hieß, dass verwundete Ritter und Soldaten häufiger und häufiger an der Tagesordnung waren. Judith war nicht die einzige Ärztin bei Hofe, aber sie war die mit der besten Ausbildung. Nach ein paar anfänglichen Schwierigkeiten war es ihr durch unleugbare Leistungen gelungen, mit den beiden anderen Medicis, die einer Frau zuerst ungern Fähigkeiten zugestanden, Einklang in der Verteilung von Zeit und Aufgaben zu finden. Selbst in Salerno hatte es nicht ständig so viele neue Kampfwunden zu verarzten gegeben. Manchmal halfen alle Vorsichtsmaßnahmen nichts, und der Wundbrand setzte ein. Der Tod, den sie in Klosterneuburg zum ersten Mal miterlebt hatte, war ihr inzwischen alles andere als fremd. Sie wusste, was Krieg war; sie hatte seine Opfer unter ihren Händen bluten, zittern, brennen, eitern und erkalten gespürt. Ein paarmal war es sogar geschehen, dass ein Mann, den sie erst ein paar Wochen vorher zusammengeflickt hatte, während einer neuen Operation starb. Bei der Vorstellung, zu dem Krieg mit Otto würde nun noch ein weiterer mit Byzanz kommen, wurde ihr speiübel. Judith beschloss, den Brunnen aufzusuchen, um sich einen Eimer mit Wasser zu holen; sie hatte das Bedürfnis, sich das Gesicht zu waschen.

Der Hof der Nürnberger Feste, in der sich Philipp derzeit aufhielt, war so geschäftig wie eh und je. Um ein Haar hätte sie den jungen Mann übersehen, der gerade sein Pferd absattelte und unendlich vertraut wirkte. Aus den Augenwinkeln heraus dachte sie für einen kurzen, entsetzlichen und doch süßen Moment, einer ihrer Brüder wäre von den Toten auferstanden, und drehte sich vollends zu dem Neuankömmling um. Dann erkannte sie ihn.

Es war ihr Vetter Paul.

* * *

Wolfger von Passau hatte sich kaum verändert, aber dafür zeigten sich bei seinem Sohn graue Haare, was Walther daran erinnerte, dass sie alle älter wurden. Hugo war ihm, obwohl bestimmt etwas älter, immer jünger als er selbst vorgekommen. »Das Weihnachtsfest«, sagte Wolfger, »werde ich noch hier im Reich verbringen, aber im Frühjahr geht es über die Alpen. Was haltet Ihr davon, mich zu begleiten, Herr Walther?«

Das kam überraschend. Der Bischof von Passau hatte ihm seine antipäpstlichen Tiraden nie vorgeworfen, und Walther war rücksichtsvoll genug, sie nicht in seiner Gegenwart zum Besten zu geben, schon weil Bischof Wolfger immer noch dankbar für ein Lied war und manchmal auch für eine Geschichte vom Hofe Philipps, Leopolds oder Hermanns von Thüringen. Seine Dankbarkeit drückte er in Form von Abschriften des Nibelungenlieds aus, an die Walther sonst nie gelangt wäre. Aber das war Wolfger auf dieser Seite der Alpen. Walther konnte sich nicht vorstellen, dass Wolfger in Aquileja, so viel näher an Rom, anders als nur dem Papst genehm handeln würde, und dazu gehörte gewiss nicht, einen Sänger in seinem Haus zu beherbergen, der vor allem seiner beißenden Lieder über den gegenwärtigen Papst wegen bekannt geworden war.

»Ich frage mich, was ich Euer Gnaden nutzen könnte in einem Land, wo man Nachtigallen verspeist, anstatt sie zu füttern«, sagte er daher und fügte nicht hinzu, dass er, ganz abgesehen von allem anderen, eine solche Reise nicht alleine würde unternehmen wollen. Er und Judith lebten hin und wieder getrennt, denn sie blieb stets an der Seite der Königin. Bei einem solchen Abschied handelte es sich aber höchstens um zwei, drei Monate, wenn es ihn an einen anderen Hof trieb. Eine Reise nach Italien konnte dagegen fast ein Jahr dauern, weil er kaum sofort wieder zurückkehren würde, wenn er erst einmal dort war. Über eine so lange Zeit wollte er nicht auf sie verzichten – und da war er sich sicher, sie auch nicht auf ihn –, dafür war jeder gemeinsame Tag zu sehr ein Geschenk, das sie sich gegenseitig machten.

Vor einigen Monaten war er wach geworden und fand sie neben sich hockend. Als er besorgt fragte, ob sie nicht schlafen könne, sagte sie: »Ich muss dich manchmal ansehen, weil ich es nicht schaffe zu verstehen, was mit mir ist. Warum bleibt diese Liebe für mich so unbegreiflich, unfassbar, so voller Geheimnisse? Kannst du mir das sagen?«

Er machte es sich nicht leicht mit der Antwort, weil er sich diese Frage auch oft genug gestellt hatte. Sie lachten so viel miteinander, selbst in höchsten Momenten des Glücks und der Befriedigung, und doch liebte er auch die Momente, die er im tiefen Ernst mit ihr teilte, wenn es ihm wichtig war, ihre Meinung zu hören. Dies war einer davon.

»Lass der Liebe ihre Geheimnisse, so wie dem Leben. Ist nicht das schönste Erleben das geheimnisvolle, unerwartete? Wenn wir nicht mehr staunen können über das, was überraschend auf uns zukommt, nicht mehr stutzen, was uns vom Leben an Glück alles geschenkt wird, was uns die wahre Liebe zueinander gibt, dann sind wir tot.« Am folgenden Tag war ihm aufgefallen, dass sie ihm, während sie sich liebten, ständig in die Augen sah, und er neckte sie, ob sie denn heute neugieriger sei, weil es bisher mehr sein Privileg war, ihren Körper bei der Liebe zu beobachten.

»Augen sind die Spiegel des Glücks, des eigenen und des geschenkten. Ich möchte deine Augen sehen, um zu erkennen, dass ich dich glücklich mache, zum Erstaunen bringen kann, täglich neu, und du sollst es in den meinen sehen, deine Geschenke und meine Geschenke, auch wenn ich nicht begreifen kann, woher das Glück kommt. Aber ich habe von dir gelernt, dass man nicht alles verstehen muss.«

So hatte er eine liebevolle, herrliche Frau bekommen, die zwar lieber ein Buch kaufte, anstatt Geld für ein neues Kleid auszugeben, aber in seinen Armen eine Sinnlichkeit entdeckte und zeigte, die ihm bei Frauen völlig neu war und ihn in ihrem Zusammenleben wunschlos glücklich hatte werden lassen.

Andererseits war ihm bewusst, dass sie es sich manchmal wünschte, nach Salerno zurückzukehren. Nun, die Königin hatte klargemacht, dass sie Judith nach einem weiteren Abschied ohne ihre Erlaubnis nicht wieder zurücknehmen würde. Deshalb war es immer noch besser gewesen, ein Spatz in der anmutigen und wohlberingten Hand Irenes zu sein als eine Taube auf dem Dach einer Heilschule, wo Judith vielleicht wieder aufgenommen wurde, wo es aber für Walther keinen Platz gab. Er sprach die Volgare gut genug, um sich verständigen zu können, gewiss, aber er würde nie Lieder so gut in ihr verfassen können, wie es ihm in der deutschen Sprache möglich war. Sein Anspruch, der Beste zu sein, würde dort schon im Ansatz scheitern. Es war für ihn unmöglich, in Salerno zu leben, ohne mit einem Schlag auf alle seine Zuhörer zu verzichten, selbst die, welche seine Lieder von anderen Sängern hörten, alle Menschen, die seine Texte verstanden. Davor zurückzuschrecken, war nicht Eitelkeit; es ging ihm dabei um seine Luft, die er zum Atmen brauchte.

»Herr Walther, Ihr habt mir noch immer die Langweile vertrieben, und das würde ich nie geringschätzen«, erwiderte Wolfger. »Aber das ist nicht der einzige Grund, warum ich Euch einen Platz an meiner Seite anbiete, wenn ich das nächste Mal die Alpen überquere. Ihr habt schlechte Erinnerungen, ich weiß, doch ich könnte Euch dort bessere schaffen.«

Noch nie hatte Wolfger erkennen lassen, dass er sich bewusst war, welches Ereignis in Walther den Zorn auf den Papst entflammt hatte. Wolfger war damals in der gleichen Kirche gewesen, hatte die gleichen Worte gehört, aber Walther hatte nie Grund zu der Annahme gehabt, dass sie in dem Bischof von Passau zu innerem Widerspruch geführt hätten. Es sei denn, man zählte den Umstand, dass Wolfger sich nicht offen gegen Philipp wandte.

»Das wäre in der Tat ein Wunder, das eines Heiligen würdig wäre, nicht eines Bischofs.«

»Nun, das Amt des Patriarchen von Aquileja ist das höchste, was ich erstrebe, aber vielleicht lässt sich trotzdem etwas in dieser Richtung bewirken«, sagte Wolfger. »Angenommen, nur angenommen, König Philipp hätte etwas, das er dem Heiligen Vater anbieten könnte, um Seine Heiligkeit dazu zu bringen, den Bann und seine Unterstützung Ottos zu beenden, würde das Euer Herz mit Freude erfüllen oder betrüben? Seid ehrlich.«

Es war eine gute Frage, eine bessere, als Walther erwartet hatte. Er verabscheute den Papst nach wie vor. Doch er war sich auch bewusst, was für einen ungeheuren Unterschied es machen würde, wenn er Philipp statt Otto unterstützen würde. Das würde den Krieg beenden. Nun, nicht sofort, nicht in einer Woche. Otto würde vielleicht noch ein, zwei Monate kämpfen, um sein Gesicht zu wahren, aber dann würde er gewiss versuchen, einen ehrenvollen Frieden mit Philipp zu schließen.

Judith neckte ihn manchmal damit, dass er insgeheim glaube, die Welt stürze sich nur in Fehden, damit Dichter darüber singen konnten, und das gelte auch für Kriege, aber sie meinte es nicht wirklich ernst. Er dachte an Judiths Gesicht, wenn ihr ein weiteres Mal ein Mensch unter den Fingern weggestorben war. Er dachte an die Toten, die er selbst gesehen hatte. Er dachte auch an seine Hoffnungen, durch wohlüberlegte Vorschläge bei Philipp für eine schnellere Beendigung des Kriegs sorgen zu können. Nur, geplündert wurden Burgen und Städte aber Woche für Woche, Monat für Monat, auf beiden Seiten, um so ihren Krieg gegeneinander zu finanzieren. Nichts hatte sich geändert.

»Mir wäre nichts wichtiger als die Aussicht auf Frieden, die ein solches Unterfangen böte«, gab Walther deshalb zurück.

»Mmm. Das freut mich sehr, Herr Walther. Auch wenn *Frieden* vielleicht das falsche Wort in diesem Zusammenhang ist … aber wisst Ihr, warum man die *pax Romana* unter Augustus so pries, obwohl das Römische Reich zu diesem Zeitpunkt Krieg mit vielen anderen Völkern führte?«

»Meine Kenntnisse heidnischer Geschichte sind beschränkt, Euer Gnaden.«

»Weil unter Augustus zum ersten Mal seit hundert Jahren in Rom selbst Frieden herrschte«, gab Wolfger zurück. »Weil die Römer, statt einander zu bekämpfen, damit beschäftigt waren, das Reich zu vergrößern und die römische Lebensart in die Welt hinauszutragen. Samt der Heizungen, für die ich noch heute dankbar bin, denn mein Haus in Passau ist eine römische Villa.«

»Ihr kennt doch die Königin mittlerweile recht gut«, platzte Hugo dazwischen. »Wenn sie ein Versprechen gibt, dann wird sie es doch halten, oder? Und gilt das Gleiche für ihre Familie?«

»Hugo«, sagte sein Vater tadelnd, doch auch er schien auf Walthers Antwort zu warten.

Allmählich begann sich in Walther eine ungeheuerliche Vermutung zusammenzusetzen. Er hatte wie der Rest des Hofstaats die Gerüchte gehört, dass Irenes Bruder entkommen oder freigelassen auf dem Weg zu seinem Schwager war. Das war durchaus zu erwarten gewesen, denn Philipp war der einzige mächtige Verwandte, der Alexios verblieben war, und an seinem Hof lebte sich die Verbannung gewiss angenehmer als irgendwo sonst. Doch was Hugo und Bischof Wolfger andeuteten, war etwas völlig anderes.

»Mir ist nichts von einem Wortbruch der Königin bekannt«, erklärte Walther vorsichtig. »Ihrer Familie bin ich nie begegnet. Hattet Ihr denn das Vergnügen?«

»So könnte man sagen«, sagte Wolfger gedehnt. »Doch ehe ich Euch mehr erzähle, wüsste ich gerne, ob Ihr Euch vorstellen könnt, das nächste Jahr an meiner Seite zu verbringen.«

»Vorstellen kann ich mir viel. Lasst mich darüber nachdenken, Euer Gnaden. Natürlich würde es mir helfen, wenn ich wüsste, womit genau ich Euer Gnaden denn behilflich sein soll.«

»Aber Herr Walther, keine falsche Bescheidenheit. Ihr wisst, worin Ihr gut seid: darin, die Meinung der Menschen zu erfassen und manchmal sogar zu lenken. Würde ich je einen Mann um etwas bitten, das er nicht gerne tut?«

Ich muss mit Judith darüber sprechen, was das alles zu bedeuten hat, dachte Walther, doch entgegnete, die hohe Meinung des Bischofs sei ihm eine Freude und würde ihm die Entscheidung gewiss erleichtern, aber so eine Entscheidung wolle nicht von einem Augenblick auf den nächsten getroffen werden, sondern wohl überlegt.

»Der frühe Vogel fängt den Wurm«, sagte der Bischof bedeutsam.

* * *

Es war nicht leicht, in einem Bienennest eine ruhige Stelle zu finden, doch Judith wusste inzwischen, dass eine Kapelle in dieser Beziehung eine Hilfe war. Wie sich herausstellte, war die in der Nürnberger Feste nicht ganz leer, doch die zwei betenden Pilger knieten vor dem Altar und waren somit außer Hörweite, wenn man sich neben das Marienbild am anderen Ende stellte. Wann hatte sie aufgehört, bei der Darstellung von christlichen Heiligen zusammenzuzucken? *Du sollst dir kein Bild machen,* sagte der Herr, aber bereits in Salerno hatte es so viele davon gegeben, dass sie begonnen hatte, sich daran zu gewöhnen.

»Vetter«, sagte sie, »es freut mich, zu sehen, dass es dir gutgeht, doch warum hat dein Vater dich geschickt? Und versuche nicht, mir weiszumachen, dass du gegen seinen Willen hier bist. Du hättest mich nie ohne ihn gefunden.«

Dass Stefan wusste, wo sie sich befand, war ihr klar gewesen, wenn sie darüber nachdachte, was sie tunlichst unterließ. Sie wusste nicht, was sie für ihren Onkel empfand. Was geschehen war, war geschehen. Jedes Mal, wenn sie einen weiteren Mann verarztete, der später doch auf dem Schlachtfeld starb, war sie sich bewusst, dass es keine Unschuldigen gab, am wenigsten sie selbst. Ewig zu grollen war in erster Linie ein Gift für das eigene Gemüt. Doch das hieß noch lange nicht, dass sie Stefan wieder vertrauen würde.

Paul machte ein gekränktes Gesicht. »Ich wollte dich wiedersehen!«, protestierte er. »Ich habe dich vermisst. Wie geht es dir und Gilles?«

Es war nur ein feiner Stich, der durch ihr Herz ging, doch immer noch fühlbar. »Mir geht es hervorragend, doch Gilles … Gilles hat nun schon zwei Jahre lang nichts von sich hören lassen.«

»Er hat dich verlassen? Oh, das tut mir leid. Ich mochte ihn gern. Das hätte ich ihm nicht zugetraut. Siehst du, wenn du bei uns in Köln geblieben wärst, dann hätte er niemals gewagt, die Nichte seines Patrons zu verlassen!«

»Es ist ihm Furchtbares geschehen, ehe er ging«, sagte Judith.

Paul zögerte. »Ich war damals zu jung, um es richtig zu verstehen, aber … wollte Vater eure Ehe nicht auflösen lassen, und bist du nicht deswegen geflohen?« Er sah so hoffnungsvoll aus wie damals, als sie ihm eine abenteuerliche Geschichte versprochen hatte, und sie ahnte, dass er ihr als Nächstes vorschlagen würde, nach Köln zurückzukehren, also sagte sie bestimmt: »Das war der Anlass, aber nicht die Ursache.« Etwas sanfter setzte sie hinzu: »Und ich hatte nie die Gelegenheit, dir für deine Hilfe beim Überbringen meiner Botschaft zu danken, Paul. Das war damals sehr lieb und tapfer von dir.«

»Vater sagte, es sei dumm gewesen«, gab er leise zurück, »und dass du in dein Unglück rennen würdest. Wenn dich Gilles verlassen hat, dann ist es ja auch so gekommen, oder?«

»Ich bin die Leibärztin der Königin. Sieht so Unglück aus?«

»Sag du's mir, Base«, antwortete er, und da wusste sie, dass er nicht länger ein Junge war und von seinem Vater zumindest in Anfängen die Kunst des Gedankenspiels gelernt haben musste.

»Man ist hier nicht gut auf die meisten Kölner zu sprechen«, sagte sie warnend. »Du solltest dir lieber Gedanken um dein eigenes Wohlergehen machen, besonders wenn dein Vater dir einen Auftrag erteilt hat.«

Paul ergriff ihre Hände. »Ich bin hier, um dich zu retten, Base.«

»Vor der staufischen Sache? Der Wurf ist ausgespielt. Es muss euch in Köln nicht gutgehen, wenn dein Vater wieder versucht, die gleichen Gründe anzuführen, warum man nur ihn und die

Welfen unterstützen sollte. Paul, du kannst ihm sagen, dass die Königin mich nicht fallen lassen wird. Philipp mag kein Ritter ohne Furcht und Tadel sein, und vielleicht nicht der beste König, doch besser als Otto ist er immer noch. In den Jahren an seinem Hof habe ich ihn nicht einmal einen Menschen zu seinem Vergnügen quälen sehen. Sag das deinem Vater. Er wird verstehen, was ich meine.«

Zu ihrer Überraschung schüttelte Paul ungeduldig den Kopf. »Nein, das sind alte Geschichten«, antwortete er. »Aber wenn du wirklich glaubst, was du meinst, dann bist du blind. Dein König mag keine groben Scherze treiben, aber er schreckt nicht vor gemeinem Mord zurück.«

»Philipp und Otto haben beide Blut auf dem Schlachtfeld vergossen. Das weiß ich nur zu gut, denn ich habe eine Menge davon an meinen eigenen Händen. Aber Kriegsknechte in eine Schlacht zu schicken, ist nicht Mord.«

»Einen hilflosen alten Mann umzubringen, das ist Mord«, gab Paul zurück.

Judith starrte ihn an. Er ließ ihre Hände nicht los und ähnelte ihren Brüdern mehr denn je, als er sich näher zu ihr beugte und ihr ins Ohr flüsterte. »Er wird seinen Kanzler ermorden lassen. Das hat Vater herausgefunden, und deswegen bin ich hier. Das ist der Mann, dem du dienst, Base.«

Das konnte nicht stimmen. Gewiss, die Feindseligkeit zwischen Heinz von Kalden und Bischof Konrad von Würzburg hatte dazu geführt, dass der Bischof sein Kanzleramt niedergelegt und angekündigt hatte, er wolle den Winter und das Weihnachtsfest in seinem Bistum verbringen, nicht am Hof des Königs. Gewiss, der Reichshofmarschall hatte offen erklärt, seiner Ansicht nach müsse Konrad irgendeinen Handel mit dem Papst abgeschlossen haben, um sein Bistum bestätigt zu bekommen; warum hätte er sich sonst selbst nach Rom bemüht, statt Boten zu schicken, und warum sollte der Papst ihm erst mit Exkommunikation gedroht und dann das Bistum doch bewilligt haben, obwohl Konrad weiterhin Philipp diente.

Doch selbst wenn man es von einem völlig distanzierten Standpunkt aus betrachtete und Philipp jede Schlechtigkeit zutraute, war das alles kein Grund, warum er, der ohnehin um jeden Kleriker an seiner Seite kämpfte, sich auf einen Schlag vor aller Welt als Herodes hinstellen sollte, indem er einen Erzbischof umbringen ließ. Was konnte er dabei gewinnen? Nichts. Zu verlieren hatte er nicht nur die wenigen Bischöfe, die auf seiner Seite standen, sondern auch seine Mehrheit unter den Fürsten, denn wenn diese bereit waren, ihn gegen Otto zu unterstützen, weil sie trotz päpstlichen Banns seinen Anspruch für besser als den Ottos hielten, dann würde gewiss ein Teil davon ablassen, wenn Philipp auf einmal als Mörder eines Priesters im Fürstenstand dastand.

»Das kann nicht sein«, sagte Judith laut. »Ganz gleich, was du und dein Vater von ihm halten, er hat alles zu verlieren und nichts zu gewinnen, wenn er so einen Befehl gibt.«

Die Pilger drehten sich zu ihr um, mit verwunderten und ungehaltenen Gesichtern wegen der Ruhestörung, und Judith senkte den Kopf. Paul begann hastig, das Paternoster zu beten, das sie inzwischen oft genug gehört hatte, um es zu erkennen. Trotzdem störte es sie ein wenig, es aus dem Mund ihres Vetters zu hören. *Er hätte mit dem* Schma Israel *aufwachsen sollen,* dachte sie und schalt sich töricht. Von all den Dingen, die sie ihrem Onkel vorwerfen konnte, war seine Konversion nicht dabei, und seine Kinder waren nie jüdischen Glaubens gewesen.

»Er wird den Befehl nicht geben müssen«, sagte Paul mit gesenkter Stimme, nachdem er das Gebet beendet hatte. »Heinz von Kalden erledigt schon jahrelang die Drecksarbeit für ihn.«

»Selbst Heinz von Kalden hat mehr zu verlieren als zu gewinnen. Außerdem wüsste ich nicht, dass er deinen Vater ins Vertrauen zieht, wenn er Mordanschläge plant«, flüsterte sie. Ihr eigener Wortwechsel mit dem Bischof vor zwei Jahren fiel ihr ein, und wie er damals ihre Gedanken, in Sizilien den Regenten abzugeben, ernst genommen hatte. Aber das war nicht geschehen. Er war aus Rom zurückgekehrt, nicht nach Palermo weitergezogen. Der Heilige Vater hatte ihm nicht die Vormundschaft über den jungen Friedrich anvertraut. Selbst, wenn Bischof Konrad in einer schwachen Stunde darüber geseufzt hatte, vielleicht in Gegenwart seines Dienstmanns Botho, und der das dem Reichshofmarschall weitererzählt hatte, dann war es doch nur ein gescheitertes Unterfangen gewesen. Nichts, was Philipp oder Heinz von Kalden bedrohte oder so verletzte, dass sie selbst Mord für besser hielten. »Warum sollte er *diese* Drecksarbeit erledigen?«, fragte Judith herausfordernd und so leise, wie es ging. »Was hätte er zu gewinnen, das all das wettmachen würde, was er und sein Herr verlieren könnten?«

Wieder näherte sich Paul mit seinen Lippen ihrem Ohr; seine Worte rannen wie Eistropfen über ihre Haut. »Er würde verhindern, dass Philipps Kanzler offen und mit allen Geheimnissen zu Otto übergeht.«

Nein, dachte Judith, weil es mit einem Mal einen unleugbaren Sinn ergab. Sogar, wie Stefan davon erfahren haben konnte. Durch Otto und den Bischof. Wenn Konrad von Würzburg tatsächlich einen Seitenwechsel plante, dann war das vorher abgestimmt und gab Philipp und Heinz von Kalden auch einen Grund, ihn daran zu hindern. Aber Mord? Warum Konrad nicht einfach festsetzen, Truppen nach Würzburg schicken und ihn als gutgepflegte Geisel in seinem Haus belassen? Das würde einen Seitenwechsel ebenfalls verhindern und Philipp die Todsünde eines Mordes ersparen, der ihm zur Last gelegt würde, ganz gleich, ob nun er oder Heinz von Kalden den Befehl dazu gab.

»Vater hat gewusst, dass du mir nicht sofort glaubst«, sagte Paul traurig. »Er hat mir aufgetragen, dir Folgendes auszurichten: *Es ist deine Angelegenheit, was du mit diesem Wissen tust. Aber der Mann war einmal dein Patient, also ist es an dir, sein Leben zu retten, wenn du es kannst.*« Er zögerte, dann setzte er hinzu: »Ich soll dir noch sagen: *Wenn du ein Leben rettest, dann rettest du eine ganze Welt.*«

Ein Teil von ihr, der in der Lage war, kalt zu bleiben, wenn sie Arterien reißen sah, damit ihre Finger fest blieben und Wunden zusammenpressen und flicken konnten, dieses Stück Beherrschung und ihr Verstand waren in der Lage, Stefan neidlos für diese Worte zu bewundern. Es war ein Zitat aus dem Talmud und setzte dem Ganzen die Krone auf, doch dessen hätte es gar nicht bedurft. Stefan kannte sie, in der Tat. Vielleicht hatte er jedes Wort erfunden, und weder plante Konrad einen Seitenwechsel noch Heinz von Kalden einen Mord, doch darauf bauen und einfach so zu tun, als hätte ihr Paul nichts erzählt, das brachte sie nun nicht mehr fertig. Wenn die Möglichkeit bestand, dann musste sie etwas unternehmen.

Der Rest von ihr, der nicht selbstbeherrscht war, brannte vor Zorn. »Um *dein* Leben scheint er sich dagegen keine Sorgen zu machen«, sagte Judith hart. »Wenn er dich ins Wespennest zu den mordlustigen Staufern schickt.«

»Er wusste, dass du mich beschützt«, sagte Paul.

Das Schlimmste war, dass Stefan auch damit recht hatte. Wenn Stefan selbst den Weg nach Nürnberg gemacht hätte, dann wäre sie vielleicht in der Lage gewesen, ihn Philipps Leuten als welfischen Spitzel zu benennen. Aber obwohl jedes Wort, das er bisher gesagt hatte, bewies, dass Paul nicht mehr der arglose Junge war, sondern ein Mann, der von seinem Vater gelernt hatte, hätte sie es nie fertiggebracht, ihn seinen Feinden zu überantworten.

»Wie großmütig von ihm«, sagte sie mit zusammengebissenen Zähnen.

»Du brauchst überhaupt nicht nach Würzburg zu gehen«, sagte Paul ernst. »Es ist nur so, dass der Bischof dir viel eher glauben würde als mir. Vielleicht empfängt er mich überhaupt nicht.«

»Paul, du musst noch eine Menge lernen, wenn du Menschen lenken willst. Das war zu offensichtlich.«

Er ließ ihre Hände los, doch er trat nicht von ihr zurück. »Schau, natürlich wäre es gut für meinen Vater und seine Freunde, wenn Philipps Kanzler zu Otto überwechselt. Mit dir besteht eine gute Möglichkeit, dass es so kommt. Aber das heißt nicht, dass sein Leben nicht in Gefahr ist. Ganz gleich, was du über König Otto denkst, er hat keine Anstalten gemacht, Kain zu spielen, als sein Bruder zu Philipp übertrat. Der Pfalzgraf ist gesund und munter. Wenn du das Gleiche für den Kanzler beschwören kannst, sobald Heinz von Kalden davon erfährt, was er plant …«

Erst jetzt fiel ihr auf, was sie sofort hätte sehen sollen. »Und *wie* soll er es erfahren, Paul?«, fragte sie bitter. »Kann es sein, dass du nicht der einzige Gesandte deines Vaters in Nürnberg bist? Lass mich raten: Es soll ein Wettrennen werden, damit der Erzbischof auch wirklich die Seiten wechselt und er es sich nicht noch einmal überlegt. Nur darum geht es deinem Vater, seinen Freunden und Otto, nicht um seine Gesundheit, nicht um das Leben des Bischofs. Er soll keine Möglichkeit haben, seine Entscheidung rückgängig zu machen. Und für mich soll das Risiko, er verlöre sein Leben, der Ansporn sein. Noch ein Wettrennen, diesmal mit Heinz von Kaldens Leuten?«

Zum ersten Mal blickte Paul schuldbewusst drein, wie früher, wenn er zu viel Honigkuchen gegessen hatte. »Er war sehr zornig, als du gegangen bist«, murmelte er. »Aber er macht sich auch wirklich Sorgen um dich. Hilf uns, bitte.«

Sie dachte daran, wie Stefan Richildis' Dienerin geopfert hatte. Es war ihm durchaus zuzutrauen, solche Bedingungen zu stellen: nicht mehr und nicht weniger als ein Menschenleben.

»Ich habe es nie gut vertragen, die Maus in einem Tretrad zu sein. Nein, ich werde den Erzbischof nicht ungewarnt sterben lassen, aber wenn dein Vater glaubt, dass er mich bewegen kann wie eine Figur auf einem Schachbrett, dann wird er feststellen, dass ich inzwischen ebenfalls spielen kann. Der Bauer ist zur Dame geworden, und Damen können sich auf dem Schachbrett bewegen, wohin sie wollen.«

Vor Walther gab sie sich weniger selbstsicher. »Ich kann zu Irene gehen, ja, aber obwohl ich glaube, dass sie dafür spräche, Konrad nur als Geisel zu nehmen, heißt das nichts.« Philipp und Irene standen einander nahe, und oft bat er sie um ihre Meinung, aber bei einer solchen Angelegenheit würde er wohl eher auf Heinz von Kalden hören. Dass dieser davor zurückschrecken würde, das Blut eines Bischofs zu vergießen, der mit allen Geheimnissen des Reiches vertraut war, erschien ihr dagegen immer unwahrscheinlicher, je mehr sie darüber nachdachte.

»Vielleicht könnte man einen Handel abschließen«, schlug Walther vor. »Das, was du gehört hast, und das, was der Bischof von Passau mir erzählte, lässt es doch so aussehen, als ob Philipp seinem Schwager dabei helfen will, Byzanz zu gewinnen. Und der einzige Grund, warum das den Papst für Philipp gewinnen könnte, ist, wenn Alexios verspricht, das Schisma zu beenden und die griechische Kirche wieder mit der römischen zu vereinen.«

Die Unterschiede zwischen dem römischen und dem griechischen christlichen Glauben hatten sie nie gekümmert. »Was lässt sich dadurch denn erhandeln?«

»Innozenz müsste ihn dafür zum Kaiser machen. Philipp kann aber nicht einen Erzbischof umbringen lassen, der noch dazu ein Jugendfreund des Papstes ist, und erwarten, dass er dann verkündet, Philipp sei nun doch der wahre deutsche König, und alle sollten seinem Banner gegen Byzanz folgen, damit die Kirche wieder geeint wird.« Walther legte die Stirn in Falten. »Vielleicht hoffen er und Heinz von Kalden, dass der Tod von Konrad wie ein Unfall wirkt, ganz gleich, was die Welfen behaupten, aber der Papst wird es niemals glauben. Nein, es ist in jeder Hinsicht der falsche Zeitpunkt, um ein solches Verbrechen zu begehen, ob Philipp dazu fähig ist oder nicht, und bedenke, der Mann ist in einem Kloster aufgewachsen.«

»Vielleicht kommt es aber auch genau umgekehrt«, sagte Judith und stieß heftiger in den Mörser, in dem sie Möhren zermahlte, die sie für einen Trank brauchte. »Vielleicht glaubt er, weil er dem Papst ein solches Angebot machen kann, wird der den Tod eines einzelnen Mannes übersehen.«

»Ich könnte nach Würzburg gehen«, schlug Walther vor.

»Nach den Liedern, die du in den letzten Jahren über den Papst verfasst hast? Konrad wird dich zwei Tage auf den Knien warten lassen, ehe er dich empfängt, doch dann ist er tot.«

Walther trat hinter sie und erfasste ihre Schultern. »Selbst wenn es so kommt«, sagte er ernst, »dann wäre es Philipps Schuld, des Reichshofmarschalls und derjenigen, die diese Tat ausführen. Vielleicht auch die deines Onkels, weil er Heinz von Kalden eine Nachricht über die Pläne des Kanzlers zukommen lässt. Aber nicht deine.«

Es kam ihr über die Lippen, ehe sie es zurückhalten konnte: »Wegschauen und fortlaufen, wenn man weiß, dass ein Mord geplant ist, das macht einen nicht weniger schuldig.«

Sie spürte, wie ein kleiner Ruck durch ihn ging. »Das war es nicht, was du in Braunschweig gesagt hast«, sagte er tonlos.

»Es war nicht in Braunschweig, sondern irgendwo in Sachsen, und jetzt habe ich nicht dich gemeint.«

»Aber das ist es, was du wirklich glaubst, nicht wahr? Ein nicht verhinderter Mord ist immer noch Mord.«

Sie drehte sich zu ihm um. In den letzten zwei Jahren war er ihr vertraut geworden wie der Rücken ihrer Hand; manchmal war er blind, doch manchmal sah er klarer als sie selbst. Was diesmal der Fall war, wusste sie nicht. Aber sie konnte nicht lügen.

»Ja«, sagte sie leise. »Das glaube ich.«

Einen Herzschlag lang schwieg er. Sie konnte seine Miene nicht lesen, doch dann nickte er. »Dann sollten wir nach Würzburg gehen.«

Ein weiterer Beweis dafür, dass Paul die Tage seiner Kindheit hinter sich gelassen hatte, war, dass er sich nicht freute, Walther zu sehen. Stattdessen fragte er, ob sie mit einem Sänger, der ob seiner gegen den Papst gerichteten Lieder sogar in Köln bekannt sei, bei Bischof Konrad überhaupt vorgelassen werden würden.

»Ich bin nur dabei, um Euch und Eurer Base die Reise zu verkürzen«, sagte Walther, ohne zu lächeln.

»Wir werden aber doch die ganze Zeit reiten, und das so schnell wie möglich«, protestierte Paul. Dabei beließ er es jedoch.

Wie sich herausstellte, saß er zu Pferd, als sei er bestens mit langen Ritten vertraut; Judith fragte sich, ob er zwischenzeitlich viele Aufträge für seinen Vater so erledigte, und was sich Stefan dabei gedacht hatte, ihn ohne ein oder zwei erfahrene Söldner als Begleiter vom Rheinland hierherzuschicken. Als sie zum ersten Mal anhielten, um die Pferde zu tränken, wollte sie deshalb wissen, ob er denn wirklich ohne Begleitung den ganzen Weg nach Nürnberg alleine gemacht habe.

»Mit einem Tross kommt man nicht so schnell vorwärts.« Er schaute zu Walther. »Ihr reist doch auch meist alleine, Herr Walther?«

»Inzwischen bin ich um einen Knappen reicher geworden«, gab Walther höflich zurück, wiewohl ihm nicht entgangen war, dass Paul weder ja noch nein zu Juttas Frage gesagt hatte. »Aber Ihr habt recht, alleine kommt man schneller voran. Man riskiert allerdings auch viel mehr, und es gibt für Waffenunkundige wie mich die beunruhigende Aussicht, irgendwo auf jemanden zu stoßen, der sein Interesse an mir auf tödliche Weise ausdrücken will, nur um an meine Schuhe oder mein Pferd zu kommen.«

»Dann solltet Ihr lernen, mit dem Schwert zu kämpfen, Herr Walther. Ich habe es getan.« Paul klang bitter, als er, an Judith gewandt, hinzufügte: »Man kann in den letzten Jahren nicht in Köln leben, ohne kämpfen zu lernen. Zumindest nicht, wenn man jung und gesund ist, ganz gleich, ob Kaufmannssohn, Bäcker oder Edelmann. Weißt du, Jutta, in all den Geschichten, die ich früher von Erwachsenen hörte, war nie davon die Rede, wie man sich fühlt, wenn einem Kameraden gerade der Bauch aufgeschlitzt worden ist, weil er seine Stadt gegen einen verfluchten Schwaben verteidigt. Wenn du bei uns geblieben wärst, wären dir die Patienten wahrlich nicht ausgegangen.«

»Das sind sie auch bei den verfluchten Schwaben nicht«, entgegnete Judith und versuchte, ein Schuldgefühl zu unterdrücken, das in ihr aufstieg. Es war nicht so, dass ihre Anwesenheit in Köln irgendeinen Unterschied für Paul gemacht hätte; der Krieg würde so oder so noch toben. Für Paul war es bestimmt sogar ein Vorteil, dass er nun mit Waffen umgehen konnte. Juden war das Tragen von Waffen verboten, sie waren quasi vogelfrei, konnten sich nicht wehren, obwohl Gewalt den Tagesablauf überall bestimmte. Das Schicksal war ihm durch Stefans Übertritt erspart geblieben. Ob er sich dessen bewusst war? Und trug sie irgendeine Verantwortung für das, was in Köln geschehen war? Nein!

Es sei denn, dass Otto die Mitgift von Marie von Brabant in die

Lage versetzt hätte, sich genügend Fürsten zu kaufen, um Philipp zu besiegen … Es sei denn, dass sein Bruder, der Pfalzgraf, nie die Seiten gewechselt hätte … Es sei denn …

Diese Gedanken führten nicht weiter.

»Gut«, sagte Paul heftig. »Ich hoffe, jeder Einzelne von ihnen starb so schmerzhaft wie möglich.«

»Da kennt Ihr Eure Base schlecht.« Walther legte Judith eine Hand auf den Arm. Sie wusste nicht, ob er es als Trost oder als Mahnung zur Zurückhaltung meinte, doch sie war dankbar. Was auch immer in Würzburg geschehen würde, sie war nicht alleine, und das bedeutete ihr viel. Es kam ihr in den Sinn, dass so mancher der Männer, die sie geheilt hatte, diejenigen gewesen sein konnten, die Pauls Freunde getötet hatten. Genau, wie es Paul gewesen sein konnte, der für einige der Krüppel und Toten unter ihren Händen verantwortlich war. Der gleiche Paul, der früher nur nach Drachen und Einhörnern gefragt hatte.

Sie schaute ihn an und hatte keinen Zweifel daran, dass er meinte, was er gerade gesagt hatte, dass er wusste, was ein langer, qualvoller Tod bedeutete, und ihn trotzdem den Anhängern Philipps wünschte. Also auch ihr? Hatte Paul daran gedacht, als er das sagte? Nein, sie gehörte zu seiner Familie. Zusammenhalt in der Familie ging über alles.

Unerwartet stieg in ihr Hass gegen Otto, Philipp und all die Fürsten auf, die um Kronen kämpften und dabei Menschen wie Stroh verbrannten. Was für ein sinnloses Gefühl. Manchmal wünschte sie sich, sie könne mehr wie Walther sein. Es war nicht so, dass er nie Schuldgefühle hatte, doch er verfügte über die beneidenswerte Fähigkeit, das zu ignorieren, was er nicht ändern konnte, und stattdessen nach der nächsten Gelegenheit Ausschau zu halten, wo er eingreifen konnte.

Sie begegneten auf dem Weg nach Würzburg keinen Räubern, nur einem Tross von Gauklern und einer kleinen Schar Bewaffneter, die nach Bamberg unterwegs waren und der Familie der Andechs-Meranier unterstanden. Einer ihrer Sprösslinge war in Bamberg Dompropst; offenbar war der Nachfolger des verstorbenen Bischofs selbst schon wieder auf dem Weg ins Sterbebett, obwohl der Papst ihn noch nicht einmal bestätigt hatte. »Man muss halt darauf achten, dass der nächste Erzbischof Seiner Heiligkeit besser passt, so wie Konrad«, sagte der Anführer des Trupps mit einem Augenzwinkern, nachdem er hörte, dass sie nach Würzburg unterwegs waren, und verabschiedete sich.

Sie waren zu spät aufgebrochen, wollten ihre Pferde wegen der noch vor ihnen liegenden langen Strecke aber auch nicht zuschanden reiten, um es noch vor Einbruch der Nacht nach Würzburg zu schaffen. Im Dunkeln zu reiten, war viel zu gefährlich, und es war inzwischen kalt genug, dass es in der Nacht schon schneien konnte. »Es wäre hilfreich zu wissen, wann und wie Euer Herr Vater den Reichshofmarschall unterrichtet hat«, sagte Walther zu Paul, als sie vor der Wahl standen, im nächsten Dorf für die Nacht Obdach zu suchen oder noch eine Weile weiterzureiten.

»Der Bote und ich sind getrennt voneinander losgeschickt worden«, gab Paul zurück, »und ich weiß nicht, um wen es sich handelt, damit ich es nicht verraten könnte, wäre ich gefangen und gefoltert worden. Mein Vater hat nicht viele Männer, die Zugang zu einem der ranghöchsten Männer am staufischen Hof besitzen.«

»Aber er hat offenbar einen. Seltsam, dass er dann niemanden kennt, der auch Zugang zum Bischof von Würzburg besitzt, und für die Glaubwürdigkeit der Nachricht jetzt Eure Base benötigt«, sagte Walther, obwohl sie alle drei wussten, dass Stefan hundert Spitzel in Würzburg haben konnte, dieser Umstand aber keine Rolle spielte. Wieder empfand Judith gleichzeitig Bewunderung und Abscheu für die Art und Weise, mit der ihr Onkel seine Fäden spann. Aber er hatte sich schon einmal in ihr geirrt, und sie würde ihn auch dieses Mal überraschen.

»Heißt das, Ihr habt zu viel Angst, um im Dunkeln zu reiten? Heinz von Kaldens Leute haben das gewiss nicht!«

»Dann mögen sich seine Leute den Hals brechen, sollten sie überhaupt unterwegs sein«, entschied Judith, da sie annahm, dass ein Mann, der losgeschickt wurde, um einen Bischof zu ermorden, durchaus Zeit dafür hatte und keinen Grund, bei unsicheren Wegen sein eigenes Leben aufs Spiel zu setzen. »Wir werden es jedenfalls nicht tun, Vetter. Wenn ich tot bin, dann wird der Erzbischof auf die Gnade Gottes angewiesen sein. Bei Sonnenaufgang können wir weiterreiten.«

Der Müller der Wiesenmühle bei Oberschwarzach war bereit, sie für etwas Geld bei sich nächtigen zu lassen. Nachdem die Entscheidung gefallen war, zeigte sich Paul als vernünftig und erfahren genug, um sich ohne weitere Umstände neben Judith und Walther auf die Strohsäcke und unter die ausgebreiteten Umhänge zu legen, die ihnen als Lager dienten, um Körperwärme zu teilen.

»Jutta«, sagte er in das Dunkel hinein, »du wirst es nicht bedauern, dass du die Staufer verlässt, glaub mir.« Sie antwortete nichts. Auch Walther schwieg. »Du weißt, dass du nicht zurückkannst, nicht wahr?«, fragte Paul und klang beunruhigt. »Deine Königin mag dich schätzen, aber der Staufer wird dir gewiss nicht verzeihen. Für ihn wird es so aussehen, als wärst du für Bischof Konrads Verrat verantwortlich.«

»Lass mich raten, Vetter«, sagte sie traurig. »Falls er nicht allein auf den Gedanken kommt, hat dein Vater für alle Fälle einen weiteren Boten beauftragt, Philipp genau das mitzuteilen?«

Sie hörte Paul schlucken. Dann entgegnete er: »Er glaubt eben, dass du nicht immer weißt, was am besten für dich ist.«

Ihre Hand stahl sich in Walthers und drückte sie. Am Ende war es ein Glück, Paul hier zu haben und nicht Stefan, der gewusst hätte, dass ihr Schweigen bedeutete, dass sie bereits ihre eigenen Pläne geschmiedet hatte. Doch was auch immer am nächsten Tag geschehen würde, sie konnte keinen Weg erkennen, der einen guten Ausgang für alle Beteiligten versprach.

Der Morgen brachte noch immer keinen Schnee, aber scharfen Wind. Judiths Gesicht war taub von der Kälte, als sie Würzburg erreichten. Die Stadtwache ließ sie, Walther und Paul ohne weiteres durch; sie waren mit dem König so oft hier gewesen, dass man sie erkannte.

Hinter dem Tor verabschiedete sich Walther von ihnen. »Um

nicht den Zugang zum Bischof durch meinen Ruf zu erschweren«, sagte er mit einem Lächeln, das seine Augen nicht erreichte. »Ich werde in der Schenke Zum Roten Adler warten.« Paul blickte verwundert, doch wirkte erleichtert.

»Es ist nicht so, dass ich seine Lieder nicht schätze«, sagte er zu Judith, während sie auf die Feste zuhielten. »Man singt sie sogar in Köln. Und sie sind viel besser als die der anderen großen Sänger, finde ich. Mit deren entsagungsvoller Liebe habe ich mich nie anfreunden können, aber sag das Mutter nicht. Die Sache ist nur die, ich kann mir wirklich nicht vorstellen, dass ein Jugendfreund des Papstes glücklich über …«

»Deswegen hat er sich ja zurückgezogen«, sagte Judith knapp.

»Hast du ihn geheiratet?«, platzte es aus Paul heraus.

Sie war überrascht. Es war eine Frage, in der sie keinen Hintergedanken erkennen konnte, und sie wünschte sich, Paul wäre wirklich nichts als ihr kleiner Vetter, der sie vor langer Zeit einmal verdächtigt hatte, mit Walther fortlaufen zu wollen.

»Ich bin verheiratet«, gab sie zurück. Es war die offizielle Wahrheit: Ihre Ehe mit Gilles war nie aufgelöst worden, wenn sie denn überhaupt mangels einer vorhergegangenen Taufe Gültigkeit hatte, was sie bezweifelte. Diese Überlegung behielt sie seit Jahren für sich, weil sie den Schutz nicht verlieren wollte, unter dem sie als verheiratete Frau und vermeintliche Christin stand. Sie hatte auch niemandem verraten, dass ihre Ehe mit Gilles nach jüdischem Recht nicht bestand; selbst, wenn sie von hundert Rabbinern gesegnet worden wäre, war die Ehe mit einem Nichtjuden nicht gültig. Auch Walther müsste Jude werden, damit sie in ihren eigenen Augen mit ihm verheiratet wäre, und sie wusste, dass so ein Übertritt von ihm nicht zu erwarten war. Er mochte dem Papst zürnen und gerne über gierige Bischöfe und Priester spotten, aber er hatte sein Christentum selbst nie in Frage gestellt. Im Gegenteil. Wenn ihre Ehe mit Gilles nicht bestünde, würde Walther sie sofort in einer Kirche heiraten wollen, und wenn sie ihm eröffnete, dass sie nicht die geringste Absicht hatte, sich ohne Zwang und Bedrohung ihres Lebens von einem Priester taufen und trauen zu lassen, dann würde ein Streit zwischen ihnen vom Zaun brechen, der sich nicht so schnell beilegen ließ. Also war es weit besser, für die Welt die Gemahlin eines verschollenen Christen zu sein. Das traf auf mehr und mehr Frauen zu, je länger der Krieg dauerte, und niemand bezweifelte ihre Geschichte. Walther sagte sie, dass sie lieber der Ehrlichkeit seiner Liebe vertraue als irgendeinem gesetzesmäßigem Bund, vor allem, weil sie seine Meinung über Gesetze kannte. Da er ein Mann war, glaubte er ihr.

»Ich wünschte, du wärest nicht aus Köln weggegangen«, sagte Paul. Judith seufzte. Ihr Blut strömte wieder schneller durch die Adern, und sie spürte, wie kalte Starre einem prickelnden Brennen wich.

»Was geschehen ist, ist geschehen, Vetter.«

»Ja«, sagte er und warf ihr einen eigenartigen Blick zu. »Und wir können nur alle versuchen, das Beste daraus zu machen, nicht wahr?« Er klang drängend, als sei es ihm sehr wichtig, dass sie ihm zustimmte, und sie nickte.

Sie befanden sich zwischen Stadtkern und Feste, als Judith Menschengeschrei hörte, ein Wirrwarr, das nur von einer aufgebrachten Menge stammen konnte, hoch und nieder wogend wie brechende Wellen, die ihr entgegenschlugen. Sie beschleunigte ihre Schritte, dem Geschrei entgegen; bald konnte sie einzelne Worte ausmachen.

»Mord! Mord!«

»Greift ihn, fasst ihn, schlagt ihn tot!«

»Mord!«

Sie spürte kein Entsetzen. Sie spürte überhaupt nichts, nur das Brennen in ihren Adern.

»Greift den Ravensburger!«

Was war das? War der Mörder erkannt worden?

Schon strömten ihnen schreiende, heulende Menschen entgegen, Frauen, die sich die Haare rauften, Männer, die sich mit Knüppeln bewaffnet hatten. Judith griff sich eine der Frauen.

»Was ist geschehen, Gevatterin?«

»Man hat unseren hochwürdigsten Herrn Erzbischof erschlagen, auf dem Weg zum Dom! Einer von seinen eigenen Leuten!«

»Botho war's, Botho von Ravensburg, sein eigener Dienstmann«, schluchzte eine andere Frau und taumelte voller Verzweiflung und Trauer davon.

»Gott sei seiner Seele gnädig«, murmelte Judith, weil es die erwartete Antwort war und sie das Kaddisch nicht sprechen durfte. Alles in ihr brannte vor Zorn. Sie wirbelte herum und presste Paul mit ungeahnter Kraft gegen die nächste Hauswand, beide Hände auf seinen Schultern. »Wie fühlt sich Blut an deinen Händen an, auch wenn du es nicht selbst vergossen hast?«

»Aber du« widersprach er und starrte sie mit erschrocken aufgerissenen Augen an.

Judith gab ihm noch einen Stoß. »Tu nicht so, als ob du es nicht gewusst hast!«

»Ich wusste, was du wusstest! Dass ein Bote unterwegs ist! Wenn wir durchgeritten wären …«

»Versuch erst gar nicht, mir etwas vorzumachen«, sagte Judith kalt. »Dein Vater hätte Mord oder Warnung nie dem Zufall überlassen, o nein! Noch nicht einmal Philipps oder Heinz von Kaldens Befehl, weil er nicht mit völliger Gewissheit wissen konnte, was sie tun würden. Er hat deshalb entschieden, dass Philipps Kanzler auf Ottos Seite zwar ein Vorteil wäre, aber eben doch nur ein zeitweiliger, genau wie Ottos Bruder auf Philipps Seite. Aber ein toter Märtyrer? Das könnte den Ausschlag geben. Ganz gleich, was ich gesagt oder getan hätte, Konrad war für euch schon seit Wochen ein toter Mann.«

»Aber … aber wenn du wusstest, wieso bist du dann mit mir gekommen?«, fragte Paul fassungslos.

Sie packte ihm am Kragen und begann, ihn zu schütteln. »Weil ich gehofft habe, dass ich mich irre! Oder es doch noch verhindern zu können. Paul, ein Mann ist tot, nicht, weil er dich angegriffen hat, nicht, weil er deine Freunde angegriffen hat, sondern weil das ein paar Kölnern so ins Zeug passte, und einer davon bist du!«

»Aber …«

»Er war so lebendig wie du und ich, Paul«, schrie Judith und ließ ihn los. »Er mochte Schweinebraten und Lieder. Er bildete sich ein, krank zu sein, wenn ihn seine Sorgen zu sehr drückten. Er war kein Heiliger, er liebte seine Ämter und Einkünfte so sehr wie die meisten Menschen, aber er scheint auch das Beste aus ihnen gemacht zu haben. Sieh dich doch um: Die Menschen hier, die trauern um ihn. Sie lechzen jetzt nach Blut. Was glaubst du, was sie tun, wenn sie erfahren, dass hier einer von denen ist, die Botho den Mord aufgetragen haben?«

Nun zitterten seine Lippen; all die erlernte Härte war von ihm abgefallen. »Das würdest ... das würdest du nicht tun, Jutta.«

Sie trat noch einen Schritt an ihn heran und flüsterte ihm ins Ohr, so, wie er es bei ihr in der Kirche getan hatte: »Was hat dein Vater für mich geplant? Nur das will ich wissen. Warum wollte er mich unbedingt an diesem Tag in Würzburg haben?«

»Woher ...«

»Glaubst du, ich bin dumm?«, fuhr sie ihn an, um ihm keine Zeit zum Nachdenken zu geben. »Wenn du wissen möchtest, was Walther jetzt gerade tut: Er spricht mit Bothos größtem Rivalen unter den Dienstleuten darüber, dass die Welfen versuchen, den Staufern einen Mord anzuhängen, mit Hilfe des bestochenen Bothos von Ravensburg. Wir sind eine Zeitlang mit diesen Männern gereist, Paul, und das hat genügt, um uns zu zeigen, wie sie zueinander stehen. Wer bestechlich ist und wer nicht.«

»Walther hat doch überhaupt nicht wissen können, dass es Botho sein würde«, sagte Paul verzweifelt, was bestätigte, dass er es gewusst hatte, die ganze Zeit schon. Enttäuschung sickerte in den Zorn, der Judith aufrechterhielt, und fing an, ihn zu zersetzen. Sie versuchte, sich das nicht anmerken zu lassen, und noch weniger, dass sie log; Walther hatte seit Jahren mit den Dienstleuten des Bischofs kein Wort mehr gewechselt und konnte sich außer an Botho bestimmt an keinen von ihnen erinnern. Sie hatte hoch gespielt und gewonnen, aber freuen konnte sie sich nicht.

»Das war nicht schwer zu erraten«, sagte sie deshalb so verächtlich wie möglich. »Botho ist der Neffe des Reichshofmarschalls. Nur er konnte den Mord riskieren, ohne dafür sofort geviertelt zu werden.«

Das Geschrei in der Stadt wurde von mehr und mehr Kehlen

aufgenommen; mittlerweile schienen die Schreie aus jedem Haus widerzuhallen.

»Es ist deine Schuld«, flüsterte Paul. »Du hättest nicht fortgehen sollen. Seit du in Brabant warst, haben die Schwierigkeiten mit König Otto nicht mehr aufgehört. Er hat Vater nie wieder vertraut, und der Erzbischof auch nicht. Dann hat König John auch noch versucht, die englischen Vergünstigungen für Köln zu verringern, um Geld zu sparen. Aber dieser Tod, den wird Philipp nicht mehr los, ganz gleich, was dein Walther den Leuten erzählt. Auch der Papst wird nichts anderes glauben und nie verzeihen. Jetzt kann er Ottos Seite gar nicht mehr verlassen.«

»Und Otto wird Stefan so dankbar sein, dass er ihn zu seinem Lieblingsratgeber macht?«, fragte Judith hart.

»Nicht allein dafür«, erwiderte Paul wütend und ängstlich zugleich. »Er wird Vater dankbar sein, weil er … weil er endlich dich bekommt!«

Judith trat zurück. Ihre Arme sanken zur Seite.

»Was?«, fragte sie ungläubig.

»Schau mich nicht so an! Es ist ein gutes Schicksal, Geliebte eines Königs zu sein! Genau wie …«

»Wenn du Esther sagst, schlage ich dir ins Gesicht, Vetter, also lass es lieber!« Es würgte sie in der Kehle, und sie wusste, dass sie ihre Selbstbeherrschung nicht mehr lange aufrecht halten konnte. »Wenn dein Vater wirklich glaubt, dass jemand wie Otto mehr von mir will als eine Stunde, in der er sich für eine Kränkung rächen kann, dann hat er den Verstand verloren.«

Sie wusste nicht, ob diese Möglichkeit schlimmer oder besser war als die, dass es Stefan durchaus klar war, dass Otto nie die Rolle des König Xerxes spielen würde, und dass ihr Onkel trotzdem bereit war, ihm seine Nichte zu verkaufen, um seinen Verlust an Einfluss wieder wettzumachen.

»Sprich nicht so über meinen Vater! Du bist die Verräterin«, stieß Paul hervor. »Du hast ein gutes Leben gehabt bei den mörderischen Schwaben, während sie meine Freunde umgebracht haben. Ich wünschte, ich hätte dir nie geholfen, dann wäre das alles nicht geschehen!«

Sie bemerkte, dass er über ihre Schulter blickte. Die Zeit, in der sie ihn überrumpelt und die Wahrheit aus ihm herausgeholt hatte, war vorbei. Jetzt durfte sie nicht darüber nachdenken, was ihr das neue Wissen bedeutete, sie musste ihr Leben retten. Mit wem auch immer Paul verabredet war, um die Falle zuschnappen zu lassen, stand nun wohl nicht weit hinter ihr.

Judith duckte sich zur Seite, keinen Moment zu spät, denn aus den Augenwinkeln sah sie, wie zwei Hände an ihr vorbeigriffen und eine große Schulter gegen Paul stieß. Sie rannte die Gasse entlang, während Pauls Stimme hinter ihr etwas rief, das sie nicht verstand. Am Ende der Gasse konnte sie zwei weitere Männer sehen, die eindeutig nicht so wirkten, als gehörten sie zu den aufgebrachten Würzburgern; dazu standen sie zu gelassen da, fast auf den Zehenspitzen wippend, die Arme leicht ausgebreitet, auf Judith wartend. Hinter sich hörte sie Schritte. Das Schreien und Wehklagen der Menge wurde lauter, und Judith wusste, dass sie nur dann entkommen würde, wenn es ihr gelang, unter den entsetzten Bürgern der Stadt unterzutauchen, selbst auf die Gefahr hin, von dem Menschenstrom erdrückt zu werden. Ohne langsamer zu werden, brüllte sie, so laut sie konnte: »Dort stehen die Mörder! Rächt Bischof Konrad!«

Die beiden Männer vor ihr machten verdutzte Gesichter. Einer drehte sich unwillkürlich zu der breiteren Straße um, in welche die Gasse mündete und durch die inzwischen halb Würzburg zu ziehen schien. Judith setzte alles auf einen Wurf. »Hier sind die Mörder«, schrie sie noch einmal und deutete auf die beiden. Sie sah, wie sich wütende Gesichter in die gewiesene Richtung drehten und auf sie und die beiden Männer zustürmten; obwohl auch die beiden Häscher noch dort standen, lief Judith direkt auf sie zu und in das Getöse aus Entsetzen und Rachlust hinein.

KAPITEL 31

Sich Bischof Wolfger anzuvertrauen, ehe sie Nürnberg verließen, war ein Glücksspiel gewesen, doch wie Walther fand, ein zu rechtfertigendes. Anders als bei Philipp oder Heinz von Kalden konnte man bei Wolfger davon ausgehen, dass er seinen Mitbischof nicht tot sehen wollte, ob nun aus christlichem Mitgefühl oder der vernünftigen Erkenntnis, dass der Tod eines Amtsbruders ein gefährliches Vorbild schaffen mochte. Gleichzeitig konnte jemand von Wolfgers Autorität auch Judith bei Irene entschuldigen, wenn er vorgab, sie sei auf seinen Wunsch nach Würzburg gegangen. Außerdem empfahl Walter dem Bischof, er solle selbst einen Eilboten zu Konrad schicken, welcher die Strecke mit zwei Pferden an einem Tag schaffen konnte. Einen Gesandten des Bischofs von Passau, dem neuen Patriarchen von Aquileja, würde Konrad sofort empfangen.

»Ihr müsst mir hinterher aber erzählen, woher Euer Wissen stammt, Herr Walther.« An Wolfgers Blick konnte man erkennen, dass er nicht scherzte. »Auf dem Weg über die Alpen.«

Nachdem er sich von Judith und Paul getrennt hatte, erwartete Walther, bei St. Kilian Wolfgers Leute zu treffen und von ihnen zu hören, dass Konrad gewarnt worden war. Doch es kam niemand. So blieb ihm nur, selbst zu versuchen, den ehemaligen Kanzler zu erreichen. Der Pförtner teilte ihm mit, dass der Bischof heute im Dom die Messe lesen würde, also machte sich Walther auf den Weg dorthin. Er war kurz vor der Kirche, als das Geschrei einsetzte. Dann wurde er von zwei galoppierenden Reitern fast niedergeritten. Es fröstelte ihn, als er im letzten Moment auswich und Botho erkannte. Den gleichen Botho, der ihm einmal mit dem Verlust seiner Zunge gedroht hatte: Er schaute weder links noch rechts, während er und sein Gefährte durch die Gassen Würzburgs rasten, und er war zu schnell verschwunden, als dass Walther nähere Einzelheiten hätte ausmachen können. Nur eine war für ihn unübersehbar gewesen: An Bothos mit hellen Hasenfellen gefüttertem Winterumhang und an seinen Händen klebte Blut.

Es brauchte für ihn keine wütende Menge, um sich denken zu können, was geschehen war. Dass er Botho einmal damit erpresst hatte, ihn als welfischen Spitzel hinzustellen, war nun ein bitterer Scherz des Schicksals, aber jetzt war keine Zeit, darüber nachzudenken. Wenn der Erzbischof von Botho ermordet worden war, dann spielte es im Moment keine Rolle, ob dies auf Heinz von Kaldens Befehl hin geschehen war, auf Wunsch von Philipp oder von Judiths Onkel in die Wege geleitet wurde. Später bestimmt, doch jetzt nicht. Zuerst würde die Stadt zum Narrenhaus werden, regiert von Angst, Wut und Trauer. Keine gute Zeit für fremde Gäste darin.

Er und Judith hatten zwei Treffpunkte verabredet: Wenn alles gutging, der Erzbischof bester Gesundheit und Paul nur von guten Absichten gelenkt war, dann wäre auch sie nach St. Kilian gekommen. Andernfalls wollten sie sich bei den Bootsanlegestellen treffen. Im Winter waren kaum Schiffe oder Flöße unterwegs, und niemand würde dort nach ihnen suchen. Es nagte an ihm, dass Wolfgers Leute sich nicht hatten blicken lassen. Gewiss, das mochte Zufall sein. Er wusste auch nicht, welchen Weg von Nürnberg nach Würzburg diese nehmen wollten, und vielleicht hatten sie genau dasselbe wie Judith, Paul und er getan und unterwegs übernachtet und sich schlicht und einfach verspätet.

Wenn er sich in Wolfger geirrt hatte und auch der Bischof in die ganze Angelegenheit verwickelt war, dann würde es für ihn und Judith keine Sicherheit mehr geben, weder bei Staufern noch bei Welfen. Sich Leopold von Österreich zu Füßen zu werfen, war dann noch die beste Möglichkeit, aber dieser hatte bisher nicht angedeutet, Wert auf mehr als einen sehr gelegentlichen Besuch Walthers an seinem Hof zu legen. Im Gegensatz zu seinem Bruder hatte Leopold auch keinen Juden als Münzmeister eingestellt, und er würde niemals eine jüdische Ärztin an seinem Hof beschäftigen.

Doch jetzt ging es darum, überhaupt eine Zukunft zu haben.

Während sich die aufgebrachte Menge durch die Gassen wälzte, fiel ihm ein kräftig gebauter Mann auf, ein wahrer Riese, der eine ältere Frau mit seinem Körper schützte, als sie stürzte und fast überrannt worden wäre. An ihm kam keiner vorbei. »Du solltest nicht hier draußen sein, Mutter«, sagte er freundlich. Die ältere Frau antwortete weinend, sie sei eben zur Messe gegangen, und wer habe denn mit solchen gottlosen Bluttaten gerechnet? Dass die Anrede »Mutter« höflich, nicht wörtlich gemeint gewesen war, zeigte sich, als der Mann fragte, ob er sie zu ihrer Familie nach Hause begleiten solle, was sie ablehnte, da sie nur zwei Häuser weiter im Haushalt ihres Sohnes lebte. Kurzentschlossen lief Walther unter Einsatz seiner Ellbogen hinter dem Mann her, trat an ihn heran, nachdem dieser die alte Frau bis zu ihrer Tür gebracht hatte: »Gevatter, habt Ihr die Zeit, einer weiteren Frau den gleichen Dienst zu erweisen?« Walther zückte eine Münze, um klarzumachen, dass er dies nicht umsonst erwartete.

»Ihr seid nicht von hier«, gab der Mann misstrauisch und mit starkem fränkischen Akzent zurück. »Ihr klingt fast wie ein Bayer oder ein Österreicher.«

»Und das nach all den Jahren in so vielen anderen deutschen Fürstentümern«, sagte Walther gespielt bekümmert. »Das beweist doch mehr als alles andere, wie sehr ich Hilfe benötige, nicht wahr?«

»Ich dachte, ich soll einer Frau helfen.«

»Ihr und mir.« Walther unterließ weitere Schnörkel und erklärte, er und seine Gemahlin hätten sich in dem Tumult aus den Augen verloren, doch da es in Würzburg ein paar alte Feinde aus Köln gebe, mache er sich eben Sorgen um sie und würde sich mit einem starken, ehrlichen Mann an seiner Seite wohler fühlen.

»Was für alte Feinde?«

»Ihre Familie. Der Onkel ist ein alter Geizkragen, der nicht wollte, dass wir heiraten, und nun sieht es so aus, als habe er seinen Sohn geschickt, um sie mit Gewalt zurückzuholen, obwohl unsere Ehe von Bischof Konrad selbst gesegnet wurde, ist das zu fassen?«

Der Mann blickte noch immer ein wenig zweifelnd drein, aber ließ sich von einer weiteren Münze überzeugen und folgte Walther. Er hieß Jakob und war Hufschmied, was die Muskeln an seinen Armen erklärte.

»Wenn Ihr so gut darin seid, Akzente zu hören, Jakob, und Pferde beschlagt … könnt Ihr Euch erinnern, ob Ihr in der letzten Woche irgendwelche Rheinländer in Eurer Schmiede hattet?«

Jakob rieb sich das Kinn. »Mag wohl sein. Der Wirt vom Ochsenschwanz hat mir zwei geschickt. Eigentlich mag ich keine Rheinländer, aber die haben gleich gezahlt, gar nicht erst versucht, den Preis herunterzuhandeln. Das gefiel mir.«

»Ihr mögt keine Rheinländer, keine Bayern und keine Österreicher. Gibt es ein Fürstentum, das Gnade vor Euren Augen findet?«

»Franken«, sagte Jakob schlicht.

»Selbstverständlich.« Walther fragte, ob die zwei Rheinländer denn immer noch im Ochsenschwanz untergebracht seien. Jakob zuckte nur die Achseln. Das ließ Walther die Wahl, entweder zu den Bootsanlegestellen zu gehen oder dem Ochsenschwanz einen Besuch abzustatten.

Wenn Judith wie verabredet zum Treffpunkt ging und ihn dort nicht vorfand, würde sie warten. Wenn sie erst gar nicht zu den Bootsanlegestellen kommen konnte, weil Paul Verstärkung bekommen hatte, dann würde Walther dort wertvolle Zeit verschwenden. Jetzt, wo der Bischof tot war, gab es für Stefans Leute keinen Grund, weiter in Würzburg zu bleiben. Keinen außer Judith.

»Bringt mich zum Ochsenschwanz.« Walther hoffte mit jeder Faser seines Seins, dass er die richtige Entscheidung getroffen hatte. Auf jeden Fall kam er schneller mit Jakob vorwärts, als er es alleine geschafft hätte; der Hufschmied war so groß und kräftig, dass ihm selbst die wütenden, aufgebrachten Menschen auswichen, und niemand fragte, wohin er und Walther wollten. Niemand, bis auf einen bewaffneten Mann, der in ein Lederwams gekleidet war und den roten Löwen von Passau auf seinem Umhang trug.

»Walther? Walther, bist du das?«

Warum Wolfger ausgerechnet Hugo geschickt hatte, war Walther schleierhaft, aber er war zu erleichtert über den Beweis, dass der Bischof überhaupt tätig geworden war und somit sein Versprechen erfüllt hatte, um etwas anderes zu empfinden.

»Beim Blute Christi«, sagte Hugo, weil das seine Vorstellung von einem derberen Fluch war, »wo hast du nur gesteckt? Wir haben in St. Kilian auf dich gewartet!«

»Wann?« Walther entschied, dass die Auskunft warten konnte, und fragte Hugo stattdessen, ob er denn Bischof Konrad nicht mehr hatte warnen können.

»Natürlich haben wir ihn gewarnt«, entgegnete Hugo beleidigt.

»Aber warum …«

»Seine Gnaden war überzeugt, dass es sich bei meiner Warnung nur um einen Versuch des Reichshofmarschalls handelte, ihn einzuschüchtern, damit er den Ravensburgern nicht ihre Güter wegnimmt. Das hatte er nämlich vor, nach dem, was Botho sich in den letzten Jahren ihm gegenüber geleistet hat. Er hat uns nur ausgelacht, und ganz ehrlich, ich habe mich auch gefragt, ob du da nicht einer ausgemachten Lüge auf den Leim gegangen bist. Ich meine, wer bringt denn schon einen *Erzbischof* um?«

»Henry II. von England«, sagte Walther finster, »und Botho von Ravensburg.« Hugo errötete.

»Ich dachte, Ihr sucht nach Eurer Gemahlin«, mischte sich Jakob ein. »Was habt Ihr da mit diesem Fremden zu tun? Was soll das Gerede von Warnungen? Habt Ihr etwa etwas mit dem Mord an unserem armen Bischof zu tun?«

»Der Fremde, der vor Euch steht, hätte den Mord eigentlich verhindern sollen«, entgegnete Walther. Derartige Verschwendung von Chancen machte ihn zornig. Er hatte weder etwas für noch gegen Bischof Konrad, der weder der beste noch der schlimmste von den Kirchenfürsten seiner Bekanntschaft gewesen war. Doch Judith hatte einiges aufs Spiel gesetzt, um das Leben dieses Mannes zu retten; nun sah es so aus, als habe sowohl Hugos als auch Konrads eigener Hochmut zu seinem Tode beigetragen. Unklar blieb, warum es Stefan so wichtig gewesen war, seine Nichte an diesem Tag nach Würzburg zu locken, was ihm immer mehr Angst machte, und wo sie nun steckte. »Das hat er nicht fertiggebracht. Und nun kümmert mich in der Tat nur, wo meine Gemahlin steckt.«

Hugo hatte zu alldem nichts Weiteres zu sagen als »Ihr seid aber doch gar nicht verheiratet«, als ob das jetzt von Bedeutung war! Walther zog Jakob weiter und ließ Hugo einfach stehen.

In der Schenke zum Ochsenschwanz wusste der Wirt nur, dass die Rheinländer gesagt hatten, ihre Geschäfte seien erledigt, und gegangen waren. Eine Frau hatte er nicht gesehen. Bei den Booten am Mainufer konnte man sich auch an die Rheinländer erinnern, weil sie trotz des Winters ein Schiff nach Frankfurt bestellt hatten.

»Ihr habt sie vielleicht um eine Stunde verpasst, Herr. Nein, eine Frau war nicht bei ihnen, aber ein Junge. Und eine Menge Fässer.« Wenn man Judith in Männerkleider gesteckt und ihr das Haar abgeschnitten hatte, würde sie von weitem als Junge durchgehen. Oder es könnte Paul gewesen sein, der kein Riese war. Aber was, wenn diese Fässer nicht nur Wein enthielten?

Nimm dich zusammen, befahl er sich. *Hör auf, voreilige Schlussfolgerungen zu ziehen.*

»Nichts für ungut, aber mir scheint, Eure Frau oder Geliebte oder was sie auch immer sein mag, die müsste sich auch einfacher finden lassen«, brummte Jakob. »Ihr solltet zur Stadtwache gehen und denen sagen, dass die verdammten Rheinländer schuld am Tod von unserem Bischof sind und Euch die Frau entführt haben. Sonst denken die noch, dass es die Schuld des Schwaben war. Das habe ich nämlich geglaubt, bis ich Euch begegnet bin.«

»Meister Jakob, ich glaube, es ist an der Zeit, Euch wieder Eurer Schmiede und Eurer Familie zurückzugeben.«

»Ich könnte für Euch zur Stadtwache gehen«, schlug Jakob bedeutsam vor und schielte in Richtung auf den Beutel mit den Münzen, der unter Walthers Umhang verborgen blieb. Im Grunde war er Jakob dankbar für den Vorschlag, obwohl er ihn ablehnte. Es war besser, als sich ständig den Kopf darüber zu zerbrechen, wo er nun Judith finden sollte.

Walther gab Jakob noch eine Münze, musste sich von diesem deswegen voll Dankbarkeit auf die Schultern schlagen lassen, was ihn fast zu Boden zwang, wünschte ihm viel Glück und verabschiedete sich. Dann lief er noch einmal zur Bootsanlegestelle, doch Judith befand sich immer noch nicht dort, noch hatte jemand eine Frau gesehen, auf die ihre Beschreibung passte.

Wenn sie nach Köln gebracht wird, dachte Walther; sein ganzer Körper zitterte aus Angst und Wut. *Wenn sie in Köln ist, dann werde ich eben auch dorthin gehen. Gott, ich wünschte, ich hätte Judith in Nürnberg einen ihrer Schlaftränke verabreicht oder ihr ausgeredet, dass es sie irgendetwas angeht, was aus Konrad wird.* Aber wenn Judith jemand wäre, der einem vom Tod bedrohten Menschen den Rücken kehren konnte, dann wäre sie nicht die Frau, in die er sich entgegen aller Vernunft verliebt hatte.

Als Knabe war er einmal in einen Ameisenhaufen gefallen. Die Ungewissheit, was aus ihr geworden war, fraß nun genau in der gleichen brennenden Art an ihm. Walther zwang sich, alles noch einmal zu durchdenken. Wenn Judith *nicht* auf einem Schiff irgendwo auf dem Main war, wo mochte sie dann sein? Es musste ein Ort sein, der ihnen beiden bekannt war. Einer, auf den sonst niemand kommen würde. Er zwang seinen Verstand, logisch zu denken, nicht Angstgefühlen zu folgen – und bekam seine Antwort.

Die ersten Schneeflocken fielen auf die Erde, als er sie sah, eine einsame Gestalt, die sich unter die einzige Linde auf einem winterlich kahlen Weinberg kauerte. Sie hatte ihr Gesicht in den Händen verborgen, so dass sie mit ihrem hellgrauen Kleid aus der Ferne wie eine Statue wirkte, nicht wie die Frau, die er hier in seiner glücklichsten Stunde in den Armen gehalten hatte. Doch dann hob Judith den Kopf, erblickte ihn und rannte schon auf ihn zu. Er schmeckte das Salz ihrer Tränen, als er sie küsste.

»Ich habe keine Familie mehr«, murmelte sie. »Er, der mein Onkel war, ist tot für mich. Er und seine Kinder. Ich habe das Kaddisch für sie gesprochen, und nun wird ihr Name nicht mehr
über meine Lippen kommen.«

Er schloss sie in seine Arme, versuchte, sie zu wärmen, und fragte leise: »Des Mordes wegen?«

Sie schüttelte den Kopf. »Ich wusste bereits, dass er nicht vor
Mord zurückschreckt, wenn er ihn für nötig hält. Was sonst war
der Tod von Richildis' Dienstmagd? Sie ist genauso tot wie jetzt
Konrad, nicht weniger ermordet, weil er es damals durch eine
falsche Beschuldigung getan hat, statt wie jetzt durch einen
Dienstmann und dessen Schwert.« Sie schlang ihre Arme noch
fester um ihn und flüsterte in seine Halsgrube: »Sie wollten mich
an Otto verkaufen. Alle beide. Selbst ... der Junge.«

Der Schnee um sie wurde dichter, und er spürte, wie die Flocken
auf seiner Haut schmolzen.

»Verrat ist das Schlimmste«, sagte Judith. Er wusste nicht, warum, denn er hatte sie nie verraten, aber einen Herzschlag lang
hörte er es als Anklage, doch der kalte Wind nahm ihm den Atem,
als er unwillkürlich den Mund öffnete, um zu protestieren. Dann
holte ihn die Wirklichkeit wieder ein, und er hielt sie nur noch
fester.

* * *

Philipp traf mit seinem Hofstaat nur drei Tage später in Würzburg ein. Alle Kleriker der Stadt hatten sich vor den Toren versammelt, um ihn zu erwarten. Sie zeigten ihm die blutigen Kleider Konrads und ein Stück verwesendes Fleisch, das er durch die
Ringe als dessen Hand erkannte.

»So hat Bischof Konrad versucht, sich vor seinem Mörder zu
schützen!«, klagte der Dompropst.

Philipps eigene Hand krampfte sich unwillkürlich zusammen,
und Irene umfasste sie, damit es niemand sah. »Gott sei seiner
Seele gnädig«, stieß er hervor; seine Stimme klang rauh. Irene
konnte sehen, dass Tränen seine Wangen hinunterliefen.

»Der König und ich«, sagte sie in ihrem besten Deutsch, »trauern um Bischof Konrad und verurteilen die schändliche Tat.«

»Aber werden die Mörder auch bestraft werden?«, fragte der Dompropst und schaute direkt zu Heinz von Kalden, der schräg hinter dem König stand. Irene spürte, wie Philipps Hand in der ihren zuckte, doch äußerlich ließ er sich nichts anmerken.

»Mord ist Mord, und Mord findet seine Strafe«, sagte er laut.

Manchmal wünschte sie sich, sie hätte weniger Glück in ihrer Ehe gefunden. Wenn ihr Philipp gleichgültig wäre oder wenn sie ihn wie seinen verstorbenen Bruder hassen könnte, dann wäre die Lage für Irene jetzt einfach. Nicht nur wäre sie selbstverständlich davon ausgegangen, dass ihr Gemahl seinen ehemaligen Kanzler hatte ermorden lassen, wie es auch die meisten byzantinischen Kaiser getan hätten. Es würde sie auch nicht weiter kümmern, dass seine Seele damit zur ewigen Verdammnis verurteilt wurde, denn da er vom Papst gebannt war, konnte er nicht beichten und die Absolution erlangen. Doch wie die Dinge nun einmal lagen, war es ihr nicht möglich, gleichgültig zu sein. Sie hatte geglaubt, dass Philipp von dem möglichen Seitenwechsel des Kanzlers nichts gewusst hatte, bis Bischof Wolfger ihnen darüber berichtete. Nicht nur, weil der Mord an Konrad ein Verbrechen war, auch, weil er das Schlimmste und Törichtes war, was ihr Gemahl in seiner Lage hätte tun können, und sie achtete ihn zu sehr, um ihn dessen für fähig zu halten.

Sie wollte sogar an die Unschuld des Reichshofmarschalls glauben; nun, das war schwerer zu leisten. Konrad war diesem immer ein Dorn im Auge gewesen, und Botho war sein Neffe. Außerdem war sich Irene des Hauptgrundes bewusst, warum sie nicht Heinz von Kalden als Auftraggeber für Konrads Tod wollte: Er war Philipps starker Arm und sein Schild. Philipp konnte nicht auf ihn verzichten, selbst wenn es Heinz von Kaldens eigenes Schwert gewesen wäre, das Konrad gefällt hatte. Wenn sie es wusste, dann war dieser Umstand Heinz von Kalden erst recht klar. Sollte er aber unbefangen und ohne Rückendeckung des Königs derartige Mordaufträge erteilen, dann wäre dies ein Zeichen, dass er sich bereits als der eigentliche König sah. Irene wusste nicht, wie Philipp dem begegnen sollte.

Das war auch der Grund, weswegen sie bereit war, ihre Magistra sofort zu empfangen, obwohl sie ihr eigentlich grollte, weil Jutta sie nicht um Erlaubnis gefragt hatte, ehe sie gegangen war. Nun, sie hatte Wolfger klargemacht, dass er ihre Leibärztin nicht ohne weiteres ausleihen könne, und das mochte im Moment genügen. Doch die Magistra war klug; was auch immer geschehen war, es war besser, alles darüber zu wissen, ehe ein anderer Irene mit Erklärungen kommen konnte, auf die sie noch nicht vorbereitet war.

Was sie zu hören bekam, half, stimmte sie jedoch nicht ruhiger. »Gibt es einen Beweis dafür, dass die Kölner Kaufleute Botho bezahlt haben?«

»Ihr könntet Botho foltern lassen«, sagte Walther mitleidlos. Die Magistra warf ihm einen undeutbaren Blick zu, irgendwo zwischen Missbilligung und Entsetzen.

»Das geht nicht. Er ist von Adel«, entgegnete Irene sachlich. »Sein Onkel würde eher seine Hinrichtung hinnehmen als eine Folterung.«

»Ich verstehe«, sagte die Magistra; ihr Tonfall machte klar, dass sie nur zu gut verstand. »Hingerichtet wird er wohl auch nicht werden. Aber, Euer Gnaden, wenn Botho von Ravensburg straflos davonkommt, dann ist es gleich, wer für den Mord gezahlt hat. Das ganze Reich wird glauben, dass der Auftrag von Eurem Gemahl stammt.«

»Philipp wird zu einem neuen Kreuzzug auffordern«, sagte Irene, was sie eigentlich nicht hatte tun wollen, denn es sollte erst zum Weihnachtsfest verkündet werden. Das war der Plan, mit dem sie sowohl ihrem eigenen Vater und Bruder als auch Philipp hatte helfen wollen, der Plan, über den sie jahrelang gegrübelt hatte. Einem Aufruf zu einem Kreuzzug würden auch Fürsten folgen, die Otto anhingen. Es war eine Möglichkeit, selbst in diesen zerrissenen Zeiten ein gemeinsames Heer aufzustellen, wie es keine zweite gab. Natürlich konnte Otto versuchen, die Führung an sich zu reißen, aber er hatte keine Verbindung zu

Byzanz, und das war der zweite Teil von Irenes Plan. Wenn das Heer der Kreuzfahrer den traditionellen Weg ins Heilige Land nahm, konnten sie ihrem Vater zur Freiheit und ihrem Bruder auf den Thron verhelfen. Das war eine gerechte Sache, Gott wohlgefällig.

»Aber sie werden es nicht aus der Güte ihres Herzens tun«, hatte Alexios protestiert.

»Sie werden es tun, wenn du ihnen versprichst, das Schisma zu beenden, und die Kirche wieder vereinst.«

Ihr Bruder hatte sie mit seinen trüben Augen entsetzt angeblickt.

»Ich kann nicht glauben, dass du so etwas ernsthaft vorschlägst, Irenikon. Du, die du in der Hagia Sophia getauft worden bist!«

»Bruder, es ist mir klar, dass der Patriarch von Konstantinopel und die Priester des Reiches niemals zustimmen werden. Aber es geht auch nicht vorrangig darum, es Wirklichkeit werden zu lassen. Du wirst versprechen, es zu versuchen, und wenn du selbst hier die Messe besuchst und das römische Credo sprichst, was schadet das. Das musste ich tun, als ihr mich nach Sizilien schicktet, also sollte es dir möglich sein, um dein Reich zu erobern und unseren Vater zu retten. Wirst du es tun, so werden sie dir glauben. Dem Papst wird keine andere Wahl bleiben, als meinen Gemahl aus dem Bann zu lösen und als König der Deutschen zu unterstützen, der Krieg hier hört auf, du gewinnst Byzanz und alles findet ein glückliches Ende.«

»Dein Wort in Gottes Ohr, Irenikon.«

»Mit Verlaub, Euer Gnaden«, sagte Irenes Magistra jetzt, und ihr Gesicht war sehr weiß, »ein Kreuzzug wird nichts an der Meinung der Menschen über den Tod Bischof Konrads ändern, wenn den Mördern keine Strafe droht.«

»Wir können den Reichshofmarschall nicht zwingen, seinen Neffen auszuliefern«, entgegnete Irene. In diesem Moment hasste sie die Magistra dafür, sie gezwungen zu haben, das laut auszusprechen. Was war ein Thron wert, wenn der König darauf nicht die Macht hatte, eine solche Entscheidung zu treffen? Diese Frage glaubte sie nun auch in den Augen der Magistra zu lesen, und sie brannte sich in ihr Herz und ihren Verstand.

»Euer Gnaden«, warf Walther überraschend ein, »es gibt eine Lösung, die gerecht wäre und der der Reichshofmarschall zustimmen müsste. Wer Blutschuld auf sich geladen hat, kann nach Rom pilgern, um sich vom Papst selbst entsühnen zu lassen. Es gibt sogar zwei Generalablässe im Jahr und einen weiteren, wenn der Papst es will. Ihr könnt von Botho verlangen, sich dem Urteil des Heiligen Vaters zu stellen. Das würde jeden Christen hier im Reich zufriedenstellen, denn es ist bekannt, dass der Papst ein Freund Bischof Konrads war.« Unausgesprochen, doch deutlich im Raum stehend war der Zusatz: *und Heinz von Kalden, der weiß, wie sehr der Mord Philipps Ansehen schadet.* Er konnte unmöglich ablehnen, seinen Neffen auf diese Pilgerfahrt zu schicken.

»Herr Walther«, sagte Irene mit aufrichtiger Dankbarkeit und Bewunderung, »das ist ein wundervoller Gedanke.«

»Ich lebe, um Euer Gnaden zu dienen«, sagte er auf höfische Manier, was sie trotz ihrer Dankbarkeit sofort misstrauisch stimmte. Mittlerweile kannte sie den Sänger gut genug, um zu wissen, dass er immer auch etwas wollte, wenn er so hilfreich war. »Bischof Wolfger wird die Alpen überqueren, um sein Patriarchat in Aquileja anzutreten«, fügte er harmlos hinzu, so harmlos, dass sie vermutete, Wolfger habe ihn auch darüber unterrichtet, dass er dem Papst den Vorschlag mit dem Kreuzzug und der Eroberung von Byzanz im Auftrag Philipps unterbreiten sollte. »Da wäre es sinnvoll, wenn Botho in seiner Gesellschaft reist. Auch das würde den Menschen im Reich die Gewissheit geben, dass Botho nicht flieht, sondern willens ist, sich tatsächlich dem Urteil zu stellen, denn das Ansehen Bischof Wolfgers ist sehr hoch.« Auch dagegen war nichts einzuwenden, und es klang alles höchst vernünftig; Irene wartete aber immer noch darauf, den Pferdefuß zu entdecken.

»Ihr seid so still, Magistra«, wandte sie sich, um Zeit zu gewinnen, an ihre Leibärztin. »Seid Ihr anderer Meinung als Herr Walther?«

»Nein, Euer Gnaden«, antwortete die Magistra. Sie war immer noch bleich; es lag etwas Wundes in ihren Augen, aber auch

Kälte. »In der Tat möchte ich einen weiteren Vorschlag machen. Prinz Alexios braucht ärztliche Hilfe. Lasst mich ihn nach Salerno geleiten. Wenn er nicht auf das Heer wartet, sondern bereits mit Bischof Wolfger über die Alpen reist, dann wird er die Zeit haben, sich nach einem Eingriff zu erholen, bis die Kreuzfahrer in Italien eintreffen. Niemand braucht je davon zu erfahren, dass Euer Bruder überhaupt am Star litt.«

War das der Preis? Sie schaute von der Magistra zu Walther und wieder zurück. »Hattet Ihr nicht ein Gelübde abgelegt, niemandem etwas von Alexios' Schwierigkeiten zu erzählen?«, fragte Irene scharf und starrte bedeutungsvoll zu Walther.

Die Magistra wich nicht zurück. »Mann und Frau sind ein Fleisch, Euer Gnaden. Ich sprach nur zu mir selbst.«

»Ihr seid nicht mit Herrn Walther verheiratet«, sagte Irene, »aber Ihr habt die Kunst des Wortspiels von ihm gelernt.« Sie versuchte zu verstehen, was sie empfand. Ein Teil von ihr, der ewig sechzehn und alleine gelassen sein würde, wollte der Magistra ins Gesicht schlagen ob des Ansinnens, sie schon wieder zu verlassen, denn darauf lief es hinaus. Alexios mit Wolfger loszuschicken, das war vernünftig, doch er brauchte nicht die Magistra, um nach Salerno zu gelangen. Gewiss, sie konnte verschleiern, wie schlecht er inzwischen sah, wogegen neue Begleiter die Gefahr vergrößerten, dass sich sein Leiden herumsprach. Aber es war eine Aufgabe, die auch ein anderer übernehmen konnte! Doch Irene war keine sechzehn mehr, und etwas, was sie hier im Reich gelernt hatte, war die Kunst, mit Falken zu jagen. Man musste sie fliegen lassen, damit sie zu einem zurückkehrten, denn wenn man sie nur in ihrem Verschlag hielt, dann verloren sie den Willen, zu leben, oder wurden wild und zerfleischten sich selbst.

»Ich nehme an, Ihr wollt ebenfalls mit Bischof Wolfger nach Süden ziehen«, sagte sie zu Walther, und der nickte.

»Kein Vogel, Euer Gnaden, den es nicht hin und wieder in den Süden zieht, um neue Weisen zu lernen.«

Zu ihrer Überraschung trat die Magistra vor, kniete sich vor Irene und erfasste ihre Hände. »Kein Vogel, der nicht in den Norden zurückkehrt«, sagte sie eindringlich. Irene wusste nicht, ob sie ärgerlich oder besänftigt war, weil die Magistra wusste, dass sie vermisst werden würde. Irene hatte so viele Damen und Mägde, die bestrebt waren, ihr zu dienen und ihr auch noch den kleinsten Wunsch von den Augen abzulesen. Es bestand kein Grund, ihr Herz an eine zu hängen, die von niederer Geburt war und nie richtig zu schätzen wusste, was für ein Glück es war, einer Königin zu dienen.

»Was, wenn er im Norden kein Nest mehr findet?«, fragte Irene und versuchte, den Kloß in ihrer Kehle zu ignorieren, der sich dort bei der Aussicht ansammelte, die Magistra könne in Salerno bleiben. Hatte sie nicht selbst zu ihrem Bruder gesagt, dass man Versprechen leicht machen konnte und es eine andere Sache war, sie einzulösen? Doch sie wäre lieber gestorben, als vor der Magistra noch einmal erkennen zu lassen, dass ihr deren Abreise oder Rückkehr irgendetwas bedeuten würde. Nein, sie würde klarmachen, dass es die Magistra war, die darum werben und sich sorgen musste, ob Irene sie je wieder empfing.

»Dann wird er wie Noahs Taube sein«, entgegnete die Magistra, »froh, überhaupt Land zu finden, mit einem Olivenzweig des Friedens im Schnabel.«

Irene wurde sich bewusst, dass die Magistra noch immer ihre Hände hielt und ihre eigenen Finger sie verrieten, weil sie sich in die der Magistra verhakt hatten, statt sie wegzustoßen.

»Vor Noahs Taube kam die Sintflut, vergesst das nicht. Und auch eine Nachtigall sollte stets ihr Gedächtnis bemühen, wenn sie nicht als gerupftes Huhn enden will.« Irene richtete ihren Blick auf Walther. »Ich habe mich nie auf die Güte von Kirchenfürsten verlassen; Euren Liedern nach zu schließen, habt Ihr das auch nicht. Sollte Bischof Wolfger sich durch die Nähe des Heiligen Vaters und die Entfernung von deutschen Landen dazu veranlasst sehen, unsere Sache nicht mehr angemessen zu vertreten, so finde ich, dass der König und ich das früher erfahren sollten als durch ein kirchliches Edikt.«

Sie war sich bewusst, dass auch Walther der gedeckte Tisch am erzbischöflichen Hof näher als ein königliches Versprechen stehen musste. Das gleichzeitig Beunruhigende und Gute an Walther war, dass man sich seiner Treue nie gewiss sein konnte, und das galt für den Bischof gewiss genauso. Walther mochte um der reinen Herausforderung willen Wolfgers Geheimnisse erforschen, oder auch nicht, doch es konnte nicht schaden, ihm den Auftrag zu erteilen.

»Euer Gnaden, nichts, was ich je hörte, ist meinem Gedächtnis entfallen«, erwiderte Walther und schaute zu der Magistra, was Irene daran erinnerte, dass er nun auch das Geheimnis ihres Bruders kannte. Sie runzelte die Stirn. War das etwa die Andeutung eines Erpressungsversuches? »Da Herr Botho mit uns reist«, fuhr Walther fort, »werdet Ihr sicher verstehen, wenn ich wünsche, so weit wie möglich von ihm entfernt zu reiten. Der Anblick, den er in Würzburg bot, bleibt mir unvergessen; ich glaube nicht, dass sich der Gestank der Blutspritzer so rasch aus seinem Wintermantel entfernen lässt. Meine Hildegunde ist allmählich betagt, und das Pferd, das mich hierhergebracht hat, ist geliehen. Ein neues Ross wäre eine Gabe Gottes«, schloss er mit einem kleinen Lächeln, »und würdig einer höchst gnädigen Königin.«

»Sehr gnädig«, sagte Irene trocken. »Also gut. Ein Ross für Euch und für die Magistra, denn wie ich mich erinnere, schätzt sie es nicht, die ganze Zeit im Wagen zu reisen. Aber achtet auf meinen Bruder, Magistra. Als mein Bruder trägt er einen Teil meines Herzens mit sich, und damit ist es in Eurer Obhut.« Es war heraus. Sie hätte sich am liebsten die Zunge abgebissen, denn obwohl sie es sorgsam verkleidet hatte und es stimmte, dass sie sich um Alexios Sorgen machte, hätte sie nicht deutlicher sagen können: *Komm zurück zu mir.*

»Ich schütze, was in meiner Obhut ist, Euer Gnaden. Immer.«

Kapitel 32

Botho von Ravensburg reiste nicht wie die Pilger, mit denen Walther das letzte Mal gen Rom gezogen war. Er war offenbar eingeschüchtert genug, um die Reise zu machen, nachdem eine aufgebrachte Menge die Ravensburg gestürmt und angezündet hatte. Doch man suchte vergebens nach einem Pilgermantel oder gar einer reuigen Haltung. Stattdessen saß er mürrisch auf seinem Pferd, eingehüllt in einen warmen Mantel, Beinkleider und Stiefel. Zuerst wollte er an der Seite Bischof Wolfgers reiten, doch dieser verbot es. So fand er sich bei den Wachen wieder. Walther wollte sich nur vergewissern, dass er weit entfernt vom Wagen mit Alexios und Judith ritt, doch Botho erkannte ihn dabei.

»Der Vogelwicht! Was zum Teufel habt Ihr hier zu suchen? Habe ich Euch den ganzen Weg nach Rom am Hals?«

»Ihr meint, bis Euch in Rom der Hals gestreckt oder gekürzt wird? Aber nicht doch. Ich fürchte, Ihr werdet auf meine Gesellschaft dabei verzichten müssen. So unwiderstehlich Eure Liebenswürdigkeit, die christliche Demut und Euer Zartsinn, der sich in jedem Eurer Worte äußert, auch sind, der Patriarch von Aquileja hat zuerst um meine Begleitung gebeten.«

Es tat gut, zu sehen, wie Botho nach Luft schnappte.

»Nur aus Neugier«, sagte Walther, »wie viel haben Euch die Kölner vorgestreckt?«

»Ihr habt gut reden«, zischte Botho. »Ihr habt mich doch auf den Gedanken gebracht mit Eurem Geschwätz von Verräterlisten. Wenn Ihr mich ohnehin des Verrates bezichtigen wolltet, dann konnte ich mir wirklich meine Schulden verringern lassen.«

Für einen Moment war Walther sprachlos. Damals, als er sich auf der Straße von Würzburg nach Bamberg ob seines Einfallsreichtums beglückwünschte, hatte er nie daran gedacht, dass es irgendwelche Folgen haben könnte, außer sich Botho vom Hals zu schaffen und diesem ein paar unangenehme Stunden zu bereiten.

Da aber Stefan ihn durchaus ernsthaft wie vergeblich um eine Liste von möglichen Spitzeln an Philipps Hof gebeten hatte, hätte er eigentlich darauf gefasst sein müssen, dass dieser dergleichen auch auf andere Weise bekam.

Dann schüttelte er den Kopf. »Verantwortung für Eure eigenen Taten zu übernehmen ist wirklich nicht Eure Stärke, wie?«

»Ich tat nur, was doch im Grunde alle von mir wollten«, sagte Botho mürrisch. »Nicht nur die Kölner. Mein Onkel und Philipp, die sind doch froh, Konrad los zu sein. Das war's, was er verdient hatte. Ihr mit Euren Spottliedern auf den Papst solltet der Letzte sein, deswegen Trübsal zu blasen. Außerdem verkauft Ihr Eure Dienste doch auch, wo es Euch passt, also weiß ich nicht, woher Ihr die Stirn nehmt …«

»Oh, wes Brot ich ess, des Lied ich sing, daran besteht kein Zweifel. Aber wenn Ihr den Unterschied zwischen einem Lied, ein paar Auskünften und einem Mord nicht kennt, Herr Botho, dann ist Euch wahrlich nicht zu helfen«, sagte Walther und trieb sein Pferd an, schneller zu laufen.

»Dass die Judenschlampe jetzt mit Euch zusammen ist und nicht mit dem Arschficker, das verdankt Ihr mir!«, rief ihm Botho höhnisch hinterher. »Wo bleibt denn da die Dankbarkeit?«

Einen Herzschlag lang war es Walther, als gefröre etwas in ihm. Was um alles in der Welt meinte Botho damit? Dann sagte er sich, dass es sich nur um eine weitere Dummheit eines törichten Mannes handelte, wohl darauf bezogen, dass er Walther nach Braunschweig mitgenommen hatte, um Judith dort zu finden. *Botho ist es nicht wert, weiter über seine Prahlereien nachzudenken,* sagte sich Walther und trieb sein Pferd noch schneller voran. Es folgte so gut, dass er Hildegunde und ihre Widerspenstigkeit irgendwie vermisste. Manchmal tat es gut, um sein Fortkommen kämpfen zu müssen, das lenkte ab.

* * *

Die Nachricht über den Tod des ehemaligen Kanzlers war noch vor Paul in Köln eingetroffen. Es gab flammende Reden von allen Kanzeln über Philipp den Gottlosen und seine verruchte Mörderbande, und Gerüchte darüber, wie fast schon Abtrünnige wie der Bischof von Trier es sich noch einmal überlegten und nun wieder treu zu König Otto standen.

Trotzdem fühlte Paul sich elend. Er glaubte an die Sache der Welfen. Er hatte den König schon mehrmals kämpfen sehen, wenn Köln angegriffen wurde, aus der Ferne zwar, aber deutlich genug, um zu wissen, dass Otto vor der Stadt wie jeder andere sein Leben aufs Spiel setzte. Von Philipp hörte man dergleichen nicht. Der zog es vor, sich hinter Heinz von Kalden zu verstecken und diesen Blut für sich vergießen zu lassen. Außerdem hatte Philipp Köln nur Kummer gebracht, Otto die Stadt aber zum Juwel seiner Krone gemacht und sie gegen ihre Angreifer verteidigt. Das allein hätte für Paul entschieden, wer deutscher König sein sollte, selbst wenn seine Freunde nicht ums Leben gekommen wären. Als er von seinem Vater darüber hinaus hörte, wie Jutta sie alle verraten hatte, weckte das Bitternis und Schuldgefühle in ihm, weil er ihr geholfen hatte. Er konnte damals doch nicht ahnen, dass sein Vater, der zu Ottos vertrauten Ratgebern gehören sollte, deswegen ständig aufs Neue seine Treue beweisen musste.

»Und noch schlimmer«, hatte sein Vater kopfschüttelnd hinzugefügt. »Es hat den Erzbischof an meiner Rechtgläubigkeit zweifeln lassen, an meiner und der jedes bekehrten Juden in der Stadt. Man steckt uns eben alle gleich in einen Topf, und das kann gefährlich werden, mein Sohn, dass du es dir gar nicht ausmalen magst und hoffentlich nie zu tun brauchst.«

Es war so ungerecht! Sein Vater hatte nie etwas anderes getan, als das Beste für Köln zu wollen, und hart dafür gearbeitet. *Selbst als Kaufmannssohn*, dachte Paul, *hätte ich Aussicht gehabt, Otto als Knappe zu dienen, wenn nicht Juttas Verrat gewesen wäre.* Als Paul von seinem Vater erfuhr, warum sie damals mit Gilles aus Köln fortgelaufen war, traute er seinen Ohren nicht: Seine Base hatte die Gelegenheit ausgeschlagen, die Schutzherrin für die Stadt zu sein, auch für ihre ehemaligen Glaubensbrüder. Paul war ein ehrlicher Christ, doch er war sich sehr bewusst, dass so mancher Kölner nicht an die Bekehrung seines Vaters glaubte und in seiner Familie nach wie vor Juden sah, daher konnte es nur gut sein, wenn auch die Juden eine Fürsprecherin beim König hatten. Aber Jutta war selbstsüchtig, ganz anders als die Frauen in der Bibel. Sie hatte damit bewiesen, dass man Frauen nicht die Entscheidung über ihr Schicksal überlassen durfte, denn welches vernünftige Wesen wählte ein Leben als reisende Ärztin vor einem Platz an der Seite eines Königs? Zuerst versuchte Paul noch, sie durch die Liebe zu Gilles zu entschuldigen. Eine treue Ehefrau sein zu wollen, war löblich, selbst wenn das Allgemeinwohl wichtiger war. Doch dann versicherte sein Vater ihm, dass Jutta den Berichten nach nun mit dem Sänger zusammenlebte, der auch in Köln aufgetaucht war und ihr schöne Augen gemacht hatte. Also war Jutta bereit dazu, die Ehe zu brechen, wenn es nur um ihre Gelüste ging, nur nicht zum Wohl ihrer Familie. Er hatte sich geschämt, sie einmal so gerngehabt zu haben.

Als sein Vater ihn darum bat, nach Nürnberg zu gehen, gab es für Paul deshalb kaum ein Zögern, und wenn, dann galt es dem Erzbischof von Würzburg. *Aber letztendlich,* dachte er, *hat dieser Eidbrecher Jahre damit verbracht, den falschen König zu unterstützen.* Paul würde durch seine Tat seinen Vater wieder an die Spitze Kölns zurückbringen, die Selbstsucht seiner Base und seine eigene jugendliche Dummheit wieder wettmachen und dabei helfen, König Otto dem Sieg einen Schritt näher zu bringen. Sogar Jutta würde er helfen, denn wenn sie erst wieder in Köln war, dann würde sie gewiss auch ihren Irrtum erkennen und alles versuchen, ihn zu berichtigen.

Es schien alles so klar. Und dann kam alles ganz anders, als er erwartet hatte. Zuerst zeigte ihm Jutta durch ihren Einsatz für den Bischof, dass sie doch nicht so selbstsüchtig war, wie er sich eingeredet hatte – und dann begann das Geschrei in Würzburg. So hatten die Frauen in Köln wegen der Toten geschrien; dieser Klang steckte ihm tief in den Knochen. *Nur ein Mann,* dachte Paul mit wachsender Unsicherheit, *nur ein Mann für das Wohl der vielen,* und dann brachte ihn Jutta völlig durcheinander, als sie sich von einem Moment auf den anderen in ein Geschöpf aus einem Alptraum verwandelte. Es war, als hielte sie ihm einen Spiegel vor, in dem alles verzerrt war; statt eines Helden sah er einen jämmerlichen Mörder. Sie machte ihm Angst, und er fühlte sich, als wäre der sichere Grund unter seinen Füßen plötzlich Morast geworden. Am Ende war er bestürzt und froh zugleich, als sie davonrannte und auch die Männer seines Vaters sie nicht mehr fassen konnten.

Auf dem Weg zurück nach Köln wollte er vergessen, was sie zu ihm gesagt hatte, doch es setzte sich wie eine Laus in seinem Ohr fest und nagte an ihm. Was, wenn der König wirklich nicht beabsichtigte, sie zu seiner Geliebten zu machen, sondern in ihr nur den Hund sah, der ihn gebissen hatte und der durch einen Tritt oder gar den Tod bestraft werden musste? Was, wenn der Tod des Erzbischofs Konrad keinen Unterschied im Kriegsverlauf machte? Dann hatte Paul bei einem Mord geholfen. Er wusste nur zu gut, dass die Kirche einen Unterschied machte zwischen Menschen, die in einer Schlacht starben, während eines ehrlichen Kampfes, oder Menschen, die hinterrücks erschlagen wurden. *Du sollst nicht töten.*

Der verächtliche Blick in Juttas Augen drang wie Gift unter seine Haut und schwärte dort. Dass man überall über Konrads Tod sprach, half ihm ein wenig, aber niemand erzählte, dass sich jetzt die Bischöfe und Fürsten von Philipp lossagten, und der Zweifel in Paul wuchs, weil er befürchtete, jemand würde irgendwann mit dem Finger auch auf ihn zeigen.

»Solche Dinge brauchen ihre Zeit«, sagte sein Vater, der es besser aufnahm, als Paul erwartet hatte, dass Jutta nicht bei ihm war. Statt zornig aufzubrausen, seufzte er, lächelte und sagte kopfschüttelnd, Jutta sei eben die Tochter ihrer Mutter und zu klug für die meisten anderen Menschen.

»Willst du damit sagen, dass sie recht hat?«, fragte Paul erschüttert.

»Nein«, erwiderte sein Vater ruhig. »Aber sie hat ihren Verstand beieinander. Das ist gut zu wissen, denn wenn etwas sie retten kann, wenn die Staufer untergehen, dann das.«

»Werden die Staufer …«

»Daran gibt es überhaupt keinen Zweifel, mein Sohn. Philipp wird nie Kaiser werden. Wenn er je Aussicht darauf hatte, dann ist sie in Würzburg zerstört worden. Und wenn Otto in Rom vom Papst als Nachfolger Karls des Großen gekrönt wird, dann wird das auch deinem Einsatz und Mut zu verdanken sein.«

Eine Stimme, die verdächtig der seiner Base ähnelte, fragte Paul, was daran mutig war, eine Verwandte in eine Falle zu locken und zum Tod eines waffenlosen Bischofs beizutragen.

»Wird der König dir grollen, weil Jutta nicht bei mir ist?«

»Ich war nicht so töricht, ihm zu versprechen, dass sie es sein würde – das war unser geliebter Erzbischof. Nichtsdestotrotz ist es angebracht, dem König etwas anzubieten, was ihn davon ablenkt. Es ist eine harte Welt, in der wir leben, Paul, aber dankenswerterweise gibt es ein paar Dinge, auf die man sich verlassen kann, und eines davon ist, dass auch einem Fürsten der Geldbeutel immer näher ist als sein … als sein Herz. Es ist an der Zeit, unseren König Otto mit seinem Onkel John zu versöhnen und dafür zu sorgen, dass der König von England erneut Geld ins Reich schickt, von unseren Handelserleichterungen ganz zu schweigen.«

»Aber wie …«

»Du und ich, mein Sohn«, sagte sein Vater, »werden eine Reise unternehmen. Zu ihm.«

Vielleicht war es die Erinnerung an Juttas Blick, die Paul dazu trieb, unbotmäßig zu fragen, ob König John diesen Besuch überleben würde. Sein Vater musterte ihn bekümmert. »Selbstverständlich.« Doch er fragte nicht, wie Paul überhaupt auf diesen Gedanken gekommen sei.

»Und wie willst du ihn dazu bekommen, Otto wieder Geld und uns unsere Handelserleichterungen zu gewähren?«, forschte Paul kühn.

»John steckt in Schwierigkeiten«, erläuterte sein Vater. »Er ist in ernsthafter Gefahr, die Normandie an den König von Frankreich zu verlieren. Die Lage sähe für ihn auf einmal völlig anders aus, wenn er als Erbe seines Neffen König der Deutschen würde und

Frankreich damit einkreisen könnte. Doch dazu muss er seinem Neffen erst einmal den deutschen Thron sichern.«

»Otto soll sterben?«, stieß Paul entsetzt hervor.

»Nein, aber John soll allen Anlass haben zu glauben, dass es dazu kommen könnte. Schließlich lebt Otto ein gefährliches Leben, ist unvermählt und hat keinen anderen Erben als John und den ungetreuen Bruder. Bei Verhandlungen verkaufen wir Hoffnungen und Träume, mein Sohn. Selbst die Großkaufleute unter uns sind Rosstäuscher. Und ich werde John von England das flüchtigste Ross von allen andrehen – die Hoffnung auf den deutschen Thron.«

* * *

Der Tross wurde von einer stattlichen Anzahl Kriegsknechte begleitet, von denen man nicht wusste, wie viele sich dem Heer der Kreuzfahrer anschließen würden. So oder so: Niemand, das hatte Alexios betont, durfte Zweifel an seiner Gesundheit haben und an seiner Befähigung, einen Thron zu besteigen. Soweit es die anderen Menschen im Tross betraf, reiste Alexios daher ausschließlich seines Standes wegen im Wagen. Der Bischof von Passau teilte diesen meist mit ihm, um dem Bruder der Königin so Respekt zu erweisen, und weil er allmählich zu alt wurde, um wie früher ständig zu reiten. »Nun, wir könnten völlig der Wahrheit gemäß sagen, dass ich Euch über die Irrtümer Eurer Jugend belehren und Euch die Lehre der einzigen und ungeteilten Kirche näherbringen werde«, sagte Wolfger milde, »denn wenn Ihr dem Papst begegnet, dann solltet Ihr darauf gefasst sein, dass Seine Heiligkeit Euch Fragen bezüglich Eures neuen Katechismus stellt. Er hegt, Gott sei's geklagt, keine hohe Meinung von Fürsten und könnte Euer Versprechen, überzutreten und das Schisma zu beenden, als bloße Finte und Gefallen für Euren edlen Schwager bewerten. Wenn Ihr dagegen wisst, wovon Ihr sprecht, dann steigt die Wahrscheinlichkeit für seine Gunst.«

Alexios wirkte, als habe er etwas Saures verschluckt, doch er nickte.

»Meine Worte mögen auch Euch von Nutzen sein, Magistra«, fügte Wolfger freundlich hinzu. Judith reiste ebenfalls die meiste Zeit im Wagen – offiziell, weil sie auf die Gesundheit des betagten Bischofs achten musste.

»Wer würde nicht gerne an der Weisheit eines so gelehrten Herrn wie Euer Gnaden teilhaben?«, gab sie zurück. Es war Jahre her, seit er sie zum Frösteln gebracht hatte, doch sie hütete sich davor, ihn zu unterschätzen, nicht zuletzt, weil er immer noch nicht klar gesagt hatte, wozu er Walther in seinem Gefolge haben wollte. »Allerdings werden Euer Gnaden eine so erhabene und wichtige Angelegenheit des Glaubens dem edlen Bruder unserer Königin in seiner Muttersprache erläutern, denn ich hege keinen Zweifel, dass Ihr das Griechische hervorragend beherrscht. Ich dagegen bin dessen völlig unkundig.«

Alexios murmelte etwas auf Griechisch, das nicht wie ein Kompliment klang.

»Und ich dachte, im Königreich Sizilien ist Griechisch noch immer eine der üblichen Sprachen«, gab Wolfger zurück. »Habt Ihr nicht in Salerno studiert, das in diesem Königreich liegt?«

Ja, man durfte ihn nicht unterschätzen.

»Euer Gnaden, ich war vollauf damit beschäftigt, meine Kenntnisse der Volgare zu verbessern und das Arabische zu erlernen, in dem so viele der medizinischen Schriften verfasst sind. Zudem sprachen die Patienten aus dem oströmischen Reich stets andere Sprachen.«

»Die verdammten Araber«, sagte Alexios unerwartet in seinem Latein, das noch viel stärker als Irenes von einem anderen Sprachrhythmus geprägt war. »So viele gute Provinzen haben wir an sie verloren. Wenn sie nicht gewesen wären, dann wäre das Heilige Land noch unser und christlich, wie es sein sollte.«

»Mit Gottes Hilfe wird es wieder zur Gänze christlich werden, durch die Kraft einer geeinten Christenheit«, stimmte Wolfger zu.

Einmal, nur ein einziges Mal wünschte sich Judith, sie könne einen Christen fragen, warum er mehr in Eretz Israel zu suchen haben sollte als die Araber, aber sie war sich bewusst, dass ihr nie jemand darauf eine Antwort geben würde, die sie hören wollte. *Gilles,* dachte sie plötzlich, *Gilles hätte ich auch so etwas fragen können.* Ob er nun wieder in Aquitanien war? Sie seufzte stumm. Gilles hatte ein neues Leben gewählt, und sie sollte es ihm gönnen, statt ihn weiter zu vermissen.

Immerhin hatte ihr Ablenkungsversuch mit dem Griechischen Erfolg, denn Alexios bestand darauf, die Lehren des Patriarchen in seiner Muttersprache zu hören, und damit wurde für sie daraus ein wohlklingender Wortteppich, von dem sie kein Wort verstehen musste. Sie nutzte die Zeit, um Alexios im Halbdunkel des Wagens zu beobachten, so gut es ging. Nach dem, was er ihr geschildert hatte und was sie selbst sehen konnte, hatte sie keinen Zweifel mehr, dass er unter dem grauen Star litt. Wenn sie Meir je um etwas beneidet hatte, dann um seine Sicherheit beim Starstich; sie hoffte, auch diesmal zusehen zu können. Alexios war nicht der Erste, der ihr in den letzten Jahren begegnet war und einen Starstich brauchte, aber nicht von ihr bekommen hatte. Anders als die meisten ihr bekannten Doktores wollte sie ihre Patienten nie für ein Experiment nutzen; sie hätte es nie überwunden, mehr Schaden als Nutzen anzurichten. Anders als Alexios konnten es sich aber die wenigsten Menschen leisten, nach Salerno zu ziehen. Es müsste einfach mehr Salernos geben, überall!

Sie hatten Lucia und Markwart angeboten, sie mitzunehmen, und waren nicht überrascht, zu hören, dass beide es vorzogen, Teil von Philipps Hofgesinde zu bleiben.

»Gibt es eine Botschaft, die ich deiner Familie ausrichten soll?«, hatte Judith Lucia gefragt.

»Meine Familie hat mich verstoßen, lange bevor ich Salerno verließ, Magistra. Aber wenn Ihr meinem Vater begegnet, Theo dem Wollfilzer«, hatte Lucia mit einem zufriedenen und ein wenig rachsüchtig wirkenden Lächeln hinzugefügt, »dann sagt ihm, dass ich die Amme von Königstöchtern bin. Er hat mich einmal einen Misthaufen genannt, auf dem sich Söldner erleichtert haben, weil er immer glaubte, was er glauben wollte, anstatt mich um eine Antwort zu bitten.«

Dass Markwart bei Lucia bleiben wollte, statt mit Walther und Judith nach Süden zu ziehen und Weib und Kind für ein Jahr oder mehr nicht zu sehen, war verständlich. Dennoch wünschte Judith, er wäre hier. Walther mochte eine gute Meinung von Bischof Wolfger haben, soweit er eben eine hohe Meinung von einem mächtigen Kirchenmann haben konnte, aber sie brachte es nicht über sich, ihm voll zu vertrauen. Sollte der Grund, warum Wolfger Walther bei sich haben mochte, etwas sein, das Walther nicht tun konnte, dann würden sie fliehen müssen, und in so einem Fall wäre es gut gewesen, auf jemanden wie Markwart zählen zu können, der mittlerweile gut mit Waffen umzugehen verstand.

Alexios war das Reisen im Wagen zwar von seiner Flucht her gewohnt, aber hin und wieder litt er unter Erstickungsanfällen, die Judith als folgenschwere Erinnerung an seine Gefangenschaft sah. Man musste ihn in einem Kerker gehalten haben, nicht wie eine Geisel im Palast. Judith schlug deswegen vor, täglich ein, zwei Stunden zu reiten, statt im Wagen zu sitzen. »Man hat Euch eine sanfte Stute gegeben, Euer Gnaden«, flüsterte sie ihm zu, »die Eure edle Schwester während ihrer Schwangerschaften sicher getragen hat. Sie wird auf jeden Druck Eurer Schenkel antworten und Euch nicht verraten.«

Im Wagen wurde aber nicht nur über Religion gesprochen, und nicht nur auf Griechisch. So auch an jenem Nachmittag, als Wolfger davon berichtete, wie man seiner Erfahrung nach die Kreuzritter verschiedener Länder zusammenhalten könne, was oft genug schwierig war.

»Verschiedene Parteien zusammenzuhalten, ist die Herausforderung jedes Kaisers«, erklärte Alexios huldvoll, »und mein erhabener Vater lehrte mich diese Kunst von Kindesbeinen an.«

»Mit Verlaub, Euer Gnaden, und allem Respekt vor Eurem edlen Vater, aber da er sich derzeit in der Gewalt Eures Onkels befindet, kann er es selbst nicht zu einem Meister in dieser Kunst gebracht haben.«

»Bedenkt, Herr Bischof, dass Ihr mit dem künftigen Kaiser des oströmischen Reiches sprecht!« Alexios' Stolz ähnelte nichts so sehr wie Irenes Gebaren in Salerno, als sie auch völlig machtlos gewesen war. Ein paar Momente später färbte sich sein Gesicht wieder grünlich, und er übergab sich, ehe der Wagen angehalten werden konnte. Danach empfahl Judith kurzerhand, den Rest des Tages zu reiten.

Der Kaisersohn hatte es bisher vermieden, mit ihr zu sprechen, sei es, weil er sie nicht kannte, sei es, weil sie eine Frau war, doch als sie nun neben ihm ritt, während jedermann bis auf den Bischof sonst Abstand zu ihm hielt, fragte er sie leise, ob man ihm in Salerno auch gewiss helfen könne. »Mittlerweile sehe ich nicht nur alles verschwommen, sondern manchmal auch einen hellen Glanz wie einen Heiligenschein um einzelne Dinge. Vielleicht ist es Gottes Wille, und was ich erblicke, sind Zeichen seiner Heiligkeit?«

»Was Gottes Wille ist, weiß ich nicht besser als jeder andere Sterbliche, Euer Gnaden, aber das, was Ihr seht, ist kein Heiligenschein, sondern ein weiteres Zeichen des grauen Stars.«

»Aber ...«

»Es war Gottes Wille, dass Ihr Eurer Gefangenschaft entkamt. Es scheint Gottes Wille zu sein, dass Ihr den Thron Eures Vaters zurückerlangt. Da ist es gewiss auch Gottes Wille, dass Ihr die Augen nützt, die er uns Menschen geschenkt hat, um so deutlich wie möglich zu sehen.«

»Was genau«, fragte er zögernd, »werden sie mit mir in Salerno tun?«

Judith hätte lieber nicht davon gesprochen, weil sie noch niemandem begegnet war, dem die Beschreibung dieses Eingriffs keine Angst einjagte. Wenn Alexios den Rest der Reise Zeit hatte, sich das auszumalen, was sie ihm schilderte, würde er mehr und mehr Angst entwickeln; das konnte ihm nur schaden. Andererseits würde ihr eine Weigerung nicht helfen, Alexios' Vertrauen zu gewinnen, und eine Lüge würde später jedes Vertrauen, das er entwickelte, zerstören.

»Man nennt es den Starstich, Euer Gnaden. Ihr werdet einen Trunk bekommen, der Euch ruhigstellt und weitgehend schmerzunempfindlich macht. Ein Helfer des Arztes wird Euren Kopf nehmen, fest gegen seine Brust drücken und dort halten. Der Arzt sitzt Euch gegenüber und sticht mit einer Nadel seitlich in das Weiße Eures Augapfels, bis die Nadelspitze hinter der Pupille sichtbar wird.«

Alexios' Gesicht zuckte. »Und davon soll ich nicht blind werden?«

»Wenn es richtig getan wird, Euer Gnaden, wird damit Eure Sehkraft gerettet. Die Linse wird mit der Nadel erfasst und hinabgedrückt. Nach dem Eingriff müsst Ihr einen Verband über beide Augen tragen, auch das gesunde, um das gestochene Auge ruhig zu halten, während es heilt. Wird der Verband dann entfernt, könnt Ihr wieder sehen. Ihr solltet allerdings wirklich einen Kristall schleifen lassen, wie ihn die Kaiser der Alten gehabt haben sollen, denn es mag sein, dass Ihr zu scharf seht, und der Kristall wird das lindern.«

»Und wenn es nicht richtig getan wird? Dann bin ich so blind wie mein Vater und kann auf der Straße betteln!«

Judith dachte an die Armen, die sie diesseits und jenseits der Alpen erblickt hatte, Menschen, die durch die Verwüstung ihrer Stadt, den Überfall des einen oder anderen Heeres all ihr Hab und Gut verloren hatten, und dazu oft Gliedmaßen. Sie dachte an die Blinden, die selbst im Frieden in Städten wie Köln oder Wien in den Straßen bettelten, nur in Lumpen gekleidet, an die Menschen, die ihr Augenlicht verloren, weil sie nur im Schein einer billigen Talgfunzel Prunkmäntel für Menschen wie Alexios besticken mussten. Ja, er hatte schwere Zeiten hinter sich, daran bestand kein Zweifel. Aber er würde nie darben. Seine Schwester war die Königin der Deutschen. Wenn Irenes Wunsch sich erfüllte, dann würden sogar eine beträchtliche Anzahl Menschen sterben oder verkrüppelt werden, um Alexios auf den Thron zu verhelfen.

»Es sind Eure Augen«, gab Judith gepresst zurück. »Es ist Euer Leben, Euer Gnaden.«

»Allerdurchlauchtigster«, verbesserte Alexios sie. »Die Mitglieder der kaiserlichen Familie von Byzanz werden mit Höchstedle, Allerdurchlauchtigster oder höchst Erhabener angesprochen. Nach all den Jahren bei meiner Schwester solltet Ihr das eigentlich wissen, Magistra.«

»Im Westen«, warf Bischof Wolfger ein, der aufgeschlossen hatte, »sind wir etwas sparsamer mit solchen Titeln, die nicht Gott gelten, Euer Gnaden.«

Alexios presste die Lippen zusammen. Eine Zeitlang schwieg er, dann fragte er sie, was geschehe, wenn kein Eingriff vorgenommen würde.

»Nun, der graue Star hat nur Euer linkes Auge befallen, aber auch das rechte ist bereits in Mitleidenschaft gezogen. Das geschieht häufig. Auf dem linken werdet Ihr mehr und mehr Eurer Sehkraft verlieren, bis es in ein paar Jahren blind sein wird. Das rechte bleibt Euch vielleicht zwei, drei Jahre länger, aber nach allem, was man mich gelehrt hat, wird es dann nachfolgen.«

»Dann wäre ich jedoch bereits Kaiser«, murmelte Alexios. »Ich könnte mich vorbereiten.«

»Darauf, von Euren Generälen entmachtet zu werden, Euer Gnaden?«, fragte Wolfger sachlich.

»Ihr habt gut reden, Patriarch! Es ist nicht Euer Leben, das auf dem Spiel steht! Ihr seid nicht derjenige, dem eine Nadel ins Auge gestochen werden soll! Würdet Ihr das mit Euch machen lassen?«

»Ja«, sagte Wolfger, ohne zu zögern, ohne weitere Erläuterungen oder Bestätigungen, und daher umso überzeugender. Ein Teil von Judith glaubte ihm; der andere Teil fragte sich, ob es sein ständiges Verhandeln mit Päpsten, Königen und Herzögen war, das ihn in die Lage versetzte, so überzeugend zu wirken.

»Und Ihr?«, fragte Alexios Judith herausfordernd. »Ihr habt ja sogar Angst davor, es selbst zu tun! Weil Ihr wisst, dass es nicht glücken kann, und danach weiter von meiner Schwester beschäftigt werden wollt!«

»Weil ich weiß, dass es in Salerno einen Arzt gibt, der sich viel besser als ich auf Augeneingriffe versteht, Euer Gnaden«, sagte Judith und versuchte, ihren Ärger zu unterdrücken. Alexios war nicht der erste Patient, dem eine Prozedur Furcht einjagte; er war nur höheren Standes. Trotzdem: einen armen Bauern zu besänftigen und Geduld mit ihm zu haben, wäre ihr leichter gefallen. »Wenn ich selbst unter dem grauen Star leiden würde, dann würde ich zu ihm gehen, zu keinem anderen.«

»Ihr habt keinen Thron zu verlieren, falls es nicht glückt«, gab Alexios scharf zurück.

Das habt auch Ihr nicht, dachte Judith. *Derzeit seid Ihr nur Kaiser Eurer Wünsche und von Irenes Hoffnungen.* Es gelang ihr, diese Äußerung hinunterzuschlucken, doch das, was sie laut aussprach, war das nächstbeste nicht Respektlose, was ihr einfiel. Und das erwies sich als ein Fehler.

»Nein, aber Reb Meir sollte einmal mein Gatte werden. Es wäre mir höchst peinlich, ihn um einen solchen Gefallen bitten zu müssen«, antwortete sie – und wurde sich erst während Alexios' plötzlichen Schweigens bewusst, was sie damit zugegeben hatte. Bischof Wolfger schaute nicht überrascht, sondern zufrieden, aber auch er schwieg.

»Ihr seid … Ihr wart eine Jüdin?«

Jetzt war es zu spät, um zu leugnen, und im Übrigen wollte sie das auch nicht. »So ist es«, gab sie zurück, ohne auf den Unterschied zwischen *seid* und *wart* einzugehen, und schaute ihm direkt ins Gesicht.

»Euer Gnaden«, begann Wolfger.

»Ich werde den Eingriff vornehmen lassen«, sagte Alexios. Nun war es an Judith, verblüfft zu sein. »Wusstet Ihr, Patriarch«, fuhr er im Plauderton fort, »dass wir in Byzanz eine der größten jüdischen Gemeinden überhaupt haben? Natürlich sind ein paar Ärzte darunter. Sie mögen Christus leugnen, aber ihre Finger sind mehr als geschickt. Wenn ein Mitglied der kaiserlichen Familie sie zu Rate zieht, wissen sie, was geschieht, wenn einer von ihnen als Arzt versagt.«

»Und was ist das, Euer Gnaden?«, fragte Wolfger ruhig.

»Alle für einen, einer für alle«, erwiderte Alexios und richtete seine so vage blickenden Augen in Judiths Richtung. »Deswegen hat keiner von ihnen versagt, solange ich mich erinnern kann. Magistra, es mag an der Abendsonne liegen, aber Ihr habt auch einen hellen Glanz um Euch. Seid Ihr sicher, dass es kein Heiligenschein ist? Er leuchtet so hell. Ihr seid wie der Docht in einer Kerze. Oder eine Dame im Feuer.«

Das Hospital, in dem sie unterkamen, brachte Männer und Frauen wie üblich getrennt unter, doch außer Judith zählte keine Frau zum Tross des Bischofs. Es waren ein paar Pilgerinnen dort sowie zwei Kaufmannsgattinnen und deren Mägde, die sich aber bei keinem Mann Hilfe holen wollten, was bedeutete, dass Judith zwischen wunden Füßen, Blasen und teilweise bis aufs rohe Fleisch aufgescheuerte Schenkel, deren Besitzerinnen zwar ein Reittier hatten, aber nicht vernünftig genug gewesen waren, für feste Beinkleider zu sorgen, mehr als genug zu tun hatte. Am Ende war sie sehr erschöpft und mehr als bereit zu schlafen, aber sie hatte Walther noch einiges zu sagen, und so begab sie sich in den Kreuzgang, um ihn zu treffen.

»Das darf doch nicht wahr sein! Die fingerfertige hübsche Ärztin«, sagte eine leider vertraute Stimme. Sie sah Botho von Ravensburg auf sich zuschlendern. »Wir reisen also wieder einmal miteinander.« Seine Überraschung klang so gespielt, dass klar war: Er hatte sie bereits lange vorher gesehen.

Sie war erschöpft und nicht in der Stimmung, um den heißen Brei zu reden. »Nun, falls der Heilige Vater beschließt, Euch für den Mord so zu bestrafen wie Abaelard für seine Lust, dann muss ja jemand zur Hand sein, der den Eingriff vornehmen kann, ohne Euch dabei verbluten zu lassen, Herr Botho. Seid versichert, dass mein Messer nicht ausrutschen wird.«

»Wie Abaelard?« Etwas verspätet dämmerte ihm, worauf sie anspielte. »Miststück!«

»Also, Herr Botho, Ihr könnt von einer einfachen Frau wie mir doch nicht erwarten, einen direkten Befehl des Heiligen Vaters zu verweigern. Oder des Patriarchen von Aquileja, falls ihm die Reise zu lange werden sollte, bis wir Rom erreichen. Außerdem muss ich mir mein tägliches Brot verdienen, Gott sei's geklagt. Heilkräuter und feingeschliffene Instrumente aus Damaszener Stahl gibt es nicht umsonst, wisst Ihr.«

»Ihr solltet keine solchen Scherze treiben«, drohte Botho, »nicht mit mir. Für jemanden wie Euch werde ich noch nicht einmal zehn Paternoster als Buße beten müssen. Da wird es mehr Mühe kosten, mein Schwert hinterher abzuwischen.«

Sie dachte an die abgeschlagene Hand Konrads. Sie dachte an den Tod Vetter Salomons, seiner Familie und der Leute seines Haushalts. »Wenn Ihr das glauben wollt, dann steht es Euch frei«, sagte sie und zwang sich, überlegen zu lächeln. »Der Eingriff als solcher ist recht einfach. Die einzige Schwierigkeit liegt darin, ihn so schmerzlos wie möglich zu machen, aber darum kann sich ein Kriegsknecht nach meinem Ableben wahrlich keine Gedanken machen …«

»Der Papst wird mich nicht entmannen lassen«, sagte Botho, doch ein Hauch Unsicherheit mischte sich in seinen Zorn. Sie zog nur eine Augenbraue hoch und erwiderte nichts. »Der Patriarch auch nicht. Oder der byzantinische Weichling, mit dem Ihr jetzt das Bett teilt.«

Ein lächelndes Schweigen war entschieden wirksamer als alle Worte. Mittlerweile begann Bothos Stimme, sich zu überschlagen. »Wenn der ein echter Mann wäre, dann hätte er nicht Jahre gebraucht, um sich aus der Gefangenschaft zu befreien. Alle byzantinischen Männer sind halbe Eunuchen und Männerliebhaber! Das weiß jeder. *Euch* würde der Unterschied natürlich nicht auffallen. Überhaupt würde mich es nicht wundern, wenn Ihr nur deswegen in das Bett von Alexios gelangt seid. Weil Ihr wisst, wie man's Männern macht, die lieber Männer mögen.« Er trat einen Schritt näher. »Aber dass Ihr die Gelegenheit dazu nun bei dem Sohn eines Kaisers habt, das verdankt Ihr auch mir, das solltet Ihr wissen. Und deswegen will ich meinen Lohn.«

Nachdem sie in Alexios' Wagen reiste, wunderte es sie nicht, dass Botho davon ausging, sie sei die Geliebte des Kaisersohns; das sah ihm ähnlich. Aber trotzdem brachte er es fertig, dass sie sich fühlte, als kröchen ihr Wanzen über die Haut, je länger sie mit ihm sprach, ganz gleich, was er sagte.

Er schien ihr Schweigen für Zustimmung zu halten. »Ich fordere ja keine führende Stellung beim Kreuzzug, es ist mir schon klar, dass die Angelegenheit mit Bischof Konrad das unmöglich macht. Aber dass der Heilige Vater mich nur durch die Teilnahme am Kreuzzug büßen lässt, das muss herauskommen dabei. Der Byzantiner braucht nur darum zu bitten. Ich bin nicht dumm, wisst Ihr. Wenn Philipp nicht im Sinn hätte, ihm wieder auf seinen Thron zu verhelfen, dann würde er ihn nicht erneut über die Alpen schicken, so bald nach seiner Ankunft. Also, wenn es gegen Byzanz geht, dann bin ich auch dabei. Da wird er Männer brauchen, die tun, was getan werden muss. Sagt dem kaiserlichen Weichling das.«

»Von all den vielen Arten, ein Bittsteller zu sein«, sagte Walthers Stimme hinter Judith, »habt Ihr gerade die allerdümmste versucht, Herr Botho. Ich ziehe seit einem Jahrzehnt von einem Hof zum anderen; ich habe eine Menge Methoden kennengelernt und darf behaupten, selbst ein paar erfunden zu haben. Trotzdem, ich muss Euch neidlos den Preis zugestehen – die Verbindung aus Dummheit, Unwissenheit und täppischer Grobheit mit Angstschweiß bei der Vorstellung, Verantwortung für die eigenen Taten übernehmen zu müssen, gewürzt mit einer Prise hochmütigem Verzichts auf Bildung, die war einfach unübertroffen.«

Selbst im unruhigen Licht der Fackeln, die an den Wänden des Kreuzgangs steckten, war zu erkennen, wie sich Bothos Gesicht dunkel färbte. Sie blickte sich nach Dingen um, mit denen sie ihn niederschlagen konnte, falls er sich auf Walther stürzte, doch außer den Fackeln schien nichts Geeignetes vorhanden zu sein. Nun, Fackeln genügten angeblich, um Wölfe abzuhalten, und Botho hatte gerade etwas Wölfisches an sich, dachte Judith und machte einen Schritt näher zur Wand, um sich die Fackel greifen zu können.

»Bischof Wolfger wünscht Euch zu sprechen«, fügte Walther nun hinzu. Durch Bothos Gestalt ging ein sichtbarer Ruck. Er schnaubte: »Wir sprechen uns noch«, doch ob er damit Judith oder Walther meinte, ließ er offen, während er davonstapfte.

»Weißt du, was ich mir wünsche?«, fragte Judith, während sie ihm beide nachblickten. »Gerade jetzt, hier und heute? Dass wir diese gesamte Gesellschaft sich selbst überlassen, Patriarchen,

Kaisersöhne und Mörder, und auf eigenen Wegen nach Salerno gehen.«

»Ich bin dabei«, antwortete Walther sofort. Einen Moment lang fragte sie sich, ob es dann gerechtfertigt war, die Pferde zu behalten, die sie von Irene für die Reise bekommen hatten, und ob ihr Geld bis Salerno reichen würde. Doch dann erinnerte sie ihr Gewissen an mehr als die Pferde.

»Ich habe Irene ein Versprechen gegeben«, sagte sie und seufzte. »Bis er in Salerno seinen Eingriff hinter sich hat, ist ihr Bruder mein Patient. Ich bin dafür verantwortlich, dass er dorthin gelangt, ohne dass seine Krankheit sich herumspricht. Das schließt es leider aus, sich vorher abzusetzen.«

Walther hatte von ihr gelernt, wie man verspannte Schultern durchknetete, und auch zu erkennen, wann diese Hilfe benötigt wurde. Er trat hinter sie und begann, mit kreisenden, warmen Fingern ihre Muskeln zu lockern. »Hat der Erhabene dir denn Grund gegeben, dich absetzen zu wollen, oder liegt es nur an Botho?«

»Alexios hat mir zu verstehen gegeben, er würde die jüdische Bevölkerung von Byzanz dafür büßen lassen, wenn der Starstich bei ihm Blindheit statt Klarsicht auslöst.«

Kurz hielt Walther inne, dann spürte sie, wie seine Finger ihre wohltuende Arbeit wieder aufnahmen. »Er sitzt noch nicht auf dem Thron, und wenn er tatsächlich erblindet, dann wird er niemals dorthin gelangen. Du brauchst dir keine Sorgen zu machen.«

Sie lehnte sich noch ein wenig stärker gegen ihn. »Ich mache mir Sorgen, weil er es überhaupt angedroht hat. Wenn Alexios gewillt scheint, dergleichen zu tun, sollte er dann auch nur über ein Dorf herrschen, frage ich dich? Das goldene Byzanz ist immer noch eines der größten Reiche auf Erden.«

»Nun, es ist auch sehr weit weg, und ich kenne keinen einzigen Menschen dort. Zu dem wenigen, was ich über byzantinische Herrscher weiß, gehört, dass die letzten drei durch den Sturz ihres Vorgängers an die Macht gekommen sind, mit denen sie irgendwie verwandt waren. Es lässt mich sehr daran zweifeln, dass der derzeitige Kaiser besser ist als der Bruder der Königin.«

Selbst aber, wenn im Wagen neben dir ein Ungeheuer sitzt, dann bist du trotzdem nur für das verantwortlich, was du selbst tust. Ihn nach Salerno zu bringen und ihm einen guten Arzt für seine Augen zu verschaffen. Dafür! Nicht dafür, was für ein Herrscher er wird, und ob er überhaupt einer wird.«

Es war eine leichtere Art, die Dinge zu betrachten; nicht zum ersten Mal beneidete sie ihn darum. Doch es verstörte sie auch.

»Du hast Jahre damit verbracht, spöttische Lieder gegen den Papst und seine Einmischung in den Thronstreit zu schreiben«, sagte sie, »und du bist sicher der Grund, dass Philipp trotz des Banns keine nennenswerte Zahl an Anhängern verloren hat. Du weißt, dass ich glaube, dass meine Reisen nach Brüssel und Braunschweig nicht umsonst waren. Wenn das so ist, wenn wir diese Dinge für uns beanspruchen dürfen, müssen wir dann nicht auch dafür geradestehen, wenn jemand Macht erlangt, der keine haben sollte, und dem wir irgendwie geholfen haben?«

»Wenn du heute ein Kind von den Masern heilst und in zwanzig Jahren das Kind ein zweiter Botho wird, bist du dann dafür verantwortlich? Wenn du das wirklich glaubst, Judith, dann kannst du gleich aufhören, zu heilen, denn du kannst bei keinem deiner Patienten in die Zukunft blicken.«

Irgendetwas erschien ihr an dieser Argumentation nicht richtig, aber sie war zu erschöpft, um jetzt noch darüber nachzudenken.

»Menschen, die Angst haben, bedrohen oft andere«, murmelte sie. »Er hat Angst davor, zu erblinden. Das hätte jeder. Vielleicht ist es nicht mehr als diese Unsicherheit.«

»Nun, ich würde mir bestimmt keine Nadel ins Auge stechen lassen. Das wäre einer meiner Alpträume.«

»Und wenn es dich davor bewahren würde, blind zu werden?«

Walther drehte sie zu sich herum, legte eine Hand auf ihre Wange und sagte sehr ernst: »Ich würde mir vor Angst in die Hose machen, aber ich würde es tun, wenn du mich darum bätest.«

Sie musste lachen; der Rest des üblen Geschmacks, den die Begegnung mit Botho in ihrem Mund hinterlassen hatte, zerrann.

»Das ist eine der überzeugendsten Liebeserklärungen, die du mir je gemacht hast.«

»Und wie üblich bist du völlig herzlos, statt mir umgehend zu schwören, dass du dir gleich *zwei* Nadeln in die Augen stechen lassen würdest, wenn ich dich darum bäte.«

»Zwei Nadeln wären sinnlos für einen Starstich.«

»Ich glaube, ich werde ein neues Lied über die Herzlosigkeit mir bekannter Frauen verfassen. Mit einer nachträglichen Bitte um Vergebung an Reinmar, weil ich erst jetzt verstehe, wie geliebte Frauen einen Dichter allein durch schiere Vernunft schon leiden lassen können.«

Er küsste die Grübchen auf ihren Wangen. Bei sich dachte Judith, wenn es eine Möglichkeit gäbe, das Glücksgefühl in einen Trank zu bannen, das er in ihr erweckte, die Gewissheit, dass er sie lachen, zürnen, weinen und hoffen lassen konnte, und manchmal sogar absichtlich und in der richtigen Reihenfolge, dann könnte sie die ganze Welt damit heilen.

Es lag ihr auf der Zunge, ihn zu fragen, ob er wusste, worauf Botho mit seinem »das verdankt Ihr mir« angespielt hatte, aber dann entschied sie, dass sie heute nicht mehr von Botho und seinen Widerwärtigkeiten reden wollte. Genug war genug. Was konnte es auch bedeuten, außer einer weiteren Prahlerei? Mit Sicherheit lohnte es sich nicht, auch nur einen weiteren Gedanken darauf zu verschwenden.

»Das Gute daran, eine Ärztin zu lieben«, gab sie zurück und ließ ihre Fingerspitzen seinen Nacken hinuntergleiten, »ist, dass wir die Leiden, die wir verursachen, auch alle zu heilen verstehen.«

Er kam nicht umhin, das letzte Wort haben zu wollen, und fügte hinzu: »Meine Wunden schlägst du gewöhnlich mit deinem Mund; benutze ihn deshalb auch, um sie zu lindern. Du kennst da einige ganz köstliche, mich immer wieder überraschende Methoden!«

Kapitel 33

Es war Hugo, der Walther den Pelzmantel überreichte, den schönen, warmen Biberpelzmantel, der einem Prälaten wohl angestanden hätte und mehr als willkommen war. Walther nahm sich vor, ein besonders warmherziges Preislied auf Wolfger zu schreiben. Trotzdem, das Gefühl nagte an ihm, dass der Bischof mehr als nur ein Preislied erwartete, sonst hätte er sich nicht die Mühe gemacht, Walther über die Alpen mitzunehmen. Aber auch, als die Sprache um sie herum aufhörte, Deutsch zu sein, und zu der Volgare der italischen Landstriche wurde, plauderte Wolfger unverändert über alles Mögliche, nur nicht über seine Gründe. Als Walther Hugo auszuhorchen versuchte, sonst immer eine sichere Quelle, stieß er auf Granit. Anscheinend lernte selbst Hugo dazu. Dafür erwähnte er jedoch etwas anderes, und das war auch beunruhigend.

»Wolfgers Patriarchat ist noch nicht bestätigt«, erzählte Walther Judith. »Genauso wenig wie Konrads Bischofssitz in Würzburg es damals war, ehe er nach Rom zog, um sich dem Papst zu unterwerfen.«

»Ich dachte, christliche Bischöfe sind alle dem Papst unterworfen.«

»Das sollten sie wohl, und das hätte Innozenz auch gerne. Aber wenn sie es wären, dann hätte Philipp bei uns längst keine kirchlichen Fürsten mehr. Ich bin nicht sicher, wer von ihnen lieber Bischof, wer Fürst sein will, wenn sie entscheiden müssten.« Walther grinste. »Ich hätte dann ein paar Zuhörer weniger. Und keinen neuen Pelzmantel.«

»An deiner Stelle würde ich nicht darüber lachen«, sagte Judith ernst. »Was ist, wenn der Preis der Bestätigung von Wolfgers Patriarchat ist, dass er dich dem Papst übergibt? Was ist, wenn er dich deswegen mitgenommen hat?«

Es war ein eigenartiges Gefühl, das Walther erfasste, gleichzeitig heiß und kalt. Die Vorstellung, er könnte mit seinen Liedern genug Staub aufgewirbelt haben, um den Papst zum Blinzeln zu bringen, dazu, sich von ihm verwundet zu fühlen, von Walther von der Vogelweide, war besser als der süßeste Wein. Judith musste inzwischen seine Gedanken lesen können, denn sie gab ihm einen Schlag auf den Kopf.

»Das ist kein Ruhmesblatt in deiner Lorbeerkrone, von dem wir hier reden, du Ausbund an Eitelkeit, sondern ein päpstlicher Kerker! Oder noch Schlimmeres! Sei nicht so unerträglich eitel und überlege dir lieber, wie schnell wir uns vom Tross entfernen können, wenn es einmal sein muss!«

»Es ist keine Eitelkeit, wenn sie sich auf logische Überlegungen gründet«, gab Walther zurück, doch er wusste, was sie meinte, und das sorgte für die Kälte, die seine Wirbelsäule emporkroch und sich mit der heißen Befriedigung mischte. Er versuchte, gedanklich einen Schritt zurückzutreten, das Ganze vernünftig zu überlegen. »Wolfger war bisher nie doppelzüngig, zumindest für einen Bischof. Er hat mir keine Versprechungen gemacht, die er nicht gehalten hat, und obwohl er wissen muss, dass ich seinerzeit auch Herzog Friedrich einiges über ihn berichtete, nicht nur ihm über Friedrich, hat er sich nie verärgert deswegen gezeigt.«

»Das mag ja alles sein, aber bist du ihm auch sein Patriarchat wert?«

Es lag Walther auf der Zunge, eine Bemerkung darüber zu machen, dass Judith dieser Tage zu leicht gesonnen war, jeden für einen Menschenverkäufer zu halten, und dass Wolfger nicht ihr Onkel oder ihr Vetter war, doch er wusste nur zu gut, dass er ihr mit einer solchen Bemerkung weh getan hätte. »Nein. Doch so gut meine Lieder auch sind«, sagte er stattdessen, »in meiner übergroßen Bescheidenheit bezweifle ich trotzdem, dass sie dem Papst zu Ohren gekommen sind. Er spricht, wie ich hörte, kein Deutsch. Außerdem hat ihm Wolfger etwas viel Besseres anzubieten, um sich bei ihm ins rechte Licht zu setzen: Die Aussicht auf ein Ende des Schismas schlägt alles, fürchte ich, selbst meine unsterblichen Verse.« Judith wirkte nicht überzeugt.

»Du solltest den Bischof geradeheraus fragen.«

»Was? *Euer Gnaden, beabsichtigt Ihr, mich unliebsamen Stören-fried dem Heiligen Vater zum Fraße vorzuwerfen?* Wenn er es nicht beabsichtigt, wird er beleidigt sein, und ich verliere einen Gönner. Wenn er es beabsichtigt, dann wird er es mir ganz gewiss nicht bestätigen.«

»*Euer Gnaden, gibt es nicht noch mehr, was ich für Euch tun kann? Ich hätte gerne einen weiteren Pelzmantel für die Magis-tra, die ebenfalls friert, und mir gehen allmählich die lobenden Worte für Euer Gnaden aus*«, gab Judith zurück. Walther zwick-te sie in die Nase.

»Wenn du frierst, will ich dich wärmen. Gerne mit, lieber aber ohne meinen neuen Mantel, dafür auf dem teuren Stück«, mur-melte er. »Aber nicht, wenn du mir unterstellst, dass mir jemals die Worte ausgehen!«

»Nun, dann lass mich die weichen Haare deines Mantels spüren, überall«, begann sie und fing an, ihn auszukleiden. Bald hatten sie beide Besseres zu tun, als sich über Wolfger und seine Ziele den Kopf zu zerbrechen.

Danach lagen sie zusammengekuschelt auf dem schmalen Lager, das sie in einer Klosterzelle teilten. Miteinander einzuschlafen, miteinander aufzuwachen, die Wärme eines geliebten Gefährten zu spüren, darauf hätte Judith nicht mehr verzichten wollen, seit sie es mit Walther kennengelernt hatte. Auf anderes ihrer Zwei-samkeit auch nicht, wenn sie ganz ehrlich sich selbst gegenüber war. Eins zu sein, zu träumen und irgendwann an ihrem Gesäß, ihrem Oberschenkel, ihrer Hand zu spüren, was er fühlte, schon bevor sich seine Hand zu ihrem Busen oder ihren Schenkeln stahl, sich einlullen zu können auf das, was danach kam, kom-men musste, sich überraschen zu lassen, ihn zu überraschen, das war Teil ihres neuen Lebens geworden, und sie genoss es aus vol-len Zügen.

Doch die Fragen, die sie quälten, verschwanden nicht.

Kurz hinter Mailand überraschte Wolfger Walther damit, dass er ihn zur Seite zog und fragte, ob er willens sei, einen weiteren Teil des großen Liedes über die Nibelungen zu lesen.

»Dann ist der Verfasser hier bei uns?«, fragte Walther, aufgeregt und etwas verärgert von der Vorstellung, in Wolfgers Gefolge könne sich just der Dichter verbergen, den er am meisten kennenlernen wollte, und dieser habe es bisher fertiggebracht, nicht das Wort an ihn zu richten, keinen Funken der Neugier für ihn zu zeigen. Am Ende hielt der Nibelungendichter Walthers Lieder für nicht bedeutend genug, um ihren Verfasser einer Unterhaltung würdig zu befinden? Das war eine bittere Aussicht, schlimmer als alles, was Walther in dieser Hinsicht empfunden hatte, seit er noch ein Junge und Reinmar für ihn der Quell aller poetischen Weisheit gewesen war.

»Gewissermaßen. Aber wollt Ihr nun …«

»Liebend gerne«, gab Walther zurück. Er mochte sich insgeheim Sorgen darum machen, nicht so gut zu sein, wie er glaubte, und das von einem berufenen Mund zu hören, aber im Gegensatz zu einem unfreiwilligen Aufenthalt in den päpstlichen Kerkern war das kein Schicksal, vor dem er weglaufen würde.

Wolfger gab ihm einen engbeschriebenen Pergamentbogen. Im Gegensatz zu den sorgsamen Abschriften, die er Walther bisher überlassen hatte und die von seinen Kanzleischreibern gemacht worden sein mussten, war die Schrift diesmal hastig, voller ausgestrichener und überschriebener Worte. Walthers Herz setzte einen Schlag aus. Das musste ein erster Entwurf sein.

Und das konnte nur bedeuten …

»Bei allen Heiligen und der Jungfernhaut Marias«, sagte er und starrte Wolfger an. »Ihr seid es!«

»Diesen blasphemischen Fluch will ich nicht gehört haben, Herr Walther, und ich bin was?«

»Ihr seid der Dichter. Das ist Euer Werk!«

Wolfger schaute erstmals, seit er ihn kannte, verlegen drein, räusperte sich und verschränkte seine Finger ineinander. »Wie kommt Ihr darauf?«

»Weil sich der Verfasser leisten kann, einen Entwurf auf Pergament zu schreiben statt auf Wachs. Kein fahrender Sänger, auch nicht einer mit einem festen Platz bei Hofe, würde das tun, weil ihm das Pergament zu kostbar wäre.« Er fuhr mit den Fingern über den Bogen voller krakeliger Schriftzüge. »Das erklärt auch, warum sich alle Sänger darüber streiten, wer denn nun dieses neue Epos verfasst, jeder andere Namen nennt und sich alle nur einig sind, dass es jemand aus Eurem Haushalt sein muss. Nur dass ich ihn dort in all den Jahren, die ich zu Euch komme, nie kennengelernt habe.«

»Was würde mich daran hindern, mich als Dichter zu offenbaren?«, fragte Wolfger prüfend. »Es ist nichts Ehrenrühriges dabei, Lieder zu verfassen. Der verstorbene Kaiser Heinrich, Gott sei seiner Seele gnädig, denn sonst wird es keiner je sein, hat es getan. Gar mancher Mönch tut es.«

»Ihr könntet nicht frei von der Leber weg schreiben, wenn sich jeder geistliche und weltliche Fürst, mit dem Ihr verhandelt, fragen muss, ob er nicht auftaucht in diesem Lied«, gab Walther zurück und wunderte sich, dass er nicht früher darauf gekommen war. Die Könige, die das Nibelungenlied beschrieb, waren wirklich alles andere als edel: Gunther griff zu Lug und Trug; Hagen war ein Mörder; Siegfried ließ sich von der Aussicht auf eine neue Frau bestechen, eine andere zu betrügen; Brünhild und Kriemhild brachten mit ihrer Rachsucht Verderben über so viele.

»Wenn Ihr recht hättet«, sagte Wolfger ausdruckslos, »könnte ich das unmöglich bestätigen. Aber ich würde trotzdem gerne wissen, was Ihr von dem neuesten Teil des Liedes haltet, zumal Eure Bemerkungen über das Manuskript schon immer sehr hilfreich für den Dichter waren. Als ein Sänger, der einen anderen beurteilt, nicht mehr, aber auch nicht weniger.«

»Habe ich jemals etwas anderes getan?«

»Nicht, solange Ihr noch dachtet, dass der Verfasser dieses Liedes ein Mann wie Ihr selbst wäre«, sagte Wolfger. »Es sei mir fern, Euch etwas zu unterstellen, Herr Walther, doch derzeit bezahle ich Euer täglich Brot. Da wäre es nur natürlich, wenn Ihr nun die schärferen Worte zurückhieltet.«

Das Gefühl einer neu entdeckten Verwandtschaft war unerwartet – und unerwartet heftig. Walther wusste nur zu gut, wie sehr man sich nach jemanden sehnen konnte, der wirklich in der Lage war, das, was man schrieb, zu beurteilen. Deswegen hatte es ihm so viel bedeutet, Reinmar zu beeindrucken, selbst als sie den österreichischen Hof durch ihre wechselseitigen Sticheleien und ihre Fehde mehr unterhielten als durch neue Lieder. Das Lob der Welt tat gut, gewiss, aber jemand, der sich wahrhaft auf die Kunst der Worte verstand, war gleichzeitig der beste und gefährlichste Zuhörer, den ein Sänger haben konnte. Dass Wolfger ihn ausgewählt hatte, das war ein Ausdruck von Respekt, dem ihm niemand mehr nehmen konnte.

Walther verstand allzu gut, warum Wolfger ein solches Geheimnis um das Lied gemacht hatte: Er war in der Tat zu mächtig, als dass ihm irgendjemand, ganz gleich, ob hoch- oder niedriggestellt, unbefangen die Meinung kundtun konnte. Ob Freund oder Feind des Bischofs von Passau, jeder würde ihn, nicht seine Kunst beurteilen.

»Ich werde Euch in Versen schmeicheln, aber ich werde Euren Versen nicht schmeicheln«, antwortete Walther mit einem Lächeln. »Soll ich das beschwören, oder glaubt Ihr mir auch so, Euer Gnaden?«

»So, wie ich Euch nur je geglaubt habe«, gab Wolfger zurück. An seinem Talent zur doppeldeutigen Formulierung hätte man längst den Dichter erkennen können, entschied Walther und versenkte sich in den neuen Abschnitt der Geschichte, in der unglückliche Eide, Rachsucht und Treue zum falschen Mann drauf und dran waren, für den blutigen Untergang ganzer Volksstämme zu sorgen.

»Aber was er von dir will, hat er dir immer noch nicht klargemacht«, sagte Judith unbeeindruckt, als er ihr davon erzählte und gleichzeitig verdeutlichte, was für ein Geheimnis das bleiben müsse.

»Doch, das hat er. Du verstehst einfach nicht, was es bedeutet, einen Mitdichter als Leser …«

»Ich nehme an, es ist ein ähnliches Gefühl wie das, wenn ein Arzt einen anderen, der sein Handwerk wirklich beherrscht, bei einem schwierigen Eingriff beobachtet. Aber dazu braucht er dich nicht auf dieser Seite der Alpen. Er hätte dich bei Philipp lassen und im Frühjahr Boten schicken können.«

»Das ist nicht dasselbe. Im Übrigen konnte er keineswegs sicher sein, dass seine Boten mich bei Philipp angetroffen hätten. Weißt du, ich kann ihn verstehen. Er wird im Verlauf seiner Geschichte besser und besser, und wenn man so etwas Gutes verfasst, dann will man keinen Augenblick länger auf das Urteil warten, als es unbedingt sein muss.«

»Ich muss mit Euch über die Magistra sprechen«, sagte Wolfger am nächsten Tag, »über die Magistra und den höchst erhabenen Alexios. Zeit scheint mir von höchster Bedeutung zu sein, und daher erachte ich es als sinnvoll, wenn Alexios, statt mit mir nach Rom zu kommen, mit der Magistra geradewegs nach Salerno reist, um dort den nötigen Eingriff vornehmen zu lassen. Wenn er dem Papst vorgestellt wird, könnte das sehr viel länger als nur die zwei Stunden einer Audienz dauern, vor allem dann, wenn Seine Heiligkeit an der Aufrichtigkeit seines Versprechens bezüglich des Schismas zweifelt. Inzwischen dürfte überall im Reich bekannt sein, dass Philipp seine Unterstützung für den neuen Kreuzzug erklärt hat, und daher sollten Eingriff wie Heilung eher früher als später geschehen, damit Alexios mit den Rittern der Staufer weiter nach Byzanz reisen kann, wenn sie hier eintreffen.«

Das klang vernünftig, doch Walther fragte sich, warum Wolfger mit ihm darüber sprach, nicht mit Alexios oder Judith, und brachte das so höflich wie möglich zum Ausdruck.

»Weil ich Euch darum bitten möchte, mit mir nach Rom zu reisen, statt mit der Magistra nach Salerno. Ihr könnt ihr später nachfolgen, denn ich gehe doch recht in der Annahme, dass sie eine Weile dort zu verweilen gedenkt?«

Walther nickte, doch Judiths Misstrauen musste ihn trotz aller Begeisterung für das Nibelungenlied angesteckt haben. Wie sollte er Wolfger in Rom nützen? Zum Dichten kam der Bischof und noch nicht bestätigte Patriarch dort gewiss nicht.

»Ich brauche einen Zeugen«, sagte Wolfger, und daraus schloss

Walther, dass es mit seiner Selbstbeherrschung gelegentlich doch haperte, wenn der Bischof ihm die Gedanken von der Stirn ablesen konnte. »Der törichte Neffe des Reichshofmarschalls scheint mit jedem Tag mehr zu vergessen, dass seine Gegenwart auf dieser Reise, statt in einem ungeweihten Grab, ein Beweis außerordentlicher Gnade ist. Ihr habt Botho von Ravensburg an jenem Tag in Würzburg gesehen, Herr Walther?«

»Nicht, wie er zuschlug, doch ich habe das Blut an Hand und Mantel gesehen, als er floh, und woher er gerade kam.«

»Das dürfte genügen, zumal er nicht leugnet. Es sei denn, Ihr wollt Herrn Botho das Blut, das er so bereitwillig vergießt, nicht schwitzen sehen, vereint mit viel Angstschweiß, der ihn dann in eine etwas bußfertigere Stimmung versetzt?«

»Es gibt wenige Menschen, die einen solchen Schweißausbruch mehr verdient haben, Euer Gnaden«, entgegnete Walther und willigte ein, mit Wolfger nach Rom zu gehen.

* * *

Die Aussicht darauf, Salerno ohne Walther wiederzusehen, verursachte Judith gemischte Gefühle. Einerseits hatte sie sich darauf gefreut, ihm die Stadt zu zeigen, die sie immer noch mehr als jede andere als die ihre empfand. Die Stadt, in der sie erwachsen geworden war, in der sie ihren Beruf erlernt hatte. Andererseits wusste sie, dass sie von dem Moment an, in dem sie vor einem Mitglied der jüdischen Gemeinde von Salerno mit Walther an ihrer Seite erschien, eine Ausgestoßene sein würde, ganz gleich, ob sie sich nun als seine Ehefrau ausgab, was die Taufe voraussetzte, oder nur bekannte, mit einem Christen zusammenzuleben. Salerno würde der erste Ort sein, an dem sie alten Freunden gegenüberstehen und in ihren Augen die Verachtung für den Verrat lesen würde, selbst wenn sie ihn so, wie diese denken mussten, nicht begangen hatte.

Nicht bei allen alten Freunden, gewiss. Es gab einige, die selbst Christen waren, wie Salvaggia oder Judiths Lehrerin Francesca. Doch sie würde am Grab ihres Vaters stehen und wissen, dass dies nicht das Leben war, was er für sie ersehnt hatte. Ihr Vater hatte ihr immer viel Freiheit gelassen, aber er hatte sie sich vermählt mit dem Sohn Rabbi Eleasars gewünscht. Die Vorstellung, sie in einem Verhältnis mit einem Christen zu sehen, hätte ihn entsetzt, und die Verbindungen zu Walther und Gilles wären für ihn noch dazu ehrlose Hurerei gewesen. Er könnte vielleicht Verständnis dafür haben, dass sie sich als Christin ausgab, vor allem, da sie nicht die Taufe empfangen hatte und weiterhin die jüdischen Gebete sprach, aber selbst das bezweifelte sie. Alles, was sie heute war, hätte ihm das Herz gebrochen.

All das war ihr nicht neu, aber darum zu wissen, war eine Sache, es am eigenen Leib zu erfahren, eine andere. Noch dazu war Walther sehr gut darin, Menschen gegen sich aufzubringen, wenn er verärgert war und glaubte, sich verteidigen zu müssen. Sie stellte sich ihn in einem Raum mit Meir und Eleasar vor und bezweifelte, dass dabei Gutes herauskommen würde. Wenn sie hingegen zuerst alleine nach Salerno kam, dann würde es zumindest etwas leichter werden. Ihre alten Freunde würden sie zuerst als die Leibärztin einer Königin und Ärztin eines zukünftigen Kaisers wiedersehen. Je nachdem, ob Meir inzwischen glücklich verheiratet war, möglichst mit drei Kindern, oder immer noch ehelos, würde Judith behutsam einfließen lassen, dass auch sie nun gebunden sei. Sie würde Zeit haben, um Verständnis zu bitten, dass sie als unvermählte Jüdin wohl nie das hätte erreichen können, was ihr als scheinbar vermählte Christin möglich gewesen war. Sie würde Zeit haben, diejenigen, die dann noch mit ihr verkehren wollten, auf Walther vorzubereiten. Ja, für Judith war es wohl in jeder Hinsicht besser, zunächst ohne ihn nach Salerno zu kommen.

Wenn sie nur genauso sicher gewesen wäre, dass es auch für Walther besser war, ohne sie nach Rom zu gehen! Er war sonst immer geneigt, von allen Mächtigen das Schlimmste anzunehmen – doch kaum stellte sich einer von ihnen als Verseschmied heraus, warf er alle Vorsicht über Bord.

Andererseits war es sehr wohl möglich, dass sie diejenige war, die sich irrte und Walther um einen sicheren Gönner brächte, wenn sie von ihm verlangte, Wolfger den Rücken zu kehren. Deswegen schluckte sie all ihre Einwände hinunter. Aber sie nahm sich die Freiheit, Hugo zur Seite zu ziehen und ihm zu sagen, der höchst edle Alexios sei besorgt, den Rest der Strecke bis Salerno ohne das Geleit eines so wackeren Mannes wie ihm zurückzulegen. Hugo blühte bei ihren Worten auf wie ein verkümmertes Veilchen, dem endlich die Sonne schien. Seinen Vater nach Rom zu begleiten, war schon lange nicht mehr neu für ihn, und nach allem, was Walther Judith erzählt hatte, musste Hugo inzwischen dämmern, dass Wolfger ihn mehr aus väterlicher Liebe denn aus echtem Vertrauen in seine Fähigkeiten an seiner Seite behielt. Den Schwager König Philipps weiter durch unsichere Gebiete zu geleiten, war genau die Art von Aufgabe, die ihm da recht kam: ehrenvoll und mit einer Verantwortung, die er tragen konnte; mit Wegelagerern und ungebührlichen Gastgebern würde er bestimmt fertig. Aber er brauchte keine Geheimnisse zu hüten oder gar Verhandlungen zu führen, und das war gut so. Alexios wiederum hörte von ihr, es sei der Wunsch des Bischofssohns, demütig in seine Dienste zu treten; der Byzantiner hatte keinen Anlass, einem solchen Wunsch nicht zu entsprechen.

Als sich der Tross teilte, wartete Judith bis zum allerletzten Moment, um sich von Wolfger zu verabschieden. Er stand vor seinem Pferd, als sie ihren Kopf beugte, den Bischofsring küsste und murmelte: »Es wird mir eine Ehre sein, den Sohn Euer Gnaden so sicher an meiner Seite zu wissen wie Herrn Walther an der Euren.«

Wolfger sah sie scharf an, doch er fragte nicht, was sie damit meinte. »Das Leben ist so gefährlich, Magistra, dass man nichts versprechen kann, sondern nur um das Beste beten.«

»In der Tat, Euer Gnaden, doch wir können auch alle danach streben, unser Bestes zu geben. Wenn ich an all die Krankheiten denke, die selbst einen gesunden Mann wie Herrn Hugo plötzlich befallen könnten! Oder an den Schaden, den ein unkundiger Arzt manchmal an falscher Stelle und mit den falschen Mitteln anrichten kann. Deswegen ist es mir auch so wichtig, Euer Gnaden zu versichern, dass ich mich, ganz gleich, was kommen mag, geradeso um das Wohlergehen Herrn Hugos bemühen werde, wie Euer Gnaden das in seiner Güte und Weisheit auch für Herrn Walther in Rom übernehmen wird.«

»Manche Menschen«, sagte Wolfger langsam, »muss man vor sich selbst beschützen.«

»Da sind wir uns einig, Euer Gnaden.«

»Ich glaube, das sind wir, Magistra. Geht hin in Frieden.«

Hugo, so stellte sich heraus, sprach dank seines Vaters etwas Griechisch, was Alexios sehr freute. Da in der oströmischen Kirche Priester und Bischöfe immer noch verheiratet sein durften, während in der weströmischen Kirche vor nunmehr fast zweihundert Jahren die Ehelosigkeit Pflicht für alle Priester geworden war, hinterfragte er niemals Hugos Legitimität. Es lag ihr im Magen, dass die beiden vor ihr miteinander sprechen konnten, ohne dass sie etwas davon verstand, aber Hugo war einfach nicht der Mann, um daraus einen Vorteil ziehen zu wollen. Er war außerdem nicht der Mann, zu hinterfragen, wie es zu Alexios' Wunsch nach seinem Geleitschutz gekommen war, oder gar auf den Gedanken zu kommen, sie könne ihn auf ihre Weise als Geisel genommen haben.

Judith fragte sich, ob Walther das erriet, und wusste nicht, worauf sie hoffte; darauf, dass er es tat, oder darauf, dass es ihm nicht in den Sinn kam. Wichtig war vor allem, dass Wolfger ihr glaubte und sie für fähig hielt, seinem Sohn etwas zuleide zu tun, falls Walther etwas geschah. In Gedanken hörte sie sich schwören, niemals ihr Wissen und ihre Fähigkeiten einzusetzen, um einem Menschen zu schaden, und biss sich auf die Lippen, bis sie schmerzten. *Es spielt keine Rolle*, sagte sie sich, *es spielt überhaupt keine Rolle, weil es niemals dazu kommen wird.*

Aber was, wenn doch? Gilles hatte ihr einmal die Geschichte erzählt, wie der berühmteste aller lebenden Ritter, William Marshal, von seinem Vater als Geisel gestellt wurde, während eines der Kriege, die verschiedene Thronanwärter in England gegeneinander führten. Williams Vater hatte dennoch seinen Eid gebrochen, und als der König, dessen Geisel William war, drohte, den Jungen zu hängen, hatte der Vater erwidert: *Dann hängt ihn, ich habe das Werkzeug, um noch mehr Söhne zu machen!*

»Jener König«, hatte Judith an jenem Sommerabend in Braunschweig gesagt, *»war ein guter Mann, wenn er es nicht über sich brachte, einen kleinen Jungen hängen zu lassen.«*

»Aber er war ein schlechter König«, entgegnete Gilles. *»Niemand nahm ihn mehr ernst danach. Am Ende verlor er seinen Thron.«*

»Hättest du denn an seiner Stelle ein Kind gehängt?«, fragte Judith empört.

»Nein, aber ich hätte auch nicht damit gedroht oder mir ein Kind als Geisel geben lassen. Drohe niemals mit etwas, das du nicht bereit bist zu tun, das lernt man selbst als Knappe.«

Judith wusste nicht, ob sie wirklich fähig wäre zu töten, wenn ihr Leben oder das ihrer Lieben bedroht wurde. Vielleicht, wenn es jemand wäre, den sie verabscheute wie Otto, oder gar selbst als Mörder kannte wie Botho? Aber Hugo hatte weder ihr noch Walther je etwas zuleide getan, und wenn er anderen geschadet hatte, dann wusste sie nichts davon.

Judith betete mit der gleichen Inbrunst darum, dass Wolfger sie für fähig hielt, seinen Sohn zu verletzen, wie darum, dass weder er noch sie je herausfinden mussten, ob sie es tatsächlich konnte. Ein Teil von ihr bezweifelte, dass Gott ihre Stimme hörte, nicht nach allem, was sie bereits getan hatte, und der Art, wie sie weder als Jüdin noch als Christin lebte.

Am Abend begleitete sie Alexios wie immer zu der Kammer, die man ihm in einem Hospital zur Verfügung gestellt hatte. Sie war inzwischen geschickt darin, ihm so den Arm zu reichen und ihn zu führen, dass es aussah, als würde er ihr einen Gefallen tun.

Der Byzantiner hatte inzwischen Vertrauen zu ihr gefasst und wartete statt mit Drohungen, was er täte, wenn der Eingriff in Salerno nicht glückte, mit Versprechungen auf. *»Wir haben eine der besten Bibliotheken der Welt in Byzanz«*, hatte er zu Judith gesagt. *»Und gewiss alle Werke des Maimonides. Wir ha-*

ben sogar ein paar Bücher direkt aus Alexandria. Wenn ich erst fest auf meinem Thron sitze, Magistra, und die Welt erneut mit klarem Blick sehe, dann sei es jenem Arzt, der den Eingriff tut, und Euch gestattet, sich eines der Bücher zu wählen.« Walther neckte Judith damit, dass die Aussicht auf ein medizinisches Buch aus Alexandria, natürlich von jenem Mosche ben Maimon, von dem sie immer so großes Aufheben machte, ihr den gleichen Gesichtsausdruck verschaffte, den sie hatte, wenn sie in seinen Armen lag, was sie entrüstet leugnete. Aber sie musste zugeben, dass es sie der Vorstellung von Alexios auf dem Thron etwas wärmer gegenüberstehen ließ, und gerade jetzt war sie ihm dankbar, als er sie mit einer Frage von ihren Grübeleien ablenkte: »Wisst Ihr eigentlich, dass man Euch für meine Geliebte hält?«

Nicht noch ein Fürst, dachte sie und entgegnete, ein solches Gerücht hätte sich auch zu ihr herumgesprochen. Innerlich verwünschte sie Botho und alle schwatzhaften Männer.

»Nun, für mich ist das eine Erleichterung. Es bedeutet, dass niemand meine Manneskraft bezweifelt. Es würde allerdings helfen, wenn Ihr des Nachts in meiner Kammer bliebt, nun, da Herr Walther nicht mehr bei uns weilt.«

»Euer Gnaden …«

»Es versteht sich von selbst«, sagte er mit einer mehr ängstlichen als herablassenden Miene, »dass nichts geschehen wird. Ich bin der Erbe der Caesaren, Ihr eine bekehrte Jüdin.«

Sie verbiss sich die Bemerkung, die ihr als Erstes dazu auf der Zunge lag, und sagte stattdessen so sanftmütig wie möglich: »Dennoch würde ich nicht gerne den Anschein erwecken, dass ein so hoher Herr wie Ihr mit einer so niederen Person wie mir im Konkubinat lebt.«

»Aber ich schlafe schlecht«, platzte er heraus. »Mit jedem Tag, der den Eingriff näher rücken lässt, immer schlechter. Ich dachte, Ihr könntet mir vielleicht helfen.«

»Ich bereite Euch gerne einen Schlaftrunk, höchst erhabener Alexios.«

Er zögerte, dann sagte er mit gesenkter Stimme: »Ihr braucht

Euch wirklich keine Sorgen zu machen. Ich tue es nicht mit Frauen.«

»Ich verstehe.« Der Gedanke an Gilles versetzte ihr einen Stich.

»Oder mit Männern«, fügte er hastig hinzu. Das ließ sie stutzen. Sie hatte zwar von ein paar Fällen gehört und gelesen, in denen Menschen sich Krankheiten zuzogen, weil sie auf unnatürliche Weise mit Tieren verkehrten, aber sie konnte sich nicht vorstellen, dass Alexios ihr so etwas anvertrauen wollte.

»Mit überhaupt niemandem«, ergänzte er unglücklich. »Die ganze Angelegenheit ist mir zuwider, ganz offen gesprochen. Als ich zum Mann wurde, hat meine Mutter die teuerste Kurtisane von Byzanz dafür bezahlt, mich in die Kunst der Liebe einzuführen, und danach einen Lustknaben, aber mich hat beides nicht gereizt. Fangt erst gar nicht damit an, mir irgendwelche Mittel anzupreisen: Man hat mir jedes luststeigernde Pülverchen in den Wein gemischt, das es gibt. Wenn ich für etwas dankbar war in den Jahren meiner Gefangenschaft, dann dafür, dass endlich Schluss damit war. Niemand hat mehr von mir erwartet, ich müsste mich wie ein junger Hengst aufführen. Eine Zeitlang dachte ich sogar, ich wäre vielleicht zum Mönch berufen. Die sind ehelos, bei uns gerade so wie bei den Weströmern. Aber es reizt mich ganz und gar nicht, mich nicht zu waschen, eine Kutte zu tragen und tagaus, tagein nur Gebete zu rezitieren.« Er kniff seine verschwommen blickenden Augen noch mehr zusammen. »Das bleibt unter uns, versteht sich. Wenn man an meiner Männlichkeit zweifelt, dann wäre das fast noch schlimmer, als wenn sich herumspräche, wie schlecht ich sehe. Keiner will einen Mann auf dem Thron, der keine Kinder zeugen kann!«

»Ich bin Eure Ärztin«, sagte Judith, gleichzeitig von Erleichterung und Mitleid bewegt, und dankte Maria aus Braunschweig erneut in Gedanken, auch mit solchen Dingen umgehen zu können, ohne gleich rot anzulaufen. »Ich werde gerne helfen, Eure Geheimnisse zu wahren.«

»Wenn Ihr mir wirklich helfen wollt, dann könnt Ihr die Nacht doch bei mir verbringen und so laut schreien, dass jeder Wachposten es hört«, sagte Alexios hintergründig. »Ich überlasse Euch auch das Bett und schlafe auf dem Boden. Das macht mir nichts aus. Ich habe Jahre Übung gehabt. Solange Herr Hugo und die anderen Leute in unserem Tross nur glauben, dass ich stark und unermüdlich wie ein Stier bin!«

Sie bemühte sich, das Lächeln zu unterdrücken, das um ihre Mundwinkel zuckte. Ein Gedanke kam ihr. »Wenn Ihr mir im Gegenzug etwas versprecht, Euer Gnaden, dann werde ich dafür sorgen, dass sie Euch nicht nur hier für einen Stier halten, sondern auch glauben, dass Ihr in den Tagen Eurer Erholung nach dem Eingriff in Salerno ständig damit beschäftigt seid, Eure letzten Tage vor der Wiedererlangung Eurer Herrschaft auf jede nur erdenkliche Weise zu feiern. Man wird von Euch als geradezu unersättlich sprechen.«

Die Vorstellung heiterte ihn ausgesprochen auf, aber er hatte ihr auch genau zugehört und fragte sofort: »Was soll ich Euch versprechen?«

»Der Eingriff wird gelingen«, sagte Judith leise. »Ihr werdet ein langes Leben als Herrscher von Byzanz vor Euch haben. Es mag wohl sein, dass Ihr hin und wieder erneut die Dienste von Ärzten benötigt; manche davon sind vielleicht weniger erfolgreich. Ihr sollt mir nur versprechen, dass Ihr niemals andere für einen Mangel an Erfolg büßen lasst. Mehr begehre ich nicht.«

Er wusste genau, worauf sie sich bezog. »Und wenn diese zukünftigen Ärzte dem Propheten Mohammed folgen statt Moses?«, fragte er prüfend.

»Niemanden«, sagte sie beschwörend. »Jeder Arzt wird alles ihm Mögliche versuchen, um Euch zu helfen, Euer Gnaden, schon weil niemand einen erfolglosen Arzt zweimal beschäftigt. Es ist nicht nötig, Drohungen auszusprechen. Im Gegenteil: Ein Arzt, dem Drohungen auf den Schultern lasten, dem rutscht viel leichter das Messer aus, als wenn er ohne Ablenkung tätig ist.«

»Hmm.« Alexios blinzelte. »Ich glaube, ich verstehe, warum meine Schwester Euch durch ihre Zuneigung würdigt, Magistra. Keiner von uns kann in die Zukunft sehen, und ich werde Euch nichts zusagen, was für den Rest meines Lebens gilt, aber ich werde Euch versprechen, niemanden büßen zu lassen, wenn ich erblinde. Nicht mehr, nicht weniger.«

Das erschien ihr vertrauenerweckender, als wenn er ihr versprochen hätte, worum sie gebeten hatte, und zum ersten Mal erwachte in ihr die Hoffnung, dass Alexios auf dem Thron vielleicht doch einen Unterschied zum Besseren machen könnte, statt ein weiterer Tyrann in Byzanz zu sein.

»Dann habt auch Ihr mein Versprechen, Euer Gnaden.«

* * *

Wolfgers gesamtes Gefolge erlebte, wie Botho lauthals dagegen protestierte, als Zeichen seiner Bußwilligkeit ein härenes Hemd und den Pilgermantel aus grobem Stoff zu tragen.

»Der Heilige Vater hat neben seiner Sorge um jedes christliche Leben auch eine freundschaftliche Zuneigung zu Konrad von Würzburg gehabt«, erwiderte Wolfger steinern. »Meint Ihr wirklich, er sei bereit, Euch zu entsühnen, wenn Ihr wie ein schmollender Junge in Euren besten Kleidern vor ihm erscheint?«

»Aber mein Onkel hat …«

»Euer Onkel ist jetzt nicht hier. Ich bin es.«

»Und was wollt Ihr tun, wenn ich mich weigere, Euer Gnaden?«

»Wenn Ihr Euch nicht der Gnade der Kirche überantworten wollt, dann bleibt mir wohl keine Wahl, als Euch der nächsten weltlichen Gerichtsbarkeit zu übergeben. Die edlen Ritter, die uns begleiten, sind bestimmt bereit, aus diesem besonderen Anlass die Stelle des Königs und Richters einzunehmen.«

»Aber … aber hier könnt Ihr mich nicht anklagen. Wo wäre der Kläger? Wo die Beweise?«

Bothos Gebrüll, als der Bischof verkündete, Herr Walther von der Vogelweide wäre bereit, Zeugnis gegen ihn abzulegen, war so laut, dass man es vermutlich auf beiden Seiten der Alpen hören konnte. »An Eurer Stelle, Herr Walther«, sagte Wolfgers Schreiber Odokar später, »würde ich dem Ravensburger von nun an aus dem Weg gehen.«

Dergleichen musste man Walther nicht zweimal sagen. Er hatte zwar Vertrauen darin, dass Botho lieber das härene Hemd tragen und vom Papst entsühnt werden würde, um sein Leben als Neffe des mächtigsten Mannes im Reich und bei Hofe fortzusetzen, als sein Mütchen an einem Sänger zu kühlen und als ungesühnter, gebannter und gesetzesloser Mörder irgendwo außerhalb des Reichs Unterschlupf zu finden. Es bestand jedoch wahrlich kein Grund, ein Risiko einzugehen. Also hielt er sich ständig an Wolfgers Seite auf und gestattete sich nur ein, zwei Mal, zurückzuschauen, dorthin, wo eine zähneknirschende Gestalt auf ihrem Pferd saß. Immerhin musste Botho nicht zu Fuß gehen, aber er schien das härene Hemd, gewebt aus grobem, kratzigem Hanf und juckenden Tierhaaren, nicht gut zu vertragen.

»Hatten Euer Gnaden das härene Hemd schon die ganze Zeit im Gepäck?«

»Ich bin ein Diener Gottes«, sagte der Bischof mit undurchdringlicher Miene, was keine Antwort war, aber so ernst war es Walther mit seiner Frage auch nicht gewesen. Stattdessen sprach er mit Wolfger darüber, wie glaubwürdig es war, dass Gunther, seine Brüder und Hagen der Einladung von Kriemhild folgten und zu den Hunnen reisten, obwohl sie wissen mussten, dass sie ihnen den Tod von Siegfried nicht verziehen hatte.

»Für wie rachsüchtig haltet Ihr eine Frau?«, fragte Wolfger prüfend. »Eine Frau, die den Mann verloren hat, den sie liebt? Wird sie sich nicht von angeborener Menschlichkeit zurückhalten lassen, von zarteren Gefühlen, vor allem, wenn ihre Rache sinnlos ist, da ihr Liebster ohnehin von ihr genommen wurde und nichts, was sie tut, ihn wieder ins Leben zurückbringen kann?«

»Manchmal glaube ich, dass keiner von uns je eine Frau verstehen wird«, entgegnete Walther nur halb im Scherz.

»Nun, mein letzter Versuch liegt lange zurück«, sagte Wolfger. »Im Reich der Vorstellungskraft herrschen zum Glück nicht unbedingt die gleichen Regeln. Doch es kommt mir darauf an, zu wissen, was ein Zuhörer für glaubwürdig befinden würde – ein Mann wie Ihr, Herr Walther, der mit Frauen Umgang pflegt.«

»Euer Gnaden, der Grund, warum ich keine Heldenlieder schreibe, ist nicht zuletzt, dass ich für Frauen nicht länger als für die Dauer eines kurzen Liedes sprechen kann. Ihr dagegen schildert ganze Menschenleben. Aber nun … ich glaube, dass niemand erbitterter kämpft und schmerzhaftere Wunden schlagen kann als eine Frau, die ihr Liebstes verliert, ob Kinder oder Mann, und die nichts mehr zu verlieren hat.«

»Ja«, sagte Wolfger und seufzte, »das fürchte ich auch.«

Je näher sie Rom kamen, desto voller wurden nicht nur die Hospitäler, sondern auch die Klöster, in denen sie abstiegen. Walther teilte in der Regel ein Lager mit dem Schreiber, dem er gelegentlich beim Abschaben der Pergamente half. Außerdem nahm er sich die Freiheit, gelegentlich die Truhe mit Dokumenten zu durchstöbern, wenn Odokar schlief, doch falls Wolfger eine geheime Korrespondenz mit dem Papst führte, in der er ihm die baldige Auslieferung eines aufsässigen deutschen Singvogels versprach, dann gab es dafür keinen Hinweis. Was nicht hieß, dass es nicht ein paar höchst aufschlussreiche Briefe in jener Truhe gab: Offenbar stand Wolfger mit der reichen und mächtigen Familie der Andechs-Meranier in Verbindung, die einen der Ihren als nächsten Bischof von Bamberg sehen wollten. Dabei stand einer solchen Wahl nicht nur im Wege, dass Eckbert von einem wegen seiner Anhängerschaft für Philipp gebannten Bischof zum Diakon geweiht worden war, sondern auch, dass er keine dreißig Jahre zählte und damit das nach Kirchenrecht vorgeschriebene Mindestalter für einen Bischof noch nicht besaß. Dafür war sein Vater der Herzog von Kroatien und Dalmatien, einer seiner Schwäger der König von Ungarn und ein anderer der König von Frankreich. Sie alle, hieß es in dem Brief bedeutsam, würden dem Patriarchen von Aquileja höchst dankbar sein, wenn er sich beim Heiligen Vater für den jungen Eckbert einsetzte. Im Übrigen hatte die Familie schon früher Bamberger Bischöfe gestellt, ein neuer betagter Bischof wie der verstorbene Thiemo sei wahrlich keine gute Idee, und gerade der Heilige Vater sollte doch Sinn für junge Kleriker in hohen Ämtern haben.

Allmächtiger, dachte Walther und wusste nicht, ob er belustigt oder abgestoßen war. Keines von beidem, entschied er; es konnte ihm gleichgültig sein, wer Bischof in Bamberg wurde, vorausgesetzt, dass es den Krieg nicht verlängerte.

Der andere Brief, den Walther genauer ansah, stammte von Leopold von Österreich und war eine Beschwerde, weil er eine Forderung des englischen Königs nach Rückerstattung des Lösegelds für den verstorbenen Richard erhalten hatte. Leopold hielt das für eine Unverschämtheit, nicht nur, weil John bereit gewesen war, dafür zu bezahlen, wenn Richard noch etwas länger in Gefangenschaft blieb, sondern auch, weil die Übernahme der Kreuzzugskosten alle Schuld ihres Vaters getilgt hatte. *Ich weiß wohl, dass die Gefangennahme eines Kreuzfahrers eine Sünde war; schließlich ist das meinem armen Vater oft genug vorgehalten worden,* schrieb Leopold. *Aber ist nicht das, was John tut, schlimmer als der schlimmste Wucher und damit eine größere Sünde?* Der Brief schloss mit der Hoffnung, der Papst möge unmissverständliche Worte finden, John zurechtweisen und Leopold bestätigen, dass alle Schulden des Hauses Österreich für die Gefangennahme von König Richard ein für alle Mal getilgt seien. *Darauf,* dachte Walther, *wird Leopold lange warten müssen, es sei denn, der Papst hätte irgendeinen Vorteil davon.* Doch dabei erwachte etwas anderes in ihm, etwas, das sich zunächst nicht zu einem ausformulierten Gedanken gestalten wollte. Etwas, was mit der alten Geschichte von Richard und der Exkommunikation des Herzogs von Österreich zu tun hatte, aber auch etwas mit dem Hier und Jetzt, dem alten Kreuzzug, dem neuen Kreuzzug … Er kam sich vor wie eine Katze, die der Maus nachjagte und immer nur deren Schwanzspitze erwischte.

Mitternacht musste schon vorbei sein, als Walther in die Höhe schoss und den Gedanken, mit dem er sich ständig herumwälzte, endlich zu seinem richtigen Ende brachte: Was der alte Herzog von Österreich getan hatte, war eine bannwürdige Sünde gewesen, weil ein Christ nicht das Recht hatte, gegen einen Kreuzfahrer auf dem Weg hin oder von den Heiligen Stätten das Schwert zu erheben. Das war ein ehernes Gesetz der Christenheit, das jedoch mehr als eine Richtung kannte, in die es sich auswirkte. Ein Kreuzfahrer durfte nur zur Befreiung des Heiligen Landes in den Kampf ziehen. Auf gar keinen Fall sollte er das Schwert gegen seine Mitchristen erheben, es sei denn, diese griffen ihn zuerst an. Er war als Pilger absolut nicht frei, sich in irgendwelche Fehden verwickeln zu lassen. Wenn also das Heer, das Byzanz angreifen sollte, ein Kreuzfahrerheer war, dann verstieß es gegen dieses Gesetz. Die Bewohner von Byzanz, einschließlich des jetzigen Kaisers, mochten Schismatiker sein, doch sie waren keine Heiden, sondern Christen, und das war auch der Grund, warum Byzanz – traditionell die erste Anlaufstelle auf dem Weg ins Heilige Land – die Kreuzfahrer immer versorgt und neu ausgestattet hatte.

Gewiss, es gab die Rechtfertigung, dass der jetzige Kaiser nicht rechtmäßig regierte, aber trotzdem blieb der Versuch eines Kreuzfahrerheeres, Alexios auf den Thron zu setzen, eine rein weltliche Angelegenheit und damit etwas, was dem alten Herzog von Österreich den Bann eingebracht hatte. Nun, Philipp war bereits gebannt, aber die übrigen Kreuzfahrer nicht, wenigstens nicht jene, die nicht seine Anhänger waren. Der Papst mochte noch so sehr wünschen, das Schisma zu beenden, er konnte den Krieg von Kreuzfahrern gegen ein christliches Königreich nicht gutheißen, ohne gleichzeitig die bestehenden Regeln für die Kreuzzüge außer Kraft zu setzen.

Wenn Walther das verstand, dann musste es Wolfger, dessen Leben seit Jahren darin bestand, zwischen Papst und Königen zu vermitteln, der das Kirchenrecht in- und auswendig kannte, schon längst klar sein. Was hatte dann Wolfger also wirklich in Rom vor? Ging es am Ende doch um ihn?

Wenn Judith hier wäre, dann würde sie ihm raten, so schnell wie möglich das Weite zu suchen. *Warum eigentlich nicht,* dachte Walther: Er hatte Zeugnis bezüglich Bothos abgelegt, über Wochen mit Wolfger die Geschichte der Nibelungen disputiert. Soweit er wusste, gab es nichts, wofür der Bischof ihn noch benötigte. Wenn er jetzt ging – und Wolfger nichts Schlechtes für ihn plante –, konnte er später vorgeben, sich Sorgen um Judith gemacht zu haben. Im schlimmsten Fall würde ihn Wolfger für einen undankbaren Menschen halten und nicht mehr willkommen heißen. Das würde keine weiteren Pelze und vertraulichen Gespräche über große Heldenlieder bedeuten, was beides schmerzhaft war, aber besser als das, was mit Walther geschehen konnte, wenn Judith mit ihren Befürchtungen recht behielt.

Einen verrückten Augenblick lang zog er in Erwägung, zu Wolfger zu gehen und offen zu gestehen, was ihm durch den Kopf ging, samt der Frage, wie zum Teufel die Eroberung von Byzanz kirchenrechtlich gerechtfertigt werden mochte und ob das Ganze nicht eine Falle für Philipp war. Aber dazu hätte er Wolfger völlig vertrauen müssen, mit jeder Faser seines Herzens. Und genau das brachte er nicht fertig.

Sehr leise begann Walther, seine Satteltaschen zu packen. Das Manuskript legte er auf den Tisch, weil er es nicht über sich brachte, es dem zugigen Gang anzuvertrauen. Judith hatte seinen neuen Pelzmantel und seine Laute bei sich, weil er davon ausgegangen war, dass er beides in Rom nicht brauchen würde oder dort ein Ersatzinstrument finden konnte. Alles andere ließ sich gut und schnell verstauen.

Es war noch nicht Morgengrauen, als er zu den Ställen schlich. Dann kam ihm in den Sinn, dass Wolfger eine kurze Erklärung verdient hatte. Er nahm eine seiner Wachstafeln, schrieb eine kurze Nachricht darauf und machte sich auf den Weg zur Zelle des Abtes, wo Wolfger untergebracht war. Nachdem er die Tafel leise vor die Tür gelegt hatte, wollte er sich erneut in Richtung der Ställe aufmachen, doch er kam nicht weit. Ob Botho auf dem Weg zu Wolfger war, um eine Erleichterung der Buße zu erbitten, oder aus einem anderen Grund, er kam mit einem seiner Männer geradewegs auf Walther zu und spottete: »Wenn das nicht der Hahn ist, der endlich gerupft werden will, damit er nie wieder kräht, dann will ich zukünftig Jesus heißen!«

KAPITEL 34

Das Salz in der Luft zu schmecken erinnerte Judith jeden Morgen daran, dass sie sich wieder in Salerno befand, wenn auch nicht in dem Haus, das sie mit ihrem Vater bewohnt hatte, sondern in der Feste – und seit einem Tag in unliebsamer Gesellschaft. Diepold von Schweinspeunt gehörte zu den wenigen deutschen Adligen, die sich in Italien hatten halten können. »Es half, meinen Bruder und die Töchter an welsche Adlige zu verheiraten«, sagte er frohgemut und erzählte Alexios lang und breit, wie er und sein Freund Markward von Annweiler im Auftrag des Papstes für den jungen Friedrich im Königreich Sizilien regierten. Seine Grafschaft Acerra lag nicht weit von Salerno entfernt, und da man ihm von Alexios' Besuch erzählt hatte, fühlte er sich verpflichtet, seine Aufwartung zu machen, statt dies den Stadträten von Salerno zu überlassen. »Wenn Ihr uns rechtzeitig Bescheid gegeben hättet, dann hätten wir sogar den Bengel aus Palermo herbeischaffen können«, schloss Schweinspeunt, »auch wenn man nie weiß, wo genau er gerade steckt.«

»Ich nehme an, Ihr sprecht von dem höchst erhabenen König von Sizilien, dem Neffen meiner teuren Schwester und meines Schwagers, König Philipp«, entgegnete Alexios eisig.

»Das mag er sein«, sagte Diepold gemütlich und schien nicht im Geringsten eingeschüchtert zu sein; er zwinkerte Alexios sogar zu. »Obwohl ich es immer noch nicht für ausgeschlossen halte, dass Konstanze unserm Kaiser das Balg des Metzgers von Jesi untergeschoben hat, so wie sie einander gehasst haben. Aber wie dem auch sein mag, der Junge ist das Siegel, mit dem wir unsere Herrschaft über Sizilien rechtfertigen, und das macht ihn nützlich. Ganz wie Ihr, Euer Gnaden. Stimmt es, dass Ihr uns endlich den fetten Braten verschaffen werdet, den die Griechen einst vom Römischen Reich geraubt haben?«

Wenn Judith sich recht erinnerte, war er ähnlich respektlos mit Irene umgegangen. Doch die war ein Mädchen gewesen, das kurz vorher miterlebt hatte, wie Kaiser Heinrich mit dem letzten normannischen König und dessen Adligen umging, und daher wusste, dass ihr damaliger Rang sie nicht vor den Deutschen schützen würde. Alexios dagegen mochte von seinem Onkel eingekerkert worden sein, aber er war nun auch der Bruder der deutschen Königin – und ein kleiner zum Grafen erhobener Ministerialer stand tief unter ihm.

»Ich weiß nicht, wie Ihr erfahren habt, dass ich hierherkomme«, gab Alexios zurück, »aber ich habe Euch nicht eingeladen. Ich bin nicht bereit, Euch weiter durch meine Gegenwart zu ehren oder zukünftig zu empfangen. Geht!«

Schweinspeunts Augen verengten sich. »Ihr wisst nicht, was Ihr da sagt, edler Alexios. Ihr werdet jeden Mann brauchen, den Ihr bekommen könnt, und wenn ich Mann sage, dann meine ich nicht Philipps blutleere Schwätzer, sondern uns, die wir uns nicht von den Welschen haben vertreiben lassen. Wisst Ihr überhaupt, dass ein Teil des Kreuzfahrerheeres in Ungarn festsitzt? Habt Ihr eine Ahnung, was der Doge von Venedig dafür fordert, dass er Schiffe für die Überfahrt nach Byzanz zur Verfügung stellt, oder wie man den Hund herunterhandeln kann? Nein. Dazu werdet Ihr Männer wie mich brauchen, also gewöhnt Euch beizeiten daran, dass hier manchmal ein rauher Ton herrscht. Ich habe fürs Leben genügend Herrschern die Stiefel geleckt – nun bin ich an der Reihe.«

In Gedanken stellte Judith eine schnelle Rechnung auf: Alexios wurde von Hugo und etwa zwanzig Bewaffneten begleitet, nicht mehr, weil sie so schneller vorankamen und weil Wolfger selbst eine Eskorte brauchte. Dazu kamen noch ein paar Knappen und Knechte, doch es waren weit weniger als die Truppe, die Diepold von Schweinspeunt in seiner Grafschaft befehligte und die hier keine Fremden waren.

Sie dachte daran, wie verwüstet sie Salerno einst vorgefunden hatte – und daran, dass Diepold von Schweinspeunt keinen Grund hatte, mit all seinen Männern hier aufzutauchen.

Alexios holte tief Luft, und sie legte ihm hastig eine Hand auf den Arm. »Herr Diepold, Eure Ratschläge sind so willkommen wie Ihr selbst. Zweifellos hat die gesamte Bevölkerung von Salerno bei Eurem Eintreffen auf der Straße gestanden, um Euch zuzujubeln, nicht wahr?«

»Was …«

»Man kennt und schätzt Herrn Diepold von Schweinspeunt in Salerno, ganz wie er es verdient hat«, sagte Judith zu Alexios. »Wenn Ihr, als der Erbe der Caesaren, der Bevölkerung von Salerno empfehlen würdet, sich zu rüsten, um Herrn Diepold die gebührende Ehre zu erweisen, dann würde kein Mann, kein Junge und kein Greis zögern.«

Schweinspeunt hieb mit der Faust auf den Tisch, der zwischen ihnen stand. »Wollt Ihr wohl das Maul halten, wenn Ihr nicht gefragt seid, Weib?«

Sie spürte, wie Alexios' Arm unter ihren Fingern zitterte, ganz sachte, so dass man es nicht sehen konnte. Doch die Stimme des Kaisersohnes blieb ebenmäßig.

»Ihr dürft Euch entfernen, Herr Diepold.«

Ihre eigenen Finger blieben ruhig, aber sie biss sich beinahe auf die zitternde Zunge, während sich das Schweigen zwischen ihnen ausdehnte. Wie viel war sein verletzter Stolz Diepold von Schweinspeunt wert? Wie hoch schätzte er die Bereitschaft der Bevölkerung von Salerno ein, sich gegen ihn zu wenden? Und was hatte er zu gewinnen, wenn er sich dafür entschied, zu bleiben und Alexios weiter zu demütigen?

»Ihr werdet Euch noch wundern«, schnauzte Schweinspeunt sichtbar verärgert. »Wenn Euch die Venezianer auf der Nase herumtanzen, dann werdet Ihr noch darum betteln, dass ich Euch zur Seite stehe, Euer Gnaden!« Damit erhob er sich und verließ den Palas der alten Normannenfeste. Alexios atmete aus.

»Wenn ich erst Kaiser bin«, sagte er, »dann werde ich mir von Philipp die abgehackte Hand dieses Kerls schicken lassen.«

Wenn Ihr erst Kaiser seid, dann solltet Ihr andere Sorgen haben, dachte Judith, aber sie sprach es nicht aus.

Die Erste, die sie in Salerno besucht hatte, um ihr von Alexios' Nöten zu berichten, war Francesca, doch die, so stellte sich heraus, war nicht mehr als Ärztin tätig, obwohl sie noch ein paar

Vorlesungen hielt. »Es sind meine Hände«, sagte sie und streckte sie aus. Das leichte Zittern war unverkennbar. »Es ist das Alter – und doch muss ich dankbar sein, es erreicht zu haben.«

Francesca erzählte, dass Meir noch in Salerno lebte und inzwischen verheiratet war. Dies sei erst im letzten Jahr geschehen; so lange habe er gezögert, in der Hoffnung, dass Judith zurückkehren und die Vereinbarung ihrer Väter erfüllen würde. »Du hättest früher von dir hören lassen sollen«, sagte sie seufzend, »denn er hatte dich wirklich gerne, und es wird ihm nicht leichtfallen, dich als Konkubine eines Fürsten zurückkehren zu sehen.«

»Gibt es derzeit einen anderen Arzt in Salerno, der sich besonders gut auf die Behandlung von Augen versteht?«, fragte Judith, auf die letzte Aussage nicht eingehend.

»Keinen, der nicht an dem gleichen Leiden wie ich krankt«, erwiderte Francesca offen. »Und man braucht eine sichere Hand, um den Starstich durchzuführen.«

Also blieb ihr nichts anderes übrig, als in den sauren Apfel zu beißen und in dem Haus vorzusprechen, in dem Rabbi Eleasar mit seiner Familie lebte. Alexios hätte Meir auf die Feste befehlen können, aber nach all dem, was Judith gehört hatte, schuldete sie Meir und seinem Vater eine Erklärung. Auf dem Weg durch die vertrauten Gassen fand sie kaum noch Narben von der Brandschatzung durch Kaiser Heinrich; Salerno blühte, als hätte es die Zerstörung nie gegeben, und wenn Fremde sie ansprachen, dann waren es Bauern, die ihr Obst verkaufen wollten, oder Fischer, die Muscheln anboten, keine Menschen, die allem fluchten, was deutsch klang.

»Judith, die Tochter Jakobs«, sagte Meirs Bruder, der sie sofort erkannte, obwohl er sie so häufig nicht gesehen haben konnte, und grinste breit. »Wartet, bis ich meine Schwägerin hole!«

Meirs Frau war eine sanftmütige Schönheit, die geradewegs aus der Thora ins Leben zu schreiten schien und kein Anzeichen von Feindseligkeit zeigte. Das hätte Judith beruhigen sollen, aber sie konnte nicht umhin, sich selbst mit der rehäugigen Leah zu vergleichen, als diese Rabbi Eleasar fürsorglich einen Stuhl zurechtrückte. Judith wusste, dass sie immer weit entfernt von der gehorsamen, guten jüdischen Tochter gewesen war, und musste sich eingestehen, dass ihr Vater jemanden wie Leah verdient hätte. Sie war Meir dafür dankbar, dass er sie aus ihren Grübeleien riss, obwohl er mit bitterer Stimme fragte, warum sie in all den Jahren nichts von sich hatte hören lassen.

»Es ist nicht leicht, mitten im Krieg Boten zu finden, die bereit sind, die Alpen zu überqueren, wenn man kein Fürst ist«, sagte Judith, was eine schlechte Ausrede war.

»Für eine einfache Magistra vielleicht, doch nicht für die Konkubine eines Kaisersohns«, sagte Meir mit deutlicher Verachtung im Blick. Nun, das war der Preis, den man bezahlen musste, wenn man in der Nacht lauthals schrie: »Alexios, du bist ein Gott!« Doch es war leichter zu ertragen, als erklären zu müssen: *»Meir, ich wollte dich nicht heiraten, und deswegen war ich himmelfroh, dass mich Diepold von Schweinspeunt zu Irenes Leibärztin machte.«* Ganz zu schweigen von: *»Meir, du wärst nicht der richtige Mann für mich gewesen, aber der christliche Sänger, der in ein paar Wochen hier auftauchen wird, ist schon seit Jahren mein Geliebter.«*

»Herr Alexios«, sagte sie stattdessen gemessen, »ist erst im letzten Jahr seinem Kerker entkommen.« Sie leugnete nicht, seine Geliebte zu sein; das hätte nur zu Diskussionen geführt und es noch schwieriger gemacht, zu sagen, was nun folgen musste. »Reb Meir, es ist leichter, vorwärts- als zurückzublicken, vor allem, da die Christen mich für eine der ihren halten.«

Alle Bewohner des Hauses schauten sie entsetzt an. »Judith«, sagte Rabbi Eleasar und hob beide Hände, die Handrücken nach außen gedreht, »hast du etwa die Taufe empfangen?«

»Nein«, antwortete sie wahrheitsgemäß. »Aber ich habe gelebt, als hätte ich es getan, weil es leichter für mich war, und weil ich sonst kaum die Leibärztin der Königin geblieben wäre.«

Eleasars Frau lief sofort aus dem Raum, er selbst legte die Hände auf seine Augen und drehte Judith den Rücken zu. Leah schaute sie mitleidig an, als Meir mit belegter Stimme erklärte: »Deinem Vater hätte es das Herz gebrochen, Judith.«

Der Teil von ihr, der die letzten Jahre damit verbracht hatte, sich in einer Welt zurechtzufinden, in der ein falsches Wort sie verdammen konnte, und der Teil, der immer schon gut darin gewesen war, ihre Zunge als Waffe einzusetzen, wollte Meir spitz fragen, ob er denn an ihrer Stelle als ungeschätzter Bader durch fremde Lande gereist wäre. Aber er hätte wohl erwidert, dass sie als seine Ehefrau sowohl als Jüdin als auch als Ärztin in Salerno hätte leben können. »Das mag sehr wohl sein«, gab sie also zurück. »Aber mein Vater ist tot.«

»Wenn auch du gestorben wärst, dann hätte ich dein Andenken in meinem Herzen getragen«, sagte Meir. Nichts war besser geeignet, um Judiths Schuldgefühlen ein Ende zu bereiten. Sie fühlte sich, als hätte man ihr kaltes Wasser über den Kopf gegossen. Was tat sie hier eigentlich? Sie hatte nie darum gebeten, Meirs Frau zu werden. Sie hatte ihn nie ermutigt. Er hatte noch nicht einmal um sie geworben! Er war einfach davon ausgegangen, dass es genügte, wenn sein Vater mit ihrem Vater sprach, und wenn er nicht gewesen wäre, dann hätte sie nicht aus der Stadt fliehen müssen, in der sie glücklich und zufrieden gewesen war. Sie schuldete ihm nicht das Geringste.

»Es gibt bessere Dinge, die du in deinem Herzen tragen kannst als das Andenken an eine Frau, die du nie gekannt hast«, gab sie distanziert zurück. »Sorge dich nicht, ich werde nicht weiter dein Haus mit meiner Gegenwart beflecken. Aber ich muss dich bitten, dich mit deinen Instrumenten auf der Feste einzufinden, bei Alexios von Byzanz, und Schweigen zu bewahren über alles, was du dort tun und sehen wirst.«

»Ich kenne meinen Eid«, sagte Meir finster.

»Der gilt, sobald du den Fürsten Alexios untersuchst und als deinen Patienten angenommen hast. Das ist noch nicht geschehen. Vielleicht ist es dir aber lieber, wenn ein anderer, christlicher Arzt das tut.« Auf diese Weise hatte sie es zur Ehrensache für ihn gemacht, zu erscheinen, das wusste sie.

»Noch nie habe ich auf die Religion geachtet, wenn es um Patienten ging«, sagte Meir gekränkt, »und das weißt du.«

Obwohl sie ihm geraten hatte, es nicht zu tun, als es nach zwei Tagen endlich so weit war, trank Alexios sich vorher Mut an, so dass er am Ende, zusammen mit den nötigen Betäubungsmitteln, nur noch lallte, als Meir ihm gegenübersaß. Immerhin hatte das den Vorteil, dass Judith sich zutraute, den Byzantiner festzuhalten, und keinen weiteren Mann einweihen musste. Sie drückte Alexios' Kopf gegen ihre Brust; er murmelte Unverständliches auf Griechisch, während Meir so geschickt wie eh und je seine Nadel führte.

»Er wird seine Augen zwei Wochen schonen müssen«, sagte Meir anschließend und fügte mit deutlicher Boshaftigkeit auf Hebräisch und daher in der Gewissheit, dass Alexios ihn nicht verstehen würde, hinzu: »Aber der Rest seines Körpers kann weiter tätig sein wie immer. Es sei denn, du bedarfst ebenfalls der Schonung. Oder willst du ihn dadurch gefährden, dass seine Augenbinde verrutschen könnte, wenn er sich auf dir abmüht?«

»Offenbar hast du es trotz deiner Ehe noch nicht herausgefunden«, gab Judith süß in der Volgare zurück, so dass die beiden Wachen vor Alexios' Kammer sie verstanden, als sie an ihnen vorbeigingen, »aber es gibt in der Liebe mehr als eine Stellung, die man einnehmen kann.«

»Du bist eine schamlose Dirne geworden«, grummelte er und verschwand.

Als Alexios mit einem Kater aufwachte, verfluchte er alle Ärzte und war der festen Überzeugung, blind geworden zu sein. Judith konnte ihn gerade noch daran hindern, sich die Augenbinde vom Gesicht zu reißen. Noch schwerer war es, ihn davon zu überzeugen, dass das mörderische Hämmern in seinem Kopf nur auf den Wein zurückging, den er vor dem Eingriff getrunken hatte, und ganz und gar unmöglich, ihn davon abzuhalten, nach neuem zu brüllen, um seine Schmerzen zu betäuben. Sie ahnte, dass es so die nächsten Tage weitergehen würde, wenn sie nicht etwas unternahm, also schnappte sie sich Hugo.

»Wenn er sich weiter einen Rausch antrinkt, wird er nie aufhören, Kopfschmerzen zu haben, und er wird sich ganz bestimmt die Binde von den Augen reißen.«

»Aber was soll ich da …«

»Ihr werdet ihm keinen Wein mehr bringen lassen. Stattdessen bekommt er Most und in heißem Wasser aufgelöste Melisse, ganz gleich, was er befiehlt. Außerdem brauche ich jemanden, der ihm die Hände fesselt.«

»Aber – aber er ist der zukünftige …«

»Das wird er nicht, wenn Ihr nicht genau das tut, was ich sage, so dass Ihr bei Ankunft des Heeres einen gesunden und sehenden Thronanwärter vorführen könnt!«

»Aber ich …«

»Herr Hugo, habt Ihr je von mir sagen hören, ich sei eine schlechte Ärztin oder wüsste nicht, was ich täte?«, fragte Judith streng. »Glaubt mir, der erhabene Alexios wird Euch am Ende dankbar sein, und Ihr habt einen Freund im zukünftigen Kaiser von Byzanz. Wenn Ihr dagegen tut, was er will, wird er nicht nur mich und alle Ärzte verfluchen, sondern auch Euch, und Ihr habt einen Feind am Hof der Königin, weil er zeit seines Lebens nirgendwo sonst sein wird als dort.«

Hugo gab nach. In den nächsten zehn Tagen lernte Judith einige neue Flüche in mehreren Sprachen dazu, doch als sie ihm dann zum ersten Mal vorsichtig die Binde entfernte, nur für kurze Zeit, klang Alexios staunend wie ein Kind, als er flüsterte: »Ich sehe viel klarer, selbst Staubkörner in der Luft tanzen!«

»Meint Ihr nicht, das sollte man feiern?«, schlug Judith mit einem kleinen Lächeln vor und fing an, leise zu stöhnen. Seine Mundwinkel zuckten, aber er fiel sofort mit ein: »Wer ist der wahre Herkules des Ostens?«

»Du, mein Kaiser!«, gab sie so inbrünstig wie möglich zurück.

»Und du bist die schönste Perle unter den Weibern!«

Alexios fragte, was eine angemessene Belohnung für Meir sei. Judith nannte eine Summe, die deutlich höher als der übliche Preis für einen Starstich lag. Immerhin handelte es sich bei ihm um einen zukünftigen Kaiser, und die Vorstellung, dass Meir ihr den einträglichsten Patienten verdankte, den er je gehabt hatte, bereitete ihr eine gewisse Genugtuung.

Da es nicht mehr notwendig war, Alexios die ganze Zeit Gesellschaft zu leisten, machte sie einen erneuten Besuch bei Francesca und erzählte ihr, dass sie vorhatte, wenigstens ein Jahr in Salerno zu bleiben.

»Dann wird er dich nicht mit sich nach Byzanz nehmen, dein Kaiserling?«

»Nein. Ich bin Ärztin, Tia Francesca, und auch ein noch so goldenes Byzanz lässt sich nicht mit Salerno vergleichen.«

»Du wärest dort aber ein gehöriges Stück näher an Kairo und dem großen Maimonides«, entgegnete Francesca neckend, doch sie versprach, sich für Judith einzusetzen, damit es ihr erneut gestattet wurde, in Salerno zu leben und zu wirken. In ihr altes Haus konnte sie nicht zurückkehren, dort lebte längst eine andere Familie, aber ihre erste eigene Patientin und Freundin, Salvaggia, bot ihr an, bei ihr und ihrem Gatten zu leben, bis sie etwas eigenes fand. Angesichts der Vergewaltigung durch vier deutsche Kriegsknechte, hielt es Judith für angemessen, sie auf Walther vorzubereiten, den sie zumindest zeitweise unter ihrem Dach beherbergen musste.

»Nun, Judith, ganz überraschend kommt das nicht. Ich habe mir schon gedacht, dass du als Konkubine des Griechen nicht glücklich bist. Wie könntest du, wenn er dich noch nicht einmal als Ärztin zu würdigen weiß?«

Judith fragte sich, ob sie Salvaggia die Wahrheit anvertrauen sollte, doch entschied, dass ein Versprechen ein Versprechen war und sie Alexios bis zu seinem Verschwinden über den Bosporus den Ruf eines unermüdlichen Liebhabers schuldete. Trotzdem verwirrte sie die letzte Behauptung ihrer alten Freundin. »Wie kommst du darauf, dass er mich als Ärztin nicht zu würdigen weiß?«

»Wurde er sonst statt dir Meir als seinen Leibarzt mit nach Byzanz nehmen?«

Ein Blitzschlag aus heiterem Himmel hätte Judith nicht mehr überraschen können. Doch nach ein paar Momenten sah sie die komische Seite der Angelegenheit und begann zu lachen, was Salvaggia deutlich irritierte.

»Nun, ich hoffe, dein Sänger ist verlässlicher«, sagte ihre Freundin, während Judith sich die Lachtränen aus den Augen wischte. »Das ist er.« Allerdings machte es sie durchaus unruhig, nichts von Walther zu hören. An und für sich war das nicht neu; in den vergangenen Jahren hatte es Wochen, manchmal Monate gegeben, in denen sie sich an verschiedenen Orten befanden, und es war wirklich nicht leicht, sichere Boten in die richtige Richtung zu finden. Aber es war eben nicht dasselbe, Walther in Wien und Walther in Rom zu wissen. Sie versuchte, sich damit zu beruhigen, dass Bischof Wolfger seinen Sohn liebte, und hielt an dieser Überzeugung fest, bis Hugo sie am Vorabend von Alexios' Abreise in Richtung Messina aufsuchte und um ein Gespräch bat.

»Magistra«, sagte er und trat von einem Fuß auf den anderen, »ich habe einen sehr merkwürdigen Brief von meinem Vater erhalten.«

Ihr war bewusst, dass Wolfger seinem Sohn hätte ausrichten lassen können, er möge sich von ihr fernhalten oder sie gar auf die eine oder andere Art loswerden, doch sie hatte mit Hugos grundsätzlichem Unvermögen gerechnet, seine Gefühle zu verbergen. Da er ihr gegenüber nie ein verändertes Verhalten gezeigt hatte, war sie davon ausgegangen, dass Wolfger ihre stillschweigende Abmachung akzeptiert hatte, bis zu diesem Moment.

»Wirklich? Ich hoffe, dem ehrwürdigen Bischof fehlt nichts.«

»Nun ja«, sagte Hugo verlegen. »Es fehlt ihm in der Tat etwas. Er … er arbeitet an einem Schrifttum, das keine theologische Abhandlung ist. Er hat es wohl Walther lesen lassen. Und nun schreibt er, dass Walther versäumt habe, es ihm zurückzugeben. Magistra, er scheint sogar zu glauben, dass Walther seit mindestens drei Wochen hier in Salerno an Eurer Seite weilt, und wünscht sich das Manuskript zurück.«

Sie hatte mit allem Möglichen gerechnet, aber nicht damit. Wenn das ein Machtspiel sein sollte, dann verstand sie die Züge nicht. Noch nicht.

»Ich habe Walther das letzte Mal an der Seite Eures Vaters gesehen, das wisst Ihr, und seither nichts von ihm gehört, obwohl ich ihn natürlich hier erwarte, sobald Euer Vater ihn gehen lässt. Ihr seht mich ratlos«, entgegnete sie, während sie fieberhaft überlegte, was um alles in der Welt diese Wendung der Dinge zu bedeuten hatte. Ihre Stimme klang deshalb auch gepresst und hoch, wie die eines Kindes, nicht wie die einer Frau. Hugo schaute noch unbehaglicher drein.

»Mein Vater klingt sehr erzürnt in dem Brief. Es … es ist nicht gut, wenn mein Vater erzürnt ist, Magistra. Ich habe Walther gerne, das wisst Ihr.«

Sie nickte und versuchte, die Sache logisch zu durchdenken. Unglücklicherweise war die einzige Möglichkeit, die ihr sofort in den Sinn kam und nichts mit Wolfger zu tun hatte, alles andere als beruhigend: Walther hatte ihr erzählt, was mit den Pilgern geschehen war, mit denen er zum ersten Mal über die Alpen nach Rom gereist war.

»Vielleicht ist er auf dem Weg nach Salerno Wegelagerern begegnet«, sagte sie, denn *von Wegelagerern erschlagen worden* wollte sie nicht aussprechen. Das konnte nicht sein. Nein, das durfte nicht sein! Ganz gleich, wie vielen anderen Menschen so etwas geschah, es durfte Walther nicht geschehen. Leider war die andere Erklärung, die ihr Verstand ihr gab, kaum beruhigender: Wolfger hatte sich als genauso betrügerisch erwiesen, wie sie befürchtet hatte, wollte jedoch wie die meisten Väter gut vor seinem Sohn dastehen und überdies dafür sorgen, dass Hugo sicher zu ihm zurückkehrte; daher hatte er den Brief so geschrieben, um Judith davon zu überzeugen, dass er völlig unschuldig an Walthers Schicksal war.

Es gab nur eine Kleinigkeit, die ihr Grund gab zu hoffen, dass keine der beiden Erklärungen zutraf: das Manuskript. Sie erinnerte sich, wie aufgeregt und glücklich Walther gewesen war, als Wolfger ihm jenes Pergament zu lesen gab. Sie hatte gelernt, wie wichtig und kostbar die Reinschrift eines Liedes dem Verfasser war; was die Erstschrift eines langen Epos – oder zumindest eines Teiles daraus – dem Verfasser bedeuten musste, das konnte sie sich vorstellen. Walther hätte sich nie mit Wolfgers Manuskript davongemacht. Mit einer Abschrift gewiss, doch nicht mit dem ihm anvertrauten Original. Umgekehrt gab es für Wolfger, wenn er Walther auf dem Gewissen hatte, keinen Grund, die Geschichte mit dem Manuskript einzubauen. Es wäre viel einfacher gewesen, Hugo unmissverständlich zu schreiben, er möge umgehend Salerno verlassen, ohne noch einmal mit der Magistra Judith zu sprechen.

Walther musste demnach noch in Rom sein.

Es war ein schwacher Strohhalm, auf den sie ihre Hoffnung baute, doch sie konnte nicht anders, sie ergriff ihn.

»Von Wegelagerern? Glaubt Ihr wirklich?«

»Nein«, sagte Judith, räusperte sich und gewann die Festigkeit ihrer Stimme zurück, »nein. Ich glaube gar nichts, nur, dass wir nicht wissen, was geschehen ist, Herr Hugo, und wir umgehend nach Rom aufbrechen sollten, um es herauszufinden.«

Es war leichter gesagt als getan, vor allem, weil Hugo mit dem Gedanken liebäugelte, Alexios bis Messina zu begleiten, doch er war empfänglich für Appelle an seine Ritterlichkeit, Tapferkeit und freundschaftliche Treue, und das wusste sie. Außerdem scheute sie nicht davor zurück, ihm einzureden, der seltsame Brief seines Vaters könne ein versteckter Hilferuf gewesen sein.

»Am Ende«, sagte Judith, »hegt der Papst Groll gegen Euren Vater, seines steten Einsatzes für König Philipp wegen, und Euer Vater scheut in seinem Stolz davor zurück, dergleichen offen zu bekennen. Stattdessen schreibt er etwas, das Euch, der ihn so gut kennt, stutzig machen muss und unbedingt bestrebt, sofort nach Rom zu eilen.«

»Das … hmm … das ist möglich, aber …«

»Hätte die Botschaft einen Hilferuf enthalten und wäre abgefangen worden, dann wüssten Feinde Eures Vaters in der Kurie, dass Ihr, Herr Hugo, auf dem Weg zu ihm seid. Am Ende wäre Euer eigenes Leben in Gefahr, ehe Ihr ihm helfen könnt. So dagegen ahnt niemand etwas. Ja, ich bin mir sicher, er rechnete mit Eurer Klugheit, Eurer Umsicht und Eurem Mut.«

»Aber wenn es wirklich so gefährlich aussieht, wäre es da nicht besser, Ihr würdet in Salerno bleiben?«

»Wenn Euer Vater nicht auch auf meine Gegenwart hoffte, dann hätte er mich in seinem Brief nicht erwähnt. Vielleicht braucht er eine Ärztin, der er vertrauen kann? Herr Hugo, leider muss ich gestehen, dass es Medici gibt, die ihren Patienten Mittel einflößen, die schaden, statt zu heilen, und so ihre Eide aufs schändlichste verletzen.«

Hugos Miene wurde immer entsetzter. Sie horchte in sich hinein und stellte fest, dass sich bei ihr keine Gewissensbisse meldeten. Sie hatte Angst um Walter – nichts war wichtiger.

»Bei allen Heiligen, Ihr habt recht. Wir müssen sofort nach Rom aufbrechen!«

Da Francesca sowohl klüger als auch erfahrener als Hugo war, versuchte Judith erst gar nicht, ihr etwas vorzumachen, als sie um bestimmte Pflanzen bat. »Buchsbaum, Eisenhut, Christrose, Eibe«, wiederholte ihre Lehrmeisterin langsam. »Judith, es ist dir doch klar, dass du für alle Zeit verdammt bist, sowohl im Leben als auch im Jenseits, wenn du jemandem eine zu große Dosis davon verabreichst.«

»Ja«, entgegnete Judith. »Das ist es.«

Francesca blickte sie forschend an. »Was ist mit meinem eigenen Eid?«

Judith wandte ihren Blick nicht ab. »Wenn du mich für fähig hältst, einen Menschen zu vergiften, dann solltest du mir diese Pflanzen nicht geben.«

»Manche Patienten müssen durch Angst zu ihrem Heil gezwungen werden«, sagte Francesca nach einer Weile. »Ich habe keinen Eisenhut, aber Fingerhut zur Verfügung.«

Mit Hugo, aber ohne weitere Begleiter zu reisen, hatte einen für Judith unerwarteten Nachteil: Er bestand darauf, die Gelegenheit zu nutzen, um ihr ins Gewissen zu reden.

»Als Frau seid Ihr natürlich von Natur aus schwach und den Anfechtungen der Sinne ausgesetzt. Außerdem, Gott sei's geklagt, muss man wohl eine Heilige sein, um einen Prinzen zurückzuweisen. Doch wenn wir Walther lebend wiedersehen, dann muss dieses Lotterleben ein Ende haben. Ich weiß, dass er Euch ehelichen und zu einer ehrbaren Frau machen will. Werdet Ihr Euch dessen zukünftig würdig zeigen?«

Als Ablenkung vom Schmieden aller möglichen Pläne, je nachdem, was sie in Rom vorfinden würde, waren derartige Reden alles andere als willkommen, doch sie konnte es sich nicht leisten, Hugo jetzt zu verprellen.

»Herr Hugo, leider bin ich bereits verheiratet. Solange ich nicht weiß, ob mein Gemahl noch lebt, kann ich noch nicht einmal Euren edlen Vater bitten, meine Ehe zu annullieren oder mich zur Witwe zu erklären. Doch ich will mich nach Kräften bemühen, Gilles zu finden, damit meine Verbindung zu Walther den Segen der Kirche erhalten kann.«

»Eigentlich hättet Ihr als verheiratete Frau Euer Herz keinem anderen schenken dürfen, weder Walther noch dem edlen Alexios«, sagte Hugo streng. »Ihr schuldet es nicht nur Walther, sondern der Ehre des weiblichen Geschlechtes, ein besseres Leben zu führen, Frau Jutta!«

»Gott helfe mir«, murmelte sie.

»Das wird er, Magistra, das wird er. Wenn Ihr nur fleißig betet und von nun an keusch bleibt.«

Andererseits erwies sich Hugo als durchaus fähig, überlegt zu handeln: Er erkundigte sich in allen Hospitälern und Wirtshäusern auf der Strecke von Salerno nach Rom danach, ob in den letzten Wochen ein einzelner Reisender aufgetaucht oder gar überfallen und erschlagen aufgefunden worden sei. Niemand hatte Gerüchte über so einen Vorfall gehört, noch erkannte jemand Walther nach seiner Beschreibung.

Je näher sie Rom kamen, desto mehr zwang sich Judith, innerlich zu Stein zu werden. Wenn das Schlimmste zutraf, konnte sie sich immer noch der Trauer ergeben – aber bis dahin würde sie davon ausgehen, dass es noch einen Walther gab, den sie retten konnte. Doch das würde sie nur mit ihrem Verstand und ihrer Tatkraft schaffen, nicht mit einem Tränenstrom. Trotzdem konnte sie häufig nicht ganz die Beklemmung abschütteln, die sich wie

Mehltau auf sie legte. Rom war die Stadt der Päpste, die Stadt, von der aus zu den Kreuzzügen aufgerufen wurde. Und jedes Mal, wenn Christen und Moslems um das alte Land Israel kämpften, starben Juden, die das Unglück hatten, die Aufmerksamkeit von blutdurstigen Kreuzfahrern auf sich zu ziehen.

Soweit es Hugo betraf, war sie eine bekehrte Christin. Sein Vater mochte sie verdächtigen, in ihrem Herzen weiter Jüdin zu sein, doch er konnte ihr nichts beweisen und hatte im Moment bestimmt andere Sorgen, ganz gleich, ob er nun seine Hände bei Walthers Verschwinden im Spiel hatte oder nicht. Das sagte sie sich, bis sie vor dem Benediktinerkloster stand, in dem der Bischof von Passau und Patriarch von Aquileja untergebracht war. Dann erinnerte sie sich an das, was Wolfger zu Alexios, der ungleich höher geboren war als Judith und viel nützlicher für ihn, über die Aufrichtigkeit von Bekehrungen gesagt hatte, und zwang sich, ein Kreuz zu schlagen. Wenn Gott sie bereits als Abtrünnige verdammt hatte, hatte sie ohnehin nichts mehr zu verlieren; wenn er in ihr Herz sah und Rabbi ben Maimon recht hatte, würde er ihr verzeihen.

»Ihr habt zu viel Zeit mit der Königin und ihrem Bruder verbracht. Bei uns macht man das Kreuzzeichen in die andere Richtung«, sagte Hugo und trat zur Klosterpforte, um sich als Sohn des Patriarchen zu erkennen zu geben und um Einlass zu erbitten. Obwohl Wolfger gewiss nicht zum ersten Mal in diesem Kloster abgestiegen war, hatte Hugo das Pech, an einen Mönch zu geraten, dem die Familienumstände des Patriarchen nicht vertraut waren. »Sein Sohn?«, fragte er einigermaßen empört.

Wie sich herausstellte, besuchte Wolfger gerade den Papst, doch man beschied Hugo, er und die *Magistra*, deren Titel mit der gleichen Anzüglichkeit wie der *Sohn* ausgesprochen wurde, könnten in der Zelle des Abtes auf ihn warten. Der Mönch, der sie dorthin geleitete, legte nur den Finger auf die Lippen, als Hugo Anstalten machte, ihn nach Walther zu fragen.

»Bei uns«, sagte der Abt, der sie erwartete, »nimmt man seine Gelübde und Vorschriften noch ernst. Einschließlich des

Rats des heiligen Benedikt, nicht den lieben langen Tag eitel zu schwätzen.«

»Dann müsst Ihr sehr erleichtert gewesen sein, als Herr Walther von der Vogelweide abgereist ist«, sagte Judith bemüht heiter. Wenn sie erkennen ließ, wie wichtig ihr diese Frage war, dann mochte der Abt imstande sein, ihr eine Antwort aus christlicher Ernsthaftigkeit zu verweigern. »Schließlich redet der Sänger den ganzen Tag lang.«

»Einen Mann dieses Namens«, gab der Abt zurück, »haben wir nie in diesem Kloster beherbergt. Aber ich darf sagen, dass auch sonst keinem Gast gestattet wird, den ganzen Tag zu reden.«

Die Zeit, die sie warteten, bis Wolfger zurückkehrte, wurde sehr, sehr lange. Sie hörte ständig von irgendwo im Kloster einen Hund heulen, ohne dass irgendjemand das Tier fütterte, befreite oder vertrieb, und das Winseln hörte nicht auf. Immerhin erlaubte es der Abt, dass Judith in seinem Exemplar der Psalmen blätterte, nachdem er sich überzeugt hatte, dass ihre Finger sauber waren. Die Bibliothek seines Klosters rühmte sich, auch Schriften des großen Galen zu besitzen, doch kein Werk des Maimonides. Sie fragte nach Aufzeichnungen der Lehren der Prophetin vom Rhein, Hildegard von Bingen, und erfuhr, diese seien zwar vorhanden, doch empfehle der Abt sie nicht: »Ein gelehrtes Weib ist wie ein Hund, der auf zwei Beinen läuft. Er kann es nicht besonders gut, doch man ist erstaunt und bewundert, dass er es überhaupt vermag.« Es verstand sich von selbst, dass ihr der Zutritt zur Bibliothek nicht gestattet war.

»Dass Ihr überhaupt lesen könnt in so einer Lage«, warf Hugo ein. Da es ihr nichts genutzt hätte, ihn anzuschreien, unterließ sie es.

Als Wolfger schließlich auftauchte, starrte er sie an, ehe er seinen Sohn begrüßte. »Bei allen Heiligen«, sagte er. »Ich weiß nicht, ob ich Euch für mutig, unverschämt oder bösartig halten soll, dass Ihr hier auftaucht, Magistra.«

»Für vertrauensvoll«, entgegnete sie. »Ich bringe Euch Euren Sohn und hoffe auf Euren Schützling.«

Sie ließ ihn nicht aus den Augen, während sie das sagte. Ihr Gegenüber war ein Meister der Selbstbeherrschung, doch Judith hatte gelernt, jede Muskelregung im menschlichen Körper zu deuten. Was ihr Wolfger von Passau soeben unabsichtlich verriet, ließ sie gleichzeitig erleichtert aufatmen und auch verzweifeln: Er wusste wirklich nicht, wo Walther sich befand.

»Allmächtiger!« Wolfger verstand sofort, was ihre Frage bedeutete, und beschied dem Abt, zu gehen. »Ich hätte durchaus auch den Verdacht gehegt, dass Herr Walther sich nicht freiwillig von meiner Seite entfernt hat, wenn er mir nicht eine Abschiedsbotschaft hinterlassen hätte. Eine Wachstafel, auf der nur stand, dass es ihn nach Salerno triebe. Natürlich kann sie von jedem Beliebigen beschrieben worden sein, aber wer sollte einen Grund haben, so etwas zu tun?«

»Es mangelt Herrn Walther nicht an Feinden, Vater«, sagte Hugo. »Er hat manchmal eine böse Zunge.«

»*Manchmal*, Hugo? Gott segne dich«, gab Wolfger zurück, dann wurde er wieder ernst und schaute zu Judith.

»Warum«, fragte sie auf Arabisch, von dem sie wusste, dass er es wegen der Verhandlungen mit den Sarazenen während des Kreuzzugs zumindest verstand, »wolltet Ihr Walther an Eurer Seite, wenn nicht, um Eurem Herrn Eure Treue zu beweisen, indem Ihr ihm einen übergebt, der Böses von ihm spricht?«

»Weil niemand es vermag, Worte so zu setzen wie er«, gab Wolfger zurück und bewies, dass er in der Tat flüssig in der Sprache des Propheten Mohammed war. »Seine Lieder sind beliebt. Wenn sie von Frieden und Versöhnung sprächen, wäre dies von großem Vorteil für das Reich und die Menschen. Doch mir war klar, dass er nur glaubwürdig sein würde, wenn er Frieden mit unserem Heiligen Vater im Herzen trägt. Ich hoffte, diese Fahrt würde ihn versöhnen.«

»Es wäre einfacher für Euch, ihm ein für alle Mal den Mund zu stopfen«, sagte Judith immer noch voller Zweifel, aber Wolfger schüttelte den Kopf.

»Es würde meiner Seele etwas nehmen, das ihr nie wieder gegeben werden kann. Lasst es ihn nie wissen, Magistra, doch er ist einer der größten Dichter, die je gesungen haben.«

* * *

Odokar, der Schreiber des Bischofs von Passau, war ein ehrbarer Ministeriale, dessen niederer Adel ihn nie in die höheren Ränge der Geistlichkeit aufsteigen lassen würde. Dass sein Herr Patriarch von Aquileja wurde, sollte ihm genügen, und den größten Teil der Zeit tat es das auch, aber gewisse Dinge empfand er als kränkend, was ihn gelegentlich für den Bischof von Köln die Ohren und Augen offen halten ließ.

Er hatte bemerkt, dass Walther sich gelegentlich in seinen Unterlagen umsah, und zahlte ihm diese Unverschämtheit mit gleicher Münze heim. Als er in Walthers Satteltaschen ein Pergament fand, das die Schrift seines Herrn trug, hatte er zunächst geglaubt, den Sänger beim Diebstahl ertappt zu haben. Aber die Schriftrolle war kein Brief, keine Urkunde, noch nicht einmal eine theologische Streitschrift, sondern Teil jenes Heldenliedes, das in Abständen von einigen Monaten immer wieder in der Kanzlei des Bischofs auftauchte und von diesem wie ein Original des Alten Testaments behandelt wurde. Er hatte den Bischof mit Walther darüber disputieren gehört und konnte deswegen nicht davon ausgehen, dass es widerrechtlich in Walthers Besitz war. Was ihn dabei aufbrachte, war, dass der Bischof mit diesem Sänger Geheimnisse zu teilen schien, die einem Unwürdigen einfach nicht zustanden.

Er hasste Walther dafür, dass er die Gunst Wolfgers für selbstverständlich nahm und offensichtlich glaubte, Odokar sei blind, dumm und taub und nur dazu da, ihm Auskünfte zu erteilen. Dann gab es da auch noch das Weib, das sich als Ärztin bezeichnete, statt zuzugeben, dass sie nur eine bessere Kräuterhexe mit losen Sitten war. Es wunderte ihn nicht im Geringsten, als ihm zu Ohren kam, es handele sich um eine ehemalige Jüdin, und er verbrachte einen Teil der Reise in den Süden damit, in den Orten, wo sie über Nacht geblieben waren, nach vermissten Kindern zu fragen. Leider gab es nirgendwo einen Hinweis darauf, dass die sogenannte Magistra nächtens jüdische Rituale ausübte. Immerhin geschah es Walther recht, dass sie mit dem Byzantiner verschwand, wenngleich der Sänger seine Sittenlosigkeit dadurch bewies, nicht die geringste Eifersucht zu zeigen. Was für ein echter Mann ließ es schon zu, dass seine Geliebte einem Fürsten das Bett wärmte? Nur ein speichelleckender Taugenichts!

Aus Köln hatte man ihn gebeten, sich gut mit Botho von Ravensburg zu stellen. Was Odokar von ihm über das Paar erfahren hatte, bestärkte ihn in seinem Entschluss, seinen Herrn vor diesem Gesindel zu schützen. Das Beste war, dass niemand ihn verdächtigen würde. Jeder wusste von Bothos Mord an Bischof Konrad. Jedermann traute dem Ravensburger das Schlimmste zu. Als Walther sich eines Nachts davonmachen wollte, wusste Odokar, dass seine Stunde gekommen war. Und dann tat ihm Walther auch noch den Gefallen, eine Abschiedsbotschaft zu schreiben, so dass niemand auf die Idee kommen würde, ihm könne etwas zugestoßen sein. Besser hätte es gar nicht kommen können!

Alles in allem hatte er danach ohne Walther wieder ein besseres Leben, fand Odokar, vor allem, als er Bischof Wolfgers wutschnaubende Botschaft an seinen Sohn niederschrieb und nach Salerno schickte. Mit etwas Glück würde Wolfger als Nächstes die verdammte Jüdin ins Auge fassen.

Sechs Wochen nach Walthers Verschwinden schickte der Bischof Odokar nach einer Audienz beim Papst in das Skriptorium des Klosters, um die Bedingungen, die ausgehandelt worden waren, ins Reine zu übertragen. Wolfger ließ ihm zum Ende seiner zeitaufwendigen Arbeit sogar noch einen Becher Wein zukommen, was bisher noch nie geschehen war; Odokar gratulierte sich dazu, nun wieder gewürdigt zu sein. Doch das Hochgefühl verflog, als er in seine ihm nun allein zur Verfügung stehende Zelle zurückkehrte und dort ein weibliches Wesen vorfand.

»Was tut Ihr hier in Rom?«, fragte Odokar ungnädig. Was er wirklich wissen wollte, war, warum der Abt sie in seine Zelle gelassen hatte, noch dazu mit dem alten, kranken Hund, der sich in den Ställen der Abtei herumtrieb und seit Tagen jedermann mit seinem Geheul den letzten Nerv raubte. Einer der Knechte sollte ihm wirklich das Genick brechen.

»Ich brauche Eure kundige Hilfe beim Entziffern einer Beschreibung«, sagte die Magistra und setzte den leise wimmernden

Hund, den sie bisher auf ihrem Schoß gestreichelt hatte, auf den Boden neben eine Holzschale, aus der er sofort trank. Die Wachstafel, die sie Odokar entgegenstreckte, trugen Zeilen in Latein, wie er durch einen flüchtigen Blick darauf feststellte.

»Ihr wollt Ärztin sein und könnt noch nicht einmal Latein lesen?«, fragte er und konnte seinen Hohn kaum unterdrücken.

»Ich spreche es besser, als ich es lese. Wenn Ihr so gut sein wollt.«

»Digitalis Purpurea«, las Odokar vor. »Roter Fingerhut, auch Fuchskraut und Waldschelle genannt. In geringer Dosis anzuwenden bei Herzschwäche, doch bereits der Verzehr von zwei Blättern kann tödlich sein.« Er schaute von der Wachstafel auf, doch die Magistra erwiderte seinen Blick nicht. Stattdessen sah sie zu dem Hund, und erst jetzt bemerkte Odokar, dass das stete Wimmern aufgehört hatte. Stattdessen lag er reglos neben der Holzschale. »Ich ... ich verstehe nicht.«

»Als Ärztin missbillige ich Folter«, sagte die Magistra. »Wenn der Bischof befohlen hätte, dass man Euch verhört, hättet Ihr sicher ein paar Tage geleugnet, bis er befohlen hätte, Gewalt anzuwenden, und wer weiß, was inzwischen mit Walther noch geschehen könnte. Sagt mir, wo er ist. Verschwendet bitte keine Zeit mit irgendwelchen Protesten; es ist Eure Zeit, nicht meine. Digitalis wirkt bei Menschen langsamer als bei Tieren, doch wie Ihr gerade beobachten konntet, geht es wirklich sehr schnell, wenn kein Gegenmittel gegeben wird.«

Odokar wurde schwindelig. »Ihr ... ich habe nicht ...«

»Im Skriptorium hat Euch ein Mitbruder den Wein des Bischofs gebracht, nicht wahr?«

»Woher wisst Ihr ...«

»Ich hoffe, er hat auf dem Weg zu Euch nicht selbst gekostet, aber für ihn hätte ich noch ein Gegenmittel.«

Er meinte, die Luft vor den Augen flimmern zu sehen.

Die vermaledeite Magistra betrachtete ihn mit einem kühlen, sehr sachlichen Gesichtsausdruck. »Versucht erst gar nicht, zur Tür zu gehen«, sagte sie. »Ihr werdet sie verschlossen finden. Herr Hugo war so gut, mir in diesem Punkt behilflich zu sein.«

»Ihr werdet als Mörderin brennen!«, stieß er hervor.

»Dafür, dass Ihr den Wein des Bischofs getrunken habt? Das glaubt Ihr wohl selbst nicht. Das Mittel ist auch nicht nachzuweisen. Und nun sagt mir: Wo befindet sich Walther?«

Der auf einmal auftauchende merkwürdige Geschmack auf seiner Zunge trieb Odokar vollends zur Verzweiflung. Er spürte, wie warmer Urin seine Oberschenkel hinunterlief.

»Ich habe ihn gerettet!«, stieß er hervor. »Herr Botho wollte ihm die Kehle durchschneiden, aber dann akzeptierte er, dass lebenslanges Arbeitshaus schlimmer ist als der Tod. Und ich …«

»Wo?«

»Im Spinnhaus nahe San Clemente!«, platzte Odokar heraus und wusste sich nicht anders zu helfen, als sich ihr zu Füßen zu werfen. »Und nun rettet mich! Wo habt Ihr das Gegenmittel?«

Sie betrachtete ihn noch ein paar Momente prüfend, dann nahm sie die Leiche des Hundes vom Boden auf. »Euch geht es wunderbar«, sagte sie. »Das arme Tier hat nun seinen Frieden. Ich werde es im Klostergarten beerdigen lassen.«

Damit öffnete sie die unverschlossene Tür und verschwand.

Kapitel 35

Als sie ins Spinnhaus kam, hatte man Emilia gesagt, dass es *Gynaeceum* genannt wurde, aber das Wort besaß keine Bedeutung für sie; dass die Stadt jeden Tag eine bestimmte Menge Gesponnenes und Gewebtes von den Insassen erwartete, das war ihr dagegen klar. Daran änderten auch das miserable Licht, die stickige Luft und die Übermudung nichts. Der Frauenwirt, der dem Spinnhaus vorstand, ließ außerdem durchblicken, dass er von den besser aussehenden Frauen noch ganz andere Fingerfertigkeiten erwartete als nur die, gut spinnen zu können, und auch von ein paar der jüngeren Männer. Da sich die Gefangenen davon bessere Behandlung versprachen, waren die meisten von ihnen auch bereit für solche Dienste. Emilia wäre einverstanden gewesen, aber sie erwartete ein Kind und kam schon deswegen für den Frauenwirt nicht in Frage. Die Schwangerschaft hatte ihr auch das Leben gerettet; eine schwangere Frau durfte nicht hingerichtet werden, auch nicht, wenn sie ihrem Gemahl die Kehle durchgeschnitten hatte. Aber man durfte sie spinnen und weben lassen, bis sie vor Erschöpfung zusammenbrach.

Nur einer ihrer Mitgefangenen hatte ihr von seinem Wasser abgegeben, ein deutscher Hagestolz, der am Anfang noch voller Empörung über alles gewesen war, auf seiner Unschuld bestand und ständig eine freche Bemerkung parat hatte. Erst, als man ihn wieder und wieder verprügelte und er zwei seiner Zähne ausspeien musste, wurde er allmählich klüger. Dann versuchte er, seine Ketten aufzusprengen, und wollte Emilia und zwei der anderen Schuldknechte, die wie er zum Weben verurteilt waren, anstiften, dazu eine Eisenstange als Hebel aus dem Webstuhl zu brechen. Er hatte nicht verstanden, warum Emilia ihn an den Frauenwirt verraten hatte. Das zeigte, wie töricht er war: Mittlerweile war sie im siebten Monat. Da draußen gab es nichts für sie. Die Familie ihres Gatten hätte sie gewiss nicht aufgenommen; die bestanden ja sogar darauf, dass Emilias Kind ein Bankert sei. Dabei hatte sie ihren Gemahl nicht um eines Liebhabers willen umgebracht, sondern um selbst zu überleben. Ihr erstes Kind hatte sie verloren, weil er sie betrunken in den Bauch getreten hatte, und als er wieder Tag für Tag Hand an sie legte, wusste sie, dass es diesmal auch sie das Leben kosten würde. *Er oder ich*, hatte Emilia gedacht, und sich selbst gewählt.

Das tat sie auch jetzt. Im Spinnhaus war das Leben hart, aber sie verhungerte nicht, obwohl sie für zwei aß. Und weil sie willig und gehorsam war, prügelte sie niemand. Wenn sie ihren Mitgefangenen nicht verriet, dann würde es keine Gnade mehr geben, und selbst, wenn man sie bis zur Geburt des Kleinen am Leben ließ, würde man sie danach töten. Also rief sie nach dem Frauenwirt. Seither war Walther an eine noch dickere Kette gelegt, und wenn er ungefragt den Mund aufmachte, wurde er geknebelt, damit er lernte, stumm zu weben.

Emilia glaubte nicht, dass er die drei, vier Jahre überleben würde, die Schuldknechte gewöhnlich im Spinnhaus verbrachten, bis man ihre Leichen heraustrug, nicht so, wie er wieder und wieder versuchte, seine Mitgefangenen dazu zu bringen, sich gegen den Frauenwirt zu erheben, auch wenn er nur nachts reden durfte. Es tat ihr leid; er hatte ihr schließlich einmal geholfen. Aber es war nicht ihr Fehler. Manche Menschen waren eben zu dumm, um auf ihr eigenes Wohl zu achten.

* * *

»Mir war klar, dass ich schneller Auskunft von ihm erhalten würde als Ihr«, sagte Judith zu Hugo, während sie beide zum Stall eilten.

»Ihr – Ihr habt doch nicht wirklich Gift in den Becher …«

»Ich bin eine Ärztin, Herr Hugo, ich vergifte keine Menschen, und schon gar nicht blindlings. Der Bote hätte auch trinken können. Aber man kann fast jedem Menschen alles einreden, wenn man glaubwürdig ist und sie nur genügend in Angst versetzt. Seine Tat, mein schlechter Ruf, den Hund tot zu sehen, hat Odokar überzeugt, das gleiche Mittel wie der Hund bekommen zu haben. Ich muss aber feststellen, für den Schreiber eines Patriarchen ist er nicht gelehrt genug, sonst wüsste er, dass es kein Gegenmittel für eine Vergiftung mit Digitalis gibt.«

Es war Wolfger gewesen, der vorgeschlagen hatte, die Zellen aller Mitreisenden zu durchsuchen, um festzustellen, ob man irgendetwas aus Walthers Besitz dort finden konnte. Er hatte dafür alle seine Leute mit Aufträgen betraut, die sie außerhalb ihrer Unterkünfte beschäftigte. In Odokars Zelle waren sie dann fündig geworden und auf Wolfgers Pergament gestoßen. Danach galt es, keine Zeit mehr zu verlieren. Zwar versuchte Judith immer noch, nichts an sich heranzulassen, Stein zu bleiben, aber es war schwer, wenn man gerade die Bestätigung gehört hatte, dass der geliebte Mann zwar noch lebte, aber in einer Hölle auf Erden.

Etwas verspätet fiel Hugo ein, was in einem Spinnhaus üblich war und dass es dort Dinge gab, die ihre Augen nicht sehen sollten. Er murmelte etwas über weibliches Zartgefühl, doch der Hinweis darauf, dass es um Walther ging, beendete schnell jegliche Anwandlung verfehlter Ritterlichkeit, die ihn aber zum Glück von der Frage ablenkte, warum Judith das Mittel, mit dem sie den Hund von seinen Leiden erlöst hatte, überhaupt in ihrer Arzneitasche bei sich trug.

»Ja, wir haben einen deutschen Schuldknecht hier«, sagte der Frauenwirt, der dem römischen Gynaeceum vorstand. »Der hat dem Bischof von Passau die Almosen für die Armen geraubt und ist daher zu lebenslangem Dienst verurteilt worden. Weil er gewalttätig ist, kam er schon in Fußschellen, und wir mussten sogar noch zu anderen Mitteln greifen, denn reuig ist er nicht.«

Auf Hugos Wangen brannten rote Flecken. Er holte tief Luft, wohl, um über den ungeheuerlichen Betrug von Seiten des Schreibers zu brüllen und darüber, dass der Frauenwirt mit Folgen zu rechnen habe, doch Judith kam ihm zuvor.

»Der erhabene Patriarch von Aquileja und ehemaliger Bischof von Passau ist willens, dem armen Sünder zu verzeihen. Herr Hugo ist der Befehlshaber seiner Wachen und hier, um den Schuldknecht auszulösen.«

Die Wahrheit war längst nicht so wichtig, wie Walther sofort zu befreien, und auf die Gier nach Geld war immer Verlass. Als miserable Arbeitskraft am Webstuhl, und das musste er sein, konnte Walther für dieses Haus nicht so wertvoll sein wie eine feste Summe. Diese holte Hugo, als sie ihm hastig auf Deutsch darum bat, zähneknirschend hervor. Der Frauenwirt zögerte auch nicht und verschwand, um ihnen »den unreuigen Sünder« zu bringen.

Einen Herzschlag lang erfasste Judith entsetzliche Angst, den falschen Mann ausgelöst zu haben, so blut- und dreckverkrustet war er; außerdem humpelte er. Fußknöchel wie Handgelenke waren grotesk geschwollen. Aber dann sah sie seine Augen unter dem strähnigen Haar, und der Schutzwall, den sie um ihr eigenes Herz gebaut hatte, zerbarst. Sie hörte jemanden laut aufschluchzen, obwohl weder Walther noch Hugo noch der Frauenwirt den Mund bewegten, und erst, als etwas Warmes, Feuchtes über ihre Wangen lief, begriff sie, dass sie es gewesen sein musste.

Walther stolperte auf sie zu, schloss sie in seine Arme und vergrub sein Gesicht in ihrem Nacken.

»Ich habe einen Hund getötet«, stieß sie zwischen zwei Tränenschüben hervor, weil es leichter war, als von ihren entsetzlichen Sorgen um ihn zu sprechen, darüber, dass sie nie, niemals hinnehmen würde, dass er tot sein könnte, und bis ans Ende der Welt gehen würde, um das Gegenteil zu beweisen und ihn wiederzufinden.

»Meine Heldin«, flüsterte Walther rauh, doch mit einem unverkennbar neckenden Unterton, und an der Art, wie seine verkrusteten Lippen sich auf der Haut ihres Nackens bewegten, spürte sie, dass er lächelte. Erst da wusste sie, dass er noch immer er selbst war, gegen jede Wahrscheinlichkeit am Leben und ihr zurückgegeben.

* * *

»Nun, ich kann verstehen, dass Ihr Rom so schnell wie möglich verlassen wollt, Herr Walther«, sagte Wolfger, »aber ich hoffe darauf, Euch bald auch in Aquileja zu sehen.«

Walther wollte nirgendwohin reisen und wünschte sich nichts mehr, als die nächsten zwei Jahre im Bett zu verbringen. Aber er wusste, dass das Gefühl verfliegen würde. Er hoffte wenigstens darauf.

Judith hatte ihn gewaschen und mit allen heilenden Ölen gesalbt, die sie auftreiben konnte, aber sie vermochte nichts gegen die Erinnerungen in seinem Kopf auszurichten, den ohnmächtigen Zorn und das Gefühl der Hilflosigkeit, das jedes Mal zurückkehrte, wenn er vergaß, dass er sich nicht mehr im Gynaeceum befand. Jetzt wusste er, wie sich Gilles gefühlt haben musste, als er ihn in Braunschweig aus dem Kerker holte.

Wenn er und Judith Rom erst hinter sich gelassen hatten und unter offenem Himmel ritten, würde es besser werden. Es musste so sein.

»Es gibt etwas, das mich immer noch neugierig macht, Euer Gnaden«, erwiderte er, ohne auf Wolfgers Feststellung einzugehen, die gleichzeitig eine Frage gewesen war.

»Nun, der Schreiber ist natürlich aus meinen Diensten entlassen, doch da er ein Geistlicher ist, kann er nicht der weltlichen Gerichtsbarkeit überstellt werden. Ich darf Euch jedoch versichern, dass der Dienst in einem Hospital für Aussätzige, den er jetzt ausübt, kein beneidenswertes Schicksal darstellt.«

»Das höre ich gerne, Euer Gnaden, aber das hatte ich nicht gemeint.«

Wolfger hob eine Augenbraue. »Dann lasst mich nicht länger warten und erleuchtet mich, mein Sohn.«

»Der Heilige Vater kann es Kreuzfahrern nicht gestatten, ihr Schwert gegen Mitchristen zu erheben, nicht wahr? Sofern sie nicht mit Heiden paktieren oder unter dem Bann stehen, und die Byzantiner sind zwar Schismatiker, aber sie sind nicht gebannt.«

Der Bischof seufzte. »Er kann es nicht billigen, aber er hätte es nach vollzogener Tat verzeihen können, bei einem vollen Erfolg und bei Einhaltung des wichtigsten Versprechens. Doch ich fürchte, der höchst edle Alexios ist nicht der Mann, um das Schisma zu überwinden. Auf der Reise bereitete es mir keine Schwierigkeiten, ihn einzuschüchtern, was bedeutet, dass der Patriarch von Konstantinopel ihn zum Frühstück verspeisen wird. Ich bin mir noch nicht einmal sicher, dass dieser junge Mann sich auf dem Thron halten wird, wenn wir ihn daraufsetzen, und das hat nichts mit seiner Sehkraft zu tun.«

»Deswegen habt Ihr also nicht darauf bestanden, dass er dem Papst gegenübertritt, sondern ihn schon vorab nach Salerno geschickt«, sagte Judith. »Aber Euer Gnaden, wenn Ihr die Angelegenheit für hoffnungslos haltet, warum dann überhaupt Alexios helfen? Wäre es nicht besser, wenn er hierbliebe und sein Onkel weiter auf dem Thron von Byzanz?«

»Oh, Byzanz wird angegriffen werden, so oder so. Zu viele Fürsten haben zu lange darauf gewartet, sich ein Stück von diesem saftigen Braten abzuschneiden, schon seit den Zeiten des verstorbenen Kaisers. Manchmal habe ich sogar das Gefühl, dass die Beute auf dem Weg ins Heilige Land viele der Fürsten mehr lockt als die Aussicht auf den Himmel. Ich befürchte, es gibt auch Bischöfe, die ihre Rechte als weltliche Fürsten ernster nehmen als die Pflichten des guten Hirten, und denen ihr Geldbeutel näher ist als ihr Herz«, fügte er nachdenklich hinzu. »Die ersten Schiffe sind schon ausgelaufen. Unsere tapferen Streiter werden entweder siegen und reicher werden oder gedemütigt in die Heimat zurückkehren und ihre Wunden lecken. Im einen wie im anderen Fall bedeutet das erheblich weniger deutsche Fürsten, die bereit sind, sich für Otto oder Philipp zu schlagen. Seine Heiligkeit ist nicht gewillt, den Bann gegen Philipp aufzuheben, doch er schlägt einen einjährigen Waffenstillstand vor, wenn beide Parteien ihn als Mittler anerkennen. Und er wird die Bischöfe in ihren Ämtern bestätigen, die Philipp unterstützen.«

Wie schön für Euch und für diesen Eckbert von Andechs-Meranien, der Bamberger Bischof werden soll, dachte Walther, doch er dachte es ohne seinen gewohnten Biss; er war müde, und außerdem glaubte er Wolfger, dass dieser sich auch Frieden wünschte. Ein Jahr ohne Kämpfe im Reich war ein Jahr ohne Blutvergießen in den Dörfern, ein Jahr ohne Belagerungen und Not in den Städten, ein Jahr ohne geschliffene Burgen. Das war kein geringes Ergebnis.

Dafür würde in Byzanz Blut fließen, doch wenn Walther ehrlich war, kümmerte ihn das Schicksal der Menschen dort immer noch weniger als das der Menschen, die seine eigene Sprache redeten.

»Ich wage nicht zu hoffen, dass der Heilige Vater Herrn Botho ebenfalls in ein Hospital für Aussätzige geschickt hat«, sagte er, das Thema absichtlich wechselnd. Botho war nicht allein für das Spinnhaus verantwortlich – das war die Idee des Schreibers gewesen –, aber trotz all der Wochen spürte er die Fäuste des Bischofsmörders noch immer überall an seinem Leib. Judith meinte, auch das würde mit der Zeit vergehen, doch sie hatte nicht verbergen können, dass es bei Gilles noch nicht der Fall gewesen war, bis er sie verlassen hatte.

Wolfger hüstelte. »Der Heilige Vater hat es vorgezogen, Herrn Botho an das Vorbild König Henrys von England zu erinnern. Wenn Ihr wollt, könnt Ihr morgen seiner öffentlichen Geißelung beiwohnen.«

»Nein danke«, entgegnete Walther. Mehr wollte er dazu nicht sagen, zu niemandem. Judith und er hatten bereits viel dafür ausgegeben, um herauszufinden, wer am folgenden Tag die Geißel schwingen würde, und einiges in die Wege geleitet, was weder Wolfger noch sonst jemand erfahren durfte.

Er verabschiedete sich mit dem vagen Versprechen, im Herbst, vielleicht zur Weihnachtsfeier nach Aquileja zu kommen, wenn Wolfger sie nicht anderswo verbrachte. Im Türrahmen wandte er sich noch einmal um, als ihm etwas einfiel.

»Lasst nicht alle Burgunder in Eurem Lied umkommen, Euer Gnaden. Man sollte allen Menschen Hoffnung in ihrer Misere geben. Einer sollte überleben, mindestens einer!«

* * *

Eine öffentliche Geißelung war nicht gerade das, wovon Botho von Ravensburg träumte, doch es gab Schlimmeres. Wie die meisten seines Standes war er von früher Kindheit an zum Waffendienst erzogen und abgehärtet worden. Das härene Hemd, das er dem elenden Patriarchen verdankte, war zwar teuflisch unangenehm gewesen, aber er hatte seinen Stolz gewahrt und seiner Mannhaftigkeit Ehre gemacht. Nicht anders stellte er sich die Geißelung vor. Wenn weibische Priester, Nonnen und Pilger solche Bußübungen regelmäßig vornahmen, dann würde ein echter Ritter wie er keine Miene verziehen und dadurch jedem klarmachen, dass er in Wirklichkeit gar nichts bereute, weder den törichten alten Konrad noch die Einkerkerung des Minnesängers im Spinnhaus, die ein Heidenspaß für ihn gewesen war.

Für den Ort, an dem er sein unerschütterliches Heldentum beweisen wollte, hatte er sich den Petersplatz erbeten statt der üblichen Stätte, vorgeblich, weil es immerhin um den Tod eines Bischofs ging. Er war ihm gewährt worden. Dementsprechend groß war die Zuschauermenge.

Botho entledigte sich seines Obergewandes, dann seines Hemdes, wölbte die Brust und stieg würdig auf das Podest, ehe er niederkniete und eine so überlegene Miene wie nur möglich aufsetzte.

Als der erste Schlag auf ihn niederging, krümmte er sich entsetzt, während Feuer über seinen Rücken und durch die aufgeplatzte Haut in sein Fleisch schoss. Beim zweiten schrie er schon, ein wütendes Brüllen. Beim dritten wollte er sich umdrehen und dem Mann, der ihn auspeitschte, an die Gurgel gehen, aber die beiden Knechte, die bisher nur links und rechts von ihm gestanden hatten, hielten nun seine Arme fest, während sein Peiniger unbeirrt weiter zuschlug.

Das Schlimmste war die Menschenmenge vor ihm, die zuerst verdutzt geschaut hatte, dann schadenfroh und schließlich lauthals lachte, denn die Schläge an sich waren zwar fest, aber keineswegs heftig; mit Dienstboten sprang man gelegentlich härter um. Aber jedes Mal, wenn die Riemen der Geißel auf Bothos bloßen Rücken trafen, war ihm, als bestünden sie und ihre kleinen Kugeln aus lodernden Flammen. Es tat so entsetzlich weh, dass er zu schluchzen begann wie ein Kind.

Botho schrie, dass man ihm unrecht täte, doch zurück schallte nur johlendes Gelächter und Zischen von feixenden Gesichtern. Nur ein Paar ganz am Rand des Platzes stand sehr ruhig und ohne sich zu rühren dort, ein Mann und eine Frau. Durch seinen Tränenschleier konnte Botho zunächst nur ihre Umrisse ausmachen. Dann hob die Frau etwas, eines jener kleinen Tonfläschchen, wie es die Ärzte verwendeten, und starrte direkt zu ihm herüber. Mit einem Mal begriff Botho. Dort standen die verdammte Magistra und der Sänger! Dem verfluchten Weib musste es irgendwie gelungen sein, die Lederriemen, mit denen er geschlagen wurde, durch ein teuflisches Gebräu zu tränken; flüssigen Pfeffer, wenn es so etwas überhaupt gab, denn so fühlte es sich an.

Sein Wutgeheul schallte über den Platz, während die beiden Gestalten sich umdrehten und fortgingen, als kümmere es sie nicht länger, was mit ihm geschah, als sei er so unbedeutend, dass sie noch nicht einmal das Ende seiner Strafe miterleben mussten, und das war vielleicht das Schlimmste von allem.

VI.
FALL

1207 – 1208

KAPITEL 36

Die Strecke von Köln nach Speyer war weder weit noch unbequem, wenn man per Schiff reiste, wie es die Delegation der Stadt Köln tat, der Paul und sein Vater angehörten. Trotzdem kam ihm die Reise dieses Mal endlos vor. Er ertappte sich mehrfach dabei, sein Lederwams an- und wieder abzulegen. Niemand erwartete Verrat und einen Angriff, wenn sie in Speyer an Land gingen; dazu waren die Verhandlungen zu wichtig. Aber man konnte eben nie wissen.

»Wird der … wird Adolf von Altena auch dort sein?«, fragte er seinen Vater, während sie an der Reling des Schiffes standen und die Weinberge betrachteten, die sich zu beiden Seiten des Rheins hinzogen; der Wein, der ihr Blut darstellte, der Puls des Lebens, der ihre Familie und die Stadt Köln reich gemacht hatte.

»Nicht, wenn er weiß, was gut für ihn ist. Wenn er seinen Verstand beisammenhat, dann ist er bereits nach Rom aufgebrochen.«

Adolf von Altena war nicht länger Bischof Adolf, jedenfalls nicht, soweit es die Kölner betraf: Er hatte die Seiten gewechselt und war zu Philipp übergelaufen. Er hatte ihn sogar in Aachen gekrönt, so dass der Schwabe nun von sich behaupten konnte, nicht nur mit den wahren Kroninsignien, sondern auch am rechten Ort vom rechten Mann zum König der Deutschen erklärt worden zu sein. In Köln gab es viele schlechte Witze über die Summe, die Philipp das gekostet haben musste. Pauls Vater war der Ansicht, dass es nicht nur Adolfs Schulden waren, die ihn zu so einem ungeheuerlichen Schritt veranlasst hatten, sondern vor allem, dass König Otto längst aufgehört hatte, auch nur so zu tun, als sei ihm der Erzbischof von Köln für irgendetwas wichtig, und sei es nur das Morgengebet. Stattdessen hatte Otto, wenn er etwas von Köln brauchte, direkt mit den Stadtvätern und den Kaufleuten verhandelt. Das mochte auch daran liegen, dass es Pauls Vater gelungen war, König John zu beeinflussen, und dass seitdem wieder englisches Geld in Ottos Kassen floss.

Falls andere Kölner Adolfs Ansicht bezüglich des wahren Königs teilten, so sagten sie das nicht. Stattdessen wählte der Kölner Klerus sehr schnell einen neuen Erzbischof, Bruno von Sayn; da Adolf durch die Krönung und Salbung des gebannten Philipp gegen das Gebot des Papstes verstoßen hatte, stellte sich Innozenz sofort auf die Seite Kölns. Das wäre alles höchst befriedigend, wenn Adolf nicht inzwischen auf staufische Waffenhilfe hätte rechnen können. Die Gefangennahme Brunos wirbelte alles noch einmal dramatisch durcheinander, doch dann hatte Philipp die Botschaft geschickt, dass er bereit wäre, Erzbischof Bruno freizulassen, und zu Verhandlungen gebeten.

»Er hat ihn in seinem Brief als Bischof bezeichnet, was bedeutet, dass er bereit ist, die Wahl Kölns und die Bestätigung des Papstes anzuerkennen«, sagte Pauls Vater. »Das bringt uns nun in eine günstige Lage.«

»Solange er nicht Heinz von Kalden und seinen Neffen in die Nähe des Bischofs lässt«, warf Gerhard Unmaze ein. »Ihre Art, mit Erzbischöfen umzugehen, hat etwas Endgültiges. Ein Wunder, dass sich Adolf überhaupt je in ihre Nähe getraut hat.«

Die übrigen Mitglieder der Kölner Gesandtschaft lachten, nur Paul nicht. Er schaute zu seinem Vater und fragte sich, ob es möglich war, dass er inzwischen vergessen hatte, wer für den Tod des Würzburger Bischofs mitverantwortlich war, oder ob das Lachen seines Vaters nur ein weiterer Beweis für seine Fähigkeit war, sich gut zu verstellen.

»Was, wenn es eine Falle ist?«, platzte Paul heraus. Es war nicht das erste Mal, dass er diesen Einwand brachte, doch bisher hatte er es nur seinem Vater gegenüber getan, nicht in Gesellschaft des großen Gerhard, der ihn immer noch ein wenig einschüchterte. »Wenn der Staufer Euch auch noch gefangen nimmt, Meister Gerhard, und den Rest der Gesandtschaft, dann hat er Köln vollständig in der Hand!«

Gerhard Unmaze betrachtete Paul nachsichtig. »Er will etwas von uns, das er nicht bekommt, wenn er uns gefangen setzt, sonst hätte ich dieses Schiff nie betreten, mein junger Freund.«

»Es gab einmal eine Zeit, in der wir in Köln von Philipp alle nur das Wort Thronverzicht und freiwillige Verbannung hören wollten«, murmelte Paul. Sein Vater bedeutete ihm zu schweigen.

Paul rückte einmal mehr sein Lederwams zurecht. Er verstand nicht, wieso Gott zulassen konnte, dass Philipp immer noch nicht besiegt war. Der Schwabe stand im Kirchenbann, und der Überfall der Kreuzfahrer auf Byzanz war für ihn gründlich danebengegangen. Gewiss, sein blinder Schwiegervater war aus dem Kerker befreit und sein Schwager Alexios auf den Thron gesetzt worden. Doch dann hatten die Kreuzfahrer in Byzanz geplündert, gemordet und vergewaltigt, als handele es sich um eine Heidenstadt; Alexios war unfähig gewesen, ihnen Einhalt zu gebieten. Die Christenheit war entsetzt gewesen, doch die Tinte auf dem Protestbrief des Papstes war noch nicht getrocknet, als er schon überflüssig wurde, weil sich die Bevölkerung von Byzanz erhoben hatte. Am Ende wurden Isaak Angelos und Alexios von der Menge getötet, die Kreuzfahrer vertrieben und ein neuer Mann Kaiser von Byzanz, von dem vorher kein Mensch etwas gehört hatte. Man sollte meinen, dass Philipp sich von so einer Schlappe nicht mehr erholte, genau, wie es schon nach der Ermordung Konrads danach ausgesehen hatte. Stattdessen waren jetzt mehr deutsche Fürsten denn je auf der Seite des Schwabens und auch, wenn es niemand laut aussprach, alle wussten, dass die Gesandtschaft aus Köln über mehr als nur über die Freilassung von Bischof Bruno mit ihm sprechen wollte. Sonst hätten Gerhard Unmaze und Pauls Vater sich nicht persönlich bemüht.

»Wieso«, fragte Paul bitter. »Wieso wird Philipp von all seinen Sünden nicht irgendwo in die Ecke getrieben wie eine Ratte, sondern spreizt sein Fell in der Sonne wie ein Biber auf seinem Damm?«

»Weil die deutschen Fürsten schon vor Jahren erkannt haben, dass ihnen Krieg mehr bringt als Frieden«, sagte sein Vater. »Schau dir Hermann von Thüringen an: Jedes Mal, wenn er die Seiten wechselt, schlägt er mehr an Gebieten und Geldern für sich heraus, als ihm eigentlich zusteht. Mittlerweile ist er beim fünften oder sechsten Wechsel von König zu König. Solange es nicht aufhört, ihm Gewinn zu bringen, wird er weiter überlaufen. Der Adel würde es zwar nie zugeben, mein Sohn, aber sie handeln nicht anders als wir Kaufleute. Sie trachten nur nach dem eigenen Gewinn. Wenn entweder Otto oder Philipp sich durchsetzt, ist es vorbei mit dem Geschacher. Bei nur einem einzigen mächtigen König werden sie diejenigen sein, die Gelder und Gebiete abzugeben haben, und keiner will das!«

Bei sich dachte Paul, dass es vielleicht auch damit zu tun hatte, dass Heinz von Kalden zwar ein niedrig geborener Ministerialer war, aber mindestens ein so guter Heerführer wie Otto, vielleicht sogar ein etwas besserer, aber so etwas würde er nie laut aussprechen. Seit der Angelegenheit mit den englischen Geldern hatte sich Ottos Groll gegen Pauls Vater gelegt, was bedeutete, dass auch Paul den König gelegentlich aus der Nähe erleben durfte. Ein-, zweimal hatte er sogar an seiner Seite kämpfen dürfen, und das hatte Pauls Bewunderung für Ottos persönliche Tapferkeit und in dessen Waffenkunst bestärkt. Er musste zugeben, dass es auch Seiten an Otto gab, die ihm nicht gefielen. Ein Knappe, der ihm aus Versehen die falsche Scheide für sein Schwert gereicht hatte, war von ihm mehrfach ins Gesicht geschlagen worden, nicht mit der Faust, sondern mit der offenen Hand, so wie man Dienstboten oder Ehefrauen schlug. Und bei dem Fest, das Otto zu Ehren Brunos gegeben hatte, ehe dieser gefangen genommen worden war, da hatte er sich nicht nur von Gauklern unterhalten lassen, sondern sich auch an den Missgeburten ergötzt, die ihm vorgeführt wurden, und ihnen befohlen, Wein vom Boden aufzulecken, den er eigens dafür ausgoss. Paul hatte wegschauen müssen. Es waren nicht nur verwachsene Menschen, sondern auch ein paar unglückliche Krüppel, die Arme oder Beine verloren hatten; Paul war dabei gewesen, als Kameraden so etwas im Kampf für die gute Sache geschah. Es erschien ihm seltsam und falsch, dass sein König in der Lage war, über die Krüppel der Gauklertruppe zu lachen, als habe er selbst nie erlebt, wie ein gesunder Mann in der Schlacht zu einem solchen Unglückswesen wurde.

Die Gedanken hatten Paul gezwungen, erneut zu dem Gaukler mit seinen Missgeburten und Krüppeln zu blicken. Einer von ihnen, ein bärtiger Mann ohne Beine, der von einem Zwerg in einem Karren gezogen wurde, hatte etwas Vertrautes, aber erst, als Paul sich wieder in seinen eigenen vier Wänden befand, war ihm eingefallen, an wen ihn das Gesicht erinnert hatte; an Gilles, den fröhlichen, gutmütigen Gilles, der als Gatte seiner Base bei ihnen gelebt hatte. Jutta hatte in Nürnberg behauptet, nicht zu wissen, was aus Gilles geworden war, und am Ende hatte die Unsicherheit Paul keine Ruhe gelassen, bis er die Gaukler aufspürte. Ihr Anführer, so stellte sich heraus, hatte den beinlosen Mann in Franken von einem anderen Gauklertrupp gekauft. Er sei geschickt mit seinen Händen und gehorsam; die Menschen lachten, wenn sie ihn mit dem Zwerg zusammen erlebten, aber er spräche nie, deswegen könne er ihm auch nicht sagen, ob es sich um einen Deutschen oder um einen Aquitanier handele. Paul hatte sich zu dem Mann führen lassen, voll Zweifel in dessen Gesicht gestarrt, und gerade, als er sich sicher war, dass ihn sein Gedächtnis täuschen müsse, hatte sich der Mund des Krüppels geöffnet. »Hörst du noch immer gerne Geschichten über Drachen?«

Auf Deck des Schiffes, das vom Rhein nach Speyer getragen wurde, klammerte sich Paul an die Reling und schaute zu der Kiste hinüber, in der die beinlose Gestalt saß und ihren Kopf der Sonne entgegenhielt.

»Du wirst ihn doch nicht Philipp zur Unterhaltung schenken«, flüsterte er seinem Vater ins Ohr, denn sosehr er sich sagte, dass der Gedanke unwürdig war, dass dies nicht der Grund sein konnte, warum sein Vater Gilles freigekauft hatte, so sehr nagte der Verdacht an ihm, dass sein Vater nichts, aber auch gar nichts ohne Hintergedanken tat. Wenn der edle Otto Krüppel und Missgeburten unterhaltend fand, warum dann nicht auch der Hund Philipp? Pauls Vater schnalzte missbilligend mit der Zunge und schüttelte den Kopf. »Ich werde nicht jünger, Paul«, sagte er. »Eines Tages werde ich endgültig zu alt für das sein, was ich tue. Aber wenn du tatsächlich glaubst, dass ich Gilles wegen *Philipp* mitgenommen habe, dann bist du noch lange nicht so weit, an meine Stelle zu treten.«

* * *

Irene wusste, dass sie dem Schicksal dankbar sein sollte. Sechs Kinder hatte sie zur Welt gebracht, und nur zwei davon waren gestorben; vier gesunde Töchter waren mehr, als den meisten Familien gegeben wurde. Als aber der kleine Rainald seine letzten Atemzüge in ihren Armen ausgehaucht hatte, wusste sie, dass sie so etwas nicht noch einmal ertragen konnte, und schickte einen Boten nach Salerno, mit dem Auftrag, der Magistra Jutta alles anzubieten, was sie wollte, wenn sie nur umgehend an den Hof zurückkehrte. Es mochte ein unsinniger, vergeblicher Handel mit dem Schicksal sein. Ihre Magistra war eine gute Ärztin, doch sie war keine Wunderheilerin, und vielleicht wären die beiden Jungen geradeso gestorben, wenn Jutta hiergeblieben wäre. Doch Fakt blieb, dass bisher alles gut für Irene und ihre Kinder verlaufen war, wenn die Magistra sich an ihrer Seite befunden hatte. Wenn das nächste ihrer Kinder krank würde, dann wollte sie sicher sein, dass sie alles, aber auch alles getan hatte, um zu verhindern, dass es seinen toten Brüdern folgte, und sich nicht den Rest ihres Lebens fragen, ob Jutta einen Unterschied hätte machen können.

Nun war Jutta schon bald ein Jahr wieder bei ihr. Den Kindern ging es gut; Irene wachte trotzdem manchmal nachts auf und hatte das Bedürfnis, von ihrer Kemenate in die Kinderstube zu eilen, um sich zu vergewissern, dass sie alle gesund waren und ruhig schliefen. An anderen Tagen wachte sie auf und hatte für einen Moment vergessen, dass Rainald und Friedel tot waren, bis das Leben sie wieder einholte. Sie wusste nicht, was schlimmer war. Ihr Beichtvater tröstete sie damit, dass die Seelen von Säuglingen, die nie eine Schuld auf sich geladen hatten, geradewegs von Gott in die Arme genommen wurden. Irene versuchte, sich daran zu klammern, zumal sie nur zu gut wusste, dass es um die Seele ihres Vaters anders bestellt war, und auch um die des armen Alexios, dem sie zwar auf den Thron verholfen hatte, damit aber auch sein Todesurteil unterschrieb. Aber dann dachte sie wieder daran, dass sie nie mehr die kleinen Hände ihrer Jungen in den ihren spüren, nie den süßen Geruch ihres Haares und sauberen Kinderschweiß riechen würde, und dass bald niemand außer Philipp und ihr mehr wissen würde, dass es sie je gegeben hatte, denn tote Säuglinge gab es wie Sand am Meer, in allen Familien, ob hoch oder niedrig.

Ihre älteste Tochter, Beatrix, feierte bald ihren neunten Geburtstag. Sie war damit bereits seit zwei Jahren alt genug, um bei einer edlen Familie in Pflege gegeben zu werden, wie es sich für die Tochter aus königlichem Geblüt geziemte. Ohne Rainalds Tod wäre es wahrscheinlich auch so gekommen, aber nachdem sie ihren Jungen zu Grabe getragen hatten, gestattete Philipp es ihr, das Mädchen bei sich zu behalten. Als auch der kleine Friedel kein Jahr alt wurde, verstummte das Gerede, wessen Haushalt wohl als ehester für Beatrix in Frage kam, gänzlich.

Anders stand es um Ehepläne. »Wir haben bereits mehrere Anträge«, sagte sie zu der Magistra, die mit ihr zusammen in Speyer durch den Garten der Feste ging, während die Kinder Schmetterlingen nachjagten. »Ich war dreizehn, als ich mit Roger von Sizilien verheiratet wurde, und unsere Ehe war schon Jahre vorher in die Wege geleitet worden. Es wird Zeit, das weiß ich. Aber ich hoffe, dass Beatrix bei mir bleiben kann, bis sie alt genug ist, um die Ehe zu vollziehen.« Die meisten Männer zeigten sich in diesem Punkt einsichtig, schon, weil ein Mädchen für sie noch nicht von Nutzen war, ehe es seine monatlichen Blutungen hatte. Es gab allerdings auch Ausnahmen. Die Nachricht davon, dass dem König von Ungarn eine Tochter geboren wurde, hatte erst im vorigen Monat alle Höfe im Reich erreicht, und in diesem Monat hieß es bereits, dass der Landgraf Hermann von Thüringen für seinen kleinen Sohn und Erben, der ihm in zweiter Ehe geboren worden war, um ihre Hand angehalten hatte.

»Ich nehme an, das kann ich als Zeichen werten, dass Hermann schon wieder einen Seitenwechsel plant«, hatte Philipp zu Irene gesagt, *»denn sonst hätte er wohl weiter um eine meiner Töchter gebeten, statt nach dem ersten Nein aufzugeben. Otto hat ja keine zu bieten.«*

»Der König von Ungarn steht doch nicht auf Ottos Seite«, hatte sie erwidert.

»Nein, aber wenn seine neugeborene Tochter das Beste ist, was sich Hermann für seinen Sohn erhoffen kann, dann heißt das,

dass er entweder daran zweifelt, dass ich ihm jemals eines unserer Mädchen gebe, oder sich nicht durch eine Ehe fest an mich binden will.«

Um der Wahrheit die Ehre zu geben, war Irene erleichtert, denn wenn Hermann von Thüringen weiterhin sein Fähnlein in den goldigsten Wind hängte, dann hätte sie ihre Tochter am Ende nie wiedergesehen. Seiner eigenen Tochter war Irene ein-, zweimal auf Hoftagen begegnet, und obwohl diese Jutta von Meißen unleugbar eine schöne und kluge Frau war, konnte man ihre Unzufriedenheit und das Unglück in ihrem Leben förmlich spüren. Nun, bei einem Dietrich von Meißen als Gatten war wohl nichts anderes zu erwarten.

»Habt Ihr denn schon jemanden Bestimmten für Beatrix im Auge?«, fragte Jutta.

Irene kämpfte bereits eine Weile mit sich, ob sie der Magistra davon erzählen sollte. Sie würde ihr ohne weiteres das Leben ihrer Kinder anvertrauen, aber ein Geheimnis wie dieses war eine andere Angelegenheit. Es war wie ein wertvolles Stück Land, mit dem man wuchern konnte.

»Wie steht es eigentlich um Eure eigene Hochzeit?«, fragte sie ablenkend, damit sie noch eine Weile nachdenken konnte. »Ist es nicht allmählich an der Zeit, dass Ihr und Herr Walther den Bund knüpft? Ich bin die Erste, die Sänger für flatterhaft erklärt, aber er ist Euch nach Italien und zurück gefolgt, ohne dass ein Gelöbnis ihn band. Ihr scheint mir auch keinen anderen im Herzen zu tragen. Außerdem wird keiner von uns jünger; es ist ein bitteres Schicksal für eine Frau, allein und unversorgt zu bleiben, und Ihr habt keine Familie.«

Die Magistra schaute zu Kunigunde und Elisabeth hinüber, die von den Schmetterlingen abließen und nun von ihrer ältesten Schwester forderten, mit ihnen Verstecken zu spielen.

»Als Eure Leibärztin bin ich nicht unversorgt noch ohne Familie«, gab sie lächelnd zurück. Das war eine der für sie typischen Antworten, mit denen sie nichts anderes sagte, als dass sie nicht über das Thema sprechen wollte. Trotzdem konnte Irene nicht anders, sie musste noch ein wenig nachhaken.

»Liebt Ihr Herrn Walther, oder liebt Ihr ihn nicht?«

»Natürlich liebe ich ihn«, sagte die Magistra, ohne zu zögern. »Aber Euer Gnaden, Ihr wisst doch, dass es mir gar nicht freisteht, zu heiraten.«

Irene machte eine abschätzige Handbewegung. »Es gibt hier zwei Bischöfe, die meinem Gemahl ergeben genug sind, um Eure Ehe für ungültig zu erklären oder Euch zur Witwe. Bei all den Männern, die nicht mehr aus Byz– ... aus dem Heiligen Land zurückkehrten, haben sie ohnehin Übung darin.«

»Das würdet Ihr für mich tun?« Weil Irene uneins mit sich selbst über andere Dinge war und sich mit den Sorgen ihrer Ärztin ablenken wollte, nickte sie, ohne zu bedenken, dass auch die Magistra ihre Hintergedanken bei diesem Gespräch haben könnte. »Das ist sehr großzügig von Euch, Euer Gnaden. Dann seid Ihr doch gewiss auch bereit, unseren erhabenen König zu bitten, Herrn Walther ein Lehen zu gewähren. Wie Ihr richtig sagt, wird keiner von uns jünger, und wenn wir tatsächlich in den heiligen Stand der Ehe eintreten und eine Familie gründen wollen, dann wäre nichts hilfreicher als ein Stück Land, von dem ein festes Einkommen zu erwarten ist.«

In ihrem Leben als Kaisertochter in Byzanz, als Mitglied der königlichen Familie von Sizilien und als Königin der Deutschen hatte Irene mit zahllosen Bittstellern zu tun gehabt. Manche waren plump, manche ungeheuer geschickt, und das, worum sie baten, konnte alles sein von einem Goldstück bis zu der Begnadigung eines zum Tode Verurteilten, von der Erlaubnis, sich vom Hof zu entfernen, bis zu einer Grafschaft oder gar einem Herzogtum. Trotzdem: Was die Magistra gerade getan hatte, ließ Irene ungläubig auflachen, weil es so gut und treffend eingeleitet worden war, dass ihr fast nichts anderes übrigblieb, als ja zu sagen. »Ihr habt von Herrn Walther zu gut gelernt, mit Worten umzugehen«, gab Irene zurück, zu gleichen Teilen belustigt, bewundernd und verärgert, denn es war nicht das beruhigendste Gefühl, so durchschaubar zu sein, dass ein Gespräch von Menschen, die sie mochte und denen sie vertraute, in eine bestimmte Richtung gelenkt werden konnte, auf die sie nicht vorbereitet war.

»Wir halten einander in Übung«, sagte die Magistra und schenkte ihr ein hoffnungsvolles kleines Lächeln.

Wenn man von den Sprösslingen einflussreicher Familien einmal absah, gab es Lehen für verdiente Kämpfer, so wie es Pfründe für hilfreiche Angehörige des Klerus gab. Herr Walther gehörte weder zu den einen noch den anderen. Natürlich war es alte Tradition, Sängern einen Platz bei Hofe anzubieten, doch das, was die Magistra gerade erbat, war mehr; es würde es für Walther nicht mehr nötig machen, überhaupt bei Hofe zu erscheinen.

Als könne sie Irenes Gedanken lesen, fuhr die Magistra fort: »Ein Sänger und eine Ärztin sind aber nichts, wenn sie ihre Kunst nicht ausüben können, und wir sind noch lange nicht so alt, um uns zur Ruhe zu setzen. Ihr würdet uns noch häufig bei Euch sehen, Euer Gnaden. Nur wäre es gut, zwischendurch einen Ort zum Ausruhen zu haben.«

»Wäre ich nicht die Königin, würdet Ihr dann bei mir sein?«, fragte Irene, ehe sie es sich versah. Es war genau das, was sie nie hatte laut fragen wollen. Sie näherte sich allmählich dem dreißigsten Lebensjahr; nur noch drei Jahre. Das war ein Alter, um nicht mehr bedürftig wie ein Kind zu klingen. Unbotmäßigerweise ergriff die Magistra auch noch ihre Hand und sagte leise, aber nachdrücklich: »Ich bin hier, Euer Gnaden, nicht in Salerno. Wenn Ihr nicht wisst, dass es darum geschah, weil Ihr mich brauchtet, dann gibt es nichts, was mich hier noch hält, und ganz gewiss keine Krone.«

Irene dachte daran, wie elend sie sich gefühlt hatte in jener Feste in Salerno. Sie dachte an die sanften, starken Hände der Magistra und die Freundlichkeit der ihr damals völlig Fremden, und daran, dass sie hätte sterben können und niemals Philipp, ihre Kinder oder ihr Leben hier gehabt hätte, wenn ein anderer Arzt für sie geholt worden wäre.

»Mein Gemahl hat die Absicht, Otto einen Handel anzubieten«, sagte Irene abrupt, und ihre Finger verschränkten sich in die der Magistra, um sie festzuhalten. »Wenn Otto seinen Anspruch auf die Krone aufgibt und endgültig Frieden schließt, wird er das Herzogtum Schwaben erhalten … und Beatrix als Gemahlin.« Es war ihre Art, der Magistra zu versichern, wie sehr sie an ihr hing und ihr vertraute, und gleichzeitig um ihren Rat zu bitten. Es gab hundert gute Gründe, warum dieser Plan eine gute Lösung war. Otto hatte Anhänger verloren, und wenn der neue Kölner Erzbischof an seine Stadt zurückgegeben wurde, verlöre er die mächtigste Stadt im Reich. Es stand auch zu hoffen, dass der Papst den Bann von Philipp nehmen würde; das hatte Wolfger inzwischen vorbereitet. Doch Otto bewies immer wieder, dass er zu zäh war, um jemals ganz besiegt zu werden. Derzeit befand er sich in England, um seine innige verwandtschaftliche Vertrautheit mit König John zu beweisen, mutmaßlich, um noch mehr Geld von ihm zu erlangen. Wenn er nicht gerade auf dem Rückweg in der Nordsee ertrank, dann würde der Krieg noch Jahre weitergehen, bis an sein oder Philipps Lebensende. »*Oder bis wir kein Land mehr haben, um es zu regieren*«, hatte Philipp zu ihr gesagt, »*weil es ausgeblutet ist. Wir sind dann wie die Eltern in dem Gleichnis, die lieber ein Kind zweigeteilt sehen, als es lebend in der Obhut einer anderen Mutter zu wissen. Also muss ich etwas finden, mit dem Otto zufrieden sein kann. Das alte Herzogtum Heinrichs des Löwen kann es nicht sein, denn das müsste ich einigen wichtigen Anhängern wegnehmen, und wenn sie auch nur glauben, dass ich das tun würde, verliere ich sie, nicht nur Ottos Bruder. Das Gleiche gilt für jedes andere Herzogtum im Land und die reichen Grafschaften. Ich hätte gute Lust, Thüringen anzubieten, schon weil Hermann es viel zu sehr genossen hat, uns gegeneinander auszuspielen, Otto und mich, aber das müsste ich erst erobern. Nur mein eigenes Herzogtum, das Stammherzogtum der Staufer, das stünde mir sofort zur Verfügung.*«

»*Und deine eigene Tochter.*«

»*Du hast immer gewusst, dass Beatrix zum Nutzen der Krone verheiratet werden muss*«, hatte Philipp erklärt und sachte ihr Haar geküsst. »*Genau wie du und ich, meine Liebste.*«

Das stimmte. Man konnte sogar sagen, dass es im Reich keinen besseren Bräutigam für Beatrix gäbe; gewiss keinen höher stehenden. Mehr noch: Philipp sprach es nicht laut aus, aber ihre beiden kleinen Söhne waren tot, und ihre Töchter konnten ihm nicht auf den Thron folgen, weil man seinem Angebot an die Fürsten, ihnen auch ein Erbrecht für ihre Töchter zu geben, nicht gefolgt war. Falls sie kein weiteres männliches Kind zur Welt brachte, dann würde der Gatte seiner ältesten Tochter den Thron erben. Was er Otto also anbot, war die beste Aussicht auf den Thron, die er auf friedliche Weise erlangen konnte, und gleichzeitig die Möglichkeit, die lange Fehde der Welfen und Staufer durch eine Ehe zu beenden.

Ja, Irene verstand all die guten Gründe für Philipps Plan. Sie sollte ihn aus ganzem Herzen befürworten. Dass sie es nicht tat, wusste noch nicht einmal ihr Gemahl.

Irene schaute zu der Magistra und sah, dass ihr ruhiges, selbstbeherrschtes Gesicht ein wenig zu starr geworden war. »Als ich Euch seinerzeit nach Brüssel schickte, um die Ehe zwischen Otto und Marie von Brabant zu verhindern«, sagte sie, »da wart Ihr so Feuer und Flamme, dass ich wusste: Ihr hattet weitere Gründe, die nicht die meinen waren.«

»Meine Erfahrung mit Graf Otto«, erwiderte die Magistra, »liegt nun schon ein Jahrzehnt zurück. Die Menschen verändern sich.«

»Manche zum Guten und manche zum Schlechten«, sagte Irene. »Als ich Euch das erste Mal sah, da hatte ich Angst, einen Gatten heiraten zu müssen, den ich nur hassen konnte. Das war nicht der Fall. Aber es hätte so sein können. Soll ich meiner Tochter das Schicksal geben, dem ich entkommen bin?«

Die Magistra öffnete den Mund, wie um etwas zu sagen, dann kniff sie die Lippen zusammen und schwieg.

»Ich weiß, dass die Entscheidung nicht meine sein wird«, sagte Irene. Beatrix war ihr erstes und ältestes Kind, das Kind, das sie mehr als die beiden Ehemänner zu einer erwachsenen Frau gemacht hatte. Natürlich hatte Philipp recht, sie hatte immer gewusst, dass Beatrix wie jede andere Frau zum Wohl und nach dem Willen ihrer Familie heiraten musste, aber trotzdem gab es etwas in ihr, das sich aufbäumte bei der Vorstellung, ihre Tochter zu einem Leben zu verurteilen wie das der Kaiserin Konstanze. »Und ich weiß, dass dadurch Hunderte, Tausende von Leben gerettet werden können, falls Otto einwilligt, also braucht Ihr mir das nicht zu erzählen, Magistra. Ihr seid meine Ärztin, also findet das Mittel, welches mein Herz beschwichtigt.«

»Ihr könntet darauf hoffen, dass Otto mit einer Braut aus England zurückkehrt oder auf dem Rückweg Marie von Brabant heiratet, denn immerhin besteht da noch ein Versprechen, ehe ihm überhaupt das Angebot Eurer Tochter unterbreitet werden kann«, sagte die Magistra nüchtern. Trotz ihrer Aufgewühltheit musste Irene lachen. Jede andere ihrer Damen hätte entweder geschworen, dass Otto sich mittlerweile zum Juwel unter den Männern entwickelt hatte, oder ihr geraten, Philipp zu bitten, nicht seine Tochter anzubieten, ganz gleich, was dabei auf dem Spiel stand; süße, nutzlose Äußerungen, die ihr nicht weiterhalfen.

»Ich habe daran gedacht, einen anderen Bräutigam vorzuschlagen«, bekannte Irene. »Aber der Einzige, bei dem es keine weiteren Verhandlungen brauchte, weil er schon einmal ein Eheangebot gemacht hat, ist ein weiterer Otto, Otto von Wittelsbach, doch der wollte nicht warten, bis Beatrix zu bluten beginnt. Außerdem steht er vom Rang tief unter ihr – er ist nur ein Vetter des bayerischen Herzogs Ludwig, Beatrix die Enkelin von Kaisern und Tochter eines Königs. Nein, es müsste jemand sein, dessen Ehe mit Beatrix mindestens genauso den Frieden im Reich sichern würde wie Otto, und da gibt es niemanden.«

»Ein Jammer, dass der Papst keinen Sohn hat«, entgegnete die Magistra trocken, was Irene daran erinnerte, dass sie keine geborene Christin war, aber mit Herrn Walther und dessen scharfer Zunge ein Herz und eine Seele. Und dann fühlte sie sich, als durchfahre ein Blitz ihren Verstand. Sie zog die Magistra an sich und umarmte sie.

»Ich wusste, dass Ihr von Gott geschickt seid, um mir und meinen Kindern Glück zu bringen!«, stieß sie hervor.

»Dann hat der Papst wirklich …«, fragte die Magistra verdutzt.

»Nein, er hat keinen Sohn, zumindest nicht, soweit ich das weiß, aber er hat einen Neffen! Wer weiß, wie lange Innozenz den Bann noch aufrechterhalten wird, denn Wolfger hat auch nicht mehr vermocht, als uns Hoffnung zu machen, dass die Freilassung des Kölner Bischofs helfen wird, aber eine Ehe, oh, eine Ehe würde das alles ändern, denn er kann seinen Neffen nicht mit der Tochter eines Gebannten verheiraten! Und ganz gleich, welche Gelübde der Papst für sich abgelegt hat, ich wette, er wird der Aussicht nicht widerstehen können, einen Verwandten auf dem Thron Karls des Großen zu sehen!«

* * *

Walther wusste, dass eine Gesandtschaft aus Köln erwartet worden war; daher kam es für ihn nicht überraschend, Judiths Onkel in der Residenz des Bischofs von Speyer zu begegnen, die dieser Philipp für die Dauer seines Aufenthalts zur Verfügung gestellt hatte. Dass Stefan ihn sofort erkannte, war ein wenig verblüffender, gleichzeitig schmeichelhaft und beunruhigend. Er mochte mittlerweile keine graumelierten, sondern weiße Haare haben und leicht gebückt gehen, aber er war zweifellos immer noch einer der gefährlichsten Männer, die Walther kannte.

»Herr Walther, wie schön, Euch wiederzusehen. Und da dachte ich schon, Ihr wäret nicht mehr in Gnaden, nach all den bösen Worten über die deutschen Fürsten und ihre Bratenschneiderei in Byzanz.«

»Meister Stefan! Wie gut, zu wissen, dass Ihr genügend freie Zeit habt, um meine bescheidenen Lieder zu hören, anstatt nur von Ottos ständigen Nörgeleien über mehr Geld unterhalten zu werden.«

Walther war aus seinem römischen Abenteuer nicht nur mit zwei Zähnen weniger, sondern auch viel verbitterter hervorgegangen. Als ihn die Nachricht von dem unwürdigen Ausgang in Byzanz erreichte, hatte er es nicht lassen können, passende Worte darüber zu finden. Schon seit dem Gespräch mit Wolfger hatte er gewusst, dass die Angelegenheit kein gutes Ende nehmen konnte, doch das Ausmaß der Katastrophe hatte ihn tief getroffen. Außerdem war es eine Möglichkeit gewesen, seinem schwelenden Zorn Luft zu machen, Zorn auf sich selbst, weil er ausgerechnet von Botho, der wahrlich nicht intelligent war, und dem bestenfalls fleißigen Schreiber aufs Kreuz gelegt worden war, in einer Form, die ihm manchmal noch Alpträume bescherte. In seinem Kopf schrieb er die Geschichte gerne um, so, dass er selbst entkommen konnte, mit einem kühnen Spruch und einem Lächeln auf den Lippen, statt gerettet werden zu müssen, aber so war es nicht gewesen. Sich sämtliche Fürsten vorzunehmen, die sich am Bosporus nur bereichern wollten, anstatt das Heilige Land zu befreien, war eine willkommene Entschuldigung für seine bisher schärfsten Lieder gewesen, die nicht dem Papst galten.

»König Otto«, sagte Stefan voller Wohlwollen, »hat Eure Lieder ebenfalls gehört. Wenn ich mich recht erinnere, war er sehr angetan. Er fragte sich nur, was Ihr immer noch auf staufischer Seite tut. Ganz ehrlich, da wusste ich keine Antwort.«

»Ich bin auf keiner Seite. Philipp ekelt mich weniger an als andere, das ist alles«, sagte Walther kurz angebunden, und machte durch die Betonung auf *andere* deutlich, dass er nicht nur Otto meinte, sondern auch Stefan. Er hoffte nur, dass der Mann wenigstens nicht die Stirn hatte, Judith aufzusuchen.

»Und doch war es Philipp, der das ganze Unglück am Bosporus zu verantworten hatte«, entgegnete Stefan ungerührt.

Gewöhnlich genoss Walther einen Zweikampf mit Worten, aber gerade heute war er ungeduldig, zu erfahren, was Judith als Antwort von Irene erhalten hatte. Andererseits sollte man jemandem wie Stefan niemals den Rücken zuwenden. Also beschloss er, die Angelegenheit abzukürzen, indem er dem Herumgerede ein Ende setzte.

»Meister Stefan, wenn Ihr zu einem neuen Versuch ansetzt, mich für Otto zu werben, dann muss ich Euch sagen, dass ich es mir derzeit nicht leisten kann, Lieder für Menschen zu singen, die eindeutig auf der Verliererseite stehen. Seht Ihr, ich habe vor, zu heiraten. Wenn Ihr dagegen vorhabt, Euer Verhalten gegenüber Eurer Nichte wiedergutzumachen, dann seid Ihr eingeladen, einen Geldbeutel zu schicken. Ohne Hinweis auf den Spender.«

Stefans Mundwinkel zuckten, und er zwinkerte Walther zu. »Aber zur Taufe werde ich nicht eingeladen?«

»Zur Taufe?«, fragte Walther verwundert.

»Nun, von einem fahrenden Sänger darf man wohl keine genauen Kenntnisse des Kirchenrechts erwarten«, entgegnete Stefan gelassen. »Eine Ehe zwischen einer Jüdin und einem Christen ist nur gültig, wenn einer von beiden seine Religion wechselt. Da ich annehme, dass Ihr dergleichen nicht vorhabt …«

»Natürlich nicht«, sagte Walther ungeduldig. »Aber Judith ist getauft – schließlich war sie mit Gilles verheiratet.«

Stefan legte den Kopf in den Nacken und lachte lauthals. Als er sich wieder beruhigt hatte, wischte er sich mit dem Handrücken über die Augen. »Könnte es sein, dass Judiths Familie Dinge weiß, die sie *anderen* bisher vorenthalten hat?«

Walther wollte entgegnen, dass Judith ihre Familie nicht erwähnte, seit diese ihr den Dolch in den Rücken gestoßen hatte, doch die scharfe Antwort blieb ihm in der Kehle stecken, als die Bedeutung von Stefans Worten in ihn einsickerte wie Gift.

»Keine Ehe zwischen einer Jüdin und einem Nichtjuden ist je gültig, selbst wenn hundert Priester oder Rabbis ihr den Segen geben würden, was sie im Übrigen nie täten«, sagte Stefan. »Was nun Judith betrifft, es hat mich etwas Mühe gekostet, den Priester aufzutreiben, der sie in Chinon getraut hat. Aber fest steht, dass er sie weder getauft hat noch wusste, dass sie ungetauft war, als sie mit Gilles vermählt wurde. Das habe ich sogar schriftlich und mit Siegel. Judith ist nach keinerlei Recht mit Gilles verheiratet gewesen – und glaubt mir, sie weiß das. Natürlich gibt es so etwas wie Gewohnheitskonkubinat, und es wäre nützlich, wenn ein Bischof die Ungültigkeit ihrer Trauung bestätigte, ohne dass sie den Stand ihrer Religion offenbaren müsste. Aber verheiratet war sie nie, und daher so frei wie der Wind, um andere Ehen einzugehen. Und Ihr wollt sagen, dass habt Ihr nicht gewusst, Herr Walther? Nein, so etwas aber auch … Und ich dachte immer«, schloss Stefan mit einem Seitenhieb auf eines von Walthers bekanntesten Liedern, »der, der andern Neuigkeiten bringt, das wäret Ihr.«

***

714

Judith hatte die Gelegenheit genutzt, im Garten ein paar Kräuter zu pflücken, um ihre Vorräte zu erneuern. Man hatte sie zunächst in Irenes Vorzimmer und Walther bei Markwart unterbringen wollen, der nun zu Philipps Stallmeistern gehörte, aber nach einem Gespräch mit dem Haushofmeister des Bischofs von Speyer und dem dringenden Hinweis, was ihr als Leibärztin der Königin zustand, hatte sie ein eigenes Zimmer erhalten, um es mit Walther zu teilen. Dorthin brachte sie die Kräuter, um sie sorgfältig auf der Fensterbank auszubreiten, ehe sie diejenigen, die sie destillieren musste, auspressen konnte.

»Ich weiß noch, wie du das in unserem Haus getan hast«, sagte eine Stimme hinter ihr. Sie wusste sofort, wem sie gehörte, auch wenn sie wünschte, es wäre nicht so.

»Ich habe Schiwa für dich und deinen Vater gesessen«, sagte sie, ohne sich umzudrehen. Dann fiel ihr ein, dass ihm am Ende gar nicht bekannt war, was das bedeutete: »Ihr seid tot für mich.«

»Sag das nicht.«

Sie dachte daran, wie es sie selbst getroffen hatte, als Rabbi Eleasar ihr den Rücken zuwandte, und er war nur ein Freund ihres Vaters gewesen, nicht wirklich Familie. Während sie weiter sorgsam Kraut um Kraut auf die Fensterbank legte, kostete es sie einiges an Selbstbeherrschung, um dafür zu sorgen, dass ihre Stimme gleichmäßig blieb. »Es war deine Wahl.«

»Und Gilles?«, fragte Paul herausfordernd. »Ist er auch tot für dich? Soll ich ihm das ausrichten?«

Da konnte sie nicht anders und drehte sich um. Paul stand mit verschränkten Armen vor ihr. Er füllte mit seinem Umhang und dem Lederwams, das groß wie ein Brustpanzer war, den Türrahmen fast aus.

»Du hast«, begann sie, unterbrach sich und schalt sich töricht. »Für wie dumm hältst du mich? Das ist wieder ein Versuch, nicht wahr? Ich soll mit dir nach Köln kommen, wo angeblich Gilles auf mich wartet. Oh, ich kann es gar nicht abwarten herauszufinden, was dein Vater diesmal plant. Entführung, Mord, wofür darfst du ihm heute zur Hand gehen?«

Man konnte sehen, dass Paul gereift war, denn er blieb ruhig, statt zu erröten oder sich gar zu verteidigen, wie er es früher sofort getan hätte. Doch vielleicht hatte seine Gelassenheit auch einen anderen Grund.

»Nein«, sagte er. Jedes Wort war leise und bestimmt gesprochen. »Gilles ist hier. Dein Gatte. Schau, was sie aus ihm gemacht haben.« Damit trat er zur Seite, so dass sie sehen konnte, dass hinter ihm ein Knecht wartete, ein kräftiger Mann, der ihr völlig unbekannt war. Vor sich hatte dieser einen Karren stehen, und in dem Karren saß …

Ihre Hand fuhr an ihren Mund, sie machte einen Schritt vorwärts, doch keines von beidem geschah mit Absicht.

Judith hatte in all den Jahren viele verkrüppelte Männer gesehen; sie hatte selbst Beine vom Torso getrennt, wenn keine andere Wahl blieb. Aber der Anblick von Gilles war trotzdem etwas, als benutze jemand eine Nadel, um jede Einzelheit in ihr Auge zu gravieren.

Das war der Mann, der einmal ihre Hand ergriffen und mit ihr aus der Burg von Chinon gelaufen war.

Der Mann, mit dem sie ohne Leidenschaft, doch in Vertrauen und Freundschaft das Bett geteilt hatte, wie mit einem ihrer lange verstorbenen Brüder.

Der Mann, den sie zum letzten Mal in Bamberg gesehen hatte, wo er ihr versprach, Walther entgegenzureiten, um ihn vor Botho zu beschützen.

»Jutta?« Seine Stimme war rauher als die, welche sie in Erinnerung hatte, als habe er ihren Namen einmal zu oft geschrien. »Jutta?«

Endlich bewegte sie sich wieder bewusst. Sie machte noch ein paar Schritte und kniete vor dem Karren nieder.

»Erzähl Jutta, was in Bamberg geschehen ist, Gilles«, sagte Paul behutsam.

»Nein«, gab Gilles zurück. Sein Gesicht fing an zu zittern, wie das eines Kleinkindes, kurz, ehe es zu schreien beginnt.

»Er war wohl auf der Suche nach deinem Freund, dem Sänger«, begann Paul ungerührt. »Stattdessen lief er vor der Stadt

Botho von Ravensburg und seinen Männern in die Arme. Bevor du fragst, ich hatte keine Ahnung von alledem, als ich damals in Franken war. Wir haben Gilles erst dieses Jahr entdeckt und befreit, Vater und ich. Botho war wohl in schlechter Stimmung wegen irgendetwas, das auf dem Weg zwischen ihm und Walther vorgefallen sein muss, und schlug ihn mit seinen Leuten nieder. Als Gilles wieder aufwachte, an den Händen gefesselt wie ein Stück Vieh, schleifte Botho ihn angehängt an sein Pferd über Stock und Stein. Ich weiß nicht, was sie sonst noch alles mit ihm gemacht haben, weil er nicht darüber reden will, aber am Schluss waren Arme und Beine mehrfach gebrochen, und sie dachten wohl auch, er sei tot, als sie ihn zurückließen.«

Paul bekreuzigte sich. »Dann haben ihn Reisende gefunden und ins nächste Dorf zu einem mitleidigen Bauern gebracht. Aber es hat zu lange gedauert, bis der einen Heiler für ihn fand. Die Beine waren nicht richtig zusammengewachsen; am Ende haben sie ihm diese einfach abgesägt. Danach wurde er Bettler. Schließlich nahm ihn eine Gauklertruppe mit, weil sie noch einen Krüppel brauchten. Das war sein Glück, denn sonst wäre er verhungert.«

»Aber ... aber ich war in Bamberg. Ich war dort! Ich hätte ...«

Judiths Verstand, dieser sonst an so vielen Rätseln und Erinnerungen geschärfte Verstand, weigerte sich, sie an jenen Tag zurückzuführen. Zu einer ganz bestimmten Erinnerung. *Nein,* dachte Judith. *Das kann einfach nicht sein.* Ihre Hände tasteten Gilles' Schultern ab, die trotz der immer noch kräftigen Arme einfach zu dünn waren.

»Du hast nicht nach mir gesucht«, murmelte er traurig.

»Walther hat nach dir gesucht!«, sagte sie tonlos. »Und er hat dich gefunden, das ... das sagte er mir. Du wolltest ein neues Leben anfangen, ohne mich, das ...« *Er wünscht dir ein langes, glückliches Leben,* sagte Walthers Stimme in ihrem Gedächtnis, und sie starrte auf den geschundenen Menschen vor sich, der den Kopf schüttelte.

»Da war niemand«, sagte er. »Niemals.«

»Ich weiß nicht, was Herr Walther dir erzählt hat, Base«, warf

Paul ein. »Aber Gilles hat dich nicht verlassen, jedenfalls nicht aus freiem Willen. Er hat versprochen, Walther entgegenzuziehen. Aber er hat ihn nie wiedergesehen.«

* * *

Es war dunkel, als Walther in die Kammer zurückkehrte, die er mit Judith teilte. Nach dem Gespräch mit Stefan hatte er nicht den Fehler machen wollen, ihr sofort gegenüberzutreten; das Verlangen, sie anzuschreien und eine Erklärung dafür zu fordern, dass sie nie genügend Achtung vor seiner Liebe gehabt hatte, um ihm zu gestehen, dass sie überhaupt nicht verheiratet war, fraß an ihm. Außerdem klammerte er sich an die vage Hoffnung, dass Stefan ihn angelogen hatte; vielleicht reichte es schon, dass Judith ihren alten Glauben nicht mehr ausgeübt hatte. Ja, genau so musste es sein. Doch als er Philipps Kaplan auftrieb, bestätigte ihm dieser jedes Wort Stefans.

Ein Teil von Walther wollte sich in einer Höhle verkriechen und nicht mehr vom Fleck rühren, doch der Rest loderte vor Zorn. Er versuchte, selbst eine Erklärung zu finden, die nicht darauf hinauslief, dass Judith sich durch ihr Studium in Salerno zu gut für ihn hielt, aber er fand sie nicht. Mit jedem Schritt in Richtung ihres gemeinsamen Zimmers brannte das Gefühl stärker, zurückgewiesen worden zu sein, nur geheuchelte Liebe bekommen zu haben. Es half nicht im Geringsten, dass sich Judith schließlich vor einigen Tagen eines Besseren besonnen und nach ihrem Gespräch über den Versuch, ein Lehen zu gewinnen, zugestimmt hatte, ihn zu heiraten. Was war alles notwendig gewesen, um sie endlich dazu zu bewegen! Hatte sie es am Ende nur aus Mitleid getan, weil sie wusste, dass er wegen seiner Wochen im Spinnhaus manchmal schlecht schlief und dass ihn allmählich die Befürchtung plagte, irgendwann für sein Wanderleben zu alt zu sein?

Aufgebracht, gedemütigt und mit bitteren Gedanken betrat er seine Kammer. Das Erste, was ihm auffiel, war, dass Judith nicht nur vollständig angekleidet vor ihm stand, sondern auch, dass

neben ihrer Arznei- und Instrumententasche vollgepackte Satteltaschen lagen. Aus einer von ihnen lugten ein paar Pergamentbögen, und dann bemerkte Walther auch seinen Pelzmantel. Sie
hatte nicht ihre, sondern seine Sachen gepackt.

»Erzähle mir noch einmal, wie du Gilles in Bamberg gefunden
hast«, sagte sie. Jedes ihrer Worte war schneidend und kalt wie
tausend Eiszapfen. »Wie er zu dir gesagt hat, dass er mich verlassen wollte, um ein neues Leben zu beginnen.«

Hätte sie ihn das am Tag zuvor gefragt, hätte er sein Schuld-
bewusstsein ob der alten Lüge kaum verbergen können, und er
hätte versucht, ihr zu erklären, wie ihm diese kleine Verbiegung
der Wahrheit als die wahrscheinlichste Erklärung für Gilles' Verschwinden erschienen war. Dass seine Worte die beste Möglichkeit waren, ihr einen schmerzlosen Abschied zu schenken statt
endloser Ungewissheit. Aber heute, hier und jetzt, mit Stefans
Worten in den Ohren, gab er nur zurück: »Was kümmert es dich,
ob ich ihn gefunden habe oder nicht? Du warst schließlich nie
rechtmäßig verheiratet mit ihm.«

Walther hatte Judith schon oft zornig erlebt; hin und wieder war
dieser Zorn auch gegen ihn gerichtet gewesen. Er hatte sie hitzig
erlebt, er hatte sie kalt erlebt. Walther war sicher, jede Art zu
kennen, mit der sie Ärger oder Wut ausdrückte. Aber was er nun
in ihrem weißen Gesicht las, war völlig neu. Es war, als hätte
jemand die lebende, liebende Frau, mit der er die letzten Jahre
gelebt hatte, gegen eine Furie ausgetauscht, die aus nichts als
Hass bestand. Enttäuschung und Verachtung lagen in ihrem
Blick, aber vor allem tiefer, bodenloser Hass. Sie machte sich
noch nicht einmal die Mühe, zu leugnen, dass ihre Ehe mit Gilles
ungültig war.

»Ich wünschte, ich hätte dich niemals aus dem Spinnhaus herausgeholt«, sagte Judith mit einer Deutlichkeit und festen Stimme,
die keinen Zweifel daran ließ, dass sie jedes Wort so meinte.

Es war, als drehte sich alle Gewissheit um, auf die Walther in den
letzten zehn Jahren sein Leben gebaut hatte, und würde zu einem
Mahlstrom, der alles verschlang. Er wollte ihr nicht den Triumph
gönnen, sie anzuflehen, seine Erklärung anzuhören. Gerade jetzt

war er sich nicht sicher, ob er noch eine Minute in ihrer Gegenwart aushalten würde, ohne sich so zu verhalten, wie es Menschen taten, denen er nicht nacheifern wollte.

»Dann gibt es wohl nichts weiter zwischen uns zu sagen.«

»Nein, da gibt es nichts. Du wirst sicher bald einen anderen Gönner finden – aber komm nie wieder an Philipps Hof. Ich will dich nämlich nie mehr wiedersehen.«

Das alles wurde von Herzschlag zu Herzschlag mehr zu einem bösen Traum, in dem keine Regeln mehr galten und aus dem es kein Erwachen gab. Wenigstens ließ ihn seine Fähigkeit, auf alles eine scharfe Antwort zu geben, nicht im Stich.

»Du bist hier weder die Königin noch die Konkubine des Königs, Judith. Wenn ich mich nicht irre, war es Otto, nicht Philipp, der dich im Bett haben wollte. Oder hat sich da etwas verändert?«

»Wenn du es darauf ankommen lassen willst, dass Irene dich vor allen Leuten vom Hof verbannt, steht dir das frei«, sagte sie, ohne zu zögern. »Philipp wird dich ganz gewiss nicht schützen. Aber dir werden mehr Höfe offenstehen, wenn die Menschen dort glauben, dass du freiwillig gegangen bist.«

Walther blickte in ihre Augen und wusste, sie würde es tun. Judith würde ihren Einfluss bei der Königin nutzen, um seine Verbannung zu erwirken, seine Zukunft bei den Staufern ein für alle Mal zerstören, genauso intensiv, wie sie für ihn um sein Lehen gekämpft hatte. Inmitten des reißenden Stroms aus Wut, Entsetzen und Hass, ja, Hass, der sich Bahn in ihm brach, gab es noch eine winzige Insel der Vernunft, die ihn daran erinnerte, dass ein solches Verhalten von Judith noch einen anderen Grund haben musste als den, dass er sie damals wegen Gilles angelogen hatte – just an dem Tag, an dem er die Wahrheit über ihre Ehe erfuhr. Sie war ja bereits entschlossen gewesen, ihn zu verlassen, als er den Raum betrat. Irgendetwas musste geschehen sein.

Aber der Gedanke schaffte es nicht, sich gegen die Flut entsetzlicher Gefühle durchzusetzen. Er hatte schließlich Jahre damit verbracht, sich ihretwegen wie ein dummer Junge aufzuführen: Er war nach Braunschweig gegangen, weil er sie in Gefahr wähnte, und hatte ihren Gemahl gerettet, obwohl er dem Mann nichts schuldete. Er war ihr nach Salerno gefolgt, als sie das wollte, hatte deswegen die schlimmsten Wochen seines Lebens im Spinnhaus durchgemacht. Ihretwegen hatte er Jahre in Italien verbracht und auf seine Zuhörer verzichtet. Nicht *einmal* hatte er ihr das alles vorgehalten. Sie waren zusammen durch Feuer und Wasser gegangen, und nun warf sie das weg? Konnte sie alles wegwerfen, alle Liebe, alle Schwüre, jedes Zusammengehörigkeitsgefühl? All ihre gemeinsamen Jahre?

Walther hatte sie geliebt, und Judith ihn glauben lassen, sie liebe ihn auch. Das war es doch, worauf es im Leben ankam; alles andere war nebensächlich. Doch wenn sie ihn geliebt hatte, wahrhaft geliebt, dann würde sie nie so handeln, wie sie es jetzt tat. Also war alles für sie immer schon Lüge gewesen.

»Ich wünschte bei Gott, ich wäre dir nie begegnet«, spie er aus, nahm die Satteltaschen und verließ das Zimmer. Er konnte die entschlossenen, raschen Schritte gerade lange genug aufrecht halten, bis sie ihn die nächste Treppe hinuntertrugen; dann brach seine Haltung zusammen, und seine Lunge fühlte sich an, als söge er mit jedem Atemzug glühende Kohlen ein.

Reinmar hatte ihm einmal erzählt, dass bei den Römern ein Sklave die Aufgabe hatte, den Helden eines Triumphzugs ins Ohr zu flüstern: *Stirb jetzt. Stirb, solange du noch glücklich bist. Stirb jetzt.* Oder war es *Gedenke, dass du sterblich bist?* Er wusste es nicht mehr. Nach der letzten Stunde war es auch zu spät dafür. Aber der Gedanke half ihm, sich wieder aufzurichten. Nein, er würde nicht sterben. Er würde Judith nicht diese Befriedigung verschaffen. O nein. Er würde Philipps Hof verlassen, er würde sein Leben ohne sie führen, doch besser, als es je mit ihr gewesen war. Sie würde ihn nie wiedersehen, ganz wie gewünscht, aber er würde dafür sorgen, dass sie immer von ihm hören würde.

* * *

Markwart wusste nicht, wo ihm der Kopf stand. Vor einem Tag hatte Walther noch versucht, ihn zu überreden, für ihn das Stück

Land zu verwalten, das er und Judith vom Königspaar erbitten wollten, doch am nächsten tauchte sein alter Freund völlig betrunken in der Gesindestube auf und redete unverständliches Zeug, ehe er Markwart den Ring abforderte, den er heimlich für Judith hatte schmieden lassen und den Markwart für ihn aufbewahrte. Dann spielte er vollends den Verrückten und hieb mit dem Feuerhaken auf das Schmuckstück ein, bevor er es schließlich in die große Feuerstelle der Küche warf. Markwart wollte ihm nachgehen, aber unglücklicherweise kam einer seiner Kameraden dazwischen, der sagte, König Philipp brauche ein paar Pferde für einen Ausflug. Markwart sagte sich, dass er mit Walther am nächsten Morgen sprechen würde, doch da war sein alter Freund bereits verschwunden und hatte Speyer verlassen.

Auf dem Weg zur Magistra wurde er von Lucia abgefangen, die immerhin erzählen konnte, dass kein anderer als der lang verschollene Gilles wieder aufgetaucht war, als beinloser Krüppel. »Dann wird aus der Eheannullierung wohl nichts werden«, sagte Markwart und dachte, nun verstünde er Walthers Verhalten, wenngleich er es für übertrieben hielt. Ja, von einem gesunden Gilles hätte die Magistra eine Trennung erbitten können, aber Markwart kannte sie nun schon etliche Jahre, und er vermochte nicht, sich vorzustellen, dass sie einen Krüppel im Stich und dem Armenhaus überließ. Andererseits war es nicht so, dass Gilles jemals Ansprüche auf sie erhoben hatte, also brauchte sich Walther eigentlich keine Sorgen zu machen.

»Da täuschst du dich aber gewaltig«, erwiderte Lucia, als Markwart etwas in der Art zu ihr sagte. »Sie will ihn nie wiedersehen, deinen Freund Walther, und hat dafür gesorgt, dass er auch bei Hofe nicht mehr empfangen wird.«

»Was? Aber ...«

»Er hat sie belogen und behauptet, Meister Gilles habe sie in Bamberg verlassen«, erläuterte Lucia. »Dabei lag der Arme zu Brei geschlagen auf der Landstraße und hat keinen Arzt gehabt, um seine Beine zu retten, weil keiner nach ihm gesucht hat. All die Jahre war er in der Gewalt von Gauklern, die ihn zur Belustigung der Leute vorgeführt haben, und das alles nur deines

Freundes wegen. Wenn du mich fragst, hätte sie die Königin bitten sollen, ihn in den Kerker stecken zu lassen!«

Markwart öffnete und schloss den Mund, ohne etwas zu erwidern. Dunkel erinnerte er sich, dass er Walther gegenüber die Vermutung geäußert hatte, Gilles habe die Gelegenheit damals benutzt, sich aus dem Staub zu machen.

»Ich dachte, du hättest auch Herrn Walther gerne. Warum nennst du ihn jetzt nur meinen Freund?«, stieß er hervor.

»Ich habe selbst einmal auf der Straße gelegen und um Hilfe geschrien, und niemand hat mir geholfen«, gab Lucia zurück. »Da hört das Gernhaben auf. Die Magistra sieht das ganz genauso. Ins gemachte Nest hat er sich bei ihr setzen wollen, dein Walther, so ist es doch! Deswegen hat er den armen Gilles den Hunden zum Fraß vorgeworfen!«

Markwart schluckte. Er musste sofort zur Magistra gehen und ihr erzählen, dass es sein Einfall gewesen war, die Suche nach Gilles abzubrechen. Aber er sah die blitzenden Augen seiner Gemahlin und hatte plötzlich Angst. Angst, Lucia zu verlieren, und seine Kinder. Angst, seine Stellung zu verlieren; Stellvertreter des Stallmeisters des Königs, mehr konnte er kaum erhoffen. Wenn die Magistra so zornig auf Walther war, dass sie seine Verbannung vom Hof erwirkte, dann war es nicht auszudenken, was sie mit Markwart tun würde.

Er fühlte sich elend und feige. Aber er schwieg.

* * *

Es war die schärfste ihrer Damaszenerklingen, das Messer, das sie persönlich zu den Schleifsteinen brachte, weil sie es niemandem anvertrauen wollte, das, was sie für die schwierigsten Eingriffe benutzte. Es glitt durch ihr Haar wie durch Butter; Strähne um Strähne fiel.

»Warum?«, fragte Gilles, der sie von seinem Lager beobachtete, das sie ihm bereitet hatte. Paul hatte angeboten, ihn wieder nach Köln mitzunehmen, doch sie hatte nur den Kopf geschüttelt, da sie ihrer Stimme noch nicht traute. Gilles selbst sprach ebenfalls nicht viel; manchmal kam er ihr vor wie ein Kind, dann wieder wie der Mann, den sie einmal gekannt hatte, wenn auch nur kurz, mit einem Blick oder einem Satz, wie ein einzelner Sonnenstrahl, der durch Wolken brach. Aber jetzt beobachtete er sie, blickte auf das rote Haar, das den Boden bedeckte, und wiederholte verwundert und ein wenig verstört: »Warum?«

Sie konnte ihm nicht sagen, dass es daran lag, dass Walther ihr Haar so geliebt hatte, dass sie immer noch seine Finger spürte, die sich durch ihre Locken wühlten.

»Es dauert immer seine Zeit, bis lange Haare trocknen, vor allem jetzt, wo die Tage wieder kürzer werden und die Sonne weniger scheint«, sagte Judith mit belegter Stimme, »und wir werden bald nach Hagenau aufbrechen. Es reist sich einfach besser mit kurzem Haar. Unter meiner Haube fällt ohnehin niemandem ein Unterschied auf.« Ihre Augen brannten, doch sie hatte bereits alle Tränen geweint, derer sie fähig war, alleine, wo sie niemand beobachten konnte. Ganz gewiss nicht Gilles. *Er* war derjenige, der gelitten hatte. All die Jahre, und jedes Mal, wenn sie sich vorzustellen versuchte, wie sein Leben ausgesehen hatte, wenn sie sich bewusst war, dass alles anders hätte kommen können, wenn sie ihn nur selbst gesucht hätte, statt Walther darum zu bitten, wollte sie vor Scham im Boden versinken.

Bamberg war nicht das einzige Mal, wo sie ihn im Stich gelassen hatte. Sie hätte Botho geradeheraus fragen können, was er meinte mit seiner Anspielung, sie schulde ihm die Freiheit, mit Walther und Alexios ins Bett zu gehen. Das hätte Gilles zwar nicht mehr seine Beine wiedergegeben, doch wenn sie die Wahrheit erfahren und sofort begonnen hätte, ihn zu suchen, dann hätte sie ihm Jahre der Knechtschaft ersparen können.

»Du weißt es aber, allein das ist wichtig«, sagte Gilles. »Das schöne Haar.« Dann drehte er sich zur Seite, schloss die Augen und atmete bald tief und gleichmäßig.

Judith fühlte sich wie eine der Holzfiguren, die ein Messer gehöhlt hatte. Ihr Raum in Hagenau hatte eine Feuerstelle, aber der in Speyer nicht, und so konnte sie die stummen Zeugen ihres Versagens, ihrer Torheit, ihrer Schuld nicht verbrennen. Judith

legte das Messer nieder und begann, das Haar vom Boden aufzu-
sammeln. Wenn sie es verschluckte, dachte sie abwesend, und
wieder herauswürgte, dann hätte sie einen Bezoar, der vor Ver-
giftungen schützte. Einen verrückten Moment lang zog sie es tatsächlich in Erwägung. Dann stopfte sie die roten Strähnen in
einen Beutel, der eigentlich für Kräuter gedacht war. Morgen,
wenn Philipps Haushalt Speyer verließ, würde sie ihn in den
Rhein werfen, und mit ihm, so Gott wollte, die Judith, die Walther von der Vogelweide geliebt hatte.

KAPITEL 37

B ischof Bruno von Köln hielt auf dem Schiff Hof, das ihn in
sein Bistum zurückbrachte, und sprach freudig darüber, wie
er ein paar Monate seiner Gefangenschaft in Trifels verbracht
hatte, der gleichen Burg, wo einst König Richard festgehalten
worden war. Doch für ihn seien, anders als für Richard, keine
Unsummen Lösegeldes bezahlt worden. Nein, man hatte ihn
aufgrund seines festen Charakters sowie der Treue seiner Stadt
und der Unterstützung des Heiligen Vaters freigegeben.
»Und wegen ein paar Versprechungen an Philipp«, sagte Paul zu
seinem Vater, wobei er sich dachte, dass ihm der neue Bischof
nicht besser gefiel als der alte. Er wusste nicht, warum sein Vater
so rundum zufrieden wirkte. Gut, sie hatten den Bischof wieder, aber dafür musste Köln sich verpflichten, Otto nur noch die
Hälfte der Steuern zu bezahlen, und die andere Hälfte an Philipp.
Ganz bestimmt waren auch noch weitere Abmachungen getroffen worden, von denen Paul keine Ahnung hatte, aber er konnte
sich nicht vorstellen, dass diese einen Vorteil für Köln und für
König Otto bedeuteten.
»Wir haben noch nicht einmal Jutta überzeugen können, mit uns
zurückzukehren«, sagte er unzufrieden.

»Das war auch nicht meine Absicht. Sie hat sich von uns getrennt, und wir von ihr, mein Sohn. Wenn sie erneut um Obdach bitten sollte, dann würde ich es ihr vielleicht gewähren, aber nur dann. Ansonsten bleiben wir geschiedene Leute.«

»Aber«, stammelte Paul, »wenn es nicht darum ging, Jutta zurückzuholen, weswegen haben wir ihr dann Gilles gebracht?«

»Du hast mich auf dem Weg nach Speyer gefragt, warum Philipp immer noch nicht besiegt und im Gegenteil derzeit im Vorteil ist, trotz allem, was dagegen spricht, und ich habe dir erklärt, was die Fürsten dazu beitragen. Aber das ist nicht der einzige Grund. Ein anderer Grund ist, dass Philipp einen Sänger auf seiner Seite hat, der ihn seit Jahren preist und Stimmung gegen den Papst macht, der auf unserer Seite steht. Seine Lieder werden in jeder Schenke gehört. Aber nicht länger. O nein. Von nun an«, schloss Pauls Vater zufrieden, »wird Herr Walther von der Vogelweide ein anderes Lied singen.«

Paul dachte daran, wie am Boden zerstört seine Base gewirkt hatte, als er ihr die Wahrheit über Gilles und Walther enthüllte. Er sagte sich, dass es zu ihrem eigenen Besten war, nicht länger in Sünde mit einem Lügner zu leben, auch wenn das nun nicht der Grund war, der seinen Vater zum Handeln getrieben hatte. Aber er konnte nicht verhehlen, dass ihn immer noch das schlechte Gewissen wegen der Angelegenheit in Würzburg plagte, und es wäre eine gute Sache gewesen, wenn Jutta mit ihnen nach Köln zurückgekehrt wäre und sie sich alle gegenseitig vergeben hätten. Nichts davon äußerte er seinem Vater gegenüber, denn er wollte nicht schon wieder als törichter Junge dastehen. Dafür wurde er mittlerweile wirklich zu alt.

»Dann hältst du Philipp immer noch für besiegbar?«, fragte Paul. Er hielt Walthers Lieder als neue Geheimwaffe für Otto nicht für überzeugend, selbst wenn er sie gelegentlich nachsummte, ohne darauf zu achten.

»Es gibt Mittel und Wege, mein Sohn. Es gibt immer Mittel und Wege.«

* * *

Die Wartburg in Thüringen kam Walther seltsam klein vor nach mancher italienischen Feste, die er gesehen hatte, aber sie ragte immer noch wuchtig genug von ihrem Bergfried, um jeden zu beeindrucken, der kam. Sowohl der gehisste Wimpel des Landgrafen als auch die mit Gemüse, Korn und Wein beladenen Karren, die sich den Weg den Berg hinauf bahnten, verrieten, dass Hermann und sein Haushalt gegenwärtig sein mussten. Walther drehte sich zu dem Knappen um, den er auf dem Weg hierher angeworben hatte. »Der Landgraf von Thüringen hat immer eher zu viele als zu wenige Ritter um sich, und jeder von ihnen ist gut Freund mit seinen Ellbogen und lärmt laut genug, um Taube zum Leben zu erwecken. Ich will dich daher mit meinen Instrumenten immer in meiner Nähe sehen, also pass auf, dass du nirgendwo zurückgedrängt wirst.«

Der Junge, der aus einem rheinischen Dorf stammte, nickte hastig. Sein größter Vorzug war, dass er widerspruchslos tat, was ihm gesagt wurde, und vor allem keine Ahnung hatte, dass eine Frau namens Judith auf der Welt war. Wenn er es erstaunlich fand, dass Walther überall, wo sie einkehrten, mit einer Frau im Bett endete oder sich gegen eine Häuserwand gelehnt verwöhnen ließ, dann sprach er nicht davon. Er hinterfragte nicht, warum Walther eines seiner beliebtesten Lieder nicht mehr sang, *Unter den Linden*, auch wenn es verlangt wurde. Und wenn es ihm Angst machte, hinter Walther zu stehen, wenn dieser selbst in Schwaben Lieder sang, in denen Philipp als Geizhals bespöttelt wurde, dann beschwerte er sich nicht darüber, noch rannte er fort. Außerdem konnte er gut mit einem Knüppel und dem Messer umgehen, weswegen Walther ihn auch eingestellt hatte.

Walther machte nie den Fehler, sich mit dem Jungen über dessen eigenes Leben zu unterhalten oder zu versuchen, sich mit ihm anzufreunden. Freunde brauchte er von nun an genauso wenig, wie er Judith brauchte. Nie jemanden näher an sich heranzulassen als bis zu seinem Geldbeutel, das war die Art, wie er nun leben würde. Das Gleiche galt für Gönner. Jahrelang hatte er sich für Philipp von Schwaben eingesetzt, und das war dem Staufer gewiss so wenig wert gewesen wie Judith ihr Leben mit ihm.

Wenn er Speyer nicht von sich aus verlassen hätte, dann wäre er verbannt worden, daran gab es keinen Zweifel. Nun, er würde den Teufel tun und jetzt noch königstreue Lieder singen. Was er über Judith zu sagen hatte, wäre den Menschen gleichgültig gewesen, aber sich über Philipp lustig zu machen, brachte Zuhörer – und neue Gönner.

Nicht nur war Landgraf Hermann anwesend, er zeigte sich auch gesonnen, Walther zu empfangen, als er bei seinem Haushofmeister vorsprach. Man brachte ihn sofort in den Palas.

»Das nenne ich eine Überraschung«, sagte Hermann und zeigte lachend und voller Stolz alle seine Zähne. Dass er sie noch besaß, war selten bei Männern von fünfzig, und so alt musste der Landgraf von Thüringen mindestens sein. Doch er hatte stets nicht nur reich, sondern auch gut gelebt und das Kunststück fertiggebracht, sehr vielen Menschen Schaden zuzufügen, ohne ihn selbst zu nehmen. Da war es nicht weiter verwunderlich, dass er immer noch kräftig zubeißen konnte.

»Euer Gnaden.«

»Herr Walther von der Vogelweide hat uns in der Vergangenheit gelegentlich die Ehre gegeben und sogar an unserem Sängerwettstreit teilgenommen«, bemerkte Hermann an den Mann gewandt, der neben ihm saß und in den reichbestickten dunklen Roben eines Geistlichen von Stand und Pfründen gekleidet war. »Sein letzter Besuch ist allerdings schon ein Weilchen her. Umso besser, dass er jetzt hier ist. Schließlich haben wir Hochzeiten zu planen! Was braucht man da mehr als gute Sänger?«

Der Geistliche räusperte sich. »Eine Einigung über die Mitgift«, sagte er bedeutungsvoll. Hermann lachte.

»Herr Walther, dies ist Graf Berthold von Andechs. Ich habe für meinen kleinen Ludwig um seine Nichte angehalten, die Tochter des Königs von Ungarn, und was soll ich Euch sagen, ich glaube, mir wird bald eine neue Schwiegertochter zuteil.«

Eine, die noch ein Säugling ist, wie Walther sich dunkel erinnerte. Ehen zwischen Fürstenkindern wurden oft früh geschlossen, aber Hermann schien es besonders eilig zu haben. Vielleicht hatte das auch mit seinem höchst erwachsenen Schwiegersohn zu tun, denn Walther konnte sich nicht vorstellen, dass Dietrich von Meißen glücklich darüber war, nunmehr als Erbe von Thüringen durch Hermanns männliche Nachkömmlinge aus dem Feld geschlagen worden zu sein. Einen Moment lang fragte er sich, ob Dietrich den Grimm darüber an seiner Gemahlin ausließ, dann verdrängte er den Gedanken. Sich um niemanden zu kümmern, das war sein neuer Wappenspruch. Schon gar nicht um Frauen namens Jutta.

»Soll ich dann Kinderlieder bei der Hochzeit singen, Euer Gnaden?«, fragte er höflich.

»Wenn Ihr es nicht lassen könnt. Aber Ihr wisst ja, Hochzeiten sind vor allem der Gäste wegen ein Vergnügen, und das gilt nicht nur für die Feier zwischen meinem Herzbuben und Elisabeth von Ungarn. Das Haus Andechs-Meranien wird nächstes Jahr gar nicht mehr aus den Hochzeitsfeiern herauskommen, nicht wahr, Herr Berthold?«, fügte Hermann mit einem Rippenstoß hinzu.

Der Geistliche nickte mit einem etwas gequält wirkenden Lächeln. »Wir sind eben eine große Familie.«

So konnte man es auch ausdrücken. Ein Brief fiel Walther wieder ein, aus der Schreibtruhe von Bischof Wolfger. Eckbert, einer von Herrn Bertholds Brüdern, war nun der Bischof von Bamberg, seine Schwester Gertrud die Königin von Ungarn, und dann gab es noch eine Schwester, die den König von Frankreich geheiratet hatte. Man konnte sich fragen, wer in der Familie noch zum Heiraten zur Verfügung stand. Da er auf der Suche nach neuen Gönnern war, gab Walther sich einen Ruck und fragte, wen man denn noch beglückwünschen dürfe.

»Ja, wisst Ihr das denn nicht?«, fragte Hermann mit einer Überraschung, die zu dick aufgetragen war, um nicht gespielt zu sein. »Und ich dachte, Ihr kommt geradewegs vom Hof des guten Philipp zu uns. Herrn Bertholds ältester Bruder wird im nächsten Sommer mit einer Stauferin vermählt werden, eine von Philipps Nichten. Oder handelt es sich um seine Tochter?«

»Nein, eine Tochter ist es nicht«, entgegnete Berthold mit einem gezwungen wirkenden Lächeln, was bedeutete, dass seine Familie wohl auf eine von ihnen gehofft hatte. Nichten gab es sowohl durch Philipps tote Brüder als auch wegen einer nach Burgund verheirateten Schwester, aber das spielte keine Rolle für Walther. Wenn die Andechs-Meranier in die Familie der Hohenstaufer einheirateten, legten sie gewiss keinen Wert auf einen Sänger, der gerade so gut wie von Philipps Hof verbannt worden war. Dass Walther nicht mehr zu seinen Anhängern zählte, musste sich schon herumgesprochen haben, wie Hermanns Worte zeigten. Der Landgraf selbst hatte nie auf einer anderen Seite gestanden als derjenigen, die ihm gerade mehr Einkünfte zuschanzte, und glühte nur für sich, nicht für Welfen oder Staufer. Das war auch der Grund, warum Walther nach Thüringen gegangen war; deswegen wunderte ihn Hermanns leicht höhnischer Ton. Es fragte sich nur, wem der Spott gerade galt: ihm oder dem geistlichen Grafen? Er beschloss, ein wenig vorzupreschen, wenn es sich lohnte. Was hatte er schon zu verlieren?

»An Eurer Stelle würde ich die Hochzeit so rasch wie möglich stattfinden lassen, Euer Gnaden«, sagte er zu Berthold. »Herr Philipp ist nicht eben dafür berühmt, dass er Versprechungen hält, schon gar nicht, was Nichten und Neffen betrifft. Fragt dazu den jungen Friedrich auf Sizilien!«

Das kurze Schweigen wurde von dem Gegröle und Geschwätz am anderen Tischende übertönt, wo Hermanns Ritter und Dienstleute saßen. Walther hatte nicht übertrieben, als er seinem neuen Knappen von dem ständigen Lärm auf der Wartburg erzählte.

»Wohl gesprochen«, sagte Hermann schließlich. Er lachte nicht, und der Stimme fehlte auch die übertriebene Verwunderung; stattdessen klang er sehr, sehr zufrieden. »Habe ich Euch nicht das Gleiche gesagt, Herr Berthold?«

Berthold von Andechs rückte unbehaglich an seinem Kragen.

»König Philipp hat sich an die einjährige Waffenruhe des Papstes gehalten. Er hat dem Pfalzgrafen von Braunschweig überlassen, was er diesem versprach. Er hat den neuen Bischof von Köln seinem Bistum zurückgegeben. Und mein Bruder Eckbert ist nun vom Papst als Erzbischof von Bamberg bestätigt, ganz, wie es versprochen wurde. Mir scheint Herr Philipp sehr wohl ein Mann seines Wortes zu sein, und ich sehe keinen Grund, das lose Geschwätz eines undankbaren fahrenden Sängers dagegenzuhalten.«

Hermanns Augen glitzerten, aber er schwieg. Walther hatte inzwischen zu viel Erfahrung mit hohen Herren, um nicht zu wissen, dass er gerade auf seinem Prüfstein stand, nicht auf Bertholds.

»Euer Gnaden, wenn man eine Hochzeit ausrichtet, dann hört man gewiss die schönsten Geschichten von den Verwandten der Braut. Aber wenn man wissen möchte, wie es hinterher um die Bezahlung der Feier aussieht, dann sollte man sich am besten nicht an die Familie wenden, sondern an den Schneider, der dem Brautvater für gewöhnlich die Festroben liefert, ohne die er nackt wäre. Wenigstens ist das bei einfachen Leuten so. Als fahrender Sänger weiß ich natürlich nicht, wie es in dieser Hinsicht bei wahrhaft edlen Familien zugeht.«

Berthold von Andechs entgegnete nichts. Stattdessen starrte er auf einmal mit höchster Konzentration auf das Schachbrett, das zwischen ihm und Hermann stand, obwohl sich noch alle Figuren in ihrer ursprünglichen Position befanden und keiner von beiden Anstalten gemacht hatte, ein Spiel zu beginnen, ehe Walther eintrat. Seine Wangenmuskeln zuckten, als schluckte er mehrmals.

»Es ist gut, Herr Walther«, sagte Hermann und schnurrte beinahe wie eine Katze. »Ihr könnt gehen. Und bleiben, versteht sich. Ich hoffe doch, dass Ihr uns wenigstens bis über die Weihnachtsfeiertage die Ehre gebt? Meine ganze Familie wird bei mir sein, meine lieben Kinder, groß und klein. Da will man als Vater einfach etwas für Unterhaltung sorgen.«

* * *

Es war Beatrix, die Judith als Erste und Einzige fragte, wann denn Herr Walther wiederkäme. Sie war alt genug, um zu verstehen, welcher Art die Beziehung zwischen der Magistra und dem Sänger gewesen war, und sie dachte, wenn jemand Bescheid wisse, dann gewiss die Ärztin. Beatrix liebte Gesang und Geschichten und hatte bereits begonnen, selbst Lieder zu verfassen, obwohl sie bisher über vier oder fünf Zeilen nicht hinauskam und besser darin war, nach anderer Leute Melodien auf Laute und Harfe zu spielen. Also genoss es Beatrix immer sehr, wenn Sänger wie Herr Walther an den Hof ihres Vaters kamen, und sie plante heimlich, allen Mut zusammenzunehmen, um ihm ihre Lieder vorzuspielen, mit denen sie zufrieden war. Aber dann verschwand er von einem Tag auf den anderen. Niemand schien zu wissen, wann er wiederkommen werde. Dafür wurden die Lektionen in Sprachen, höfischem Benehmen und der Kunst, einem großen Haushalt vorzustehen, verdoppelt, was bedeutete, dass es ernsthafte Heiratsverhandlungen für sie gab. Das sollte sie mehr kümmern als die plötzliche Abwesenheit eines Sängers, das wusste Beatrix. Doch es war nun einmal so, dass sie keinen der Männer kannte, von denen man tuschelte, also zog sie es vor, nicht weiter über eine Heirat nachzudenken, die am Ende vielleicht doch nicht zustande kommen würde. Das lag alles in der Zukunft und war noch nicht wirklich.

Stattdessen fragte sie die Magistra, ob man denn mit Herrn Walther zu Weihnachten wieder würde rechnen können.

»Nein«, entgegnete diese knapp. Das Wiederauftauchen ihres Gemahls, des Krüppels, hatte sie zu einer einsilbigeren, manchmal unfreundlicheren Person gemacht, entschied Beatrix. Das gefiel ihr nicht. Sie mochte die Magistra so, wie sie früher gewesen war.

Kunigunde meinte, dass die Magistra Walther ihres Gemahls wegen weggeschickt haben könnte, doch Kunigunde war ein albernes kleines Mädchen, nicht eine bald erwachsene Frau wie Beatrix, die nicht verstand, was es mit den Regeln der Minne und Courtoisie auf sich hatte. »Ein Troubadour oder Sänger«, belehrte Beatrix ihre kleine Schwester, »minnt immer eine Dame, die anderweitig gebunden ist. Das ist die Regel. Sonst hätte er ja nichts, worüber er dichten könnte. Aber er weicht auch nicht von ihrer Seite, wenn es sich vermeiden lässt.«

»Wenn du erst verheiratet bist, wirst du dann auch einen Sänger haben, der dich minnt?«, fragte Kunigunde.

»Ich werde eine große Dame sein, eine Herzogin mindestens«, erklärte Beatrix, »und alle Herren an meinem Hof werden mir zu Füßen liegen. Also mindestens drei Sänger.« Was sie Kunigunde nicht verriet, gehörte zu ihren bestgehütetsten Geheimnissen: Sie wusste, dass Herr Walther auch über die erwiderte Liebe sang, und wenn die Magistra ihn nicht mehr wollte, dann würde sie ihn an ihren eigenen Hof bitten. Wenn ihr Gatte eine Enttäuschung sein sollte, dann würde sie Herrn Walther zu ihrem Ritter machen. Dabei wäre es allerdings wirklich hilfreich, ihn erst als Lehrer zu gewinnen und damit zu beeindrucken, wie gut auch sie Lieder dichten konnte. Das war unmöglich, wenn er nicht an den Hof zurückkehrte!

Sie fand erneut einen Grund, die Magistra aufzusuchen. »Man sagt, Ihr wüsstet Mittel, um die Haut heller und die Lippen röter zu machen«, begann Beatrix und dachte bei sich, dass man es der Magistra nicht ansah. Es war spät im Herbst, und trotzdem hatte sie Sommersprossen im Gesicht und Bräune, weil sie viel mehr Zeit als nötig im Freien verbrachte. Dafür waren ihre Lippen sehr bleich.

»Die brauchst du jetzt noch nicht«, gab die Magistra zurück; dabei wirkte sie zum ersten Mal seit geraumer Zeit nicht kurz angebunden, sondern belustigt. »Deine Lippen sind rot genug, und glaub mir, Mittel für deine Haut wirst du noch reichlich von mir bekommen, wenn du erst zu bluten anfängst. Bis dahin kannst du es genießen, noch keine nötig zu haben.«

Eigentlich sollte die Magistra sie nicht mehr wie ein Kind ansprechen, aber Beatrix wollte nicht darauf beharren, *Euer Gnaden* genannt zu werden, nicht jetzt, wo sie Wichtigeres hatte, über das sie reden wollte. »Ich hatte gedacht, Ihr würdet mir sagen, dass es für mich nicht wichtig sein sollte, schön zu sein, weil es darauf bei meiner Ehe ohnehin nicht ankommt.«

»Es kommt für dich darauf an, zufrieden mit dir zu sein«, entgegnete die Magistra. »Du wirst schon noch herausfinden, ob du glücklicher mit heller oder dunkler Haut bist.«

Beatrix runzelte die Stirn. Sie hatte die olivfarbene Haut ihrer Mutter geerbt, wie sie manche Leute aus dem Süden besaßen.

Deswegen ging sie im Sommer nicht mehr so häufig hinaus wie früher, denn sie wurde sehr schnell sehr braun, und sie wusste, dass die Dichter nur helle Haut in ihren Liedern priesen.

»Schönheit ist oft liebeleer«, zitierte sie, denn deswegen war sie eigentlich gekommen; ihre Frage war nur ein Vorwand gewesen. *»Liebe freut das Herz viel mehr, der Liebe steht die Schönheit nach. Doch Liebe macht die Frauen schön, aber Schönheit kann niemals die Lieb erhöhn.«*

Die Magistra sagte nichts.

»Das hat Herr Walther von der Vogelweide verfasst.« Noch immer sagte die Magistra nichts, also entschloss sich Beatrix, tollkühn zu sein. »Vor ein paar Jahren. Da muss er entweder eine schöne Frau geliebt haben, die ihn nicht zurückliebte, oder eine nicht so schöne Frau, die seine Liebe erwiderte. Was meint Ihr denn, dass es war?«

Jetzt kam Farbe in die Wangen der Magistra, und Beatrix gratulierte sich. Sie hatte gewusst, dass keine Frau so eine Unterstellung unwidersprochen lassen konnte; deswegen hatte sie zwei Interpretationen gewählt, die alle beide falsch waren. Die Magistra musste sich verteidigen und würde erzählen, was zwischen ihr und Walther geschehen war!

»Herr Walther«, sagte die Magistra und klang fast schneidend, »hat immer und einzig nur sich selbst geliebt. Was er in Frauen sah – ob schön, hässlich oder keines von beiden –, war daher nur das, was er sehen wollte. Etwas anderes hat ihn nie gekümmert.«

Das trieb Beatrix die Tränen in die Augen, denn wenn es stimmte, dann war ihr Held kein Held, und wenn es eine grausame Lüge war, dann war die Magistra nie Herrn Walthers Liebe wert gewesen. »So etwas dürft Ihr nicht sagen«, flüsterte sie mit zitternden Lippen. »Warum tut Ihr das? Ich verbiete es!«

Die Magistra seufzte, setzte sich neben Beatrix und antwortete leise: »Wenn man in einer offenen Wunde herumstochert, dann schlägt der Patient nach einem. Deswegen sollte man das lassen, vor allem, wenn man nicht weiß, wie die Wunde zu heilen ist.«

Das tröstete Beatrix ein wenig, denn immerhin bewies es, dass die Magistra um Walther litt. Sie beschloss, großmütig das Thema zu wechseln: »Warum verbringt Ihr so viel Zeit im Freien? Es ist mittlerweile oft kühl da draußen. Wenn es nur um die Kräuter und Wurzeln geht, die könntet Ihr doch auch von Knechten oder Mägden einsammeln lassen.«

Die Magistra betrachtete sie prüfend, wie um festzustellen, ob Beatrix alt genug für die Wahrheit war. »Mein Gemahl verbringt gerne Zeit im Freien. Er wurde jahrelang in engen Verschlägen und Kisten eingesperrt und nur hervorgeholt, um Menschen vorgeführt zu werden. Aufgrund seiner Verfassung kann ich ihn aber nicht alleine lassen.«

Beatrix vermied es, dem Gemahl der Magistra zu begegnen. Sie fand keine Freude daran, Krüppel zu betrachten. Ihre Mutter hatte sie gelehrt, Bettlern gegenüber milde zu sein, und vor den Kirchgängen gab Beatrix gewissenhaft von dem Geld, was ihr für Wohltätigkeit gegeben wurde, an die Armen, die sich vor den Portalen jedes Doms und Münsters versammelten, wenn ihre Familie kam. Aber es schauderte sie beim Anblick dieser Leute, und sie wunderte sich, dass es der Magistra nicht so ging, bis sie sich erinnerte, dass sie als Ärztin wohl an so etwas gewöhnt war.

Was die Magistra nun über ihren Gatten erzählte, stimmte Beatrix traurig, nicht zuletzt, weil es ihn mit einem Mal zu einem wirklichen Menschen machte, der Wünsche hegte. Wahrscheinlich war sie dem Gemahl der Magistra als kleines Kind begegnet, ehe er seine Beine verlor und wunderlich wurde, aber sie konnte sich nicht daran erinnern. Beatrix stellte sich vor, dergleichen würde ihrem Vater geschehen – gewiss würde die Mutter ihn dann auch nicht im Stich lassen, sondern mit ihm in der Sonne sitzen, solange es möglich war.

Bisher hatte sie die Magistra für töricht gehalten, falls sie Herrn Walther tatsächlich ihres Gatten wegen fortgeschickt hatte, wie Kunigunde vermutete. Doch aus einem anderen Blickwinkel betrachtet, machte es aus der Magistra die Heldin eines Liedes, die treue Dame, die ihrem Ritter auch beistand, wenn er entstellt war. Oder die Bauerstochter im Lied vom armen Heinrich, die ihren Ritter nach Salerno brachte, damit er dort geheilt würde.

»Wisst Ihr, wen ich heiraten soll?«, fragte Beatrix plötzlich.

»Wenn deine Mutter es mir erzählt hätte, dann wäre das vertraulich geschehen, und ich dürfte es dir nicht weitergeben. Genau, wie ich ihr nicht erzählen werde, was du mir anvertraust.«

»Dann steht bereits ein Mann fest?«, platzte Beatrix heraus. »Nicht der Wittelsbacher! Bitte sagt, dass es nicht der Wittelsbacher ist. Den habe ich letztes Jahr auf einem Hoffest gesehen. Er kann nicht tanzen und hat eine wiehernde Stimme.«

»Was habe ich gerade über Vertraulichkeit gesagt?«

»Meine Mutter hat einen edlen jungen Fürsten geheiratet, einen König. Ich wünschte, das könnte ich auch tun«, sagte Beatrix.

»Dein Vater war ein Herzog, als deine Eltern heirateten, und noch weit vom Thron entfernt.«

»Aber er war edel und jung«, beharrte Beatrix. »Eine Zeitlang dachte ich, es würde vielleicht der Älteste der Andechs-Meranier als möglicher Herzog für Bayern«, fuhr sie fort, »weil gar so viele Gesandte mit dem Wappen derer von Andechs eintrafen, aber letzte Woche habe ich gehört, dass meine Base mit ihm verheiratet wird. Der älteste Sohn des Landgrafen von Thüringen, der wäre fast in meinem Alter, aber mein Vater sagt, der Mann habe einen Rachen, der nicht satt werden will und den man nicht mehr stopfen dürfe, sonst würde er das ganze Reich verschlingen. Das klingt nicht so, als ob er mich mit seinem Sohn verheiraten will. Im Übrigen habe ich gehört, dass der eine ungarische Königstochter bekommt, obwohl sie noch ein Säugling ist.«

»Nun, an deiner Stelle wäre ich froh, denn sonst müsstest du nach Thüringen gehen. Wie es heißt, besteht Landgraf Hermann darauf, dass die kleine Ungarin sofort zu ihm gebracht wird. Das würde er bei dir auch verlangen.«

»Ich bin nicht dumm«, sagte Beatrix. »Ich weiß, dass ich nicht mehr lange bei meinen Eltern bleiben werde. Das gehört sich so. Aber Ihr könntet wenigstes mit mir üben, wie ich mir die Lippen röten und die Wangen bleichen kann, bis das geschieht. Außerdem hätte ich gerne blonde Haare statt schwarzer, aber ich glaube, das ist hoffnungslos. Ihr schaut doch mehr wie eine Stauferin aus als ich, mit Eurem roten Haar.«

»Über das Lippenrot lässt sich reden«, gab die Magistra nach. »Aber deine Haut ist gut so, wie sie ist.«

Das war ein unerwarteter Triumph, und Beatrix entschloss sich, die Gunst der Stunde und die offenbar nun weichere Stimmung der Magistra zu nutzen. »Wir werden nach Bamberg gehen nächstes Jahr, um die Hochzeit meiner Base dort zu feiern«, sagte sie. »Bis dahin werden sie wohl auch für mich die Heiratsverhandlungen vorangetrieben haben. Könnt Ihr meine Mutter bitten, dass sie mir meinen Bräutigam dort vorstellt, damit ich ihn nicht erst bei meiner eigenen Hochzeit sehe?«

»Bitten kann ich, aber ob die Bitte erhört wird, steht in den Sternen.«

Beatrix konnte es nicht lassen. »*Frau Glück verteilet rings um mich, doch mir kehret sie den Rücken zu, doch will sie nicht erbarmen sich; was muss ich tun dazu?*«

Das war aus einem ganz neuen Lied Herrn Walthers, das ihr neulich erst ein Spielmann gesungen hatte, und wenn die Magistra es erkannte, bewies es, dass sie insgeheim doch noch auf eine Versöhnung hoffte. Wenn ihr die Verse dagegen unbekannt waren, schien Hopfen und Malz verloren.

»An deiner Stelle würde ich mich nicht als unglücklich bezeichnen«, entgegnete die Magistra und wählte eine dritte Möglichkeit, an die Beatrix nicht gedacht hatte, nämlich die, das Zitat wörtlich und als ihre eigene Aussage zu nehmen. »Sonst endest du noch in einer Ehe mit einem neunzigjährigen Greis.«

»Der Vater will mich doch nicht mit dem Zähringer verheiraten?«, rief Beatrix bestürzt. Die Magistra lachte.

»Der ist keine neunzig, sondern höchstens fünfzig, und ich glaube nicht, dass er um dich angehalten hat.«

Beatrix verabschiedete sich und stöberte den obersten Schreiber auf, von dem sie verlangte, ihr alle neunzigjährigen Edelleute zu nennen. Zwar glaubte sie nicht, dass die Magistra anders als im Scherz gesprochen hatte, doch man konnte nie wissen. Erst, als der Mann ihr die beruhigende Auskunft erteilte, dass ihm keine noch lebenden neunzigjährigen deutschen Edelleute bekannt seien, wurde Beatrix bewusst, dass sie die Magistra wieder verlassen hatte, ohne die Bitte loszuwerden, sie möge doch nach Herrn Walther senden, damit er zu Weihnachten oder doch wenigstens im nächsten Jahr nach Bamberg käme. Und nun wusste sie nicht, ob sie den Mut dazu aufbrachte, sie erneut auszusprechen, denn was die Magistra über Walther und die Liebe gesagt hatte, machte ihr zu schaffen. Also war es besser, nicht darüber nachzudenken, beschloss Beatrix.

* * *

Es ist gut, dass genügend Holz und Kohlen in die Burg gebracht worden sind, dachte Dietrich von Meißen. Er wurde nicht jünger; allmählich spürte er die Kälte des Winters in seinen Knochen. In diesem Jahr war er versucht gewesen, die Weihnachtsfeiertage in einer seiner eigenen Residenzen zu verbringen. Was gab es auch schon groß zu feiern? Er fand es geradezu widerwärtig, wie sein Schwiegervater sich mit der ungarischen Ehe für den kleinen Ludwig großtat.

»Wenn eines der beiden Bälger stirbt, ehe sie erwachsen sind, wird er sich schön dumm vorkommen«, hatte er seiner Gemahlin gegenüber geknurrt. »Ich möchte nicht wissen, wie viel er den Andechs-Meraniern dafür gezahlt hat, dass sie diese Heirat vermittelt haben. Schließlich müssen die noch Schulden begleichen – der Bamberger Bischofssitz war garantiert sehr teuer.«

»Deine Sorge um das Leben meines kleinen Bruders ist rührend«, hatte Jutta in ihrer erzürnenden Art gesagt, die er nur nicht Hohn nennen konnte, weil an dem Wortlaut nichts auszusetzen war. »Und um die Geldmittel meines Vaters. Es wird ihm bestimmt das Herz wärmen, wenn du beides zu Weihnachten auf der Wartburg zum Ausdruck bringst.«

Als ob sie nicht auch enttäuscht war, dass sie und er nun nicht als Landgräfin und Landgraf von Thüringen enden würden! Gewiss, es war noch nicht aller Tage Abend. Kinder starben. Von seinen eigenen waren zwei tot, aber Jutta hatte ihre Pflicht getan, und vier weitere waren am Leben. Es war durchaus möglich, dass der kleine Ludwig mit seiner noch kleineren ungarischen Königstochter nicht sehr alt werden würde, aber unglücklicherweise hatte er bereits zwei Brüder und ein paar Schwestern dazu. Hermanns zweite Frau war geradezu widerwärtig fruchtbar und hatte erst in diesem Jahr einen vierten Sohn zur Welt gebracht. Es war, als ob sich alles wieder einmal gegen ihn verschworen hätte, um Dietrich das zu nehmen, was ihm zustand. Treue und Ehre lohnten sich erkennbar nicht mehr.

Dietrich hatte es nicht gehalten wie sein Schwiegervater: Er war stets bei Philipp geblieben, nachdem er einmal seinen Eid auf die staufische Seite geschworen hatte. Bei Hermann dagegen war es ein ständiger Scherz, dass seine Sänger immer darauf achtgeben mussten, als wessen treuen Vasallen sie ihn dieses Jahr zu preisen hatten, weil es so leicht war, dabei den Ereignissen hinterherzuhinken. Aber wessen Ländereien waren in all den Kriegsjahren immer größer geworden? Die Hermanns! Die Ländereien, die Dietrich nun nicht erben würde.

»Wenn dein Vater heute zur Hölle fahren würde, sollte es mir nur recht sein. Verrate mir nur einen Grund, warum ich die Weihnachtsfeiertage nicht in meinen eigenen Räumen verbringen sollte!«

Seine Gemahlin hatte ihn mit einer Miene gemustert, von der er glaubte, dass es Verachtung war. Das stand ihr nicht zu. Sie war für ihn genauso eine Enttäuschung gewesen wie ihr Vater. Gewiss, sie hatte ihm Kinder geschenkt, aber sie war nun nicht mehr das schöne Mädchen, das er geheiratet hatte. Jutta war kräftiger geworden, und ihr blondes Haar, das einmal die Farbe von reifem Weizen gehabt hatte, schimmerte bereits an manchen Stellen grau. Nicht, dass er es oft zu sehen bekam; er verbrachte nicht viel Zeit in ihrem Bett. Es gab genügend willigere, jüngere und hübschere Frauen für den Markgrafen von Meißen, und Kinder schenken konnten die ihm auch. Er hatte bereits vier uneheliche Söhne; die Töchter zählte er nicht.

Eines jedoch besaß Jutta, das musste er zugeben: einen scharfen Verstand. Deswegen war er nach all den Jahren auch widerwillig bereit, hin und wieder auf sie zu hören.

»Er hat dich eingeladen.«

»Das tut er jedes Jahr.«

»Nein«, hatte Jutta erklärt, »er bittet *mich* jedes Jahr, die Weihnachtsfeiertage mit ihm zu verbringen. Dich erwähnt er nie. Du gehst einfach nur davon aus, dass die Einladungen auch für dich gelten. Bis auf dieses Jahr. Da hat er ausdrücklich dich eingeladen, und das heißt, dass er dich für irgendetwas ganz Bestimmtes braucht. Es muss wichtig sein, denn sonst hätte er sich die Mühe nicht gemacht, dazu geheim, sonst hätte er dich offen auf die Wartburg gebeten oder wäre zu dir gekommen. Doch offensichtlich braucht er einen Anlass, bei dem sich keiner wundert, warum du auftauchst, denn zur Verlobungsfeier für meinen kleinen Bruder bist du nicht erschienen.«

Das war es letztendlich, was Dietrich nun auf die Wartburg getrieben hatte, obwohl er sich erst noch eine Weile zierte und sich in dem Gefühl sonnte, Hermann brauche ihn. Aber er wusste auch, dass er sich nicht zu lange darin sonnen durfte. Sein Schwiegervater war durchaus imstande, ihn ganz und gar fallenzulassen, und auch, wenn Dietrich sich sagte, dass er ihn längst nicht mehr brauchte, wollte er ihn dennoch nicht zum Feind haben. Dazu war Thüringen zu groß, die Grafschaft Meißen noch zu klein. Außerdem war da noch die unleugbare Tatsache: Hermanns Unternehmungen hatten meist ein gewinnträchtiges Ergebnis. Wenn er wirklich Dietrich dabei brauchte, dann wäre es immerhin möglich, dass diesmal auch er einen fetten Gewinn einstrich.

Nach ihrer Ankunft auf der Wartburg mussten sie erst die verwandtschaftliche Schöntuerei hinter sich bringen, die zu allem Überfluss auch noch darin bestand, nachträglich dem kleinen Bräutigam Ludwig zu gratulieren. Immerhin war das ungarische Balg noch nicht da; seine Mutter hatte darauf gepocht, ein Säugling wäre einfach noch zu jung, um fortgegeben zu werden. Nachdem Ludwig und seine kleinen, vor Gesundheit strotzenden Brüder mit Dietrichs eigenen Sprösslingen fortgeschickt wurden, gab es immer noch keine Möglichkeit, endlich zur Sache zu kommen, weil Hermann ein Festmahl gab, was wieder eine widerwärtige Protzerei war. Andere Fürsten mochten auf die Festmähler während der Feiertage hin sparen müssen, aber nicht Hermann, o nein, Hermann verköstigte nicht nur all seine Dienstleute und den Adel der Umgebung, sondern hatte auch ein halbes Dutzend Spielleute und Sänger zu Gast, einschließlich derer, die so taten, als wären sie von Ritterstand, wie Wolfram von Eschenbach oder Walther von der Vogelweide. Letzterer hatte zwar den Vorzug, nie langweilig zu sein, aber Dietrich wollte endlich erfahren, warum ihn sein Schwiegervater sprechen wollte. Bei dem Loblied auf Hermann, das es irgendwie fertigbrachte, den Sänger gleichzeitig mit seinem Schwiegervater zu loben – »*Ich zähl mich zu des milden Landgrafen Hofgesinde, es ist mein Brauch, dass man mich immer bei den Besten finde*« –, trommelte er deshalb ungeduldig mit seinen Fingern auf den Tisch und unterhielt sich laut mit einem von Hermanns Dienstmännern, damit die Darbietung rasch ein Ende fand. Außerdem brüllte er nach mehr Wein.

Dann allerdings wurde auch seine Aufmerksamkeit durch Walthers Vortrag geweckt, weil mehr und mehr Leute an den Tafeln zu ihm, Dietrich, hinschauten, dann wieder zu Walther, dann wieder zu ihm, und leises Glucksen durch den Saal glitt, zusammen mit dem üblichen Schmatzen und Schlürfen. Dietrich lauschte dem, was Walther vortrug, um den Grund der allgemeinen Belustigung zu entdecken.

Wer Schwäch' im Ohr als böse Krankheit hat,
Der bleib' Thüringens Hof fern, so ist mein Rat:
Denn käm' er dahin, er würde ganz betöret.

Auch ich dräng' mich hin, weil ich nicht vermag:
Verzichten was der Tisch trägt, bei Nacht und am Tag.
Doch ein Wunder ist's, dass von uns noch einer höret.

Der Landgraf ist so hochgemut,
Dass er mit stolzen Helden sein Hab vertut,
Damit jeder sein tapferer Kämpe wär'.

Mir ist sein hoher Sinn wohl kund:
Und kost' guter Wein selbst tausend Pfund,
Da ständ' doch keines Ritters Becher leer.

Je weiter der Sänger kam, umso mehr fühlte sich Dietrich nach Frankfurt zurückversetzt, zu jenem Hoftag, als Walther sie alle mit seinen frechen Versen über die Fürsten belustigt hatte, die den Kaiser doch zu eigenem Nutzen ins Heilige Land fahren lassen sollten. Jetzt war er noch nicht sicher, ob es Zorn oder Gelächter war, das in ihm aufwallte. Wenn er sich nicht täuschte, dann hatte der Sänger gerade die Stirn gehabt, die Tischgesellschaft, von deren Gastfreundschaft er lebte, als lärmende Säuferrunde zu bezeichnen. Eigentlich sollte ihn wirklich jemand durchprügeln. Aber andererseits war das allemal besser, als noch mehr Lobhudeleien darüber zu hören, wie wundervoll Hermann war. Außerdem, völlig unrecht hatte der Mann nicht. Es war wirklich sehr laut hier, und anders als Dietrich, der von sich behaupten konnte, wahrlich ein in Schlachten erprobter Held zu sein, waren gewiss sehr viele Angeber hier, die nur an Hermanns Reichtum teilhaben wollten. Überdies, wenn man es recht bedachte, stellte das Lied auch Hermann selbst nicht ins beste Licht: Statt den edlen, milden Fürsten aus dem ersten Lied schilderte es nun den Gastgeber einer Prasserbande. Ein Grinsen stahl sich auf Dietrichs Gesicht. Dann hieb er mit der Hand auf den Tisch und begann zu lachen, so laut, dass bald alle um ihn herum mit einfielen. Dabei lächelte Hermann sein eingeübtes Landgrafenlächeln und bedeutete Dietrich, er möge später zu seiner Kammer kommen. Dort warteten, so stellte sich heraus, nicht nur mehrere Bettpfannen auf ihn, die Hermanns Schlafstätte erwärmten, sondern auch seine Frau, die ihn seit Jahren mit einem Erben nach dem anderen versorgte. Dietrich runzelte die Stirn.

»Ich dachte, Ihr wolltet ein wichtiges Gespräch mit mir führen.«
»Mann und Weib ein Leib«, entgegnete Hermann. »Ich will nicht hoffen, dass du es bei meiner Tochter anders hältst, mein Sohn.«
Es gab Dinge, von denen Dietrich wünschte, Hermann hätte sie

an Jutta vererbt, aber die hinterlistige Art und Weise, zu spotten, ohne dass man die Gelegenheit hatte, sich offen beleidigt zu zeigen, die gehörte nicht dazu.

»Außerdem«, fuhr Hermann fort, »war es mein Täubchen Sophia, das mich auf einen Gedanken gebracht hat, der bei dem von Bedeutung ist, was ich dir zu sagen habe, Dietrich.«

Soweit Dietrich das unter den Bettdecken ausmachen konnte, war Sophia, die im gleichen Alter wie Jutta war, durch die Geburten nicht weniger in die Breite gegangen, doch Hermann schien das nicht zu stören. Er biss spielerisch in ihre üppige Schulter, die aus den Kissen herausragte, ehe er sich wieder Dietrich zuwandte. »Sie ist eine Wittelsbacherin, meine kleine Sophia.«

Ja, wir wissen alle, dass du reich geheiratet hast, dachte Dietrich. Für ihn waren die Wittelsbacher gewöhnliche Aufsteiger, die es nie bis zum Herzogstand gebracht hätten, wenn nicht der alte Barbarossa das Herzogtum Heinrichs des Löwen zerschlagen hätte. Dabei war den Wittelsbachern Bayern zugefallen. Zugegeben, sie hatten es bisher fertiggebracht, sich Bayern zu erhalten, aber vergleichbar mit wahrhaft alten und reichen Geschlechtern waren sie wirklich nicht.

»Einem ihrer Vettern erging es nicht so gut wie mir dieses Jahr«, fuhr Hermann vergnügt fort. »Er trug sich mit Freiersgedanken, aber was soll man sagen, unser guter Philipp hat ihn einfach abblitzen lassen.«

»Euch etwa nicht?«, fragte Dietrich, der sich nicht länger zusammennehmen konnte und endlich auch einen Hieb austeilen wollte. »Es sollte mich wundern, wenn Ihr Euch nicht auch um eine von Philipps Töchtern bemüht hättet. Immerhin habt Ihr mehr als einen Sohn zu vermählen.«

Enttäuschenderweise zeigte sich Hermann nicht verärgert ob dieser Anspielung. »Das habe ich in der Tat«, entgegnete er. »Aber leider scheint Philipp der Ansicht zu sein, die Vermählung einer seiner Töchter mit einem meiner Söhne würde nicht in meiner unzerbrüchlichen Treue für ihn enden, und meine Mitgiftforderungen seien zu hoch. Im Nachhinein scheint mir das ein

Glück zu sein, denn ich liebe meine Familie. Niemand weiß das besser als du, nicht wahr?«

Dietrich ließ sich auf den einzigen Stuhl fallen, der im Raum stand, und gab einen zustimmenden Grunzlaut von sich. Zu mehr fühlte er sich nicht imstande.

»Man sollte niemals seine Kinder mit Mitgliedern einer zum Unglück verdammten Familie verheiraten«, sagte Hermann.

Mit einem Mal war Dietrich hellwach. »Die meisten Leute würden dieser Tage behaupten, dass König Philipp zu einem Glückskind geworden ist«, gab er vorsichtig zurück.

»Würden sie das? Sag mir, Dietrich, wann warst du das letzte Mal in einer Schenke?«

»Ich bin der Markgraf von Meißen«, entgegnete Dietrich würdevoll. Damit wollte er zum Ausdruck bringen, dass er den Wein, die Gaukler und die Weiber zu sich kommen ließ, statt zu ihnen zu gehen.

»Hast du heute eines der Lieder angehört, die vor dem kleinen Hymnus auf meinen Hof kamen?«

»Nein«, gab Dietrich zu.

»Eines, das noch nicht einmal von Herrn Walther stammt, handelte davon, wie man an Philipps Hof selbst als Kanzler und Bischof seinen Kopf verlieren kann, wenn man dem Reichshofmarschall nicht gefällt. Es erregte keine besondere Aufmerksamkeit. Weißt du, was das bedeutet?«

»Es war nicht so gut wie die Weisen von Walther?«

»Niemand findet etwas dabei, schlecht über Philipp zu reden«, sagte Hermann ungeduldig, »oder glaubt, etwas Unrechtes zu hören, wenn es ein Sänger tut.«

»Dass man Philipp für einen Weichling hält, ist nichts Neues, und trotzdem hat er es geschafft, nach all den Jahren derzeit besser dazustehen als Otto. Er ist zweimal gekrönt worden und hat immer noch mehr Fürsten auf seiner Seite als der Welfe.«

»Und so wird es weitergehen, und weiter, und weiter. Meinst du nicht, dass unser armes Reich Besseres verdient hat?«, fragte Hermann.

Dietrich war enttäuscht. All die Geheimnistuerei nur um einen weiteren Seitenwechsel seines Schwiegervaters? »Ihr wollt also wieder zu Otto überlaufen«, stellte er fest. »Was bietet er denn diesmal?«

»Mein Sohn, du denkst einfach zu kurz. Man muss wissen, wann das Spiel überreizt ist. Ich will nicht leugnen, dass ich in den letzten zehn Jahren viel Gewinn aus dem Krieg gezogen habe, aber Philipps Weigerung, eine seiner Töchter für einen meiner Söhne in Betracht zu ziehen, beweist mir, dass es damit nun zu Ende ist. Selbst, wenn ich wieder zu Otto übergehe, wird er mir nicht mehr Ländereien oder Privilegien bieten, um mich zurückzugewinnen. Und wenn ich mich nicht zu Otto bekenne, dann ist es nur noch eine Frage der Zeit, bis Philipp anfängt, ein paar seiner früheren Zugeständnisse wieder einzufordern, wenn er erst sicher auf seinem Thron sitzt.«

Erst stellte Hermann es so dar, als ob die Dinge schlecht für Philipp stünden, dann, dass sie gut für den König seien und schlecht für ihn selbst. Da sollte einer verstehen, worauf sein Schwiegervater hinauswollte! Dietrich beschloss, dem Herumgerede ein Ende zu machen. »Was wollt Ihr von mir, Schwiegervater?«

»Die Frage ist, was du vom Leben willst, Dietrich. Willst du weiter nur auf Meißen beschränkt sein, da gewisse Hoffnungen sich nicht erfüllen werden, oder willst du zu Rechten eines Königs stehen, der dir alles verdankt?«

»Aber Ihr habt doch gerade gesagt, dass Philipp nicht mehr mitspielt, Ihr aber auch nicht erneut zu Otto übergehen wollt.«

»Sag mir, dass all die gemeinsamen Jahre nicht umsonst waren und dass du von alleine darauf kommst, was dann noch übrig bleibt.«

KAPITEL 38

Es war zu kalt, um in der Nacht lange im Freien zu bleiben, aber Walther brauchte frische Luft. Stille nach dem Lärm im Palas war auch nicht schlecht, doch vor allem frische Luft. Er hatte das Gefühl gehabt, zu ersticken.

In den letzten Tagen hatte es geschneit, doch am Nachmittag war der Himmel klar geworden, und jetzt konnte er die Sterne mit einer ungewöhnlichen Deutlichkeit sehen. Strahlend, unverändert und vor allem unerreichbar.

»Sie hat Euch fallengelassen wie ein Stück Abfall, nicht wahr?«, sagte eine Stimme hinter ihm. »Deswegen seid Ihr hier.«

Walther drehte sich um und sah, dass die Markgräfin Jutta ihm gefolgt war. Er begegnete ihr nicht zum ersten Mal wieder, doch bei der Verlobungsfeier für ihren kleinen Bruder Ludwig hatte sie ihn geflissentlich übersehen. Er war ihr auch aus dem Weg gegangen, was leichter war, als er zunächst geglaubt hatte.

»Ich bin hier, weil Euer Vater Sängern gegenüber so gastfreundlich ist.«

Sie machte eine ungeduldige Handbewegung. »Das hätte ich vielleicht im Herbst geglaubt, aber nun ist es Winter. Als ich das letzte Mal an einem Hoftag König Philipps teilnahm, da erzählte mir die Königin, dass Ihr der Ärztin nach Salerno gefolgt seid. Also wart Ihr bereit, für sie über die Alpen zu ziehen, weshalb es nur zwei Erklärungen für Euren langen Aufenthalt hier in Thüringen ohne sie gibt: Sie ist tot, oder sie hat Euch fallenlassen.«

Anscheinend war es eine Gemeinsamkeit aller Frauen mit dem Namen Jutta, zu scharfsinnig für seine Gefühle zu sein. »Wer sagt Euch, dass ich nicht ihrer überdrüssig geworden bin?«, entgegnete Walther und versuchte, eine lässige und spöttische Tonart anzuschlagen.

»Ihr habt in Euren Augen die Leere eines Mannes, der sein Herz verloren hat, Walther von der Vogelweide, und nicht auf die glückliche Weise«, sagte Jutta. »Ich kenne sie, diese Leere. Ich kenne sie nur allzu gut. Es hat mich auch durchaus glücklich gemacht, dass sie nun Euch erfüllt.«

In früheren Zeiten hätte er sich vielleicht schuldig gefühlt, aber jetzt nicht mehr. Er war es überdrüssig, und er hieß die Gelegenheit willkommen, endlich etwas von der Bitterkeit, die in ihm schwelte, weiterzugeben.

»Darf ich fragen, was ich getan habe, um Eure Feindschaft zu verdienen? Hatte ich Euch jemals geschworen, dass ich Euch liebte? Nein. Ich hatte den Eindruck, dass wir uns gegenseitig die Zeit vertrieben und so etwas wie Freundschaft schlossen, aber vermutlich hätte ich daran denken sollen, dass Frauen genauso wenig mit Männern Freundschaft schließen, wie edle Herren das mit fahrenden Sängern machen. Ja, es tut mir leid, dass Euer Gemahl ein grober Narr ist, aber das ist nicht meine Schuld. Was zum Teufel gibt Euch also das Recht, mir erst Verstümmelung anzudrohen und Euch dann, wenn wir uns Jahre später wiedersehen, an meinem Unglück zu weiden?«

Ihr Mund hatte sich während seiner Tirade leicht geöffnet. In der Kälte und dem klaren Licht der Sterne und des Mondes sah er die Atemwolke, die ihren Kopf umgab, und er erinnerte sich unpassenderweise daran, dass sie früher so ihren Mund geöffnet hatte, wenn sie ihre Beine um ihn schlang. Mittlerweile zogen sich, anders als früher, Linien von ihren Mundwinkeln zum Kinn, doch gleichzeitig hatte sie noch immer ihre Grübchen, ein wenig unantastbare Jugend, die ihr bereits früh gealtertes Gesicht weicher aussehen ließen.

Er machte eine Verbeugung und wollte gehen, doch sie hielt ihn an seinem Arm zurück.

»Es ist wahr«, sagte sie, »dass ich Euch nicht geliebt habe, Herr Walther, aber Ihr wart über Wochen ein Stück Freude in einem elenden Leben. Dann habt Ihr mir das weggenommen und mir gleichzeitig gezeigt, wie anders Euer Leben war, wie glücklich und erfüllt, doch für mich gab es dergleichen nicht. Sollte ich Euch dafür dankbar sein?«

Walther schaute sie an und dachte, dass dies das erste ehrliche Gespräch war, das er seit Monaten führte. Gleichzeitig brach es etwas in ihm auf, das er vermauert wissen wollte. *Und doch,* sagte sich Walther, *wäre es nicht auch ein Sieg für Judith, wenn ich ihretwegen für niemanden mehr etwas empfinde, selbst Mitgefühl nicht?*

»Wenn dies Euch Wunden schlug, dann nehmt als Heilung, dass Ihr richtig vermutet«, entgegnete er leise, ehe er es sich versah.

Sie neigte den Kopf zur Seite. »Es schafft mir keine Heilung. Am Ende bin ich wohl doch nicht bitter genug, um mich an Qualen eines Freundes zu erfreuen.« Durch ihre Hand auf seinem Arm lief ein Zittern, und er sagte: »Es ist kalt.«

»Ihr könntet mir den Pelzmantel anbieten, den Ihr tragt«, sagte sie mit einem leichten Lächeln.

»Das könnte ich, wenn ich nicht wüsste, dass Ihr als Markgräfin über eigene Pelzmäntel verfügt. Außerdem war der Vorschlag, der mir auf der Zunge lag, wieder hineinzugehen, was uns beide wärmen würde.«

»Würde es das?«, fragte sie bedeutungsvoll.

Walther zögerte. Dann dachte er, *warum nicht,* und nickte. »Ich denke schon.«

***

Es hatte sich herausgestellt, dass Gilles ein Talent zum Schnitzen besaß. Früher hatte er nur hin und wieder kleine Arbeiten verrichtet, aber nicht die Zeit für mehr gehabt, doch nun besaß er mehr davon, als ihm lieb war. Als er das erste Mal um ein Stück Holz und ein Messer bat, behielt Judith ihn im Auge. Er verletzte sich kein einziges Mal, sondern fertigte einen Kreisel für Lucias jüngste Kinder an, die er im Garten beim Spielen beobachtet hatte. Das war der Anfang, im Herbst. Bis der Frühling kam, war Gilles so weit, nicht nur Spielzeug für Lucias und Irenes Kinder, sondern auch Becher, Ständer für Bücher und eine kleine Truhe zu fertigen, in der Judith ihre Instrumente unterbringen konnte, wenn sie nicht unterwegs war. Bei der Arbeit schien er sich wohl zu fühlen und summte vor sich hin. Gilles sprach immer noch weniger als früher, doch er führte mittlerweile mit Judith, Lucia,

Markwart und deren Kindern Unterhaltungen, die nicht bereits nach zwei, drei Sätzen endeten. Es schien ihm gutzutun, sich nützlich zu fühlen. Einmal jedoch beobachtete Judith, dass er über etwas in Tränen ausbrach: Es war ein Holzstumpf für einen von Philipps Kriegsknechten, dem sie das Unterbein bis zum Knie hatte absägen müssen. Mit dem Kegel aus Holz würde der Mann zwar nicht mehr kämpfen, aber doch immerhin wieder gehen können.

Sie wollte gerade in die Bibliothek des Doms zu Speyer gehen, um ein Buch über den Verlust von Gliedmaßen zu suchen, als Irene nach ihr schickte. Die Königin ging in ihrer Kemenate auf und ab. Als Judith eintraf, stellte sie als Erstes fest, dass Irene ihre Damen fortgeschickt hatte. Sie waren alleine.

»Es wird Otto werden«, sagte Irene unvermittelt. »Riccardo von Segni, der Neffe des Papstes, nimmt eines unserer jüngeren Mädchen, aber Otto besteht auf Beatrix.«

Judith wusste nicht, was sie sagen sollte. Ein Ausruf der Bestürzung würde Irene nur noch mehr verstören. Sie konnte aber auch nicht so tun, als stimme sie die Aussicht glücklich, die lebhafte und liebenswerte Beatrix, die viel von ihrer Mutter hatte, aber der anders als Irene noch nie im Leben etwas Böses widerfahren war, als Gemahlin Ottos zu sehen.

»Ihr müsst mir helfen, Magistra«, sagte Irene gepresst.

»Wie?«

»Die Menschen ändern sich, das habt Ihr selbst gesagt«, erklärte Irene eindringlich. »Niemand von uns weiß, wie Otto sich verändert haben mag, ob zum Guten oder zum Schlechten. Seine Gesandten verkünden nur, was wir hören sollen. Unsere Leute hatten in den letzten zehn Jahren nur den Auftrag, ihm zu schaden, und haben uns selbstverständlich stets Dinge berichtet, die ihn in einem schlechten Licht zeigen. Deswegen … deswegen möchte ich, dass Ihr für mich zu Otto geht.«

Es dauerte ein paar Augenblicke, bis Judith sicher war, richtig verstanden zu haben. Irene ergriff ihre Hand.

»Ihr habt Grund, schlecht von ihm zu denken, aber Ihr seid auch ehrlich und einer der klügsten Menschen, die ich kenne. Eurem

Urteil werde ich vertrauen. Wenn Ihr von Otto zurückkehrt und mir berichtet, dass er ein besserer Mann geworden ist, dann weiß ich, dass meine Tochter eine Zukunft haben wird und ich nicht für sie fürchten muss.«

»Und wenn ich gar nicht zurückkehre?«, fragte Judith. »Graf Otto hat mir in der Vergangenheit durchaus Grund gegeben zu glauben, er grolle mir. Mag sein, dass er Rücksicht darauf nehmen wird, dass Ihr mich geschickt habt, doch …«

»Das dürft Ihr ihm nicht verraten!«

Judith trat einen Schritt zurück.

»Versteht Ihr denn nicht«, fuhr Irene fort, »genau darauf kommt es doch an. Wenn er weiß, dass ich Euch geschickt habe, dann ist Euer Besuch bei ihm kaum etwas wert. Ich will wissen, wie er eine Frau behandelt, wenn er nicht durch gutes Verhalten irgendetwas erreichen will.«

Was Irene da verlangte, würde Judith ohne jeglichen Schutz lassen. Sie konnte sich eine ganze Reihe von Arten vorstellen, wie der Otto, dem sie damals begegnet war, eine Frau behandelte, wenn er keine Konsequenzen zu fürchten brauchte. Keine davon war auch nur im mindesten etwas, das sie erleben wollte oder das sie einer anderen Frau wünschte.

»Ihr denkt, dass ich Euch in die Höhle des welfischen Löwen schicke, und das ist wahr. Aber ich tue es nicht nur, weil ich Euch vertraue, sondern weil ich Euch kenne. Wenn Euch Unbill trifft, Magistra, dann begegnet Ihr ihm und findet einen Ausweg. Ihr seid in der Lage, aus Stroh Gold zu spinnen. Sollte Otto Euch übelwollen, dann habt Ihr meine Erlaubnis, sofort zu entfliehen – das wird Euch gelingen, weil Ihr meine unbezwingliche Magistra seid«, sagte Irene beschwörend. Unsinnigerweise wurde Judith an Beatrix erinnert, wie sie um Lippenrot gebeten hatte, und um den Namen ihrer Freier.

»Aber wenn ich nicht fliehen kann, wenn Ihr nichts mehr von mir hört, dann habt Ihr ebenfalls Eure Antwort über Otto«, stellte Judith fest und fragte sich, ob sie sich jemals an das Gefühl gewöhnen würde, von Menschen, an denen sie hing, benutzt zu werden. Es war bei Irene gleichzeitig schmerzhafter und leichter als bei Stefan und Paul. Leichter, weil Irene dazu erzogen worden war, von ihren Untergebenen zu erwarten, dass diese sich für sie opferten, und weil sie um ihrer Tochter willen darum bat, nicht für mehr Macht oder die vage Möglichkeit auf ein besseres Reich; schmerzhafter, weil Judith seit Bamberg begonnen hatte, an die Zuneigung zu glauben, die die Königin für sie hegte.

»Ihr werdet entfliehen können. Es gibt drei Dinge, Judith, auf die ich in meinem Leben zu vertrauen gelernt habe, und nichts davon wurde mir in die Wiege gelegt. Das erste und wichtigste ist, dass es immer eine Hoffnung gibt, auch wenn die Lage verzweifelt scheint. Das habe ich von Euch gelernt, in Salerno. Das zweite ist, dass man Liebe auch dort finden kann, wo man sie am wenigsten erwartet. Ich hätte nie gedacht, Philipp von Hohenstaufen lieben zu können, oder daran, dass er mich lieben würde, und doch ist es so gekommen. Und das dritte ist: Meine Magistra findet immer einen Ausweg.«

Das war entweder der größte Vertrauensbeweis, den ihr je jemand gegeben hatte, oder ein Verrat, der nur deswegen nicht der schlimmste war, weil Gilles für den von Walther an jedem Tag seines Lebens bezahlte. Judith klammerte sich an eine Nebensächlichkeit, um nicht gleich eine Antwort geben zu müssen.

»Ihr habt mich Judith genannt.«

»Das ist Euer Name, nicht wahr? Nicht Jutta.«

Sie wusste nicht, von wem Irene das erfahren hatte, oder ob es einfach eine logische Schlussfolgerung war, und sie wollte es nicht wissen. Bis auf die anderen Juden in Salerno und einige Leute in Braunschweig, von denen Irene aber nichts wissen konnte, hatte sie seit ihres Vaters Tod nur Walther so genannt. Das Atmen fiel ihr unerwartet schwer.

»Und wenn ich mit schlechten Nachrichten zurückkehre, was nützt Euch das dann?«, fragte Judith. »Glaubt Ihr wirklich, dass Euer Gemahl sein Hochzeitsangebot zurückzieht und ein weiteres Jahrzehnt gegen Otto kämpft? Mein Herz hängt an Eurer Tochter, doch es gibt viele hundert Mädchen im Reich, die dann ihr Leben verlieren, und viele tausend Männer.« Sie schaute Irene an und ließ alle Vorsicht fahren. »Ihr seid eine Mutter, und so ist

Euch das Leben Eurer Tochter kostbarer als das aller anderen. Aber Ihr seid auch Königin dieses Reiches. Und als solche wisst Ihr, dass der Frieden für alle mehr ist als der Frieden im Leben Eurer Tochter.«

Irene hatte einmal das Leben ihres Vaters und ihres Bruders über den Frieden in ihrer Heimat gestellt; das hatte am Ende sowohl Byzanz als auch Alexios und Isaak Angelos bluten lassen, aber obwohl Judith von tausend widerstreitenden Gefühlen auseinandergerissen wurde, brachte sie es nicht über sich, das zu erwähnen. Damals hatte sie selbst ihren Teil dazu beigetragen, dass Alexios zurück nach Byzanz kam. Er wäre mit verschwommenem Blick am Hof von Philipp glücklicher und vor allem lebendiger gewesen, wie Meir, den die Aussicht, Leibarzt eines Kaisers zu werden, mit nach Byzanz gelockt hatte, und der nie wieder nach Salerno zurückgekehrt war. Ihn zu heiraten, wäre ein Unglück gewesen, aber um ihren alten Mitstudenten trauerte sie.

»Ich bin eine Königin *und* eine Mutter, und Ihr habt mich gelehrt, bei zwei schlechten Möglichkeiten nach einer dritten Ausschau zu halten«, sagte Irene. »Bis Ihr mit einer Antwort zu mir zurückkehrt, werde ich sie gefunden haben. Einen Baustein für Frieden ohne Otto habt Ihr mir bereits gegeben, denn die Ehe mit Riccardo Segni bedeutet, dass der Heilige Vater den Bann von Philipp nimmt. Und die Ehe zwischen Philipps Nichte und dem Andechs-Meranier, die im Juni geschlossen wird, stiftet jetzt bereits ein wenig Frieden. Die Andechs-Meranier haben dem abgewiesenen Wittelsbacher eine ihrer eigenen Töchter angeboten, es gibt also keinen Grund mehr, uns die Absage nachzutragen. Er hat bereits sein Kommen zur Hochzeit in Bamberg angekündigt, wie fast jeder wichtige Fürst im Reich. Hermann von Thüringen wird da sein, Hans von Brabant, der Zähringer und die Königin von Ungarn, denn es ist ihr Neffe, der heiraten wird. Nach diesem Fest wird Otto wissen, dass er keine Verbündeten mehr hat, die über Geldmittel und nennenswerte Truppen verfügen. Wer weiß, vielleicht wird er dann mit Schwaben zufrieden sein, ohne Beatrix. Wenn nicht – nun, ich werde einen Weg finden.« Sie hob den Kopf und tat etwas, das noch nie da gewesen war: Sie straffte ihre Röcke und kniete vor einer Untertanin nieder. »Ich muss die Wahrheit wissen, ob bitter oder süß, und ich weiß, Ihr werdet mich nicht belügen, weder im Guten noch im Schlechten. Darum bitte ich, Irene, Tochter des Kaisers von Byzanz, eine Prinzessin, die Königin von Sizilien werden sollte und Königin der Deutschen ist, Euch um Eure Unterstützung.« Bis dahin hatte sie Deutsch gesprochen, doch jetzt fiel sie in das Volgare zurück, mit dem sie einst als Erstes mit Judith geredet hatte. »Ich, Irene, eine Mutter, bitte um Hilfe für meine Tochter.«

Sie breitete die Arme aus, aber da Judith die Vorbereitung für die demütigste aller Unterwerfungen erkannte, den Fall auf den Boden mit dem gesamten Körper, fiel sie rasch selbst auf die Knie und fing Irene auf.

Du hältst dich für klug, höhnte eine Stimme in ihrem Kopf, die verdächtig wie Walther klang. *Du bist dabei, dich ein weiteres Mal ausnutzen zu lassen von einer Frau, die in der Macht von großen Gesten bereits unterwiesen wurde, als du noch mit Kreiseln gespielt hast. Wie töricht ist das?*

Das mochte sein. Aber sie spürte, wie Irene sich an sie klammerte, dachte an Beatrix und konnte nicht anders.

»Ich werde Euch helfen.«

* * *

Als Walther andeutete, dass er nun, da das Frühjahr gekommen war, seinen Abschied nehmen wollte, machte Hermann von Thüringen keine Anstalten, ihn aufzuhalten. Da er wirklich lange geblieben war, empfand Walther dies nicht als kränkend. Wenn er ganz ehrlich sein wollte, war er hierhergekommen, um an einem reichen Hof, weit von Judith entfernt, seine Wunden zu lecken, und das hatte er getan. Er hätte es auch in Wien versuchen können, aber er hatte das dunkle Gefühl, dass Leopold ihn schon vor Weihnachten gebeten hätte zu gehen, und im Übrigen war Leopolds Gemahlin eine byzantinische Prinzessin, Irenes Base, und alles hätte ihn zu sehr an den Hof erinnert, den er gerade verlassen hatte. Hermann war zwar wetterwendisch, was seine Treue zu den beiden deutschen Königen betraf, aber er schätzte Sänger, egal was sie sangen; Wolfram von Eschenbach, der Glückspilz, hatte sogar einen festen Platz an seinem Hof. Trotzdem hatte der Landgraf Walther immer willkommen geheißen, ganz gleich, auf wessen Seite Hermann gerade stand.

Andererseits war der Landgraf auch jemand, der seine Erwartungen hatte, und zu diesen gehörte nicht nur, gepriesen zu werden. Bei Walthers Ankunft hatte er im jungen Berthold von Andechs Zweifel an Philipp wecken wollen, so viel war offensichtlich, und da er selbst in alles anderer als guter Stimmung bezüglich Philipps gewesen war, hatte Walther mitgespielt. Nun, da er Anstalten machte, wieder zu gehen, fragte Hermann beiläufig: »Wisst Ihr schon, welchen Hof Ihr als Nächstes aufsuchen werdet, Herr Walther?«

Einen, wo mir kein Dummkopf von Ritter das Pferd absticht, dachte Walther. Das war das Ärgernis, das ihn neben der stetig wachsenden Ruhelosigkeit auch veranlasste, den thüringischen Gefilden fürs erste Lebewohl zu sagen: Nicht nur, dass Hermanns Leute zechten und lärmten, während er vortrug, nein, sie versuchten, in angetrunkenem Zustand auch noch zu reiten, und fuchtelten dabei mit ihrem Schwert in die Richtung von harmlosen Sängern, nur, weil dieser so etwas wie »beiß zu, Hildegunde« gemurmelt hatte. Da er nicht mehr mit Pferden aus staufischen Ställen rechnen konnte, war Walther nach dem Tod seines Pferdes deswegen vor Gericht gegangen, was letztendlich auf einen Streit in Eisenach hinauslief, den der Landgraf durch eine salomonische Lösung schlichtete. Herr Atze hatte sein eigenes Ross zur Verfügung zu stellen, was bedeutete, dass Walther nun mit einem sturen Rittergaul verflucht war, der noch nicht einmal einen Namen trug.

Es war nicht seine ursprüngliche Hildegunde gewesen, die ihr Leben durch das Schwert eines betrunkenen Ritters hatte lassen müssen. Die war längst verstorben, aber Walther hatte alle seine Pferde nach ihr benannt und gelegentlich zu Ausfällen gegen unaufmerksame Zuhörer ermutigt. Herrn Atzes Gaul hatte Hildegundes Namen nicht verdient, also nannte er ihn Hagen, des tückischen Blicks und der schwarzen Farbe wegen.

»Könnt Ihr mir denn ein Ziel anempfehlen, Euer Gnaden?«, fragte er, denn er wusste, dass ihn Hermann nicht aus Höflichkeit gefragt hatte.

»Habt Ihr schon am Hof des edlen Hans von Brabant gesungen? Zwischen uns bestehen alte Bande. Auch er war in seiner Jugend eine Weile … zu Gast am französischen Hof. Ich könnte Euch ein Empfehlungsschreiben mitgeben.«

Von Eisenach nach Brüssel war es ein sehr weiter Weg; es gab ein Dutzend Fürstenhöfe, die als Ziel näher gelegen hätten. »Es wäre möglich, dass mich mein Weg dorthin führt«, entgegnete er zurückhaltend, um Hermann Bestimmteres zu entlocken.

»Ach, Herr Walther, Ihr wisst ja, wie das mit den Empfehlungsschreiben so ist: Wenn man sie zu lange in der Satteltasche ruhen lässt, dann sind die Dinge, die ein Gönner so an einem Sänger schätzt, vielleicht nicht mehr wahr, bis dieser Sänger eintrifft.«

»Weiß ich denn, welches Lied Ihr im Sommer hören wollt?«, fragte Walther.

»Nun, es könnte nicht schaden, wenn Ihr dem Herzog von Brabant das Lied von der Freigiebigkeit singt, wider Euch und andere«, meinte Hermann leichthin, »und natürlich würde ich mich freuen, wenn Ihr in der Ferne meiner gedenkt und Gutes über meinen Hof singt. Aber am dringendsten, so scheint mir, müsste der edle Herr Hans so wie ich Euer Lied von den drei Dingen hören. Wie ging das noch? *Die Untreu' liegt im Hinterhalt, und auf der Straße fährt Gewalt; der Friede und das Recht sind wund, die dreie haben keinen Schutz, eh' diese zwei nicht sind gesund?*«

Das kam überraschend. Es war offensichtlich, dass Hermann einen weiteren Seitenwechsel plante und Verbündete haben wollte, um sich dagegen abzusichern, alleine zu stehen und von Philipp einfach überrannt zu werden. Das Haus Andechs-Meranien kam ihm da schon sehr gelegen, vor allem, weil die Ländereien des Bamberger Bischofs im Süden an sein Thüringen grenzten. Die Ungarn hatte er sich bereits durch die Verlobung seines Sohnes gesichert und musste daher auch keine üblen Überraschungen von dieser Seite erwarten.

Walther hätte daher verstanden, wenn Hermann ihm empfohlen

hätte, Otto aufzusuchen, wenngleich der Landgraf bessere Boten besaß, um mit dem Welfen erneut Fühlung aufzunehmen. Aber von Hans von Brabant, dessen Verbindung zu Otto in den letzten Jahren empfindlich erkaltet war, je offensichtlicher wurde, dass er nicht die Absicht hatte, die versprochene Ehe mit seiner Tochter Marie je Wirklichkeit werden zu lassen, konnte Hermann keine Fürsprache beim Welfen erwarten. Als wohlhabender, mächtiger Herzog war Hans von Brabant natürlich nie als Verbündeter zu verachten, doch seine Ländereien lagen viel zu weit von denen Hermanns entfernt, als dass ihm der Brabanter bei einem Rachefeldzug Philipps zu Hilfe eilen könnte.

Was aber vor allem nicht ins Bild passte, war, den Brabanter zum Frieden im Reich zu mahnen, wenn Hermann gerade die Absicht hatte, diesen zu brechen.

Ungewollt musste Walther an seine Gespräche mit Bischof Wolfger denken. Nun, er war einmal bereit gewesen, sich um des Friedens willen zurückzuhalten, was den Papst betraf. Hatte das irgendjemandem geholfen? Nein. Ein Jahr, ein einziges Jahr des Friedens hatte es gegeben, und mehr nicht. Als Walther danach seine alten Spottgesänge wiederaufnahm, war es, als sei nichts geschehen. Mittlerweile kam ihm der gesamte Krieg wie ein Tretrad mit lauter Mäusen darin vor, das sich immerzu im Kreis bewegte und aus dem es kein Entkommen gab. Er nahm es Hermann nicht übel, dass dieser nach dem Spruch lebte, jeder sei sich selbst der Nächste. Aber er fand es bedauerlich, dass der Landgraf auf seine alten Tage mit der Heuchelei anfing. Friedensmahnungen nach Brabant schicken? War das sein Ernst?

Andererseits: *dringend*, hatte Hermann gesagt. Noch vor dem Sommer sollte der Brabanter seine Botschaft bekommen. Dennoch wollte er keinen gewöhnlichen Boten schicken, der zwar viel schneller vorwärtskommen könnte als Walther, aber anders als ein Sänger in Brüssel Neugier auslösen würde.

Etwas roch hier faul, und es waren nicht die dunklen Ecken überall in der Burg, die zeigten, dass hier ein Hofstaat überwintert und sich erleichtert hatte; kein Wunder, dass Hermann den März schon auf einer seiner anderen Burgen verbringen wollte.

Natürlich zwang niemand Walther, irgendwelche Botschaften zu überbringen. Aber seine alte Neugier, die Unfähigkeit, an einem brodelnden Kochtopf vorbeizugehen, ohne zumindest hineinzusehen oder gar selbst zu rühren, meldete sich unerwartet heftig.

»Ihr erweist mir Ehre, Euer Gnaden. Bei einem so aufmerksamen Zuhörer meiner Verse bleibt mir gar nichts anderes übrig, als auf Euren Rat zu hören und sofort nach Brüssel zu ziehen. Ich nehme nicht an, dass Ihr noch weitere Empfehlungsschreiben an andere Fürsten habt?«

Hermann lachte und schlug ihm wohlwollend auf die Schulter. »Ihr seid ein Mann nach meinem Herzen, Herr Walther. Warum mit einem Zoll zufrieden sein, wenn man eine Elle haben kann, wie? Aber nein. Wenn Ihr erst in Brüssel Euer Lied gesungen habt, dann habe ich nur noch einen Rat für Euch, und bei dem braucht Ihr kein Empfehlungsschreiben von mir.«

»Kunst kann niemand in Zoll oder Elle messen«, sagte Walther trocken. »Was das andere betrifft, so seht Ihr mich stumm vor Erwartung.«

»Ihr stumm? Das bezweifle ich. Nun, es ist höchst einfach. Kommt im Juni nach Bamberg, wenn dort Hochzeit gefeiert wird. In einem Jahr voller Hochzeiten wird das die wichtigste, glaubt mir. Wenn es je eine Feier gab, bei der alle Sänger unserer Zeit gegenwärtig sein sollten, dann diese.«

Was auch immer Hermann plante, würde also im Juni geschehen und hatte mit der Hochzeit der Staufernichte mit dem Andechs-Meranier zu tun. Es kam Walther in den Sinn, dass Hermann, der selbst für seine Sprösslinge keine Stauferbraut bekommen hatte, nicht der Erste wäre, der versuchte, durch eine Entführung neue Tatsachen zu schaffen. Bei dieser Hochzeit würde nicht nur Philipps Nichte als Braut gegenwärtig sein, sondern alle seine Töchter, genau wie ein Großteil des deutschen Adels. Die Stadt würde wieder bis zum Bersten gefüllt sein. Irene und ihre Töchter wurden natürlich gut bewacht, aber in dem Wirbel einer Hochzeit würde es für einen Mann, der es sich leisten konnte, alle und jeden zu bestechen, ein Leichtes sein, eines der Mädchen zu entführen. Und hatte er sie erst einmal in seiner Gewalt, dann gab es genügend willfährige Priester, um sie mit seinem jüngeren Sohn zu vermählen. Dann blieb Philipp nichts anderes übrig, als den Landgrafen von Thüringen als seinen lieben Verwandten zu akzeptieren, ganz gleich, wie zornig er war. Der Brabanter, der gewiss ebenfalls nach Bamberg kam, wäre sehr genehm, um Hermanns Flucht mit seiner neuen Schwiegertochter zu decken, und die Andechs-Meranier, die ja in Bamberg den Bischof stellten, hatten Hermann bereits in ihrer Familie willkommen geheißen und würden ihm wohl gleich noch die heimliche Trauung mit der Entführten stiften.

Mit einem Mal war Walther sich gewiss, dass dies Hermanns Plan sein musste. Und er wusste auch, wer ebenfalls in Bamberg sein würde, bei Irene und ihren Töchtern, und so furienhaft gestimmt, sich zwischen Entführer und Mädchen zu werfen.

Es ist mir gleich, sagte er sich. Aber seine Fähigkeit, sich selbst zu belügen, musste schlechter geworden sein, denn er glaubte es keinen Moment lang und wusste, dass er nach Bamberg gehen würde.

* * *

Markwart wich zunächst ihrem Blick aus, wie er es schon seit Monaten tat, aber Judith hatte keine Zeit, auf seine Befindlichkeit Rücksicht zu nehmen, und zog ihn zur Seite. Als sie ihm ihren Plan erklärte, starrte er sie an, als sei sie wahnsinnig geworden. »Und dabei soll ich Euch begleiten?«

»Ganz gewiss. Otto führt derzeit irgendwo zwischen Lübeck und Schwerin Krieg. Ich ziehe nicht durch ein Gebiet voller Kriegsknechte ohne jemanden an meiner Seite, der sich mit dem Schwert auskennt.«

»Aber ich bin Philipps Mann! Das wäre Verrat.«

»Mein lieber Markwart«, sagte Judith in der Art, in der sie Männer darüber unterrichtete, dass sie für das nächste halbe Jahr enthaltsam leben sollten, »vor allem seid Ihr der Mann, der Walther dabei geholfen hat, mich wegen Gilles anzulügen. Meint Ihr nicht, da schuldet Ihr mir noch etwas?«

Er schwieg betreten, und als sie keine Anstalten machte, ihn loszulassen oder ihm durch eine weitere Äußerung entgegenzukommen, murmelte er: »Wir ... ich ... wir haben Gilles wirklich gesucht, aber wir fanden ihn nicht, niemand hatte ihn gesehen, und wir haben eine Menge gefragt, das schwöre ich! Und da dachte ... Walther eben, dass er sich davongemacht hatte. Wenn wir geahnt hätten, was wirklich geschehen war ...«

»Ihr hättet mir schlicht und einfach sagen können, dass Ihr ihn nicht gefunden habt. Dann hätte ich weitergesucht. Wahrscheinlich hätte die Königin mir ein paar Soldaten zur Verfügung gestellt. Wir hätten ihn gefunden und ...« Sie schluckte den Rest ungesagt hinunter. Markwart wusste auch so, was sie meinte, und schaute noch elender drein. Unter anderen Umständen hätte sie Mitleid mit ihm gehabt, aber sie brauchte wirklich jemanden, und einem beliebigen Kriegsknecht, den Irene ihr zur Seite stellen konnte, traute sie nicht, ganz zu schweigen davon, dass er ihre vorbereitete Geschichte unglaubwürdig würde klingen lassen.

»Wenn ich nicht mit Euch komme, bin ich auch die längste Zeit im Hofstaat von Philipp gewesen, nicht wahr?«

»Ich hoffe, dass Ihr mit mir kommt, damit ich meine Reise überlebe. Mit allen meinen Gliedmaßen«, setzte sie gnadenlos hinzu.

»Aber wollt Ihr denn Gilles im Stich lassen, nach alldem?«, rief Markwart aus, erkennbar als sein letztes Argument.

»Ich kann Gilles nicht mit mir nehmen, nicht auf diese Reise. Doch die Königin hat mir geschworen, dass er hier sicher sein wird, als Mitglied des Gesindes ihrer Kinder. Er ist zum königlichen Spielzeugmacher ernannt und hat zwei Knechte, die sich um ihn kümmern, bis ich wieder da bin.«

»Dann kommen wir zurück?«, fragte Markwart erleichtert. Judith entging das *wir* nicht.

»Das liegt bei uns, mein Freund. Das liegt allein bei uns.«

Es lag auch an ihren Vorbereitungen. Irene hatte ihren Verstand gepriesen, und wenn er je nötig gewesen war, um sich auf ein völlig irrsinniges Unternehmen einzulassen, dann jetzt. Es war

Judith durchaus in den Sinn gekommen, dass es für alle Beteiligten bis auf Beatrix das Beste wäre, wenn sie sich für zwei Monate in einem Bauernhaus verkroch, anschließend zu Irene zurückkehrte und behauptete, Otto sei nunmehr ein geläuterter Mann, dem man nicht nur zutrauen konnte, den Frieden im Land zu wahren, sondern auch, Beatrix gut zu behandeln. Es war für sie eine mehr als starke Versuchung, aber sie hätte danach jeglichen Respekt vor sich selbst verloren.

Markwart war verwundert, als sie ihm, nachdem sie Hagenau hinter sich gelassen hatten, mitteilte, dass sie zunächst nach Köln gehen würden. »Aber ich dachte, Otto residiert nicht mehr dort. Haben sich die Kölner nicht König Philipp unterworfen, bei der Angelegenheit mit dem Bischof?«

»Sie sind mit ihm handelseinig geworden. Und ehe wir zu Otto reisen, habe ich noch einen Besuch zu machen.«

»O Gott«, sagte Markwart. »Heißt das, ich habe schon wieder an der Armenspeisung teilzunehmen und vor Häusern bestimmter Kaufleute auf Euch zu warten?«

Auf diese Weise erfuhr sie von dem Aufenthalt Walthers und Markwarts in Köln vor ein paar Jahren. Walther hatte es in Braunschweig erwähnt oder auf dem Weg nach Würzburg, genau wusste sie es nicht mehr; sie hatte es vergessen, bis Markwart sie wieder daran erinnerte. Judith zwang sich, nicht an eine Zeit zu denken, in der sie froh und glücklich gewesen war, in Walthers Gegenwart zu sein, und setzte stattdessen bei dem an, was sie für sich nutzen konnte. Ihr Onkel besaß ein sehr gutes Gedächtnis, was Menschen betraf, selbst welche, die er nur flüchtig gesehen hatte oder keine hohe Stellung hatten. Sie bat Markwart also, bei dem Haus des Kaufmanns Stefan eine Bestellung für roten und weißen Wein abzugeben, keine Fässer, sondern gerade so viel, dass es für vier Becher genügen würde.

»Kein Weinhändler wird sich auf eine derartig dumme Bestellung einlassen!«, protestierte Markwart.

»Mein Onkel wird es tun, und er wird dir folgen. Er selbst, keiner seiner Leute. Also kehre auf dem direkten Weg zu dem Badehaus zurück, wo ich mich aufhalten werde.«

»Ihr wollt in ein *Badehaus?*«

»Ich bin Ärztin«, sagte Judith mit undurchdringlicher Miene. »In einem Badehaus können sie Ärzte immer gut gebrauchen.« Dort konnte man außerdem keine Waffen tragen – selbst damals in Chinon hatten Ottos Wachen draußen warten müssen –, denn man lief nackt oder so gut wie nackt herum. Sie wollte ihren Onkel so verwundbar wie möglich haben; Stefan war inzwischen ein alter Mann, und die wenigsten von denen brachten es fertig, in Gesellschaft anderer unbefangen zu ihren Körpern zu stehen. Der allgegenwärtige warme Dampf mochte helfen, um ihn weniger überlegen als sonst zu machen, aber bei Stefan, so wie sie ihn kannte, hielt sie es auch durchaus für möglich, dass er in Hitze und Schneesturm gleichermaßen selbstbeherrscht blieb.

Als sie Stefan wiedersah, ohne Paul, ganz wie sie vermutet hatte, krampfte sich etwas in ihr zusammen, denn sein Haar war kaum noch vorhanden, der Rest schlohweiß. Sie musste an ihren Vater denken, obwohl er ihm nicht im Geringsten ähnelte. Durch die faltige Haut hatte sich auch die leichte Ähnlichkeit zu ihrer Mutter verloren. Judith fragte sich, ob er wohl immer noch seine Schwester in ihr sah. Doch ob er es nun tat oder nicht, er würde es behaupten, früher oder später, um sie verwundbar zu machen. Das durfte sie nicht einen Herzschlag lang vergessen.

»Es ist ein christliches Badehaus, in dem du mich erwartest«, sagte er; seine Stimme war unverändert. »Und doch hast du die Weinmischung für eine Seder bestellt. Dabei ist das Pessach-Fest schon vorbei.«

Sie hatte sich nicht getäuscht; er hatte sofort gewusst, wer diese Bestellung abgegeben hatte. *Onkel*, dachte sie, *ist dir klar, dass du jetzt derjenige bist, der berechenbar geworden ist?*

»Paul sagte mir, dass du Kaddisch für uns gesprochen hast«, fuhr Stefan fort. »Willst du von mir hören, dass ich dir den Gefallen erwidert habe? Du hast mir Leid zugefügt, Nichte. Ich weiß nicht, ob dir das klar ist.«

Er begegnete ihren Vorwürfen, ehe sie diese machen konnte, indem er seine eigenen aussprach, um Schuldgefühle in ihr zu wecken. Warum nur konnte sie erst jetzt seine Schachzüge so schnell als solche erkennen?

»Du hast meinen Gemahl gerettet, ihn beherbergt und ihn mir zurückgegeben«, entgegnete sie. »Du hast mir Gutes getan, Onkel. Ich weiß nicht, ob dir das klar ist. Schließlich war das nicht der Grund, warum du es getan hast.«

In seinen Augen tanzte etwas, das Entzücken sein könnte, aber das mochte an den Öllampen liegen, die hier von der Decke hingen. »Jutta, Jutta, Juditlen«, murmelte er. »Du hättest ein Junge sein sollen und mein Sohn.«

»Dann hättest du mich Mordaufträge übernehmen lassen, statt mir die Geschichte von Esther zu erzählen«, antwortete sie. »Ich habe nie gewünscht, ein Mann zu sein, Onkel, noch eine andere als die Tochter meiner Eltern. Aber …« Sie zögerte. Jetzt kam es darauf an, darauf, dass er ihr glaubte. »Ich habe festgestellt, dass ich mehr deine Nichte bin, als ich es wahrhaben wollte.«

»Nun, die Art, wie man eine Bitte vorbringt, hast du nicht von mir gelernt«, stellte er trocken fest. »Um wessen Leben geht es? Denn nichts Geringeres könnte dich wohl dazu bringen, hier bei mir aufzutauchen.«

Sie spürte, wie in der feuchten Wärme des Badehauses Wasser und Schweißtropfen über ihre Haut rannen.

»Du bist hier bei mir aufgetaucht, Onkel, und ich kann nicht glauben, dass es nur aus Neugier oder alter Zuneigung geschah. Wenn es nicht etwas gäbe, was ich für dich tun könnte, dann wärst du Markwart nicht gefolgt. Du hättest einen deiner Leute geschickt und nur versucht, herauszufinden, wo ich bin. Warum verrätst du mir nicht, was du dir von mir erhoffst, und ich sage dir, was du für mich tun kannst?«

»Du könntest mich untersuchen«, sagte er. »Manchmal spüre ich es dieser Tage in meinen Knochen, wenn das Wetter umschlägt. Und jetzt, im Frühjahr, schwellen meine Augen wieder an. Ich muss niesen, ich habe rote Flecken, kurzum die alljährlichen Kümmernisse. Mich dünkt, eine gute Ärztin könnte mir da helfen.«

Wenn ihr das etwas bewies, dann, dass er immer noch so gut im

Fechten und Umgarnen mit Worten war wie eh und je. Er wusste, dass derjenige, der als Erster seine Absichten bekanntgab, in die schlechtere Position gedrängt wurde, und er hatte zu viel Übung, um selbst derjenige zu sein. Nun, sie hatte nicht vor, ihm die Wahrheit zu erzählen, aber sie hatte sich nun hoffentlich lange genug geziert, damit er ihr eine Lüge glaubte. Noch ein Hinauszögern vielleicht, und dann ihre Bitte. »Sag mir nicht, dass du vergessen hast, was ich dir empfohlen hatte, als ich noch unter deinem Dach lebte«, entgegnete sie und ließ eine Spur von Zuneigung in ihre Stimme fließen. »Jeden Tag ein halber Liter Joghurt mag für ärmere Männer schwer zu erhalten sein, aber du kannst es dir gewiss leisten, ihn dir in die Stadt bringen zu lassen. Das Gleiche gilt für Brennnesseln. Man braucht keine Ärztin zu sein, um einen heißen Brennnesseltrank zu brauen.«

»Weißt du, Nichte, ich werde tatsächlich alt, denn ich hatte vergessen, dass es Brennnesseln waren. Ich dachte immer, es seien sanftere Kräuter gewesen, doch ich hätte es besser wissen müssen. Brennnesseln passen zu dir«, gab er zurück. In seiner Stimme lag Zuneigung und Neckerei zugleich. Sie fragte sich, wer von ihnen diesmal mit der Wahrheit log und wer mit einer Lüge eine Wahrheit ausdrückte.

»Onkel, ich mache mir Sorgen um meine Zukunft«, sagte sie abrupt.

»Hast du denn Grund dazu? Du bist die Leibärztin der Königin, und ich muss eingestehen, dass es für die Staufer derzeit besser aussieht als für die Welfen. Wenn wir hier in Köln nicht davon überzeugt wären, dann hätten wir nicht mit ihm verhandelt und uns ihm unterworfen. Immerhin haben wir von ihm Zollvorrechte und eine Bestätigung der Kölner Münze bekommen, und das Befestigungsrecht, so dass wir die Mauern erneuern dürfen, die er beschädigt hat. Alles in allem hätte es schlimmer kommen können. Du hast wohl auf den Richtigen gesetzt, Nichte.«

Sie schlug die Augen nieder. »König Philipp«, sagte sie und versuchte, gleichzeitig beschämt und bitter zu klingen, »nimmt es mir übel, dass er durch mich den Mann verloren hat, der ihm überall die Herzen des Volkes gewann. Noch hängt die Königin an mir, aber es bedrückt sie, dass meinetwegen Unfrieden herrscht zwischen ihrem Gemahl und ihr. Ihren Kindern graut es vor dem armen Gilles; auch das bringt die Königin dazu, in ihrer Zuneigung für mich nachzulassen. Kurzum, ich fürchte sehr, dass meine Zeit bei Hofe höchstens noch ein Jahr dauern wird, nicht länger. Danach werde ich einen neuen Gönner suchen müssen, der bereit ist, auch Gilles zu versorgen, und das kann nicht als Ärztin in einer kleinen Stadt geschehen. Auch nach Salerno kann ich nicht mehr zurückkehren, nicht mit Gilles in seinem Zustand. Nur ein anderer Hof kommt in Frage.«

Ihr Onkel schwieg und setzte sich auf der Steinbank, wo die Menschen sich nach dem Bad ausruhten, etwas gerader. Dann sagte er: »Du bittest nicht um einen Platz unter meinem Dach.«

»Nein«, gab sie zurück.

»Dann ...«

»Ich glaube nach wie vor, dass du dich seinerzeit getäuscht hast, Onkel, was die Geschichte von Xerxes und Esther betrifft. Dazu hätte Graf ... König Otto in mich verliebt sein müssen, was nicht der Fall war. Aber es mag sein, dass er mir doch ein wenig gewogen ist, genug, um mir einen Platz als Ärztin an seinem Hof zu geben.«

»Es ist Jahre her«, sagte Stefan, mit einem Mal hart klingend. »Wahrscheinlich hat er dich längst vergessen.«

»Oder er will mir übel statt gut, wenn er sich erinnert«, gab sie sofort zurück. »Deswegen wärest du mir eine große Hilfe, Onkel. Wenn er mich vergessen hat, dann wäre eine Empfehlung von dir eine Möglichkeit, ihn zumindest dazu zu bewegen, mich zu empfangen, damit ich um eine Stelle bei Hofe für mich und Gilles bitten kann. Wenn er mich nicht vergessen hat und mir grollt, dann wäre es ein Grund, mich nur fortzuschicken, statt sich zu rächen, wenn er auf dich Rücksicht nehmen muss.«

»Wer sagt, dass er noch auf mich Rücksicht nehmen muss? Immerhin ist ihm Köln inzwischen verlorengegangen. Da mag es ihm gleich sein, was Kölner Kaufleute denken.«

»Er war im letzten Jahr in England, Onkel, und kam mit englischen Geldern zurück, wie man hört. Auch von deinem Haus gehen ständig Handelszüge nach England und in den Teil der Normandie, der noch nicht wieder französisch ist. Das alles scheint mir ein roter Faden in einem immer noch sehr fest gewebten Teppich zu sein. Ganz gleich, was für die Stadt Köln insgesamt gilt, Herr Otto und du gehen noch lange nicht getrennte Wege.«

»Du hättest mein Sohn sein sollen«, sagte ihr Onkel wieder und seufzte. Mit einem Mal hatte sie Mitleid mit Paul. »Und was, meine Teure, bekomme ich für dieses Empfehlungsschreiben?«

»Kein Schreiben, Onkel, sondern eine mündliche Empfehlung, überbracht von deinem Sohn, damit Herr Otto sieht, wie ernst sie dir ist. Du bekommst das, wonach wir uns alle sehnen: einen neuen Anfang. Ich werde dir dankbar sein, und was wir uns auch angetan haben, wird ungeschehen sein.«

»Das hältst du für möglich?«, fragte er sehr, sehr ernst.

Sie dachte an Chinon, Würzburg, aber auch an Gilles und seine verlorenen Beine, seine Jahre als zur Schau gestelltes Tier. Sie dachte daran, wie Walther gefragt hatte: *»Was kümmert dich das? Du warst doch nie mit ihm verheiratet.«*

»Manchmal«, entgegnete Judith. »Manchmal.«

✳ ✳ ✳

Der direkte Weg von Eisenach nach Brüssel mochte zwar nicht über Bamberg führen, doch die Stadt lag zumindest nahe genug, dass der Umweg zu verantworten war. Walther war nicht so gutgläubig, versiegelte Empfehlungsschreiben zu überbringen, die eine geheime Botschaft enthalten mussten, ohne zu wissen, was darin stand, und er hielt es obendrein für einen guten Gedanken, sich in Bamberg umzuschauen, bevor es im Sommer nur so vor Fürsten und ihrem Gefolge wimmeln würde. Falls er mit seiner Vermutung hinsichtlich Hermanns Absichten recht hatte, konnte es nicht schaden, über bessere Ortskenntnis zu verfügen und ein paar Verbindungen. Nicht, dass er die Absicht hatte, irgendjemand anderem zu helfen als den kleinen Königstöchtern, die nicht verdient hatten, entführt zu werden, nur weil der

Landgraf von Thüringen seinen Rachen nicht vollbekam. Es waren alles aufgeweckte Mädchen, nicht zu hochmütig für Fürstentöchter und auf quirlige Weise lebensfroh. Er stellte sie sich in einer ungewollten Ehe wie der Jutta von Meißens vor; obwohl sie früher oder später wohl nichts anderes erwartete, war ihm der Gedanke zuwider, dass es jetzt schon so weit sein könnte.

Falls Judith bei ihnen sein sollte, nun, das ließ sich nicht ändern. Er würde kein Wort mit ihr wechseln. Nie mehr.

Der Erzbischof von Bamberg war bereit, Herrn Walther von der Vogelweide zu empfangen, obwohl sein Haushofmeister warnend mahnte, von Liedern über den Papst abzusehen. Schließlich sei sein Herr Eckbert von Andechs erst nach langem Hin und Her und nach Erreichen des dreißigsten Lebensjahrs vom Heiligen Vater bestätigt worden. Auch der Dompropst – Eckberts Bruder Berthold – sei ein frommer Herr und nicht gewillt, Böses über den Stellvertreter Gottes auf Erden zu hören. Andererseits seien die beiden keine freudlosen Herren, und Lieder, welche die angenehmen Dinge des Lebens feierten, selbst solche, die dem geistlichen Stand gewöhnlich fremd waren, seien durchaus willkommen.

Walther erkannte Berthold von der kurzen Begegnung auf der Wartburg. Sein Bruder Eckbert glich ihm bis zu dem kleinen Ränzlein, das beide trotz ihrer Jugend schon trugen, hatte jedoch ein kantigeres Kinn und erweckte nicht den Eindruck, wegen irgendetwas unsicher zu sein. Walther trug ein paar Frühlingslieder und seine Beschwerden über die lauten Ritter auf der Wartburg vor; die Andechs-Meranier und der Rest der Bamberger Domherren lachten an den richtigen Stellen. Um eine Vermutung zu überprüfen, ließ Walther etwas Ernsteres folgen und stimmte sein Klagelied von den drei Dingen an. Es wurde ruhig im Saal; anschließend winkte der Bischof Walther zu sich und sagte etwas davon, wie sehr alle für den Frieden im Reich beteten und das Ihre tun müssten, um ihn endlich zu erreichen. »Leider herrschen Zustände wie beim Turmbau in Babel«, seufzte er, »weil jeder mit anderer Zunge redet und etwas anderes will. Wenn wir uns nur mehr verstehen könnten! Mein Bruder erzählt mir, dass Ihr vertraut mit König Philipps Hof seid?«

»So ist es, Euer Gnaden.«

»Und mit dem König? Mir sind ein paar Eurer Lieder über ihn bekannt, und ich muss gestehen, ich bin verwirrt. Manche preisen ihn als milden Herrscher, andere vergleichen ihn zu seinen Ungunsten mit dem heidnischen Saladin. Habt Ihr keine feste Meinung?«

»Wir stehen mitten im Leben, Euer Gnaden, und unsere Taten beeinflussen die Meinung, die andere Menschen von uns hegen. Solange wir also handeln, so lange können Meinungen sich ändern. Wenn der König wirklich den Frieden erreichen und halten kann, dann wird ihn keiner inniger preisen als ich.«

»Wohl gesprochen«, entgegnete Eckbert nach einem winzigen Zögern. »Im Frieden wird König Philipp wohl auch weniger Eisenerz benötigen als im Krieg«, fuhr er fort und blickte Walther forschend an, als müsse er wissen, von was die Rede war. Walther hatte zwar nicht die geringste Ahnung, aber seiner Erfahrung nach sollte man das hohe Herren nie erkennen lassen.

»In der Tat.«

»Und er wird Versprechungen erfüllen?«

Das war halb als Frage, halb als Feststellung ausgedrückt, und allmählich dämmerte es Walther, von was die Rede war. Immerhin verheiratete Philipp seine Nichte mit einem der Brüder des Bischofs, also mussten die Andechs-Meranier auf eine reiche Mitgift hoffen. Im Nordgau, das an die Ländereien des Fürstbischofs von Bamberg grenzte, gab es Eisenerz, und als Mitgift wäre so ein Landstrich sehr naheliegend.

»Der Landgraf von Thüringen«, warf Berthold von Andechs ein, »hat mir erzählt, dass nicht alle Versprechungen des Königs gehalten wurden. Und Ihr, wenn ich mich recht erinnere, habt etwas von Schneidern berichtet, welche durch die Kleider für Schönheit zu sorgen hatten, egal was darunter verborgen bleibt.«

Es war eine einfache Rechnung, die sich vor Walther auftat: Er konnte den beiden Andechs-Meraniern entweder versichern, dass Philipp ein Mann seines Wortes war, der ihrem Bruder gewiss sämtliche Gebiete übereignen würde, die sie sich vorstellten, oder er konnte das Gegenteil zum Ausdruck bringen. Dass er von Philipps Plänen so wenig wusste wie ein Bettler auf der Straße, tat nichts zur Sache. Sich wissend zu geben, war eines seiner leichtesten Unterfangen. Darin hatte er Übung. Wenn er für Philipp bürgte, dann würden sie ihn hier nun für einen treuen Stauferanhänger halten, nicht nur der Bischof, sondern auch sein Mundschenk, der gerade Wein nachgoss, die Magd, die neue gesalzene Fische auf Zinntellern auftischte, und all das Gesinde, mit dem er sich bereden wollte. Also würde er überhaupt nichts von dem erfahren, was sich für den Juni zusammenbraute, wenn die vor ihm sitzenden Andechs-Meranier etwas damit zu tun hatten. Also sagte Walther: »Ich glaube, der König ist vor allem ein vorsichtiger Mann, der seine Schafe erst zählt, wenn er sie in den Stall getrieben hat. Noch haben wir keinen Frieden, und Eisenerz ist für die Staufer nun einmal wichtig. Vor allem das im Nordgau.«

Die Brüder wechselten einen Blick. »Ich habe es dir gesagt, Eckbert«, murmelte Berthold.

»Es ist gut, Herr Walther. Ihr könnt für heute gehen.«

In der Küche waren die Mägde und Knechte, die Köche und Dienstmannen mehr als dankbar für einen deftigeren Vortrag und danach wie erwartet ausgesprochen redselig. Offenbar rechneten die Andechs-Meranier auf die Nordgau als Mitgift, und mit noch mehr. Sie waren bereits verärgert gewesen, dass Philipp statt einer Tochter nur seine Nichte zur Verfügung gestellt hatte. »Gut genug für den König von Ungarn, gut genug für den König von Frankreich, aber nicht gut genug für den König der Deutschen? Wofür hält der sich eigentlich? Ist noch nicht einmal Kaiser, außerdem gibt es noch einen König«, sagte der Mundschenk des Bischofs naserümpfend, der nicht aus Franken stammte, sondern als Familienbediensteter mit nach Bamberg gekommen war.

»Glaubt Ihr denn, die Familie wird die Hochzeit abbrechen?«

»Einer derer von Andechs steht immer zu seinem Wort«, sagte der Mundschenk. Eine der jüngeren Köchinnen erinnerte Walther ein wenig an die Schankwirtin seiner Jugend. Er machte ihr schöne Augen, was dazu führte, dass er ein warmes Bett für die Nacht hatte und sie für ihn das versiegelte Empfehlungsschreiben Hermanns unter Wasserdampf öffnete, damit er es mit etwas neuem Siegellack unter dem alten Siegel später wieder verschließen konnte. Zu seiner Enttäuschung stand in dem Brief an den edlen Hans von Brabant nichts von Entführungsplänen oder Hermanns Absicht eines Seitenwechsels. Immerhin empfahl der Landgraf Walthers Dienste tatsächlich, doch er fügte auch hinzu, manche Vögel dürfe man nicht zu lange an einem Ort halten, vor allem keine Raubvögel mit ihren scharfen Schnäbeln, die manchmal eben allzu gierig seien.

Wer ist hier gierig, dachte Walther und las weiter, doch Hermann drückte ansonsten nur seine Hoffnung aus, dem Herzog von Brabant bald wieder zu begegnen, ob in Bamberg bei der Hochzeit oder beim nächsten Hoftag, wo auch immer dieser stattfinden würde. Falls sich hinter den Worten des Landgrafen ein zweiter Sinn verbarg, dann gründete er vermutlich auf Dingen, die nur ihm und dem Brabanter bekannt waren. Nun, vielleicht würde er in Brüssel mehr dazu erfahren können.

»Das wird viel, viel Arbeit werden mit der Hochzeit dieses Jahr«, seufzte die Köchin. »Nicht nur wegen der hohen Herren, die wir verköstigen müssen, sondern auch wegen all der Gaukler für die Festlichkeiten. Nichts für ungut«, fügte sie rasch hinzu. »Aber jedes Mal, wenn Gaukler und Spielleute bei Festen eingeladen sind, stopfen sie doppelt so viel wie die hohen Herren in sich hinein, weil sie sonst nicht so gutes Essen bekommen. Selbst die, bei denen gar nicht so viel zum Hineinstopfen vorhanden ist! Wir hatten einmal einen Zwerg hier und einen beinlosen Kerl, und glaubst du, die hätten weniger gewollt als der Spielmann, der doch gerade so groß war wie du? Nein. Beinahe die Haare vom Kopf haben die mir und Seiner Gnaden in der Küche abgeluchst, statt dankbar zu sein, dass die überhaupt etwas bekamen. Dabei war der Beinlose noch nicht einmal von hier. Hat kaum das Maul aufgemacht, und wenn er etwas sagte, dann hat er Französisch gequakt.«

Walther war in Gedanken noch immer dabei, zu versuchen, Hermanns Brief zu deuten; außerdem trommelte er mit seinen Fingerspitzen auf den Rücken und dem wohlgeformten Hintern der Köchin den Takt des Liedes, das ihm derzeit nicht gelingen wollte. Aber etwas von dem, was sie plapperte, riss ihn trotzdem aus seiner Grübelei und ließ ihn aufhorchen. »Sprichst du denn Französisch, dass du es unterscheiden kannst?«

»Der Herr Bischof hat manchmal welsche Gäste, wegen seiner Schwester. Und ungarische, wegen seiner anderen Schwester. Wir sind hier wirklich ein Hof von Welt! Das fränkische Rom sind wir, hat der Haushofmeister erst neulich gemeint.«

»Mit französischen Krüppeln als Unterhaltung seid ihr das ganz sicher«, gab Walther zurück. »Aber es wundert mich, dass die Königin von Frankreich einen als Boten schickt.«

Sie wälzte sich auf ihren Rücken, um ihm ihrerseits einen Klaps zu versetzen. »Der Krüppel war doch nicht ihr Bote, du Schelm. Den hat die Gauklergruppe, zu der er gehörte, sogar hier gekauft, bei uns in Bamberg.« Sie runzelte die Stirn. »Norbert der Zwerg und der beinlose Schill, so hießen die zwei Fresser. Ist jetzt schon ein paar Jahre her, aber so, wie die geschlungen haben, als hätte sie drei Tage lang niemand gefüttert, so sind sie mir im Gedächtnis geblieben.«

»Gilles?«

»Ist ein dummer Name für einen Krüppel, nicht wahr?«, fragte die Köchin. »*Schill.* Wie Schild.«

»Vielleicht war er nicht immer ein Krüppel«, sagte Walther tonlos und hörte nicht mehr, was sie antwortete, weil ihm schlecht wurde. Als er das letzte Bröckchen Fisch herausgewürgt hatte, warf ihn die Köchin in rechtschaffener Empörung ob seiner Undankbarkeit hinaus. *Es kann nicht sein*, sagte er sich immer wieder, doch in seinem Herzen wusste er nur zu gut, dass es so war.

Kapitel 39

Markwart antwortete auf die Nachricht, Paul würde mit ihnen zu Otto reisen, mit der Frage, ob er dann zurück zu Weib und Kindern kehren könne.

»Nein. Als ich das letzte Mal mit meinem Vetter unterwegs war, wurde jemand ermordet, und mich hat er versucht zu entführen.«

»Ich verstehe Euch nicht.« Markwart seufzte. »Ich verstehe Euch wirklich nicht.«

»Das behauptet so mancher Mann von uns Frauen, Markwart.«

»Aber Ihr seid selbst für eine Frau unverständlich, Frau Jutta. Walther, der Euch geliebt und Jahre um Euch gelitten hat, lasst Ihr verbannen, aber Eure Verwandten, die Euch nur Übles wollen, die nehmt Ihr in Gnaden wieder auf?«

Sie hätte sagen können, dass sie keineswegs die Absicht hatte, irgendjemanden in Gnaden wieder aufzunehmen, aber sie wollte nicht, dass Markwart sich bei Paul verplapperte; außerdem ahnte sie, dass es ihm im Grunde gleichgültig war, was sie mit ihren Verwandten tat.

Vielleicht lag es an der Begegnung mit ihrem Onkel und dem unheimlichen Gefühl, das sie erfasst hatte, als er darauf bestand, dass sie sich ähnelten, aber sie ertappte sich dabei, wie sie anfing, sich vor Markwart zu rechtfertigen. »Es geht nicht um das, was Walther mir getan hat, sondern um …«

»Jaja«, sagte Markwart, den all die verwirrenden Ereignisse über seine gewohnte Vorsicht hinausgetrieben haben mussten, »um Gilles, das weiß ich. Was geschehen ist, das tut mir auch herzlich leid. Aber es war weder Walthers Schuld noch die meine. Wir haben es nicht beabsichtigt, und wir haben nichts davon gewusst. Doch was ist mit Euch? Ihr habt es sehr wohl absichtlich getan, das könnt Ihr nicht leugnen!«

»Und was ist das?«, fragte sie, zu verblüfft, um ärgerlich zu sein.

»Walther mag ja ein Hagestolz sein, aber Euch heiraten, das

wollte er immer. Und Ihr habt ständig behauptet, dass es nicht geht, weil Ihr doch mit Gilles verheiratet seid und diese Ehe erst für ungültig erklärt werden müsste. Nun, an dem Tag, als Ihr ihn hinausgeworfen habt, da hat Walther mit dem Kaplan des Königs darüber gesprochen, ob die Ehe zwischen einem Christen und einer ungetauften Jüdin gültig sein kann, und ganz ehrlich, wenn Ihr zu allem anderen auch noch ungetauft seid, dann ist er noch irrsinniger, als ich das je von ihm gedacht habe. Oder habt Ihr ihn belogen? Habt Ihr ihn alle Jahre warten lassen, weil Ihr Euch für zu gut oder zu schlau für ihn hieltet, Magistra? Wir wussten nicht, was mit Gilles geschehen ist, aber Ihr wusstet immer ganz genau, ob Ihr verheiratet seid oder nicht!« Er hatte sich in Hitze geredet, sein Kopf war krebsrot geworden. Als sie ihn schweigend anstarrte, setzte er mürrisch hinzu: »Mit Verlaub.«

Das war es. Das musste es sein, was Walther mit *»was kümmert dich das?«* gemeint hatte, jener Satz, von dem sie glaubte, er bewiese seine völlige Gleichgültigkeit Gilles' Schicksal gegenüber. Es war ihr nie in den Sinn gekommen, dass er daran, dass sie ihn im Unklaren über die Gültigkeit ihrer Ehe ließ, eine Zurückweisung für sich hatte sehen können.

Nein, das war nicht ganz richtig. Sie hatte ihn nie zurückweisen wollen, und es war einfacher gewesen, ihn weiter im Unklaren zu lassen, als darüber zu sprechen, bis sie vor wenigen Wochen nachgegeben hatte und sich einverstanden erklärte, ihre Ehe von einem christlichen Bischof für ungültig erklären zu lassen, damit sie heiraten konnten. Was in Rom geschehen war, hatte dazu beigetragen; er hätte sterben können. Außerdem war ihr bewusst geworden, wie sie das, was sie durch ihr Schweigen vermeiden wollte, weiterhin umgehen konnte: Niemand würde fragen, ob sie sich hatte taufen lassen. Sie war ja schließlich schon christlich verheiratet gewesen.

Judith hatte befürchtet, dass Walther – wenn sie ihm gestand, wie es um die Ungültigkeit ihrer ersten Ehe bestellt war – von ihr verlangen würde, sich taufen zu lassen, um sie rechtmäßig zu seiner Frau zu machen. Die Möglichkeit, dass er zum Judentum übertreten könnte, hatte sie noch nicht einmal flüchtig in Erwägung gezogen. Er mochte gegen den Papst schimpfen und wüten, aber er war ein Christ, dem man das Wort *Gottesmörder* bereits an der Wiege gesungen hatte. Sie lebte in so vielem wie eine Christin; die Taufe jedoch war der eine Punkt, in dem sie den Glauben und das Volk ihrer Väter nie verraten hatte, und es doch zu tun, wäre für sie einer Vernichtung ihres wahren Selbst gleichgekommen. Dieses Dilemma konnte nur in Zwist und mit einem Bruch ihrer Liebe enden, und vor die Wahl gestellt zu werden, entweder Walther oder sich selbst zu verlieren, war ein unlösbarer Zwiespalt, der ihr das Herz brechen würde, dessen war sie sich sicher gewesen. Nur deswegen hatte sie ihre Unterlassungslüge weiter und weiter bestehen lassen; ganz gleich, was Markwart jetzt sagte, die eine Lüge ließ sich nicht mit der anderen vergleichen.

»Meine Lüge hat kein Leben zerstört«, entgegnete Judith. Ihre Lippen fühlten sich taub an.

»Seid Ihr sicher?«, fragte Markwart heftig. »Mir kommt es nämlich so vor, als hätte jemand, der vor mir steht, kein Herz mehr!« Damit wandte er sich ab und seinem Pferd zu, um es für die Weiterreise zu satteln.

Otto residierte dieser Tage in Schwerin. Der Weg dorthin war vor allem zu Beginn eine langwierige Angelegenheit, da es Judith schwerfiel, das Wort an Markwart oder Paul zu richten, und die Männer offensichtlich beschlossen hatten, gar nicht miteinander zu sprechen. So war sie mit ihren Gedanken und Sorgen allein, und das war keine gute Gesellschaft.

Wenn Judith nicht an Irene und Beatrix dachte, dann war es Gilles, und wenn nicht, dann erinnerte ihr widerspenstiger Verstand sie beständig an die letzten Jahre, die sie mit Walther verbracht hatte. Sie war erleichtert, als Paul eine offenbar länger vorbereitete Rede darüber hielt, wie froh er sei, dass sie endlich zu der richtigen Seite zurückgekehrt wäre, und dass man alles, was geschehen und gesagt worden war, Vergangenheit sein lassen sollte.

»Aber wenn du an deine Kameraden denkst, die von den Männern getötet wurden, die ich verarztet habe«, fragte sie, »was fühlst du dann?«

»Dass es den Mistkerlen recht geschehen ist«, murmelte Markwart und bewies, dass er immerhin zuhörte. Direkt an Paul gewandt, fuhr er herausfordernd fort: »Wie fühlt man sich denn so als Knecht der Engländer? Nichts anderes seid Ihr Kölner ja. Zehn Jahre lang zu versuchen, einen Kerl auf den Thron zu setzen, der eigentlich in die Normandie oder auf die alte Nebelinsel gehört, das ist wahrlich großartig.«

Verspätet schwante ihr, dass der sonst so zurückhaltende und zuverlässige Markwart schon seit längerem nach der Möglichkeit gesucht haben musste, seinem Groll auf sie, sich, vielleicht sogar auf Walther Luft zu machen, indem er sich prügelte. Da Judith eine Frau war, und nicht die seine, konnte er sie nicht schlagen, doch Paul kam ihm offenbar gerade recht. Binnen kurzem waren die beiden von ihren Pferden herunter in den norddeutschen Schlamm gesprungen, wo sie aufeinander einprügelten, was wegen Markwarts Größe eine einseitige Angelegenheit wurde. Immerhin zog niemand ein Messer; auch die anderen Waffen blieben an den Satteln der Pferde. Am Ende gelang es Judith, dazwischenzugehen und beide zu veranlassen weiterzureiten, nicht, ehe sie aufgeplatzte Lippen und ein blutendes Ohr versorgt hatte.

»Man sollte meinen, Ihr hättet genug gekämpft, um Euer Leben zu verteidigen, als dass Ihr es jetzt für nichts und wieder nichts tut«, sagte sie aufgebracht und opferte etwas Branntwein, um Markwarts Lippe zu reinigen.

»Das verstehst du nicht, Base«, entgegnete Paul. »Es ist eine Frage der männlichen Ehre.«

Danach schlossen Paul und Markwart überraschenderweise Brüderschaft. Wann immer sie an den nächsten Abenden in einem Hospital übernachteten, fanden die beiden einen Weg, um Schenken aufzusuchen. Als sie einige Tage danach von einer kleinen Gruppe halbverhungerter Bauern überfallen wurden, die sich mit Dreschflegeln und umgebauten Sensen als Wegelagerer versuchten, wurden die zwei leicht mit ihnen fertig und schlugen sie in die Flucht.

»Arme Schweinehunde«, sagte Paul zu Markwart, und dieser nickte.

»Werden durch den Krieg alles verloren haben«, stellte er fest, ohne Vorwurf, weil niemand wissen konnte, ob das Dorf der Bauern von Philipps oder Ottos Anhängern verwüstet worden war. Judith dachte daran, dass ein oder zwei der Männer nur wenig älter als Beatrix zu sein schienen, und fragte sich einmal mehr, ob der Frieden im Land nicht eine unglückliche Ehe mit Otto wert war. Dann sah sie das Kind vor sich, das nie in ihrem Leben von jemandem hart angefasst worden war, erinnerte sich an Salvaggia und Lucia, als sie beide kennenlernte, biss die Zähne zusammen und ritt weiter.

Bis sie in Schwerin eintrafen, war der Frühling weit genug fortgeschritten, dass sie ein paarmal im Freien übernachten konnten, wenn sie nicht rechtzeitig eine Herberge fanden. In der letzten Nacht war das nicht der Fall.

»Base, meinst du nicht, du solltest dich, nun ja, etwas herrichten, ehe du deine Bitte vorträgst?«, fragte Paul.

»Ich will Missverständnisse vermeiden«, entgegnete Judith.

»Eines davon könnte sein, dass du eine Landstreicherin bist«, gab Paul zurück.

Judith blickte an sich hinunter, auf ihren zerknitterten, von dem langen Ritt gezeichneten Kittel, und musste eingestehen, dass er nicht unrecht hatte. Zwischen dem bewussten Herausstellen weiblicher Reize und dem Aussehen einer Bettlerin gab es noch einen großen mittleren Bereich. Die kleine Stadt verfügte über kein Badehaus, war dafür aber von nicht weniger als sieben Seen umgeben, so dass sie alle badeten. Bei dieser Gelegenheit stellte sich heraus, dass weder Markwart noch Paul schwimmen konnten. Markwart, der in den Bergen zur Welt gekommen war, fand das nicht weiter ungewöhnlich, doch Paul fragte peinlich berührt, ob man es ihr denn als Kind im Rhein beigebracht habe.

»Nein«, musste Judith zugeben. »Ich habe es in Salerno gelernt. Die Stadt liegt in einer Meeresbucht, und im Salzwasser zu schwimmen tut dem Rücken sehr gut, das hat man uns gleich zu Beginn erzählt.«

»Ich hatte nie die Zeit, um schwimmen zu lernen«, sagte Paul. »Außerdem gab es ständig Belagerungen. Da konnte man sowieso nicht zum Vergnügen in den Rhein springen.«

Er sagte das im Gegensatz zu früheren Anspielungen ohne vorwurfsvollen Ton, aber Judith dachte einmal mehr, dass der Krieg ein Ende haben musste. Sie ließ die Sonne ihr Haar trocknen und fragte sich, ob das ihre letzten freien Stunden sein würden, aber seltsamerweise fehlte ihr mittlerweile jede Angst. Es war, als befände sie sich immer noch im See und triebe an der Oberfläche, bewusst, dass alles Mögliche auf dem Grund lauern konnte, ohne dass es sie wirklich berührte.

Als sie in den Innenhof der Residenz der Grafen von Schwerin einritt, die Ottos derzeitige Gastgeber waren, saß sie kerzengerade auf ihrem Pferd, in ihr sauberstes Oberkleid gewandet, die Haube und Kinnbinde so streng gebunden wie bei einer Nonne. Es herrschte reges Treiben. Wie Paul rasch in Erfahrung brachte, verhandelte Otto derzeit von hier aus mit dem Dänenkönig, wohl immer noch auf der Suche nach Verbündeten, und wartete auf Gesandte. Daran, dass sein Haushofmeister, der Paul erkannte, noch nicht einmal so tat, als ob Otto zu beschäftigt wäre, um Vertreter der Kölner Kaufleute sofort zu empfangen, konnte man erkennen, dass er deren Wichtigkeit nicht mehr sehr ernst nahm. Sie mussten warten. Wie vereinbart ließen Judith und Paul dann Markwart mit dem Gepäck zurück.

»Wer sagt dir, dass er sich nicht auf und davon macht?«, fragte Paul.

»Er ist ein ehrenwerter Mann.« Er war außerdem ein Mann, dessen Weib und Kinder von der Königin abhingen; Irene würde nicht glücklich sein, wenn er ohne Judith zurückkehrte.

Es war früher Nachmittag. Otto hatte sich nach dem Mittagsmahl bereits zurückgezogen, als Paul und Judith zu ihm gebracht wurden. Er ruhte auf einem mit Fellen bedeckten Lager und erhob sich nicht, als die beiden den Raum betraten.

»Der Sohn des Kaufmanns Stefan aus Köln und die Magistra Jutta von Salerno, Euer Gnaden«, sagte der Diener, der sie hereinführte.

»Wie angenehm. Ich war heute früh jagen. Ein Aderlass, um die Säfte auszugleichen, käme mir da gerade recht«, kam es von der Liege. Judith stellte fest, dass sie in den Jahren, die seit Chinon vergangen waren, vergessen hatte, wie Ottos Stimme klang. Er hätte ein Fremder sein können, so, wie er da lag. Er streckte einen Arm aus und winkte sie näher. »Nur zu.«

Er war immer noch der blonde, muskulöse Mann, aber im Gegensatz zu dem jungen Adeligen, dem sie in Österreich begegnet war, umgab ihn nicht mehr die Aura unberührbaren Hochmuts. *Er ist es inzwischen gewohnt, enttäuscht zu werden,* schoss es Judith durch den Kopf. Bei näherer Betrachtung durchzogen erste graue Haare seinen blonden Bart, Falten hatten sich in sein Gesicht gegraben und zogen seine Mundwinkel nach unten. Seine blaugrauen Augen zeigten rote geplatzte Äderchen und glitten von Paul zu Judith, ohne jeden Anschein eines Wiedererkennens.

»Versteht Ihr Euer Handwerk, Baderin?«

»Ich bin, wie Euer Diener bereits sagte, eine der weisen Frauen aus Salerno, Euer Gnaden«, gab sie zurück und öffnete ihre Arzneitasche, um das richtige Messer herauszusuchen, eine Fliete.

»Ich habe mich immer gefragt, was man in Salerno lernt, das Bader nicht wissen«, gab er zurück. Die Stimme klang spöttisch, doch nicht angriffslustig. »Über einen Aderlass beispielsweise. Macht es wirklich einen solchen Unterschied, dass Ihr erklären könnt, welche Säfte im Körper kreisen, wenn es doch nur darum geht, ein Messer richtig zu handhaben?«

»Nein, aber es mag Euch das Leben retten«, gab sie gemessen zurück. »Ein Aderlass an der falschen Stelle, zu grob oder eilig ausgeführt, ein rostiges Messer, alles kann tödlich sein.«

»Ein Mann«, sagte Otto und betrachtete sie sehr eingehend, »stirbt nicht von den Händen einer Frau. Zumal einer alten Jüdin, die schon bessere Tage gesehen hat. Macht Euch nützlich, damit ich einen Grund habe, Euch hierzubehalten. Ich verstehe ja, dass Kölner Kaufleute manchmal sehr langsam sind mit der

Ware, die sie zu liefern haben, aber wenn sie vertrocknet und überreif ist, was soll man dann anderes tun, als sie sofort zurückzuschicken?«

Irgendwo hinter ihr stieß Paul einen ächzenden Laut aus. Für sie war diese Bestätigung, dass Otto sie sehr wohl erkannt hatte, verstörend, weil ihr bewusst war, dass er in den letzten Jahren unendlich vielen Menschen begegnet sein musste. Sie hätte für ihn nicht wichtiger sein sollen als ein Dorn, der einmal in seiner linken Hand gesteckt hatte. Von Brüssel wusste er, da war sie sich sicher, von Braunschweig wahrscheinlich auch, sonst wäre es kaum zu dem Entführungsversuch gekommen, egal ob er sie jetzt als seine erste kleine Rache genussvoll für überreif erklärte. Gleichzeitig entging ihr nicht, dass er keine Anstalten machte, sie zu bedrohen, so wie es ein Botho von Ravensburg jetzt getan hätte. Otto war völlig anders. Er schuf eine Lage, in der sie ihn sogar gefährlich verletzen konnte, und hatte Lust an solchen Spielen. Wenn er sich an sie erinnerte, dann wusste er sicher durch Stefan, dass sie Irenes Leibärztin war. Was er im Sinn hatte, mochte deshalb eine Prüfung sein, vielleicht aber auch etwas viel Schlimmeres. Wollte er sie am Ende anklagen, ihn im Auftrag Irenes ermorden zu wollen, um so einen Grund zu haben, die Verhandlungen für den Frieden abzubrechen?

»Ich brauche heißes Wasser, eine Schale und ein Tuch«, sagte sie zu einem Diener und wandte sich dann wieder an Otto. »Und etwas Most für Euch. Schließlich sind Euer Gnaden in einem Alter, in dem Ihr es Euch nicht leisten könnt, auch nur einen Tropfen Flüssigkeit mehr zu verlieren als nötig. Wir wollen nicht, dass Ihr vor Schwäche zusammenbrecht, wenn Ihr das nächste Mal ein Pferd besteigt, nicht wahr? Das ist einem uns bekannten österreichischen Herzog nicht gut bekommen.«

»Euer Gnaden«, fiel Paul hastig ein, »meine Base Jutta wirft sich Euch zu Füßen. Sie würde es sich zur höchsten Ehre anrechnen, wenn Ihr ihr einen Platz an Eurem Hof gäbet, und mein Vater hatte Mitleid, da ihr an dem Ort ihrer bisherigen Verirrung Unbill droht. Deswegen sind wir hier.«

»Und ich dachte, Ihr seid hier, weil mein Onkel John, Gott verfluche ihn, mir klargemacht hat, dass er mir die Gelder streicht, wenn ich mich verheirate und Erben in die Welt setze. *Die Mitgift einer uns Welfen würdigen Braut wird englische Ausgaben unnötig machen,* so hat er sich ausgedrückt, aber irgendwie hatte ich den Eindruck, dass er mich lieber als Junggesellen sterben sehen will. Ihr wisst nicht zufällig, was für Gründe er dafür haben könnte? Wie ich mich erinnere, ist Euer Vater meinem teuren Onkel begegnet, als er so gütig war, zum Grab meiner Mutter nach Rouen zu pilgern.«

Eine Magd kehrte mit Schale und Tuch in den Raum zurück. »Most kommt sofort«, murmelte sie und huschte fluchtartig wieder hinaus. Judith machte Anstalten, Ottos linken Fuß von seinem Lederschuh zu befreien.

»Nein«, sagte Otto. »Ich will, dass Ihr mich an meinem Handgelenk zur Ader lasst.«

»Deswegen ist es gut, dass ich keine Baderin bin, Euer Gnaden. Das Handgelenk ist der falsche Ort. Ich kann Euch am Handballen oder am Unterarm zur Ader lassen, aber das würde Euch stören, wenn Ihr heute oder morgen noch einmal auszureiten wünscht. Das Fußgelenk ist bei weitem der günstigste Punkt, und das Fußgelenk wird es sein.«

»Wird es das«, fragte er mit zusammengekniffenen Augen.

Judith nickte.

Überraschend entspannte sich Ottos Gesicht. »Nun, Ihr habt damals genau gewusst, wie man Zähne zieht. Dann eben das Fußgelenk. Und nun verratet mir doch, Magistra, was gefällt Euch denn nicht mehr am Hof der griechischen Schnepfe?«

Sie hätte genau die gleiche Geschichte vorbringen können, die sie ihrem Onkel erzählt hatte, doch sie gestattete sich eine kleine Abänderung. Männer wie Otto, die sich selbst als die Helden der Geschichte sahen, mochten von Verrätern und Verrat ihren Gewinn ziehen, doch sie verachteten beides so sehr wie die Unterhändler und Geldgeber, die sie ständig benötigten. Ottos Worte über die Kölner Kaufleute hatten das gerade wieder deutlich gezeigt. Also sagte Judith, nachdem sie den Lederstiefel abgestreift hatte: »Ich darf Euch bitten, Euer Gnaden, nicht so von der Königin zu reden.

Wenn ich auch ihren Dienst verlasse, so war sie doch Jahre meine Herrin, die ich geliebt und respektiert habe.«

»War das so?« Otto streckte ihr seinen linken Fuß entgegen. »Nehmt ihn in Euren Schoß.« Er hatte die Arme hinter seinem Kopf verschränkt und genügend Felle hinter sich gestapelt, um Kopf und Schultern darauf zu stützen und sie ständig anzuschauen. Wieder erinnerte sie sich an die »Hochzeitsfeier« in Chinon, die er eingefädelt hatte. Wie brachte er es nur erneut fertig, sie nicht zu bedrohen und ihr trotzdem so widerwärtig zu sein?

»So war das«, sagte sie ruhig.

»Also werdet Ihr mir nicht verraten, womit unsere byzantinische Rose Euch verprellt hat?«

»Nein«, sagte Judith und setzte ihr Messer an. Man musste Otto zugestehen, dass er Fuß und Bein ruhig hielt und nicht aufschrie, wie viele ihrer Patienten. Natürlich war er kampferfahren, hatte vermutlich schon viele tiefere Schnitte weggesteckt und gönnte niemandem einen solchen kleinen Triumph. Stattdessen wandte er sich an Paul und fragte ihn, ob er ihn von der Belagerung und Eroberung der Burg Hochstaden kannte. Paul schaute zum ersten Mal, seit sie den Raum betreten hatten, weniger angespannt und gequält, sondern aufrichtig erfreut drein: »Ja, Euer Gnaden, da war ich dabei.«

»Die Kölner Truppen waren sehr tapfer«, sagte Otto aufgeräumt. »Pfeffersäcke oder nicht, solche Männer wünsche ich mir im Rücken, wenn es hart auf hart geht im Gefecht.«

»Es war uns eine Ehre, für Euch und unsere Stadt zu kämpfen, Euer Gnaden!«

Judith presste den Schnitt zusammen und verband ihn rasch, während Otto meinte: »Das macht es zu einem Jammer, dass Ihr nunmehr Eure Abgaben an Philipp entrichtet. Nun ja, er hat dieses Jahr einiges an Verwandtschaft auszustatten, da sollte ich es ihm nicht übelnehmen, wenn er sich gut mit der Kölner Münze stellt. Schließlich«, setzte er hinzu und schaute zu Judith, »bekommt niemand etwas umsonst.«

* * *

Hans von Brabant war seit vier Jahren Philipps Verbündeter, nicht mehr Ottos; an seinem Hof sprach niemand mehr davon, dass die junge Marie den Welfen hatte heiraten sollen. Dafür wurde umso mehr darüber getuschelt, dass in diesem Jahr der junge Friedrich auf Sizilien vierzehn Jahre alt würde und damit nach normannischem Gesetz mündig, was bedeutete, dass die Vormundschaft des Papstes endete. Offenbar hatten die Brabanter den Eindruck, er würde dann um ihre Marie anhalten, die bald achtzehn wurde und allmählich wirklich heiraten sollte. Man munkelte sogar, Philipp hätte vor Jahren für seinen Neffen etwas in der Art in die Wege geleitet, und nur der Umstand, dass er gebannt und der Papst Friedrichs Vormund gewesen war, habe ihn daran gehindert, die Hochzeit umgehend in die Wege zu leiten. Wirklich, in diesem Jahr schienen alle Fürsten im ganzen Reich nur noch ans Heiraten zu denken.

Walther lieferte sein Empfehlungsschreiben ab, spielte seine Lieder und wurde im Gegensatz zu seinem Aufenthalt in Bamberg nicht einmal nach Philipp gefragt. Mittlerweile argwöhnte er, dass er sich die Entführungspläne nur einbildete, um nicht darüber nachgrübeln zu müssen, was er in seinem eigenen Leben alles falsch gemacht hatte. Aus der Ahnung, jener Krüppel, von dem die Bamberger Köchin ihm erzählt hatte, sei Gilles gewesen, war Gewissheit geworden, und nun war er auch sicher, dass diese Information Judith erreicht hatte, an dem Tag, als die Kölner in Speyer eintrafen. Es sähe Stefan ähnlich.

Leider änderte das im Grunde überhaupt nichts zwischen ihnen. Seine eigenen Wochen im Spinnhaus hatten dafür gesorgt, dass er sich nur allzu gut vorstellen konnte, was es für Gilles geheißen hatte, Botho ausgeliefert zu sein. Was es bedeutete, die Beine zu verlieren, konnte und wollte er sich nicht vorstellen, aber er wusste, er an Gilles' Stelle würde so etwas nie verzeihen. Aber Judith hatte nichts von diesem Schicksal gewusst, während sie ihn über Jahre hinweg belogen hatte. Und als sie es erfuhr, da hatte sie ihn nicht um eine Erklärung gebeten. Sie hatte nicht ein Mal versucht, zu erfahren, warum er ihr etwas Falsches erzählt hatte. Sie hatte all ihre gemeinsamen Jahre einfach weggeworfen, als seien sie nichts für sie gewesen. Wenn er einen Fehler gemacht hatte, war sein Herz dafür verantwortlich, nicht sein Verstand, anders als bei ihr.

Manchmal wachte er auf und hatte vergessen, dass er und Judith einander belogen und verlassen hatten. Er wachte auf und war so sicher, die Wärme ihres Körpers zu spüren und ihren vertrauten Duft zu riechen, weswegen er sie noch ein wenig mehr hasste, wenn ihn die Wirklichkeit wieder einholte. Aber sobald Walther Bettler auf der Straße sah, ob verkrüppelt oder nicht, sah er Gilles vor sich und wusste, das Gewicht der verlorenen Beine würde am Tag des Jüngsten Gerichts auf die Waagschale seiner Sünden gelegt werden.

Nein, an Hermanns mögliche Pläne zu denken, war da entschieden leichter. Aber kein Fetzen Hofklatsch und keine betrunkenen Dienstmannen brachten ihn weiter, bis er für die junge Marie und ihre Schwester singen sollte. Auch sie war von ihrer zukünftigen Vermählung mit dem jungen Friedrich überzeugt, im Gegensatz zu ihrer jüngeren Schwester Marguerite, die sie damit neckten, dass Adelaide, Maries Zwilling, bereits verheiratet war.

»Aber mit einem einfachen Grafen«, sagte Marie. »Wir sind Nachfahren Karls des Großen. Nur jemand, der die Kaiserkrone trägt, ist uns ebenbürtig, doch ich werde die Einzige sein, die einen Kaiser heiratet!«

»Das hast du schon einmal geglaubt. Außerdem ist es noch lange nicht abgemacht, dass Friedrich je mehr als König von Sizilien sein wird. Königin Irene kann immer noch Söhne bekommen. Bei denen wird niemand sich fragen, ob sie nicht von einem Schlächter aus Jesi abstammen! Nein, du solltest dich an den Wittelsbacher Otto halten«, spottete die Schwester, »der ist auch einer staufischen Ehe hinterhergehetzt und ist für dumm verkauft worden.«

»Ich hetze nicht! Ich will nur, was mir als Nachfahrin von Kaisern zusteht!«

»Der Vater müsste selbst Kaiser werden«, sagte Marguerite, »das wäre es.«

Walther war genügend in Aufruhr, um die edlen Jungfrauen mit einem Lied über den schönen weißen Körper seiner Angebeteten aus der Fassung zu bringen, ehe er sich empfahl. Mit einem Mal setzte sich für ihn ein Stein zum anderen. Hans von Brabant war gerüchteweise schon einmal als möglicher König im Gespräch gewesen, doch er befand sich damals im Heiligen Land, als das allgemeine Gerangel um Stimmen und Geld losbrach, und war daher nie ernsthaft in Wettbewerb zu Otto und Philipp getreten. Aber er stammte in der Tat von Karl dem Großen ab und hatte daher eine Blutsverbindung zur Königskrone. In zehn Jahren hatten sich weder Philipp noch Otto endgültig durchsetzen können, sondern sich nur aneinander aufgerieben. Was, wenn nun jemand auf den Gedanken kam, den lachenden Dritten zu spielen?

Andererseits: Philipp war im Besitz der wichtigsten Fürstentümer und der Reichskleinodien und mittlerweile mächtig genug, dass ein Friedensschluss mit Otto möglich schien. Walther konnte sich nicht vorstellen, dass Hans von Brabant gewillt war, seine Streitkräfte gegen die eines Staufers ins Feld zu schicken, und an einem Bündnis mit Otto schien ihm auch nicht gelegen zu sein, sonst würden bei Hofe Gerüchte um eine Wiederbelebung des Eheversprechens zwischen Otto und Marie schwirren, statt um eine staufische Ehe.

Wie hatte Hermann noch geschrieben? *Raubvögel mit scharfen Schnäbeln sind allzu gierig, und man muss sie von ihrem Platz vertreiben.* Walther hatte das als eine Anspielung auf sich selbst zu entschlüsseln versucht, aber nun fiel es ihm wie Schuppen von den Augen. Das staufische Wappentier war der Adler, der König der Raubvögel. Was die Gier betraf, nun, Hermann war sehr daran gelegen gewesen, den Andechs-Meraniern glaubwürdig zu machen, dass Philipp seine Mitgiftversprechungen nicht hielt. Wenn Hans von Brabant schon seit Jahren auf den jungen Friedrich als Gemahl seiner Tochter wartete, als Belohnung für seinen Seitenwechsel damals und dafür, sie nicht mit Otto vermählt zu haben, und diesen Schwiegersohn nicht bekam, dann hatte er wahrhaft Grund, sich hingehalten zu fühlen. Genau wie die Andechs-Meranier, weil sie eine Nichte statt einer Tochter nehmen mussten, und vielleicht auch nicht das Eisenerz im Nordgau bekamen, welches sie unbedingt haben wollten. Wie Hermann selbst, dessen Söhne erst gar nicht als Gatten in Erwägung gezogen worden waren, weder für Nichten noch für Töchter, was Hermann als Zeichen dafür nahm, dass er nichts Einträgliches mehr aus Philipp herausholen konnte.

Aber wenn Philipp als König plötzlich wegfiel, dann, ja dann konnte das Spiel um den Thron von neuem begonnen werden. Ein Hans von Brabant, der anders als Otto niemanden durch ein Jahrzehnt hindurch enttäuscht hatte, dessen Versprechungen noch neu und glänzend sein würden, der diesmal ganz gewiss nicht im Heiligen Land war, der stand auf einmal ganz anders da. Nur nicht, wenn er dazu erst gegen Philipp Krieg führen müsste. Die einzige Möglichkeit, wie Philipp vom Schachbrett der Macht verschwinden konnte, ohne erst auf dem Schlachtfeld besiegt zu werden, war der Tod.

Walther dachte daran, wie Konrad von Würzburg gestorben war. Der Stich eines Schwertes, und alles war vorbei gewesen. Einen Bischof zu töten war eine gotteslästerliche Sünde, fast so schlimm, wie einen gesalbten König zu töten. Aber die Verursacher hatten allen vorgemacht, dass solche Sünden nicht mit dem Tod bestraft wurden. Botho, der verwünschte Botho, war vom Papst selbst entsühnt worden, wenn auch niemand mehr mit ihm zu tun haben wollte nach seinem kindischen Spektakel bei der Geißelung. *Das sind keine Beweise*, mahnte er sich. *Lass deine Einbildungskraft nicht für dich Wirklichkeit sein. Entführte Bräute sind eine Sache. Das geschieht ständig. Aber einen König zu töten, das ist etwas ganz anderes. Philipp ist zweifach gesalbt und gekrönt, und in diesem Jahr wird er auch endlich den Bann loswerden, wenn die Gerüchte wahr sind. Wer einen gesalbten König anders als im Zweikampf oder auf dem Schlachtfeld tötet, der begeht den schlimmsten aller möglichen Morde. Er wird selbst bei den Feinden dieses Königs keine Gnade finden, weil sie von Stund an sonst auch um ihr eigenes Haupt fürchten müssten. Der Täter würde gebannt und für vogelfrei erklärt. Überall und jederzeit könnten er und seine Helfer ungestraft erschlagen werden.*

Und doch: Botho war entsühnt worden. Diejenigen, die den Mord an Konrad in Auftrag gegeben hatten, mussten sich nicht einmal die Mühe machen, nach Rom zu pilgern. Fürsten wie Hermann von Thüringen oder Hans von Brabant würden nie selbst Hand an Philipp legen, das nicht. Aber sie mochten sehr wohl einen neuen Botho finden, der die Drecksarbeit für sie erledigte, wenn er sich Begnadigung erhoffen konnte.

Du baust einen Turm aus Vermutungen, und ohne den geringsten Beweis. Aber die Möglichkeit, dass er recht haben könnte, ließ Walther nicht mehr los. Was er mit dieser Möglichkeit anfangen sollte, wusste er nicht. Oh, er konnte sich denken, was Judith an seiner Stelle tun würde: Es würde sie nicht kümmern, ob Philipp bereit gewesen war, sie fallenzulassen, oder dass Philipp alles andere als ein unschuldiges Lamm war und dank seines Heinz von Kalden selbst eine ganze Menge Menschen auf dem Gewissen hatte. Es würde sie nicht kümmern, dass es vielleicht wirklich am besten war, wenn der Krieg im Reich durch den Verlust dieses einen Lebens beendet wurde statt durch ständig neue Metzeleien auf dem Schlachtfeld. Und wer konnte wissen, ob Hans von Brabant nicht besser als Philipp oder Otto für die Deutschen sein würde? Es gab keine boshaften Gerüchte über ihn. Er hatte sich im Heiligen Land Ruhm und Ehre erkämpft. Anders als Otto hatte er nie einen englischen König als Stütze nötig gehabt noch wie Philipp einen Kampfgiganten mit blutgierigen Verwandten. Es mochte sein, dass sich Hans von Brabant, war er einmal an der Macht, als nicht besser als Philipp oder Otto herausstellte, doch bei Gott, er konnte kaum schlechter für die deutschen Länder sein, als es diese beiden in den letzten zehn Jahren gewesen waren.

Mord ist Mord, würde Judith sagen, auf ihre selbstgerechte Weise, die so sehr der eigenen Überlegenheit vertraute, und sie würde hinzufügen, dass Walther schon zu viel durch Wegschauen und Nichthandeln hatte geschehen lassen, und ihn fragen, ob er sich denn gewünscht hätte, dass sie ihn selbst auch seinem Schicksal überlassen hätte, damals in Rom.

Vielleicht dichtete er auch zu viel? Stoff für ein neues Epos, für sein Nibelungenlied hatte er nun jedenfalls.

* * *

Das Gesinde des Grafen von Schwerin hatte seit drei Monaten mit Otto und seinen Rittern zu tun, lange genug, um sich eine Meinung zu bilden. Judith sprach mit den Küchenmädchen und den Stallknechten, dem Bader, sogar mit Ottos Kaplan. Es war nicht schwer, Vorwände dafür zu finden.

Ein Teil von ihnen war stolz, dass die Residenz ihres Grafen nun eine königliche Pfalz war, andere rümpften die Nase, weil sie sich von dem Welfen mehr Glanz und Reichtum erwartet hatten. Insgesamt galt Otto als hart, aber gerecht. Wer durch Nachlässigkeit seinen Unwillen erregte, wurde bestraft, doch er machte sich nicht die Mühe, die Knechte selbst zu prügeln, was man von seinen Leuten allerdings nicht behaupten konnte. Es gab keine ständige Geliebte; hin und wieder befahl Otto eine der Mägde in sein Bett. Die erste der Frauen, der dies geschah, hatte sich etwas mehr erwartet – doch als keine Kleider, Schmuck oder ein höherer Posten im Hauswesen folgten, hatte sie sich gerächt, indem sie Herrn Ottos Geiz und seine kleine Ausrüstung bespöttelte. Wer sie verraten hatte, wollte niemand zugeben, doch man warf sie hinaus und ließ sie wegen Unzucht dazu verurteilen, vor der Kirche von Schwerin einen Tag lang Buße zu tun, nur mit einem Armesünderhemd am Leib und einer Kerze in der Hand. Das war der direkte Weg ins Hurenhaus, wenn sie sich nicht vorher für das Wasser entschieden hatte, was niemand zu sagen vermochte. Danach erzählte keine der Mägde, die Otto als Zeitvertreib dienten, auch nur die geringste Kleinigkeit von dem, was er mit ihnen im Bett tat. Allerdings erfreuten sie sich noch ihrer Gesundheit und hatten nicht den verwundeten Blick in den Augen, an den sich Judith von Salvaggia nach deren Vergewaltigungen erinnerte. Sie versuchte, das als gutes Zeichen zu nehmen.

Dann erzählte ihr der Kaplan, der sich freute, dass er mit jemandem über die Schriften der Hildegard von Bingen sprechen konnte, dass die Gesandten des dänischen Königs nicht die Einzigen waren, auf die Otto wartete. Es war vor kurzem auch ein Bote angekommen, der den Besuch der Markgräfin von Meißen ankündigte.

»Ich dachte, der Markgraf von Meißen kämpft für König Philipp«, sagte Judith beiläufig.

»Ihr müsst Euch daran gewöhnen, dem Herzog von Schwaben hier nicht seinen angemaßten Titel zu geben, Magistra. Nun, es stimmt, dass der Markgraf von Meißen auf Seiten des Staufers steht, doch seine Gemahlin unternimmt wohl eine Pilgerfahrt hierher.« Er warf sich in die Brust. »Wir sind ein Bistum, müsst Ihr wissen. Die Slawen, die hier wohnten, wurden von Heinrich dem Löwen besiegt und bekehrt. Der König hat mich aus Köln mitgebracht, und ich darf hoffen, hier bald ein höheres Amt zu bekleiden, denn an der Ausbildung von hiesigen Geistlichen mangelt es etwas.«

Die Markgräfin von Meißen mochte inzwischen längst über ihre Würzburger Enttäuschung hinweggekommen sein; Judith wollte es aber nicht darauf ankommen lassen. Dass Jutta Otto unter einem vergleichsweise lächerlichen Vorwand besuchte, mochte bedeuten, dass Dietrich von Meißen es seinem Schwiegervater gleichtun und einen Seitenwechsel versuchen wollte. Unter anderen Umständen hätte es Judith gereizt, mehr herauszufinden, doch nicht hier, nicht jetzt und nicht bei Jutta von Meißen. Außerdem hatte sie eine Meinung für Irene, die sich nicht weiter festigen musste.

Judith stöberte Markwart auf und wies ihn an, heimlich zu packen und ihre Pferde vorzubereiten, so dass sie jederzeit Schwerin verlassen konnten.

»Und Euer Vetter?«

»Der deckt uns den Rückzug«, sagte Judith ausdruckslos. Das war der andere Grund, warum sie auf Pauls Begleitung bestanden hatte: Wenn er noch gesehen wurde, zum Beispiel bei Ottos Abendschmaus, bei dem er den König mit Sicherheit im Auftrag seines Vaters um vertrauliche Gespräche bitten sollte, dann würde man auch sie erst später vermissen, und sie gewannen Vorsprung. Paul war der Sohn eines wichtigen Geldgebers; selbst wenn Otto über ihr Verschwinden zornig sein und sich genarrt fühlen würde, statt nur mit den Achseln zu zucken, dann könnte er nicht mehr tun, als Paul anzubrüllen. Ein paar unangenehme

Stunden konnte Stefans Sohn durchaus verkraften, nach dem, was er in Würzburg bereit gewesen war, ihr anzutun.

Unglücklicherweise fand Ottos Mundschenk Judith und richtete ihr den Befehl König Ottos aus, die Magistra möge am abendlichen Gastmahl teilnehmen. *Otto ist zwar unverheiratet, doch nicht alle seine Dienstleute und Ritter sind es, also werden wenigstens ein paar andere Frauen dort sein,* beruhigte sich Judith. Doch es stellte sich heraus, dass sie sich geirrt hatte. Sie war das einzige weibliche Wesen, bis auf die Mägde, welche gerade die ersten Vorspeisen auftischten.

»Die Magistra«, verkündete Otto, »wird uns unterhalten.«

Paul, der am Fußende der Tafel saß, zuckte unwillkürlich zusammen und schaute elend zu ihr herüber. Immerhin zeigte es, dass er inzwischen glaubte, was sie ihm in Würzburg bezüglich Ottos an den Kopf geworfen hatte. »Sie wird uns unterhalten«, wiederholte Otto und ließ die Worte so bedeutungsvoll ausklingen, dass ihr drei Dinge klarwurden: Er wollte ihr Angst machen. Er wusste genau, wovor sie sich seit Chinon bei ihm fürchtete. Er hatte nicht die Absicht, diese Furcht wahr werden zu lassen. Wenn er das wollte, dann hätte er sich nicht die Mühe dieses Vorspiels gemacht.

Was Otto danach sagte, kam trotzdem unerwartet.

»Die Magistra, so erzählte man mir, ist die Dame, der so manche Lieder des Sängers Walther von der Vogelweide gewidmet sind, der – nach Jahren voller Irrtümer – nun unsere Weisen pfeift. Es fällt mir schwer, den Grund zu erkennen, wenn ich sie so ansehe, aber Liebe macht eben blind. Wie auch immer, da sie den Sänger leider nicht mitgebracht hat, habe ich beschlossen, dass sie uns seine Lieder selbst vortragen wird. Das, meine Freunde, ist endlich mal etwas anderes. Mein Onkel Richard und meine Großmutter haben die Troubadoure geliebt, aber keiner von ihnen ist auf solch einen Gedanken gekommen. Lasst die Dame die Lieder vortragen, die sie preisen, damit wir selbst Wirklichkeit und Dichtkunst miteinander vergleichen können!« Er konnte sein Lachen kaum unterdrücken.

Es war die Demütigung, auf die es Otto ankam. Judith war nicht eitel. Sie wusste, dass sie älter geworden war, obwohl ihr Gewicht immer noch das gleiche war. Falten hatte sie auch noch keine, außer an den Augen. Eines musste sie ihm jedoch lassen: Er hatte Spürsinn dafür, wie man Menschen verletzte; das war gefährlicher als die rohe Grausamkeit eines Botho von Ravensburg. Wahrscheinlich glaubt er, er könne sie mit seiner Anspielung auf ihr Aussehen treffen. Bestimmt hatte er auch schon seine Lacher parat, die einstimmten, wenn er anfing. Nun, da hatte er sich gründlich getäuscht. Ob er aber ahnte, warum es für sie wenig Schlimmeres gab, was er hätte befehlen können? Sie wünschte sich, sie wäre tausend Meilen weit weg von hier. Sie wünschte sich, sie läge unter einem Stein, und auf dem Stein läge Erde. Einen Herzschlag lang war sie versucht, einfach kehrtzumachen und den Saal zu verlassen, ganz gleich, was dann geschehen würde.

Zum Glück war ihr Verstand stärker. Es mochte sein, dass Otto ihr Wachen hinterherschickte; auf jeden Fall würde sie die allgemeine Aufmerksamkeit am Hals haben und nicht fliehen können, wie sie es für diesen Abend geplant hatte. *Nimm dich zusammen. Bring es hinter dich. Es gibt Schlimmeres. Wenn Walther hier wäre, das wäre schlimmer,* sagte sie sich immer wieder vor und schaffte es dennoch nicht, daran zu glauben.

»Ich will nicht hoffen, dass Ihr vorgebt, kein Lied Eures Troubadours zu kennen«, höhnte Otto. »Das wäre gar zu grausam, Magistra, mir gegenüber.«

Sie nahm ihre Beklemmung und ihren Schmerz über Walthers Verrat, machte eine Kugel aus Pfeffer daraus und schluckte sie hinunter, obwohl ihr Innerstes dadurch lichterloh brannte.

»Ich kenne seine Lieder. Doch ich bin keine Sängerin, Euer Gnaden. Ich werde Euer Ohr nicht beleidigen, indem ich sie singe. Stattdessen werde ich vortragen.«

Otto neigte zustimmend den Kopf. Sie stand neben den Spielleuten vor der Empore an einem Ende des Saals. Paul starrte unglücklich vor sich auf den Tisch. Otto hatte sich zurückgelehnt, die Arme ineinander verschränkt, und wartete mit einem genüsslichen Gesichtsausdruck darauf, wie sie sich selbst erniedrigte.

Die alte Erkenntnis, die ihr vor Jahren gekommen war, suchte sie erneut heim: Es war für ihn nicht das Zusammenliegen mit einer Frau, das er genoss; es war die Macht, Verlegenheit, Angst, Scham und Schmerz bei ihnen auslösen zu können, ganz gleich, auf welche Weise.

In diesem Moment wusste sie, dass sie vor Otto keines der Lieder rezitieren würde, das Walther vor versammelter Gesellschaft vorgetragen hatte, mit einem Scherz oder einer Herausforderung in den Augen, während er von den hohen Damen und Herren zu ihr blickte. Auch keins von denen, die er ihr zugeraunt hatte, während sie in seinen Armen lag. Keines der Lieder, an denen sie ihn hatte feilen sehen, keines, bei dem er sie gefragt hatte, welcher Vergleich der bessere sei, keines, bei denen er hinterher eifrig wie ein kleiner Junge wissen wollte, was sie davon hielt. Das waren ihre Erinnerungen, ihre allein. Otto würde sie nicht bekommen, der nicht!

Walther hatte auch andere Lieder verfasst, und er hatte ihr selbst erzählt, was für ein Gefühl es war, zum ersten Mal zu erkennen, dass man eine Menge lenken und ins Herz treffen konnte, selbst eine Menge an Fürsten. Judith erwiderte Ottos Blick und begann.

Wer schlägt den Löwen, schlägt den Riesen
Wer überwindet große Helden wie diesen?
Nur jener tut es, der sich selbst bezwingt,
Und wohl in Hut all seine Kraft erbringt,
Geliehne Zucht und Scham vor Fremden
Die mögen eine Zeitlang blenden.
Wer Leidenschaften beherrschen kann,
Ist nicht nur zum Schein, der rechte Mann.

Bei der Tischrunde herrschte Schweigen. Die Ritter und Dienstleute schauten alle zu Otto, bis auf Paul, der ein, zwei Mal in die Hände klatschte, während er zu ihr hinsah, doch dann seine Hände hastig wieder sinken ließ und auf den Tisch starrte.

»Das«, sagte Otto eisig, »war kein Liebeslied.«

Judith weitete ihre Augen. »War es das nicht? Oh, dieser Schurke! Er hat mich hintergangen, Euer Gnaden. Aber ich bin eben nur eine dumme, törichte Frau. Das waren die einzigen seiner Verse, die ich mir je habe merken können. Es tut mir leid, wenn sie für Euch nicht unterhaltend waren.«

»Ihr seid in der Tat dümmer, als es erlaubt sein sollte«, brüllte Otto. »Hinaus mit Euch!«

* * *

Es war schon von weitem erkennbar, dass Philipp die Pfalz in Hagenau verlassen hatte: Nirgendwo wehten Fahnen, bis auf Walther hielt auch niemand auf die Burg zu, kein üblicher Strom von Bittstellern, Rittern und Bauern mit ihren Waren, die eine große Hofhaltung täglich anzog. Doch in Philipps Abwesenheit gab es immer noch ein paar Dienstleute, welche die Kaiserpfalz versorgten, und sie mussten wissen, wann genau der König aufgebrochen war und welchen Weg er nahm. Unglücklicherweise erwies sich, dass der angetroffene Dienstmann einer derjenigen war, der kein Bewunderer von Walthers Kunst geworden war.

»Wenn der König Euch bei der Hochzeit seiner Nichte dabeihaben wollte, dann wäret Ihr bei ihm. Keinem von uns ist entgangen, was Ihr im letzten Jahr getrieben habt, Herr Walther. Wenn Euch Herr Philipp zu geizig ist, dann gibt es genügend andere Höfe, deren Herrschaften dafür bezahlen, sich beleidigen zu lassen!« Hämisch fügte der Mann hinzu: »Oder etwa nicht?«

Es war eine starke Versuchung, zu sagen, dass Philipp und seine Anhänger zum Teufel gehen konnten und sich so ihr verdientes Schicksal selbst einbrocken würden. Aber letztendlich tat der Dienstmann nur seine Pflicht. Ohne Beweise für seine Vermutung würde er nur glauben, Walther wolle sich mit einer haarsträubenden Geschichte nur wieder bei Hofe einschmeicheln.

Es kam ihm in den Sinn, dass auch Philipp genau dies glauben mochte. Ganz zu schweigen davon, dass er sich jede Gönnerschaft in Thüringen und Brüssel verscherzte, wenn er eine solche Anschuldigung aussprach. Doch wenn er keine Namen nannte, sondern nur von namenlosen hohen Herren und unlauteren Absichten sprach, dann würde ihm erst recht niemand glauben.

Nun, er war ein Meister der Worte, und von Hagenau bis Bamberg war es noch ein weiter Weg. Lange genug, um sich Formulierungen einfallen zu lassen, die ihm kein ungläubiges Gelächter einbrachten, ihn aber auch nicht für den Rest seines Lebens verarmen ließen.

Da Philipp zu einer Feier reiste, mit seiner Gemahlin, seinen Töchtern, seiner Nichte und ihrem Gefolge, würde er noch langsamer vorwärtskommen als bei einem großen Heereszug mit voller Ausrüstung. Bestimmt nutzte er diese Gelegenheit auch, auf dem Weg so viele Orte wie möglich zu besuchen und dabei den einzig wahren König hervorzukehren, sich so den Menschen im Frieden zu zeigen, statt in ihre Städte einzufallen, um Krieg zu führen. Es musste möglich sein, ihn einzuholen, wenn Walther wusste, welchen Weg der König nahm.

Er beschloss, die Angelegenheit nun von der anderen Richtung her anzugehen. Wenn etwas geschah, dann würde es in Bamberg geschehen. Dahin würde Philipp ganz bestimmt gelangen. Also war es sinnvoll, selbst auf dem direkten Weg dorthin zu reisen. Allein mit seinem Knappen würde Walther schnell vorwärtskommen und mit Sicherheit vor dem Hof eintreffen. Dann war es vielleicht auch noch möglich, Beweise für eine Verschwörung zu sammeln, wenn es eine gab, und sie Philipp zu präsentieren. Auf jeden Fall würde es möglich sein, den Walther wohlgesinnten Haushofmeister Bischof Eckbert zu überzeugen, ihn an dem Empfangsmahl für Philipp teilnehmen zu lassen. Wenn alle Stricke rissen, konnte Walther dabei seine Warnung vorbringen – möglichst, ohne sich damit um Kopf, Kragen und zukünftiges Einkommen zu bringen.

Wenn er ein eigenes Lehen hätte, dann brauchte er sich keine Sorgen in dieser Beziehung zu machen. Nicht zum ersten Mal stellte er sich sein Leben vor, wie es wohl wäre, wenn Judith ihm und er ihr immer die Wahrheit erzählt hätte. Sie war sich so gewiss gewesen, dass die Königin sich bei Philipp für ihre Bitte einsetzen würde. Von all den Dingen, die Walther bedauerte, war dies nicht das Wichtigste, aber es nagte trotzdem an ihm, besonders, wenn er mit dem Knappen in irgendwelchen Scheunen übernachten musste, wofür er allmählich wirklich zu alt wurde.

»Herr Walther«, wagte der verschüchterte Junge eines Tages zu fragen, als sie mit einer kleinen Schweineherde das Schiff bis Frankfurt teilen mussten, »Ihr wart doch schon in Bamberg dieses Jahr. Müsst Ihr denn wirklich an der Hochzeit teilnehmen? Vor allem, wenn der König Euch dort nicht haben will? Es heißt, der Hof zu Wien soll wahrhaft herrlich sein. Ihr habt ihn schon erlebt, da wäre es doch ein Leichtes …«

Walther hatte ihm nichts von seinem Argwohn, seinen Plänen, seinen Schwierigkeiten erzählt. Das hätte zu viele Erklärungen notwendig gemacht, die alle zu Judith führten, über die er mit niemandem sprechen wollte. Also sagte er nur: »Es würde mich nicht wundern, wenn der Herzog von Österreich ebenfalls an der Hochzeit teilnimmt.«

»Aber wenn nicht …«

»Mein Sohn, wenn du als Knappe beschäftigt bleiben willst, dann achte immer darauf, ob dein Herr schlechter Stimmung ist oder ob er dich um deine Meinung bittet. Ich bin vielleicht nicht mehr so jung, wie ich einmal war, aber ich kann mich nicht erinnern, das getan zu haben«, schnitt ihm Walther das Wort ab. Der Knappe schwieg daraufhin für mehrere Tage. Wenn Reinmar nun zur Rechten der Jungfrau Maria saß und keusche Lieder für die Gottesmutter sang, dann lachte er jetzt bestimmt.

Der Unterschied zwischen dem Bamberg, das Walther verlassen hatte, und dem, was er vorfand, war gewaltig. Wie sich herausstellte, waren alle Andechs-Meranier bereits eingetroffen; da die Königin von Ungarn dazugehörte, wäre bereits ihr Gefolge allein groß genug gewesen, um die Stadt zu füllen. Wenn Philipp eintraf, würde ihm die Altenburg zur Verfügung gestellt werden, die sich über der Stadt erhob, da die alte Kaiserpfalz neben dem Dom von den Ungarn in Beschlag genommen worden war. Andererseits bot just dies eine Möglichkeit für Walther, nach Hinweisen zu forschen. Die Königin von Ungarn war durchaus geneigt, sich Lieder vortragen zu lassen, zumal sie sowohl durch Hermann von Thüringen als auch durch ihre Brüder von Walther gehört hatte. Sie war eine schlanke, befehlsgewohnte Frau, der man die Geburt ihrer Tochter im letzten Jahr nicht mehr anmerkte und die Walther an die frühere Herzogin von Österreich erinnerte. Bei sich hatte sie keines ihrer eigenen Kinder, dafür aber die Tochter ihrer Schwester Hedwig, deren Patin sie war und die – wie sie bemerkte, als sie von Walther ein »bräutliches Sommerlied« verlangte – nun ebenfalls verlobt wurde: »Mit dem Pfalzgrafen Otto von Wittelsbach, also wäre eine bayerische Weise willkommen.« Sie tätschelte ihrer Nichte die Hand. »Nach all den bösen Gerüchten darüber, wie das große Haus Wittelsbach dem Haus Andechs den Rang in Bayern streitig machen will, tut es gut zu wissen, dass wir unsere Kräfte nun vereint haben.«

»Ihr meint, dass ich nach einer Stauferin die zweite Wahl bin«, murrte das Mädchen. »Tante, ich werde tun, was mir gesagt wird, aber ich brauche keine Lieder, die mir vormachen, dass der Wittelsbacher mich um meiner schönen Augen willen freit.«

Die Königin von Ungarn schaute vielsagend zu Walther.

»Wer Eure Augen nicht als Grund nähme, die Welt mit ein paar Liedern mehr zu besingen, muss blind sein«, sagte er mit dem erwarteten Kompliment und trug überzeugend genug vor, um für sich und seinen Knappen eine Schlafstelle zu verdienen. Der Haushofmeister beschied ihm, er möge sich zu den Rittern gesellen, die Bischof Eckbert seiner Schwester als zusätzliches Gefolge zur Verfügung gestellt habe.

»Hat sie denn nicht ihre eigenen Ritter dabei?«

»Natürlich, doch sie ist eine Königin, und da ziemen sich ein paar zusätzliche Ehrenwachen«, entgegnete der Haushofmeister gewichtig. *Oder*, dachte Walther, *die Geschwister von Andechs-Meranien erwarteten Ärger.* Auf jeden Fall konnte es nicht schaden, die Bamberger Ritter auszuhorchen. Einer von ihnen war ein vergnügter Mann mit rundlichem Gesicht, der sich als Oswald von Strollo vorstellte. Der andere hatte etwas vage Vertrautes. Als der Ritter den Mund öffnete, bemerkte Walther auch ein kleines gesticktes rotes Kreuz auf seinem Umhang, das besagte, dass dieser Ritter das Heilige Land besucht haben und einst ein Kreuzfahrer gewesen sein musste.

»Georg von Bamberg«, sagte der Mann. Es war die gleiche Stimme, die einst zum Tod des Münzmeisters Salomon aufgerufen hatte. »Ihr seid der Sänger, nicht wahr? Ich glaube, wir sind uns schon einmal über den Weg gelaufen. Habt Ihr nicht zum Gefolge des Bischofs von Passau gehört?«

»Hin und wieder«, gab Walther zurück und versuchte, sich nicht anmerken zu lassen, wie unangenehm ihm diese Begegnung war.

»Der Passauer war wenigstens noch ein Bischof, zu dem man aufblicken konnte«, sagte Georg, was Rückschluss auf seine Meinung über seinen eigenen Fürstbischof zuließ. Wenn er schon nüchtern solche Bemerkungen machte, dann würde Wein ein Übriges tun, um seine Zunge vollends zu lockern. Ganz gleich, wie sehr er Walther zuwider war, er konnte eine gute Auskunftsquelle sein, also sagte Walther, er würde die edlen Ritter gerne als Dank für ihre Gastfreundschaft zu einem Umtrunk einladen, denn eine feuchte Kehle habe er jetzt dringend nötig, und es tränke sich viel trauriger allein. Die beiden Ritter waren von dem Vorschlag mehr als angetan, machten jedoch ein verächtliches Gesicht, als er Wein als Getränk ins Spiel brachte. Sie erklärten, hier in Bamberg müsse ein echter Mann Bier trinken, es wäre das beste im Reich.

»Dann sollten wir auch meinen Knappen mitnehmen«, sagte Walther, denn der Junge würde in den Ställen schlafen müssen, da hatte er wenigstens etwas Spaß verdient. Ob er, wenn nötig, als Zeuge anerkannt wurde, blieb dahingestellt, aber beeinflussen würde es einen möglichen Richter vielleicht doch. Und da sein Knappe nicht wusste, um was es Walther wirklich ging, würde es eine fröhliche Zechrunde für ihn werden.

Oswald und Georg hegten keinen Groll gegen ihren Bischof, aber da er jünger als sie beide war, nahmen sie ihn auch nicht ganz für voll. »Ich habe bereits Gott im Heiligen Land gedient«, verkündete Georg, »als der noch gelernt hat, wie man Predigten hält. Unser alter Bischof Thiemo, das war noch ein Mann. Dem haben wir es zu verdanken, dass die Stadt jetzt eine Kaiserin als Schutzheilige hat.« Er lachte. »Wird wohl bis auf weiteres die einzige bleiben. Ich glaube nicht, dass Seine Heiligkeit je einen Staufer oder seine Weiber heiligsprechen wird.«

»Der Tod hat schon aus so manchem einen Märtyrer gemacht«, sagte der fröhliche Oswald und grinste. Ob es nun eine bierselige Witzelei war oder eine Anspielung, sie wurde von Georg mit noch mehr Gelächter beantwortet, aber mehr sagten sie den ganzen Abend nicht dazu.

Trotz bester Absichten fiel es Walther schwer, sich zurückzuhalten. Vielleicht hatte er selbst zu viel getrunken, und vielleicht ging ihm einfach zu viel durch Kopf und Herz, das bitter schmeckte und ausgespien werden wollte. Zu gerne hätte er auch gefragt: *Märtyrer wie der Münzmeister in Wien.* Aber an den dachte Georg bestimmt nicht mehr, und ein Gewissen schien diesen beiden Rittern auch fremd zu sein. So blieb Walther nur der Vorsatz, ihnen in ihre Krüge zu pinkeln, wenn sie sich später draußen erleichterten, und das tat er dann auch, das zumindest.

KAPITEL 40

Es war für Beatrix nicht so schön, wie sie geglaubt hatte, als Teil des Hochzeitszugs ihrer Base nach Bamberg zu reisen. Diesmal war es notwendig, für jede noch so kleine Ortschaft, durch die sie kamen, die besten Kleider zu tragen, zu lächeln und zu winken. Außerdem mahnte ihre Mutter sie, die Blumensträuße aufzufangen und mit sich zu tragen, die ihr zugeworfen wurden, ganz gleich, ob die Blumen frisch oder, wie so oft, halbverwelkt waren. Schlimmer waren natürlich die ausgehungerten

Gesichter vieler Menschen. Früher hatte Beatrix wie ihre jüngeren Schwestern im Wagen gesessen, wenn sie ihre Mutter begleiteten, was nur zwischen Hagenau und ein paar Residenzen in Schwaben der Fall war; schon Speyer war ein Abenteuer gewesen, weil das Rheinland früher als unsicher gegolten hatte. Diesmal, hatte ihre Mutter erklärt, war es wichtig, dass der Vater dem Volk seine Familie zeigte. Das Elend, das Beatrix vielerorts sah, traf sie so unvermutet wie die Brandspuren, die häufig noch an Häusern zu erkennen waren.

»Das waren alles die Welfen, nicht wahr?«

»Nein«, erwiderte ihre Mutter. »Du bist alt genug, um es besser zu wissen, mein Schatz. Auch die Anhänger deines Vaters haben Feuer und Schwert durch die Lande getragen. Deswegen ist es so wichtig, für den Frieden zu beten, und …« Sie verstummte, denn offenbar war Beatrix immer noch nicht alt genug, um zu hören, was ihrer Ansicht nach offensichtlich war: dass man mehr tun konnte, als nur für den Frieden zu beten.

Als die Magistra in Würzburg wieder zu ihnen stieß, zog Beatrix sie zur Seite, ehe es die Mutter tun konnte, denn sie hatte sich ihre Gedanken darüber gemacht, warum sie im März verschwunden war und erst nun im Juni wieder auftauchte. Entweder es hatte mit Herrn Walther zu tun, aber dann wäre ihre Mutter nicht so unruhig gewesen, als warte sie jeden Tag auf eine Botschaft, oder es ging um das, was in diesem Jahr überall das große Anliegen war: Hochzeiten. Aber nicht die ihrer Base mit dem Andechs-Meranier.

Nun war die Magistra nicht die Einzige, die verschwunden war; auch der Gemahl von Kunigundes Amme war fort, und Lucia war noch unruhiger als die Mutter deswegen. Die Amme war leicht auszutricksen; so erfuhr Beatrix, dass Lucias Gemahl Markwart die Magistra auf einer Reise beschützen sollte, deren Ziel Lucia zwar nicht kannte, die aber auf Befehl von Beatrix' Mutter stattfand. Das schränkte die Möglichkeiten erheblich ein.

»Ihr wart in Thüringen, in Rom oder beim Welfen, nicht wahr?«

»Wäre ich in Rom gewesen, dann hätte ich schon sehr viel Glück mit den Pässen und dem Wetter haben müssen, um wieder hier zu sein«, entgegnete die Magistra sehr ernst.

»Dann wart Ihr in Thüringen?«

»Wie kommst du darauf?«

»Herr Walther hat lange dort geweilt«, antwortete Beatrix und beobachtete sie. »Das hat mir der neue Sänger erzählt, der von Eschenbach.«

»Nun, ich habe ihn nicht gesehen«, entgegnete die Magistra, was nichts darüber sagte, ob sie nun in Thüringen gewesen war oder nicht. Auf jeden Fall wirkte sie immer noch so, als würde sie von allem anderen lieber sprechen als über Herrn Walther, was der Grund gewesen war, warum Beatrix von ihm angefangen hatte, denn so erhoffte sie sich noch eine Antwort auf ihre wichtigste Frage.

»Ich soll den Welfen heiraten, nicht wahr?«

Die Magistra antwortete nicht.

»Bei uns hat es nie an Brot gemangelt«, sagte Beatrix. »Ich dachte, das wäre überall so. Auf dem Weg habe ich aber Dörfer gesehen, die überhaupt keine grünen Felder mehr hatten, nur verbrannte. Meine Mutter sagt, das liegt daran, dass die Bauern zu den Burgen ihrer Fürsten gingen, um dort zu arbeiten, und keine Felder bestellen konnten, oder dass sie daheimblieben und sie über Nacht verwüstet fänden. Wenn ich den Welfen heirate, dann wird das ein Ende haben.«

»Für ein paar Jahre gewiss«, entgegnete die Magistra. »Aber dann mag es sein, dass du einen kleinen Bruder bekommst, der überlebt, und der Welfe wird sich betrogen fühlen, denn wenn er dich heiratet, dann nicht, weil er aufgegeben hat, König werden zu wollen, sondern weil er aufgegeben hat, vor deinem Vater König zu sein.«

»Den kleinen Bruder kann ich schon dieses Jahr bekommen«, gab Beatrix zurück. »Meine Mutter erwartet wieder ein Kind, und bis man mich verheiratet, ist es allemal auf der Welt.«

»Dann werden wir sehen, was die Zukunft bringt, dir und deinen Geschwistern.« Mehr als diese unbestimmte Antwort ließ sich der Magistra nicht entlocken. Was auch immer zwischen ihr und Beatrix' Mutter beredet wurde, blieb unter ihnen; alle Versuche, etwas zu erfahren, waren vergebens. Beatrix musste sich die Zeit damit vertreiben, Kunigunde zu necken, die in der Familie manchmal »die Bambergerin« genannt wurde, weil der Vater ihr den Namen der Stadtheiligen gegeben hatte, um sein Bündnis mit dem verstorbenen Bischof Thiemo zu festigen.

»Wenn sie für uns ein Turnier veranstalten, dann kannst du den Bischof bitten, dass er dir einen seiner Ritter als Kämpfer bestimmt, wo du doch die Stadtheilige bist«, sagte sie zu ihrer kleinen Schwester, die ihr die Zunge herausstreckte.

Wenn sie verheiratet wurde, würde sie Kunigunde kaum wiedersehen. Ihre Mutter war keiner ihrer Schwestern je wieder begegnet, nur dem Onkel Alexios, der kaum einen Blick auf Beatrix verschwendet und kein Deutsch gesprochen hatte, bevor er wieder verschwunden war, um in den Tod zu reiten.

Wenn sie verheiratet wurde, würden die Bauern ihre Felder erneut bestellen können, und sie müsste nicht mehr durch Städte und Dörfer ziehen, wo es Menschen gab, die jeden Biss in einen einfachen Apfel mit den Augen verfolgten, als könnte der für sie die Rettung vor dem Hungertod sein.

Ihre Base, die Braut des Andechs-Meraniers, sollte am Albanstag getraut werden, am 21. Juni. Weil Philipps Zug durch das Reich so langsam vorangekommen war, trafen sie erst am Vorabend der Hochzeit in Bamberg ein. Bischof Eckbert hatte ihnen ständig Boten entgegengeschickt, und der Vater musste ihm jedes Mal das Gleiche geantwortet haben: dass er noch rechtzeitig einträfe und nichts verschoben werden müsse.

Es war ein Freitag, der Beatrix und ihre Familie in Bamberg begrüßte, also gab es kein Fleisch zu essen; das war gut so, nach den letzten Erfahrungen mit den hungernden Bauern. Eigentlich war ein Empfangsmahl vorgesehen, aber weil morgen nichts schiefgehen durfte und es noch so viel mit den Leuten des Bischofs zu bereden gab, wurde darauf verzichtet.

Am nächsten Morgen stand Beatrix in ihrem feinsten Kleid aus byzantinischer Seide, purpurn und kostbar bestickt, im Dom zu

Bamberg, der immer noch zum großen Teil aus Gerüsten und Brettern bestand, und schaute zu, wie ihre Base mit dem zukünftigen Herzog von Andechs, Istrien und Kroatien vermählt wurde. Neben ihr stand die Königin von Ungarn, seine Schwester, hochgewachsen im Gegensatz zu Beatrix' eigener Mutter. Gertrud sah ein wenig so aus, wie sich Beatrix Brünhild in dem Lied vorstellte, aus dem ihr Herr Walther manchmal vorgetragen hatte: höchst erhaben, aber ganz und gar nicht glücklich. Ihr Mund war zusammengepresst, und ihre Hände waren zu Fäusten geballt. Es war, als heirate ihr Bruder nicht eine Nichte des deutschen Königs, sondern versänke vor ihren Augen in einem Sumpf. Beatrix wusste nicht, ob sie beleidigt sein sollte, aber sie war stolz auf ihre Mutter, der die Miene der ungarischen Königin auch aufgefallen sein musste, die aber anders als Kriemhild trotzdem keine Bemerkung darüber machte und der Königin sogar den Vortritt ließ, als die Hochzeitsgesellschaft den Dom verließ, obwohl sie nicht nur Königin der Deutschen, sondern auch die Tochter eines Kaisers von Ostrom war.

»Was geschieht jetzt?«, fragte Beatrix leise, als Gertrud von Ungarn davongerauscht war.

»Dein Vater begleitet das neuvermählte Paar ein Stück aus der Stadt heraus«, erklärte ihre Mutter. »Dann kehrt er zurück und ruht sich ein wenig aus. Schließlich steht uns allen heute Abend noch ein großes Fest bevor.« Eigentlich wunderte es Beatrix, dass Braut und Bräutigam sofort die Stadt verließen, aber ihr neuer Vetter hatte darauf bestanden und erklärt, dass seine Verwandten für ihn mitfeiern würden.

Als sie die Domtreppe hinunterlief, traf sie etwas auf die Stirn. Beatrix hob die Hand, wischte es fort und erkannte, dass es sich um den Kot eines Vogels handelte. Angeekelt verzog sie das Gesicht, doch sie wusste es besser, als den Handrücken auf ihrer kostbaren Purpurrobe abzustreifen. Hastig ging sie zum Treppengeländer, dessen Sandstein schon Schlimmeres erlebt hatte. Dabei fiel ihr Blick in die Menge. Eines der Gesichter kam ihr bekannt vor – dort stand, lebhaft winkend, kein anderer als Herr Walther!

Beatrix öffnete den Mund, um ihre Mutter auf ihn hinzuweisen, bis sie sich erinnerte, dass die Mutter wohl böse auf Herrn Walther war. Die Magistra gehörte nicht zur Hochzeitsgesellschaft; sie kümmerte sich um ihren Gemahl, der an Bamberg schlechte Erinnerungen zu haben schien und deswegen auf der Burg geblieben war. *Also gibt es nichts, was sie kränken kann,* dachte Beatrix, und winkte zurück. Herr Walther rief etwas, doch in dem allgemeinen Jubel der Menge konnte sie ihn nicht verstehen, also schenkte sie ihm nur ein Lächeln, um zu zeigen, dass zumindest sie ihm nicht böse war, und warf ihm eine Kusshand zu.

Da Irene im dritten Monat schwanger war, wurde ihr öfter übel, und sie kehrte nicht auf die Burg zurück, sondern nahm die Gastfreundschaft des Bischofs in seiner Residenz nahe der alten Kaiserpfalz in Anspruch, an die sich Beatrix noch schwach erinnerte. Auf dem Weg dorthin fiel ihr ein, wie sie die Erlaubnis erwirken konnte, etwas anderes zu tun, als herumzusitzen und auf das Festmahl am Abend zu warten.

»Kunigunde ist nach der Stadtheiligen benannt«, sagte sie zu ihrer Mutter, »da gehört es sich doch, dass sie an ihrem Grab betet. Ich glaube, das würde den Leuten hier gefallen. Und sie daran erinnern«, setzte Beatrix listig hinzu, »dass unser Vater das Grab gestiftet hat.«

»Du bist bald nicht mehr mein kleines Mädchen«, antwortete ihre Mutter beeindruckt und gab die Erlaubnis. Lucia brachte Kunigunde und Beatrix zurück in den Dom, wo sich das Grab befand. Sie verrichteten ihre Gebete für die Kaiserin Kunigunde; danach war es leicht, Lucia abzulenken und mit der Schwester aus dem Dom zu rennen, um die buntgeschmückte Stadt zu erkunden, in der niemand verhungert aussah. Beatrix wusste, dass es leichtsinnig war, sie wusste, dass sie eigentlich zu alt für so etwas sein sollte, aber sie wusste auch, dass sie nicht mehr oft Gelegenheit dazu haben würde, also war sie bei weitem nicht reuig genug, darauf zu verzichten.

Überall wurde zu Ehren des jungen Paares Honigkuchen verkauft, außerdem gebratene Würste, und obwohl Beatrix wusste, dass es heute Abend ein Festmahl geben würde, wünschte sie, sie könnte etwas davon versuchen. Kunigunde hatte ebenfalls einen hungrigen Blick. Vor der Messe hatten sie nichts gegessen, und bis zum abendlichen Festmahl würden sie auch nichts mehr bekommen. *Genug ist genug,* entschied Beatrix und kehrte die Königstochter heraus. »Ich bin die Base der Braut und die Tochter des Königs«, sagte sie zu einem Wirt, der vor seiner Schenke gebratene Würste und Bier verkaufte. »Gebt mir von den Würsten, mir und meiner Schwester.«

Er lachte sie aus und empfahl ihr, das gestohlene Kleid so schnell wie möglich zurückzugeben. Kunigunde, die sich schon auf die Würste gefreut hatte, stiegen die Tränen in die Augen. Beatrix kam sich dumm vor.

»Bei allen Heiligen, Euer Gnaden, was tut Ihr hier?«, hörte sie eine vertraute Stimme, drehte sich um und sah zu ihrem Entzücken Herrn Walther. Er bezahlte rasch die Würste und sagte zu ihr, er müsse mit ihrem Vater sprechen, es sei sehr, sehr wichtig; er habe es schon vorher versucht, sei jedoch vom Haushofmeister und den Wachen abgewiesen worden.

»Das tut mir leid, Herr Walther. Ich werde Euch beschützen«, versprach Beatrix, und nach kurzem Zögern fügte sie hinzu: »Ich glaube auch, dass die Magistra nicht mehr ganz so wütend wie früher auf Euch ist.«

Sein Gesicht verhärtete sich. »Der Magistra wegen bin ich nicht hier, Euer Gnaden.«

»Sie ist es auch nicht. Hier, meine ich. Sie ist auf der Burg geblieben«, versicherte ihm Beatrix, um klarzumachen, dass es nicht die Schuld der Magistra war, wenn der Haushofmeister Herrn Walther abgewiesen hatte.

Während sie den Domberg hochliefen, schaute Beatrix zu Walther auf. »Erzählt meiner Mutter nichts von unseren Bratwürsten«, bat sie. Kunigunde, die sich das Fett vom Kinn wischte, nickte eifrig.

»Welche Bratwürste?«, fragte Herr Walther mit einem Augenzwinkern, und sie wusste, dass sie sich nicht in ihm getäuscht hatte und dass die bitteren Worte der Magistra bei dem einen

Mal, als sie von ihm gesprochen hatten, nicht stimmen konnten. Er musste ihr Minnesänger werden!

Mit einem Mal hielt er inne; einen Augenblick danach hörte sie es auch: Geschrei, ganz wie heute Morgen für die Brautleute, aber anders, sehr, sehr anders. Außerdem sah sie eine Gruppe von Rittern zu Pferde auf sich lospreschen, als sei sie eine der mit Sand gefüllten Puppen bei einem Turnier. Zehn oder zwölf waren es bestimmt, darunter zwei der Andechs-Meranier, die heute Morgen mit ihr und der Königin von Ungarn in der Kirche gestanden hatten, und ein Mann, in dem sie Otto von Wittelsbach erkannte. Herr Walther packte sie und ihre Schwester an den Schultern und drückte sie zur Seite.

Sein Gesicht war kalkweiß.

***

Als Lucia allein zurückkehrte, war Irene außer sich vor Sorge und versuchte vergeblich, sich zu sagen, dass Beatrix alt genug war, um auf sich und ihre kleine Schwester achtzugeben, alt genug, um zu wissen, warum sie nicht einfach durch die Stadt streifen durfte. Sie schickte zwei Wachen los, um nach ihren Töchtern zu suchen, und machte sich dann auf den Weg zu Philipp, der inzwischen wieder eingetroffen war und mit dem Haushofmeister, seinem Kanzler, dem Bischof von Speyer und dem Truchsess zusammensaß. Sie war nur noch zehn Schritte von dem Gemach entfernt, als sie jemanden schreien hörte: »Das ist kein Spiel!«

Dann hörte sie Philipp. Ein Ruf nur, ein Laut, kein Wort.

Irene kannte den Ton. Sie hatte ihn nicht mehr gehört, seit sie ein junges Mädchen gewesen war und Philipps Bruder den letzten König Siziliens vor ihren Augen blenden und kastrieren ließ; nicht mehr seit jenem zweiten Weihnachtstag, als der normannische Adel nach Palermo gekommen war, ohne Waffen die Kirche betrat und von den deutschen Rittern getötet wurde.

Sie hörte Philipp schreien, ein ersticktes Gurgeln, dann nichts mehr.

Den Mann, der aus dem Gemach stürzte und sie grob zur Seite stieß, sah sie und sah ihn nicht; sie nahm nichts mehr wahr nach jenem erstickten Schrei, der in ihren Ohren hallte und ihr Herz erstarren ließ. Danach verwischte alles vor ihren Augen.

Später, als sie sich die Bilder wieder und wieder in die Erinnerung rief, wusste sie, dass der Bischof von Speyer sich hinter den Tisch gekauert hatte und der Truchsess blutend auf dem Boden lag, aber alles, was Irene wirklich sah, als sie in den Raum taumelte, war Philipp, Philipp, dessen Hals zu zwei Dritteln gespalten war wie der eines Tieres, das an der Decke einer Küche zum Ausbluten hing.

Jemand redete auf sie ein. Es mussten ein paar der Knechte des Bischofs sein, die man ihnen zur Verfügung gestellt hatte, denn sie erkannte keinen von ihnen, und die Laute, die aus ihren Mündern drangen, waren ihr genauso fremd. »Wer seid Ihr?«, fragte sie auf Griechisch.

Sie fiel neben Philipps Leiche auf die Knie und versuchte immer noch, seinen Hals wieder zusammenzupressen, als man ihr die Nachricht brachte, ihre Töchter seien gefunden worden. Das wirkte wie ein Schwall kalten Wassers auf sie, denn es machte ihr klar, dass es immer noch Schlimmeres gab: Ihre Kinder konnten die Nächsten sein, die starben. Rasch erhob sie sich, eilte hinaus in den Innenhof, wo ihre Töchter auf sie warteten und bei dem Blut auf ihrem Gewand entsetzt aufschrien. Aber sie lebten, sie waren auf wunderbare Weise am Leben, und Irene dankte Gott, bis ihr wieder einfiel, wen er ihr gerade genommen hatte.

»Die Magistra muss Euch versorgen, Mama, und Herr Walther muss den Vater sprechen«, rief Beatrix. Erst da bemerkte Irene, dass der Sänger hinter den Mädchen stand, und ihr wurde klar, dass ihre Töchter glaubten, das Blut stamme von ihr selbst. Sie wussten nicht, dass ihr Vater tot war.

»Geht«, sagte sie zu Walther, weil sie nicht laut aussprechen wollte, dass Philipp nie wieder jemanden empfangen konnte, denn wenn sie es laut aussprach, wurde es wirklich.

»Das ist ungerecht. Er hat uns beschützt!«, protestierte Beatrix.

»Euer Gnaden, es tut mir leid«, sagte der Sänger leise.

»Es ist nicht wahr, versteht Ihr?«, fuhr sie ihn an. »Es ist nicht wahr.«

»Euer Gnaden, es mag sein, dass noch nicht alles vorbei ist. Die Kinder! Ihr müsst Euch sofort mit Euren Rittern auf die Altenburg zurückziehen. Mit Euren Leuten, nicht mit denen der Andechs-Meranier.«

»Aber«, sagte Irene, weil es etwas war, über das sie nachdenken konnte, anders als die Ungeheuerlichkeit, deren Blutspuren sie auf ihrem Kleid trug, »dort sind bereits Ritter der Andechs-Meranier. Die Königin von Ungarn hat sich dorthin zurückgezogen, gleich nach der Messe, mit all ihren Leuten.«

* * *

Judith saß mit Gilles über einem Schachspiel, als sie Lärm im Burghof hörte, doch sie schob es darauf, dass die Königin von Ungarn wie angekündigt eingetroffen sein musste, und achtete nicht weiter darauf. Keiner von ihnen war gut in dem Spiel, aber sie hatten Freude daran. Da es ein sehr warmer Tag war, hatte Judith das Schachbrett und die Figuren, die Gilles geschnitzt hatte, im Freien aufgebaut. Sie saßen hinter einer hohen Buchsbaumhecke, was erklärte, warum die Königin sie nicht sah, als sie den Burggarten mit einem ihrer Brüder betrat.

»… keine Wahl!«, stieß Gertrud von Ungarn heftig hervor. »Ihr habt die Sache begonnen, und das ist die einzige Art und Weise, sie zu einem Ende zu bringen, die euch nicht den Hals kostet.«

»Du bist eine Frau, da solltest du zartere Gefühle haben«, sagte die Stimme Bischof Eckberts entsetzt.

»Ich habe vor allem meinen Verstand beisammen. Ihr habt gerade dem Wittelsbacher aus der Stadt geholfen, du und Berthold, also wird euch kein Mensch glauben, dass wir mit der Angelegenheit nichts zu tun hatten. Nur wenn die Byzantinerin und ihre Brut ebenfalls sterben, gibt es niemanden, der Rache verlangen kann. Dann sind wir die Familie, die das Reich gerettet und Hans von Brabant zum König gemacht hat. Wenn sie überlebt …

du hast vielleicht vergessen, wie gut die Staufer darin sind, sich zu rächen, aber ich nicht!«

»Sie ist eine Frau, ihre Kinder sind Mädchen. Sie werden in Klöstern verschwinden; in ein paar Jahren fragt niemand mehr nach ihnen. Philipp war ein nötiges Opfer, Schwester, aber wir sind doch nicht Herodes, der Kinder tötet!«

»Wenn Irene den Dom erreicht, ist sie in Sicherheit, das weißt du, also lasse es nicht dazu kommen.«

»Wir haben alles bedacht!«, protestierte ihr Bruder.

»Nein«, sagte Gertrud aufgebracht, »ihr seid Dummköpfe, die ich bald als nutzlose Fresser an meinem Hof haben werde, weil ihr nirgendwo sonst in Sicherheit sein werdet. Sie ist schwanger, du Tor, und Heinz von Kalden wird gewiss nichts lieber tun, als jetzt schon darauf zu schwören, dass es ein Sohn wird, um die Anhänger der Staufer hinter ihr zu versammeln!«

Bereits nach den ersten Worten war Judith klar, dass man sie auf gar keinen Fall entdecken durfte. Es ging um ihr Leben, aber auch um das von Irene und ihrer Kinder. Sie rührte sich nicht und atmete so flach wie möglich, während sie einen Finger auf ihre Lippen legte. Gilles verstand von alleine, was auf dem Spiel stand. Er hatte eine Hand noch auf dem Springer, um zu ziehen, und er hielt sie dort, ohne eine Regung, während Gertrud und ihr Bruder weiter darüber stritten, wie sie die Folgen eines Königsmordes zu handhaben hatten. Nach einiger Zeit, die ewig erschien, entfernten sich die Stimmen endlich. Judith sackte in sich zusammen. *Ich muss Irene und die Mädchen warnen!* Aber sie wusste nicht, wie sie aus der Burg kommen konnte, wer hier nun das Sagen hatte, wem sie noch trauen konnte, vor allem mit Gilles an ihrer Seite, der sich zwar über kürzere Strecken in seinem Wagen vorwärtsstoßen konnte, aber jede Unauffälligkeit unmöglich machte.

»*Les enfants*«, sagte er, »die Kinder. Du musst gehen. Lass mich hier, mir wird nichts geschehen.«

»Ich habe dich bereits einmal in Bamberg einem grauenhaften Schicksal überlassen, das werde ich nicht ein zweites Mal tun. Sie weiß nicht, dass wir sie gehört haben«, sagte Judith fieberhaft.

»Daher hat sie auch keinen Grund, dich und mich zurückzuhalten. Welchen Wert haben wir für sie? Sie werden uns gegenüber noch nicht einmal zugeben, dass der König tot ist. Du wirst sehen, sie werden uns gehen lassen.«

Sie wartete noch eine Weile, um ganz sicher zu sein, dass Gertrud weit genug vom Burggarten entfernt war, dann half sie Gilles in seinen Karren und fing mit schweißbedeckter Stirn an, ihn durch die Pforte zu ziehen, welche in den Gang führte, durch den man in den Garten kam. Um in den Innenhof und von dort aus zur Zugbrücke zu gelangen, würden sie Treppen steigen müssen, und dazu brauchten sie Hilfe. Schließlich fasste sie sich ein Herz und zog Gilles in die Wachstube, um ihre Bitte vorzubringen, als sei nichts geschehen. Zwei Ritter und ein paar Knechte waren dort. Einer der Ritter wies seinen Knecht an, ihr zur Hand zu gehen. Dann hielt er inne.

»Wartet.« Er kniff die Augen zusammen und musterte sie. Wegen der Junihitze und weil sie im Garten mit Gilles allein gewesen war, hatte Judith ihre Haube abgelegt und war zu aufgewühlt gewesen, um daran zu denken, ihr Haar erneut zu bedecken. »Ihr seid die Rothaarige.«

»Ich bin die Leibärztin der Königin«, sagte sie so gewichtig wie möglich.

»Ja, richtig«, sagte er. »Das war die Geschichte auf der Reise von Wien nach Frankfurt. Aber der Sänger hat uns damals verraten, was Ihr wirklich seid: ein Bastard des alten Kaisers, mit dem roten Haar der Staufer!« Er fing an zu lachen. »Wenn das die Königin erfährt!« Es war klar, dass er nicht Irene meinte. Alle Männer erhoben sich.

Judith erstarrte. Sie hoffte vergeblich, dass ihr etwas einfiel, eine erleuchtende Idee, etwas, das sie aus dieser Falle herausholen würde, aber wenn Gott noch auf ihrer Seite stand, hörte er ihr nicht mehr zu. Der Ritter vor ihr war für sie ein Unbekannter. Doch dann zerrten seine Worte etwas aus ihrem Gedächtnis: Walther hatte ihr erzählt, dass er außer den Trossknechten auch den Mördern ihres Vetters Salomon weisgemacht hatte, sie sei die uneheliche Tochter des Kaisers Rotbart, um sie davon abzuhalten, sie zu belästigen. Warum dem Mann diese alte Lüge ausgerechnet jetzt wieder einfiel, wusste sie nicht; schließlich hatte er sie seither so wenig wiedergesehen wie sie ihn. Aber er hatte sich erinnert, warum auch immer, und alles in ihr wurde starr im Bewusstsein, dass ihr Weg hier bereits zu Ende war.

Dann pfiff etwas an ihr vorbei, einen Moment später sah sie, wie der Ritter mit verwundertem Blick zurückfiel, während Blut aus seinem Mund sickerte – und ein Messer in seiner Kehle stak!

»Lauf!«, sagte Gilles, während die übrigen Männer in der Wachstube ihn erschrocken anstarrten, und zückte ein zweites Messer. »Ich hatte lange, lange Zeit, um solche Kunststücke zu üben. Ich weiß, dass ihr Kerle zu viel für mich seid, aber einen von euch kriege ich noch, also überlegt euch gut, wer der Frau folgt oder mich als Nächster angreift. Und du – lauf!«, sagte er wieder zu Judith.

»Ich kann …«

»Judith, es war ein gutes letztes Jahr«, sagte er in der Volgare, die ihnen beiden vertraut war, ohne seinen Blick von den Männern zu wenden. »Du und die Kinder, ihr habt es schön gemacht. Aber jedes Mal, wenn ich aufwache und weiß, was mir fehlt, ist es wieder die Hölle. Lass mich ein Mal noch etwas tun, auf das ich stolz sein kann, bevor ich sterbe, und lass es nicht umsonst sein. *Lauf!*«

»Du bist der beste Mann, den ich je gekannt habe«, entgegnete sie mit erstickter Stimme, drehte sich um und sprang zur Tür. Sie rannte, ohne einen Moment innezuhalten, auf den Burghof, hin zu der Zugbrücke, die wegen des Festtags ständig herabgelassen war. Sie rannte, rannte, rannte an allen flirrenden Gestalten vorbei, die ihr hinterherbrüllten, und erreichte die andere Seite der Brücke, als die ersten Pfeile an ihr vorbeiflogen. Sie rannte nicht den Weg entlang, sondern durch das Stück Wald, wo ihr die eisentragenden Kriegsknechte nicht so leicht nachlaufen konnten, bis wieder ein Weg auftauchte. Sie fiel, stolperte, stürzte, rollte einen Teil der Strecke und kam endlich mit zerschürften Armen und Beinen bei den ersten Gärten an.

Zwei Reiter, die den Berg in einer Geschwindigkeit hochgaloppierten, als hinge ihr Leben davon ab, zügelten vor ihr die Pferde, und obwohl ihr immer noch flirrende Punkte im Blickfeld tanzten, erkannte sie einen von ihnen sofort.

»Judith«, sagte Walther; einen Moment lang lag die alte vertraute Zärtlichkeit in seiner Stimme, vermischt mit unglaublicher Erleichterung. Er atmete einmal tief aus. »Die Königin«, setzte er dann hinzu und klang feindselig, als überbringe er eine Herausforderung, »wird froh sein, Euch zu sehen, Magistra.«

KAPITEL 41

Es war Irene gelungen, mit ihren Kindern und ein paar Bediensteten in den Dom zu fliehen, wo dann auch die Leiche ihres Gemahls aufgebahrt wurde, in der Krypta, die bereits einen Papst und einem Kaiserpaar Obdach gab.

»Ihr könnt ihn später nach Speyer überführen lassen«, sagte Bischof Eckbert und wich ihrem Blick aus, »wenn die Zeiten … andere sind.«

Irene weigerte sich aus gutem Grund, den Dom zu verlassen. Sie wusste, dass sie Heinz von Kalden an ihrer Seite brauchte, doch der war mit dem königlichen Heer auf dem Weg nach Thüringen gewesen, wo Landgraf Hermann angeblich gegen unerwartet eingefallene Slawen Hilfe brauchte. Selbst bei einem seiner inzwischen legendären Gewaltritte würde der Reichshofmarschall einige Tage brauchen, bis er wieder in Bamberg war.

Man brachte Kleidung und Essen und starrte dabei betreten auf Irene und ihre Kinder. Zunächst versuchte der Erzbischof noch, sie davon zu überzeugen, dass er und seine Familie nicht das mindeste mit dem Mord an Philipp zu tun hatten. »Der Wittelsbacher ist doch fast ein Verwandter«, sagte er verlegen, »nur deswegen hat mein Bruder ihm bei der Flucht geholfen. Blutspflicht, Ihr versteht.«

»Ich verstehe nur allzu gut.«

Seine Schwester, die Königin von Ungarn, versuchte es mit Beschwörungen von Frau zu Frau und Versprechen, sich wie eine Schwester um Irene in ihrer schweren Stunde zu kümmern, weil sie nicht wissen konnte, dass Judith sie belauscht hatte.

»Ihr müsst auch an das Kleine denken, das in Euch wächst, Euer Gnaden.«

»Das tue ich, Euer Gnaden.«

Dann waren eines Tages alle Andechs-Meranier aus der Stadt verschwunden. Walther brachte die Nachricht, dass Bischof Eckbert und Dompropst Berthold es für angebracht hielten, ihre Schwester auf der weiten, gefährlichen Rückreise nach Ungarn zu begleiten, doch die Bamberger, die Irene tagaus, tagein im Dom beobachten konnten, glaubten kein Wort davon. Genauso wenig wie Heinz von Kalden, der am Abend des gleichen Tages eintraf, doch er brachte noch weitere Nachrichten. Der Bischof von Speyer, Philipps Kanzler, der dabei gewesen war, als der Wittelsbacher Philipp ermordete, hatte nicht nur dem Reichshofmarschall Nachricht gesandt, ehe er sich vorsichtshalber nach Würzburg zurückzog, sondern auch noch einem weiteren Mann.

»Der Kanzler meint, dass wir uns mit dem Welfen zusammentun müssen«, sagte Heinz von Kalden offen zu Irene, »sofort und ohne Umschweife. Er ist der Einzige, der so viel wie wir zu verlieren hat, wenn es die Andechs-Meranier wagen, Hans von Brabant als nächsten König zu wählen. Er hat zwar kampferfahrene Leute, aber jetzt braucht er auch uns. Im nächsten Jahr vielleicht nicht mehr, aber bis dahin landen Eure Töchter und Ihr im Kloster, und ich kann mein Glück als Raubritter versuchen.«

Irene legte eine Hand auf ihren Bauch. Heinz von Kalden folgte ihrer Geste mit den Augen und schüttelte den Kopf.

»Selbst, wenn es ein Junge werden sollte, macht das keinen Unterschied. Ein Kind als König taugt nicht, das war der einzige Grund, warum Euer Gemahl die Krone überhaupt genommen hat. Schaut, es ist hart, aber noch seid Ihr Königin der Deutschen, also müsst Ihr jetzt wie eine Königin denken, nicht wie eine Witwe. Wir haben endlich die Möglichkeit, Frieden zu schließen. Die Anhänger der Staufer und Welfen zusammen, so etwas hat es nicht mehr gegeben, seit unser alter Kaiser Rotbart sich mit Heinrich dem Löwen überworfen hat. Eure Tochter wird nicht nur Königin, sondern Kaiserin werden, denn nun kann der Papst Otto zum Kaiser krönen.«

»Und mein Gemahl?«, fragte Irene leise. »Wer schafft ihm Recht?« Heinz von Kalden ergriff ihre Hand. »Ich bin immer noch der Kämpe des Königs«, sagte er rauh. »Ich schwöre Euch, dass ich dem Wittelsbacher mit meinen Händen den Garaus machen werde.«

Und Gilles?, dachte Judith, die mit Lucia bei den Kindern saß und dem Gespräch zuhörte. Aber Gilles hatte sich selbst Recht verschafft. Walther, dem niemand misstraute, war noch am Tag von Philipps Ermordung zur Altenburg zurückgekehrt, wo die Rede von drei Toten war, dem Ritter Georg, dem Knecht Hubert und dem Krüppel, der zum Gefolge der Byzantinerin gehörte. Da Letzterer aus heiterem Himmel wahnsinnig geworden war und sich auf den armen Georg gestürzt hatte, war seine Leiche »wie die eines tollen Hundes« – so drückte ein Dienstmann sich aus – mit den Küchenabfällen in den Burggraben geworfen worden. Walther fand sie nach einigem Suchen und stellte fest, dass er den Mann, den er einst in Köln an Judiths Seite zum ersten Mal erblickt hatte und der damals ein offenes, freies Lächeln auf den Lippen trug, kaum wiedererkannt hätte. Und doch, im Tode kräuselten sich seine Lippen um ein Winziges nach oben, als sei er mit Freude in sein Ende gegangen.

Es war wohl Blasphemie, doch auch ein Ausdruck der Schuld, die Walther nun nicht mehr begleichen konnte. In der Nacht, ehe Philipps Sarg geschlossen wurde, bettete er heimlich die kleine, beinlose Leiche hinein, so dass Gilles aus Aquitanien, Knappe, Söldner, Spielzeugmacher für Prinzessinnen, Ehemann von Judith und doch nie ihr Mann, nun zwischen Heiligen und Päpsten ruhte. Als Walther es Judith erzählte, musterte sie ihn einen Moment, dann schüttelte sie den Kopf.

»Auf so etwas kommst auch nur du«, murmelte sie.

»Und nur du bringst es fertig, noch aus allem einen Vorwurf zu machen.«

»Das war keiner«, sagte Judith kühl. »Ich wollte dir danken. Es – es war ein guter Gedanke, und es ist eine gute Ruhestätte für Gilles.«

Sie brachten es noch lange nicht fertig, miteinander zu sprechen, ohne einander zu verletzen. Da war es leichter, zu versuchen, die Kinder abzulenken, die verängstigt, erschöpft und von der Überzeugung gepackt waren, ihrem Vater nachzufolgen, sobald sie den Dom verließen. Sie waren das schwierigste Publikum, welches Walther je gehabt hatte, und er gab alles, um sie abzulenken.

* * *

Heinz von Kalden riet Irene, sich mit ihren Töchtern auf die Burg Hohenstaufen in Schwaben zurückzuziehen, dem alten Stammsitz der Staufer, um dort ihre Niederkunft abzuwarten, während er und der Bischof von Speyer die Verhandlungen mit Otto führten. Er stellte ihr genügend Männer zur Verfügung, um ihr sicheres Geleit zu verschaffen, während er seine Jagd auf den Wittelsbacher begann.

»Und die Andechs-Meranier?«, fragte Beatrix. Ihre Stimme war nicht länger die des unbekümmerten Mädchens, das Walther um Geld für Bratwürste gebeten hatte; Tränen und Rachsucht lagen darin.

»Nur ein Reichstag kann über ihre Schuld oder Unschuld befinden und sie für rechtlos erklären«, erklärte Heinz von Kalden. Es wurde Walther bewusst, dass er die Frage des Kindes beantwortete wie die einer Erwachsenen – wie die einer baldigen Königin.

»Es wird ohnehin einer einberufen werden müssen, um Otto noch einmal wählen und als Herrn Philipps Nachfolger bestätigen zu lassen. Bei der Gelegenheit wird wohl auch Eure Ehe geschlossen werden.«

»Ich verstehe«, sagte Beatrix und reckte das Kinn in die Höhe, sehr bemüht, tapfer zu sein. »Wenn Herr Otto sein Wort hält, für

Frieden im Reich sorgt und für Gerechtigkeit, dann werde ich gerne seine Frau.«

Walther schaute über Beatrix' Schulter hinweg zu Judith. Obwohl er sich geschworen hatte, ihr gegenüber endlich gleichgültig zu werden, schnitt ihm der Kummer und die Sorge, mit der sie Beatrix betrachtete, zutiefst ins Herz.

VII.
FRAUENLIED

1209 – 1212

KAPITEL 42

Die Feste von Würzburg war über und über mit Gold und Rot geschmückt, den Farben König Ottos, goldene Löwen auf rotem Grund. Beatrix hielt Judiths Hand, nachdem sie aus der Sänfte gestiegen war, mit der man sie auf die Feste gebracht hatte, doch ansonsten ließ sie sich nicht anmerken, was sie empfand.

Noch einen Monat, dann würde sich der Tod ihres Vaters jähren. Noch drei Monate, und auch der Tod ihrer Mutter würde das tun.

Judith schmeckte immer noch das Salz ungeweinter Tränen, wenn sie daran dachte. Philipps Tod war für sie vor allem wegen der Folgen für Irene und deren Töchter ein Schlag gewesen und wurde, soweit es Judith betraf, durch den Tod von Gilles noch übertroffen. Aber Irene, Irene war etwas ganz anderes. In der stickigen Augusthitze auf Hohenstaufen war mit einer Fehlgeburt auch Irenes Leben ausgeblutet, trotz allem, was Judith tat, um es zu verhindern.

»*Was hat die arme Seele jetzt noch, wofür sich zu leben lohnt?*«, hatte eine der Hofdamen gefragt. Um ein Haar hätte Judith der Versuchung nachgegeben, die hoch edle Gräfin ins Gesicht zu schlagen.

»*Ihre Töchter*«, hatte sie mit zusammengebissenen Zähnen erwidert. »*Ihre lebenden Töchter und sich selbst.*« Ob Irene das noch hörte oder nicht, sie hatte um ihr Leben gekämpft, doch nicht gewinnen können. Während Judith ihr Trank nach Trank einflößte, um den Flüssigkeitsverlust auszugleichen, und versuchte, die Blutungen zu stillen, hatte Irene geflüstert: »*Meine Magistra. Ich habe immer geglaubt, mir könne nie etwas geschehen, wenn Ihr bei mir seid, mir und meinen Kindern. Wäre es ein Junge geworden?*« Das Kind war im sechsten Monat gewesen, jenseits aller Hoffnung aufs Überleben, aber in der Tat von männlichem Geschlecht.

»*Ich hätte Euren Sohn gerne gerettet, meine Königin*«, hatte Judith mit erstickter Stimme gesagt. Darauf hatte sich die Königin noch einmal aufgestützt, Judiths Schulter ergriffen und ihr ins Ohr geflüstert: »*Dann müsst Ihr bei meiner Tochter erfolgreicher sein. Schwört mir, dass Ihr Beatrix nicht verlassen werdet.*«

»*Ihr werdet sie selbst …*«

»*Nein. Auch wenn ich überlebe, der Welfe wird mich nie an seinem Hof dulden, nicht Philipps Witwe. Ihr müsst auf meine kleine Beatrix aufpassen, Magistra, schwört es mir! Was auch geschieht?*« Es wäre sinnlos und grausam gewesen, darauf hinzuweisen, dass Otto Judith vermutlich noch weniger an seinem Hof dulden würde, aber sie ließ sich zum zweiten Mal zu einem Versprechen hinreißen, das sie Irene nicht hätte geben sollen.

»*Was auch geschieht.*«

Sie hatte nicht die geringste Ahnung, wie sie ihr Versprechen halten sollte, aber das Schlimmste, das Allerschlimmste war, dass es sich als leichter herausstellte, als sie für möglich gehalten hatte. Im November, als der Hoftag in Frankfurt Otto formell als König bestätigte, Beatrix als Philipps älteste Tochter die Mörder ihres Vaters vor ihm anklagte und er ihr vor den Fürsten des Reiches versprach, sie zu heiraten, da war Judith ihrem Onkel wiederbegegnet. Stefan hatte ihr keine Vorwürfe gemacht, weil sie ihn und Paul ausgenutzt hatte. Stattdessen hatte er bewiesen, wie gut er sie trotz allem immer noch kannte – und ihr einen Schlag versetzt, der tiefer ging: »*Ich habe jedermann am Hof wissen lassen, was Otto dir schuldet.*«

»*Was er mir …*«

»*Das war ein Stauferkind, das nie lebend zur Welt kommen durfte. Für den Frieden des Reiches musste es sterben, sonst wäre der gerade geschlossene Frieden nichts wert. Und wer war besser geeignet als du, um eine Fehlgeburt einzuleiten? Meinen Glückwunsch. Unter diesen Umständen ist Otto natürlich bereit, dich als Leibärztin seiner neuen Königin anzunehmen.*«

Sie wäre lieber öffentlich als Hure bezeichnet worden, als dass ihr unterstellt wurde, sie hätte ihren Eid als Ärztin und ihre Zuneigung für Irene verraten, und das wusste Stefan. Vermutlich ahnte er auch, dass sie ihn nicht bei Otto der Lüge zeihen würde, nicht, wenn sie bei Beatrix bleiben wollte. Besser hätte er sich nicht rächen können.

In Frankfurt hatte Beatrix ihre Hochzeit als trauernde Tochter noch aufschieben können, doch nun, da der Tod ihres Vaters sich bald jährte, war das nicht mehr möglich. Überdies hatte Otto vor, die Alpen zu überqueren und sich in Rom vom Papst zum Kaiser krönen zu lassen. Nachdem er einmal schlechte Erfahrungen mit einer ihm versprochenen Kinderbraut gemacht hatte, bestand er diesmal darauf, Beatrix vor seiner Reise in Würzburg vor aller Augen den Ring anzustecken. *»Eure Ärztin wird Euch sagen können, wie ich Hochzeiten liebe«*, hatte er in Frankfurt betont freundlich erklärt, bei seinem ersten und einzigen Gespräch mit Beatrix, das nur in Gesellschaft ihres Vormundes, des Bischofs von Speyer, und zwei ihrer Hofdamen stattgefunden hatte.

»Herr Otto hält fürwahr seine Versprechen«, sagte Beatrix, als sie in Würzburg inmitten all der welfischen Standarten auch eine der Staufer gewahrte. Sie ließ ihre Stimme ein wenig ansteigen, so dass es von einer Feststellung zu einer Frage wurde.

»Er hat Eurem Vater Gerechtigkeit zuteilwerden lassen, Euer Gnaden«, entgegnete Judith, obwohl die ehrerbietige Anrede für eine Königin noch neu war und beide an Beatrix' Mutter erinnerte. Sie war froh, etwas ohne Heuchelei behaupten zu können, um das Mädchen zu beruhigen. Heinz von Kalden hatte den Wittelsbacher aufgespürt und ihm mit eigenen Händen den Kopf vom Leib getrennt. Auch die anderen beteiligten Andechs-Meranier waren für gesetzlos erklärt worden. Da sie an den Hof ihrer Schwester in Ungarn geflüchtet waren, ließ sich nicht mehr tun, doch immerhin konnte Beatrix sicher sein, dass die Familie keinen Gewinn aus dem Mord an ihrem Vater gezogen hatte. *Das ist mehr, als man vom Landgrafen von Thüringen und seinem Schwiegersohn behaupten kann*, dachte Judith bitter. Hermann von Thüringen hatte Otto umgehend zu Philipps Nachfolger ausgerufen und sich zu seinem Anhänger erklärt. Anschließend verfügte er schon wieder über ein paar Städte mehr, und er war unter den Gästen in Würzburg, mit seiner gesamten Familie.

»Das hat er. Wird – wird er auch seine Versprechungen halten, meine Schwestern nicht ins Kloster zu stecken? Kunigunde hat mir damit die ganze Nacht in den Ohren gelegen, ehe wir Speyer verlassen haben. Sie hat Angst davor.«

»Eure Schwestern sind nun seine Schwägerinnen, Euer Gnaden, somit wertvolle Handelsobjekte, mit denen er wuchern und Bündnisse schließen kann«, erwiderte Judith nüchtern. »Er wird sie nicht verschwenden.«

Beatrix nickte und biss sich auf die Lippen. Dann ließ sie Judith los, hob die Hand und winkte den Menschen zu, die ihr zujubelten. Sollten die Würzburger Konrads Tod immer noch Philipp nachtragen, so galt dies nicht für seine Tochter, nicht, nachdem Philipp selbst ermordet worden war. Beatrix war zwar nicht klein für ihr Alter, aber eindeutig noch ein Kind, mit der flachen Brust und dem runden Gesicht – und sie war die Verkörperung des Friedens, der nun zwischen Staufern und Welfen herrschte. Es gab niemanden, der sie nicht schon deswegen schätzte. *Es wäre töricht von Otto, sie anders als mit Achtung zu behandeln,* sagte sich Judith zum hundertsten Mal, war aber alles andere als beruhigt.

Hastig listete sie sich Errungenschaften Ottos auf, die ein Gegengewicht zu ihrer Meinung über ihn darstellen mochten: Er hatte seit seinem Regierungsantritt einen Königsritt durch das ganze Reich unternommen, Fehden geschlichtet, Recht gesprochen und bisher ein gutes Gleichgewicht an Güterverteilung gehalten zwischen seinen Anhängern, die sich für die jahrelange Treue unter widrigen Umständen reiche Belohnung erwarteten, und den staufischen Anhängern, die ihm nun folgten, weil er Beatrix heiratete, und erwarteten, dass er sich ihnen gegenüber als großzügig dafür erwies. Das war nicht einfach gewesen, doch er hatte es geschafft. Im Gegensatz zu seinem Ruf, rachsüchtig zu sein, hatte er sich auch mit seinem Bruder versöhnt; der Pfalzgraf von Braunschweig und seine Gemahlin gehörten ebenfalls zu den Würzburger Gästen. Da Judith selbst einiges darüber wusste, wie schwer es war, der eigenen Familie einen Verrat zu verzeihen, musste sie zugeben, dass es für Otto sprach, seine neue Macht nicht dazu zu nutzen, seinen Bruder für dessen Seitenwechsel zu bestrafen. Vielleicht war Otto die große Ausnahme unter den Männern, jemand, dessen Charakter von mehr Macht verbessert wurde? Der an der neuen Machtfülle reifte, statt sie sich zu Kopf steigen zu lassen? Schließlich hatte er lange genug darauf gewartet, und er war ein Mensch aus Fleisch und Blut, nicht eine Statue aus Stein, die unveränderlich war und ständig in die gleiche Richtung blickte.

Dann erinnerte Judith sich wieder an Ottos kurze Bemerkung über seine Freude an Hochzeitsfeiern, und ihr Versuch, in ihm das Gute zu sehen, erschien ihr lächerlich.

Um sich abzulenken, schaute Judith auf die Gäste hinter Otto. Der Pfalzgraf aus Braunschweig und seine Gemahlin waren nicht die einzigen Gesichter, die sie erkannte. Den Bischof von Speyer hatte sie erwartet; er war übergangslos von Philipps Kanzler zu Ottos Kanzler geworden, was wohl ebenfalls eine richtige Entscheidung war, die sie Otto anrechnen musste. Wolfger von Passau war eine Überraschung, denn sie hatte ihn in Italien gewähnt. Und zur Linken, bester Stimmung, umrahmt von zwei jüngeren Frauen, von denen eine wohl seine Gemahlin sein musste, stand Hermann, Landgraf von Thüringen. Bei der anderen Frau handelte es sich um die Markgräfin von Meißen. Judith zuckte zusammen, als ihr einfiel, wann ihr diese Dame zum letzten Mal begegnet war. Als sie den Mann sah, der schräg hinter der Markgräfin stand, glaubte sie im ersten Moment, die Erinnerung spiele ihr einen Streich und habe ihn deswegen hierher in den Hof der Feste zu Würzburg gezaubert, doch nein. Hinter Jutta stand Walther.

* * *

Walther sagte sich, dass er nach Würzburg gekommen war, weil er Otto als Gönner brauchte und weil der Herzog von Österreich dort sein würde. Es konnte nicht schaden, noch einmal zu

versuchen, sich gut mit ihm zu stellen. Es würde Leopold beweisen, was für einen Schatz er an Walther in Wien haben könnte,
wenn König Otto sich ihm wohlgeneigt zeigte. Außerdem machte er sich Sorgen um die kleine Königstochter, die nun Königin
sein würde, obwohl sich Zuneigung für ein gekröntes Haupt nie
empfahl. Doch er wusste, dass sie seine Lieder schätzte; es würde
ihr bestimmt Freude bereiten, wenn er bei dieser Feier für sie
spielte.

Dass Judith bei ihr sein würde, war Nebensache. Gewiss, nach all
dem, was sie in der Vergangenheit miteinander verbunden hatte,
würde sie ihn wohl nie gleichgültig lassen, doch sie hatte klargemacht, dass es keine Zukunft für sie beide gab; sie konnte ihm
wohl nie verzeihen, und er war sich auch nicht sicher, ob er ihr
verzeihen würde. Also war es das Beste, nur noch vorwärtszu-
schauen und bei gelegentlichen unvermeidlichen Begegnungen
höflich zueinander zu sein, wozu er als reifer Mann schließlich
imstande sein musste. *Es gibt keinen Grund, in rührseligen Erinnerungen zu schwelgen, nur, weil wir hier in Würzburg sind,*
dachte Walther, bis er daran erinnert wurde, dass Judith nicht die
einzige Frau war, in der diese Stadt Erinnerungen wachrufen
konnte: Jutta von Meißen trat ein paar Schritte zurück, so dass sie
neben ihm stand, als Otto Beatrix' Hand nahm und sie zu Wolfger geleitete, vor dem sie ihre Versprechen leisten würden.

»Ich weiß bei Hochzeiten nie, wen ich mehr bemitleiden soll,
den Bräutigam oder die Braut«, bemerkte sie beiläufig.

»Sie ist ein reizendes Mädchen mit einer Krone im Gepäck, und
die reichste Erbin im Land«, gab Walther mit gesenkter Stimme
zurück. »Da gibt es keinen Grund, Herrn Otto zu bemitleiden.«

»Nun, zumindest in einer Beziehung gibt es den. So, wie sie aussieht, blutet sie noch nicht, also kann es keine Hochzeitsnacht für
ihn geben. Das heißt natürlich nicht«, fügte sie vielsagend hinzu,
»dass wir anderen enthaltsam leben müssen, um das Brautpaar zu
ehren.«

Erst da fiel Walther wieder ein, wie er Jutta unabsichtlich gedemütigt hatte. Seit seinem Besuch in Thüringen wusste er, wie tief
sie das getroffen hatte. Nun aber strich ihr kleiner Finger sacht

über seine Hand, ehe sie wieder neben ihren Vater trat. Ihr Gemahl war nicht hier, wie ein Gerücht wissen wollte, weil Dietrich von Meißen und Otto einander nicht ausstehen konnten, woran man den König lieber nicht erinnern wollte.

An jedem anderen Ort hätte Walther Juttas Angebot, ohne zu zögern, beim Schopf ergriffen. Aber die Vorstellung, ausgerechnet in Würzburg mit ihr ein Bett zu teilen, während Judith sich in der gleichen Burg befand, machte ihm unerwartet zu schaffen. Vor allem, weil er sicher war, dass Judith es als Racheakt von seiner Seite empfinden würde, und das Bedürfnis, sie zu verletzen, war spätestens in Bamberg erloschen. Andererseits wusste er, dass es keine Möglichkeit gab, Jutta abzuweisen, ohne ihr noch mehr weh zu tun. Nicht nach dem, was sie ihm auf der Wartburg gestanden hatte. Aber nicht hier in Würzburg. Bitte nicht! Manchmal verstand Walther, warum Wolfger nach einem langen Eheleben das Zölibat gewählt hatte. Schließlich sagte er sich, dass es unwahrscheinlich war, dass Judith von seinen Stunden im Bett der Markgräfin erfuhr, während es gewiss war, dass Jutta ihm eine weitere Zurückweisung nicht verzeihen würde, und beschloss, die Angelegenheit so vorsichtig wie möglich anzugehen.

Mit Rücksicht auf das zarte Alter der Braut fand das Festmahl tagsüber statt, und Walther sparte sich die deftigeren Lieder, die sonst angebracht gewesen wären. Da Otto der Schützling des Papstes war und die Kaiserkrone von ihm erwartete, fielen auch seine spöttischen Lieder über Rom weg; das führte dazu, ihn mit allgemeinen Frühlingsliedern, Tageliedern und einem Loblied zu unterhalten. Walther beschloss, die Gelegenheit zu nutzen, um auch gleich Leopold von Österreich daran zu erinnern, was ihm entging, und verkündete, das nächste Lied sei das eines ehemaligen Gastes am Wiener Hof, der das Glück gehabt habe, lange Zeit dort weilen zu dürfen.

Als Friederich von Österreich solch Heil erwarb
Dass an der Seele er genas, doch sein Leib erstarb,
Da senkt' er meine Kranichtritte nieder.

Da ging ich schleichend, wie ein Pfau, wohin ich ging,
Das Haupt mir nieder fast bis auf die Knie hing.
Nun aber will ich's fröhlich heben wieder:

Ich bin zu warmen Herd gekommen,
Das Reich, die Krone hat sich meiner angenommen.
Wohlauf! Wer tanzen will nach meiner Geigen!

Da meine Not mich nun verlassen,
So wird mein Fuß jetzt wieder festen Boden fassen,
Und ich kann auf zu hohem Mute steigen.

Die Gäste lachten und klatschten Beifall, einschließlich Otto, der schließlich die Hand hob, so dass Schweigen einkehrte.

»Wohl gesprochen, Herr Walther. Doch wenn Ihr weitersingen wollt an unserem warmen Herd, dann wünsche ich mir doch eines Eurer Liebeslieder. Meint Ihr nicht, das entspräche dem Anlass?«

Da Walther bereits ein paar seiner Tagelieder vorgetragen hatte, verstand er zunächst nicht. »Haben Euer Gnaden ein bestimmtes Lied im Sinn?« Wenn der König mehrere von ihm kannte, dann war das immerhin ein gutes Zeichen, was Walthers zukünftiges Einkommen betraf.

»Eines Eurer Mädchenlieder«, gab Otto mit einem Lächeln zurück. Seine Augen glitzerten. »Mir scheint, wir haben genügend von der hohen Minne gehört. Seid Ihr nicht für die handfestere Liebe berühmt?«

Diese Lieder waren größtenteils in seiner Zeit mit Judith entstanden, und er schaute unwillkürlich zu ihr. Sie stand mit ein paar anderen Frauen hinter Beatrix, kerzengerade, das Gesicht starr. Er kannte diesen Blick: Entweder wollte sie jemanden umbringen oder im Boden versinken. Auf gar keinen Fall war es ein gutes Zeichen.

Im Saal erhob sich erwartungsvolles Kichern. Walther hatte schon eine ganze Weile keines dieser Lieder mehr vorgetragen. Er wusste nicht, ob er es fertigbrachte, hier in Würzburg, wo er mit Judith so überwältigend glücklich gewesen war.

»Herr Walther«, sagte Beatrix überraschend, und ihre hohe, klare Kinderstimme übertönte das Kichern, »als die Braut, Eure Königin und die Herrin dieses Festes, scheint mir, ist es an mir, sich Lieder von Euch zu wünschen. Und ich möchte das vom Preis der Liebenswürdigkeit und der Tugend hören.«

»So sei es, Euer Gnaden«, sagte Walther erleichtert und machte eine Verbeugung in ihre Richtung, während sein Knappe mit der entsprechenden Weise auf der Laute begann. Er sah, wie sich Judiths Haltung entspannte, während Beatrix sich kurz zu ihr umdrehte und ihr ein spitzbübisches Lächeln schenkte, ehe sie sich wieder Walther zuwandte, die Hände sittsam gefaltet und aufmerksam lauschend, während er eines seiner älteren Lieder anstimmte. Eine Woge von Zuneigung für die kleine Königin überrollte ihn. Sie musste gewusst haben, dass diese Lieder für Judith und ihn mit zu viel Vergangenheit beschwert waren, und hatte ihnen das erspart. Da sie in der Tat die Herrin des Festes war, gab es nichts, was Otto dagegen tun konnte. Walther sang das alte Lied mit mehr Gefühl, als er je dafür aufgebracht hatte, und als er mit »*Wer guten Weibes Minne hat, der schämt sich jeder Missetat*« schloss, um den Beifall seiner Zuhörer entgegenzunehmen, war auch der des Königs darunter.

Aber Ottos Blick war kalt, sehr kalt, und leer.

* * *

Beatrix schlief trotz der Aufregungen des Tages rasch ein, als sie erst einmal in der großen Schlafstätte lag. Judith beneidete sie ein wenig. Sie würde im Vorzimmer das Bett mit zwei Edelfräulein teilen, und es war ein sehr warmer Maiabend. Außerdem war sie zu aufgewühlt, um schlafen zu können. Sie beschloss, noch einen nächtlichen Spaziergang durch die Feste zu machen, als sie die Schritte von mehreren Wachen hörte. Die Edelfräulein, die bereits begonnen hatten, ihre Oberkleider abzulegen, rafften sie hastig wieder zusammen, gerade noch rechtzeitig, bis Otto erschien. Alle schauten sie einander verwirrt an. Natürlich war dies eine Art Hochzeitsnacht, doch niemand hatte mit seinem Auftauchen gerechnet – Beatrix war noch nicht zur Frau gereift, und das wusste er. Trotzdem knieten sie alle nieder, als er den Raum betrat.

»Können wir Euer Gnaden behilflich sein?«, fragte Judith und erhob sich.

»Wisst Ihr«, sagte Otto gedehnt, »das frage ich mich selbst. Ich bin ein Mann voller Erwartungen, und dies ist meine Hochzeitsnacht.«

»Das kann nicht Euer Ernst sein«, stieß Judith hervor. Die Hofdamen schauten sie bestürzt an. »Sie ist noch ein Kind.«

»Nun, ich bin nicht erpicht darauf. Genauer gesagt, die Aussicht ekelt mich sogar an. Aber solange die Ehe nicht vollzogen ist, so lange kann sie ohne weiteres annulliert werden, und man weiß als König nie, wann die Kirche einem nicht mehr ganz so wohlwill, nicht wahr? Außerdem scheint mir, meine Gemahlin braucht eine Lektion darin, wer in dieser Ehe das Sagen hat.«

Man hat den falschen König ermordet, dachte Judith und fühlte sich wie damals, als sie den Altenburgberg hinunterrannte, nur dass diesmal rote Funken vor ihren Augen tanzten. Doch das würde Beatrix nicht helfen. Nichts und niemand konnte das Mädchen schützen, wenn sie es nicht tat; Recht und Gesetz gaben Otto die Möglichkeit, mit seiner Braut zu tun, was auch immer er wollte.

Sie sammelte sich und griff nach dem Kern aus Eis, der sie aufrechterhielt, wenn sie einen schweren Eingriff vornahm. Dann sagte sie sehr ruhig: »Es gibt Frauen, die eine Lektion noch viel dringender benötigen als Eure Gemahlin, Euer Gnaden. Die dankbar für eine solche Lektion wären.«

Otto musterte sie. »Ist das so?«

»Ja, Euer Gnaden«, sagte Judith und ließ ihre Stimme ein wenig kehlig klingen. Sie machte sich nichts vor: Wenn Otto auf ihr Angebot einging, dann nicht, weil er sie unwiderstehlich fand, sondern weil sie jemand war, der sich bisher seinen Demütigungen immer entziehen konnte, und das machte den Reiz einer lange hinausgezögerten Unterwerfung aus. Sie war kein Mädchen mehr, und es musste jüngere und schönere Frauen geben, die bereit waren, einem König zum Zeitvertreib zu dienen, aber ihr war klar, die wollte er jetzt nicht.

Es gibt Schlimmeres, dachte Judith. Das schlafende Kind in der Kemenate vergewaltigen zu lassen, das war schlimmer.

»Also gut«, sagte Otto abrupt. »Aber diesmal, Magistra, wird es keine Verzögerungen geben. Keine Listen.« Er schnipste mit den Fingern. »Ihr könnt gehen«, sagte er zu den Edelfräulein.

»Aber …«

»Hinaus«, sagte er scharf. »Es ist mir gleich, wo Ihr die Nacht verbringt, aber nicht hier. Wagt es nicht, vor morgen früh zurückzukommen!« Sie flohen.

»Auf die Knie«, sagte er zu Judith, während er sein Gewand hochzerrte. »Wir werden sehen, ob Euer Mund noch für andere Dinge gut ist, als Lügen zu plappern. Für den Anfang.«

* * *

Markwart, dachte Walther, *ich muss unbedingt herausfinden, wie es um Markwart steht.* Lucias Stellung als Amme der Königskinder würde ihr einen festen Platz verschaffen, auch wenn die Mädchen eines nach dem anderen alt genug wurden, um verheiratet zu werden, aber was nach Philipps Tod aus Markwart geworden war, hatte er noch nicht in Erfahrung bringen können. Als er seinem alten Freund zum letzten Mal begegnet war, hatte dieser zum Geleit für Irene von Bamberg nach Hohenstaufen gehört.

Da es Freundespflicht war und niemand hier seine Frage wohl so gut beantworten konnte, musste er wohl Judith aufsuchen. Im Übrigen konnte er bei dieser Gelegenheit auch der kleinen Königin für ihren Liederwunsch danken, verschleiert natürlich, doch sie würde ihn schon verstehen. Sich damit versichernd, dass er nichts als freundschaftliche Erkundigungen im Sinn hatte, fand er sich nach seiner Nacht mit der Markgräfin Jutta gleich bei Sonnenaufgang vor den Räumen der Königin ein. Zwei Wachposten standen davor, aber bei Beatrix' altem und neuem Rang verwunderte ihn das nicht. Was ihn hingegen mehr als überraschte, war, Otto mit dem Gesicht eines befriedigten Mannes in seinem Hochzeitsgewand vom vergangenen Tag die Räume verlassen zu sehen. Die Möglichkeit, die Walther sofort in den Sinn kam, löste Übelkeit und Empörung in ihm aus. Da die Wachposten Otto folgten, gab es niemanden, der Walther daran hinderte, das Vorzimmer sofort zu betreten, obwohl er nicht wusste, was um alles in der Welt er tun konnte, um einem geschändeten kleinen Mädchen zu helfen.

Das Erste, was ihm ins Auge stach, war das lange Unterkleid aus Seide, das Judith nur unter Feiertagsroben trug, weil es leicht knitterte, und das am Ausschnitt zerrissen war; an ihrem Brustansatz erkannte er blaue und braune Druckstellen. Das Zweite war, dass ihre Lippen wund gebissen schienen, und ihre Augen wie aus Stein. Als sie ihn erkannte, flackerte etwas in ihnen, während er begriff.

»Ich dachte«, begann er tonlos, weil die Stille zwischen ihnen schrecklich war, weil er sie umarmen wollte und doch keine Hand rühren konnte. Wenn er in diesem Moment die Wahl gehabt hätte, ins Spinnhaus zurückzugehen und dafür die vergangene Nacht ungeschehen zu machen, er hätte es getan.

In Judith kam Bewegung. Sie deutete mit dem Kinn zur Kemenate der Königin. »Sie darf nichts merken«, flüsterte sie. Dann raffte sie aus einem Reisekorb ihren Mantel und den Kittel aus Leinen, den sie für gewöhnlich als Oberkleid trug, wenn sie mit irgendwelchen Tinkturen hantierte, und fragte bittend: »Bringst du mich zum Burgbrunnen? Ich … ich muss mich waschen.« Die eiserne Selbstbeherrschung, die sie umhüllte, begann zu schmelzen, und er sah, wie ihr Mund zu zittern anfing. »Ich muss mich wirklich waschen.«

Als er Jutta von Meißen verlassen hatte, war ihr in einem Bottich warmes Wasser für ein morgendliches Bad gebracht worden. Wenn er länger darüber nachdenken würde, dann müsste er den Einfall als wahnsinnig verwerfen, aber gerade jetzt dachte er nicht; er fühlte nur, und was er fühlte, war zum größeren Teil nichts als der Wunsch, Judith eine neuere, bessere Welt zu Füßen zu legen, in der ihr nie mehr dergleichen geschehen konnte.

»Es gibt Besseres für dich«, gab er zurück, nahm sie bei der Hand und führte sie in das Gemach der Markgräfin. Dass Judith ihn nichts weiter fragte, sondern ihm widerspruchslos folgte, war ein weiteres Zeichen dessen, was ihr geschehen war, und er fragte sich, warum um alles in der Welt er sie nicht in Bamberg, als sie ihm auf dem Altenburgberg vor die Füße gefallen war, genommen und weit fortgebracht hatte, nicht in den Dom, sondern irgendwohin, wo es keine Fürsten gab.

Jutta war bereits dabei, von ihren Mägden angekleidet zu werden. Sie starrte Walther erst überrascht an, dann, als ihr Blick zu Judith glitt und sie erkannte, stirnrunzelnd.

Es geschah nicht häufig, dass ihm die Worte fehlten, doch dies war so ein Zeitpunkt. Statt einer leichtfüßigen Erklärung bat er hilflos: »Freunde helfen einander.«

Juttas Stirnrunzeln vertiefte sich. Sie trat näher; ein Hauch des Erkennens glitt über ihre Züge, während sie ihr Gegenüber musterte. Sie streckte eine Hand aus und legte sie unter Judiths Kinn, ihren Kopf vorsichtig zur Seite drehend, die Augen auf ihren blutverkrusteten Mund gerichtet.

»Der König«, sagte Walther bitter.

Jutta presste die Lippen zusammen. Dann befahl sie ihren Mägden zu gehen und sagte: »Das Wasser wird bald kalt, wenn es nicht genutzt wird, Magistra.«

Judith schluckte, einmal, zweimal, dann ließ sie ihren Umhang und den mitgebrachten Leinenkittel zu Boden fallen. Als sie versuchte, aus dem Unterkleid zu schlüpfen, versagten ihre Arme. Walther wollte ihr helfen, doch Jutta war schneller und zog ihr vorsichtig das Gewand über den Kopf. Er dachte daran, wie er Judith das seidene Unterkleid mitgebracht hatte, das kostbarste Geschenk, das er sich leisten konnte, gewebt in Apulien, wohin ihn während ihrer Zeit in Salerno seine Fahrten zu den wenigen noch verbliebenen deutschen Fürsten in Italien geführt hatte. Sie hatte davon geschwärmt, wie es sich auf ihrer Haut anfühlte: *zärtlich wie ein Kuss.* Nun erkannte er Samenspuren darauf, und er wusste, dass sie es nie mehr tragen würde, weil es sie an die vergangene Nacht erinnerte.

Jutta half ihr auch in die Wanne hinein. Judith begann, sich mit dem feuchten Tuch, das über dem Rand hing, abzureiben, immer schneller, bis ihm klarwurde, dass sie sich so wund scheuern würde, und er sagte hastig: »Lass mich.«

Ohne sich darum zu kümmern, dass er selbst noch sein Festtagsgewand trug, kniete er neben dem Bottich nieder, nahm ihr das Tuch aus der Hand und begann sehr vorsichtig, ihr damit über die Arme zu streichen, über Schultern, Nacken, Brüste und schließlich das Gesicht. Erst, als er ihren Mund erreichte, begann sie am ganzen Körper zu zittern, aber sie weinte nicht und gab auch sonst keinen Laut von sich.

»Am Morgen nach meiner Hochzeit«, sagte Jutta von Meißen, »verbrachte ich eine Stunde lang in einem Badezuber. Ich ließ mir immer wieder heißes Wasser bringen und nachschütten, bis ich das Gefühl hatte, alles, was von meinem Gemahl war, wäre endlich weggespült. Aber am nächsten Abend kam er wieder. Wird das für Euch das letzte Mal gewesen sein, Magistra, oder wird er wiederkommen?«

»Ich weiß es nicht«, sagte Judith tonlos. »Ich weiß nur, dass es nicht Beatrix sein darf, bis er nach Rom verschwindet.«

»Und was, wenn er wieder zurückgekehrt ist?«, beharrte Jutta. Walther lag auf der Zunge, zu protestieren, dass dies nicht der Moment war, um Judith mit der Zukunft zu ängstigen. Doch er wusste, dass es keine unberechtigte Frage war. *Wien*, dachte er, *ich nehme sie mit mir nach Wien und schmeichele Leopold so lange, bis er mir eine feste Stelle bei Hofe gibt. Oder Aquileja. Wolfger heißt mich immer willkommen, und sie auch. Alles, nur so weit wie möglich von Otto entfernt und an Orten, an die er nie kommen wird.*

»Dann«, sagte Judith, »wird er andere Sorgen haben ... wie den Verlust seines Reiches.«

In seltener Einmütigkeit hörte sich Walther gleichzeitig mit der Markgräfin von Meißen völlig überrumpelt »Was?« fragen.

Judith, die bisher in dem Bottich gekauert hatte, setzte sich gerade auf und hielt Walthers Hand fest. In ihre Augen kam wieder Leben. »Man weiß als König nie, wann die Kirche einem nicht mehr ganz so wohlwill«, erklärte sie. »Das hat er letzte Nacht gesagt. Aber welchen Grund hätte er jetzt schon, die Feindschaft der Kirche zu fürchten? Der Papst hat ihn all die Jahre unterstützt. Es gibt nur einen Grund, warum sich das ändern könnte.«

Jutta von Meißen sog hörbar die Luft ein. »Ihr meint …«

»Er will nicht nur über die Alpen ziehen, um sich zum Kaiser krönen zu lassen. Jetzt ist er mit Beatrix vermählt, also wird er all die alten Eroberungen der Staufer beanspruchen – einschließlich des Königreichs Sizilien.«

»Er hat dem Papst zugesichert, auf die Rechte an allen Gebieten unterhalb des Patrimoniums Petri zu verzichten, wenn er erst auf dem Thron sitzt«, sagte Walther zweifelnd. »Ich kann mich noch erinnern, wie Bischof Wolfger seinerzeit davon sprach. Das war der Grund, warum Otto überhaupt die Unterstützung des Heiligen Vaters gewonnen hat.«

»Auf etwas, das einem nicht gehört, kann man leicht verzichten«, sagte Judith, und ihre Stimme gewann von Wort zu Wort mehr Leidenschaft. »Aber wen gibt es jetzt noch, der ihn aufhalten könnte? Diepold von Schweinspeunt wird schnell bereit sein, sich auf seine Seite zu schlagen. Und nach all den Jahren des Krieges und den nun entfallenden englischen Anleihen braucht er Geld. Er wird einfach in die Fußstapfen Kaiser Heinrichs treten und es sich in Sizilien holen.«

»Bei Gott, das klingt vernünftig.« Jutta war zu sehr die Tochter ihres Vaters, als dass ihr nicht die Möglichkeiten einfielen, die es auch für andere deutsche Fürsten geben würde. »Doch wenn er das tut …«

»Dann wird der Papst ihn bannen«, vollendete Walther. »Ich kenne diesen Papst. Er ist nicht bereit, zu teilen. Seit zehn Jahren gefiel er sich in der Rolle des Schiedsrichters, der hofiert wird, und er hat es genossen, auf diese Weise kaum noch deutsche Truppen in Italien zu wissen. Wenn Otto sich das Königreich Sizilien zu eigen macht, dann ist das genau das, was der Papst vermeiden wollte, als er Philipp bannte.«

Der Griff von Judiths Hand verstärkte sich. »Ich hoffe«, sagte sie, und wieder klang sie, als zitiere sie etwas, »dass er so qualvoll wie möglich zur Hölle fährt, und dass das Letzte, was er sieht, kein Priester ist, sondern eine Frau, die ihn verflucht.«

»Das hoffen wir alle am Morgen danach, meine Liebe«, sagte Jutta nüchtern. »Als jemand, der Erfahrung in solchen Dingen hat, kann ich Euch versichern, dass es einen vergiftet, wenn man nicht bereit ist, eines von zwei Dingen zu tun: sich damit abzufinden oder sich des Mannes endgültig zu entledigen. Und mit Verlaub, Ihr scheint mir nicht die Frau zu sein, die einen Kaiser tötet und sich dafür vierteilen lässt. Von dem Bann würde ich mir an Eurer Stelle auch nicht viel erwarten. Wenn er klug ist, dann ahmt er nicht Kaiser Heinrich, sondern den alten Kaiser Rotbart nach und nutzt seine Truppen in der Nähe von Rom, um dem Papst klarzumachen, wer der Mächtigere ist. Wie Ihr schon sagtet – wen gibt es jetzt noch, der ihn aufhalten kann? Mein eigener Vater liebt das Spiel um Macht und Land so sehr wie nur irgendein Fürst und war sich dennoch gewiss, dass letztes Jahr sein letzter großer Wurf stattgefunden hat.«

Judiths Augen brannten sich in Walthers; er wurde an die alte Geschichte von dem Vogel erinnert, der sich aus seiner Asche erhebt. Es war ihm, als nehme sie ihre Demütigung, ihre Verzweiflung, mache sie zu glühendem Metall und schmiede ein Schwert daraus. »Es gibt uns«, sagte sie.

»Ich glaube, jetzt sprecht Ihr irre«, sagte Jutta. Doch Walther begann zu begreifen, und was er erfasste, war so kühn und ungeheuerlich, dass es ihm den Atem nahm.

»Ich bin eine Ärztin«, sagte Judith würdevoll. »Ich töte niemanden. Walther, du bist ein Sänger, der es nicht versteht, eine andere Waffe zu führen als seine Zunge. Und Ihr, Euer Gnaden, seid ein Faustpfand, wie alle Eures Standes, das hierhin und dahin geschickt wird, wie es gerade nützlich ist. Aber wir haben Verstand. Und mein Verstand sagt mir, dass der Papst nicht der Einzige ist, der Otto nicht als allmächtigen Kaiser sehen will. Die deutschen Fürsten sind in den letzten zehn Jahren auf den Geschmack gekommen, sich von zwei Seiten umwerben zu lassen, statt einfach nur hinzunehmen, was ihnen wie Hunden von der Tafel zugeworfen wird. Außerdem gibt es noch jemanden im Königreich Sizilien, einen gewählten deutschen König, der nicht Otto heißt. Beatrix ist nicht die letzte staufische Erbin.«

»Friedrich?«, fragte Jutta ungläubig. »Ein Knabe kann kein König sein, das haben wir doch seinerzeit morgens, mittags und abends von allen Seiten gehört.«

»Nur, dass er kein Kind mehr ist«, stellte Walther fest. »Nach normannischem Recht ist er mit Erreichung seines fünfzehnten Lebensjahres mündig geworden.« Er drehte den Kopf zu Jutta und sah, dass sie ihn und Judith mit einer Mischung aus Misstrauen, Neugier und beginnender Sehnsucht musterte. »Ihr kennt Euren Vater viel besser, als ich es je könnte. Vielleicht irre ich mich, doch mir scheint, wenn er die Möglichkeit hätte, noch einmal im Spiel um Macht und Thron mitzuwirken, noch einmal einen König zu schaffen, er würde es tun.«

»Als du in Frankfurt warst«, sagte Judith zu ihm, »da konntest du sie lenken, da hattest du Macht über sie, durch deine Worte. In Rom hast du erlebt, was Worte an Angst und Furcht säen können, in Wien, was an Hass. Worte sind mächtig.«

»Die Geschichte von David und Goliath ist nur eine Geschichte aus alten Tagen«, sagte Jutta, doch ihre Stimme ließ Zweifel erkennen. »Herr Otto hat Streitkräfte, und ganz gleich, was die Zukunft bringen mag, jetzt hat er den Segen der Kirche und den Gehorsam eines Reiches.«

Judith wandte sich erneut ihr zu. »Es wird nicht von heute auf morgen geschehen. Erst muss er seine Maske dem Papst gegenüber fallen lassen. Aber es wird geschehen, und was wir bis dahin gesät haben, davon werden wir ernten können. Die Fürsten werden bereit sein, einen neuen König zu wählen. Otto wird verlieren, was ihm kostbarer ist als das Leben: seine Macht und alles Ansehen, was er je errungen hat.«

»Es ist Wahnsinn«, sagte Jutta von Meißen.

»Das sind alle Taten, die die Welt verändern, wenn man sie beginnt«, entgegnete Walther. »Was ist härter, Wasser oder Stein? Und doch höhlt Wasser Stein und bringt ihn zu Fall. Herr Otto wird nie glauben, dass irgendjemand, der weniger Macht hat als er, anders kann, als sich ihm zu unterwerfen und ihm zu schmeicheln. Wenn ich sein Lob singe, welchen Grund soll er haben, etwas anderes zu glauben, als dass ich sein Wohl will, auf dass er meines mehre? Wenn ich von Fürstenhof zu Fürstenhof ziehe, dann wird er nie etwas anderes glauben, als dass ich ihn besinge.«

»Er glaubt mich gebrochen«, fiel Judith ein. »Es sollte mich wundern, wenn er mich nicht schon deshalb hin und wieder in seiner Nähe haben will, um sich an meiner Machtlosigkeit zu weiden. Erging es Euch denn anders, Euer Gnaden?«

Jutta starrte sie an. »Nein«, murmelte sie. »Aber was für einen Unterschied macht es für mich, ob Otto auf dem Thron sitzt oder ein anderer? Was ändert das für *mich*?«

Judith ließ Walther los und erhob sich aus dem Wassertrog, nackt und nass, und doch erschien sie Walther in diesem Moment wie ein Ritter, der in seine Rüstung gehüllt zum Kampf antrat. Sie kniete vor Jutta nieder.

»Ihr wäret kein Faustpfand mehr, kein Instrument für Euren Vater und Euren Gatten. Sie wären die Euren. Die Männer dieses Reiches haben ihre Herrscher bestimmt, und wir hatten zehn Jahre Krieg und Elend, Morde um Morde und am Ende einen Mann auf dem Thron, dem niemals Macht über Schwächere gegeben werden sollte, nicht über Frauen, nicht über Männer, unter keinen Umständen. Lasst *uns* einen besseren König machen, Jutta von Meißen. Einen *unserer* Wahl.«

Erst, als Jutta tief Atem holte, merkte Walther, dass er den seinen noch anhielt. »Aber wer sagt uns, dass dieser König besser sein wird? Was, wenn wir uns nur vom Regen in die Traufe begeben?«

Es war eine berechtigte Frage. Seine eigene Antwort, die er wohlweislich für sich behielt, lautete, dass der junge Friedrich ein nutzloser Trinker sein konnte, aber er würde ihn sich selbst dann auf den Thron wünschen, wenn es nur bedeutete, dass Otto ihn verlor. Bis auf Botho hatte er nie jemanden so gehasst wie Otto von dem Moment an, als er Judith im Vorzimmer der Königin sah. Und Otto war schlimmer, denn er besaß mehr Macht als Botho selbst in seinen kühnsten Träumen. Zum ersten Mal erinnerte sich Walther absichtlich an die Qualen der Hölle, so wie er sie den Papst in Rom hatte schildern hören, und wünschte sie einem Menschen aus ganzem Herzen.

Über das Jenseits hatte kein Mensch Gewalt, und das war wohl gut so – aber im Hier und Jetzt konnten sie gemeinsam Berge versetzen. In diesem Augenblick, während er auf Judith und Jutta blickte, glaubte er es, ohne Spott und Zweifel, mehr, als er irgendetwas in seinem Leben geglaubt hatte.

»Walther«, erwiderte Judith. Zuerst dachte er, sie spräche zu ihm, bis ihm klarwurde, dass sie Juttas Frage beantwortete. »Walther wird es uns sagen. Er wird die Alpen überqueren und ihn finden, den letzten Staufer, und er wird mit der Antwort zurückkehren, noch ehe Otto es tut.«

Jutta hob eine Augenbraue. »Ihr haltet Walther für einen guten Menschenkenner? Den Mann, der mich Euretwegen aus seinem Bett geworfen hat und dann noch nicht einmal die Vernunft hatte, darüber zu lügen?«, fragte sie spöttisch. Judiths Mundwinkel hoben sich. Walther wusste nicht, ob er empört oder erleichtert darüber war. Unter anderen Umständen hätten ihm zwei Frauen, die über seine Schwächen zu Verbündeten wurden, ganz und gar nicht behagt, aber in der Lage, in der sie sich gerade befanden, musste ein Mann wohl Opfer bringen.

»Er kann manchmal ein Narr sein«, räumte Judith ein; dann schaute sie zu ihm und sagte sehr ernst: »Aber es gibt niemanden, dem ich mehr vertraue, mit meinem Verstand und meinem Herzen. Ich habe das Schlimmste gesehen, dessen er fähig ist, und er hat das Schlimmste gesehen, was ich vermag. Wenn wir einander nicht vertrauen können, wem dann?«

Er hörte die Vergebung und Bitte um Verzeihung in ihrer Stimme. Seit Speyer hatten eiserne Bande um sein Herz gelegen, und wenn sich auch in Bamberg das Band ein wenig gelockert hatte, so fiel es doch erst jetzt, und das Fallen machte ihm klar, wie schwer er daran getragen hatte. Aber sie hatte in ihren braunen Augen immer die Schlüssel zu seinem Herzen getragen; es war mehr als an der Zeit, aufzuhören, sich vorzumachen, dass es je anders sein würde.

»Mir, wie es scheint«, sagte Jutta trocken. »Da Ihr wohl nicht damit rechnet, dass ich umgehend zu Otto renne und ihm erzähle, was Ihr gerade von Euch gegeben habt.«

»Das wäre Eure Wahl«, sagte Walther zu ihr. »Und wie die Magistra sagte – es ist mehr als an der Zeit, dass wir alle in diesem Raum die Möglichkeit haben, eine Wahl zu treffen.« Er schenkte der Markgräfin ein Lächeln. »Aber als schlechter Menschenkenner maße ich mir an, Euch besser zu kennen, Jutta. Ihr seid kein Stück Falschgold, das ständig in andere Formen gehämmert werden will. Ihr seid ein Edelstein.«

Jutta schüttelte den Kopf und seufzte. Dann nahm sie Judiths Hand und half ihr auf. »Es wäre wirklich besser, wenn ich nach Sizilien ginge, aber mir fehlt die Rechtfertigung. Nun, Magistra, mir scheint, die Wahl ist sehr einfach. Wenn ich Euch und Herrn Walther bei Otto verklage, dann bringt das meinem Gatten noch nicht einmal eine zusätzliche Burg, und mir überhaupt nichts als weitere Jahre des Lebens, das ich bisher geführt habe. Wenn ich Euch helfe, so irrsinnig Euer Plan auch ist, dann lebe ich schlimmstenfalls ein paar Jahre in der Hoffnung, die Welt verändern zu können – aber bestenfalls gelingt uns dies.«

KAPITEL 43

Wolfger zeigte sich ein wenig verwundert, als Walther ihn darum bat, ihn über die Alpen begleiten zu dürfen. »Ich hätte nie gedacht, dass Ihr Rom je wiedersehen wollt, nach Euren bisherigen Erfahrungen, Herr Walther.«

»Es wird die Krönung eines Kaisers sein. Das ist eine Überwindung meiner Abneigung wert. Wann in meinem Leben werde ich je wieder die Gelegenheit haben, so etwas beizuwohnen? Ihr, Patriarch, seid unzerstörbar, doch unsereins hat im Winter sehr kalte Zehen, und es würde mich nicht wundern, wenn mich das Alter mehr früher als später einholt und es mir unmöglich macht, weiter durch die Welt zu ziehen.«

»Ihr reist im Allgemeinen auch weniger bequem als ich, ich weiß«, sagte Wolfger trocken. »Herr Walther, Ihr seid in meinem

Gefolge willkommen, aber wenn es Euch nur darum geht, dass ich Herrn Otto eine Empfehlung für Euch gebe, dann kann ich das sehr wohl auch auf dieser Seite der Alpen tun.«

»Das ist sehr gütig von Euch, Euer Gnaden, doch ich meine es ernst mit der Krönung. Euer Gnaden, ich sehe mich als ein Chronist unserer Zeit, also muss ich einfach dabei sein.« Er schaute sich um, doch keiner von Wolfgers Leuten war in Hörweite, also fügte er als letztes Argument hinzu: »Wenn Ihr die Gelegenheit hättet, würdet Ihr dann nicht mit Siegfried, Gunther und Hagen nach Island gehen, um Siegfried dort gegen Brünhild kämpfen zu sehen?«

»Herr Walther«, entgegnete Wolfger, »Siegfried kämpfte nicht offen, sondern als Teil eines Betrugs, der ihm schließlich seinen Tod einbrachte.«

»Wohl wahr. Aber den Wettkampf habt Ihr trotzdem so geschildert, dass man spürt, dass Ihr gerne dabei gewesen wäret. Ihr seid ein Mann Gottes, Euer Gnaden, sprecht die Wahrheit. Wäret Ihr gerne dabei gewesen?«

»Das wäre ich.«

Beatrix und ihre Damen verließen Würzburg in Richtung Speyer, wo die junge Königin mit ihren Schwestern leben würde, bis sie ihre monatlichen Blutungen bekam, während Otto und sein Gefolge nach Augsburg reisten, wo sich sein Heer versammelte, um ihn auf dem Weg zu seiner Krönung zu begleiten. Da Judith sich während der restlichen Woche in Würzburg ständig an Beatrix' Seite aufgehalten hatte, fand Walther nur noch eine Gelegenheit, alleine mit ihr zu sein. Es war ein seltsames Gefühl: unsicher, befreit und wund zugleich. Was sie empfand, konnte er sich kaum vorstellen.

Er begleitete sie zu dem Neumünsterstift, wo sie ihre Kräutervorräte um Sonnenhut, Salbei, Wermut, Kamille, Baldrian und Königskerze ergänzen wollte. Vielleicht fand er es zu Anfang gerade schwer, mit ihr zu sprechen, weil sie nun keine Zeugen hatten noch unter der unmittelbaren Nachwirkung von Ottos Tat standen. Es gab gleichzeitig so viel, was er sagen wollte, und zu wenig Zeit, um es auszudrücken. Er verfiel also auf die Frage nach Markwart und erfuhr, dass der Bischof von Speyer ihn zum Haushofmeister für die jüngeren Königstöchter gemacht hatte. Dann erzählte er, dass ihm Wolfger den Platz im Tross nach Rom verschafft hatte, doch auch dieses Thema überbrückte nur einen Teil des Wegs. In seinem Kopf wälzte er Fragen hin und her, und jede schien ihm voller Lasten, die in die falsche Richtung führten.

Endlich platzte er heraus: »Wie geht es dir?«

Es waren ärmliche vier Worte, und doch hatte er keine anderen gefunden. Als er nach seinen Wochen in Rom von Alpträumen heimgesucht worden war, da waren es ihre Arme und ihr warmer Körper gewesen, der bloße Klang ihrer Stimme, was ihn geheilt hatte. Er sehnte sich danach, für sie jetzt das Gleiche zu tun, aber gleichzeitig war er von der Furcht geplagt, dass sie nach ihrem Erlebnis mit Otto vor ihm zurückscheuen würde, wenn er mehr tat, als nur ihre Hand zu berühren.

Er wollte ihr sagen, dass es ihm leid um Gilles tat, und ein winziger, hartnäckiger Teil von ihm, den er entschlossen unterdrückte, wollte sie fragen, warum sie ihm nie die Wahrheit über die Gültigkeit ihrer Ehe gesagt hatte. Er wollte sie fragen, ob sie sich wirklich stark genug fühlte, um Otto wieder zu begegnen, was früher oder später der Fall sein würde, aber er befürchtete, dass es wie ein Zweifel an ihr klingen musste.

Letztendlich blieben nur diese vier Worte übrig.

»Ich bin … ich selbst«, entgegnete sie zögernd. »Ich dachte, das würde nicht so sein. Aber es ist so.«

»Wenn du dir je wünschen solltest, weniger als du und mehr wie ich zu sein«, sagte er, sich immer noch an den Spuren seiner eigenen Erinnerungen entlangtastend, »dann sag es mir, und wir überlassen das Reich und Otto einander und laufen fort. Ich bin gut im Weglaufen. Eine Ärztin hat mir das einmal bestätigt. Und manchmal kann es ein Heilmittel sein.«

Es war nicht der Versuch, von ihrem Plan zurückzutreten, sondern nur eine Art, ihr zu zeigen, dass sie eine Wahl hatte. Sie musste keine Heldin sein. Ihre Finger berührten die seinen und drückten sie, aber sie sagte nichts. Das neue Schweigen zwischen ihnen war ein behutsames, tastendes, ganz wie ihre Finger.

Im Neumünsterstift führte man Judith in den ummauerten Garten. Der würzige Geruch des Rosmarins nahm Walther einen Moment den Atem. Judith zog ihr Messer und begann, einige der Zweige abzuschneiden. Sie reichte ihm eine der blassblauen Blüten. »Rosmarin«, sagte sie, »für die Erinnerung.«

Mit einem Mal fragte er sich, was er täte, wenn sie aus dieser Welt verschwände; wenn er aus Italien zurückkehrte und sie nicht wiederfände, nirgendwo. Die vergangenen zwei Jahre waren bitter gewesen, aber er hatte immer gewusst, wo sie sich befand und dass es eine Judith gab. Sie nicht mehr auf der Welt zu wissen, war so unmöglich, wie sich die Luft zum Atmen fortzudenken. Aber auch das konnte er ihr jetzt nicht sagen, und so fiel er auf seine alte Gewohnheit zurück und machte einen Scherz daraus.

»Und ich dachte, Rosmarin sei das Mittel gegen Blähungen, solltest du das nicht wissen? Ach, diese Schule von Salerno, ich habe sie immer für ein Gerücht gehalten und gewusst, dass ihre Ärzte allesamt nichts taugen.«

Ein Lächeln stahl sich in ihr Gesicht, und er wusste, dass auch sie an ihre erste Begegnung dachte. »Es hilft bisweilen auch gegen Kopfschmerzen«, erwiderte sie, ein Echo ihres unbeschwerten, neckenden Tones in der Stimme, »wie sie von Sängern verursacht werden, die zu viel schwatzen.«

»Dann werde ich es nie benötigen, denn ich habe nie ein Wort zu viel gesprochen, und jedes Wort aus meinem Mund ist eine Perle«, er machte eine ausufernde Geste, »und daher werde ich die Blüte unzerstört an meinem Herzen wahren.«

Trotz der Übertreibung, um sie zum Lachen zu bringen, war es doch nichts als die Wahrheit: der Rosmarin, der Garten, Judith in ihrem Arbeitskittel, mit den roten Locken, die sich unter ihrer zurückgerutschten Haarbinde hervorstahlen – er wusste, dass er dieses Bild bei sich tragen würde, bis er starb.

***

Diepold von Schweinspeunt hatte ertragreiche Jahre im Königreich Sizilien hinter sich – bis der verwünschte Junge seinen vierzehnten Geburtstag feierte und umgehend auf den Gedanken kam, er könne nun selbst regieren. Schlimmer noch, der Papst hatte ihm die Heirat mit Constanza von Aragon vermittelt, die genügend Ritter als Mitgift mitbrachte, um zu verhindern, dass man den Jungen einfach auslachen konnte. Einer der ersten Erlässe, die Friedrich sich einfallen ließ, war, sämtliche Großgrundbesitzer im Königreich aufzufordern, ihre Besitzurkunden vorzulegen. Wenn die Übereignung von Gütern, Ämtern und Pfründen auf die Zeit nach dem Tod seiner kaiserlichen Mutter zurückging, sollten sie für ungültig erklärt werden, es sei denn, Friedrich selbst bestätige sie.

Das war unerhört! Diepold von Schweinspeunt war nicht gesonnen, sich dergleichen bieten zu lassen. Andererseits hielt er es auch für unter seiner Würde, sich mit einem Bengel anzulegen, der von Glück sagen konnte, überhaupt auf einem Thron zu sitzen. O nein, nicht Diepold von Schweinspeunt. Stattdessen beschloss er, zur Krönung des Welfen nach Rom zu reisen. Es wurde Zeit, dass jemand dem undankbaren Frechling eine Lektion erteilte, und er konnte sich keinen Besseren vorstellen als den neuen Kaiser Otto. Was tat es schon, dass der Junge König war? Über allen Königen stand der Kaiser, und er hatte schon einmal auf der Seite eines Kaisers sein Glück gefunden.

Er kam gerade noch rechtzeitig zur Krönung an, die für den vierten Oktober angesetzt war. Ottos Heer lagerte auf dem Monte Mario vor Rom; die riesige Ansammlung an Zelten, Pferden und Männern war weithin sichtbar. Diepold war selbst mit einer nicht gerade kleinen Truppe erschienen, schließlich wollte er bei Otto den Eindruck erwecken, ein wichtiger Verbündeter zu sein. Das machte es jedoch nötig, Boten zu schicken, um sich wegen der Unterbringung zu verständigen, noch ehe er sein Anliegen vorbringen konnte. Zum Glück stellte sich heraus, dass Heinz von Kalden immer noch Reichshofmarschall war, und den kannte er aus den Zeiten unter Kaiser Heinrich. Sie waren weder Freund noch Feind, hatten nie den Fehler gemacht, einander zu unter-

schätzen. Da keiner von ihnen auf glanzvolle Vorfahren zurückblicken konnte, mussten sie einander auch nicht ihren eignen Aufstieg vorwerfen. Ja, mit Heinz von Kalden ließ sich verhandeln.

»Ihr könnt natürlich gerne an der Krönung teilnehmen.«

»Das will ich doch meinen, nach meiner Reise hierher. Aber was
ist mit dem Empfang beim Kaiser?«

»Nach der Krönung«, sagte Heinz von Kalden. »Wie ergeht es
denn dem jungen König auf Sizilien?«

Schweinspeunts Blick musste für sich gesprochen haben. Unverständlicherweise veranlasste das Heinz von Kalden zu einem
Grinsen. »Ist der Sohn seines Vaters, wie?«

»Wenn es sein Vater war«, sagte Schweinspeunt giftig. Heinz von
Kalden schürzte die Lippen.

»Die Kaiserin Konstanze war eine ehrliche Feindin. Sie hat den
Kaiser gehasst, aber sie hätte ihn nicht betrogen.«

»Alle Frauen sind Dirnen in ihrem Herzen. Das solltet Ihr in
Eurem Alter wirklich wissen. Oder seid Ihr inzwischen so alt,
dass Ihr in Weibern nur noch Töchter sehen könnt?«

»Wie ich sehe, haben Euch die vergangenen Jahre nicht verändert«, sagte Heinz von Kalden und wies Schweinspeunt an, sich
während der Krönung hinter ihm zu halten, dann werde er nach
den Zeremonien den Kaiser auf ihn aufmerksam machen.

Vielleicht lag es daran, dass Diepold von Schweinspeunt ungeduldig war, aber für ihn zog sich die Krönung endlos hin. Eine
Meile vor der Stadt leistete der Kaiser den Römereid, die Gepflogenheiten der Stadt zu achten; das hätte man sich Schweinspeunts
Meinung nach sparen können, war es doch Jahrhunderte her, seit
ein Kaiser des Heiligen Römischen Reiches hier residiert hatte.
Der Stadtpräfekt, dem Otto diesen Eid leistete, schritt von da an
mit blankem Schwert vor ihm her. Otto trug eine grüne Tunika
und einen roten Mantel, was ihn von weit her erkennbar machte.
Nachdem er die Porta Collina erreicht hatte, begann sein Kämmerer, Silber in die Menge zu werfen. Schweinspeunt musste seine Knechte zurückhalten, damit sie sich nicht an dem allgemeinen Gerangel beteiligten. Man hätte meinen können, er bezahle
sie nicht genügend.

Auf dem Platz vor dem Petersdom empfingen die römischen Senatoren den Kaiser, der vom Pferd abstieg und es ihnen der Zeremonie gemäß zum Geschenk machte. Schweinspeunt argwöhnte, der Senat existierte nur noch für solche Anlässe. Wozu sollte er sonst nützlich sein? Die wahre Herrschaft über Rom lag bei den Pfaffen.

Auf den Stufen des Doms erwartete den Kaiser der Papst mit Kardinälen und einem Chor. Innozenz war zwei Jahre jünger als Schweinspeunt, hager und klein, aber er musste zugeben, dass die Willenskraft, die von ihm ausging, selbst aus der Entfernung zu erkennen war. Otto musste vor ihm niederknien und ihm die Füße küssen, ehe der Papst ihn aufhob, auf beide Wangen küsste und umarmte. An der Zeremonie in der Kapelle Santa Mariae in Turri, bei welcher der Kaiser neu eingekleidet wurde, durfte Schweinspeunt nicht teilnehmen, doch als er Otto in einem weißen Gewand mit rotbesticktem Kreuz vor die Kirche treten sah, hatte er ein ungutes Gefühl. Ein rotbesticktes Kreuz bedeutete eigentlich ein Kreuzzugsgelübde. Das würde ganz und gar nicht passen – er brauchte Otto hier, bei den Welschen, nicht im Heiligen Land bei den Sarazenen!

An der silbernen Pforte sprach ein Kardinal ein Gebet über Otto. Anschließend schritt der Kaiser bis zur Mitte des Doms. Zu diesem Zeitpunkt war es Schweinspeunt gelungen, sich weit genug vorzudrängen, um sehen zu können, wie Otto gesalbt wurde; auf seinen rechten Unterarm und den Rücken wurde mit geweihtem Öl ein Kreuz gestrichen. Damit hätte doch eigentlich alles vorbei sein sollen, aber nein, jetzt begann der Papst mit der Messe, und dann dauerte es noch einmal eine Ewigkeit, bis er Otto die Kaiserkrone aufs Haupt setzte und ihm Zepter und Reichsapfel in die Hände drückte, während der Chor »Christus siegt, Christus regiert, Christus ist Sieger« jubelte.

Otto legte seine Insignien wieder ab, um vom Papst die Kommunion zu empfangen, dann zog er mit ihm zum Petersdom hinaus. Er half dem Papst auf sein Pferd und hielt ihm die Steigbügel, was, wenn sich Schweinspeunt recht erinnerte, Kaiser Heinrich nicht getan hatte. Er konnte nur hoffen, dass Otto nicht wirklich pfaffenhörig war, nicht, wenn es darum ging, ihm seine Rechte in Sizilien zu bestätigen. Als Kaiser und Papst nebeneinander bis zum Stadttor ritten, atmete Schweinspeunt auf, denn das war der letzte Teil der Zeremonie. Aber dann erfuhr er zu seinem Entsetzen, dass der Papst vom Kaiser zum abendlichen Festmahl im Heerlager auf dem Monte Mario geladen war. Solange der Papst in Gesellschaft des Kaisers war, so lange würde Otto ganz gewiss niemand anderen empfangen, ganz zu schweigen davon, dass man in Gegenwart des Papstes schlecht das Gespräch auf Sizilien bringen konnte.

Schweinspeunts Stimmung hob sich erst wieder, als er auf dem Rückweg inmitten von Ottos Gefolge ein vertrautes Gesicht erspähte. Spielleute, die etwas anderes als das welsche Trallala sangen, um einem die Zeit zu verkürzen, waren selten. Also hatte er vor ein paar Jahren Walther von der Vogelweide durchaus freundlich aufgenommen, selbst, wenn der Mann darauf bestand, ein singender Ritter zu sein und daher als Herr Walther angeredet zu werden. Immerhin, die Lieder waren bissig und unterhaltsam gewesen, wie man es sonst nicht kannte.

»Herr Walther! Nein, so ein Zufall!«

Er überschüttete den Sänger mit Freundlichkeit, was bedeutete, dass er ihm kräftig auf den Rücken klopfte und gönnerhaft fragte, ob Herr Walther auch ein paar Silbermünzen ergattert habe. Dann, nachdem er so seine huldvolle Gesinnung bewiesen hatte, kam er zur Sache. »Gewiss giert Ihr schon danach, für den Kaiser und den Heiligen Vater zu singen, wie, Vogelwiese?«

»Nach dieser Ehre streben auch andere«, entgegnete der Sänger unverständlicherweise zurückhaltend.

»Ja, aber es könnte der Höhepunkt Eures Lebens sein! Die einzige Gelegenheit, um dem Heiligen Vater einmal die Meinung zu sagen! Wollt Ihr das nicht tun? Ich dachte, Ihr seid Gottes Bote oder des Volkes Stimme oder wie auch immer Ihr das in Euren Liedern ausdrückt!«

»Ich bin auch kein Jüngling mehr«, sagte der Weichling, »und will lieber auch weiterhin vom Kaiser empfangen, statt in das kälteste Erdloch des Reiches verbannt zu werden.«

»Oh, der Kaiser wird Euch dankbar sein! Glaubt mir, der Frieden zwischen ihm und dem Papst kann nicht lange anhalten«, sagte Schweinspeunt ungeduldig. »Nicht, wenn er hört, was ich ihm vorzuschlagen habe.«

»Dann wäre es vielleicht gut, wenn Ihr Euren Vorschlag zuerst anbrächtet, Herr Diepold.«

»Nein, das wäre es nicht. Nicht in Anwesenheit des Papstes! Ich will, dass Ihr ihn veranlasst, sich zurückzuziehen, Herrgott noch mal, ist das so schwer zu verstehen?«

»Keineswegs, Herr Diepold«, entgegnete der Sänger unanständig vergnügt. »Doch Ihr müsst auch meine Sorgen um die Zukunft begreifen. Nicht, dass ich an Euch zweifle, aber es würde mich mehr ermutigen, wenn ich genau wüsste, was Ihr vorzuschlagen habt. Schließlich bin ich ein armer Sänger und kein tapferer und streitfähiger Edelmann wie Ihr.«

Er war nur ein Sänger, in der Tat, und daher war es eigentlich unwichtig, was man ihm erzählte. »Es geht darum, dem Reich zu seinen alten Rechten im Königreich Sizilien zu verhelfen.«

»Und da dachte ich, dort gäbe es schon einen Herrscher.«

»Der Kaiser ist der einzig wahre Herrscher, den es dort geben sollte. Schließlich ist er mit der letzten Stauferin verheiratet. Das undankbare Balg, das sich jetzt den Thron dort anmaßt, ist der Sohn des Schlächters von Jesi, das weiß jeder!«

»Nun, wenn Ihr es so darstellt, muss ich natürlich dafür sorgen, dass Ihr dem Reich zu seinem Recht verhelfen werdet. Ja, mehr noch, Herr Diepold, ich will das Meinige tun. Denkt Euch, als ich die Freude hatte, für Euch zu singen, da begegnete ich doch auch deutschen Edelleuten, die darauf warteten, dass König Friedrich mündig werde, weil sie ihn für den wahren Herrscher hielten. Mir scheint, da wäre ein Sänger am rechten Ort, der sie belehrt, wem diese Ehre wirklich gebührt.«

Diepold von Schweinspeunt war der Meinung, dass die Aussicht darauf, mit dem Heer Kaiser Ottos kämpfen zu können, jeden Edelmann, der seinen Verstand beisammenhatte, auf die Seite Ottos treiben würde, aber er war bereit, zuzugestehen, dass es noch schneller gehen würde, wenn man schon im Vorfeld die richtige Saat verteilte. »Lasst Euch nicht aufhalten, Herr Walther. Das wäre ein guter Gedanke.«

»Nur ist die Welt eben hart, Herr Diepold, und eine Zeit möglicher Missgunst beim Kaiser, wenn ich mich für Euch einsetze, noch härter. Etwas Silber aus Eurer edlen Hand käme da höchst gelegen ...«

Jetzt endlich schlussfolgerte er, worauf der Sänger mit seinem Herumgerede die ganze Zeit hinauswollte. Er hätte es sich wirklich denken können. In dieser Welt gab es nun einmal nichts umsonst. Nun, seine Ländereien hatten immer fette Ernte abgeworfen, und da er nun sicherstellen würde, dass dies auf immer so bleiben würde, gab es keinen Grund, zu sparen. Er drückte dem Sänger genügend Silber in die Hand, um ein halbes Jahr gut davon zu leben. Walther dankte ihm gebührend beeindruckt. Dann lieferte er, für die versammelten Edlen und den Papst, was er versprochen hatte.

Noch mag, Herr Papst, ich wohl gedeihn
Da ich Euch will gehorsam sein.
Wir hörten Euch der Christenheit gebieten,
Zu sein dem Kaiser untertan,
Da Segen er von Euch empfang
Dass wir ihn hießen Herr und vor ihm knieten.

Auch sollt Ihr nicht vergessen:
Ihr spracht: »Wer dich segnet, sei gesegnet,
wer dir flucht, der sei verflucht.«
Wollt Ihr an Fluchen nun die Taten messen.
Bei Gott, bedenket dann dabei,
dass mancher noch nach Pfaffen Ehr' und Ansehn sucht!

Schweinspeunt konnte sich an wesentlich bösere Lieder über den Papst erinnern, aber er musste zugeben, dass dieses den Vorteil hatte, mit Sicherheit Misstrauen zwischen Papst und Kaiser zu säen. Der Papst, dem die Übersetzung von Walthers Worten ins Ohr geraunt wurde, fragte sich gewiss, wie Otto zulassen konnte, dass sich ein einfacher Dichter bei einem Festmahl erdreistete, dem Heiligen Vater Verhaltensmaßregeln zu erteilen, und konnte doch nicht behaupten, dass Walther etwas Ungebührliches gesungen hätte. Als die Übersetzung beendet war, runzelte er die Stirn, sagte etwas zu Otto und erhob sich.

Diepold von Schweinspeunt beglückwünschte sich selbst. Nun war der Weg frei! Dass der Kaiser keine Anstalten machte, den Papst aufzuhalten, nahm er als gutes Omen. Es gelang ihm, sich in Ottos Nähe zu schieben. »Mein Kaiser, ich bin beglückt, Euch endlich vor meinen eigenen Augen zu sehen! Diepold von Schweinspeunt, Graf von Acerra, wirft sich Euch zu Füßen!«

Otto runzelte die Stirn. Dann klärte sich sein Gesicht auf. »Seid Ihr nicht einer von unseren Statthaltern in Sizilien?«

Erhob Otto damit nicht deutlich seinen Anspruch auf das Königreich Sizilien? *Am Ende muss er gar nicht groß überredet werden,* dachte Schweinspeunt, *da hätte ich mir die Ausgaben für den Sänger sparen können.* »So ist es, Euer Gnaden.«

»Mein Freund«, sagte Otto mit einem Lächeln, »Wir sind *sehr* erfreut, Euch an Unserer Seite zu finden.«

***

Man wusste in Speyer, wann die Krönung stattfand. Ihre Schwestern machten sich ein Vergnügen daraus, Beatrix damit zu necken, sie »Kaiserin«, »Imperatrix« und »Höchst Erhabene« zu nennen und zu fragen, ob sie die Krone tragen würde, die für ihre Großmutter, die Gemahlin des Kaisers Rotbart, angefertigt worden war. »Wirst du ihr nacheifern?«, fragte Kunigunde.

»Nein«, entgegnete Beatrix, ohne zu lächeln. »Ich werde der Kaiserin Theophanu nacheifern. Sie kam aus Byzanz, so wie unsere Mutter, und sie hat das Reich regiert. Sie und die Kaiserin Adelheid.«

Beides waren auch Kaiserinnen, die früh Witwen geworden waren, aber Judith glaubte nicht, dass die Mädchen diese Bedeutung erfassten. Sie war sich nicht einmal sicher, ob Beatrix es so meinte. Sie hatte ihr nichts über die Nacht mit Otto erzählt, und wenn sie etwas bemerkt hatte, obwohl sich Judith bemüht hatte, still zu bleiben, niemals vor Schmerzen zu schreien, dann sprach sie nicht davon. Aber es entging Judith nicht, dass Beatrix vor ihrer Ankunft in Würzburg bereit gewesen war, das Beste aus ihrer Ehe zu machen, während sie nach der Abreise von Würzburg Gesänge über die heldenhaften Taten ihres Gemahls nicht mehr hören wollte.

Mit sehr viel Glück, dachte Judith, *wird Beatrix gar nicht erst in die Verlegenheit kommen, Witwe zu werden.* Otto hatte recht: Solange eine Ehe nicht vollzogen war, so lange konnte sie ohne weiteres für ungültig erklärt werden, zumal die beiden entfernt miteinander verwandt waren, so dass Otto, um eine Dispensation vom Papst zu erhalten, zwei Klöster hatte stiften müssen. Wenn Otto erst mit der Kirche aneinandergeriet, dann konnte sich vielleicht die Gelegenheit ergeben, mit Beatrix von seinem Hof zu fliehen und ihre Ehe auflösen zu lassen. Deswegen erfüllten sie die ersten Anzeichen, dass ihr Schützling der Kindheit nun auch körperlich entfloh, ganz und gar nicht mit Freude. Solange Otto in Italien weilte, so lange spielte es keine Rolle, aber niemand konnte sagen, wie lange er bleiben würde. Wenn Beatrix erst ihre erste Blutung hinter sich hatte, dann würde es keinen Aufschub zum Vollzug der Ehe mehr geben.

»Theophanu war so alt wie ich, als sie heiratete, nicht wahr?«, fragte Beatrix, als sie Judith durch Speyer begleitete, zwei Wachposten mit den welfischen Farben hinter sich.

»So gut kenne ich die Fakten unserer Geschichte nicht, Euer Gnaden.«

»Nun, ich bekam Unterricht in ihr, als meine Eltern noch lebten. Könnt Ihr nicht den Kanzler überzeugen, Magistra, dass meine Stunden fortgesetzt werden?«

Der Bischof von Speyer hatte die Meinung ausgedrückt, dass nur eine Nonne mit mehr Wissen, als Beatrix ohnehin schon besaß, etwas anfangen konnte. Da Beatrix ihre Erfüllung als Frau und Mutter finden würde, sei es nicht nötig, ihr weiterhin Unterricht in anderen Dingen als höfischem Betragen und der Führung eines Haushalts zu geben. Ihren Namen schreiben zu können, genüge für eine Frau. Dass Beatrix daraufhin auf das Beispiel ihrer Leibärztin hinwies, hatte ihn nicht beeindruckt: »*Die Schule von Salerno mag es Frauen weltlichen Standes gestatten, zu studieren, aber für die Dummheiten in fremden Ländern sind wir hier nicht verantwortlich.*« Das war die Meinung des Mannes, als Bischof wie als Kanzler.

»Ich glaube nicht, dass er auch nur den geringsten Wert auf meine Meinung legt, Euer Gnaden. Seid Ihr nicht auch früher manchmal fortgelaufen, wenn Euer Unterricht Euch zu lang wurde, weil Ihr lieber Lieder hören wolltet?«

»Das war etwas anderes«, erwiderte Beatrix unerwartet heftig. »Ganz anders. Wenn man Euch verboten hätte zu studieren, was hättet Ihr dann getan?«

Das hätte sehr leicht geschehen können. Judith war sich jetzt noch nicht sicher, ob ihr Vater sie ausgebildet und zu seiner Nachfolgerin herangezogen hätte, wenn ihre Brüder überlebt hätten, ganz zu schweigen davon, dass er dann nicht mit ihr nach Salerno gegangen wäre. Sie stellte sich vor, nie mehr über das Heilen des menschlichen Körpers gewusst zu haben, als die Art, wie man Verbände auflegte, die ihr auch ihre Mutter hätte zeigen können, und schauderte.

»Ich wäre erstickt«, sagte sie. »Aber ich liebe die Medizin, Euer Gnaden. Seid Ihr sicher, dass Ihr die Geschichte liebt?«

Beatrix wand eine ihrer dunklen Locken um den Zeigefinger. Sie war zwar verheiratet, aber noch so jung, dass man ihr gestattete, ihr Haar offen zu tragen.

»Ich bin die Kaiserin«, sagte sie sehr ernst. »Das ist der Platz, auf den Gott mich gestellt hat. Es muss doch einen Sinn gehabt haben, Magistra, dass er mir meine Eltern genommen hat, das muss es einfach, und der einzige Sinn, den ich erkennen kann, ist der, eine gute Kaiserin zu sein! Und dazu muss ich mehr wissen als nur, wie man Kinder zur Welt bringt.«

Judith musste einen Kloß in ihrer Kehle hinunterschlucken, aber sie war nicht versucht, Beatrix etwas von ihren Plänen anzuvertrauen. Es gab nicht mehr viele Menschen, bei denen sie bereit war, zu vertrauen. Das hatte nichts mit Zuneigung zu tun; sie hatte einen Kreis um sich gezogen, und der größte Teil der Welt befand sich außerhalb. Walther wäre vielleicht auch dort gewesen, wenn sie eine Wahl gehabt hätte, doch sie war zu sehr mit ihm verwachsen. Als er sie an jenem Morgen fand, hatte sie befürchtet, in seinen Augen Verachtung zu lesen, und das hätte ihr den Rest gegeben. Sie konnte sich nur zu gut daran erinnern, wie sehr viele der geschändeten Frauen in Salerno von ihren Männern behandelt worden waren. »*Wer will schon in einen beschädigten Topf pinkeln*«, hatte einer zu Judith gesagt.

Aber alles, was sie in Walthers Augen las, war Liebe, und dann, im Gemach der Markgräfin, Bewunderung und Achtung. Die ganze Nacht über hatte sie die Zähne zusammengebissen und versucht, ihren Verstand von ihrem Körper zu trennen; sie hatte an alle möglichen Arten gedacht, sich an Otto zu rächen, aber es war nie ohne ein Gefühl der Ohnmacht und in dem Bewusstsein geschehen, dass es Hirngespinste waren. Erst Walther hatte ihr das Bewusstsein zurückgegeben, dass sie immer noch Judith war, die Tochter Jakobs, Ärztin von Salerno und Nichte Stefans, denn sie machte sich nichts vor: Der Vorstellung, die Geschichte des Reiches zu beeinflussen und Könige zu machen, war sie zuerst bei ihm begegnet. Stefan hatte am Ende den König bekommen, den er gewollt hatte, und bewiesen, dass es möglich war. Aber sie durfte keinen Fehler mehr machen, nicht einen, und es war so leicht, wenn man Menschen an sich heranließ und ihnen vertraute. Wenn sie Walther hätte ausschließen können, dann hätte sie es getan. Stattdessen fand sie sich damit ab, dass es ihr unmöglich war, und gestand sich ein, dass sie ihn liebte und nie damit aufgehört hatte.

Ja, Beatrix liebte sie ebenfalls, und doch war es möglich, der jungen Kaiserin nur zu zeigen, was sie sehen sollte: eine weise, zuverlässige Lehrerin. Ganz bestimmt nicht die Judith, die mittlerweile mehr Schatten in sich barg als Licht.

»Unterschätzt nicht, was man lernen muss, um Kinder auf die Welt zu bringen«, entgegnete sie daher und lenkte Beatrix' Aufmerksamkeit auf ein anderes Gebiet. »Es dauert Jahre, bis es einem gestattet wird, und meiner Meinung nach gibt es immer noch zu wenige schriftliche Studien darüber. Ich hatte Glück, auf Trotas Werk zu stoßen, sonst hätte ich nicht gewusst, wie man mit einem Dammriss bei den Wehen umgeht.«

»Was ist ein Dammriss?« Judith erklärte es ihr. Am Ende war Beatrix ein wenig blass um die Nase und fragte stockend, ob es das war, was ihrer Mutter den Tod gebracht hatte.

»Nein«, entgegnete Judith bestürzt und versuchte, die richtigen Worte zu finden. Am Ende blieb ihr nichts als die dürre medizinische Erklärung einer Fehlgeburt, ahnend, wie ungenügend diese Irenes Tochter vorkommen musste. Dann sagte Beatrix zu ihrer Überraschung: »Ich werde selbst einmal Kinder zur Welt bringen. Also will ich von Euch alles über Geburten lernen. Und auch über das Heilen von Krankheiten. Ich will bei Euch in die Lehre gehen. Eure Gegenwart ist mir schließlich nicht verboten.«

Es war schwer, den Wall aufrechtzuerhalten, wenn er durch eine heiße Welle der Zuneigung unterwandert wurde. »Es hat bisher keine Kaiserinnen gegeben, die Ärztinnen waren, Euer Gnaden, aber wenn Ihr tatsächlich die erste werden wollt, dann werde ich Euch dazu verhelfen.«

✳ ✳ ✳

Walther war während Judiths Aufenthalt in Salerno zu den verschiedensten Orten des Königreiches Sizilien gereist, das sich immerhin bis hin zum Patrimonium Petri erstreckte, doch auf die Insel hatten ihn seine Wege nie geführt. Das Geld Diepolds von Schweinspeunt war mehr als genug, um eine Überfahrt von Neapel nach Palermo zu bezahlen, was sein Leben erheblich vereinfachte und bequemer machte, als bis nach Reggio zu reiten und von dort aus überzusetzen. Womit er nicht gerechnet hatte, waren die teilweise sehr hohen Wellen. Walther war deutsche Flüsse gewohnt, doch die Strecke war keine Küstenschifffahrt, sondern eine Durchquerung des Meeres, wie er es noch nicht erlebt hatte. Es wurde ihm bald speiübel, und das war bereits, ehe man ihm erzählte, dass die Küstenbewohner Siziliens sich darauf verstanden, harmlose Schiffe mit falschen Leuchtfeuern ins Verderben zu locken, um sie so auszurauben.

»Alles Räuber, diese Sizilianer«, sagte einer seiner Mitreisenden, ein Viehhändler, so genüsslich, als freue er sich schon auf den Kampf.

Nach drei Tagen lief das Schiff dann doch sicher in den Hafen von Palermo ein. Walthers Knie waren trotzdem weich, sein Magen entleert. Dergleichen geschah Boten in Heldenliedern nie. Der Anblick, der sich ihm bot, half immerhin, ihn abzulenken: So hatte er sich Byzanz vorgestellt, vielleicht sogar Jerusalem. Immer wieder ragten Halbkugeln als Kuppeln zwischen den Dächern hervor, leuchteten rot aus Palmengärten, wie überhaupt viel Grün zwischen den würfelförmigen Häusern zu finden war. Selbst die Zinnen der langgestreckten Kathedrale waren fremdartig.

Die Straßen waren leer. Soweit sich das dem Kauderwelsch der wenigen ansprechbaren Leute entnehmen ließ, das so gar nicht wie die Volgare klang, war eine Seuche ausgebrochen, an der bereits mehrere aragonesische Ritter gestorben wären. Was diese in Sizilien taten, wusste Walther nicht und wollte es eigentlich auch gar nicht wissen. Vielleicht war es Glück, dass sein Magen bereits so gründlich entleert war, denn ihm wurde sehr mulmig zumute; der alte Kaiser Heinrich und so mancher Deutsche waren am sizilianischen Sumpffieber gestorben.

Immerhin war er nur für sich selbst verantwortlich; seinem Knappen hatte er eine Stellung beim Patriarchen Wolfger verschafft, weil er keinen Mitwisser für sein Tun gebrauchen konnte. Das bedeutete allerdings auch, dass er jetzt selbst einen Führer finden musste, denn der König, so erklärte man ihm, halte sich der Seuche wegen nicht im Palazzo dei Normanni auf, sondern in Catania. Und das befand sich am anderen Ende der verwünschten Insel! Walther hatte die Wahl, einen Fischer zu bezahlen, ihn auf sein Boot zu lassen, oder einen Führer anzuheuern, der ihn durch die Berge brachte, die angeblich noch voller Sarazenen steckten. Das eigentliche Problem lag wohl darin, jemanden zu finden, dem er vertrauen konnte. Bei Menschen, die seine eigene Sprache sprachen, kannte Walther sich aus; war mit den kleinen Zeichen vertraut, die Betonung und Körper dem reinen Wortlaut hinzufügten. Aber die Abart einer Sprache, welche er ohnehin nie in ihren Tiefen ausgelotet hatte, machte ihn hilflos.

Zum Glück ließ ihn aber sein Verstand nicht im Stich. Es gab eine Seuche. Wo wurden Ärzte ausgebildet? Nun, in der Schule, die Palermo am nächsten lag: Salerno. Mit etwas Glück fand er einen Studienkollegen von Judith. Mit einem solchen Verbündeten ließ sich gewiss auch eine sichere Möglichkeit finden, nach Catania zu kommen. Außerdem konnte es nicht schaden, sich mit Arzneien auszurüsten.

Die aragonesischen Ritter, so stellte sich heraus, waren im Königspalast untergebracht, weil ihr Anführer der Bruder der neuen Königin war; so hörte Walther zum ersten Mal, dass Friedrich bereits verheiratet war.

Als er vor den Palastpforten stand, gab es dort keine Wachen – um die Ritter konnte es nicht gut bestellt sein. Stattdessen sah er, wie ein paar vermummte Gestalten Leichen hinaustrugen. Sie verstanden Walthers Frage nach einem Arzt, und so kam er an Wasserbrunnen und Gärten vorbei in den Innenhof, wo auf dem Boden mehr als hundert kranke Männer lagen und stöhnten. Dazwischen knieten oder gingen mehrere Gestalten in Ärzteroben. Einige trugen einen Turban, alle hatten ihr Gesicht verschleiert. Als einer von ihnen Walther erblickte, schrie er ihn an, ohne dass Walther ein Wort verstand.

»Ist hier jemand«, fragte er so laut und so klar wie möglich in der Volgare, »der die Medizin in Salerno studiert hat?« Drei der Männer beachteten ihn nicht, sondern kümmerten sich weiter um die Kranken; zwei schauten auf. »Kennt einer der Herren die Magistra Judith, Tochter von Josef, oder ihren Vater?«

Jetzt kam einer der Ärzte zu ihm herüber. »Wer will das wissen?«, fragte er misstrauisch.

»Ihr Gatte«, entgegnete Walther, weil alles andere zu schwer zu erklären war. Der Mann in dem dunklen Gewand nahm den Schleier, den er sich vor den Mund gebunden hatte, herunter.

»Dann wird sie wohl bald Witwe werden«, sagte er in einem zwar mit starkem Akzent behafteten, aber verständlichen Deutsch, »wenn ihr Gemahl ein solcher Narr ist, mitten in ein Haus voller Sterbender zu laufen.«

»Tun Ärzte das nicht ständig? Das Leben mit ihr hat mich eben beeinflusst«, gab Walther leichthin zurück. »Euer Deutsch ist hervorragend, Magister. Ich habe nicht damit gerechnet, hier Menschen zu begegnen, die meiner Sprache mächtig sind, und so kann ich nicht anders, als in Euch ein gutes Omen für mein Vorhaben zu sehen.«

»Deutsch war bis vor kurzem noch offizielle Hofsprache«, entgegnete der Mann unwirsch. »Es gibt viele, die es beherrschen, aber die meisten tun lieber so, als ob sie nicht dazu in der Lage sind. Eure edlen Herren haben Euch Tedesci nicht beliebter gemacht auf dieser Insel.«

Walther schluckte eine Bemerkung hinunter, obwohl er sich dachte, dass die Leute in Neapel und auf dem Handelsschiff mehr von sizilianischen Räubern, nicht von deutschen gesprochen hatten.

»Geht es Eurer Gemahlin gut?«, fragte der Mann. »Ist sie hier? Wir könnten jemanden mit ihrer Kunst gut gebrauchen. Meine Stärke waren Seuchen nie, ich kenne mich besser mit Augen aus, aber hier ist jeder Arzt gefragt.«

»Leider bin ich allein.« Etwas zupfte an Walthers Erinnerung: *Arzt, Augen …* »Verzeiht, aber seid Ihr etwa Meir ben Eleasar?«

»Das bin ich«, bestätigte der Mann erstaunt. »Hat sie von mir gesprochen?«

»Sie hat oft Eure Kunstfertigkeit im Starstich gerühmt«, bestätigte Walther und ließ Judiths Äußerung über Meirs anmaßendes, selbstgerechtes Verhalten fort. »Ich muss gestehen, ich bin überrascht, Euch hier vorzufinden. Nachdem wir in Salerno von dem Unglück in Byzanz hörten, fürchtete Eure Familie das Schlimmste.«

Nun wirkte Meir geradezu verlegen. »Einer der Ritter, der mit Diepold von Schweinspeunt befreundet ist und deswegen hier in Sizilien ein Gut besaß, hat mich mitgenommen, als er aus der

Stadt floh. Ich, nun, es gab gewisse Umstände … kurzum, ich habe mir hier in Sizilien ein neues Leben aufgebaut.«

»Ohne Eure Familie in Salerno wissen zu lassen, was aus Euch geworden ist?«, konnte Walther nicht umhin, zu fragen.

»Ich hatte meine Gründe«, erwiderte Meir spröde, »die nur mich etwas angehen. Doch bitte ich Euch, meiner Familie nicht zu erzählen, dass Ihr mich hier gefunden habt.«

»Nun, Magister«, sagte Walther gedehnt, »es gibt da einen großen Gefallen, den Ihr mir erweisen könnt …«

Der Freund Diepolds von Schweinspeunt, der Walther mit zwei seiner Knappen begleitete, war nicht gut auf den jungen Friedrich zu sprechen und schimpfte auf dem ganzen Weg nach Catania darüber, wie undankbar es von »dem Zaunkönig« sei, zu verordnen, dass man seine Besitzurkunden der königlichen Kanzlei vorzulegen habe. »Und woraus besteht die königliche Kanzlei, was meint Ihr? Aus seinem alten Lehrer, aus einem Possenreißer von Sänger – nichts für ungut –, ein, zwei Scholaren, die noch nicht einmal Normannen sind, ganz zu schweigen davon, dass sie deutsches Blut in sich hätten, und aus einem Sarazenen. Das schlägt doch dem Fass den Boden aus! Gewiss, die Mauren sind ein Teil der Insel, und man lernt, mit ihnen zu leben. Pferde züchten können sie auch, das muss ich zugeben. Aber das heißt doch nicht, dass man die gleichen Kerle, mit denen wir uns im Heiligen Land um jeden Zoll Bodens streiten, ermächtigen soll, über die Rechtmäßigkeit unserer Besitzansprüche zu urteilen. Unerhört ist das!«

»Wenn Ihr in Byzanz dabei wart, habt Ihr da auch versucht, einen Teil christlichen Besitztums …«

»Das war doch etwas ganz anderes.«

»Natürlich war es das«, stimmte Walther zu und stellte fest, dass es sich fern von Palermo ausgesprochen angenehm durch die Landschaft Siziliens reiten ließ. In seiner Heimat hätte man um diese Jahreszeit mit nasskaltem Regen oder gar Schnee rechnen müssen, hier dagegen war die Luft lieblich mild, und da sie zunächst die Uferstraße an der Küste entlangritten, brauchte er sich

wegen der dunkel bewaldeten, unpassierbar erscheinenden Berg-
kuppen keine Sorgen zu machen. Der Ritter, der seinen Namen
trotz seines Geschimpfes bereits von einem deutschen Wilhelm
zu einem sizilianischen Gugliemo gemacht hatte, sagte etwas von
Sarazenennestern, denen man aus dem Weg gehen müsse, doch
irgendwann konnten sie es dann doch nicht mehr vermeiden,
sich in das Landesinnere zu wenden. Das zu durchquerende
Schilf war manchmal mannshoch; die Palmen, Lorbeerbäume
und Myrten, welche folgten, gaben Walther bisweilen das Gefühl, durch den Garten Eden zu reisen. Als ihn Herr Gugliemo
auf eine helle Rauchwolke über einer Bergspitze hinwies, fragte
er: »Ist das der Ätna?«
»Wir nennen ihn Mongibello. Die Insel ist voller Vulkane. Deswegen gibt es hier auch den stärksten Wein des ganzen Italia: Die
Asche sorgt für fruchtbaren Boden, und er ist immer warm.«
Walther hatte von Vulkanen gehört, vor allem in Salerno, denn
von Rom kommend, lange vor Neapel, konnte man den Vesuv
sehen, aber der hatte nie solche rauchigen Zeichen von sich gegeben oder gar noch Feuer gespuckt. »Habt Ihr schon einmal einen
Vulkanausbruch erlebt?«
Herr Gugliemo lachte. »So etwas erlebt man nicht. Entweder
man hat Glück und ist weit entfernt, oder man stirbt, Herr Walther.«
»Wie meistens im Leben.«
Einmal machten sie eine Rast, damit jeder sich erleichtern konnte. Statt wie alle anderen an den Straßenrand zu pinkeln, verschwand Gugliemo hinter einem Gebüsch. Einer seiner Knappen
grinste und erzählte mit gesenkter Stimme, der Herr wolle verbergen, dass er sich aus Freundschaft zu seinem jüdischen Arzt
von diesem hatte beschneiden lassen.
»Also, ich hatte nicht den Eindruck, dass es dem Magister darum
zu tun war, das Glied unseres Herrn kürzer zu machen«, antwortete der andere Knappe mit einer Grimasse und schwieg hastig,
als Gugliemo sich wieder zu ihnen gesellte. Walther begriff, was
es mit Meirs Verlegenheit und seinem Bestehen darauf, dass seine
Familie nicht erfahren dürfe, dass er noch am Leben sei, auf sich

hatte, und tat sein Möglichstes, um nicht zu lachen. Eines fernen Tages, wenn er mit Judith in Frieden leben und von der Vergangenheit sprechen konnte, ohne alte Wunden aufzureißen, würde er sie necken, ob alle Männer, die ihr Anträge machten, Männer lieben mussten, und ob sie ihn *deswegen* so lange verschmäht hatte. Eines fernen Tages.

Als das grüne Dunkel des Waldes immer dichter um sie wurde und die Abenddämmerung sich auf den Spitzen der Bäume niederließ, begann Herr Gugliemo, unruhig zu werden. Walther dachte zunächst, das läge daran, dass sie vielleicht noch im Wald übernachten mussten, doch ihm lag anderes am Herzen. »Was ich über den Zaun– ... über den König geredet habe«, beschwor ihn der Ritter, »das bleibt unter uns, Herr Walther.«

»Das versteht sich, Herr Gugliemo. Doch Ihr seht mich überrascht. Ich hätte nicht gedacht, dass Ihr dem König eine lange Bleibe auf Sizilien zutraut.« Sein Freund Schweinspeunt tat es offensichtlich nicht.

Herr Gugliemo ließ seine Zügel von einer Hand in die andere gleiten, statt sie mit beiden Händen zu halten. »Er ist ein ungebärdiger Junge, aber es ... es ist etwas an ihm. Er spricht hier jedes Kauderwelsch, das sie auf der Insel reden, sogar das Arabische. Es gibt ein paar Geschichten über ihn, nun – Ihr wisst, dass er am zweiten Weihnachtsfeiertag geboren wurde, während sein Vater hier auf der Insel den gesamten Adel umbrachte? Ich habe Knechte, die darauf schwören, dass er deswegen entweder der Antichrist ist oder der König aus den Geschichten, *der König, der war, und der König, der sein wird* und sein Volk erlöst. Abergläubisches Geschwätz, versteht sich, aber ich will nicht von hier vertrieben werden. Das eine missglückte Abenteuer in Byzanz genügt mir völlig.«

»Euer Geheimnis ist bei mir sicher.«

Eine Weile ritten sie schweigend weiter, dann war es Walther, der sein Pferd zügelte. »Nachtigallen«, flüsterte er begeistert, denn er hatte schon eine ganze Weile keine mehr gehört. Herr Gugliemo machte eine Miene, als wolle er »ja und?« fragen, doch zeigte sich verständig genug, um mit Walther zu lauschen. *Es ist eigentlich ein Wunder*, dachte Walther, *dass ein so kleiner Vogel eine so süße, durchdringende Melodie aus seinem Körper zaubern kann.*

Ein hässliches Krächzen ertönte, und der Gesang der Nachtigall verstummte. Walther dachte zunächst, es müsse sich um eine Eule handeln, aber dann sah er im Unterholz zwei Jungen in dem Lederwams und grünem Rock von Knappen stehen. Einer von ihnen hatte den Kopf zurückgelegt und gab noch einmal den misstönenden Laut von sich. Dann sagte er mit einem Grinsen in der Volgare: »Ich habe dir gesagt, dass ich es kann, Taddeo.«

»Was für eine stolze Leistung«, rief Walther ihm verärgert zu, denn er hätte der Nachtigall wirklich gerne weiter zugehört. »Etwas Schönem ein Ende machen, das kann jeder. Lerne erst einmal, selbst ein gutes Lied zu verfassen, dann kannst du etwas, das dir das Recht gibt, eine Nachtigall zu unterbrechen.«

Gugliemo fing an zu husten. Der Junge zog eine Augenbraue hoch. »Ich kann auch Kraniche, Reiher und Gänse nachahmen«, sagte er. »So gut, dass neulich ein Schwarm nahe genug herankam, um nach ihrem Artgenossen zu suchen.«

»Nun, die Gänse kann ich verstehen«, sagte Walther nun mit einem Lächeln. Schließlich würde es andere Nachtigallen geben; außerdem konnte er sich noch gut erinnern, wie er und Markwart in diesem Alter durch ihre heimatlichen Berge gestrolcht waren. »Vielleicht haben sie ihr Leittier vermisst. Heißt es nicht, dass nur das Leittier eines Schwarms den Weg kennt?«

Der Ritter Gugliemo hustete inzwischen so heftig, dass man meinen konnte, er ersticke. Walther fragte sich, ob er ihm auf den Rücken klopfen sollte.

»Das behauptet Aristoteles«, entgegnete der Junge lebhaft, »doch er irrt sich. Ich habe Vogelschwärme beobachtet: Sie wechseln das Leittier, wenn es müde wird, und das wäre unmöglich, wenn es nur einen Führungsvogel gäbe oder wenn nicht alle Vögel wüssten, wohin der Schwarm unterwegs ist.«

Walther hatte Aristoteles nicht gelesen; griechische Philosophen gehörten nicht zu den Autoren, die ihm am Herzen lagen, als er erst einmal Zugang zu Bibliotheken hatte. Aber er wusste, dass

Aristoteles nicht irgendein Philosoph war, sondern den meisten Gelehrten als der größte von allen galt, und fand sich wider Willen von der Keckheit des Jungen beeindruckt.

»Du weißt es also besser als Aristoteles, wie?«

»In manchen Dingen«, gab der Junge zurück. »Ich glaube nur, was ich selbst nachweisen kann. Und Ihr?«

»Ich fände es langweilig, nicht auch an Dinge zu glauben, von denen ich nicht die geringste Ahnung habe und die ich nie sehen werde«, sagte Walther, der sich mittlerweile sehr gut unterhielt. »Wie Drachen oder den Stein der Weisen. Oder Tarnkappen, die unsichtbar machen. All das werde ich mit Sicherheit nie zu sehen bekommen, aber in Liedern machen sie sich vorzüglich.«

»So wie sie beschrieben werden, haben Drachen das falsche Verhältnis von Körpergewicht und Flügelspanne, um sich überhaupt in die Lüfte erheben zu können«, sagte der Junge sachlich. »Was Tarnkappen betrifft, denke ich, dass man mit der richtigen Kleidung sehr unauffällig sein kann. Vielleicht gibt es auch Metall, welches das Licht so reflektiert, dass man nichts dahinter sieht, aber noch ist es nicht erfunden worden.«

»Ah, aber wenn es bereits erfunden wäre, dann würdest du es ja weder wissen noch sehen *können*«, sagte Walther mit einem Augenzwinkern.

Der Junge lachte. Dann sagte er ungeduldig zu Gugliemo: »Um Himmels willen, Mann, hört endlich mit dem Husten auf. Wenn Ihr so weitermacht, dann glaubt meine Königin noch, dass Ihr die Seuche hierher mitgebracht hättet.«

Abrupt verstummte der Ritter. Erst da begriff Walther, dass der Junge in der Abenddämmerung zwar wirkte, als habe er braune Haare, aber wenn man ihn genauer betrachtete, dann lag ein rötlicher Schimmer darauf, und es mochte sehr wohl sein, dass die kurzen Locken im vollen Glanz der Sonne rot waren. Stauferrot.

Zu seiner Verteidigung sagte Walther sich, dass der Junge für sein Alter kleingewachsen war; er hätte ihn eher auf dreizehn als auf bald fünfzehn geschätzt. Außerdem hatte er zwar keine bestimmte Vorstellung von Philipps Neffen gehabt, aber Vogelstimmen nachzuahmen und eine Debatte über die Glaubwürdigkeit von Aristoteles' Naturkunde vom Zaun zu brechen, gehörte nicht dazu.

»Euer Gnaden«, sagte Gugliemo purpurrot und rutschte vom Pferd, um niederzuknien. Walther und die beiden Knappen taten es ihm nach. Friedrich bedeutete ihnen, sich zu erheben, doch er wartete damit, bis sie tatsächlich alle knieten.

»Ich würde mutmaßen, dass Ihr mir eine Botschaft des Herrn von Schweinspeunt bringt«, sagte Friedrich zu Gugliemo, »zumal er« – mit dem Kinn wies er auf Walther – »ein Deutscher ist, aber seine Boten leiden gewöhnlich an einem großen Mangel an Phantasie und Witz und beginnen sofort damit, mir gegenüber die großen Verdienste ihres Herrn um das Königreich Sizilien zu erläutern, doch das erscheint mir bei diesem Freund der Nachtigallen eher unwahrscheinlich.«

»Wenn Ihr Nachricht über den Herrn von Schweinspeunt sucht«, sagte Walther auf Deutsch, »dann kann ich Euch durchaus eine wichtige bringen.«

»Bis auf den Namen habe ich kein Wort verstanden«, entgegnete Friedrich auf Latein. »Ich spreche kein Deutsch, Herr Nachtigall.« Nach dem, was Meir über Deutsch als Amtssprache in Sizilien gesagt hatte, bezweifelte Walther das, doch es gab keine Möglichkeit, dergleichen laut auszusprechen, ohne den König einen Lügner zu nennen, was Könige keines Alters jemals gerne hörten. Es kam ihm in den Sinn, dass Friedrichs Erfahrung mit Deutschen sich bisher wohl auf Schweinspeunt und dessen Helfershelfer beschränkte, welche die Zeit seiner Minderjährigkeit ausgenutzt hatten, um sich so weit wie möglich an Sizilien zu bereichern. Gewiss, nominell war der Papst sein Vormund gewesen, aber Walther vermutete, dass dieser nie mehr getan hatte, als Lehrer aus Rom zu schicken, die gewiss auch nichts Gutes über die Deutschen erzählten. Schließlich wollte der Papst das Königreich Sizilien und das Reich getrennt halten, und jedem Gefühl von Zugehörigkeit bei Friedrich entgegenzusteuern, wäre in seinem Interesse gelegen.

Das waren keine guten Aussichten. *Allmächtiger,* dachte Walther.

Erst Otto, der in der Normandie und in England aufgewachsen ist, und als einzig andere Möglichkeit ein Junge, der noch nicht einmal die Sprache seiner Untertanen beherrscht. Kann es wirklich eine Wendung zum Besseren geben, ihn statt Otto auf den Thron zu bringen?

Andererseits war der Junge, so weit hatte schon ihr kurzer Wortwechsel klargemacht, alles andere als dumm. Nur zu glauben, was er nachweisen konnte, war für einen Herrscher keine schlechte Einstellung, und was ihm Gugliemo über den Befehl hinsichtlich der Besitzurkunden erzählt hatte, erfüllte Walther mit einer bewundernden Schadenfreude auf Kosten der Ritter. Man würde weitersehen müssen.

Er wiederholte das, was er gesagt hatte, auf Latein und fügte gleich hinzu: »Herr Diepold hat dem neuen Kaiser seinen Lehnseid geleistet und ist im Gegenzug von ihm zum Herzog von Spoleto und Großkapitän von Apulien ernannt worden.«

»Was?«, rief Gugliemo entgeistert auf Deutsch. »Das hättet Ihr mir aber in Palermo auch schon erzählen müssen!«

»Wer hätte gedacht, dass der Kaiser des Heiligen Römischen Reiches ein Pferdetäuscher ist, der mit Dingen handelt, die ihm nicht gehören«, sagte Friedrich trocken. »Und Ihr, Herr Nachtigall, wer seid Ihr? Was treibt Euch dazu, mir diese Nachricht zu überbringen?«

»Mir gefällt der Name Nachtigall zu sehr, um meine schnöde Wirklichkeit dagegenzusetzen«, entgegnete Walther mit einer schwungvollen Verbeugung. »Es zieht uns Vögel stets in den Süden, da wäre es ein Jammer, dabei nicht dem Herrn Siziliens meine Aufwartung zu machen.«

»Mit anderen Worten, Ihr seid Euch noch nicht sicher, ob Ihr mir die Wahrheit erzählen wollt«, konterte Friedrich. »Nun, für die Nachricht, die Ihr brachtet, habt Ihr auf jeden Fall Obdach für die Nacht verdient. Folgt mir.«

Der König Siziliens lebte in einem kleinen Castello, das den Namen Burg nicht verdient hatte, denn es gab nahezu keine Schutzmauer und noch nicht einmal Türme. Dafür war es in jenem morgenländischen Stil gebaut, den hier so viele Gebäude besaßen, und wirkte wie das Heim eines Patriarchen aus der Bibel, nur dass die jungen Leute, die es bewohnten, ganz und gar nichts mit der Vorstellung zu tun hatten, die sich Walther von Abraham, Isaak und Jakob gemacht hatte. Sie erschienen ihm eher wie Studenten, rührig und stets lebhaft schwatzend. Es gab auch ein paar Frauen, die Königin, von der Friedrich gesprochen hatte, und ihre Mägde. Constanza von Aragon stellte sich als anmutige Dame heraus, die gut zehn Jahre älter als ihr junger Gemahl war, ihm gegenüber aber eine zuneigungsvolle und leicht mütterliche Haltung an den Tag legte. Sie war es, die Walther die nächste Überraschung bereitete, denn natürlich bot er an, zur Unterhaltung am Abend mit ein paar Liedern beizutragen, obwohl die deutsche Sprache, in der sie verfasst waren, den Zuhörerkreis erheblich einschränkte.

»Das ist ein Lied Walthers von der Vogelweide«, sagte die Herrin Constanza erfreut. »Ich schätze ihn sehr.«

Es kostete ihn viel Mühe, doch Walther unterdrückte gerade noch ein Strahlen und beließ es bei einem bloßen Lächeln. »Ihr kennt die Lieder deutscher Minnesänger, Euer Gnaden?«

»Ich war einst Königin von Ungarn«, entgegnete sie, »in meiner ersten Ehe.« Ein Schatten flog über ihr Gesicht, aber ihre Stimme blieb gleichmäßig süß, als sie hinzufügte: »Dort spielte man zahlreiche deutsche Lieder, selbst bevor die Andechs-Meranier kamen. Mein verstorbener Gemahl schätzte vor allem Herrn Reinmar und Herrn Wolfram, doch mir waren ihre Weisen, das muss ich gestehen, bisweilen zu blutleer. Die Troubadoure in meiner Heimat glühen heftiger. Weil ich den Unterschied kenne, erscheint mir Herr Walther heute als der Erste unter den deutschen Sängern.«

»In diesem Fall wird es mir eine Freude sein, noch mehr seiner Lieder für Euch zu spielen, edle Herrin.«

»Herr Gugliemo«, warf der junge König ein, »mag eine Übersetzung für uns Übrige hinzufügen, damit wir etwas mehr von der Darbietung verstehen.« Gugliemo schaute drein, als könne er sich nicht entscheiden, ob er sich geschmeichelt fühlte, mit einbezogen zu werden, oder sich weit fort wünschte, damit sein Freund Schweinspeunt nichts von diesem Ausflug erfuhr und auf den Gedanken kam, sein alter Freund hinterginge ihn. Walther machte ihm das Leben erst einfach, indem er zwei Liebeslieder sang, dann schwerer, als er das Lied von den drei fehlenden Dingen im Reich hinzufügte.

»Das«, erläuterte Gugliemo, »stammt noch aus der Zeit, da es zwei Könige im Reich gab und Krieg herrschte.«

»So ganz anders als der herzerwärmende Frieden und die Gegnerlosigkeit, in der wir heute leben«, bemerkte Friedrich.

»Euer Gnaden«, stammelte Gugliemo, »gewiss wird der Kaiser Sizilien als Euer Lehen bestätigen. Ihr seid immerhin der Vetter seiner Gemahlin.«

»Herr Gugliemo, ich bin ein frommer Sohn. Meine Mutter hat mir in ihrem Letzten Willen Sizilien als ihr Erbe hinterlassen, als normannisches Königtum, nicht als Teil des Heiligen Römischen Reiches. Mich dünkt, Seine Heiligkeit in Rom sieht das genauso. Wie kann ich dem Kaiser da den Lehnseid für ein Königreich leisten, das nicht ihm gehört, sondern mir?«

Gugliemo schaute unglücklich drein und verstummte. Der junge Taddeo, der Friedrich vorhin im Wald begleitet hatte, sagte harsch: »Du magst keine andere Wahl haben, wenn noch mehr von den aragonesischen Rittern sterben. Dann hast du nämlich kein Heer mehr, und Schweinspeunt wird dir gewiss keine Ritter und Kriegsknechte zur Verfügung stellen, wenn er dem Kaiser jetzt schon schöntut.«

»Was meint Ihr, Herr Nachtigall?«, fragte Friedrich unvermittelt.

»Habe ich eine Wahl?« Im Schein der großen Feuerstelle waren seine Haare eindeutig rot. Er hatte graublaue Augen mit sehr klar gezeichneten schwarzen Rändern; jetzt, wo die Pupillen geweitet waren, wirkten sie durchdringend. Neben ihm stand eine Schale mit Oliven, in die er hin und wieder griff; die Art, wie er sie sich in den Mund stopfte, war das Einzige, was daran erinnerte, wie jung er noch war.

»Wenn Ihr der Kaiser wäret«, fragte Walther prüfend zurück, »was tätet Ihr dann an seiner Stelle?«

»Mit mir? Oder mit dem Papst?«

Nein, er war eindeutig nicht auf den Kopf gefallen; ein Fechter mit Worten, bei dem sich ein Waffengang lohnte.

»Ist es denn nicht dasselbe?«, erkundigte sich Walther, und die Antwort wurde ihm wichtiger, als er für möglich gehalten hätte.

»Wer maßt sich schon an, eins mit dem Heiligen Vater zu sein? Gewiss nicht ich. Ich habe ein paar seiner Schriften gelesen, und er hat mir denn doch eine gar zu trübselige Einstellung zum menschlichen Körper, um sie teilen zu können. Was nun Herrn Otto betrifft, so hat ihm die Gunst des Heiligen Vaters in den letzten zehn Jahren nicht so viel gebracht wie das plötzliche Ableben meines Onkels Philipp, also kann ich ihm nicht verdenken, wenn er mehr auf die Gewalt von Schwertern als die Macht der Kirche vertraut, wenn es darum geht, das zu bekommen, was er haben will. Und wenn er jetzt schon Großkapitäne für meine Provinzen ernennt, will er offenkundig auch mein Königreich.«

»Der Heilige Vater wird ihn bannen!«, rief Constanza empört. »Er war dein Vormund und muss dein Erbe schützen.«

»Sehr geschützt ist es mir zeit meines Lebens nicht vorgekommen«, sagte Friedrich trocken, dann wandte er sich wieder an Walther. »Ihr habt meine Frage nicht beantwortet, Herr Nachtigall.«

»Ich nehme mein Vorbild bei einem König, Euer Gnaden – Ihr habt die meine nicht wirklich beantwortet.«

»*Quid pro quo*, meint Ihr? Nun gut. Auf welche Frage wollt Ihr denn eine Antwort haben?«

»Wenn Ihr Kaiser wäret«, sagte Walther und ließ den scherzhaften Ton völlig fahren, »was tätet Ihr dann mit Eurer Herrschaft?«

Auch aus Friedrichs Stimme war die Heiterkeit gänzlich geschwunden, als er sich vorlehnte und entgegnete: »*Fiat justitia, ruat caelum.*«

Lasst Gerechtigkeit walten, auch wenn der Himmel einstürzt. Worte sind leicht gesprochen, Taten etwas ganz anderes, sagte sich Walther, doch ohne Macht konnte man von dem Jungen auch nicht den Beweis verlangen, und Walther war nur zu vertraut mit der Gewalt von Worten. »Was ist dann Gerechtigkeit?«

»Jetzt enttäuscht Ihr mich, mein Freund. *Was bedeutet es, wenn der Himmel einstürzt?*, das ist die bessere Frage. Ihr habt mir doch erzählt, dass Ihr an Dinge glaubt, die Ihr nicht nachweisen könnt. Was geschieht also, wenn der Himmel einstürzt? Werden die Sphären unter dem Gewicht der Engel zusammenbrechen und wie Scherben auf die Erde stürzen? Oder wird es wie der Ausbruch eines Vulkans sein, und es wird Feuer auf uns regnen? Manchmal denke ich, es würde sich lohnen, ungerecht zu sein, nur, um das herauszufinden.«

Gugliemo starrte auf den König, gleichzeitig gebannt und zutiefst verstört, und Walther erinnerte sich daran, wie er ihm von dem Gerücht erzählt hatte, der junge Friedrich sei der Antichrist. Ein wenig konnte er es nachvollziehen; er fühlte sich selbst beunruhigt, aber auf eine Weise, die nach mehr verlangte. Auf jeden Fall war unter all den Fürsten, die Walther kennengelernt hatte, seit er in einer Schenke bei Wien den König von England und den Herzog von Österreich übereinander hatte herfallen sehen, Friedrich von Sizilien etwas völlig Neues.

»Und was geschieht mit all den Menschen, über denen der Himmel eingestürzt ist, weil Ihr neugierig wart?«, antwortete Walther. »Ich frage aus bloßem Eigennutz, denn am Ende wäre ich einer von ihnen, dann würde mir das schönste Spektakel eines eingestürzten Himmels nichts mehr nützen.«

»Die Araber«, sagte Friedrich, erneut sachlich geworden, »rechnen nicht mit den gleichen Zahlen, wie wir sie von den Römern übernommen haben. Sie haben eine Zahl, Null genannt, und die Null ist nichts und gleichzeitig alles. Ohne sie stürzt die gesamte arabische Mathematik zusammen. Das, Herr Nachtigall, ist Gerechtigkeit. Justitia, die dem Staat sein Dasein verschafft, nicht umgekehrt; der König ist *lex animata in terris,* das beseelte, das lebende Gesetz, oder er ist nichts, nur vielleicht etwas erfolgreicher im Rauben als die anderen Räuber. Und nun verratet mir, was für eine Wahl habe ich?«

Als er den Mund öffnete, wusste Walther, dass er seine Entscheidung gefällt hatte. »Die, welche Ihr immer hattet. Ihr seid nicht nur König von Sizilien. Ich war selbst dabei, als eine Versammlung der mächtigsten deutschen Fürsten Euch in Frankfurt zum

König der Deutschen wählte, und diese Wahl kam vor der Eures Onkels *und* der Wahl Kaiser Ottos. Er kann nicht Kaiser sein, wenn er nicht auch rechtmäßig König der Deutschen ist. Stellt er Euren Anspruch auf Sizilien in Frage, dann wäre es wohl an der Zeit, ihn an jene ältere Wahl zu erinnern. Ihn und Euren alten Vormund, den Papst.«

KAPITEL 44

Dass der Kaiser nach seiner Krönung im Oktober nicht sofort wieder zurückgekehrt, sondern in Italien geblieben war, überraschte niemanden, am allerwenigsten seinen Kanzler, den Bischof von Speyer. Mit der Überwinterung aller Fürsten und des begleitenden Heeres südlich der Alpen hatte auch jedermann gerechnet. Als aber der Kaiser klarmachte, dass er nicht die Absicht hatte, überhaupt in den Norden zurückzukehren, ehe er sich nicht das gesamte staufische Erbe, das ihm nunmehr zustehe, wieder ins Reich geholt habe, war das doch etwas, von dem der Kanzler vor Beatrix und ihrem Hofstaat so tat, als käme es überraschend für ihn.

»Es geschieht, um Euer Erbe zu wahren«, sagte er zu Beatrix und klang selbst nicht überzeugt.

»Aber hat er nicht dem Heiligen Vater geschworen, dass er niemals Ansprüche auf das Königreich Sizilien erheben würde?«

»Deswegen sind der Kaiser und der Heilige Vater sich … nun ja, derzeit uneins«, gab der Kanzler lahm zurück.

Im Februar drangen beunruhigende Gerüchte nach Norden, und Anfang März, als Boten aus Rom mit dem Auftrag erschienen, es von den Kanzeln aller Kirchen zu verkünden, ließ es sich nicht länger leugnen: Der Papst hatte Otto exkommuniziert, was auch alle seine Untertanen von der Gehorsamspflicht ihm gegenüber entband.

»Das wird sich schon wieder richten«, sagte der Kanzler fürsorglich zu Beatrix. »Fügt nur Euren Gemahl recht häufig in Euer Gebet ein. Schließlich hat Euer Vater, Gott habe ihn selig, Jahre im Bann überstanden, ohne seine Anhänger zu verlieren.«

»Aber ich würde gerne mehr tun, als zu beten«, sagte Beatrix unschuldig. »Wenn ein König seine Herrschaft antritt, macht er einen Königsritt durch sein Reich. Nun, ich war in Trauer, als mein Gemahl das tat, aber jetzt bin ich es nicht mehr. Ich könnte nun für ihn einen Kaiserinnenritt zu allen wichtigen Fürsten unternehmen. Das würde sie an ihre Treue zu meinem lieben Gemahl erinnern, und daran, dass Welfen und Staufer dieser Tage eins sind.«

»Hat Euch jemand dazu geraten, Euer Gnaden?«, fragte der Bischof misstrauisch. Die Magistra hatte es getan, doch davon verriet Beatrix kein Wort. Stattdessen sagte sie gekränkt: »Herr Kanzler, ich bin nun eine verheiratete Frau. Mein Vetter Friedrich war nur ein Jahr älter, als ich es in ein paar Monaten sein werde, als er für mündig erklärt wurde. Mein Leben lang hat man mich dazu erzogen, meinem Gemahl zur Seite zu stehen. Da kann ich mir solche Dinge wirklich selbst einfallen lassen!« Ihre Stimme war zunehmend lauter geworden, und der Bischof zuckte zusammen. Beatrix war schon vor einiger Zeit aufgefallen, dass er zu den Männern gehörte, denen laute Frauen unangenehm waren, und sie war entschlossen, das auszunutzen.

»Nun, der Gedanke ist kein schlechter, Euer Gnaden«, sagte er hastig, »doch wer soll Euch durch das Land geleiten? Der Pfalzgraf von Braunschweig teilt sich mit mir in der Abwesenheit des Kaisers die Regierung des Landes, und ein anderer Edelmann als Euer Schwager wäre kaum passend.«

Auch auf diese Frage wusste sie eine Antwort. »Der edle Markgraf von Meißen hat sich erboten, mich durch die Lande zu geleiten, also wird seine Gemahlin, die Markgräfin, an meiner Seite weilen. Ihr seht also, es wird aller Anstand gewahrt, und niemand hat je dem Markgrafen nachsagen können, er wüsste nicht das Schwert zu führen!«

Der Bischof von Speyer rieb sich das Kinn. »Das wäre eine hohe

Ehre für Herrn Dietrich«, sagte er langsam, doch in seiner Stimme lag keine Ablehnung.

»Nun, hat er sie sich nicht verdient? Meinem Vater war er ein treuer Vasall, und dann wurde er zu einem der Ersten, der meinen Gemahl zum König ausrief!«

Der Kanzler lamentierte noch ein wenig, doch dann gab er seine Zustimmung. Beatrix fiel ein Stein vom Herzen. Sie wusste nicht, warum die Magistra diesen Zug durch das Reich vorgeschlagen hatte, doch einen Verdacht hegte sie schon. In diesem Monat hatte sie zum ersten Mal geblutet; wenn sie in Speyer blieb, würde selbst der Bischof, den Beatrix bei sich als alte Jungfer im Talar bezeichnete, merken, dass sie zur Frau geworden war, und sie zu ihrem Gemahl über die Alpen schicken. Unter anderen Umständen hätte sie nichts dagegen gehabt, eine solche Reise zu unternehmen, doch nun schauderte ihr bei der Aussicht. Während ihrer Hochzeitsnacht in Würzburg war sie durch Geräusche im Vorzimmer erwacht und aufgestanden, um die Magistra und ihre Damen zu bitten, ruhiger zu sein. Was sie gesehen hatte, kurz nur, genügte, um ihr Otto ein für alle Mal verhasst zu machen. Niemand musste Beatrix erklären, dass es nicht der Einfall der Magistra gewesen war. Sie war auch nicht so dumm, zu glauben, ihr Gemahl würde ihr treu sein – man hatte ihr oft genug erklärt, dass ihre Eltern Ausnahmen unter den Fürsten darstellten –, aber dass Otto so unehrenhaft war, in ihrer Hochzeitsnacht ihre Leibärztin zu schänden, das ging über jedes Fürstenrecht hinaus. Ein Mann, der dazu imstande war, würde sie auch nicht gut behandeln, schloss Beatrix, und war für alles dankbar, was den Vollzug ihrer Ehe hinausschob. Eine lange Reise kreuz und quer durch alle Fürstenhöfe, die zu Ottos Nutzen geschah, so dass er nichts dagegen sagen konnte, kam ihr da gerade recht, also war sie begeistert auf den Vorschlag eingegangen.

Den Markgrafen von Meißen als Beschützer hätte sie nicht gewählt, denn sie hielt ihn nicht für besonders klug oder unterhaltsam, aber seine Gemahlin hatte ihre verdrießliche Art abgelegt und wirkte dieser Tage lebhaft und gutgelaunt, was zeigte, dass sie all den Witz und den Geist hatte, der ihrem Gatten so völlig abging. Also war Beatrix auch diesem Vorschlag der Magistra gefolgt.

Sie dankte dem Kanzler und zog sich zurück, um, wie sie sagte, sich weiter in der edlen Kunst des Stickens zu üben. Dass sie in Wirklichkeit lernte, wie man Aloe mit heißem Eppichsaft mischte, um gegen die Verstopfung der Milz anzugehen, ging ihn nichts an.

* * *

Genügend Geld für eine bequeme Rückreise in den Norden zu bekommen, stellte sich als nicht weiter schwer für Walther heraus, wenngleich nicht ungefährlich, denn um an die Quelle zu gelangen, musste er sich mitten in ein frisches Kriegsgebiet begeben. Otto hatte auf den Bannspruch des Papstes reagiert, indem er in das Patrimonium Petri einfiel und umgehend eine ganze Reihe Städte eroberte – Radiocofani, Acquapendente, Mugnano, Roccalta, Rocca Veccia, Laterea, Vico, Vetral, seine Erfolge nahmen kein Ende. Sogar Montefiascone, die Stadt, aus welcher der junge Philipp von Schwaben nach dem Tod seines Bruders vertrieben worden war und seither dem Kirchenstaat angehörte, war nun von Ottos Truppen besetzt.

Der Papst, hörte Walther, als er sich einmal zu Ottos Hauptquartier in Abbadia San Salvatore durchgeschlagen hatte, zeigte sich allerdings nicht im mindesten beeindruckt und machte keine Anstalten, den Bann zurückzunehmen. Otto war gerade dabei, sich mit Diepold von Schweinspeunt zu beraten, als Walther ihm vorgeführt wurde.

»Ah, Herr Walther!«, erklärte er aufgeräumt. »Ihr kommt Uns gerade recht. Habt Ihr gehört, was der Heilige Vater gesagt hat, statt endlich die Rechtmäßigkeit Unserer Ansprüche zu bestätigen? *Es reut Uns, den Menschen gemacht zu haben.* Zu behaupten, mich gemacht zu haben, das schlägt doch dem Fass den Boden aus. Ihr habt es in Eurem Lied ja prophezeit. Nun, es war abzusehen, dass der Papst mir in den Rücken fallen würde, aber so schnell hatte ich das nicht erwartet.«

»Der Papst«, entgegnete Walther, ohne lügen oder seine Abneigung heucheln zu müssen, »hat in der Welt stets nur einen Mächtigen sehen wollen, und das ist er selbst.«

»Wohl wahr, wohl wahr. Ich muss zugeben, Eure Papstlieder waren schon immer sehr … eingängig, aber früher konnte ich natürlich nicht dulden, dass dergleichen in meiner Umgebung gesungen wurde, nicht solange die Kirche noch vorgab, mich zu unterstützen. Hört, Herr Walther, wie wäre es, wenn Ihr noch ein paar neue Lieder über die Ungerechtigkeit des Papstes verfasst und diese im Reich vortragt? Es mag noch ein paar arme Seelen geben, die Seine Heiligkeit nicht durchschaut haben und mich nun für einen Wortbrüchigen halten.«

Walther musterte Otto, der in seinem Harnisch, die Hände auf die Hüften gestemmt, das Inbild eines erfolgreichen Kriegerkönigs abgab, doch alles, woran er denken konnte, waren die Flecken auf Judiths Haut an jenem Morgen, die von diesen Händen verursacht worden waren.

»Es wird mir eine Freude sein, mein Kaiser. Aber ich bin nur ein armer Sänger. Durch das gesamte Reich zu reisen, ist nun einmal eine kostspielige Angelegenheit.«

»Gewiss werden Euch die Fürsten doch mit Freude Gastfreundschaft an ihren Höfen gewähren«, gab Otto zurück, was immerhin bewies, dass er, nach den Jahren der Geldknappheit, auch als Kaiser noch rechnen konnte.

»Gastfreundschaft vielleicht, doch kein Geld für die Weiterreise. Außerdem möchte ich das Lob Euer Gnaden und die Wahrheit über den Machthunger des Heiligen Vaters auch in den freien Reichsstädten und in allen Schenken singen, in denen ich einkehren kann«, gab Walther betont ehrerbietig zurück. »Wäre es nicht eine Schande, wenn die Leute mich dann fragen würden, warum ich selbst so ärmlich und abgerissen wirke, wenn Herr Otto ein so milder und freigiebiger Herr ist?«

Am Ende gab Otto genügend, um Walther das nächste Jahr zu sichern. Der Kaiser fragte auch nicht, was Walther nach seiner Krönung im Süden getrieben habe. Ihm fehlte die Neugier auf Menschen, wenn sie ihm nicht unmittelbar von Nutzen waren oder schadeten.

Allerdings stellte sich heraus, dass Otto doch etwas Zeit darauf verwendet hatte, Überlegungen zu Walther anzustellen. »Ihr werdet mich also mit all Eurer Beredsamkeit besingen, mich und die Gerechtigkeit meiner Sache, nicht wahr, Herr Walther?«

»Ihr werdet meine Muse sein, Euer Gnaden.«

»Da bin ich ja in höchst angenehmer Gesellschaft«, sagte Otto gedehnt, und dann lachte er, das wissende, satte Lachen eines Mannes am Morgen danach. »*Höchst* angenehmer.« Er ließ Walther nicht aus den Augen, während er sich mit der Zunge über die Lippen fuhr.

Otto konnte nicht wissen, dass Walther ihn in Würzburg aus dem Vorzimmer hatte treten sehen, aber er rechnete offensichtlich damit, dass Walther auf die eine oder andere Weise von dem Vorkommnis erfahren hatte. Obwohl er derzeit Walthers Dienste benötigte, war es ihm trotzdem ein Bedürfnis, ihm auf die älteste und gröbste Art zu demütigen, die es unter Männern gab: *Ich habe deine Frau gehabt, und sie hatte Spaß daran.*

Walther ballte die Fäuste; Ottos Lächeln vertiefte sich. Gut so – genau das hatte Walther bezwecken wollen, denn sonst hätte sich der Kaiser wohl doch gefragt, was Walther vor ihm verbarg. Er wäre misstrauisch geworden, hätte sich nicht als Sieger gefühlt, wie jetzt.

»Mein Onkel Richard und meine Großmutter hatten immer viele Troubadoure um sich, als ich an ihren Höfen aufwuchs«, sagte Otto. »Da lernte ich Troubadoure schätzen, und ihre Lieder. Aber wisst Ihr, was ich an ihnen am meisten schätze? Dass man ihren Preis bestimmen kann, ganz wie bei Dirnen. Für Geld tun sie alles. Gehabt Euch wohl, Herr Walther.«

Wir werden deiner Herrschaft ein Ende setzen, dachte Walther, *sie und ich.* Doch das half nicht gegen den ohnmächtigen Hass, der ihn in diesem Moment schüttelte.

* * *

Beschützer der Kaiserin auf ihrer Reise durch das Reich zu sein, war genau die Art von Ehre, die Dietrich von Meißen zu schätzen wusste. Zunächst einmal machte es den Umstand wett, dass Otto ihn nicht aufgefordert hatte, sich am Feldzug gen Süden zu beteiligen, selbst jetzt nicht, wo der Kaiser mehr und mehr Verstärkung über die Alpen rief. Man müsste meinen, ein so kampfeserprobter, wackerer Mann wie Dietrich von Meißen wäre dabei der Richtige. Man hätte fast meinen mögen, der Kaiser traue ihm nicht. Doch nun war alles klar und verständlich: Natürlich wollten der Kaiser und sein Kanzler, dass seine junge Gemahlin vom Besten der Besten beschützt wurde. Dabei seine Gemahlin als erste Hofdame zu erleben, versüßte die Angelegenheit noch ein wenig. Nicht, dass er von Liebe zu Jutta gepackt worden wäre, aber sie war seine Gattin, und so war jede Ehre für sie auch eine für ihn. Es war fürwahr sehr befriedigend, in jeder Stadt, in jeder Residenz endlich mit dem jeweiligen Gastgeber und der kleinen Kaiserin zusammen an der Spitze der Tafel zu sitzen, als wie bisher weiter unten.

Es kam noch besser: Ihrem Tross schlossen sich Menschen an, die ihm zusätzlich Ansehen verschafften oder sich wenigstens nützlich machen konnten wie die Gesandtschaft der Kaufleute von Köln, die guten Wein mitbrachten. Sogar der unterhaltsame Walther von der Vogelweide stieß zu ihnen. Dietrich fand sich fähig, ihm zu verzeihen, dass Walther bei der Krönung in Rom anwesend gewesen war und er nicht. Dass Walther anders als bei dessen Aufenthalt in Thüringen kein Loblied darauf sang, was für ein wundervoller Mensch doch Dietrichs Schwiegervater war, sondern mit einem neuen Haufen Lieder wider die Pfaffen aus dem Süden zurückgekehrt war, trug zu Dietrichs Anerkennung bei. Mit Liebesliedern konnte er nicht viel anfangen, aber Spötteleien waren klar und unmissverständlich. Als sie beim Herzog von Zähringen zu Gast waren, schaute ihn dieser allerdings einmal von der Seite an und fragte: »Herr Dietrich, ist Euch eigentlich klar, was unser Freund da singt?« Dietrich runzelte die Stirn. Das Lied schien ihm nicht eben schwer zu verstehen.

Gott gibt zum König, wen er will,
das wundert uns fürwahr nicht viel.

Uns Laien wundert nur der Pfaffen Lehre,
denn was sie vor kurzem uns gelehrt,
das, sagen sie nun, sei jetzt verkehrt.

Das sprach ja für sich selbst. »Nun, er beklagt, was er immer beklagt, die Einmischung der Pfaffen in unseren Thronstreit, und
wie schnell der Papst sich gegen den Kaiser gewandt hat.«
»Hmm«, machte Berthold von Zähringen. »Haben wir einen
Thronstreit? Ich dachte, der sei mit dem Tod von Philipp, Gott
habe ihn selig, beendet gewesen.«
»Nicht Thronstreit«, verbesserte sich Dietrich. Warum hatte er
den Ausdruck gewählt? Vielleicht, weil das »*Gott gibt zum Kö-*
nig, wen er will« nahelegte, dass es mehr als einen gab, immer
noch.

Durch welche Rede sind wir denn betrogen,
erzählt es endlich uns mit Grund,
die alte oder neue?
Es scheint uns, eine sei gelogen,
zwei Zungen passen nicht in einen Mund.

Mit einem Mal schien es Dietrich, als wäre er in eine andere Welt
geglitten, die seines Schwiegervaters, wo man auf jedes Wort achten musste, weil es oft doppelte Bedeutungen hatte.
»Es ist nur so«, sagte der Herzog von Zähringen, »dass ich mich
frage, ob unser geliebter Kaiser, wenn er erst mit seinem Krieg im
Süden fertig ist, darangehen wird, noch andere Versprechungen
rückgängig zu machen als diejenigen, die er seinerzeit dem Papst
gegeben hat. Ich bin nicht mehr jung, Herr Dietrich. Ich war bereits nicht mehr jung, als man mir angeboten hat, selbst König
und Kaiser zu werden, und ich wusste, warum ich das ablehnte.
Alles, was ich verlange, ist, meine Güter in Frieden zu genießen. Einschließlich derer, die einmal Heinrich dem Löwen gehört haben.«
Dietrich wurde blass um die Nase. Sowohl sein Schwiegervater
als auch er besaßen Ländereien, die zum alten Herzogtum Hein-

richs des Löwen gehört hatten. Wenn Hermann es sich auch leisten konnte, sie wieder zu verlieren, bei all dem, was ihm durch sein gewinnträchtiges Seitenwechseln im letzten Jahrzehnt sonst noch zugefallen war, Dietrich war nicht gesonnen, auch nur eine Pfarrei abzugeben. Zu lange war er im Leben zu kurz gekommen und in seinen Erwartungen enttäuscht worden. »Ihr meint, der Kaiser könnte vorhaben, das alte Herzogtum der Welfen wiederherzustellen?«

»Ich glaube, der Kaiser hat in all den Jahren, in denen seine Familie verbannt war, und in jenen, als er gegen Philipp kämpfte, eine lange Rechnung aufgestellt, mit vielen Schuldnern. Und er hat gerade erst begonnen, sie einzufordern.«

Das waren alles andere als beruhigende Gedanken!

»Meine Gemahlin«, sagte der Zähringer, »meint, dass nichts gefährlicher sei als ein Mann, der zu lange auf sein Glück warten muss, denn das zu lange Warten habe ihn sauer gemacht wie überfälligen Wein. Ich bin dem Kaiser nur ein paarmal begegnet, aber mir scheint, da könnte sie recht haben.«

Dietrich blickte auf die Tischseite, wo Bertholds Gemahlin mit seiner eigenen Gattin und der Leibärztin der Kaiserin plauderte. Eigentlich fand er es weibisch vom Zähringer, etwas auf die Meinung seiner Gemahlin zu geben, aber dann dachte er an Otto und dessen Art, Scherze zu machen, die Dietrich immer den Verdacht gaben, sie seien auch auf seine Kosten.

In jener Nacht ertappte er sich zum ersten Mal seit langem dabei, seine Gemahlin mit seiner Gegenwart zu beehren, statt sich eine junge Magd ins Bett zu nehmen. Nicht, dass er selbst etwas auf Weibergeschwätz gab, doch man konnte nicht leugnen, dass Jutta von ihrem Vater Dinge hörte, die ihm erzürnenderweise vorenthalten wurden, und Hermann war unleugbar der gerissenste alte Fuchs im Reich.

»Hat dein Vater eigentlich etwas gesagt, als er hörte, dass wir die kleine Kaiserin durch das Reich geleiten?«

»Oh«, entgegnete Jutta beiläufig, »nur, dass wir sie besonders gut behandeln sollten, damit sie sich beim Kaiser für uns einsetzen kann, wenn er wieder aus dem Süden zurückkehrt.«

»Warum sollten wir denn Fürbitten beim Kaiser nötig haben?«, stieß Dietrich hervor; seine Stimme überschlug sich beinahe.

»Das weiß ich auch nicht, aber mein Vater scheint zu glauben, dass der Kaiser nicht mit Ehren und Gütern für die deutschen Fürsten aus Italien zurückkehren wird, sondern mit Forderungen. Sehr vielen Forderungen.«

* * *

Die Reise durch das Reich stellte sich als eine der besten Ideen heraus, die Judith gehabt hatte. Bei jedem kleinen und größeren Hof sprach sie mit den Gemahlinnen der Fürsten, wenn sie eine Behandlung oder ein paar Mittel zur Verschönerung anbot. Selbst die jungen und kerngesunden wollten von der Leibärztin der Kaiserin behandelt werden. Gewiss, bei manchen von ihnen verliefen Versuche, das Gespräch auf all das zu lenken, was der jeweilige Gemahl von Otto zu befürchten hatte, im Sande, weil sie nicht mit einer Frau aus dem Volk über solche Dinge sprechen wollten. Aber diese Fürstinnen waren dann umso gesprächsbereiter, wenn sie mit der Markgräfin von Meißen plauderten. Die meisten sprachen mit ihnen beiden, und am Ende gab es kaum ein Fürstenpaar, das nicht mit verstörenden Überlegungen zu Otto zurückblieb.

Bei den Städten hatte Judith zunächst größere Schwierigkeiten gesehen, weil sie nicht von einem einzigen Mann regiert wurden. Aber dann hörte sie, wie Beatrix davor gewarnt wurde, nach Breisach zu kommen. Anscheinend hatte es dort nach Ottos Königsritt einen Aufstand gegeben, weil Männer aus seiner Leibwache Bürgerstöchter geschändet hatten, ohne vom Kaiser dafür bestraft worden zu sein. »Dann ist es umso wichtiger, dass wir diese Stadt besuchen, um sie zu versöhnen«, erklärte Beatrix. Judith erlebte erneut den Zwiespalt, gleichzeitig stolz auf das Mädchen zu sein und sich sehr bewusst, sie zu hintergehen.

Den Bürgern von Breisach war es eine Freude, Beatrix als Tochter ihres Vaters zu empfangen, wenn auch nicht als Kaiserin. Sie ließen eine Stadt zurück, die fest auf der Seite der Stauferin stand,

nicht auf der des Kaisers, auch, da Judith jeden der Haushalte auf-
gesucht hatte, die seinerzeit unter Ottos Leuten gelitten hatten.

Es blieb nicht die einzige Geschichte dieser Art. In Goslar war
es die Frau des Bürgermeisters, die Judith unter vier Augen gestand, von Otto belästigt worden zu sein. »Mein Gemahl bringt
es kaum mehr fertig, mich anzuschauen, und ich – ich kann von
Glück sagen, dass er mich nicht eine Hure nennt und verstößt,
sondern mir glaubt, dass ich dem Kaiser nicht freiwillig als Kebse
diente. Aber mein Leben ist zerstört.«

»Ihr wisst, dass der Papst den Kaiser gebannt hat?«

»Wenn er jetzt stirbt, wird er in der Hölle schmoren, ich weiß«,
sagte die Bürgermeisterin bitter, »aber der stirbt erst, wenn er
sich freigekauft hat und entsühnt worden ist und fester auf seinem Thron sitzt denn je. Wie soll jemandem wie mir da Gerechtigkeit zuteilwerden?«

»Indem ein anderer dort sitzt«, sagte Judith. Was Walther ihr von
Friedrich erzählt hatte, war zwar keine Sicherheit dafür, dass die-
ser ein guter Herrscher sein würde, doch es hörte sich auf alle
Fälle viel besser an als alles über Otto.

Sie hatte mehr Glück als die Bürgermeisterin: Sie und Walther
konnten einander ansehen. Doch das hieß nicht, dass alles beim
Alten war. Er hatte seit seiner Rückkehr aus Italien nie den Versuch gemacht, die Nacht mit ihr zu verbringen. Sie wusste nicht,
ob sie ja gesagt hätte, denn sie hatte immer noch schlechte Träume und manchmal, wenn sie nachts wach lag, Angstzustände.
Aber er hatte nicht gefragt.

Vielleicht war es am besten so. Jutta von Meißen als Verbündete zu haben war zu wichtig. Ganz gleich, was die Markgräfin
nun für Walther empfand, Lust, Freundschaft oder mehr, es würde ihr bestimmt keine Freude bereiten, wenn sich Walther nächtens mit einer anderen vergnügte. *Ja, es ist nichts als vernünftig
und klug,* sagte sich Judith, aber ein törichter Teil ihres Herzens fürchtete, dass Walther aus einem ganz anderen Grund nicht
fragte – weil er nun doch Ekel vor ihr empfand und sie nicht
mehr wollte. Der Gedanke kam immer wieder. Um derartige
Überlegungen zu vertreiben, stürzte sie sich umso mehr in ihre

Bemühungen, so viele Frauen wie möglich von Ottos Unzuverlässigkeit und Gier zu überzeugen und daran zu erinnern, dass es noch einen anderen König gab. Das Ehebett war ein Ort, an dem kaum ein Mann gegen Einflüsterungen gefeit war, und Frauen diejenigen, bei denen sich vorher nie ein Fürst die Mühe gemacht hatte, sie für sich zu gewinnen.

Aber so erfolgreich ihre Reise auch verlief, Judith wusste, dass noch mehr nötig war, um Ottos Herrschaft ernsthaft zu bedrohen, vor allem, da die Nachrichten aus Italien alles andere als gut waren: Otto hatte inzwischen fast das gesamte Festland erobert. Die aragonesischen Ritter, die Friedrichs einzige Streitmacht darstellten, waren fast alle an der Seuche gestorben. Und ganz gleich, wie fruchtbar der sizilianische Boden war, Getreide und Obstlieferungen genügten nicht, um Fürsten, die reiche Gaben von Philipp und Otto gewohnt waren, zu bewegen, Otto offen in Frage zu stellen.

»Zwei Dinge brauchen wir noch«, sagte sie zu Walther, als sie mit ihm beisammensaß und er die Seiten seiner Laute neu spannte. »Geld und ein Wunder.«

»Für Wunder ist die Kirche zuständig«, sagte er. »Nicht, dass ich es nicht genieße, dieser Tage vom Kaiser dafür bezahlt zu werden, den Papst zu beleidigen, aber man möchte meinen, dass er inzwischen stark genug unter Otto leidet, um selbst einen Staufer wieder als Ausweg in Kauf zu nehmen.«

»Aber was gewönne er dabei? Er will doch verhindern, was jetzt eingetreten ist, sich selbst und das Patrimonium Petri eingeklemmt zu sehen zwischen dem Reich und Sizilien. Ob nun Otto oder ein anderer beides regiert, der Papst verliert immer, solange ein Mann *beides* besitzt.«

»Ich nehme an, das schließt auch Geld von Seiten der Kirche aus. Zu schade. Sonst bekämen wir tatsächlich etwas von dem wieder, was wir in die Opferstöcke taten.« Walther zog eine Grimasse und erprobte eine der neugespannten Saiten. Dann sagte er: »Wie steht es denn mit dem französischen König? Soweit ich weiß, hat er Philipp ein paarmal ausgeholfen, weil er nicht Richards Neffen als mächtigen Nachbarn wollte.«

»Ich kenne niemanden mit Verbindungen an den französischen Hof, und ich kann Beatrix unmöglich empfehlen, einen Staatsbesuch zu machen. Wir kämen kaum aus Hagenaus heraus, ehe der Bischof von Speyer davon hörte und ihr einen Trupp hinterherschickte.«

»Du kennst deinen Onkel«, sagte Walther plötzlich. »Ganz gleich, wie innig er mit den Engländern ist, es sollte mich wundern, wenn er nicht auch Verbindungen nach Paris hat.«

Dessen war sich Judith ebenfalls sicher, aber ihr Onkel war immer noch ein zu empfindliches Thema für sie, um darüber zu scherzen. Bei der kleinen Gruppe aus Köln, die Beatrix zu Beginn ihrer Rundreise die Aufwartung gemacht hatte, war er nicht dabei gewesen, aber er hatte Paul geschickt. Dieser war noch verdrossen, weil Judith ihn in Schwerin bei einem zornigen Otto zurückgelassen hatte. Gemessen daran, was ihr selbst später geschehen war, konnte sie sich bei seinen Vorwürfen nicht beherrschen, und die Begegnung hatte zu einem Streit geführt, bei dem er so weit gegangen war, sie zu fragen, ob Gilles' Tod in Bamberg geplant gewesen sei, was jegliche Rücksichtnahme auf ihren Vetter in ihr beendet hatte.

»Wir sollten die Markgräfin fragen«, meinte Walther lächelnd. »Ist ihr Vater nicht am französischen Hof aufgewachsen?«

»Du hast recht, aber warum lächelst du?«, fragte Judith.

»Ich hätte nie gedacht, dass ich eines Tages dich und Jutta von Meißen miteinander Pläne schmieden sehen würde. Der Himmel helfe der Menschheit, wenn das Schule macht.«

»Der Himmel helfe euch Männern, meinst du wohl«, gab sie zurück, mit gerade genug Biss, um daraus etwas mehr als einen Scherz zu machen. »Wenn wir Frauen uns nicht um euretwillen bekämpfen würden, dann gäbe es nichts mehr, was eure Herrschaft auf Dauer sichern könnte.«

»*Teile und herrsche,* so sagten die Römer. Aber weißt du, ich wollte nie herrschen, sondern nur teilen, und auch nicht tauschen mit einem Mann wie Philipp, obwohl der zumindest echte Liebe erlebt hat.« Während des letzten Satzes war der leichte Ton völlig aus seiner Stimme verschwunden. Sie schaute ihn an und wusste, dass er an dem rührte, worüber sie nie gesprochen hatten: den

Bruch zwischen ihnen, die beidseitigen Täuschungen, die Gründe dafür, aber auch die Möglichkeit, sich zu vergeben.

»Auch ich wollte teilen«, sagte Judith leise. »Aber ich – es gab auch Dinge, die ich für mich behalten wollte. Und jetzt kann ich sie erst recht nicht mehr aufgeben.«

Seine Hand hatte sich von seiner Laute erhoben, und erst jetzt, als sie die letzten Worte ausgesprochen hatte, wurde ihr die Vertrautheit der Geste bewusst. Früher hatte das immer dazu geführt, dass er sich ihr Haar durch seine Finger gleiten ließ. Vielleicht hatte er es wieder tun wollen, anknüpfen an die Vertrautheit alter Tage, an die Neckereien, denen oft Zärtlichkeit und Leidenschaft gefolgt waren. Doch nun zog er seine Hand zurück; der Augenblick war vertan. Judith sagte nichts, doch sie biss sich vor Wut auf sich selbst in die Lippen, bis sie Blut schmeckte.

* * *

Hermann von Thüringen konnte nicht darüber klagen, wie ihn das Schicksal behandelt hatte. Sein letztes, waghalsigstes Spiel mit Hans von Brabant hatte ihn zwar nicht reicher gemacht, doch es hatte dafür gesorgt, dass ihm Philipp ein für alle Mal vom Halse blieb und Otto ihm dankbar für die sofortige Unterstützung und Ausrufung zum König war. Er hatte nicht die geringste Absicht, an dessen Krönung und dem Feldzug teilzunehmen, sondern wollte nun das Leben als Landgraf von Thüringen genießen. Es gab nur ein Haar in der Suppe: dass Ottos Kanzler ihm aus unerfindlichen Gründen nicht die Güter der geflohenen Andechs-Meraner übereignen wollte – dabei brauchten seine neuen Verwandten doch jemanden, der sich treusorgend um sie kümmerte.

»Wem wollt Ihr sie denn geben? Den Wittelsbachern, die selbst den Mörder gestellt haben?«

»Der Herzog von Bayern«, hatte der Kanzler unerschütterlich zurückgegeben, »hat uns glaubwürdig versichert, dass er mit den Taten seines Verwandten nichts zu tun hatte. Er hat Heinz von Kalden sogar den Aufenthaltsort des Mannes genannt.«

Nun hatte Hermann nicht Verbindungen geknüpft, Pläne geschmiedet und dabei durchaus Gefahr auf sich genommen, um ausgerechnet das Haus Wittelsbach reicher zu machen. Er tröstete sich damit, dass Otto wusste, wie schwach die Welfen im Süden noch waren, und so ein paar alte Stauferanhänger für sich gewinnen wollte, aber es wurmte ihn trotzdem. Als seine Tochter Jutta ihn daher auf dieses Kümmernis ansprach, war er nur zu gerne bereit, mit ihr darüber zu reden. Er bedauerte oft, Jutta an den Meißner verschwendet zu haben. Er hätte sie mit Philipp verheiraten sollen. Schwiegervater eines Königs, das wäre es gewesen, denn Jutta hatte seinen Verstand geerbt und die Fähigkeit, etwas aus Problemen zu machen. »Wer weiß«, sagte sie, »vielleicht kehrt Otto nicht mehr aus Sizilien zurück. Kaiser Heinrich hat das Sumpffieber dort schließlich auch den Garaus gemacht.« Hermann schnaubte. »Der Welfe hat die Statur eines Ochsen, und die Gesundheit dazu. Den wirft nichts um.«

»Dann könnte es sein, dass er sehr alt wird. Und noch eingebildeter. Wenn er sich Kaiser über ein Reich von der Größe nennen kann, wie es einst Barbarossa besaß, dann erinnert er sich gewiss nur allzu schnell an diejenigen, mit denen er früher mühsam verhandeln musste, um sich überhaupt König nennen zu dürfen. Er wird dir abnehmen, was er dir zugestanden hat, Vater, wenn er sich als Kaiser des Erdkreises sicher weiß.«

Das war in der Tat eine Möglichkeit, die mit jeder Erfolgsmeldung aus dem Süden wahrscheinlicher wurde, und sie schmeckte Hermann überhaupt nicht. Andererseits kannte er seine Tochter. Sie würde dergleichen nie erwähnen, nur um mit ihm klagen zu können. »Was hast du im Sinn, Jutta?«

»Eine Reise«, erwiderte sie lächelnd. »Wie lange ist es schon her, seit du deinen Ziehbruder in Paris besucht hast?«

Hermann mochte nicht mehr der Jüngste sein, doch sein Verstand arbeitete ungebrochen und schnell. Er begriff sofort, worauf sie anspielte. Die Konturen eines neuen Planes, eines neuen Spiels nahmen in ihm Gestalt an, und er gab ihr das Lächeln zurück. »Zu lange.«

* * *

Als Jutta von Meißen Judith um ein Mittel gegen Hautflecken bat, war bereits das Eingeständnis, unter ihnen zu leiden, ein Vertrauensbeweis. Judith gab sich große Mühe mit der Herstellung der Salbe aus Hühnerschmalz, Goldschaumpulver und Rosenöl, für die sie mehrere Tage benötigte. Beatrix half ihr dabei und wollte wissen, ob dergleichen auch gegen die Pickel halfen, die sie kurz vor ihren monatlichen Blutungen plagten.

»Früher hatte ich nie welche. Niemand hat mir verraten, dass man Pickel bekommt, wenn man zur Frau wird!«

»Das gibt sich mit den Jahren. Es rührt von überflüssigen Säften in Eurem Körper her, Euer Gnaden, und nein, Ihr könnt nicht dieselbe Salbe dagegen verwenden wie gegen Hautflecken. Bei der Markgräfin geht es eher um einen Mangel an Säften.«

»Gedichte anfertigen ist leichter«, bemerkte Beatrix, aber schrieb sich in ihr Wachstäfelchen, was Judith über die Bestandteile einer Salbe gegen Pickel sagte. Man brauchte von der Sonne getrocknete Lorbeeren, deren Haut entfernt wurde, so dass man sie zu einem feinen Pulver zerstoßen konnte, das mit Honig angemacht wurde.

»Lorbeeren gibt es nur am Rhein, und es wird noch etwas dauern, bis wir wieder zurück sind.« Beatrix zögerte, dann sagte sie: »Glaubt Ihr, Herr Walther bemerkt, dass ich Pickel habe?«

Darauf gab es keine gute Antwort, weil eine Verneinung auch so aufgefasst werden konnte, dass Walther ihr Äußeres überhaupt nicht bemerkte, und Judith wusste, dass Beatrix eine Schwäche für ihn hatte. »Herr Walther ist ein Mann, der an einer Frau mehr als nur Einzelheiten wahrnimmt«, entgegnete sie, was keine Lüge war. »Er hat mir selbst erzählt, dass Ihr ihm von allen Herscherinnen, denen er je begegnet ist, die liebste seid.« Das wiederum war gelogen, doch Walther empfand seit Bamberg aufrichtige Zuneigung für Beatrix, was bisher noch bei keinem Herrscher der Fall gewesen war.

»Wie – wie steht es denn um Euch?«, fragte Beatrix und schaute Judith dabei nicht an.

»Ich bin noch nicht so vielen Fürstinnen wie Herr Walther begegnet, aber Ihr und Eure Mutter seid gewiss …«

»Nein!«, unterbrach Beatrix ungeduldig. »Oh, Ihr seid *schreck-lich* manchmal, Magistra. Ich weiß nicht, wie er es mit Euch aus-hält! Sagt, wie steht es um Euch und Herrn Walther?«

Es lag Judith auf der Zunge, die Frage von sich zu weisen, obwohl Beatrix als Kaiserin ihr jede Antwort befehlen konnte, doch sie tat es nicht. Sie hatte Beatrix gegenüber ohnehin ein schlechtes Ge-wissen, wegen all dem, was sie ihr verschwieg. Ganz gleich, wie man es drehen und wenden mochte, ganz gleich, wie gut ihre Ab-sichten waren, sie benutzte Beatrix, und sie selbst hatte es immer gehasst, als ihr Onkel das mit ihr getan hatte. Also versuchte Ju-dith, da offen zu sein, wo sie offen sein konnte: »Ich weiß es nicht.«

»Aber das müsst Ihr doch wissen! Es ist sehr einfach: Liebt Ihr ihn, oder liebt Ihr ihn nicht? Liebt er Euch, oder liebt er Euch nicht?«

Es wäre schön, noch einmal so jung zu sein und die Welt so ein-fach zu sehen, dachte Judith und wusste doch, dass sie nie auf die gleiche Art jung gewesen war wie Beatrix.

»Mein Herz … ist noch immer das seine«, entgegnete sie. »Aber ich weiß nicht, welcher Art die Zukunft ist, die wir miteinander haben können.«

»Niemand weiß, welcher Art die Zukunft ist«, gab Beatrix zu-rück. »Vor zwei Jahren hätte ich nie gedacht, dass *dies* meine Zu-kunft sein würde. Und in nochmals zwei Jahren, wer weiß, dann habe ich vielleicht selbst ein Kind.« Sie schluckte. »Meine Mutter wurde sehr leicht schwanger.«

Judith drängte die Bilder zurück, die diese Bemerkung auslöste: Irenes Fehlgeburt, ihr Sterben, Otto, wie er versucht hatte, ein Kind mit einem Kind zu zeugen. Die Erinnerung war ihr so un-erträglich wie kein anderes Erlebnis ihres Lebens.

»Nicht jede Ehe führt sofort zu einem Kind«, sagte sie so sach-lich wie möglich.

»Die Ehen mit Staufern tun es. Wisst Ihr, was mir die Landgräfin von Thüringen erzählt hat? Mein Vetter auf Sizilien ist schon Va-ter. Dabei ist er doch nur wenig älter als ich, und seine Gemahlin nähert sich den dreißig. Wenn die beiden ein Kind bekommen können …« Beatrix stockte. »Sie wollten es wohl auch«, schloss sie und sah Judith dabei nicht an. »Ich … ich weiß nicht, ob ich dem Kaiser ein Kind schenken möchte.«

Das rührte gefährlich an die Frage, die Judith sich nie gestellt hatte und nicht stellen wollte: ob Beatrix um die Geschehnisse jener Nacht wusste.

»Aber es ist meine Pflicht, nicht wahr«, fuhr Beatrix fort. »Als seine Gemahlin.«

»Solange Ihr seine Gemahlin seid, ist es Eure Pflicht«, entgegnete Judith, was der deutlichste Hinweis auf die Möglichkeit einer Annullierung war, den sie sich gestattete. Ob Beatrix ihn nun verstand oder nicht, sie nickte langsam und reichte Judith mehr Rosenblätter zum Destillieren des Öls.

Bis Judith mit Walther diskutieren konnte, hatte sie ein wenig zu oft über das Gespräch mit Beatrix nachgedacht, und dabei war ihr etwas aufgefallen, das sie fast überhört hätte. »Stimmt es, dass der König von Sizilien Vater geworden ist?«

»Nun, ein Eunuch scheint er auf gar keinen Fall zu sein«, gab Walther trocken zurück.

»Ein Kind kann zum König gemacht werden, selbst, wenn der ursprüngliche König noch lebt, nicht wahr? So ist es bei Friedrich selbst geschehen. Daran kann ich mich noch erinnern. Kaiser Heinrich war noch am Leben, als er ihn in Frankfurt von den deutschen Fürsten zum König der Deutschen wählen ließ.«

»Nun, wir haben der deutschen Könige nun wahrlich genug, aber ich verstehe, worauf du hinauswillst.« In seinen Augen begann ein neuer Plan zu glimmen. »Was der Papst fürchtet, sind Sizilien und das Nordreich unter einem Herrscher, und das hätte er sowohl bei Otto als auch bei Friedrich. Aber nicht, wenn Friedrich seinem Sohn die sizilianische Krone abtritt!«

Judith öffnete den Mund, als wolle sie sagen, genau das seien ihre Gedanken gewesen, schloss ihn wieder und runzelte die Stirn. Dann legte sie den Kopf zur Seite: »Es wäre möglich, nicht wahr? Es würde nichts ändern, denn ein Säugling kann auch bei den Sizilianern kein König sein, aber es wäre immerhin eine Geste. Doch wer soll das dem Heiligen Vater anbieten?«

»Der Patriarch von Aquileja – und dem werde ich es vorschlagen«, sagte Walther selbstsicher.

Judith hatte einmal eine zu schlechte Meinung von Wolfger gehabt; vielleicht hatten sie nun beide eine zu hohe. Außerdem war es noch lange nicht gesagt, dass Walther ihn würde überzeugen können, ganz zu schweigen davon, dass es eine weitere Alpenüberquerung notwendig machte, und sie wussten beide, was auf dem Spiel stand. Wenn Walther sich Wolfger offenbarte und der es vorzog, zu Otto zu stehen, dann konnte er Walther wegen Hochverrats hängenlassen.

Als junges Mädchen, das von christlichen Bischöfen nicht viel wusste, hatte sie immer geglaubt, dass deren Treue dem Papst gelten würde, aber das Leben hatte sie gelehrt, dass diese Frage von Bischof zu Bischof unterschiedlich entschieden wurde. Wolfger war immer ein Mittler zwischen Kirche und Thron gewesen, mit einem Fuß in beiden Lagern. Würde er auf seine alten Tage fähig sein, sich aus einem zurückzuziehen?

Wir hatten wieder den gleichen Gedanken, und das muss ein gutes Zeichen sein. Wolfger schätzt Walther, sagte sich Judith, auch um sich selbst zu beruhigen. Das war entscheidend. Sie musste einfach daran glauben.

* * *

Genug ist genug, dachte Beatrix, als sie hörte, dass Herr Walther sie wieder verlassen wollte. Die Magistra und er gingen immer noch wie zwar verbundene, aber nicht vereinigte Menschen miteinander um. Wenn die beiden nicht selbst in der Lage waren, sich vernünftig zu gebärden, nun, dann musste man ihnen eben helfen. Sie nutzte ihre neu erworbenen Kenntnisse und ihre Befugnisse als Herrin und wies die Zubereitung von Möhrenwurzeln mit Ingwer und Basilikum an: »Und zwar auf folgende Art und keine andere«, sagte Beatrix zu den Köchen, die ein ehrerbietiges Gesicht machten und ihr gehorchen mussten. »Ihr kocht die Wurzeln gut, bringt ihnen im ganz geringen Abstand Schnitte bei und drückt das Wasser aus. Dann formt ihr Röllchen aus abgeseihtem Honig, kocht beides, bis der Honig ganz verdunstet ist, und wehe, wenn etwas am Rand des Kessels kleben bleibt! In der Mitte des Kessels gebt ihr Mandeln dazu, am Ende gereinigten Pinienzapfensamen und dann Ingwer, Galgant, Basilikum, Pfeffer und Muskatnuss.«

»Was um alles in der Welt willst du mit Möhren?«, fragte Kunigunde, die sich seit der Rückkehr des Trosses nach Speyer wieder an Beatrix geheftet hatte. »Ich dachte, du hasst sie.«

»Die sind auch nicht für mich, sondern für die Magistra und Herrn Walther. Sie erzeugen dickes Blut und steigern die Begierde. Aber das verstehst du nicht«, schloss Beatrix überlegen, »denn du bist noch ein Kind.« Außerdem bestellte sie den stärksten und süffigsten Wein, den der Keller des Kanzlers vorrätig hatte, und schärfte einem Knappen ein, Herrn Walther gegen Ende des Abends ins Ohr zu flüstern, dass die Magistra ihn im Garten sprechen wolle, unter dem Lindenbaum dort.

Als Beatrix gewiss war, dass die Magistra ihre Portion Möhren aufgegessen und genügend Wein getrunken hatte, um in einer heiteren, gelösten Stimmung zu sein, zog sie die Magistra zur Seite und flüsterte ihr zu, Herr Walther habe den ganzen Nachmittag damit verbracht, den spätsommerlichen Garten für sich zu beanspruchen, und habe sie gebeten, durch kaiserlichen Befehl jeden Menschen sonst daraus fernzuhalten. »Ich glaube, er hat etwas für Euch vorbereitet. Auf jeden Fall soll ich Euch ausrichten, Ihr mögt Euch unter der Linde einfinden.«

Als die Magistra in Richtung des Gartens verschwand, widerstand Beatrix der Versuchung, triumphierend zu krähen. Dergleichen wäre wirklich zu kindisch gewesen. Aber sie hatte den Nachmittag damit verbracht, unter der Linde eine Lagerstätte aufzubauen, und diese mit den eigentlich für Heilöl bestimmten Rosenblättern bestreut. Sie hatte es ganz alleine getan, weil sie verhindern wollte, dass irgendjemand ihre Pläne verriet; alles, was das Gesinde wusste, war, dass niemand den Garten betreten durfte.

Sie beobachtete, wie der von ihr beauftragte Knappe Herrn Walther etwas zuflüsterte, und wie er, der ebenfalls seine Möhren und reichlich Wein bekommen hatte, sich nach einer kurzen Entschuldigung zurückzog.

»Ich weiß nicht, was das alles zu bedeuten hat«, sagte Kunigunde misstrauisch, »aber Lügen werden früher oder später entdeckt, das weißt du doch.«

»Nicht, wenn es Erfindungen sind, die zu Wahrheiten werden«, gab Beatrix hochzufrieden zurück. »Dann sind sie Dichtkunst. Das hat mich Herr Walther selbst gelehrt.«

KAPITEL 45

Der Patriarch von Aquileja war für einen lange überfälligen Besuch in Passau, um in seinem alten Bistum nach dem Rechten zu sehen, was es für Walther erheblich einfacher machte, ihm einen Besuch abzustatten. Er überredete Markwart, mit ihm zu kommen, teils, weil sein Freund es immer noch übelnahm, für nicht gut genug befunden worden zu sein, um die kleine Kaiserin durch das Reich zu geleiten, teils, weil er viel zu guter Stimmung war, um alleine zu reisen, und für Markwart konnte er problemlos eine Erlaubnis bei Beatrix erreichen.

»Du hast das unanständigste Grinsen auf dem Gesicht, das ich je bei einem erwachsenen Mann gesehen habe«, sagte Markwart. »Heißt das, zwischen dir und deinem Mädchen ist endlich wieder alles geregelt?«

»Es heißt, dass die Welt ein wundersamer Ort ist, mein Freund, an dem die übelsten und die herrlichsten Dinge geschehen können und wo hin und wieder, wenn man sehr viel Glück hat, ein Neuanfang möglich ist. Wie du selbst wissen solltest.«

»Ich weiß, wie du aussiehst, wenn du mit jemandem im Bett warst, an dem dir etwas liegt, und wie du aussiehst, wenn du in eine deiner neuen Ideen vernarrt bist. Deine Miene ist gerade eine gefährliche Mischung aus beidem. Bitte denk daran, dass du immer noch nicht über Wasser gehen kannst, und ich schon gleich gar nicht. Was genau willst du beim Patriarchen?«

»Was ich immer bei ihm will«, entgegnete Walther. »Ihm meine Lieder spielen und hören, was er selbst Neues zu erzählen hat. Mit etwas Glück gibt es noch einen Pelzmantel, dann kannst du meinen alten bekommen.«

»Als Mitglied des kaiserlichen Haushalts habe ich bereits einen Mantel für den Winter, wenn auch nur aus Schafsfell«, sagte Markwart, aber von da an galt es als ausgemacht, dass er Walther begleiten würde. Auf dem langen Weg nach Passau nahm sich Markwart löblich zusammen und fragte nicht nach Einzelheiten, doch er versuchte mehr als einmal, ihn bezüglich seiner Pläne für die Zukunft auszuhorchen. »Du wirst zu alt für das ständige Herumziehen, mein Freund. Es ist an der Zeit, sich niederzulassen, das hast du selbst einmal zugegeben. Gewiss, der Tod von König Philipp hat alles verändert, aber bei all den Liedern wider den Papst, die du für Otto singst, könnte er dir inzwischen so gewogen sein, dass er bereit ist, dir ein Lehen zu geben. Vor allem, wenn du wieder Heiratspläne hegst.«

Es lag Walther auf der Zunge, zu sagen, dass er lieber auf einen Kreuzzug ziehen würde, als Judith eine Hochzeit unter Ottos Fittichen zuzumuten. Da sie Beatrix nicht verlassen würde, solange diese noch mit Otto vermählt war, kam auch eine gemeinsame Flucht nicht in Frage. Aber dergleichen zu erklären, hätte bedeutet, Markwart in etwas einzuweihen, das ihm den Hals kosten könnte. Also antwortete er ausweichend: »Nichts wäre mir lieber, als wenn der Kaiser deine Meinung teilte. Doch wie es scheint, braucht er noch ein wenig Zuspruch.«

»Sind wir deswegen nach Passau unterwegs?«, fragte Markwart.

»Den Papst würde ich weder als Fürsprecher gewinnen können noch wollen, doch der Patriarch von Aquileja ist der mächtigste deutsche Kirchenmann«, gab Walther zurück. »Kannst du dir einen besseren Fürsprecher denken?«

Das war nicht gelogen, denn er hatte ein Anliegen, er hoffte wirklich, dass der Patriarch sich dafür einsetzen würde, nur war es eben nicht ein Lehen für sich. Zumindest jetzt noch nicht.

In Passau war Wolfger damit beschäftigt, von morgens bis abends Bittsteller anzuhören und mit den Bistumsklerikern deren Handlungen der letzten Jahre durchzugehen, doch Walther und Markwart erhielten einen Platz in der Residenz. Am zweiten Tag fand Wolfger eine freie Stunde für ihn.

»Ist es nun fertig, das Lied von den Nibelungen?«, fragte Walther, als man sie alleine gelassen hatte. Wolfger schenkte ihm ein müdes Lächeln.

»Ich bin im letzten Jahr kaum zum Dichten gekommen, Herr Walther. Außerdem muss ich gestehen, dass ich davor zurückscheue, es enden zu lassen, denn es tut weh, jene Menschen umzubringen, die mir in all ihrer Düsternis ans Herz gewachsen sind.«

»Dann könnt Ihr Euch kein anderes Ende vorstellen als den Tod für alle?«

»Nun, für Kriemhild und Hagen gibt es keinen Ausweg. Sie könnten sich nie verzeihen, was sie einander angetan haben, und Kriemhilds Brüder begehen Verrat, ganz gleich, wem sie die Treue halten. Nein, ich fürchte, die letzten Zeilen meines Liedes werden nur aus Blut und Tränen geschrieben sein.«

Jetzt kommt es darauf an, dachte Walther. »Das ist gewiss das rechte Ende für Euer Lied«, sagte er langsam, »doch in der Wirklichkeit fände ich es besser, daran zu denken, dass es noch andere Enden geben kann. Selbst in einer scheinbar hoffnungslosen Lage wie einem Zwiespalt zwischen Kaiser und Papst.«

Der freundliche alte Mann und Mitdichter war von einem Moment zum anderen verschwunden; Wolfger fasste ihn streng ins Auge. Walther wurde sich einmal mehr bewusst, warum sein Gegenüber alle anderen deutschen Bischöfe hinter sich gelassen und an die Spitze gekommen war. »Herr Walther, ist Euch bewusst, dass Ihr schon vor Jahren für Eure Verse in einem Kerker hättet verschmachten oder zumindest eine Hand hättet verlieren können, wenn ich nicht die meine stets über Euch halten würde? Treibt es nicht zu weit!«

Die Erinnerung an die Leiche von Gilles kehrte zurück, an den beinlosen Körper, und das Bewusstsein, dass er selbst auf diese

Weise nie hätte leben können. Ihm kamen auch Marktplätze in den Sinn, wo er Menschen die Zunge auf einem Nagelbrett hatte verlieren sehen, Menschen ohne Beschützer, die sich gegen einen Mächtigen ihres Ortes ausgesprochen hatten.

Aber zu viel stand auf dem Spiel, um jetzt noch der Angst zu gestatten, Oberhand in ihm zu gewinnen.

»Ihr habt mich einmal gebeten, mich um des Friedens willen zurückzuhalten«, sagte Walther, »und ich habe es getan, Euer Gnaden. Sosehr mich mein eigenes Wohl kümmert, so gibt es Dinge, die mir noch mehr am Herzen liegen. Als Otto König und Kaiser wurde, habe ich wie alle anderen gehofft, dass es zum Besten des Reiches geschähe, und meine Bedenken zurückgeschoben, weil es bedeutete, dass endlich Frieden einkehrte. Aber nun zeigt sich, dass schon wieder der Bann über dem Reich um seines Herrschers willen liegt, und Ihr wisst, dass weder Otto noch der Papst jemals nachgeben werden. Ihr seid nicht Kriemhilds Bruder, Euer Gnaden, der eine Seite verraten muss, um für andere in den Tod zu gehen, ganz gleich, wie blutbefleckt sie ist. Ihr habt eine der wenigen Stimmen, die Gewicht beim Heiligen Vater haben.«

»Wenn meine Stimme bei ihm Gewicht hat«, entgegnete Wolfger ausdruckslos, »dann weil er weiß, dass ich ihn nie um etwas bitten würde, das der Mutter Kirche schadet. Herrn Ottos Ansprüchen auf Sizilien seinen Segen zu erteilen, würde den Heiligen Stuhl wieder zum bloßen Siegel der Kaiser machen, wie er es unter dem alten Kaiser Rotbart war.«

»Otto ist nicht der einzige gewählte deutsche König. Der Mann, auf den das länger zutrifft, ist das ehemalige Mündel des Heiligen Vaters«, sagte Walther, alles auf diesen einen Wurf setzend. Damit hatte er zugegeben, dass seine öffentliche Parteinahme für Otto nichts als Trug war. Wolfger erhielt so die Möglichkeit, ihn aller kaiserlichen Unterstützung und schlechtestenfalls seines Lebens zu berauben.

»Sein Mündel«, bestätigte Wolfger, ohne sich Zustimmung oder Ablehnung anmerken zu lassen, »aber auch ein Staufer.«

»Sein Mündel, das von keinem anderen Staufer erzogen wurde, sondern aufwuchs mit Lehrern, die von Seiner Heiligkeit bestimmt waren. Sein Mündel, das Seiner Heiligkeit alles verdanken würde und dem ein Kind geboren ist. Wenn der Papst die Kronen von Sizilien und dem Heiligen Römischen Reich nicht auf demselben Haupt sehen will, dann gibt es ein Vorbild dafür, eine davon an das Kind weiterzugeben«, sagte Walther mit aller Überzeugungskraft, zu der er imstande war. »Ihr wisst, was ich für den Papst empfinde, und ich tue es gerade deswegen, weil er der machtbesessenste seit Menschengedenken ist. Wenn Herr Otto Kaiser des Heiligen Römischen Reiches bleibt und seine Eroberung des Königreichs Sizilien erfolgreich beendet, dann wird Seine Heiligkeit nicht als mächtigster der Päpste in die Geschichte eingehen, sondern – mit und ohne Verlaub – als ein Dummkopf, der sich von einem Welfen hat übertölpeln lassen. Meinem eigenen Groll würde der Gedanke große Befriedigung bereiten, doch der Teil von mir, der über mich selbst hinausdenkt und sich fragt, ob Herr Otto sich wirklich als der Mann bewiesen hat, den ich als den mächtigsten des Erdkreises sehen will, der Teil schaudert.«

Drei steile Falten standen in die Stirn von Wolfger gegraben, doch er erwiderte nichts. Auch Walther ergriff nicht wieder das Wort. Noch mehr hinzuzufügen hätte die Wirksamkeit seiner Rede nur abschwächen können. Er mochte nicht auf dem Wasser wandeln können, aber er hatte über viele Jahre gelernt, seine Worte zu Waffen zu schmieden. Und Wolfger, der in der Welt und in der Kirche gelebt hatte und die Macht des Wortes besser kannte als die meisten, war von allen Menschen der, welcher am besten beurteilen konnte, ob die Klinge, die ihm Walther entgegenstreckte, bloße Gleisnerei war oder ein Schwert, mit dem man Drachen töten konnte.

»Herr Walther«, sagte Wolfger endlich, »Ihr solltet Euch lieber daranmachen, neue Lieder zu dichten, als bei mir zu sitzen.«

Walthers Herz sank.

»Schließlich werdet Ihr bald einen neuen König haben, den es dem Volk zu vermitteln gilt«, fuhr Wolfger fort. Um seine Lippen spielte ein winziges Lächeln.

* * *

Als Diepold von Schweinspeunt hörte, der Kaiser habe den Befehl widerrufen, die Schiffe für das Übersetzen des Heeres auf die Insel Sizilien zu bemannen, und der Bote keine Erklärung dazu abgeben konnte, stapfte er erbost zur Feste von Reggio, wo der Kaiser residierte, und schüchterte genügend Wachen ein, um vorgelassen zu werden. Er fand einen Otto vor, der sich von dem siegesgewohnten Mann, mit dem er noch am Vorabend getafelt hatte, erheblich unterschied. Dieser Otto brütete über einer Pergamentrolle.

»Euer Gnaden …«

»Diese Hunde«, sagte Otto dumpf. Dann schlug er mit der Faust auf den Tisch. »Diese dreckigen Verräter!«

Schweinspeunt hatte keine Ahnung, auf wen sich der Kaiser beziehen konnte, jetzt, da alles so gut für ihre Sache stand.

»Euer Gnaden?«

»Dieser blutlose Eunuch in Rom war nicht damit zufrieden, mich zu bannen, nein. Jetzt hat er den deutschen Fürsten freigestellt, einen neuen Kaiser zu wählen. Nicht nur einen neuen deutschen König, nein, einen neuen *Kaiser!* Und wisst Ihr, was die Herren getan haben, statt ihn auszulachen?« Ottos Stimme war mit jedem Wort lauter geworden. Bei der letzten Frage sprang er auf und packte Diepold von Schweinspeunt beim Kragen. »Schwört, dass Ihr nichts davon gewusst habt!«, brüllte der Kaiser und schüttelte ihn. »Schwört es!«

Schweinspeunt hielt sich mit einigem Recht für einen abgehärteten alten Kämpen, aber aus nächster Nähe geschüttelt zu werden und den Speichel eines wutentbrannten Otto im Gesicht zu spüren, war trotzdem keine angenehme Erfahrung, zumal es seit zwanzig Jahren niemanden mehr gegeben hatte, der sich dergleichen hätte herausnehmen dürfen.

»Was, mein Kaiser?«

»Die treulosen Schweine, die sich deutsche Fürsten nennen, haben das Balg von Sizilien in Nürnberg zum König und Kaiser gewählt!«, brüllte Otto.

Das war ein Schlag, aber gewiss doch mehr ein lächerlicher als ein schwerer, fand Schweinspeunt. In einem für ihn seltenen Versuch, behutsam zu sein, um den Kaiser keinen Dummkopf zu nennen, räusperte er sich und meinte: »Dann nehmen wir eben nicht nur einen Zaunkönig gefangen, sondern ein Kaiserlein. Ihr werdet herzlich darüber lachen können, wenn Ihr ihn in einem Käfig zurück ins Reich mitnehmt.«

»Nein«, sagte Otto finster. »Wenn Friedrich nur einen Funken Verstand besitzt, dann hat er sich schon in Sicherheit gebracht. Wenn wir uns hier verzetteln und nach ihm suchen, stehen wir mit der Insel in der Hand da, während das Reich verlorengeht.«

»Aber er hat keine Truppen«, sagte Schweinspeunt, der es nicht fassen konnte, auf das Offensichtliche hinweisen zu müssen. »Die Fürsten können ihn zehnmal zum König erklären, er hat keinen einzigen Ritter mit Kriegsknechten, der diesen Worten auch Taten folgen lassen kann. Worte sind billig, und die Fürsten geben ihm bestimmt kein Geld, bis er sich bewiesen hat.«

Otto kehrte an den Tisch zurück und starrte erneut auf das Pergament. »Sie haben ihre eigenen Truppen, diese Verräter, außerdem ein paar französische, zusammen mit französischem Geld. Wie es scheint, hat der König von Frankreich beschlossen, er müsse dem Wunsch des Heiligen Vaters Folge leisten und der sogenannten *Gerechtigkeit*«, er spie das Wort beinahe aus, »zum Sieg verhelfen.«

»Aber wenn Ihr erst in Palermo einzieht, dann …«

»Ich werde nicht in Palermo einziehen! Nicht jetzt.«

»Was?«, fragte Diepold von Schweinspeunt fassungslos, alle Ehrerbietung vergessend.

»Ich werde heimkehren«, knurrte Otto, »und einen Haufen Herren an ihre Vasallenpflichten erinnern und daran, wer der einzig wahre König ist, der Erbe von Welfen und Staufern gleichermaßen. Sie werden mir alle mit Blut, Schweiß und erheblich mehr Steuern für diese Ungeheuerlichkeit bezahlen!«

»Mein Kaiser«, sagte Schweinspeunt verzweifelt, denn er konnte es nicht fassen, dass ein wegen seiner soldatischen Fähigkeiten berühmter Mann um seiner Rachsucht willen einen solchen Fehler machen würde, »das werden sie umso mehr, wenn Ihr als siegreicher Herr Siziliens wiederkehrt.« Hilfreich fügte er hinzu:

»Vor allem, wenn Ihr mit dem Zaunkönig so verfahrt wie einst Kaiser Heinrich mit dem letzten Normannen auf dem Thron. Lasst ihn entmannen und blenden, dann wird ihn auch der dümmste deutsche Fürst nicht mehr Euch vorziehen. Welch besseren Weg kann es geben?«

»Schweinspeunt, Ihr vergesst Euch! Seid Ihr hier der Herr, oder bin ich das? Ihr seid nur dazu da, um meine Befehle auszuführen, genau wie der Rest des Geschmeißes. Und wenn ich sage, wir kehren um, dann, bei Gott, kehren wir um!«

»Ihr seid der Herr«, bestätigte Diepold von Schweinspeunt bitter und war fest überzeugt, dass der Kaiser einen Fehler machte. Er konnte nur hoffen, dass es ein Fehler war, der die Rückeroberung Siziliens lediglich aufschob, statt sie unmöglich zu machen.

Mit einem jähen Stimmungsumschwung verzogen sich Ottos Lippen zu einem Grinsen, dem jedoch jeglicher Humor fehlte. »Betrachtet mich einfach als einen eifrigen Bräutigam, mein Freund. Es ist an der Zeit, um meine Ehe zu vollziehen. Wenn mein teures Weib erst einen Erben für mich in die Welt setzt, wird keiner von den alten Staufervasallen mehr in Versuchung kommen, auch nur in Gedanken mit Verrat zu spielen. Ich werde mein Haus bestellen, bei Gott, und es in einem Zustand zurücklassen, in dem es keiner mehr wagt, mir je wieder ein solches Messer in den Rücken zu jagen!«

* * *

Die Nachricht vom Nürnberger Fürstentreffen und der Wahl, an der nicht nur viele weltliche, sondern auch die meisten geistlichen Fürsten teilgenommen hatten, ließ die Residenz des Kanzlers in Speyer zum aufgescheuchten Bienenstock werden. Er musste sich sagen, dass Otto ihm nie glauben würde, dergleichen sei ohne sein Wissen vor sich gegangen.

»Entweder«, sagte Beatrix zu Judith, »mein Gemahl hält ihn für einen Verräter oder für unfähig. Schließlich muss eine solche Abstimmung lange vorbereitet worden sein. Um die Fürsten zu gewinnen, gleich zu wählen, hat es gewiss mehr als eines einzigen Briefes des Heiligen Vaters bedurft, und doch hat keiner etwas von Boten erzählt, geschweige denn vom Inhalt der Briefe, um eine Verschwörung in diesem Maßstab durchzuziehen.« Sie wirkte alles andere als kindlich, als sie Judith musterte. »Ich habe mir die Fürsten nennen lassen, die in Nürnberg für meinen Vetter Friedrich gestimmt haben. Und wisset, jeder Einzelne von ihnen gehörte zu denen, die ich auf meinem Kaiserinnenritt besucht habe.«

Judith wusste nicht, ob sie stolz auf den Verstand des Mädchens war oder beunruhigt und beschämt, weil es nun für Beatrix offenkundig sein musste, was da hinter ihrem Rücken vor sich gegangen war. Leugnen war sinnlos.

»So ist es, Euer Gnaden.«

»Ihr hättet es mir sagen sollen«, meinte Beatrix leise.

»Dann hätte ich Euch dazu ermutigt, Euren Gemahl und Euren Vormund zu hintergehen, und Ihr hättet sie entweder wissentlich belügen müssen, oder ich wäre aller Möglichkeit beraubt gewesen, das in die Wege zu leiten, was nun eingetreten ist.«

»Stattdessen«, gab das Mädchen heftig zurück, »habt Ihr mich behandelt wie ein dummes Kind. Ihr habt mich ausgenutzt.«

Es tat weh, das zuzugeben, doch es war der Preis, den man für Unwahrhaftigkeit bezahlen musste, das wusste sie nur zu gut aus eigener Erfahrung. »Ja«, sagte Judith und versuchte nicht, sich weiter zu rechtfertigen. Zu verharmlosen, was sie getan hatte, hieße Beatrix' Verstand zu beleidigen. Wenn das Mädchen klug genug war, sie zu durchschauen, dann war sie auch klug genug, um die Gründe für ihr Verhalten zu begreifen.

»Ich dachte, Ihr liebt mich«, sagte Beatrix. Ihre Lippen zitterten.

»Ich dachte … Nun, das war dumm von mir. Ihr habt Euch nur rächen wollen, nicht wahr? Deswegen seid Ihr bei mir geblieben. An mir hat Euch nie etwas gelegen.«

»Ich bin bei Euch geblieben, weil Ihr mir am Herzen liegt und weil ich es Eurer Mutter versprochen habe«, sagte Judith bestürzt. Es kostete sie einiges an Überwindung, aber sie war bereit, sich und auch Beatrix zu gestehen, dass sie eine Tochter für sie geworden war. Sie würde nie eigene Kinder haben, jetzt nicht mehr. Es war töricht, so für ein Fürstenkind zu empfinden; aber Beatrix, die schon immer Walthers Liebe zum Wort geteilt hatte und in den letzten Jahren auch Judiths zur Heilkunst, Beatrix, die Irenes Stolz, Mut und Lebhaftigkeit besaß, Beatrix war in allem das Kind, das sie nie haben würde. Judith öffnete den Mund, um das auszusprechen, doch Beatrix kam ihr zuvor.

»Nein. Ihr fühlt Euch schuldig, weil Ihr meine Mutter habt sterben lassen. Ihr hättet sie retten können, aber Ihr habt sie sterben lassen, so ist es doch! Lediglich das wolltet Ihr wiedergutmachen, deswegen seid Ihr zuerst bei mir geblieben, und dann war es nur noch die Rache an meinem Gemahl, die Euch bei mir gehalten hat! Aber Ihr könnt überhaupt nichts wiedergutmachen. Ihr habt mir meine Mutter genommen, nicht nur einmal, sondern zweimal!«

Jedes Wort war wie ein Schlag ins Gesicht. *Sie meint es nicht so,* versuchte Judith sich zu sagen, *sie ist nur verletzt und wütend, weil ich sie belogen habe, und so jung, da muss sie sich rächen.* Aber dergleichen verstandesgemäße Argumente halfen ihr nicht gegen das Gefühl, für ihre Lügen in Fetzen gerissen zu werden.

»Beatrix«, begann Judith, zu entsetzt, um noch auf den Rang des Mädchens zu achten.

»Wir wollen Euch nie wiedersehen, Magistra«, sagte die junge Kaiserin eisig. »Seid unbesorgt, Wir werden Euch nicht an Unseren Gemahl verraten, aber Wir wollen nicht, dass Ihr noch länger Unser Auge mit Eurer Gegenwart beleidigt. Nie wieder.«

Wenn Walther in Speyer gewesen wäre, hätte er wohl versucht, mit Beatrix zu sprechen, doch er befand sich in Wien, um einen möglichen Platz dort vorzubereiten, wenn Otto erst wieder im Lande war. Leopold von Österreich war nicht nur der Enkel einer Byzantinerin, sondern seit ein paar Jahren auch mit einer verheiratet, Irenes Base Theodora. Damit war es nicht unmöglich, dass er Beatrix im Fall einer Annullierung ihrer Ehe an seinem Hof aufnehmen würde, und er war reich und mächtig genug, dass Otto es sich nicht leisten konnte, ihn zu befehden, nicht, wenn er ohnehin genügend andere Sorgen hatte. Überdies hatten die Herzöge von Österreich nie mit den Welfen Freundschaft gehalten; Leopold schuldete Otto nicht das Geringste und war nur sein Verbündeter, solange Otto mit der letzten Stauferin verheiratet war. Wien war Walther und Judith daher als der beste Ort erschienen, um ihn Beatrix als neue Heimat vorzuschlagen, bis ihr Vetter, so Gott wollte, als nächster Herrscher fest im Sattel saß. Und auch, falls der junge Friedrich scheiterte.

Walther nachzureisen, war keine Lösung, denn dabei konnten sie einander leicht verfehlen, wenn er bereits auf dem Rückweg war. Überdies wollte Judith sich nicht zu weit von Speyer entfernen. Sie hoffte, dass Beatrix nur etwas Zeit brauchte, um sich zu beruhigen, und dann willens war, sie anzuhören. Außerdem war ihr Versprechen an Irene nicht mit einem Streit zu Ende. Wenn sie allerdings daran dachte, wie lange sie selbst gebraucht hatte, um Walther zu verzeihen oder auch nur wieder bereit zu sein, mit ihren Verwandten zu sprechen, dann hatte Judith wenig Hoffnung, dass es mit Beatrix' Zorn und Verletzung schnell vorbei sein würde.

Jedes Wort des Mädchens hallte in ihrem Kopf wider. *Aber versteh doch,* argumentierte Judith stumm, *es ging nicht nur um Rache, nicht nur das, was er mir angetan hatte, sondern um das, was er noch tun könnte, dir und Menschen im Reich, bei der Macht, die er nun hat!*

Sie schaute in den Bronzespiegel, der zu ihren Instrumenten als Ärztin gehörte, und kam sich wie die schlimmste Heuchlerin vor, denn sie wusste sehr wohl, dass die Sorge um alle anderen Menschen nicht genügt hätte, um sie vor Würzburg zum Handeln gegen Otto zu treiben. Eine einzige Nacht hatte alles verändert. Am Ende war sie nicht besser als Stefan, vielleicht sogar schlechter, denn der hatte nie aus eigener Verletzung heraus gehandelt.

Dieser Gedanke war es, der sie zu einer Entscheidung kommen ließ. Sie beschloss, nach Köln zu gehen, und schärfte Lucia ein, ihr umgehend einen Boten zu senden, wenn Beatrix bereit war, wieder mit ihr zu sprechen. Köln lag nahe genug, dass sie innerhalb weniger Tage nach Speyer zurückkehren konnte; außerdem gab es dort einiges, was sie zu tun hatte.

»Am Ende ist es vielleicht besser, wenn Ihr wegbleibt«, sagte Lucia. »Ich habe Euch gern, Magistra, das wisst Ihr. Aber die Imperatrice und ihre Schwestern, die sind wie meine Kinder.«

»Ich liebe sie ebenfalls«, sagte Judith mit tauben Lippen.

»Ja«, sagte Lucia und tippte ihr mit dem Finger auf die Stirn, »aber das, was da drin vorgeht, das ist immer wichtiger für Euch. Wie ein Mühlenrad ist Euer Verstand, immer zwei, drei Drehungen voraus, und Ihr hört immer mehr auf ihn als auf Euer Herz. Das ist nicht gut, wenn man ein Kind hat.« Sie seufzte. »Aber ich will Euch einen Boten senden, wenn sie ihre Meinung ändert, das verspreche ich.«

Judith nannte Lucia das Hospital, in dem sie zu erreichen sein würde, und schiffte sich dann nach Köln ein.

Ihre Vaterstadt und das Umland waren dabei, sich von den Wunden der letzten Kriege zu erholen; man merkte, dass seit Jahren keine Belagerung und keine Verwüstung mehr stattgefunden hatten. Diesmal war niemand bei ihr, den sie als Lockvogel zu Stefan schicken konnte, also drückte sie einem der Knechte seines Hauses eine Botschaft in die Hand und wartete am Grab ihrer Mutter auf dem jüdischen Friedhof. Sie hatte bereits den Stein, den sie aus Salerno mitgebracht hatte, hingelegt und die Gebete gesprochen, als Stefan auftauchte.

»Lass mich raten«, sagte er. »Du trägst Verrat im Herzen, und das bringt dich zu mir.«

»Ich trage Versöhnung im Herzen, und vielleicht gilt das Gleiche für dich«, entgegnete sie. »Oder nur die Kehrseite dieser Münze.«

Ihr Onkel musterte sie. »Es ist kein Fürsprecher, den du diesmal brauchst«, stellte er fest. »Wüsste ich es nicht besser, würde ich sagen, du brauchtest Absolution, aber im Gegensatz zu mir hast du nie die Taufe empfangen, die das möglich macht.«

»Glaubst du denn wirklich, dass ein christlicher Priester die Macht hat, dir zu vergeben?«, fragte Judith überrascht, denn sie hatte sein Christentum nie als mehr als eine Tünche gesehen.

»Ich glaube, dass wir alle jemanden brauchen, der uns vergibt«, entgegnete Stefan. »Und wenn Gott ein paar Münder benutzt, die ihre Berufung darin sehen, zu vergeben, wer bin ich, um diese Gabe zurückzuweisen, da ich doch ohnehin Abgaben an sie bezahle? Das ist ein guter Handel.«

»Du würdest nicht mit mir sprechen, wenn du glaubtest, dass sie dir vergeben könnten. Dabei möchte man meinen, dass alles gut für dich steht und liegt. Du hast den Kaiser, den du wolltest, Onkel, und die Vorteile für Köln. Sag mir – und ich frage das ohne Hohn oder Bitterkeit –, war es das alles wert?«

Zunächst schwieg er und legte selbst einen Stein auf das Grab ihrer Mutter. Dann drehte er sich ruckartig zu ihr um. Auf seinem Gesicht zeigte sich eine eigenartige Mischung aus Stolz und Zorn. »Warst du es?«, fragte er heftig. »Die Wahl in Nürnberg? Ich hätte es wissen müssen. Ich selbst hätte es nicht besser machen können. Nun beginnt der Krieg von neuem, König wider König. Sag mir, Nichte, ist es das wert?«

Anders als bei Beatrix' Vorwürfen, die ihr die Kehle zugeschnürt hatten, gab ihr sein Zorn die Freiheit, zu atmen.

»Der Krieg hat nie aufgehört, Onkel. Ein Mann an der Macht, der Unrecht im Blut hat, braucht keine Schlachtfelder, um Krieg zu führen. Er führt ihn gegen seine eigenen Untertanen, wenn er ihn nicht gegen Fremde führt, nur ist es ein Krieg, den ihr Männer nur allzu leicht überseht und entschuldigt. Aber frag die Frau des Bürgermeisters von Goslar. Frag die geprügelten Diener in jeder Residenz. Frag die Töchter von Breisach. Frag mich! Und frag all die Menschen südlich der Alpen, die nicht deine Sprache sprechen und deren Städte gerade ein weiteres Mal verwüstet wurden. Es war kein Frieden, den dein Kaiser brachte, nicht für eine Stunde seiner Herrschaft, und ihm ein Ende zu machen, das ist Gerechtigkeit.«

»Wir werden sehen, ob du mit deiner Antwort leben kannst«, sagte Stefan. Er legte ihr eine Hand auf die Schulter, so leicht und kurz, dass sie sich nicht die Mühe zu machen brauchte, sie abzuschütteln, ehe er sie wieder zurückzog und sich zum Gehen wandte. »So wie ich mit der meinen.«

* * *

Es war Anselm von Justingen, der die Gesandtschaft der deutschen Fürsten anführte, die Friedrich von Hohenstaufen die Krone anbieten sollte. Da sie über Wien reiste, fragte Walther ihn kurzerhand, ob er mitkommen könne.

»Ihr seid die Zunge des Reiches, Herr Walther. Gewiss, Ihr habt bisher für Otto gesungen, aber es müsste doch möglich sein, dass Ihr ein anderes Lied singt, ein besseres Lied«, sagte Justingen und stürzte sich in eine Aufzählung von Gründen, die für Friedrich und gegen Otto sprachen. »Und schließlich«, gestand er, »macht es sich einfach besser, wenn wir dem König sagen können, dass sein Volk nach ihm ruft, nicht nur die Fürsten, und ihm den Beweis gleich mitbringen.«

»Da Ihr ihn auffordern wollt, ein sicheres Königreich für einen Thron aufzugeben, auf dem derzeit noch ein anderer mit vielen Waffen und reichlich Geld sitzt, kann ich verstehen, warum Ihr noch mehr Überzeugungskraft braucht«, gab Walther unschuldig zurück. »Wie viel ist Euch die Stimme des Volkes denn wert?«

Es war ein Glück, dass Anselm von Justingen keine Ahnung von Walthers wirklichen Überzeugungen hatte, sonst wäre der Preis, zu dem er sich bequemte, erheblich geringer ausgefallen. Am Ende klopfte ihm Walther zufrieden auf den Rücken. Selbst, wenn man die Summe abzog, die er einem Boten nach Speyer würde bezahlen müssen, um Judith davon zu unterrichten, sie könne mit Beatrix, wenn nötig, nach Wien kommen, blieb noch genügend übrig, um ihn für ein halbes Jahr über die Runden zu bringen.

»Ich folge Euch mit Freuden, Herr Anselm.«

* * *

Judith gelang es, sich in einem der Hospize als Ärztin für Reisende und Bettler zu verdingen, was es ihr ermöglichte, in Köln zu leben, bis sie von Beatrix oder Walther hörte. Es tat gut, sich wieder um Patienten kümmern zu müssen, mit denen sie nichts verband als deren Krankheiten. Sie legte Verbände an, trug Salben auf, verabreichte Tränke; hin und wieder nahm sie sogar Eingriffe vor, wenn die Patienten wagemutig genug waren, um sie von einer Frau durchführen zu lassen, doch niemals empfand sie mehr dafür als die Befriedigung über eine gelungene Ausübung ihres Berufes. Dabei versuchten die Menschen durchaus, sie öfter in Gespräche einzubeziehen, die nichts mit ihren Krankheiten zu tun hatten.

»Hört, Frau Judith, was haltet Ihr von dem jungen Nikolaus?« Es war eigenartig, von allen wieder mit ihrem Namen in seiner wahren Form angesprochen zu werden, aber es war ein Entschluss gewesen, den sie gefällt hatte, als sie in Köln eintraf und sich bei der Stadtwache ausweisen musste.

»Er sollte lieber Schreiben und Lesen lernen, als sich im Predigen zu üben«, entgegnete sie. Der Junge, von dem die Rede war, tauchte in Köln seit ein paar Wochen an allen Ecken und Enden auf und machte die Prediger in den Kirchen nach, die zum Kreuzzug aufriefen, nur dass er die Ansicht vertrat, nur sündenlose Kinder könnten das Heilige Land befreien. Es war das Unsinnigste, was Judith je gehört hatte, doch das behielt sie für sich.

»Ich frage mich, was der Kaiser dazu sagen wird. Schließlich hat er ja selbst einen Kreuzzug gelobt bei seiner Krönung.«

»Vielleicht führt er ihn ja durch, um den Papst zurückzugewinnen«, gab Judith zurück, obwohl sie das nicht glaubte.

»Ganz gewiss nicht. Habt Ihr denn nicht davon gehört? Er ist wieder im Lande! Hat die Kaiserin zu sich gerufen nach Nordhausen, um nochmals mit ihr Hochzeit zu feiern, diesmal richtig, wenn Ihr versteht, was ich meine«, gab der Pilger zurück, dem sie den Knöchel verband, und zwinkerte ihr zu. Sie brauchte alle Selbstbeherrschung, derer sie fähig war, um mit dem Verbinden fortzufahren.

»Nach Nordhausen, wirklich? Was tut er dort?«

»Krieg gegen den Landgrafen von Thüringen führen, den Verräter.«

Ihr Erspartes genügte, um sich ein Pferd zu sichern, aber nicht für einen Leibwächter. Sie versuchte, ein weiteres ihrer Bücher zu verkaufen, ihren kostbaren Galen, aber die Medici in Köln, die in Frage kamen, besaßen alle schon ihre eigenen Abschriften oder konnten sich ihren Preis nicht leisten. Also schluckte sie ihren Stolz hinunter und ging zu ihrem Onkel.

»Das kann nicht dein Ernst sein«, sagte Paul. »Für wie dumm hältst du uns?«

All ihre klugen Lügen, ihre guten Argumente ließen Judith im Stich, jetzt, wo sie diese am dringendsten benötigte. »Ich kann sie nicht im Stich lassen«, flüsterte sie. Ihre Stimme war heiser, als hätte sie sich die Kehle wund geschrien. »Sie ist meine Tochter.«

»Was redest du für einen Unsinn, Base, du hast kein Kind!«

»Paul«, sagte ihr Onkel, der sie nicht aus den Augen gelassen hatte, »begleite Judith nach Nordhausen.«

»Aber …«

»Tu, was ich sage. Es ist richtig so.«

Wetter, Wind und Straßen waren zur Abwechslung ganz auf Judiths Seite, und es gelang ihr in fünf Tagen, das kaiserliche Lager bei Nordhausen zu erreichen. Diesmal machte sie sich nicht die Mühe, zu baden oder aus ihren verdreckten Kleidern zu schlüpfen, ehe sie nach der Kaiserin fragte. Sie hatte damit gerechnet, Paul als Bürgen zu benötigen, doch als die Nennung ihres Namens und Titels genügte, damit man sie sofort durchließ, beschlich sie ein sehr eigenartiges Gefühl.

»Der Kaiser hat befohlen, dass alle Ärzte sofort zur Kaiserin gebracht werden«, sagte der Wächter, mit dem sie zu tun hatte. »Er hat reiche Belohnung dem versprochen, der sie heilen kann.«

»Die Kaiserin ist krank?«, fragte Paul, da Judith stumm blieb. Der Mann nickte. »Und seit wann?«

»Genau weiß ich das auch nicht, aber gesehen hat sie keiner mehr außerhalb ihrer Kemenate seit der … äh … seit der Hochzeitsnacht vor zwanzig Tagen.«

Die Nacht in Würzburg, das Sterben von Richildis, der Anblick von Gilles und das Bewusstsein ihrer eigenen Verantwortung dabei, der Tod von Irene: Das alles war im unterschiedlichen Grad schrecklich für sie gewesen. Aber der Anblick von Beatrix auf ihrem Lager, der Geruch von altem und neuem Blut, weil sie von Ottos Feldarzt zur Ader gelassen wurde, den vielen Schnitten an ihrem Arm und den Fußknöcheln nach nicht zum ersten Mal, ihr eingefallenes, graues Gesicht und die unverwechselbaren Zeichen, die Judith darin las: Das war das Schlimmste.

»Hört sofort auf!«, fuhr sie den Feldscher an.

»Aber ihre Säfte müssen doch …«

»*Denus septenus vix phlebotonum petit annus!*« Judith musste sich zurückhalten, um ihn nicht zu erwürgen. »Vor dem Erreichen des achtzehnten Geburtstags darf man niemanden zur Ader lassen. Und selbst dann nicht bei vorherigem Blutverlust! Sie ist *vierzehn!*«

»Aber …«

»Wenn Ihr nicht sofort diesen Raum verlasst«, schrie sie, »dann werde ich dafür sorgen, dass man Euch wie ein Stück Vieh an einem Fleischhaken aufhängt.«

Etwas an ihr, ganz gleich, wie verstaubt und abgehetzt sie aussehen mochte, flößte ihm offenkundig Furcht ein, denn er floh.

Judith stürzte neben dem Lager auf die Knie.

»Magistra«, flüsterte Beatrix, »Magistra, seid Ihr das?«

Ihre Augen waren offen, aber sie huschten umher, als sei sie nicht mehr in der Lage, fest in eine Richtung zu schauen. Gelblicher getrockneter Speichel klebte an ihren Mundrändern.

»Ich bin es, mein Liebstes«, sagte Judith, mit der zärtlichen Stimme, die sie nie einem Kind geschenkt hatte, ohne sich weiter von irgendetwas zurückhalten zu lassen.

»Es tut mir leid, dass ich Euch weggeschickt habe. Ihr … ich wusste es nicht. Ihr hattet recht.« Ihre Finger, kalt und klamm nach den zahlreichen Aderlässen, tasteten nach Judiths. »Es hat so weh getan, Magistra«, sagte Beatrix mit erstickter Stimme. »Und dann habe ich geblutet. Er hat gesagt, das wäre immer so, aber es hat nicht mehr aufgehört, und der Feldscher hat gemeint, die Weiber von Salerno wüssten nichts, als ich ihm verboten habe, mich zur Ader zu lassen.«

Judith musste die Decke nicht zurückschlagen, um den Rest zu sehen: schwärende Wunden, Dammbruch, Blutvergiftung.

»Er wird dich nie wieder anfassen«, sagte sie. Beatrix hielt ihre Hand mit der Stärke, zu der sie noch imstande war.

»Doch, das wird er«, gab sie zurück, und sie wussten beide, dass Beatrix nicht von dem Feldscher sprach. »Wieder und wieder und wieder.«

Als ein Schatten über sie fiel, nahm Judith an, dass es sich um den Feldscher handelte, drehte sich nicht um und sagte: »Bei dem Fleischerhaken bleibt es nicht. Ich werde auch dafür sorgen, dass sie Euch die Eingeweide bei lebendigem Leib herausreißen.«

Der Schatten blieb und rührte sich nicht. Judith wandte den Kopf und sah, dass es Otto war. Auch auf seinem Gesicht waren die Anzeichen unverkennbar. Zum ersten Mal, seit sie ihm in einem anderen Leben am österreichischen Hof begegnet war, stand dort reine Angst geschrieben. »Ihr könnt sie heilen, nicht wahr?«

Die Hand des Mädchens in der ihren zuckte zusammen. »Macht, dass er weggeht«, sagte Beatrix und wirkte von Wort zu Wort jünger. »Bitte macht, dass er weggeht.«

»Himmelherrgott noch mal, niemand stirbt an so etwas«, stieß Otto hervor.

Wie aus weiter Ferne hörte sich Judith sagen: »Verschwindet.«

»Niemand stirbt daran«, wiederholte er. »Hört, ich werde wirklich gut bezahlen, wenn sie am Leben bleibt. Verdammt, ich werde mich sogar entschuldigen. Bei ihr. Bei – sogar bei Euch, wenn es sein muss. Aber bringt mir das Mädchen wieder auf die Beine! Ich brauche sie.«

Natürlich tat er das. Schließlich war sie das Unterpfand seines Anspruchs auf Sizilien und auf die Treue der alten Stauferanhänger. Gott bewahre, dass ein so kostbares Staatssiegel Schaden nahm, nur weil Otto ein wenig grob damit umgegangen war. Mehr war sie für ihn nicht.

»Es ist so dunkel«, murmelte Beatrix, obwohl es helllichter Tag war und das Zimmer, in dem man sie untergebracht hatte, ein Fenster besaß. Dann krampfte sich ihre Hand in der von Judith zusammen – und erschlaffte.

Judith legte ihren Kopf auf die Brust des Mädchens und weinte. Otto schrie und brüllte irgendetwas, Drohungen oder Versprechungen, sie wusste es nicht; längst schon hörte sie ihn nicht mehr.

KAPITEL 46

Der Brennerpass kam für die kleine Gruppe aus Sizilianern und Deutschen, die einen König einschloss, nicht in Frage, weil er von den Andechs-Meraniern kontrolliert wurde. »Die würden alles tun, um nicht wieder einen Staufer auf dem Thron zu sehen«, bemerkte Anselm von Justingen. »Das schlechte Gewissen, Ihr versteht.«

Das hieß, dass die Reise erst nach Westen über das Engadin gehen musste, und auch dies war nicht ungefährlich, denn dabei mussten sie mailändisches Herrschaftsgebiet durchqueren. Die Mailänder hatten Friedrichs Großvater Barbarossa nie die Verwüstung ihrer Stadt verziehen. Sie waren die Ersten gewesen, die sich im Süden auf Ottos Seite geschlagen hatten, und blieben ihm auch jetzt treu. Es kam, wie es kommen musste: Bevor die kleine Gruppe den Fluss Lambro überquerte, um das staufisch gesinnte Cremona zu erreichen, legte sie eine Rast ein. Doch kaum waren die Pferde abgesattelt, tauchten Mailänder Truppen auf. »Mein König«, sagte Justingen bleich, »ich glaube nicht, dass wir sie besiegen können.«

»Ich glaube nicht, dass wir es versuchen sollten«, fiel Walther ein.

»Das hätte ich mir ja denken können, dass Ihr Euern Mantel schon wieder nach dem Wind hängt!«, gab Justingen giftig zurück. »Habe ich Euch etwa nicht genug bezahlt, Herr Wetterhahn?«

Friedrich, der Walther nicht aus den Augen ließ, hob die Hand. »Was mich betrifft, ich war immer der Ansicht, dass man von Vögeln nur lernen kann. Lasst Herrn Walther reden.«

»Euer Gnaden, es mag nicht sehr ehrenhaft sein, aber wenn man sich einer Übermacht gegenübersieht, dann flieht man eben. Die Mailänder werden erwarten, dass Ihr Euch zum Kampf stellt, weil Könige das zu tun pflegen und weil Ihr die Ehre Eures Großvaters zu verteidigen habt. Doch der Thron Eures Großvaters ist wichtiger. Lasst die Mailänder einfach Mailänder sein und uns, ohne einen Moment zu verlieren, den Fluss durchqueren, auch wenn die Pferde dabei schwimmen müssen.«

»Aber so etwas täten nur niedrig geborene Feiglinge, und außerdem sind noch nicht einmal alle Pferde gesattelt«, murrte Justingen.

»Niedrig geborene Feiglinge bleiben am Leben«, entschied Friedrich, schwang sich auf ein ungesatteltes Pferd und trieb es mit den Knien in den Fluss, während ihm der Rest des Trupps hastig und ähnlich würdelos an der Mähne ihrer Gäule hängend folgte. Ein besonderes Bild gab dabei Walther ab: Er hielt krampfhaft ein Paket hoch, das er nicht nass werden lassen wollte, sein Geschenk für Judith. Mit Friedrichs Unterstützung hatte er in Sizilien ein Buch von Mosche ben Maimon kaufen können, obwohl er dafür all sein Geld ausgeben musste, aber das war es ihm wert gewesen. Dieses Buch heil und unversehrt zu Judith zu bringen, das war nun sein größtes Anliegen.

Am Ende standen sie triefend, aber sicher am anderen Ufer, im Herrschaftsbereich von Cremona, während die mit schweren Rüstungen ausgestatteten Mailänder auf ihrer Seite des Flusses bleiben mussten. »Hast dir im Lambro die Hosen gewaschen, Zaunkönig, wie?«, höhnten sie über den Fluss.

»Damit ich für meine Krönung gut aussehe!«, rief er zurück, in der breitesten Volgare Siziliens. Die Deutschen im Trupp blickten verständnislos drein; die Sizilianer grinsten.

Friedrich hatte seit ihrem Aufbruch von Sizilien begonnen, bei Walther Deutsch zu lernen. Da er sowohl über ein hervorragendes Gedächtnis als auch über ein musikalisches Gehör verfügte, lernte er rasch. Außerdem argwöhnte Walther, dass der König in seiner Kindheit doch mehr von dem, was die Herren Schweinspeunt und Annweiler gesagt hatten, verstanden haben musste. In jedem Fall stellte er fest, dass er die Unterrichtsstunden in Bürgerhäusern, Hospizen und an nächtlichen Lagerfeuern sehr genoss. Er konnte es nicht lassen und baute eine der Lektionen um ein neues Lied.

Nach Ottos Körpergröße sein mildes Herz zu messen,
Misslang mir, weil ich da das rechte Maß vergessen:
Wär er so gut als groß, viel Ruhm hätt er besessen.
Nun maß ich seinen Leib aufs Neu nach seiner Ehre,
Da war er viel zu klein, wie ein verschnittnes Werk,
An Edelmut schien er noch kleiner als ein Zwerg,
Und ist so alt, dass sich sein Wachstum kaum noch mehre!
Doch als ich Friedrich maß, wie groß er mir erschien,
Milde und Größe war dem jungen Herrn verliehn,
Er wächst – und riesengleich schon überragt er ihn!

»Mir scheint, Ihr Deutschen habt da eindeutig ein Lieblingswort«, sagte Friedrich. »*Milde*. Nur dachte ich früher, das bedeute *gnadenreiche Gesinnung*, aber wenn es nach Euren Liedern geht, dann läuft es auf *Gesinnung, die sich durch klingende Münze zeigt* hinaus.«

»Gibt es eine bessere Art, Gnade zu zeigen, Euer Gnaden?«, parierte Walther. Friedrich lachte.

»Aber ich habe derzeit gar kein Geld. Zumindest kein eigenes. Es sind alles Anleihen des Königs von Frankreich.«

»Mit fremder Herrscher Geld kann man erst recht milde sein, mein König.«

»Wohl wahr. Und Ihr, Herr Nachtigall, wollt Ihr auch fremder Herrscher Geld für Eure Stunden?«

»Ich bin ein deutscher Sänger«, erwiderte Walther mit gespielter Empörung. »Ich will etwas rein Deutsches … und es gibt nichts Deutscheres als ein deutsches Lehen.«

»Also, Herr Walther, Ihr könnt doch unmöglich Grund und Boden für Eure Frechheiten erwarten!«, donnerte Anselm von Justingen.

»Wir werden sehen«, sagte Friedrich. »Wir werden sehen.«

Walther lehnte sich in seinem Mantel zurück, aus dem er sein Lager bereitet hatte, schaute zum südlichen Sommerhimmel empor und fragte sich, was Judith jetzt wohl gerade tat.

***

»Ich werde Euch für ihren Tod bestrafen«, sagte Otto. »Hängen oder brennen lassen. Sie ist erst gestorben, als Ihr gekommen seid. Hexe!«

Die Magistra beachtete ihn nicht. Sie hatte sich ihr Gewand angerissen, Staub über ihr Haupt gestreut und bewegte ihren Oberkörper vorwärts und zurück, während sie ein Gebet für Beatrix sprach, die Tochter Irenes und Philipps, Königin und Kaiserin des Heiligen Römischen Reiches.

Ottos Drohung war nur noch in einem matten Echo seiner früheren Zornesausbrüche gesprochen gewesen. Da sie kein Anzeichen gab, diese überhaupt gehört zu haben, versickerten seine Flüche in der Stille des Raumes und dem Gemurmel in einer Sprache, die er nicht verstand.

Er ertappte sich dabei, wie er sich gegen die Wand lehnte. Aus irgendwelchen Gründen waren seine Knie weich. »Ich habe das nicht gewollt«, sagte er. Das hatte er wirklich nicht. Wer konnte denn ahnen, dass die kleine Stauferin sich als so zerbrechlich erweisen würde? Ihre Mutter war doch auch kein Kind von Traurigkeit gewesen. Der Art nach zu urteilen, wie sie ständig schwanger geworden war, musste die Byzantinerin es bei jeder sich nur bietenden Gelegenheit mit Philipp getrieben haben. Und Philipp, nun, der war zwar ein mönchischer Weichling gewesen, aber von bester Gesundheit; ohne das hilfreiche Schwert des Wittelsbachers hätte er sechzig Jahre alt werden können, oder vielleicht sogar achtzig. Wer konnte ahnen, dass sich beider Spross als so zimperlich herausstellte wie eine Frühlingsblume, die schon bei der geringsten Berührung einging?

Er wusste, was man sagen würde. Bei einer Braut, die das Ehebett nur ganze zwanzig Tage überlebte, musste es zwangsläufig Getuschel geben. Aber gewiss konnte doch kein Mensch glauben, dass er es gewollt hatte. Im Gegenteil! Niemand wäre so glücklich über ein langes und fruchtbares Weiterleben des verwünschten staufischen Görs gewesen wie er!

Zuerst hatte er verboten, dass irgendjemand das Sterbezimmer betrat. Hatte versucht, den Tod des Mädchens geheim zu halten. Aber der verwünschte Pfeffersack, mit dem die Ärztin in sein

Lager gekommen war, hatte das verdammte Gebrabbel der Magistra wohl vom Vorzimmer aus verstanden und richtig gedeutet. Seither machte die Geschichte vom Tod der jungen Kaiserin in Nordhausen wie ein Lauffeuer die Runde.

Der Magistra die Schuld zu geben, war Ottos nächste Überlegung, aber erstens war sie erst wenige Augenblicke vor dem Tod von Beatrix erschienen, und zu viele Menschen wussten, dass das Mädchen gleich nach der Hochzeitsnacht krank geworden war. Zweitens gab es noch immer etwas an der Frau, das sie zu mehr als einer austauschbaren Schachfigur machte. Er wusste selbst nicht, was es war. Schließlich hatte er sie gehabt, und das gründlich. Gut war sie nicht gewesen. Hatte nur getan, was er befahl. Wie eine leblose Puppe, deren Glieder man verbiegen musste. Es war also nicht so, dass er sich eine Wiederholung wünschte. Aber er wollte das verdammte Gefühl loswerden, in ihren Augen nicht mehr als eine Seuche zu sein. Er wollte, dass sie ihn wenigstens fürchtete und respektierte. War das etwa zu viel verlangt? Er war der Kaiser des Heiligen Römischen Reiches, und diese Würde war ihm nicht in den Schoß gefallen! Er hatte hart darum gekämpft, viele Jahre lang. Hatte seine Jugend dafür geopfert. Hatte erleben müssen, wie sich sein eigener Bruder gegen ihn wandte, wie die verfluchten Pfaffen von ihm abfielen, gerade, als er sie brauchte, und wie die deutschen Fürsten, statt dankbar zu sein, dass sie endlich von einem echten, würdigen Mann regiert wurden, bei der ersten Gelegenheit einen kleinen unerprobten Kläffer wählten, der noch halb in den Windeln steckte.

Otto verstand immer noch nicht, wie es dazu hatte kommen können. An einem Tag war er auf der Höhe seines Glücks gewesen, frei von Gegnern, gekrönt vom Papst, reich an Untertanen und Gold, und im nächsten war ihm alles zwischen den Fingern zerronnen.

Natürlich würde er mit dem Jungen fertig werden. Spielend. Und wenn auch Beatrix tot war, so würde er eben wieder heiraten, eine neue Kaiserin an seiner Seite haben, die ihm Erben und wichtige Verbündete schenken konnte. Da gab es die jüngeren Schwestern, gewiss, aber erstens brauchte er dazu einen Dispens vom Papst, den er jetzt bestimmt nicht bekommen konnte, denn sie waren als Beatrix' Schwestern dem Kirchenrecht nach auch die seinen, und zweitens war keine von denen bereits mannbar, aber er brauchte rasch einen Erben, schon, weil der Welpe aus Sizilien sich bereits vermehrt hatte.

Die Brabanterin fiel ihm ein, die Kindsbraut von einst, die ihm von ebenjener Magistra vergällt und entfremdet worden war. Marie von Brabant war inzwischen erwachsen – und immer noch unverheiratet. Ihre Mitgift war auch noch stattlich. Er glaubte nicht, dass Hans von Brabant es immer noch wagen würde, sich zu zieren, wenn Otto auf das alte Verlöbnis pochte. Ja, das war es! Er würde Marie heiraten, und bald würde diese unsägliche Peinlichkeit mit Beatrix vergessen sein.

In der Nacht nahm Otto sich eine Nordhausener Hure, aber seine Männlichkeit versagte ihm den Dienst. Er konnte machen, was er wollte, Otto sah immer nur das blutende Gör vor sich und hörte ihre erbärmlichen Schreie, die ihm jede Lust nahmen. Wütend schlug er die Dirne und schickte sie fort. Als Nächstes ließ er sich die Ärztin kommen und riss ihr die Kleider vom Leib. Aber auch bei ihr regte sich nichts, im Gegenteil. Er hatte das Gefühl, wenn sie ihn nur anschaute, würde sein sonst so stolzer Dorn immer kleiner werden und von ihm abfallen.

»Hört mir gut zu«, sagte er, »ich bin der Kaiser, ich muss einen Erben zeugen. Ihr Weiber aus Salerno seid doch erfahren in solchen Dingen. Gebt mir ein Mittel, um mich wieder zum Mann zu machen.«

»Selbst der größte Arzt, der je gelebt hat«, entgegnete sie ruhig, »könnte Euch nichts wiedergeben, was Ihr nie besessen habt. Ihr wart nie ein Mann, Otto, und Ihr werdet nie einer sein.«

Ehe er es sich versah, schlug er sie, mit der Faust, und erst, als sie ihn trotz ihrer blutenden Unterlippe unverändert ruhig anschaute, wurde er sich bewusst, was er gerade getan hatte. Mit der offenen Hand schlug man Frauen, Kinder und Dienstboten; Fausthiebe gab es nur unter gleichrangigen Männern.

»Soll das ein Fluch sein?«, fragte er drohend, um wieder die

Oberhand zu gewinnen und ihr zu bedeuten, dass er sie ganz und gar nicht als ebenbürtig empfand. Er konnte sie immer noch verbrennen lassen.

Sie schüttelte den Kopf.

Er versuchte es erneut, nun auf eine sanftere Weise. »Es tut mir ja wirklich leid um das Kind, aber ich will sie nicht jedes Mal vor Augen haben, wenn ich mir eine Frau nehme, das versteht Ihr doch gewiss.«

Endlich kehrte wieder Leben in ihre Züge zurück, und er erinnerte sich daran, warum sie ihn überhaupt einmal gereizt hatte, von ihrer unverschämten Andersartigkeit einmal abgesehen.

»Wenn Ihr sie dabei vor Augen habt, dann besteht noch Hoffnung für Euch.«

»Wenn ich bereue«, fragte Otto, »wenn ich öffentlich bereue, wie es einst mein Großvater getan hat, wird dann wieder alles beim Alten sein?«

Die Magistra betrachtete ihn von oben bis unten, und wieder fühlte er sich wie ein Nichts. Gemessen daran, dass er ihr die Kleider heruntergerissen hatte, während er noch sein üppig besticktes Obergewand trug und sie sich beide in seiner Residenz, inmitten seiner Männer, in seinem Gemach befanden, war das einfach nicht zu begreifen.

»Wenn Ihr Euch in Todesqualen windet«, sagte sie, und jedes Wort war präzise gesetzt wie ein Dolch, »und Euch dabei von Euren Priestern auspeitschen lasst, dann wird Euch Gott vielleicht die Hölle ersparen.«

Er warf sie hinaus, aber sosehr er sich auch mühte, mit Wein, mehr Frauen, bei denen seine Männlichkeit ebenfalls versagte, noch mehr Wein, er wusste, dass er ihre Worte nie mehr vergessen würde.

* * *

In der ersten Stadt, die sie nach der Überquerung der Alpen erreichten, wurden Friedrich und sein Gefolge gastfreundlich aufgenommen; Chur gehörte bereits zum alten Herzogtum der

Staufer, zu Schwaben, und war deshalb kein echter Prüfstein. Die Stadt, auf welche es ankam, war die nächste, Konstanz am Bodensee. Von dort erhielten sie schlechte Nachrichten: Otto hatte inzwischen erfahren, welchen Weg Friedrich ins Reich nahm, und war mit einem kleinen Heer in Eilmärschen aufgebrochen. Auf den Hügeln des nördlichen Bodenseeufers konnte man bereits die Fahnen erkennen. Bei der Aussicht, zwischen Ottos gut gerüsteten Truppen und einem Haufen abgerissener Reisender ohne Waffen zu wählen, entschied sich Konstanz für den Welfen, der bereits seine Quartiermacher vorausgeschickt hatte, damit sie ihm für seinen Empfang in der Stadt das Festmahl bereiteten.

»Das ist ein Unglück«, sagte Anselm von Justingen düster. »Wenn wir uns nach Chur zurückziehen müssen, dann werdet Ihr so schnell nicht wieder bei deutschen Fürsten willkommen sein, Euer Gnaden.«

»Was genau hat der Bischof von Konstanz gesagt?«, forschte Walther.

»Er hat ausrichten lassen, er würde die Tore der Stadt nur dem rechtmäßigen Kaiser öffnen.«

»Ich verstehe seine Verwirrung«, meinte Friedrich, »aber nach den letzten Nachrichten aus Rom bin das derzeit ich.«

Walther schaute über den See und bildete sich ein, bereits Boote ausmachen zu können. »Vielleicht sollte man den guten Bischof daran erinnern.«

»Dann ergreift Ihr das Wort, Herr Walther!«, höhnte der Justinger.

»Wir brauchen das gewaltigste Wort auf Erden, nicht mehr, aber auch nicht weniger. Und das kommt vom Papst, wie Ihr sicher versteht«, gab Walther zurück.

Der päpstliche Legat, der Friedrich seit Rom begleitete, Berard von Bari, trat vor das Stadttor und verlas mit seiner mächtigen Stimme, die kanzelgeübt war, das gesamte Bann- und Absetzungsdekret wider Otto. Walther reckte ständig den Kopf und blickte auf den Bodensee. Allmählich holte er sich einen schiefen Hals, aber er konnte nicht anders.

»Daher«, schloss der Legat, »steht der einzig wahre Kaiser und König des Heiligen Römischen Reiches vor Euren Toren und begehrt Einlass!« Einen endlosen Moment lang schallte ihnen nichts als ein Echo von den Stadtmauern zurück. Dann knirschte es –

– und das Stadttor tat sich auf!

»Die Macht des Wortes«, sagte Friedrich zu Walther, »hat etwas Wunderbares.«

»Es kommt immer darauf an, wer diese Worte spricht, mein Kaiser.«

Da die Stadt für einen Empfang Ottos gerüstet gewesen war, standen in den Straßen bereits Bürger mit Blumen zum Jubeln bereit. Dass nun ein anderer Kaiser auftauchte, verwirrte sie, aber der junge Mann mit den roten Haaren lächelte gewinnend, und bald rief ein älterer Mann gerührt, er gliche seinem Großvater, dem Kaiser Rotbart. Sein noch älterer und offensichtlich schwerhörige Freund sagte zänkisch, es sei unmöglich, dass Barbarossa zurückgekehrt sei, der sei im Heidenland ertrunken.

»Nicht der alte Kaiser!«, schrie der Nebenmann. »Sein Enkel! Das Kind aus Apulien!«

»Lang lebe das Kind aus Apulien!«, griff eine Frau den Satz auf. Der zaghafte Jubel wurde schnell lauter. Friedrich lächelte und winkte weiter, doch erst, als sie bei der bischöflichen Residenz angekommen waren, sagte er mit gesenkter Stimme zu Walther: »Herr Nachtigall, mir scheint, das ist eine weitere Lektion. Nur eine Stunde früher waren sie bereit, Otto zuzujubeln, und nun jubeln sie für mich. Morgen mögen sie jemand anderen feiern. Besser, man verlässt sich nur auf sich selbst.«

Der Festschmaus, der für Otto angerichtet worden war, schmeckte vorzüglich, doch als Walther sich die Mühe machte, mit einem neben ihm sitzenden Vikar zu schwatzen, stellte sich dieser als ein Begleiter von Ottos Quartiermeister heraus, der die gute Gelegenheit genutzt hatte, in der Stadt zu bleiben. Was Walther hörte, führte dazu, dass ihm der Bissen in der Kehle stecken blieb.

»Ganz ehrlich, ich bin froh, von ihm wegzukommen«, sagte der

Mann. »Seit die kleine Kaiserin gestorben ist, kann man es Herrn Otto mit nichts mehr recht machen.«

»Die Kaiserin ist tot?«

»Nach drei Wochen Eheleben mit Herrn Otto«, bestätigte der Vikar bedeutsam.

Beatrix, dachte Walther. Das Bedürfnis, zu schreien, war so groß, dass er sich entschuldigte und die Festgäste zurückließ, um auf die Stadtmauern zu klettern und seine Wut in den Wind zu brüllen. Er erinnerte sich daran, wie er das Mädchen in den Bamberger Straßen gefunden hatte, mit keinen größeren Sorgen als denen, eine Bratwurst zu ergattern. Sie hatte eine mörderische Verschwörung wider ihren Vater überlebt, aber nicht Otto, ihren Ehemann. Nein, nicht diesen.

Das hätte nie geschehen dürfen. Er hätte von Wien aus nach Speyer zurückkehren sollen, um mit ihr und Judith zu fliehen, ganz gleich, was sonst geschah.

Judith! Es überlief ihn kalt. Was in ihr vorgehen mochte, konnte er sich nur allzu gut vorstellen. Befand sie sich in Ottos Händen? Unmöglich, dass sie Beatrix alleine hatte sterben lassen.

Jener Morgen in Würzburg stand Walther in brennenden Farben vor Augen, und seine Ohnmacht damals. *Nicht noch einmal*, das schwor er sich. Er musste einen Weg finden, um Judith zu befreien!

Ottos Boote mit seinen Kriegsknechten und der Ausrüstung hatten inzwischen das Konstanzer Ufer erreicht. Man hatte begonnen, Zelte aufzurichten, und ein kleines Meer von Menschen ergoss sich vor die Stadtmauern, einschließlich eines Herolds, der lauthals rief, der Kaiser begehre Einlass.

»Der Kaiser speist bereits bei uns zu Tisch«, rief ein Stadtwächter hinunter, der offenbar kein glühender Weltenanhänger war. »Das könnt Ihr dem Grafen Otto von Poitou bestellen!«

Immer noch entluden sich Soldaten aus den Booten. »Was, wenn er uns belagert und aushungert?«, fragte ein zweiter Stadtwächter beunruhigt, der neben Walther auf den Zinnen stand.

Walther kam ein Gedanke.

»Lasst mich vor die Stadttore treten, ehe alle Soldaten da unten ihre Befehle erhalten«, sagte er rasch. »Wenn man Herrn Otto den Abschied versüßt, zieht er vielleicht ab, um sich andernorts die Wunden zu lecken, und lässt Eure Stadt in Ruhe. Aber das müsst Ihr jemandem überlassen, der sich auf schöne Worte versteht.«

»Und das seid Ihr?«, fragte der Wächter misstrauisch.

»Kein anderer«, bestätigte Walther so unbekümmert wie möglich. »Habt Ihr nicht gehört, wie Kaiser Friedrich mich nennt? Ich bin eine Nachtigall.«

Eine kleine Nebenpforte wurde einen Spaltbreit geöffnet und sofort wieder hinter Walther geschlossen. Den grimmigen Mienen von Ottos Leuten nach zu urteilen, waren sie nicht gnädig gestimmt, und das wohl nicht nur deswegen, weil ihnen die Mägen knurrten.

»Ich habe eine Nachricht für den Kaiser«, sagte Walther.

»Ich kenne Euch doch«, gab einer der Soldaten zurück. »Seid Ihr nicht der Sänger, dieser Vogelweidenmensch, der die Sprüche wider den Papst macht? Was tut Ihr denn beim Pfaffenkönig?«

Walther zwinkerte ihm zu; nie war ihm eine unbeschwerte Miene schwerer gefallen, aber Judiths Leben konnte davon abhängen.

»Das, mein Freund, geht nur mich und den Kaiser etwas an.«

Der Soldat machte ein pfiffiges Gesicht. »Ich verstehe«, sagte er und führte Walther zum größten Zelt an der Anlegestelle, wo in einem Prunkgewand, das für einen festlichen Empfang genau das rechte war, Otto wartete.

»Herr Kaiser«, sagte Walther und kniete in aller Ehrfurcht vor ihm nieder, »ich bin Gottes Bote.«

»Für das Lied habe ich schon bezahlt, wie ich mich erinnere«, knurrte Otto. »Was zum Teufel tut Ihr hier in Konstanz?«

»Was tut ein wahrer Diener seines Herrn an jedem Ort der Welt? Ihm dienen. Vorausschauend dienen, nicht erst immer zu spät kommen, um seinen Herren noch zu nutzen. Euer Gnaden, ich war hier, um zu Eurem Empfang zu singen und zu spielen, weil die Bürger von Konstanz sich das als angenehme Überraschung für Euch dachten. Als auf einmal der Pfaffenkönig auftauchte, hätte ich die Stadt verlassen können, aber ich dachte mir, ich packe die Gelegenheit beim Schopf und bleibe. Ich habe für ihn gesungen, und er war so angetan, dass er mir eine Stelle in seinem Gefolge angeboten hat …«

»Und das wagt Ihr mir zu sagen, Ihr undankbarer Verräter?«

»… die ich angenommen habe, um für Euch ein Auge auf ihn halten zu können, mein Kaiser«, erwiderte Walther unbeirrt und ignorierte den Schweiß, der ihm den Rücken hinunterrann. »Wer achtet schon auf einen Sänger? Ich werde alles über seine Pläne herausfinden und Euch dazu benachrichtigen können, noch ehe er sie in die Tat umsetzen kann. Ihr werdet sehen, in wenigen Wochen ist der Zaunkönig in Euren Händen, und ich werde derjenige sein, der ihn Euch ausliefert.«

Otto runzelte die Stirn, aber er sagte nichts. Dafür bemerkte einer seiner Gefolgsleute, der Walther nie besonders gemocht hatte, der elende Verräter wolle nur seinen Verrat entschuldigen, damit es ihm nicht an den Kragen ginge.

»Wenn ich um meinen Hals Sorgen hätte, dann wäre ich jetzt immer noch auf dem Festmahl, und Ihr, mein Kaiser, hättet nie erfahren, dass ich überhaupt in Konstanz bin«, sagte Walther sachlich. »Stattdessen stehe ich hier vor Euch. Welchen anderen Grund kann ich haben, als Euch dienen zu wollen? Und ganz offen, es wäre sehr dumm von mir, dem Pfaffenkönig nachzulaufen. Er hat kein Geld, hat noch nie einen einzigen Schwertschlag getan und wird zweifellos mit eingezogenem Schwanz davonrennen, sobald er diese uneinnehmbare Stadt mit ihren hohen Mauern verlassen muss. Euer Gnaden, wann hätte ich je auf einen Verlierer gesetzt?«

Glaub mir, fügte er in Gedanken beschwörend hinzu, *glaub mir, glaub mir, glaub mir!*

Durch Ottos Körper ging ein Ruck. Er stand ein wenig entspannter da, seine Stirn glättete sich. »Da ist etwas dran«, sagte er. »Nun gut. Bleibt also in Konstanz und habt ein Auge auf den Pfaffenkönig für mich. Was für Lieder habt Ihr denn für ihn gesungen?«, fragte Otto nun deutlich wärmer. »Liebeslieder, wie? Der Bengel ist ja in dem Alter, wo er einem ständig steht, und von Euren Liedern gegen seinen werten Vormund in Rom hat er nichts.«

»Ihr habt ihn durchschaut, mein Kaiser. Er hat in der Tat Liebeslieder verlangt.«

»Dann wäre es doch nur passend«, sagte Otto gönnerhaft, mit dem alten, hinterlistigen Unterton, der verriet, dass er dabei war, einen seiner demütigenden Scherze zu machen, »wenn er die Muse Eurer Lieder kennenlernen würde. Ich habe die Giftmischerin dabei, vielleicht kann sie ihm ja etwas in einen Becher tun? Es sollte Euer Schaden nicht sein!« Er lächelte böse. »Aber beschwert Euch nicht, wenn er enttäuscht ist. Ich schleppe das Weib seit Nordhausen in meinem Tross herum, weil sie mir den Feldscher verscheucht hat mit ihrem Gerede.«

»Die Magistra ist bei Euch?«, rief Walther und zeigte ein Gefühl, das er nicht zu spielen brauchte, höchstens herunterspielen: Betroffenheit und Überraschung, die so überzeugend einhergingen wie selten etwas in seinem Leben.

»Nicht mehr lange«, gab Otto zurück. »Wenn sie überleben will, dann soll sie beweisen, was sie kann. Ihr haftet mir dafür. Mag sie nun Euch das Leben versauern – ich will sie nicht mehr sehen, das widerwärtige Weib.« Er schnipste mit den Fingern und bedeutete zwei seiner Soldaten, die Magistra zu holen.

Sie trug einen alten Kittel und keine Haube, als Walther sie erblickte. Ihr rotes Haar, das wieder seine alte Länge erreicht hatte, war nur durch ein Stoffband zurückgehalten und hatte ein paar graue Strähnen mehr. Statt ordentlicher Schuhe ließ Otto sie abgelaufene Sandalen tragen. Nur ein Armesünderhemd wäre ärmlicher gewesen, doch sie ging kerzengerade, mit hocherhobenem Kopf. In seinem ganzen Leben hatte Walther noch nichts Schöneres gesehen.

»Magistra«, sagte Otto, »Euer alter Verehrer ist hier. Er hat einen Auftrag von mir, und Ihr sollt ihm dabei helfen. Wenn Ihr keinen Erfolg habt, dann werdet Ihr beide auf der Straße betteln und vergessen sein, während man die Taten von Otto dem Vierten für die Geschichtsbücher verzeichnet. Gehabt Euch wohl!«

Walther tat, was er noch nie getan hatte, während alles in ihm sang: Er machte eine höfische Verbeugung vor Judith und bot ihr seinen Arm, wie es ein Ritter tat. »Meine Dame, wenn Ihr mir die Ehre erweisen wollt, mich nach Konstanz zu begleiten?«

»Es wird mir eine Freude sein, mein Herr«, erwiderte sie mit unendlich müder Stimme, aber ihre Mundwinkel hoben sich zu einem vertrauten Lächeln. Sie legte ihre Hand auf seinen Arm. Er sah, wie abgemagert ihre Finger waren, und schwor sich, so etwas nie mehr zuzulassen. Wenn sie erst innerhalb der Stadtmauern in Sicherheit waren, dann würde er ihr schwören, sie nie wieder zu verlassen. Er würde sie bitten, ihn nie wieder zu verlassen. Aber hier und jetzt galt es, Otto nicht die Genugtuung zu bieten und ihm die Illusion zu lassen, er hätte ihnen etwas zu befehlen. Auf keinen Fall durfte er in seiner Gegenwart auch nur die geringste Schwäche zeigen.

Judith musste dasselbe denken. Sie ging neben ihm auf die Stadtmauern zu. Ohne zu zögern, ohne es versuchen zu müssen, passten sich ihre Schritte den seinen an, bis sie in einem einzigen Rhythmus das Stadttor erreichten. Nur die Finger auf seinem Arm, die sich mit jedem Schritt tiefer in sein Fleisch pressten, verrieten, was in ihr vorging.

»Irre ich mich«, sagte Judith leise, während Walther hörte, wie im Inneren die Riegel der Pforte zurückgeschoben wurden, um zwei Menschen durchzulassen, »oder haben wir gerade Abschied genommen von dem Kaiser, den wir gestürzt haben, du und ich?« An diesem schläfrigen Septembernachmittag konnte noch niemand sagen, ob die friedliche Übernahme von Konstanz nicht ein einmaliger Erfolg gewesen war und ob Otto nicht recht hatte mit seiner Prophezeiung, in einem Jahr fester im Sattel zu sitzen denn je, während sie beide auf der Straße bettelten. Aber das wäre die Sache wert gewesen.

Walther dachte daran, was sie bereits erreicht hatten. Mit der gleichen Überzeugung, die ihn vor Jahren, als er in Friedrichs Alter gewesen war, nach Wien gebracht hatte, als junger Niemand, der trotzdem wusste, dass er der berühmteste Sänger des Reiches werden würde, wuchs in ihm die Gewissheit, dass Konstanz nur der Anfang für das Ende des Welfen gewesen war. Otto hatte begonnen, zu verlieren, und er würde nicht mehr damit aufhören, bis er einsam und verlassen starb, während Friedrich zum Kaiser emporstieg.

Ob Friedrich dann die in ihn gesetzten Hoffnungen erfüllen würde oder nicht, das stand in den Sternen, aber das war ein Gedanke für die ferne Zukunft, nicht das Hier und Jetzt.

»Mein Schatz«, entgegnete er und zog sie näher, »ich glaube, das haben wir.«

Von der Stadtmauer aus hörte er in einiger Entfernung Ottos Leute die Befehle brüllen, sich wieder einzuschiffen. Neben sich konnte er die blasse Nase einer der Stadtwachen sehen. Als er sich noch einmal zum See umdrehte, konnte er eine Gestalt ausmachen, die ihn und Judith immer noch beobachtete. Ob es sich nun um Otto handelte oder nicht, war nicht zu erkennen. Auch Judith sah ihn, und ehe sich Walther es versah, schlang sie ihre Arme um seinen Hals, zog ihn an sich und küsste ihn, als gälte es, seinen Atem zu trinken. Er schmeckte das Salz alter Tränen und die Hoffnung auf die Zukunft auf ihren Lippen und wusste, dass es keine Rolle spielte, ob sie als Nächstes Kaiser, Päpste oder Himmel und Hölle gleichzeitig auf den Fersen haben würden. Nichts davon konnte ihn mehr schrecken.

Sie hatten einander wieder.

NACHWORT

Ich han min lehen, al die werlt, ich han min lehen!« Dieser Jubelruf von Walther von der Vogelweide darüber, dass ihm Friedrich II. ein Lehen in der Nähe von Würzburg gab (zumindest gibt es Hinweise darauf, auch wenn andere Städte das Privileg für sich beanspruchen), waren die ersten Zeilen Walthers, die ich bewusst las, von diversen Übertragungen von *Unter den Linden* einmal abgesehen.

Walther erhielt sein Lehen mutmaßlich 1217, auf jeden Fall jedoch vor 1220, und starb um 1230. Wie so vieles in Walthers Leben liegt das genaue Todesdatum im Dunkeln, obwohl sein mögliches Grab heute noch Besuchern in Würzburg gezeigt wird. Obwohl kaum ein zweiter Minnesänger so viel von seiner eigenen Persönlichkeit in seine Gedichte bringt, wissen wir von Walthers Leben sehr, sehr wenig, noch nicht einmal den Geburtsort – Südtirol, Franken, Böhmen und sogar Frankfurt streiten sich um die Ehre –, was ihn andererseits zu einem idealen Romanhelden macht. Fest steht jedenfalls, dass er lange vor Luther Verfehlungen innerhalb der Kirche scharf anprangerte, Ritter, Grafen, Herzöge, Könige, ja Kaiser und Päpste angriff in einer Zeit, als ein Starker einen Schwächeren aus einer Laune heraus um Hand, Zunge oder seinen Kopf bringen konnte. Ein Wunder, dass er sechzig Jahre wurde.

Meine Romanheldin Judith dagegen ist erfunden, nicht hingegen die Schule von Salerno und die *mulieres Salernitanae*, die weiblichen Heilerinnen, die dort studierten und ihren Beruf ausübten. Aus der Zeit zwischen dem 11. und dem 15. Jahrhundert sind zahlreiche Namen von Ärztinnen aus Salerno überliefert: Trota oder Trotula war die berühmteste; ihr bekanntestes Werk, *De mulierum passionibus ante, in et post partum,* ist auch die Quelle für die meisten medizinischen Behandlungsmethoden, deren Judith sich in meinem Roman bedient. In Frankfurt am Main und

Mainz sind im 13. Jahrhundert fünfzehn Ärztinnen nachgewiesen. Zu den drei Augenärztinnen unter ihnen gehörte die Jüdin Zerlin, die aktenkundig wurde, weil man ihr gestattete, außerhalb des Ghettos zu wohnen; das vierte Lateranische Konzil von 1215 schrieb jüdische Viertel neben einer ganzen Reihe weiterer Auflagen für Juden vor; zum Handlungszeitraum des Romans galten sie dagegen noch nicht.

Bis auf den Wiener Münzmeister Salomon, der tatsächlich auf die im Roman beschriebene Weise ums Leben kam, sind alle Familienmitglieder von Judith ebenfalls erfunden. Ich hatte daran gedacht, sie zur Nichte des getauften, ehemals jüdischen Münzmeisters Constantin von Köln zu machen, der gemeinsam mit dem Weinhändler Gerhard Unmaze tatsächlich entscheidenden Einfluss auf die Unterstützung Kölns für Otto als deutschen König hatte, aber eine frei erfundene Figur wie Stefan bot mir einen freieren Handlungsspielraum.

Von 1212 an verlor Otto stetig an Territorium; bei der Schlacht bei Bouvines 1214, die eigentlich ein Teil des englisch-französischen Krieges war, erlitt er eine so vernichtende Niederlage, dass er sich endgültig geschlagen gab. Otto starb 1218 macht- und bedeutungslos; wie der Augenzeugenbericht eines Zisterziensers erzählt, ließ er sich während seiner letzten Tage wiederholt von Priestern mit Weidenruten und Geißeln auspeitschen, um vor seinem Tod noch entsühnt zu werden. Einen derartigen Tod würde man als Romanautorin kaum zu erfinden wagen, genau wie andere Unwahrscheinlichkeiten, die uns die Historie bietet, angefangen von Richard Löwenherz' Gefangennahme in einer Schenke bei Wien bis hin zu Friedrichs Ankunft in Konstanz knapp vor Otto, bei der er tatsächlich das für Otto von dessen eigenen Quartiermachern zubereitete Festmahl aß.

Es war eine unwahrscheinliche Zeit. Vielleicht ist der Umstand, dass uns so viele von Walthers Gedichten erhalten sind, das Ungewöhnlichste von allen. Wo auch immer er geboren wurde und starb, aus ihnen tritt er plastisch hervor, scharfzüngig wider

Päpste, Klerus und Adel, auf das Konzept der unerwiderten Liebe ebenso wetternd wie über unaufmerksame Zuhörer, einmal diesen, einmal jenen König preisend und keine Minute lang zweifelnd, dass seine Dichtungen und Lieder es immer wert waren, gehört zu werden. Damit sei ihm auch diesmal das letzte Wort gegönnt, denn wer könnte sich besser von dem geneigten Leser verabschieden als er?

Ich hab mein Lehen, alle Welt! Ich hab mein Lehen.
Nun fürcht' ich nimmermehr den Winter an den Zehen,
Und will die geiz'gen Herren umso weniger flehen.
Der edle, milde König hat mich so beraten,
Dass ich den Sommer Lust und in dem Winter Wärme hab.
Die Nachbarn wenden sich nicht ferner von mir ab
Und nehmen mich nicht mehr als Schreckgespenst, wie
sonst sie taten.
Ich bin zu lange arm gewesen, ohne meinen Dank,
War überall voll Scheltens, dass mein Atem stank.
Den hat der König rein gemacht, dazu auch meinen Sang.

BIBLIOGRAPHIE

Thomas Bein: *Walther von der Vogelweide*. Reclam, Stuttgart 1997. / Peter Csendes: *Philipp von Schwaben*. Primus Verlag, Darmstadt 2003. / Christoph Cormeau (Hg.): *Walther von der Vogelweide. Leich, Lieder, Sangsprüche*. 14. völlig neu bearb. Auflage der Ausgabe Karl Lachmanns mit Beiträgen von Thomas Bein und Horst Brunner, Berlin 1996. / Konrad Goehl (Hg., Übersetzer): *Die Frauen von Salerno*. Deutscher Wissenschafts-Verlag, Baden-Baden 2010. / Konrad Goehl (Hg., Übersetzer): *Mittelalterliche Gesundheitsregeln aus Salerno*. / Heinrich Graetz: *Volkstümliche Geschichte der Juden*. Deutscher Taschenbuch Verlag, München 1982. / Monica H. Green (Hg., Übersetzerin): *The Trotula*. University of Pennsylvania Press, Philadelphia 2001. / Matthias Hackemann (Hg.): *Carmina Burana*. Anaconda 2009. / Holzapfel, Theo: *Papst Innozenz III., Philipp II. August, König von Frankreich und die englisch-welfische Verbindung, 1198-1216*. / Eberhard Horst: *Friedrich der Staufer*. Claasen, Düsseldorf 1975. / Bernd Ulrich Hucker: *Otto IV*. Insel, Frankfurt am Main 2003. / Karl Kinzel (Übers.): *Walther von der Vogelweide und Des Minnesangs Frühling*. Verlag der Buchhandlung des Waisenhauses, Halle 1890. / Krieb, Steffen: *Vermitteln und Versöhnen. Konfliktregelung im deutschen Thronstreit 1198–1208*. Böhlau, Köln 2000. / Eric Marzo-Wilhelm: *Walther von der Vogelweide – zwischen Poesie und Propaganda*. Peter Lang Verlag, Frankfurt am Main 1998. / Matthias Nix: *Untersuchungen zur Funktion der politischen Spruchdichtung Walthers von der Vogelweide*. Kümmerle, Göppingen 1993. / Siegfried Obermaier: *Walther von der Vogelweide: Der Spielmann des Reiches*. Rowohlt, Reinbeck bei Hamburg 1992. / Karl Panier (Übers.): *Walther von der Vogelweide – Sämtliche Gedichte*. Reclam, Leipzig 1876. / Karl-Heinz Rueß: *Alltag in der Stauferzeit*. Göppingen 2005. / Ernst Schubert: *Essen und Trinken im Mittelalter*. Primus Verlag, Darmstadt 2006. / Maike Vogt-Lüerssen:

Der Alltag im Mittelalter. Books on Demand, Norderstedt 2006. / Paul Wilpert (Hrsg.): *Judentum im Mittelalter.* Walter de Gruyter & Co., Berlin 1966.

Trank man im Mittelalter wirklich
zwei Liter Wein am Tag?

Wurden Frauen im 12. Jahrhundert in Europa
bereits zum Studium zugelassen?

Und wer ist eigentlich der Verfasser
des Nibelungenlieds?

Viele weitere Informationen rund um
Tanja Kinkel und ihre Romane
finden Sie im Internet unter

www.droemer.de/nachtigall

Exklusives Bonuskapitel

Kostenlose Leseproben

Hintergrundberichte

Interviews

Veranstaltungen

Bücher